LE GRAND JAURÈS

DU MÊME AUTEUR

Romans

LE CORTÈGE DES VAINQUEURS, Laffont, 1972, et Le Livre de Poche.
UN PAS VERS LA MER, Laffont, 1973, et J'ai Lu.
L'OISEAU DES ORIGINES, Laffont, 1974, et J'ai Lu.
LA BAIE DES ANGES :
    I. LA BAIE DES ANGES, Laffont, 1975, et J'ai Lu.
    II. LE PALAIS DES FÊTES, Laffont, 1976, et J'ai Lu.
    III. LA PROMENADE DES ANGLAIS, Laffont, 1976, et J'ai Lu.
LA BAIE DES ANGES, 1 vol., coll. « Bouquins », Laffont, 1982.
QUE SONT LES SIÈCLES POUR LA MER, Laffont, 1977, et Le Livre de Poche.
LES HOMMES NAISSENT TOUS LE MÊME JOUR :
    I. AURORE, Laffont, 1978, et Le Livre de Poche.
    II. CRÉPUSCULE, Laffont, 1979, et Le Livre de Poche.
UNE AFFAIRE INTIME, Laffont, 1979, et Le Livre de Poche.
FRANCE, Grasset, 1980, et Le Livre de Poche.
UN CRIME TRÈS ORDINAIRE, Grasset, 1982, et Le Livre de Poche.
LA DEMEURE DES PUISSANTS, Grasset, 1983, et Le Livre de Poche.
LE BEAU RIVAGE, Grasset, 1985, et Le Livre de Poche.
BELLE ÉPOQUE, Grasset, 1986, et Le Livre de Poche.
LA ROUTE NAPOLÉON, Laffont, 1987, et Le Livre de Poche.
UNE AFFAIRE PUBLIQUE, Laffont, 1989, et Le Livre de Poche.
LE REGARD DES FEMMES, Laffont, 1991.
LA FONTAINE DES INNOCENTS, Fayard, 1992, et Le Livre de Poche.
L'AMOUR AU TEMPS DES SOLITUDES, Fayard, 1993.
LES ROIS SANS VISAGE, Fayard, 1994.

Histoire, essais

L'ITALIE DE MUSSOLINI, Perrin, 1964 et 1982, et Marabout.
L'AFFAIRE D'ÉTHIOPIE, Le Centurion, 1967.
GAUCHISME, RÉFORMISME ET RÉVOLUTION, Laffont, 1968.
MAXIMILIEN ROBESPIERRE, HISTOIRE D'UNE SOLITUDE, Perrin, 1968 et 1989, et Le Livre de
    Poche.
HISTOIRE DE L'ESPAGNE FRANQUISTE, Laffont, 1969, et Marabout.
CINQUIÈME COLONNE, 1939-1940, Plon, 1970 et 1980, et éd. Complexe, 1984.
TOMBEAU POUR LA COMMUNE, Laffont, 1971.
LA NUIT DES LONGS COUTEAUX, Laffont, 1971 et 1984.
LA MAFIA, MYTHE ET RÉALITÉS, Seghers, 1972.
L'AFFICHE, MIROIR DE L'HISTOIRE, Laffont, 1973 et 1989.
LE POUVOIR À VIF, Laffont, 1978.
LE XXe SIÈCLE, Perrin, 1979, et Le Livre de Poche.
GARIBALDI, LA FORCE D'UN DESTIN, Fayard, 1982.
LA TROISIÈME ALLIANCE, Fayard, 1984.
LES IDÉES DÉCIDENT DE TOUT, Galilée, 1984.
LE GRAND JAURÈS, Laffont, 1984, et Presses Pocket.
LETTRE OUVERTE À ROBESPIERRE SUR LES NOUVEAUX MUSCADINS, Albin Michel, 1986.
QUE PASSE LA JUSTICE DU ROI, Laffont, 1987.
JULES VALLÈS OU LA RÉVOLTE D'UNE VIE, Laffont, 1988.
LES CLÉS DE L'HISTOIRE CONTEMPORAINE, Laffont, 1989.
MANIFESTE POUR UNE FIN DE SIÈCLE OBSCURE, Odile Jacob, 1990.
LA GAUCHE EST MORTE, VIVE LA GAUCHE, Odile Jacob, 1990.
L'EUROPE CONTRE L'EUROPE, Le Rocher, 1992.
UNE FEMME REBELLE, VIE ET MORT DE ROSA LUXEMBURG, Presses de la Renaissance, 1992.

Politique-fiction

LA GRANDE PEUR DE 1989, Laffont, 1966.

Conte

LA BAGUE MAGIQUE, Castermann, 1981.

En collaboration

AU NOM DE TOUS LES MIENS, de Martin Gray, Laffont, 1971, et Le Livre de Poche

MAX GALLO

LE GRAND JAURÈS

ROBERT LAFFONT

Couverture : Photo EDIMEDIA

© Éditions Robert Laffont, S.A., Paris, 1984
ISBN 2-221-07846-2

*Pour mon père qui avec quelques autres
à Nice, le 8 mars 1913, défendit Jaurès
contre ceux qui voulaient l'empêcher de
parler.
Pour mon père qui se souvient encore de
cette réunion-là.
Pour que vive la mémoire.*

« Il n'y a pas de vérité sacrée, c'est-à-dire interdite à la pleine investigation de l'homme...
Ce qu'il y a de plus grand dans le monde, c'est la liberté souveraine de l'esprit. »

Jaurès,
Discours sur l'enseignement laïque,
11 février 1895.

« Plutôt la solitude avec tous ses périls que la contrainte sociale : plutôt l'anarchie que le despotisme quel qu'il soit. »

Jaurès,
in *La Revue socialiste*,
avril 1895.

« Car la route est bordée de tombeaux, mais elle mène à la justice. »

Jaurès,
in *L'Humanité*,
21 janvier 1914.

PROLOGUE

LES MÉMOIRES DE JAURÈS

Cet homme-là, Jean Jaurès, est né à Castres le 3 septembre 1859.

L'Empire, celui de Napoléon III, celui du coup d'Etat du 2 décembre 1851, venait d'étrangler la République et ouvrait la France, dans un grand tourbillon de spéculations, à la révolution industrielle.

Cet homme-là, « notre Jaurès, le Grand Jaurès », disaient les mineurs de Carmaux qui l'avaient élu député socialiste, est mort assassiné le 31 juillet 1914. Lui qui s'était efforcé d'empêcher le déclenchement de la guerre, il tomba comme un « héros tué en avant des armées [1] ». Mais — *mémoire des citations* — n'avait-il pas annoncé dès le 7 mars 1905 que le capitalisme « porte en lui la guerre comme la nuée dormante porte l'orage » ?

Cet homme-là, Jaurès le socialiste, après ce siècle des tempêtes où l'on vit surgir tant de révolutions, d'événements, se déployer, s'inverser tant d'idéologies, où tant d'hommes vinrent dans la fureur, enveloppés de crimes innombrables, occuper le devant de l'Histoire, Jaurès qui ne fut même pas secrétaire d'Etat, Jaurès dont, avec une commisération teintée de sympathie, les politiciens disaient : « C'est

---

1. « L'Histoire s'emparait, éplorée, alarmée / De ce héros tué en avant des armées », Anna de Noailles.

13

un enfant, un grand enfant[1] », Jaurès est toujours là, présent, presque familier.

Ce n'est parfois que la *mémoire des rues ou des places,* une plaque bleue : « Jean Jaurès, homme politique français, 1859-1914 », un boulevard dans une ville du Sud ou une esplanade bordée de platanes avec en son cœur un monument. *Mémoires des statues* : cet homme de bronze à la lourde tête comme posée directement sur les épaules, « les poings pleins d'idées[2] » brandis devant le visage large, la barbe carrée amplifiant l'impression de puissance, c'est lui, Jaurès. Comme toujours on l'a saisi alors qu'il parle : le menton levé, emporté par la passion, tribun inspiré qui improvise. Et la *mémoire des images,* ces photos prises à la Chambre des députés, où il se penche à la tribune vers l'hémicycle comme emporté par les mots qu'il lance, restitue le mouvement physique de la parole. On mesure dans ces clichés la volonté qu'exprime son visage empourpré par l'effort, si bien qu'un témoin parle de « tête de cuivre rouge ». Il séduit ou il tonne. « Une des voix les plus sublimes que la France et le monde aient connues », dit, en mars 1919, le chrétien Marc Sangnier, cité comme témoin au procès de Raoul Villain, l'assassin de Jaurès. Et Trotski au jugement implacable ajoute « qu'il mobilisait des forces cachées », et que l'ayant écouté à plusieurs reprises « chaque fois ce fut comme si je l'entendais pour la première fois ».

Mémoire de la voix : certains se souviennent encore de ce timbre grave marqué par la chaleur méridionale que révélait une pointe d'accent. Enfant, ils étaient parmi ceux qui se pressaient devant l'hôtel de ville du Pré-Saint-Gervais, foule masculine où dominaient les canotiers. Et Jaurès est à la fenêtre du premier étage. Il parle, bien sûr, le bras gauche levé, interpellant la foule, comme s'il dialoguait de près, avec quelqu'un en particulier, qu'il dévisage. Et aujourd'hui, plus de soixante-dix ans ont passé, l'enfant se souvient. Peut-être était-ce à lui que Jaurès avait choisi de s'adresser, parlant comme on se donne. Il y faut une voix ample qui porte loin, parce que, par exemple, le 25 mai 1913, au Pré-Saint-Gervais encore, il y a, rassemblées autour de Jaurès, près de 150 000 personnes. Il est en chapeau melon, mains tendues en avant, debout entre les drapeaux rouges coiffés du bonnet phrygien. Vers lui convergent tous les regards. Il veut se faire entendre de tous, de ceux aussi qui sont dispersés dans les champs. Pas de micro ou de haut-parleur, la voix

---

1. Ribot Alexandre (1842-1923), ministre à plusieurs reprises, président du Conseil.

2. Jules Renard.

seulement, qu'il faut aller chercher au fond de soi, ces mots d'intelligence et de conviction, qui doivent démontrer et en même temps qu'il faut envoyer loin, jusqu'à ces monticules où la foule plus clairsemée, les femmes sous des ombrelles, la foule attentive les saisira pour les répandre.

Mémoire de l'épuisement de Jaurès, après ces actes — les discours — où il brûle tout entier, corps et esprit. Il peut parler trois heures, descendre de la tribune, « défait, aphone, rapetissé ». Ainsi le décrit Maurice Barrès, le 25 juin 1909, lors d'une séance de la Chambre des députés.

Durant des semaines — en janvier 1901 —, il perdra la voix, atteint d'une infection de la gorge et ce n'est pas le cache-nez qu'il serre autour de son cou qui le protégera de la fumée des salles glacées ou étouffantes où il parle, parle, parle encore.

Mémoire du tribun qu'il fut, de l'inquiétude que cet effort sans cesse renouvelé suscitait chez ses proches : « Il me fait peur », disait sa femme, Louise, qui refusait pour cela d'assister à ses réunions. « Il me fait peur ; à la fin, il a l'air d'un mort. »

Mais *mémoire aussi du silence* auquel on veut le contraindre. On le tuera pour étouffer sa voix. Mais avant, combien de meetings que ses adversaires tentèrent d'interrompre ? Et ma *mémoire familiale* inscrit un souvenir de Jaurès. Mon père me racontait comment, en 1913 — c'était, j'ai retrouvé la date depuis dans la *mémoire écrite* qu'est l'Histoire, le 8 mars —, à Nice, les jeunes gens inscrits dans des sociétés de gymnastique, ceux des patronages encadrés par les prêtres envahirent la salle où Jaurès devait parler contre la loi portant le service militaire à trois ans.

Mémoire de la haine. Devenu socialiste, mon père évoquait régulièrement cette réunion, me décrivant ce groupe d'hommes dont il faisait partie, qui, sur la scène, protégeait Jaurès cependant que dans la salle les jeunes gens encadrés par des Camelots du roi s'époumonaient dans des sifflets à roulette qu'on leur avait distribués. Jaurès dut quitter la réunion sans avoir pu se faire entendre. Quelques mots pourtant que mon père avait saisis, et dont il se souvenait encore soixante-dix ans plus tard, quelques mots lancés comme un défi, constat désolé, sans amertume : « Ils vivent de l'étranger et ne veulent pas la paix entre les nations. » Mais les insultes fusaient. Jaurès était une « fille » vendue à l'empereur d'Allemagne. Et Charles Péguy, le poète, s'indignait et annonçait : « Dès la déclaration de guerre, la première chose que nous ferons sera de fusiller Jaurès. Nous ne laisserons pas derrière nous ces traîtres pour nous poignarder dans le dos. » Haine, haine, appel à tuer : « Nous ne voudrions déterminer personne à l'assassinat politique, mais que M. Jaurès soit pris de tremblements ! » écrit Léon Daudet dans *L'Action française* du 23 juillet 1914. Huit jours plus tard, celui que la presse nationaliste et conservatrice appelle Herr Jaurès est assassiné par Raoul Villain. Et tout est dit par Villain dans une lettre à son frère du 10 août 1914, l'aveuglement de la passion haineuse et l'autosatisfaction : « Si tu étais fantassin, écrit donc Villain, tu verrais ce qu'est un drapeau pris et pour ceux qui l'ont pris et pour ceux qui ne l'ont plus. J'ai donc abattu le grand porte-drapeau, le grand traître de l'époque de la loi de trois ans, la grande gueule qui couvrait tous les appels de l'Alsace-Lorraine, je l'ai puni et c'était un symbole de l'heure nouvelle et pour les Français et pour l'étranger... C'est donc en toute satisfaction de conscience que je vivrais si je n'avais le regret de n'avoir pénétré le premier sur la terre d'Alsace... »

Mémoire de la préméditation du crime contre Jaurès.

Mémoire de l'indignation quand, le samedi 29 mars 1919, tomba le verdict de la cour qui juge l'assassin de Jaurès : acquittement par onze voix contre une. Et sur les douze jurés, on ne compte qu'un seul salarié. La veuve, Mme Louise Jaurès, partie civile, est même condamnée aux dépens.

« L'assassin de Jaurès est déclaré non coupable, écrit Anatole France. Travailleurs ! (...) un verdict monstrueux proclame que son assassinat n'est pas un crime. Ce verdict vous met hors la loi... »

Mémoire d'une injustice restée au cœur de ceux dont Jaurès s'était fait le défenseur. Leur révolte, leur émotion, la poésie ou la littérature l'exprime. *Mémoire des mots*. Anna de Noailles écrit au lendemain de l'assassinat :

> *J'ai vu ce mort puissant le soir d'un jour d'été*
> *Un gisant solennel. Une table à côté :*
> *La gloire qui dormait près de la pauvreté*
> *J'ai vu ce mort auguste et sa chambre économe*
> *La chambre s'emplissait du silence de l'homme*
> *L'atmosphère songeuse entourait de respect*
> *Ce dormeur grave en qui s'engloutissait la paix.*

Plus tard, un compositeur populaire — Jacques Brel — questionnera dans une chanson :

LES MÉMOIRES DE JAURÈS

> *Demandez-vous belle jeunesse*
> *Le temps de l'ombre d'un souvenir*
> *Le temps du souffle d'un soupir*
> *Pourquoi ont-ils tué Jaurès*
> *Pourquoi ont-ils tué Jaurès.*

Ce refrain, on l'entend dans les réunions comme la complainte nostalgique qui tente de dire l'indicible tristesse de ce 31 juillet 1914, quand des millions d'hommes pleurèrent en apprenant l'assassinat du Grand Jaurès, leur Jaurès. *Mémoire de l'affection.* L'ouvrier mineur Calvignac, devenu maire de Carmaux, tombe à genoux au milieu de la nuit, lorsqu'on lui annonce la nouvelle. Et certains confient : « Voyez-vous, Jaurès, nous l'aimions, je crois comme les disciples aimaient le Christ [1]. »

Et l'écrivain Léon Bloy, dont la haine ne désarme pas, peut bien écrire dans son journal : « Assassinat de Jaurès, hier soir. Se trouvera-t-il quelqu'un pour pleurer ce malfaiteur ? » Ils sont innombrables ceux qui, ouvriers, instituteurs, paysans, sanglotèrent ce soir-là.

C'est parce qu'ils sont cette force indignée que, en 1924, pour leur rendre justice et se servir du prestige de Jaurès, le gouvernement du Cartel des gauches décide le transfert du corps du tribun au Panthéon. *Mémoire officielle* que Jaurès ne désirait pas.

Aristide Briand raconte que, un jour, il s'était trouvé avec Jaurès au Panthéon. « Cette visite nous produisit, dit-il, à Jaurès et à moi, une impression effroyable de temple obscur et vide. Aussi, quand nous nous retrouvâmes sur la place ensoleillée du Panthéon, Jaurès me dit : " Il est certain que je ne serai jamais porté ici. Mais si j'avais le sentiment qu'au lieu de me donner pour sépulture un de nos petits cimetières ensoleillés et fleuris de campagne, on dût porter ici mes cendres, je vous avoue que le reste de ma vie en serait empoisonné. " »

Il ne le sut pas. Il ne le crut pas. Imaginait-il qu'à Castres, sa ville natale, on ouvrirait un musée Jaurès, *mémoire de la mémoire ?* Que des historiens créeraient une Société d'études jaurésiennes, que des livres par centaines, des articles, des thèses viendraient constituer une *mémoire savante.* Mais à tout cela, sans aucun doute, il eût préféré cette *mémoire des convictions,* cette *mémoire de la fidélité* qui témoigne que les mots qu'il a semés ont germé.

A Carmaux, depuis qu'un maire socialiste — Calvignac, son ami — fut élu en 1892, jamais la mairie n'a changé de couleur. En mars

---

1. In *L'Arrière-Pensée de Jaurès,* Henri Guillemin, Gallimard, 1968, p. 215.

1983, dans une période de reflux, c'est encore un maire socialiste que 72 % des électeurs choisissent.

Mémoire ouvrière, mémoire des partis aussi.

L'Humanité, le journal qu'il lança le 18 avril 1904, porte encore, à son sommaire, la précision : « Fondateur : Jean Jaurès », comme un titre de gloire. Et pourtant, entre le parti communiste, dont *L'Humanité* est l'organe central, et la pensée de Jean Jaurès, le fossé est immense.

Mémoire détournée? Le débat est déjà ancien. Le 31 juillet 1924, quand le Cartel des gauches organise la cérémonie du Panthéon, un député communiste proteste contre cette « manœuvre politique socialiste destinée à accaparer au profit du socialisme en pleine trahison le prestige de celui qui avait été assassiné parce qu'il incarnait la fidélité au socialisme ».

Dispute autour d'une mémoire? Léon Blum, le leader socialiste proche de Jaurès, répond avec émotion : « Nous étions à lui, dit-il, mais il était à nous. Il était à notre parti, il était notre pensée, il était notre doctrine. Nous le gardons pour nous, nous, socialistes français, tout en le gardant, nous le remettons à la nation et à l'Histoire. »

A qui appartient donc Jaurès ? A qui peut servir sa mémoire ? Comme des héritiers qui s'opposent, communistes et socialistes ont voulu s'approprier sa dépouille, se grandir en montant sur ses épaules.

A qui, Jaurès ?

La réponse devrait être facile. Il a créé, donné à la mémoire collective les aliments indestructibles que sont les idées. Mais cette mémoire-là, la plus précieuse, cette *mémoire des textes* de Jaurès est sans doute la moins présente. Et c'est pourquoi il y a eu, il y a, captation d'héritage ou bien dilapidation.

Le tribun, le député, le militant socialiste assassiné ont en effet masqué le penseur inventif, l'intellectuel rigoureux et généreux, le philosophe qui soutient en 1892 en Sorbonne, lui qui fut déjà normalien et agrégé — cursus classique donc d'universitaire —, ses thèses. L'une, la principale, sur « la réalité du monde sensible », l'autre, la thèse complémentaire en latin sur « les origines du socialisme allemand ». *Mémoire estompée,* même chez les spécialistes, plus vive quand il s'agit de Jaurès auteur d'une *Histoire socialiste de la Révolution française.* Qui oserait, pourtant, prétendre que Jaurès est reconnu comme un intellectuel égal aux plus grands, mêlant d'une manière on ne peut plus moderne la réflexion et l'action, l'engagement politique à la perpétuelle interrogation sur le sens de l'Histoire et de l'homme ? Sait-on que ses œuvres complètes

18

représenteraient quatre-vingts à quatre-vingt-dix volumes de quatre cents pages chacun ?

Mémoire incomplète, donc, comme si l'on pouvait dire de Jaurès ce que lui-même écrivait du peuple, qu'il était un « noir récif submergé ».

Peut-être malgré le Panthéon, le musée de Castres, la Société des études jaurésiennes, le souvenir du politique et l'éclat de sa disparition violente sont-ils si forts, que l'intellectuel Jaurès restera pour le plus grand nombre toujours « submergé ».

Et pourtant, la *mémoire des idées,* tout à coup, fait surgir la modernité et la limpidité de la pensée. Qui dit : « Le premier des droits de l'homme, c'est la liberté individuelle, la liberté de la propriété, la liberté de la pensée, la liberté du travail » ? Qui dit : « C'est l'individu humain qui est la mesure de toute chose » ? Qui écrit le 2 janvier 1893 : « Nous sommes un parti vivant. Nous comprenons la complexité de la vie, et nous poursuivons notre œuvre de justice non dans le vide mais au travers des réalités » ? Jaurès, Jaurès traitant les problèmes concrets sans jamais oublier de poser les questions théoriques qu'ils impliquent.

Quand Léon Blum, le 31 juillet 1917, dans une conférence prononcée en pleine guerre au palais des Fêtes, rue Saint-Martin à Paris, déclare qu'il « faut élever à la mémoire de Jaurès un monument plus durable que les commémorations annuelles », et qu'il ajoute : « Nous montrerons qu'il ne fut pas seulement le maître reconnu de la parole, mais un des plus hauts penseurs, un des plus puissants historiens, un des plus grands écrivains, un des plus grands poètes dont la France ait jamais pu s'honorer », qui pourrait prétendre que cela a été fait ?

Certes, Jaurès passe peut-être plus qu'aucun autre personnage politique français, sinon Napoléon, dans de nombreux romans — *mémoire littéraire* —, et parmi les plus illustres du xxᵉ siècle. Roger Martin du Gard, Jules Romains, Aragon le décrivent dans l'année 1914 (*Les Thibault, Les Hommes de bonne volonté, Les Beaux Quartiers*) ou au temps des *Cloches de Bâle.* Les romanciers ont perçu tout ce qu'il y avait de symbolique pour la société française dans la personnalité de Jaurès, qui en exprimait, avec une sève inégalée depuis, toute une face. Et — *mémoire personnelle* — mon expérience de romancier désireux de saisir le tournant du siècle me prouve que l'on est contraint si l'on veut décrire ce temps de rencontrer Jaurès. J'ai donc moi aussi mêlé Jaurès à mes héros.

Pourtant, cette *mémoire de l'imaginaire* ne suffit pas. Jaurès est encore embaumé, victime des circonstances et de la division qui, après le congrès de Tours, sépare les communistes — qui se veulent et se disent révolutionnaires — des socialistes, restés à la « vieille maison » et accusés de trahir l'idéal.

Les communistes ont statufié Jaurès. Ils l'ont honoré pour mieux le vider de sa singularité, de cette originalité qui n'était pas d'un « prémarxiste » encore tâtonnant sur le chemin du « socialisme scientifique », mais bien d'un philosophe qui avait lu Marx, l'avait assimilé et se trouvait déjà au-delà. La droite après l'avoir insulté et calomnié s'est contentée du silence, ou bien elle a fait de Jaurès un généreux, naïf et maladroit emporté par ses illusions et après tout victime de ses utopies. Elle ne le combat plus, elle l'étouffe sous les éloges polis, essayant même parfois d'effacer le socialisme de sa pensée. Les socialistes, soumis à cette double pression idéologique, n'ont peut-être pas su le défendre comme il fallait, c'est-à-dire décaper sa statue et découvrir dans ce Jaurès à vif, dans ce Jaurès vivant donc, le vrai visage du socialisme français.

Mémoire de Jaurès, victime des errements et des hésitations des socialistes, des habiletés communistes et de la timidité de bien des historiens fascinés par le modèle bolchevik.

Alors, revenir au Grand Jaurès ? Le moment historique rend la démarche nécessaire. Il faut ouvrir toutes les mémoires sans *a priori.* Et pour cela, avancer avec Jaurès le long de sa vie, « tenter d'élever à sa mémoire un de ces livres... où à travers l'histoire d'un homme transparaît et s'éclaircit l'histoire d'un temps » (Léon Blum).

Et commencer à Castres, au confluent de l'Agout et du Thoré, au pied des monts du Sidobre et de la montagne Noire, dans ce paysage de collines grasses que domine le Massif central. Là, les hommes depuis la plus lointaine préhistoire ont inscrit leurs pas, inventé l'agriculture, modelé le paysage, su utiliser plusieurs terroirs, celui de la montagne et de la plaine, du calcaire, du granit et de l'alluvion, pays du Grand Jaurès. Là, les paysans ont le parler occitan. Là, la revendication libertaire est le sang même d'une civilisation qui a refusé de se soumettre aux orthodoxies. Là est un pays d'indépendance.

Et Jean Jaurès y naît, à Castres, un 3 septembre 1859. Napoléon III règne, on le sait.

I

COMMENT ON DEVIENT UN HOMME
(1859-1885)

Chapitre premier

L'enfant et l'élève dans son pays
(1859-1876)

Septembre, le mois de la naissance de Jaurès, est, dans le pays de Castres, le temps de l'apaisement.

Les orages s'espacent. Au vent chaud, irritant comme s'il était chargé de mille pointes acérées, succède un souffle frais. Il fait beau. Le paysage est doré, tels ces fruits mûrs qui plient les branches des arbres plantés en bordure des champs. Ils délimitent les parcelles, séparent les couleurs, l'or sombre des chaumes, le vert soutenu des prairies, le pointillé contrasté des alignements de la vigne. Souvent, ils jalonnent ces sentiers que Jean Jaurès et son frère Louis parcouraient. Lui, Jean, on l'appelait « le gros », le visage poupin, blond, les cheveux bouclés, enfant résolu et rêveur cependant, entraînant son cadet Louis, plus maigre, qu'on surnommait « le roux ». Ils allaient de la ferme parternelle de Fédial-Haute à Castres, distante de trois kilomètres. Là, en ville, Jaurès est né, dans une maison basse aux volets de bois. Trois marches pour accéder à la porte d'entrée dont les battants presque noirs tranchent sur la façade grise et austère de cette bâtisse modeste, sise rue Réclusane, une voie étroite, au numéro 5.

Dans le registre des actes de baptême de la paroisse de Saint-Jacques-de-Villegoudou, à Castres, on lit que : « L'an 1859, le 6 septembre, a été baptisé, en cette paroisse, Auguste-Marie-Joseph-Jean, né le 3 courant à midi, fils de Jean-Henri-Jules Jaurès et de dame Marie-Adélaïde Barbaza, demeurant rue Réclusane. »

Un an plus tard, vint Louis, mais lorsqu'une petite fille — Adèle

23

— eut succombé quelques semaines après sa naissance, les Jaurès s'installèrent à la Fédial, à la ferme.

Jaurès fut donc un enfant des champs, de ceux qui connaissent le parfum des blés, la lenteur puissante des charrois, l'obstination qu'il faut pour manier la faux, vite avant l'orage. Il apprit le rythme ample des travaux de la terre, ce recommencement patient et têtu, cette nécessité de creuser profond le labour, jusqu'au bout du champ. Il sut la joie de la moisson, les générosités et les violences de la nature dans cette région contrastée quand, l'été, en fin d'après-midi, se forme l'orage, et que la grêle cisaille les blés et saccage les vignes. Il est le fils, Jaurès, de ce paysage où les hauteurs rugueuses de la montagne Noire, du Sidobre ou des monts de Lacaune barrent l'horizon au sud et à l'est. Il vient de cette terre travaillée savamment par une polyculture minutieuse, fruit de la riche histoire des pays du Sud. En quelques kilomètres, il a appris à passer des pentes du Massif central où paissent les moutons, à ces bords de l'Agout ou du Thoré, à ces collines où l'on jardine et où la vigne s'accroche.

Cette région, lentement, en ce milieu du xixᵉ siècle, sortait de l'immobilité obstinée des mondes ruraux. A Castres, le long de l'Agout on travaillait la laine. Dans les vallées, de petites industries utilisaient les produits du pays, le cuir ou le bois. Plus au nord, vers Carmaux, surgissait une industrie sidérurgique avec ses hauts fourneaux et ses mines. Les paysans devenaient ouvriers, mineurs. Ils s'embauchaient dans une fabrique de bouteilles et des ateliers mécaniques œuvrant pour la construction navale. Développement industriel modeste, prolétariat naissant, mi-rural mi-ouvrier, dominé par les maîtres issus de la noblesse terrienne locale, ainsi ce marquis de Solages, seigneur de Carmaux, tenant chaque famille dans sa poigne.

Ce mouvement de transformation, seulement esquissé, laissait le paysage rural indemne, mais favorisait déjà l'exode vers les villes. Castres ou Carmaux voient ainsi leur population atteindre près de 20 000 habitants. Et le Second Empire incite, par toute une législation favorable, à ce développement. Les banques, les sociétés à responsabilité limitée, l'usage du chèque aussi (1865) se répandent jusque dans le Tarn, à Castres, où la famille Jaurès revient passer l'hiver. Une stabilité séculaire commence à basculer. Et Jaurès est aussi fils de ce temps qui bouge.

Certes, à regarder passer les charrois, à suivre le lent déhanchement des bœufs attelés, à se mêler aux travaux des champs avec son frère, Jean Jaurès a surtout la vision d'un monde campagnard qui demeure immobile. Les paysans sont de petits propriétaires qui vivotent en économie fermée sur quelques hectares. Jaurès les voit, leur parle, participe aux vendanges ou à la moisson, plus maladroit que Louis, mais heureux de cette activité qui lui fait partager le travail. Il apprend l'effort des hommes. Sa culture ne sera pas seulement une accumulation de mots et d'idées, d'abstractions, mais aussi cette connaissance vécue de la peine et de la joie paysannes, de l'incertitude quotidienne qui fait lever la tête vers le ciel — pluie, grêle ? —, de l'assurance, pourtant, dans cette région généreuse, qu'il y aura toujours un morceau de pain et de lard sur la table ; de même qu'une bouteille de vin. Il aimera cette communion des repas abondants apprise dans les fermes.

La Fédial avec ses six hectares de bonne terre est d'ailleurs typique des exploitations du pays. La maison est trapue, prolongée par une étable et un hangar où l'on remise les outils et les charrettes. Les tuiles romaines des toits disent qu'on est dans un pays de civilisation occitane, le Midi languedocien, terre de Résistance, pays d'hérésie qui s'opposa longtemps à la volonté monarchique associée au pouvoir de l'Eglise. Jaurès, assis sur la margelle du puits devant la maison de Fédial, apprenant là ses leçons, regardant le paysage, s'imprégnera aussi de cette tradition d'indépendance assise sur la propriété individuelle du sol.

C'est Jules Jaurès, le père de Jean, qui a fait construire la Fédial. Mais ce n'est pas un paysan. Il n'est revenu à la terre qu'après avoir tenté d'autres métiers. Il a été négociant, transportant de Beaucaire à Castres les produits qu'il vendait ensuite sur les marchés du Tarn. En ce temps où se dessine le réseau routier, il a fait des charrois pour les Ponts et Chaussées, livrant le gravier et le sable. On voit l'homme, habitué à parler fort, à boire sec comme il le faut dans les auberges au long des routes quand on trinque entre routiers. Athlétique aussi, parce qu'on décharge soi-même parfois, et qu'il faut toujours prendre le sac ou la pelle. Longtemps célibataire, bien sûr, puisqu'on va passer de foire en foire, et qu'on n'a pas le temps de se fixer.

A trente-trois ans pourtant — Jules Jaurès est né en 1819 —, il est installé rue Réclusane. La fille du propriétaire de la maison du numéro 5, Marie-Adélaïde Barbaza, a trente ans. Elle exprime le calme, la douceur, la bonté mais aussi l'indépendance. Elle s'éprend de ce « bel homme » qui porte sur lui une odeur d'aventure. Il est le mouvement, l'ailleurs. Et c'est vrai de toute sa famille. Les Jaurès viennent de la montagne Noire, de Dourgnes, non loin de la vallée du Jaur à laquelle ils doivent sans doute leur nom. Les Jaurès étaient paysans, mais peu à peu ils sont devenus « négociants » par le biais du travail de la laine, et le grand-père de Jean Jaurès s'est installé à Castres au début du XIXᵉ siècle. Là est né Jules Jaurès.

Mais cette famille paternelle de Jean Jaurès est ouverte sur l'exceptionnel. Un Mᵍʳ Alexis Saussol, évêque de Sées, fut un cousin germain des Jaurès. Surtout, les deux oncles de Jean furent entraînés par l'histoire nationale, échappant ainsi au cadre provincial. Fils de négociant, eux aussi, ils aspiraient à élargir leur horizon. L'un et l'autre furent amiraux. Le premier, Jean-Louis-Charles Jaurès, né en 1808, mort en 1865, participa à la prise d'Alger puis aux campagnes d'Indochine et de Chine. Le second, Benjamin-Constant Jaurès, né en 1823, ne mourut qu'en 1889, alors qu'après une carrière glorieuse (Crimée, Italie, Annam, guerre de 1870) il était ministre de la Marine.

On sait la place que les oncles occupent dans l'univers familial. Le père de Jaurès était le moins glorieux des hommes de la lignée. Les Barbaza le savaient, et c'est avec réticence qu'ils accordèrent la main de Marie-Adélaïde à ce Jules Jaurès, leur locataire.

Le mariage eut lieu en 1852. Et les cousins prestigieux de Jules Jaurès envoyèrent leurs félicitations, ils étaient loin.

Les Barbaza, au contraire, étaient hostiles mais présents. Eux incarnaient l'enracinement dans la province, le sérieux économe des fabricants de drap. Le père d'Adélaïde était conseiller municipal de Castres. Son grand-père maternel, Joseph Salvayra, avait été maire adjoint de la ville et professeur de « belles-lettres », c'est-à-dire aussi de philosophie au collège Bonhomme, l'établissement d'enseignement de la cité. Un cousin, Louis Barbaza, ancien élève de Saint-Cyr et officier, avait été grièvement blessé durant la guerre de Crimée. Pour le récompenser, le pouvoir impérial l'avait nommé percepteur à Puylaurens, dans le Tarn. Lui aussi, comme les amiraux, complétait cette constellation des oncles glorieux, de Jean et de Louis Jaurès, fils tardifs du ménage de Jules Jaurès et de Marie-Adélaïde Barbaza.

Jean Jaurès ne naquit, en effet, que sept ans après l'union de ses parents. Jules Jaurès avait quarante ans, il était déjà malade, la paralysie — l'alcool ? une affection mal soignée ? — le gagna peu à peu, et il se retira à la Fédial. Son épouse, Marie-Adélaïde, avait trente-sept ans. Elle était pieuse sans être bigote. Sa foi était à la mesure de sa bonté et de sa douceur. Elle comptait dans sa famille maternelle plusieurs sœurs de charité et une supérieure du couvent de la Présentation de Castres. La perte en bas âge d'un troisième enfant, une petite fille, accentua chez elle l'esprit de dévouement à ses fils. Sa volonté de leur donner tous les moyens pour qu'ils s'épanouissent. La chaleur de l'amour maternel d'abord. Elle était celle qu'affectueusement ils appelaient « Mérotte ». Toujours présente pour les accompagner sur le sentier quand ils partaient pour la pension Séjal et, plus tard, pour le collège de Castres.

Un prêtre, l'abbé Rémy Séjal, enseignait le latin dans cette institution, la première que fréquenta Jean Jaurès. L'une des sœurs de l'abbé, Claudine, professait le français, et l'autre, Lisotte, préparait la cuisine. Malgré la médiocrité de l'enseignement, l'absence de discipline, Jean Jaurès travailla.

Les livres l'absorbent. Il lit en marchant, en mangeant, appuyé au puits de la Fédial, ne levant la tête que pour regarder la campagne ou suivre parfois les gestes réguliers des paysans. Il est un enfant grave. Il est l'aîné et cela compte. Mérotte ne sépare pourtant pas ses deux fils. Elle les habille de la même manière. Quand ils s'inscrivent au collège de Castres, il leur faut porter un uniforme. Gilet boutonné haut, pantalon long, col blanc, petite veste. Ils sont photographiés côte à côte. Jean, dix ans, d'un sérieux un peu hautain, raide, comme sûr d'une supériorité que les études, dès les premiers mois de collège, révèlent ; Louis, plus étonné, appuyant une main sur l'épaule de son frère. On sent l'affection, la parfaite entente qui confirment la tendresse et l'équilibre de la mère, la paix qu'elle fait régner au foyer. Mais la gravité un peu mélancolique des deux garçons, cet air d'adulte qu'affiche déjà Jean Jaurès viennent peut-être de l'effacement du père, de sa maladie qui le paralyse. Et cette insuffisance, que la piété et la fidélité de la mère font accepter, et qui n'est donc pas source d'amertume ou de conflit familial, n'en accuse pas moins chez Jean Jaurès — et chez son frère Louis — le sens des responsabilités. Ils savent que les frais d'études au collège, c'est Louis Barbaza, leur oncle, qui en couvre la moitié. Ils devinent que les bijoux maternels qui disparaissent sont vendus pour payer l'autre moitié. Leur affection pour Mérotte, leur sérieux s'en trouvent décuplés. Ils ne dépensent même pas la pièce qu'elle leur donne pour leur dimanche. Ils sont tendus vers l'effort. Leur environnement paysan s'y prête. Les sacrifices de Mérotte l'exigent. Et l'existence des oncles, leur réussite, leur gloire donnent au travail un but réel.

Que les oncles aient joué en effet un rôle de modèle, plus ou moins conscient chez Jean et Louis Jaurès, comment ne pas le croire ? Louis Jaurès, le cadet, décide au collège de Castres de préparer l'Ecole navale. Est-ce un hasard quand on a deux oncles amiraux et l'un bientôt ministre de la Marine ? Quant à Jean, comment aurait-il pu ignorer cet amiral Benjamin-Constant Jaurès puisque la bourse que Jean avait obtenue à Paris pour le collège, c'est l'oncle qui réussit à la faire partager en deux, bénéficiant ainsi aux deux frères ? Les oncles sont là, protection lointaine, image auréolée d'une activité aux dimensions de la nation, stimulante et exigeante, substitut à un père défaillant.

Est-ce cette situation qui, chez Jean Jaurès, l'aîné, celui qui assume donc symboliquement cette contradiction père-oncle et porte, le premier, tout l'espoir de la mère et aussi la revanche pour le père, est-ce cette ambiguïté qui suscite ces signes d'anxiété dont il souffre et que sont les maux de tête chroniques, un tic à l'œil, ces tempes qui s'empourprent comme si le sang y battait trop fort, trop vite, et c'est l'impression qu'a Jean Jaurès ?

Certes, rien d'extrême dans ces symptômes. Jaurès demeure un enfant joyeux, pourtant la gravité, la rêverie, une forme d'incertitude à la limite de l'angoisse dominée mais présente sont visibles. Tout cela est aussi source d'enthousiasme, de volonté. La tension intérieure qu'on perçoit chez Jean Jaurès est créatrice de dynamisme, de désir de se mêler au monde.

Et les oncles encore servent de médiateurs avec l'Histoire.

En 1870, quand l'Empire aveuglément se précipite dans la guerre, c'est l'oncle Louis Barbaza, le héros de Crimée, qui commente les opérations, s'indigne de Sedan ou de la capitulation de Bazaine. A ce moment, s'inscrit dans le cœur et la tête de l'enfant Jaurès le sentiment national et l'amour de la patrie défaite. Jaurès est bien le fils de l'humiliation infligée à la nation, mutilée de l'Alsace-Lorraine. Il a, comme il le dira, « la rage au cœur de ne rien pouvoir pour la patrie ». A douze ans, en se rendant au collège, il sent l'atmosphère politique qui règne dans la ville de Castres où deux régiments d'artillerie tiennent garnison. Des affiches répètent la proclamation de Gambetta, ses appels à la résistance, à l'enrôlement de volontaires dans un « corps de francs-tireurs du Tarn ». Son oncle Benjamin-Constant se bat sur la Loire contre les Prussiens, et c'est le général Chanzy qui le fera contre-amiral. En 1871, l'oncle est élu à l'Assemblée nationale député du Tarn (plus tard, avant d'être ministre, il sera ambassadeur en Espagne puis à Saint-Pétersbourg).

Jean Jaurès s'imprègne de ces événements — défaite, chute de l'Empire, République — qui participent, par le destin de l'oncle, de la vie familiale la plus forte : celle qu'on rêve. Mais l'oncle, s'il est une « réalité », est aussi un « absent ». Quoi d'étonnant si Jean Jaurès encore enfant est, à l'unisson de tout le département du Tarn, un républicain ?

Un jour — il a à peine treize ans —, fendant un petit groupe qui entoure Frédéric Thomas, qui sera député républicain de Castres, il s'écrie : « Vive Thomas, l'enfant du peuple ! »

La région et le paysage, l'histoire et la civilisation du lieu, les influences et les contradictions familiales, les événements, le moment, l'esprit du temps, qui marquent si fort un enfant quand il grandit à une époque charnière — la période 1870-1871 l'est par excellence —, tout cela modèle Jean Jaurès, oriente ce capital d'intelligence, cette richesse humaine que, dès le collège de Castres, chacun reconnaît exceptionnels.

Bien sûr, il est, durant les sept années qu'il passe dans cet établissement — de 1869 à 1876 —, constamment premier de sa classe, et les distributions de prix solennelles avec Mme Marie-Adélaïde Jaurès, assise au premier rang, sont chaque fois un festival Jaurès. Puis Mérotte rentre fièrement à la Fédial au bras de ses fils. Car Louis se distingue aussi, aidé qu'il est par son frère. Il a choisi la préparation à l'Ecole navale, mais Jean, son aîné, ne l'abandonne pas pour autant. Matières littéraires, histoire, mathématiques, Jean guide Louis, résout avec lui les problèmes difficiles. Ne maîtrise-t-il pas toutes les disciplines ? La dissertation française naturellement, mais surtout le latin. Il lit la langue de César comme sa langue maternelle, il rédige ou versifie si bien que l'un de ses professeurs dira, à l'occasion d'un exercice, que son texte eût été digne de Cicéron. Il domine le grec, s'illustre en physique et excelle en allemand. Ce choix de la langue de Kant est bien d'époque et à lui seul signale que Jaurès, comme beaucoup des jeunes gens de son temps, a l'Allemagne dans la tête. La défaite les a marqués si fort qu'ils veulent connaître — pour mieux le combattre — ce vainqueur orgueilleux qui a déplacé ses bornes frontières jusqu'à la « ligne bleue des Vosges ».

Mais il y a chez Jaurès plus que ces qualités traditionnelles. Jaurès surprend d'abord par sa maturité. Tous les professeurs en témoignent. Germa, celui de rhétorique (français, littérature et langues anciennes), Brinon qui enseigne la philosophie, Delpech (le principal adjoint du collège) le reconnaissent presque comme un égal. Ces hommes qui dans la petite ville de Castres brillent par leur savoir réel, dont certains — ainsi Germa — sont des auteurs ou des érudits locaux, qui incarnent bien la vigueur intellectuelle d'une région ancienne pétrie d'Histoire et d'amour des mots, se font les interlocuteurs de Jaurès. On dialogue avec lui, on ne peut que déborder du programme en sa compagnie, on lui prête des livres. On sait qu'il passe sa vie à dévorer les pages lorsqu'il n'est pas mêlé aux travaux des champs ou perdu à rêver. Quand l'occasion se présente — un discours de distribution des prix, la visite d'un sous-préfet —, les professeurs désignent Jaurès. C'est qu'il est, de plus, un orateur-né, ne lisant pas le texte qu'il a préparé tant sa mémoire est vive, impressionnante. Il parcourt une phrase : il la retient. Tous ceux qui l'ont entendu s'étonnent et s'émerveillent. Les invités ne prêtent pas beaucoup attention à Jean Jaurès quand ils le voient s'avancer avec sa grosse tête large, ses cheveux blonds bouclés, ses vêtements froissés, son allure maladroite et un peu lourdaude. Et puis Jaurès parle, tenant son papier plié, langue chaleureuse, riche en formes latines. Les cent cinquante élèves applaudissent, l'invité s'enquiert de la personnalité de ce brillant sujet. Ce jeune prodige est le neveu du sénateur amiral Jaurès, et du côté de sa mère il est apparenté à Joseph Salvayre, l'ancien maire de Castres. Notoriété locale qui s'étend en 1876 puisque Jaurès remporte le prix d'honneur de la compétition organisée entre les collèges et les lycées de toute l'académie.

Mais de son succès Jaurès ne tire aucune vanité. Il est heureux pour Mérotte, pour son père que la paralysie retient à la Fédial. Dominant tous ses camarades, il est cependant le plus populaire d'entre eux. Ses succès valent au collège prestige et quelques avantages pour ses pensionnaires : jour de congé supplémentaire ou repas exceptionnel.

D'ailleurs pour maintenir chez Jaurès le sens de la mesure, il y a ce trajet dans la campagne, ces kilomètres quotidiens entre Castres et la Fédial-Haute, ces paysans dont il parle la langue et qui lui rappellent que les livres, le savoir, la culture ne sont pas une fin en soi, mais un moyen de comprendre, de retourner à la nature et aux autres, une façon de devenir plus apte à saisir les réalités, à lire Histoire et paysage, à deviner ce qui met les hommes en mouvement.

Démarche intellectuelle classique, nourrie par une tradition antique que Jaurès s'approprie par sa connaissance des auteurs latins et grecs. En classe de rhétorique (première), il lit les penseurs de l'époque, Renan ou Fustel de Coulanges, eux-mêmes fécondés par le classicisme. Il s'imprègne de leur démarche critique et de leur volonté de rigueur. Il est le représentant exemplaire des meilleurs de ces jeunes lycéens qui, issus des « nouvelles couches », sont patriotes, républicains et trouvent dans l'instruction une morale, le moyen de s'épanouir par l'exaltation d'une intelligence désintéressée.

En ce sens, Jean Jaurès est le produit d'une instruction publique qui vise à dégager des élites pour le pays et à les rechercher sur l'ensemble du territoire, par un système de sélection et de promotion qui certes ne puise pas encore — nous sommes en 1875 — dans toute la profondeur sociale comme le fera l'école laïque gratuite et obligatoire de Jules Ferry (1881), mais qui par le système des bourses recrute dans l'ensemble des petites-bourgeoisies provinciales. L'examen, le concours, les grandes écoles (l'Ecole normale supérieure, Polytechnique, Navale ou Saint-Cyr) sont les étapes obligées de ce chemin de l'ascension individuelle qui choisit les meilleurs pour constituer les cadres du pays. Il le faut : quelles soient républicaines ou monarchistes, les élites politique et administrative ont conscience de cette nécessité que la défaite de 1870 — et chez certains le désir de revanche — rend impérieuse. Aussi quand, en 1875, l'inspecteur général Nicolas-Félix Deltour repère dans la classe de M. Germa cet élève de rhétorique Jean Jaurès qui écrit des vers latins et s'impose dans toutes les disciplines, il s'attache à ce destin, sûr de n'avoir — il le dit — jamais rencontré un adolescent rassemblant autant de qualités intellectuelles. Deltour n'est pas qu'un haut fonctionnaire. Professeur, auteur d'un livre sur les ennemis de Racine au xviiie siècle, il est sous ses apparences de vieil érudit — maigreur, barbiche, corps voûté, voix frêle — un homme résolu, enthousiaste et généreux. Il interroge Jaurès dès qu'il a lu — par hasard sur une feuille tombée d'un livre — ses vers latins, et il se renseigne. Il accompagne Jaurès à la Fédial-Haute. Il aplanira les difficultés, explique-t-il aux parents. Il fera obtenir une bourse pour un lycée parisien qui prépare à l'Ecole normale supérieure. Jaurès sera agrégé, professeur. Il reviendra au pays enseigner puisque le jeune homme veut rester proche de sa mère. Et qu'on ne s'inquiète pas de la vie à Paris. Deltour rassure. Il a remarqué dans la pièce où il est reçu un portrait du comte de Chambord. Jules Jaurès est monarchiste. Deltour aussi. Mme Jaurès est pieuse : Deltour veillera sur Jean. Ne vaut-il pas mieux que cet enfant soit professeur plutôt que receveur des postes, puisque c'est à cet avenir qu'il songeait ?

Les parents n'hésitent pas longtemps. Jean Jaurès s'enthousiasme. Reste à Deltour à tenir ses engagements. Il lui faudra de l'obstination. Obtenir une place dans une « khâgne » parisienne est difficile. Ces classes préparatoires à Normale supérieure sont très demandées, surtout peuplées de brillants Parisiens. Deltour intervient personnellement à plusieurs reprises. Il ne trouvera qu'une place d'internat au collège Sainte-Barbe, sur la colline Sainte-Geneviève, à quelques dizaines de mètres de la place du Panthéon. Cet établissement privé, subventionné par l'Etat, envoie ses élèves suivre les cours au lycée Louis-le-Grand, à quelques centaines de mètres de là, sans doute le meilleur lycée de Paris pour la préparation de l'Ecole normale.

En octobre 1876, Jean Jaurès entre donc au collège Sainte-Barbe. Il a dix-sept ans. Il quitte Castres, sa province : étape décisive de sa vie. Le séjour dans le Tarn l'a protégé. Il ne sait rien des drames ouvriers, de la Commune massacrée. Dans sa campagne, la vie est rude, mais un équilibre social sans violence majeure règne entre les petits propriétaires, sorte d'image archaïque de la démocratie et d'une société républicaine.

Car Jaurès, même s'il n'est d'abord, à dix-sept ans, qu'un élève exceptionnel, est aussi un républicain. Il est sensible aux campagnes de Gambetta qui, au début de l'année 1876, conduit la bataille électorale dans tout le pays. Les républicains écrasent les monarchistes (360 députés contre 135) aux élections du 20 février et du 5 mars. Mais le Sénat et le président de la République, le maréchal Mac-Mahon, demeurent monarchistes. En octobre 1876, au moment où Jaurès entre en khâgne, commence la vive campagne politique qui opposera la majorité républicaine de la Chambre à Mac-Mahon. Le président biaise. Va-t-il se soumettre ou se démettre ? C'est dans ce moment intense de la bataille politique que Jaurès arrive à Paris. Comment pourrait-il ignorer ce climat ? Même enfermé dans ses études, les échos du débat ne peuvent que venir jusqu'à lui.

Il avait connu en 1870-1871 — il avait douze ans — une époque charnière. Voici que cinq ans plus tard, il assiste — car il n'est pas acteur — à un autre tournant.

Hier, c'était l'effondrement militaire de l'Empire et la défaite du pays d'où surgissait la République. Aujourd'hui, c'est celle-ci qui est en question quand, le 25 juin 1877, Mac-Mahon dissout la Chambre républicaine. Tout l'été — Jaurès est rentré chez lui, à la Fédial —, la bataille électorale bat son plein, passionnée, dominée une fois encore par Gambetta. Comment Jaurès ne serait-il pas fasciné par cet orateur qui veut faire entendre « la voix souveraine » de la France ? A l'issue de cette âpre confrontation, les républicains l'emportent à nouveau, Mac-Mahon s'incline, et la bataille politique s'apaise. Mais les convictions de Jean Jaurès se sont forgées à ces deux moments clés de sa formation, 1870-1871 et 1877.

N'est-il pas significatif, l'incident qui clôture un banquet se tenant dans la cour du collège de Castres ? On y célèbre le succès de l'ancien élève Jean Jaurès qui vient de remporter à Paris le premier prix du concours général de 1878. Après le discours du sous-préfet, élogieux pour Jaurès dont le succès honore Castres, Louis — qui a été reçu à l'Ecole navale — se lève et, jugeant que le sous-préfet n'a pas prononcé le mot de république — se contentant d'un « Vive la France ! » —, s'écrie : « Vive la République ! » On blâme l'élève officier, et Jean Jaurès se tait. Souci de ne pas heurter les convictions de son père, Jules Jaurès, monarchiste ? Peut-être. Mais divergence ou indifférence, sûrement pas quand on connaît les liens d'intimité, la véritable communion intellectuelle et morale qui unissent les deux frères.

Jaurès est républicain et Gambetta, l'un de ses modèles, même si Jean Jaurès est d'abord un étudiant auquel Paris ouvre les portes du savoir.

Chapitre 2

L'étudiant : Paris, l'école et le savoir
(1876-1881)

Ce Paris des années 1880, où Jaurès va vivre près de cinq ans —
1876 à 1881 — ne retournant à la Fédial qu'au moment des vacances
scolaires, est une capitale qui veut effacer et oublier l'humiliation de
la défaite de 1870 et le rêve égorgé de la Commune, quand les
incendies embrasaient l'Hôtel de Ville et les Tuileries, et que la Seine
coulait rouge de sang.

La France et Paris sont riches, confiants presque avec ostenta-
tion. Thiers a réussi à rassembler les cinq milliards de francs-or que
demandaient les Prussiens pour évacuer le territoire. Et pour
affirmer le renouveau français, le maréchal Mac-Mahon inaugure, le
1er mai 1878, l'Exposition universelle. Jaurès, badaud des jours de
sortie — le jeudi et le dimanche quand il est pensionnaire à Sainte-
Barbe —, découvre les quarante-deux hectares d'exposition, les
grands bâtiments, le palais du Champ-de-Mars et celui du Trocadéro.
Feu d'artifice, illuminations, présentation de machines par laquelle la
France affirme sa puissance industrielle, Jaurès voit tout. Il est,
comme des centaines de milliers de visiteurs, fasciné par l'immense
marteau-pilon des usines du Creusot exposé au Champ-de-Mars.

Ferveur nationale, orgueil patriotique, éducation du peuple :
Paris est le creuset. Les instituteurs sont invités par groupe de cinq à
six cents à visiter l'exposition.

Gambetta incarne ce mouvement : « La France est un éblouissement pour le monde », dit-il. Le 30 janvier 1879, Mac-Mahon a
démissionné, remplacé par le républicain Jules Grévy, et, en

septembre 1880, Gambetta est président de la Chambre, et Jules Ferry président du Conseil.

Ce Paris-là, cette République qui appartient enfin aux républicains sont ceux de Jean Jaurès. Progrès scientifiques (téléphone, air liquide), grandes entreprises de travaux publics (plan du ministre des Travaux publics Freycinet pour le développement des voies ferrées et des canaux), tout concourt à l'optimisme social. C'est comme si, sur le sang séché des communards, la bourgeoisie républicaine, sûre d'elle-même, orgueilleuse, triomphait.

Jaurès subit et aime cette capitale riche de symboles. Il étouffe dans la ville. Sainte-Barbe, Louis-le-Grand sont des lieux clos ; l'espace, les arbres, la campagne, l'air vif lui manquent. La place du Panthéon n'est qu'un austère mausolée de pierres nues. Il travaille jusqu'à s'étourdir, saisi par des migraines violentes qui le terrassent. Il s'endort durant les études, ou bien il interrompt les cours par des questions qui brisent la discipline tacite des cours magistraux. Mais que n'accepterait-on pas de lui ! Il est le meilleur malgré les redoutables concurrents, les brillants élèves parisiens. Il travaille vite, stupéfiant professeurs et khâgneux par l'agilité de sa mémoire ; toujours grand dévoreur de livres, rapide, écrivant sans une rature, puis rêvant, ou bien, alors que d'autres s'enferment à l'étude, marchant vers le jardin du Luxembourg, poussant jusqu'à la Seine, s'installant sur l'impériale d'un omnibus ou se rendant chez l'inspecteur général Deltour qui veille sur lui, ou encore répondant à une invitation de son oncle l'amiral Jaurès.

D'allure et de comportement, il est apparemment toujours rustaud, avec sa tenue négligée, ses manières simples, mangeant chez Deltour ou chez son oncle comme un paysan. Mais le regard bleu est d'une vivacité aiguë, les réponses pertinentes, et si on le sent timide, on devine aussi, à son port de tête, à la façon dont il écoute, bras croisés, l'assurance tranquille que donnent le savoir, l'intelligence, la certitude des dons et le succès.

Car, en 1878, il remporte le concours général sur le thème d'une supplique adressée par un prélat à François Ier pour que le roi accorde à Jacques Amyot, traducteur de Pétrarque, une pension. Ce sujet reflète la situation de Jaurès boursier, serviteur des lettres classiques et protégé de l'inspecteur Deltour. Bientôt, il sera professeur, enseignant cette culture au peuple, favorisant ainsi le progrès des lumières.

A Paris, en effet, Jaurès ne découvre pas seulement les plaisirs de la ville, mais aussi la foule, les ouvriers. Et avant même qu'il ne soit reçu à l'Ecole normale supérieure, rue d'Ulm — « cacique » premier, comme il va de soi —, ses idées ont été bousculées par le spectacle de la capitale, la confrontation avec des camarades intelligents, exceptionnels parfois, l'élargissement de la pensée que donne chez un esprit ouvert et critique, inventif, l'accumulation des connaissances indispensables pour la réussite à un concours comme celui de la rue d'Ulm ou de l'agrégation.

Ce climat parisien, Jaurès l'évoque avec un voisin de la Fédial, Jean Julien. Il entretient avec lui une correspondance comme s'il voulait marquer sa fidélité à sa province et à ses amitiés. Un signe déjà du fait que Jaurès ne sera jamais tout à fait un « Parisien », l'un de ces intellectuels mondains qui font la gloire des salons. Son Sud, sa campagne, ses paysans collent à lui : manière, accent, nostalgie. Mais Paris quand même ! « A Paris, quand on sort, tout vous met en fièvre, dit-il. Je ne sais pas de plus beau spectacle que celui dont on jouit par une belle soirée en traversant Paris sur l'impériale d'un omnibus pour trois sous. »

Cette « fièvre », les femmes ne semblent pas la provoquer. Ici, il faut imaginer. Trop de pudeur chez Jaurès pour qu'il se confie. Mais on devine qu'un regard de femme un peu appuyé a dû faire rougir Jaurès, qu'il s'est éloigné à grands pas, détournant la tête, s'enfonçant dans ses pensées, entrant dans une librairie, retrouvant avec d'autant plus de force l'exaltation intellectuelle. Au lycée et plus tard à Normale, il se donne avec ferveur et passion à ses études. Il se félicite de la compétition, du débat, soulignera combien entre étudiants « on se communique ses lectures, ses idées, ses enthousiasmes, ses découvertes ; et cet échange perpétuel entretient dans l'esprit une activité extraordinaire » ; il est envahi par un flot de pensées qui se mêlent, qui se combinent, qui fermentent. Telle est l'atmosphère de la khâgne puis de l'Ecole normale supérieure. Et il y a Paris. « Les événements de la vie politique, littéraire, théâtrale ont toujours un écho dans les collèges parisiens, dit-il encore. Chaque dimanche, les jours de sortie, on voit s'étaler dans les galeries des publications nouvelles. »

Musées, théâtres : Jaurès vibre de cette vie intense de la pensée. Il s'inquiète pourtant, avec une sagesse presque étonnante si on ne le savait paysan et terrien, attaché à ce qui est grave ; il sent le danger du « parisianisme ». « Ce bonheur et ce privilège de Paris, à la longue, indique-t-il, si les vacances n'amortissaient pas ce feu, pourraient donner au cerveau une excitation maladive. »

On connaît les migraines de Jaurès. Fruit du surmenage, des tensions intérieures — la place et la maladie du père — ou bien du refus (plus inconscient que délibéré) de laisser sa nature généreuse s'épanouir aussi dans la sexualité ?

Quoi qu'il en soit, Jaurès change. Il perd la foi dans le catholicisme, se confie à son condisciple Baudrillard (plus tard, cardinal et recteur de l'Institut catholique de Paris), mais continue d'accompagner Deltour à la messe parce qu'il ne veut pas blesser son protecteur, et qu'il respecte les croyances des autres. Première preuve de cet esprit de tolérance et de respect d'autrui qui caractérisent la pensée de Jaurès, et ce au moment même où, dans la vigueur de la jeunesse, il pourrait être excessif. Sans doute, Jaurès doit cette précoce bienveillance non seulement à sa bonté, à sa générosité, mais aussi à son ignorance des conditions de la lutte d'idées souvent dure. Il jette sur le monde et les autres un regard sans haine. « Nous avions pour lui une profonde estime, dit l'un de ses camarades de promotion à Normale, Morillot. Nous vénérions cette naïveté, cette simplicité de cœur, vraiment enfantines. »

Enfantin d'aimer les hommes et de souffrir avec eux, pour eux ? Car Jaurès vient de découvrir, en séjournant à Paris, les humbles et les ouvriers. Dans le train qui le conduit dans la capitale, il a côtoyé un groupe de délégués ouvriers de la Haute-Garonne qui se rendent à l'Exposition universelle. Il les écoute, alors qu'ils parlent des grandes révolutions et cherchent des yeux, comme ils arrivent à Paris, la colonne de Juillet, évoquant la Commune, ces événements si mal connus de Jaurès.

Mais c'est dans les quartiers ouvriers que le choc est le plus rude pour Jaurès. Il a l'intuition d'un monde désemparé car l'échec de la Commune a entravé le mouvement ouvrier pour une décennie : exécutions en masse (au moins 20 000 fusillés en 1871) et déportations ont décimé les cadres, contraint les intellectuels — ainsi Vallès — à l'exil. Mais, dans les années 1880, le paysage change. L'amnistie permet aux communards de rentrer. L'un d'eux, Jules Guesde, passionnément déterminé à éveiller le prolétariat à la lutte révolutionnaire, a erré des années durant dans toute l'Europe pour fuir la répression. Longtemps hésitant, il choisit finalement le marxisme auquel il voue toute sa force de conviction. Le visage osseux, les yeux pénétrants, c'est dès lors un militant qui ne s'accorde aucun répit. En 1876, il est à nouveau à Paris, cherchant à convertir les étudiants, animant de petits groupes de discussion, faisant lire *Le Capital* qui vient d'être traduit, créant une revue, *L'Egalité*. Le but de Jules Guesde est de créer un parti des travailleurs, marxiste, rompant avec les objectifs des républicains et se donnant comme mission la révolution. Peu d'influence encore, mais cependant que Jaurès termine sa licence — avec un diplôme sur Madame de Sévigné — et commence à préparer l'agrégation de philosophie, Guesde jette les bases d'un parti ouvrier. En 1881, une première organisation surgit au Havre. Jaurès ignore cela, mais la détresse et le désarroi du monde du travail l'affectent. « Un soir d'hiver, dans la ville immense, raconte-t-il, je fus saisi d'une sorte d'épouvante sociale. Il me semblait que les milliers d'hommes qui passaient sans se connaître, foule innombrable de fantômes solitaires, étaient déliés de tous liens. »

Pour l'homme issu de la société stable des campagnes du pays de Castres, où les relations de voisinage sont essentielles, cette foule atomisée provoque une sorte de « terreur impersonnelle ». Ce qu'il veut comprendre, c'est la raison pour laquelle tous ces êtres acceptent la solitude, l'inégalité qui les écrase, les maux qu'ils subissent sans rien posséder. Pourquoi livrent-ils leur force de travail et leur âme sans se révolter, alors qu'un refus de leur part suffirait pour que l'énorme structure sociale tombe en dissolution ?

« Je ne leur voyais pas de chaînes aux mains et aux pieds, poursuit Jaurès, et je disais : la chaîne était au cœur, la pensée était liée, la vie avait empreint ses formes dans les esprits, l'habitude les avait fixées, le système social avait façonné ces hommes, il était en eux, il était en quelque façon devenu leur substance même. Ils ne se révoltaient pas contre la réalité parce qu'ils se confondaient avec elle. »

On suit les déductions de Jaurès : les hommes, individuellement, ne sont pas coupables. Leur tête est prisonnière. Les idées décident de tout. Il faut donc les changer, briser la chaîne qui est dans les têtes et dans les cœurs.

Certes, l'étudiant Jaurès n'est pas encore socialiste, mais la condition ouvrière l'a frappé. Pour l'heure, enseigner les idées lui suffit puisque ce sont les têtes qui acceptent de subir. On comprend pourquoi il appuie avec force les mesures de Jules Ferry en faveur de l'enseignement public, laïque et obligatoire, et comment il approuve encore Ferry quand celui-ci décide d'interdire aux congrégations d'enseigner. Il faut libérer les esprits. Et cette action s'accorde naturellement à celle de Gambetta, le républicain. « Il nous semble dans notre cloître discret, dit Jaurès, que ses discours entrent en faisant battre les portes comme un grand vent venant de la rue. »

On le voit, la politique est on ne peut plus présente dans la vie du normalien Jean Jaurès.

Comment pourrait-il y échapper, alors que Paris et la France sont secoués dans ces années tournantes (1877-1881) par la résistance de Mac-Mahon à la montée républicaine, puis par ces campagnes électorales qui, dans un climat passionnel, sanctionnent les monarchistes et contraignent le président de la République à démissionner en janvier 1879 après avoir tenté un coup de force parlementaire (crise du 16 mai 1877).

Et pour finir, lutte de l'Etat républicain contre l'Eglise liée aux monarchistes. Voilà ce que Jaurès découvre jour après jour dans les « gazettes », quand il parcourt en badaud les rues de Paris. Souvent, il assiste dans les tribunes de la Chambre des députés ou du Sénat aux débats parlementaires.

Il rentre à pied du palais du Luxembourg ou du Palais-Bourbon à la rue d'Ulm. Les rues sont parfois fiévreuses. En application des décrets pris par Jules Ferry pour contraindre les congrégations religieuses à se mettre en règle avec la loi, des policiers se présentent devant le siège des établissements religieux afin de leur signifier, puisqu'ils refusent de se soumettre à la loi, l'arrêté d'expulsion. Des groupes se forment, ainsi rue de Sèvres, le 29 juin 1880, devant la maison des jésuites. Deux mille personnes soutiennent la résistance des religieux. On les acclame. Bousculades, portes brisées. Partout en France, des incidents identiques se produisent, marquant l'offensive républicaine et le refus catholique et monarchiste.

Jaurès, quand il arrive à l'Ecole normale, raconte à ses camarades ce qu'il a entendu à la Chambre ou au Sénat, ce qu'il a vu. Il est capable de répéter de mémoire — et il le fait parce qu'on le sollicite, qu'on connaît son art et ses dons — les discours qu'il a entendus. Pour le plaisir de la parole, par fascination pour l'institution parlementaire. Peu importe que l'orateur qu'il imite soit de droite ou de gauche. La joute oratoire, la forme séduisent Jaurès. Ses camarades le savent républicain mais reconnaissent sa largeur de vue. Les « talas », ces normaliens catholiques (qui von*t à la* messe), minoritaires rue d'Ulm, apprécient chez lui sa modération, son souci des droits de l'autre qui n'impliquent aucune renonciation à son propre engagement, net et clair.

Quand l'écrivain Edmond About, peut-être pour faire oublier son passé bonapartiste, dénonce dans les journaux le professeur de philosophie de l'Ecole normale, Ollé-Laprune, adversaire politique de Jules Ferry, Jaurès, au nom des élèves, proteste, écrit une lettre qui est publiée. « Les professeurs ont droit à la liberté », insiste-t-il.

Cette intervention, ce goût pour le discours qui était alors le ressort même de la vie politique, tracent l'avenir de Jaurès aux yeux de ses camarades. Ils l'interpellent avec une tendre ironie — « Laïus Jaurès » — afin qu'il parle. Et il s'exécute. On a l'impression qu'il s'entraîne pour la vie politique, et on le voit député, très vite, dès la fin de l'Ecole normale, célèbre et prononçant, à la manière de Gambetta, de grands discours.

Aucune hostilité autour de lui pour son engagement et ce destin probable. Le respect affectueux, l'amitié, l'admiration, voilà ce qui entoure Jaurès, rue d'Ulm.

Il est entré « cacique », il représente donc sa promotion, sorte de « juge » et d'administrateur. Indifférent à l'argent, incapable de faire un calcul, distrait pour tout ce qui est concret, le monde des choses, il occupe cette fonction dans le désordre, intellectuel presque caricatural, avec sa mise négligée, ses pantoufles, cette manière de serrer sa blouse avec une ficelle, de rêver en mâchonnant un brin d'herbe, puis d'improviser, d'écrire vite sans rature, de stupéfier par ses dons, sa connaissance de la culture classique, grand lecteur hantant la bibliothèque de l'Ecole, s'endormant parfois sur un livre, puis, au réfectoire, engloutissant rapidement avec un appétit de travailleur manuel le repas. « J'ai peu connu d'âme plus simple, plus naturelle », répète l'un de ses condisciples.

Jaurès, en fait, il le dira plus tard, était heureux à l'Ecole normale comme un moine dans un monastère. Sa foi : le savoir. Pour le reste, l'avenir matériel, une indifférence souveraine. L'argent ? Un haussement d'épaules. L'élégance ? Un sourire. Les idées, la pensée, voilà ce qui compte. Jaurès s'est parfaitement coulé dans cet établissement qui se veut — comme le seront les écoles normales d'instituteurs — le double laïque des institutions religieuses. Il aime ce « séminaire » austère où se retrouvent les meilleurs. Il partage sa chambre (sa « turne ») avec Charles Salomon, ce « cothurne » avec lequel il correspondra toute sa vie.

Il côtoie le futur fondateur de la sociologie française, Emile Durkheim, les historiens Charles Pfister, Camille Jullian, Diehl, Baudrillard, le philosophe Desjardins, d'autres qui seront tous, dans quelques années, professeurs à la faculté ou au Collège de France, doyens d'Université. C'est bien l'élite intellectuelle du pays qui se trouve rassemblée là, et Jaurès en est le cacique. Sa gloire et sa prééminence ne sont menacées que par un élève parisien, distant, presque hautain, Henri Bergson.

Sur la photographie de la promotion lettres de 1878, Bergson se tient debout, à l'extrême droite, élégant, pantalon rayé, jaquette, chaîne de montre coupant le gilet, les yeux mi-clos, glabre, une expression d'indifférence ironique, comme si son attitude voulait marquer qu'il se trouvait là, par concession condescendante aux usages ou par hasard, qu'en fait il était d'ailleurs. Jaurès, au contraire, le cheveu en bataille, la barbe fournie, est assis les bras croisés au milieu de ses camarades, visage romantique, le moins « moderne ». Il pourrait être un étudiant de 1848 ou un communard résolu, tête un peu levée révélant une assurance intérieure — une certitude — qu'exprime la physionomie.

Rivaux, Bergson et Jean Jaurès ? Différents d'abord. Bergson est un grand bourgeois, fils d'une mère anglaise et d'un compositeur. Juif, Parisien, d'une intelligence remarquable, capable de résoudre des problèmes de mathématiques considérés longtemps comme insolubles ou de développer une logique philosophique implacable, il est réservé et préfère le rapport avec les professeurs, notamment le philosophe Emile Boutroux, qu'avec les élèves.

D'emblée, il est du « sérail », homme de réflexion et de méditation, homme de pensée et de livres.

Jaurès est aux antipodes avec sa rugosité paysanne, son énergie en expansion, sa générosité verbale, son absence de stratégie personnelle. Mais pas d'animosité entre eux, même quand le professeur d'Histoire — Ernest Dujardin — les oppose dans un débat contradictoire. Jaurès est chargé d'accuser le gouverneur romain de la Narbonnaise de prévarication, et Bergson de le défendre.

Qui l'emporta, de la fougue ou de la logique teintée d'ironie ? Les avis divergent. Mais les deux jeunes hommes se sont reconnus comme des intelligences exceptionnelles. Ils se suivront, surveilleront leurs travaux, se répondront d'une idée à l'autre même sans se nommer. Au concours de l'agrégation de philosophie, l'épreuve reine des études « littéraires », et bien que les oraux de Jaurès — il a dû parler sur « le Vrai, le Beau, le Bien » — aient déclenché l'enthousiasme de tout l'amphithéâtre venu l'écouter, Bergson est placé deuxième, Jaurès n'étant que troisième. Peut-être sa popularité bruyante durant le concours a-t-elle indisposé le jury ? Le premier est un certain Lesbazeilles, qui ne doit sa notoriété précaire que d'avoir ainsi devancé par le conformisme d'un jury deux gloires de l'intelligence. Vexation pour Jaurès ? Dans une lettre à Charles Salomon du 17 septembre 1881, peu après l'agrégation, il écrit : « Les Lesbazeilles se digèrent en un quart d'heure... Connais-tu l'adresse de Bergson à Londres ? Je ne sais comment j'ai oublié de la lui demander, et je tiens beaucoup à savoir de temps en temps comment il se porte, et ce qu'il fait. »

L'école est donc pour Jaurès un lieu stimulant et accueillant. Le cadre l'apaise. Jardin, silence de « cloître discret ». Sa turne donne par une fenêtre, grillagée, il est vrai, sur le jardin tranquille d'un couvent de religieuses, ces « talates » qu'on aperçoit, se promenant, recueillies. Le directeur de l'école n'est autre que l'historien Fustel de Coulanges, dont Jaurès apprécie les œuvres. D'ailleurs Jaurès a hésité longtemps à choisir une discipline. Les lettres ? L'Histoire et ainsi l'Ecole française d'Athènes ? Son cothurne Salomon se destine à l'Ecole française de Rome. Mais la philosophie — où Jaurès excelle — l'entraîne. Il stupéfie Emile Boutroux en faisant trois leçons extraordinaires de pénétration et d'enthousiasme sur la *Critique de la raison pure*.

Les idées, voilà la passion dévorante de Jaurès. Il sera donc philosophe tout en gardant pour l'Histoire une attirance qui ne se démentira jamais.

En fait, il veut tout apprendre, tout savoir, tout comprendre. Il aime la compétition intellectuelle que suscite l'école, ce dialogue avec les autres, « lutte incessante et joyeuse, dira-t-il, sans vainqueur ni vaincu, mais d'où toutes les intelligences sortent plus larges et comme agrandies des intelligences voisines ».

De cette période, de ce climat, Jaurès gardera le goût des joutes intellectuelles, de la confrontation sincère des points de vue. La croyance aussi qu'on peut convaincre l'adversaire. Mais rien ne le prépare, dans cette formation, au conflit des intérêts, à la mauvaise foi dans la discussion qui est moins affaire d'intelligence ou de rigueur morale qu'enracinement des convictions dans la réalité de situations sociales. Bref, Jaurès sait affronter le combat des idées, il ne connaît pas encore les perversions intellectuelles que provoquent les luttes entre les classes, les groupes et les individus qui les défendent et les incarnent.

L'Ecole normale et l'Université dans son ensemble sont, de ce point de vue, des îles protégées, où règnent les mots, la « raison pure ». Viendra le temps de la sueur et du sang.

Quand il quitte la rue d'Ulm pour les vacances à la Fédial, Jaurès reste dans un monde qui, pour être différent, n'en est pas moins protégé des heurts violents. Sans doute, les temps sont durs pour les paysans. « Il y a profusion de toutes choses, écrit Jaurès à Salomon. Blés superbes, avoines, seigles, pommes de terre ; les marchés regorgent, les fruits se donnent. Il suffit au passant de secouer les arbres. » Quand Jaurès rentre de Castres à la Fédial après avoir bavardé toute la journée avec des amis, son ancien professeur de philosophie du collège de Castres, il monte par le coteau de Peyrous, pierreux et couvert de vignes lourdement chargées. Il fait chaud. « On boira du vin, mon ami, et de la gaieté à plein verre dans notre beau Midi ! » s'exclame Jaurès. Les maïs sont hauts. C'est l'abondance d'une polyculture qui nourrit largement ses paysans, même si l'argent qu'elle procure est rare.

Jaurès aime ces longues périodes paresseuses au milieu de ce paysage généreux. Il lit sur la terrasse, il embrasse Mérotte, bavarde avec son père, fait une partie de billard, écoute les grillons. « Dans cette demi-solitude, confie-t-il, on se guérit à peu près de toutes les petites préoccupations d'amour-propre, on n'a plus personne avec qui lutter, on songe à bien vivre, à bien penser, à bien agir pour son compte, sans vouloir faire mieux que les autres. On vit d'une manière à la fois plus personnelle et plus désintéressée. »

Il faut noter la confidence. La compétition, où il brille pourtant, fatigue Jaurès. Il l'assume — il peut même la magnifier —, mais, contradictoirement, elle lui pèse. La paix, le repos, la rêverie, lire un livre de botanique, vérifier dans la forêt ce que l'on y a appris, voilà ce qu'il aime. La lutte n'est qu'un pis-aller ; il faut l'affronter, mais elle relève chez Jaurès moins d'un instinct que d'une décision, elle nécessite un effort de volonté, comme le han d'un porteur, ce coup de reins qu'il donne pour hisser le sac de grain sur l'épaule. Bien sûr, il y a du plaisir à faire jouer ses muscles, à monter chargé jusqu'au sommet de la colline, mais que de joies plus vraies dans ces « journées peu accidentées », ces soirées passées assis en famille devant la porte !

Nostalgie d'enfance, besoin de paix, goût pour la méditation et le rêve. Jaurès lit Spinoza, Malebranche, le cours de philosophie grecque de Boutroux ; il n'oublie pas, pourtant, les « camarades », s'enquiert de leurs activités, de leurs travaux.

En juin 1881, il a été autorisé à quitter l'Ecole normale six semaines plus tôt, pour cause de maladie. Il surprend le pays par cette arrivée imprévue. On hésite à le reconnaître. « Je venais de m'habiller de neuf, dit-il, avec un charmant costume dandy et un chapeau de paille à bord retroussé qui me rajeunit de dix ans. » Il passe des « journées délicieuses ». Il a vingt-deux ans, l'avenir assuré. Bientôt, l'agrégation dont le résultat ne fait aucun doute. Seulement cela dans sa vie ? Cette joie qu'on sent courir entre les lignes, c'est aussi à une « charmante jeune fille fort aimable et pleine d'esprit » qu'il la doit. Idylle conventionnelle et vertueuse, amour chaste et sentimental, Jaurès comme un troubadour de son pays fait sa cour d'amour à Marie-Paule Prat, compagne des jeux de l'enfance, voisine.

Elle est presque châtelaine, habite un castel, la Crouzarié, à un kilomètre de la Fédial. Elle est fille de bourgeois aisés, et les Jaurès malgré leur glorieux lignage sont modestes. Jean dépose aux pieds de la jeune fille ses succès universitaires. Elle lui sourit, l'écoute. Ils vont à la messe ensemble. Les mères, bienveillantes complices, couvent leurs enfants du regard.

Jaurès bavarde avec fougue, parle du père Lacordaire dont il lit une biographie détaillée, puis tout à coup il s'interrompt, timide, gêné de sa vivacité, et c'est Marie-Paule qui le relance, avant qu'ils ne se taisent l'un et l'autre, marchant côte à côte sur le sentier qui va de Castres au castel de la Crouzarié.

Rien de plus traditionnel, de plus conformiste que cette relation amoureuse, si significative des conventions qui, en ce domaine, entravent Jaurès.

Il n'a aucune des libertés qui permettent à tel ou tel intellectuel de briser les cadres de la vie bourgeoise. Il ne le veut pas, il ne le conçoit pas. Il parle de « papa et maman », fils d'une famille unie, d'une éducation moralisatrice, religieuse et bourgeoise.

Sa culture, si elle est créatrice, s'arrête dans ses investigations au seuil de la famille. Est-elle même contestatrice ? Classique, elle est plus développement dans la continuité que volonté de rupture. Jaurès amplifie, prolonge, élargit plus qu'il ne nie ou récuse. Il intègre. Venant d'un pays rural à la permanence tranquille, les changements lents l'emportent sur les forces de désagrégation brutales. Jaurès ne cherche pas, ne conçoit pas la rupture. Il a été formé dans des institutions universitaires qui sont à l'apogée de leur rayonnement, et que rien ne vient remettre en cause. Issu d'une famille — et d'une lignée — qui s'est insérée sans grands problèmes dans le monde social et y a progressé sans à-coups, par la voie classique de la sélection par le mérite et le concours, Jaurès est spontanément pour l'évolution.

Les institutions, la République, le suffrage universel, la démocratie, l'université, tout fonctionne. Sa vie à lui, sa tête fonctionnent aussi. Il faut parfaire, étendre, ouvrir, améliorer les cadres de la vie, accumuler des connaissances, labourer plus profond, agir dans le sens du progrès qui est prolongement, coulée directe de toute l'histoire humaine. La société a reconnu, distingué Jaurès. Il n'a pas eu à violer les règles, mais seulement à être et à travailler. Il a obtenu des bourses, réussi aux concours. Certes, il méritait peut-être d'être premier à l'agrégation de philosophie, mais cela ne suscite qu'un haussement d'épaules. Petit accroc dans un déroulement où tout est régulier. Jaurès est nommé, comme il le désirait, au lycée d'Albi pour être proche de sa mère.

« Nous avons ici un temps admirable, écrit-il le 17 septembre 1881 à Charles Salomon... Nous vendangeons ce matin... Les raisins sont beaux et le vin sera bon... Je me suis mis vaillamment et sérieusement à ma grammaire sanscrite, dont j'ai abattu, en prenant des notes et rédigeant certaines règles, une centaine de pages. Tu vois que la province ne m'endort pas. Au contraire, je ne me suis jamais senti plus actif, et plus disposé au travail malgré quelques accès de migraine. »

Tout va bien.

« Dilate tes poumons, égaie ton esprit et porte-toi bien », conclut-il.

Sans rupture, dans ce même pays du Sud où Jaurès a vécu son enfance et son adolescence, la vie d'adulte commence.

Chapitre 3

Le professeur en terre occitane
(1881-1885)

Jaurès a vingt-deux ans, seulement vingt-deux ans. L'embonpoint ne l'a pas encore alourdi. Il n'est pas grand — un mètre soixante-huit —, mais quand il pose pour le photographe, ces années-là, en redingote et gilet, la main gauche dans la poche placée haut de son pantalon, la barbe bien taillée, les cheveux coiffés avec soin, il a belle prestance, une élégance qui étonnerait si on ne savait qu'il est amoureux, qu'il veut séduire Marie-Paule Prat, et qu'il a bon espoir. Certes, le père de la jeune fille est tyrannique comme il se doit dans la bourgeoisie provinciale et conformiste de la fin du XIXᵉ siècle, mais, confie Jaurès à Charles Salomon, « maman lui a parlé de mes vœux, et à la mère de Marie-Paule aussi : on n'a pas paru contrarié du tout et on a même redoublé d'amabilité pour moi ».

Est-ce cela qui donne à Jaurès cette assurance que l'attitude de tout son corps révèle ? Il est heureux, confiant. « Je vois ces dames tous les dimanches, et c'est pour moi une grande joie », dit-il.

Cependant, peut-être est-ce à cause du regard bleu, voilé, comme embué, ou bien est-ce le bas du visage à la fois massif et indécis, la barbe l'enveloppant, passe sur le visage de Jaurès une ombre tenace, faite de tristesse et de mélancolie. La gravité du caractère, le sérieux sont visibles, comme si les traits étaient enveloppés d'un halo, celui des responsabilités et des pensées profondes. Mais peut-être aussi est-ce le changement de rythme, cette chute de l'excitation de la vie intellectuelle parisienne à la tranquille répétition des journées provinciales qui, malgré l'amour que Jaurès porte à Marie-Paule Prat, malgré les espérances qu'il nourrit, malgré la présence de ses parents, provoquent ce désarroi et ce malaise.

Hypothèses ? Jaurès se confie dans des lettres d'une sensibilité émouvante, où transparaît la fragilité non de la volonté mais de l'affectivité. Jaurès est un tendre, un doux, si généreux dans ses élans, si sincère qu'il ne réussit pas à analyser clairement les causes de ce désenchantement douceâtre qui l'habite, sans raisons raisonnables.

Il est professeur au lycée d'Albi. Il n'a que cinq élèves attentifs et admiratifs. Il ne donne que onze heures de cours par semaine, dont cinq le vendredi, ce qui lui laisse trois jours d'entière liberté. Chaque samedi, il rentre à la Fédial. Et le voici à nouveau assis entre Mérotte qu'il couvre d'affection et son père, toujours maladif. Il lit. Il retrouve sur le chemin de la messe dominicale Marie-Paule Prat. Il aime son métier, Albi et ses rues étroites où il se promène souvent. Il va le long du Tarn aux berges escarpées. Il entre dans la cathédrale Sainte-Cécile, dont l'architecture de briques rouges évoque une construction fortifiée née d'une histoire médiévale violente. Il observe les passants, une laitière, une jeune fille boiteuse. Après la fièvre de la capitale, ces joutes que sont les concours, les séances auxquelles il assistait à la Chambre des députés ou au Sénat, cet avenir qu'on lui destinait, le voici à sept cent dix kilomètres de Paris, à plus de seize heures de train, et parfois il faut même vingt-quatre heures ! Ses lettres sont pleines des noms des normaliens qu'il a connus, Bergson, Diehl, Durkheim, Michel — qui écrit dans le grand quotidien, *Le Temps*. Jaurès questionne : que deviennent-ils ? Il interroge Charles Salomon qui a rejoint l'Ecole française à Rome. Pas de plainte chez Jaurès : « Tu vas donc prendre un bain de soleil et d'Antiquité. Bonne chance ! Rêve et flâne et sois heureux », écrit-il. Mais l'inquiétude perce : « N'oublie pas ceux qui sont déjà attelés à la charrue et qui pèsent sur le sillon. »

Cet aveu discret échappé à sa plume paraît trop impudique à Jaurès. Il s'en veut, le reprend, ajoute : « Ne crois pas, par cette image pastorale, que je trouve la vie pénible... J'ai bonne étable et bon râtelier. »

Soit. Mais il était le cacique de sa promotion. On lui promettait une gloire à la Gambetta, on l'applaudissait dans les amphithéâtres. Il avait les plus brillants et les plus intelligents pour condisciples. Il se retrouve professeur à Albi. Aucune amertume mais une inquiétude sourde, qu'il ne réussit même pas à formuler, mais qui est présente. S'il était pris au piège de cette vie-là, s'il n'y avait pas d'issue ? Il se fustige avec une complaisance ambiguë, comme s'il éprouvait un plaisir masochiste à redire « qu'il a acquis l'art très difficile de flâner et de végéter doucement une journée entière sans étudier, sans lire et presque sans penser. " C'est un art admirable et que je veux cultiver car il doit être d'une très grande ressource dans les années de vieillesse... " ». Il écrit cela le 11 mars 1883, à vingt-quatre ans !

Mais il ne se convainc pas lui-même. Homme de devoir au surmoi écrasant, il a rejoint le pays des siens, il vit près de Mérotte et de son père, malade. Il ne remet pas en cause ses choix. Il est là. Il enseigne. Il aime Mérotte, elle est heureuse avec lui, son grand fils. Qu'exiger d'autre ? Mais il constate : « Je sens de jour en jour, malgré d'assez bonnes apparences, ma pauvre machine plus délicate : un rien me détraque et je fais quelquefois de mélancoliques réflexions. » Ailleurs, il avoue qu'après une visite à la cathédrale d'Albi, il emporte pour la matinée une « tristesse tranquille », qu'il « nourrit en songeant aux amis absents ». Il lit la Bible, répète qu'il est heureux, puis la migraine le prend, comme un symptôme ineffaçable du malaise. Il avoue tout à coup : « Je crois que je m'endors », ou bien parle de « ce fond de pensées rassises et monotones qui composent » sa journée. Et il « n'échappe que par le travail », par un effort de volonté, à la mélancolie et à la nostalgie. « J'ai beaucoup de ressources ici, je soigne mon cours, ajoute-t-il comme quelqu'un qui veut rassurer ses amis et se convaincre lui-même, je prépare même un peu ma thèse : bref, je suis devenu ambitieux. »

Ironie, dérision de lui-même ? Appel plutôt à la compréhension d'un ami cher avec lequel on a partagé les années d'études, la même chambre, les doutes et les enthousiasmes.

Lettres en forme de confessions voilées ? Il y a de cela qui n'exprime pas tout Jaurès, mais un versant intime et secret de sa personnalité, sa vulnérabilité. Or, dans cette fin de siècle, où les valeurs viriles, le « machisme » dominent, cette sensibilité étonne comme un trait féminin.

Manière de dire que Jaurès échappe au modèle conventionnel de l'homme de l'époque, qu'il a le comportement caractériel de ce qu'on appelle alors un « artiste » lié par des sentiments forts à un ami.

« Tu vois que je pense beaucoup à toi... Quand nous reverrons-nous ? écrit-il. Je ne puis songer sans tristesse que nous étions toujours ensemble, vivant presque de la même vie, et que maintenant il faut compter sur une même fortune pour se revoir bientôt. »

Amitié dont la profondeur, la charge émotive s'expliquent aussi par la solitude affective de Jaurès. Relations platoniques avec Marie-

Paule Prat. Discussions à Albi avec ses anciens professeurs du collège de Castres. Comment Jaurès ne regretterait-il pas l'ami de la rue d'Ulm ? Il s'émeut : « Comment se fait-il que depuis si longtemps je n'ai pas de tes nouvelles ?... Quand je pense qu'il y a trois longues années [la lettre est du 28 mai 1884] que je t'ai quitté au coin de la rue Jacob, et que depuis lors je ne t'ai pas vu et que nous n'avons pas pu causer du passé et de l'avenir, j'ai le cœur gros véritablement. Ce souvenir de bonnes années d'école et de bonne amitié, faute de pouvoir le renouveler et le ressaisir dans la vie commune, me devient presque une souffrance. »

Langage sans affectation qui dit les sentiments parce qu'ils sont purs, et que Jaurès dans sa « simplicité » n'est pas porté à analyser longuement. Sa plume court, écriture ronde, claire et ordonnée. Elle revient sans cesse sur les mêmes regrets : « Quand nous reverrons-nous ? Quand nous retrouverons-nous ? Je crois que je vieillis à l'émotion étrange que je ressens devant ce passé si récent de l'école. Quand pourrons-nous encore nous dire tout ? »

Ce qui se dévoile aussi, c'est l'importance de ces relations d'Ecole normale nées dans l'exaltation des jeux intellectuels, dans l'enthousiasme de la découverte, quand on partage non seulement les idées mais l'intimité de la vie quotidienne. Liens de « séminaristes » que la vie sépare.

« C'est une crise, avoue Jaurès, car il me semble que l'existence se rétrécit : on entre dans un métier, on a une besogne régulière, un numéro dans un cadre administratif. Adieu, la belle liberté et les espérances vagues des premières années. » (11 mars 1883.)

La crise est d'autant plus réelle que l'illusion amoureuse se dissipe. Finis les promenades et les bavardages, les soupirs et les sourires, la messe partagée. M. Prat, le vieux tyran domestique, a grondé, choisi un époux pour sa fille : Mᵉ Fournes, un avocat dont l'avenir est assuré.

Rupture donc, brutale. Désenchantement. Un pan de songe s'effondre, et Jaurès se trouve face à la réalité.

« Il s'est produit en moi un tel étonnement, écrit-il à Charles Salomon, un tel revirement de toutes mes idées qu'il n'y a pas eu de place pour le chagrin. »

Il sort, dit-il, « d'un long et aimable rêve ». Désespéré ? Un homme ne se désole pas pour un mirage évanoui. L'orgueil qui l'emporte ? Plutôt l'intelligence qui maîtrise, avec une sourde tristesse et un durable abattement, la déception et la désolation. Question de dignité humaine. Un homme ne se décompose pas. Il dure, il pense, il lutte. Même quand il souffre. Mais le pessimisme et le scepticisme se sont insinués dans le cœur de Jaurès. « De ce côté, je ne chercherai plus le bonheur, avoue-t-il. Je me bornerai à l'attendre avec une nuance marquée de doute. La confiance n'y est plus. » Il y a donc méfiance à l'égard des femmes, des jeunes filles : « les plus simples m'apparaissent comme très compliquées, précise Jaurès. Il me suffisait autrefois d'une soirée pour les juger ; il me semble maintenant que la vie entière n'y serait pas de trop et qu'à aimer on risque toujours quelque chose. Ai-je passé le temps d'aimer » ?

Confession importante où s'ankylosent en Jaurès des comportements face à l'amour. Déjà l'éducation, les préjugés, les principes, le moralisme l'avaient isolé, empêché de libérer sa personnalité. Chaste, Jaurès ? C'est probable, et l'épisode malheureux qu'il vient de vivre ajoute à sa réserve une inquiétude, une peur de l'autre féminin, mystérieux, incompréhensible et dangereux.

« A aimer on risque toujours quelque chose ? » Phrase clé : on ne doit pas prendre de risque sur le terrain de l'amour. Trop incertain. Trop personnel. Trop opaque. Jouons ailleurs. Soyons téméraires dans l'univers de la pensée, le monde de la politique. Mais point d'audace dans le corps à corps amoureux et sexuel. On *risque* de s'y perdre tout entier. Et l'homme vaut mieux que ce naufrage ou cette exaltation-là. Si limitée à soi, si périlleuse pour l'être.

En un sens, ce retrait prudent de Jaurès est bien la preuve de sa vulnérabilité affective. Mais de cette effusion qu'il se refuse — et qui provoque un sentiment d'échec ou, à tout le moins, la conviction qu'il y a un domaine étranger qu'on ne connaîtra pas ou mal —, comment n'en chercherait-il pas la compensation ailleurs ? Là où l'être est moins menacé parce que l'adhésion à autrui s'opère par le biais de l'intelligence et des idées donc, ou médiation par l'action politique, la politique, ce lieu où fusionnent affectivité et pensée, abstraction et réalité, où l'homme, jeté en pâture aux autres, use et livre son corps — n'est-ce pas cela un discours ? — tout en donnant des idées, et évite l'affrontement amoureux, si singulier, si menaçant ?

Ainsi, une formation, une époque et sa hiérarchie des valeurs, un caractère, un épisode amoureux orientent-ils une vie. Les passions de Jaurès ne naîtront pas de l'amour.

Une passion politique ? Elle est là sous-jacente, encore à l'état de germe mais sensible, à l'œuvre dès l'arrivée de Jaurès à Albi puisqu'il utilise ses vacances scolaires afin de faire campagne pour le député républicain sortant, le notaire Cavalié. Celui-ci sera élu le 21 août 1881 par 14 483 voix, sans concurrent. Jaurès avait parcouru les cantons ruraux, dialogué avec les paysans qu'il avait l'habitude de rencontrer sur les marchés de Castres, goûté à une campagne électorale.

Cette action politique — la première que mène Jaurès sur le terrain — est comme la fin d'un élan pris à Paris et que va peu à peu freiner la vie quotidienne, l'enseignement au lycée. Car, naturellement, Jaurès s'y donne avec talent et enthousiasme. Où pourrait-il d'ailleurs, une fois les élections passées, investir son énergie ?

Les élèves sont subjugués par ce jeune professeur, ce « type épatant », dit l'un d'eux, qui parle sans notes, sans une hésitation, reprenant son cours, d'un jour à l'autre, au mot précis où il l'avait interrompu. Il marche à pas lents dans la salle de classe ; parfois, avec la paume de la main un peu fermée, il semble couper l'espace de haut en bas. Puis, librement, il bavarde comme un aîné à peine plus vieux.

Point besoin de discipline, non pas seulement parce que les élèves sont peu nombreux, mais surtout parce que l'autorité morale, le prestige et l'impérium intellectuel de Jaurès sont absolus.

Son cours est d'une richesse encyclopédique. A chaque phrase la culture classique de Jaurès s'épanouit en citations et développements. L'un des élèves, Louis Rascol, prend avec soin des notes, et on découvre à les lire que Jaurès, devant ces élèves d'Albi, ébauche ses principales idées, en philosophe mais aussi en poète. « Au fond de toutes les apparences, dit-il dès sa première leçon, il y a un être immobile comme la mer sous les vagues et par là échappant au temps et à l'espace. Le but de la philosophie ? Trouver cet être caché. »

Exigence d'une pensée qui veut saisir l'universel, qui refuse l'opposition entre la « matière » et l' « esprit », et tente de les unir dans une dynamique du mouvement et de la fusion. Il est vrai que partout il y a la matière et le mouvement, constate Jaurès, mais *on ne peut* avec cela « expliquer le plus petit fait de la conscience animale ou humaine... La science *ne peut* fournir elle-même les bases de l'univers ».

Ainsi, le jeune professeur exprime-t-il une volonté de synthèse qui fascine les élèves.

Souvent, ils accompagnent Jaurès jusqu'à la cathédrale ou bien jusqu'à ce pont du Moyen Age qui relie le centre de la ville à son faubourg de la Madeleine, sur la rive droite du Tarn. On parle encore. Jaurès aime dialoguer en marchant. Il évoque dans ses cours et ses conversations la personnalité de Maine de Biran qui fut, en 1795, administrateur du département de la Dordogne puis, sous la

Restauration, député de Bergerac. Un homme politique donc, mais qui était aussi un philosophe, cherchant à concilier matérialisme et idéalisme. Un homme exigeant, courageux, qui avait voulu faire de ses engagements politiques les conséquences de ses choix philosophiques. Jaurès continuateur de Maine de Biran ? Il commente l'œuvre ainsi que la vie du député et philosophe de Bergerac à haute voix. Après tout, ils sont du même Sud, et, dans sa classe du lycée d'Albi, Jaurès peut rêver devant des élèves fascinés à cette fusion de la pensée et de l'action.

Le rayonnement de Jaurès déborde vite les limites du lycée.

Les élèves ne tarissent pas d'éloges sur les cours et la personnalité de ce professeur exceptionnel et amical. Il est l'enfant du pays, le neveu de l'amiral Jaurès. On se souvient de ses lauriers scolaires, à Castres. Sa gloire régionale commence de s'affirmer. Le recteur de la faculté des Lettres de Toulouse, un historien de la Révolution française, Claude-Marie Perroud, vient l'inspecter et est immédiatement subjugué par l'intelligence et l'éloquence de Jaurès. « M. Jaurès, précise un rapport, corrige avec le plus grand soin les copies de ses élèves et obtient de très bons résultats... Le jeune professeur inspire la confiance la plus absolue aux familles. Très estimé en ville, il vit dans les meilleurs termes avec ses collègues et avec l'administration. »

Dans la vie de Jaurès, c'est comme si un nouveau M. Deltour apparaissait, l'un de ses universitaires désintéressés et altruistes, dévoués à leur mission, seulement soucieux de faire qu'un esprit s'épanouisse et, de ce fait, rayonne sur l'université. Ainsi, on ne laisse pas s'étioler dans un lycée un Jaurès. Perroud l'interroge : on parle thèse, enseignement à la faculté des Lettres, carrière universitaire en somme. Jaurès naturellement accepte l'idée d'une maîtrise de conférence à la faculté des Lettres de Toulouse. Il a commencé à préparer sa thèse, dit-il. Perroud ne demande qu'un peu de patience. La personnalité de Jaurès, au-delà de ses qualités intellectuelles, l'a séduit. Cet homme d'à peine une vingtaine d'années, qui montre de tels dons et une telle sincérité, a, Perroud le pressent, un immense avenir. Il est dans l'ordre des choses de le favoriser, alors qu'il vient ainsi, si modestement, de renoncer aux départs fulgurants, à l'Ecole française d'Athènes par exemple, qu'il a choisi Albi, son pays, le devoir d'un fils, soucieux de vivre à proximité de ses parents.

Une porte, une perspective encore lointaine s'ouvrent à Jaurès. Naturellement, comme allant de soi, par la simple conséquence de ce qu'il est, de ce qu'il fait, comme si la société le choisissait, parce qu'il est le meilleur et qu'elle opérait justement, efficacement.

L'expérience sociale de Jaurès, si l'on excepte la déception amoureuse, est celle d'un homme pour qui l'entrée dans la vie se fait sans obstacle majeur.

La République est généreuse aux talents issus de la moyenne — et petite — bourgeoisie qui ne se dressent pas contre l'ordre social. Et Jaurès, dans ses premières années d'adulte, n'est pas un révolté.

Pourquoi le serait-il ? Il n'a qu'entrevu le monde ouvrier, même s'il a eu l'intuition de l'oppression qu'il subit. Il ignore le travail de taupe des socialistes, ces manifestations ouvrières violentes et brèves qui éclatent ici et là, ainsi dans les bassins miniers, à Montceau-les-Mines, en août 1882. Il n'a pas l'expérience d'un Jules Guesde qui, son aîné de quatorze ans, a été emprisonné plusieurs fois, encore en 1878 puis en 1883. Devant la cour d'assises de Moulins où il est accusé d'avoir tenu, pendant des réunions électorales, des propos séditieux, Guesde se dresse et répond avec les certitudes résolues et insolentes du révolutionnaire. Langage aux antipodes de ce que pense et vit alors Jaurès. « Non, dit Guesde, je n'ai pas fait appel au meurtre et au pillage. Mais j'ai fait appel à la force. Loin de la répudier, je compte sur elle. Elle est l'instrument de toutes les transformations. »

Jaurès à Albi ignore ces propos et la philosophie de l'Histoire qui les sous-tend. Dans les élections de 1881, il a appuyé le notaire Cavalié, seul candidat et bien modéré ! Mais à ces mêmes élections, et pour la première fois, là où elle le peut, la Fédération du parti des travailleurs de France a engagé la bataille. Jules Guesde à Roubaix a recueilli 494 voix, cependant que plus de 12 000 se répartissent entre bonapartistes et républicains ! Les congrès socialistes (Marseille en 1879 ; Le Havre, 1880 ; Reims, 1881 ; Saint-Etienne, 1882) marquent à la fois la progression du mouvement socialiste et ses divisions. Des affrontements opposent ainsi les partisans de Jules Guesde, absolus, déterminés à forger un parti marxiste — les « ultramontains du socialisme » —, à ceux qui, comme Brousse, veulent s'insérer dans la réalité immédiate, obtenir ce qui est *possible*. Entre Guesde et ces « *possibilistes* », c'est l'antagonisme. Ils rendent hommage à Marx et Engels, mais ils n'acceptent pas la « prétention de faire tenir tout le mouvement socialiste dans leur cerveau ».

« Les ultramontains, écrit Brousse en septembre 1882, ne peuvent pas obéir à la loi de leur pays, parce que leur chef est à Rome. Les marxistes ne peuvent pas obéir aux décisions du parti et de ses congrès parce que leur véritable chef [Marx] est à Londres... Il n'y a qu'une solution nécessaire : la séparation des capucins marxistes et de l'Etat socialiste ouvrier. »

On voit qu'ainsi — pendant que Jaurès enseigne, réfléchit à sa thèse, élabore une synthèse entre matérialisme et idéalisme, vit la déception amoureuse, fréquentant les salons de la bourgeoisie provinciale — le socialisme connaît déjà ces débats essentiels, la lutte entre un socialisme fermé et un socialisme ouvert est déjà vive.

Jules Guesde s'impose comme un leader. Il entraîne de sa « voix claire et métallique qui vibre comme un clairon de bataille ». Son lorgnon posé sur le nez, ses longs cheveux châtain foncé et sa barbe accusent sa maigreur. Il gesticule en parlant, se penche à la tribune « comme pour magnétiser son auditoire », dit un témoin. Sa langue est claire, rigoureuse « aux allures scientifiques mais en même temps que poétique et imagée ».

« Nous ne sommes ni des pillards ni des émeutiers, répète-t-il. Nous voulons établir la République dans l'ordre économique. »

Cette formule pourrait séduire Jaurès, mais quand Guesde conclut devant les jurés qui l'écoutent : « J'invite le prolétariat à ne compter que sur lui, et à se tenir prêt, je fais de l'histoire et je ne commets pas de crime », ce mot de « prolétariat » ne signifie rien pour Jaurès. La politique, c'est encore pour lui la vie parlementaire, et ce qui la détermine, les élections et les grands orateurs.

Lorsque Gambetta forme enfin son « grand ministère » en novembre 1881, Jaurès s'enthousiasme. Voilà un homme politique selon son cœur, « qui a une grande vue des choses, qui sait ce qu'il veut ». Qui incarne la loyauté et la sincérité. Mais Gambetta est déjà usé, lourd, le souffle court, il tente d'entraîner les députés réticents et jaloux. « Je fais appel à vos consciences », leur lance-t-il. On le renverse après soixante-quinze jours de gouvernement, en janvier 1882. Et c'est la médiocrité prudente qui reprend le dessus, mêlant l'impuissance au scandale, refusant une grande politique extérieure et subissant les compromissions avec les affairistes ou le krach des banques (celle de l'Union générale en janvier 1882). « Spectacle affligeant d'une Chambre qui n'est que poussière, juge sévèrement Jaurès. Et une poussière qu'aucun souffle puissant ne soulève, et que tout les vents se disputent sans la ramasser. » (10 août 1882.)

Le seul homme qui se détache selon lui, c'est Jules Ferry, austère mais animant, après avoir été l'âme de l'enseignement public, une grande politique coloniale, notamment au Tonkin. Gambetta mort en décembre 1882, qui reste-t-il à admirer sinon

Ferry, quand on ne conteste pas sur le plan social la politique républicaine ?

On mesure là, dans cette période, les limites de Jaurès. Sur l'arc politique, il se place, comme un républicain intransigeant mais aveugle aux mouvements sociaux. Sait-il que Louise Michel, la communarde, la déportée de 1871, est condamnée à six ans de prison le 26 juin 1883 pour avoir excité les grévistes à piller les boulangeries ? Rien ne prépare Jaurès à participer à cet ébranlement encore incertain, qui fait craquer les jointures de la société bourgeoise et devant lequel, parce que les grèves de mineurs se multiplient, Ferry recule, autorisant les syndicats professionnels à se constituer librement (22 mars 1884).

A l'écart de ce mouvement social qui ne touche pas la région d'Albi, Jaurès reste fasciné par la politique traditionnelle vers laquelle il se sent porté non par de « petites ambitions », mais par le désir d'appliquer sa force, ses idées à un grand projet. « J'aurai le courage de mes opinions en face des inévitables politiciens de café qui font trembler nos honorables », dit-il.

Il vibre intérieurement à ce rêve. « Qui sait ? se demande-t-il. J'aurai peut-être à me décider dans quatre ans », pour les élections de 1885. D'ici là, il y a des secrets philosophiques à deviner. « Ce que sont les choses, ce qu'est la matière, d'où vient tout cela ? Où va tout cela ? » Questions naïves que se pose à lui-même Jaurès devant ses élèves ou dans ses lettres. Pour lui, elles ne sont que le préalable nécessaire à l'action. Pas de séparation chez lui entre philosophie et politique. La vie de l'esprit et celle de la cité doivent être unies. « La politique n'est qu'ajournée, dit-il. Quand j'aurai touché le fond de l'univers, il faudra bien revenir à la surface très mêlée et très agitée... Je t'avouerai, mon cher ami, précise-t-il à Charles Salomon, que tout cela — la philosophie — au lieu de m'éloigner de la politique m'y engage au contraire. » Vision haute de la politique, résultante d'une exigence à la fois morale et philosophique.

Ainsi, Jaurès se prépare à l'action politique en intellectuel. « J'espère avoir résolu tous les problèmes d'ici à quatre ans », dit-il, semblant confondre un peu la rédaction d'une thèse universitaire avec la solution d'énigmes métaphysiques éternelles.

La vie va lui rappeler brutalement qu'on ne peut enfermer le réel et ses souffrances dans les pages d'un livre.

Depuis des années, Jules Jaurès, le père de Jean, était malade, à demi paralysé, replié à la Fédial, soigné par Mérotte et entouré d'affection par Jaurès. Louis Jaurès venait rejoindre son frère et leurs parents à chaque permission, entre deux voyages lointains, débarquant à Toulon ou à Cherbourg, retournant à la ferme aussitôt. L'aîné était heureux « de la santé et de l'entrain admirables » de Louis. Mais c'était à lui, Jaurès — parce qu'il était cet aîné —, de veiller sur ses parents.

Pour cela, il avait choisi le lycée d'Albi. Heureux dans l'accomplissement de ce devoir, Mérotte, blanche et un peu tassée déjà, mais la soixantaine active, rayonnait de bonheur chaque fois qu'elle voyait son fils. A peine une inquiétude parce qu'elle le sentait attiré par la politique, ou qu'elle le devinait mélancolique parfois ; soucieuse, alors, elle cherchait à se rassurer, espérait un mariage — avec Marie-Paule Prat elle fut longtemps confiante, favorisant les rencontres des deux jeunes gens —, demandait conseil à l'amiral Jaurès, le sénateur que Jean avait vu régulièrement à Paris. L'amiral riait. Son neveu n'était pas un extrémiste mais un homme d'avenir, de ceux dont la République avait besoin. Pourquoi s'inquiéter ? Et qu'y pourrions-nous ? « Jean va à la politique comme le canard va à l'eau. »

Il fallait donc accepter, espérer que Jaurès, un jour marié, serait professeur à la faculté de Toulouse. Il avait demandé une maîtrise de conférence, et le recteur Perroud, incapable de la lui offrir immédiatement, lui promettait, pour commencer, une heure de conférence par semaine, manière de prendre date, de se rôder. Jean, selon Mérotte, devait choisir la vie studieuse des universitaires. Et ainsi elle serait toujours près de lui.

Car Marie-Adélaïde Jaurès sentait que son mari arrivait au bout de la vie.

Jules Jaurès ne se déplaçait presque plus. « J'ai eu mon pauvre père très souffrant pendant les fêtes de Pâques, écrit Jaurès, le 2 mai 1882, l'enflure avait subitement monté des jambes au ventre. » Moins d'un mois plus tard, le 27 mai, Jaurès envoie rapidement un mot à Charles Salomon : « Mon pauvre père vient de nous quitter sans souffrance. Plains-nous car nous en avons bien besoin. Je t'embrasse de tout cœur. »

Intensité des relations entre les deux jeunes hommes, profondeur du chagrin de Jaurès exprimé avec cette simplicité directe qui est la sienne. Il répond à Charles Salomon qui l'assure de son amitié : « Il me tardait de pouvoir t'écrire un peu. Ta lettre m'a fait du bien. »

Et il raconte : mots de tous quand la douleur est vraie, « comment se fait-il que je ne le voie plus et ne l'entende plus » ? Jaurès a besoin de communiquer, de dire le plus insupportable, « ce pauvre corps usé qui s'en allait en pourriture ; la chambre était inondée ».

Mots crus qui décrivent le réel, mots paysans chargés de cette force de la vérité que d'autres s'emploieraient à dissimuler ou à travestir.

Mais Jaurès sait affronter. Les deux frères transportent le corps sous le hangar et le veillent dehors, face à cette campagne où se déploie la vie. Mort et spectacle cruels, la terre n'a rien caché du travail impitoyable de défiguration rapide du corps. « Heureusement, dit Jaurès, à ces moments-là l'imagination est inerte. Il ne reste qu'une tristesse de plus au cœur et comme une piété redoublée pour ceux qui nous quittent. Rien n'éloigne d'eux, tout y ramène. »

Ici encore, pas de révolte, pas de cris déchirants mais une acceptation raisonnée de la douleur, de la disparition, la soumission à cet inéluctable vide que la mort creuse. Jaurès doit-il cette sagesse qui intègre le deuil à soi, à ses origines rurales ? Cette souffrance, quoi qu'il en soit, et les questions que pose toute disparition l'aguerrissent. Sa pensée philosophique mûrit. Il pense à sa thèse, bien sûr, mais elle n'est plus seulement un exercice universitaire, rhétorique et formel. « Je voudrais démontrer, explique Jaurès, contrairement à toutes les doctrines idéalistes, que le monde extérieur, quoique transformé par notre cerveau, hors de nous, a sa réalité propre et indépendante. »

Affirmation banale ? Pour la philosophie, ligne de partage nette. Et Jaurès qui vient de se heurter à la réalité du décès, qui a vu la mort à l'œuvre, décomposant la vie, se place dans un camp. « Il y a hors de nous du rouge, du bleu, du violet, et si tous les yeux qui sont ouverts au monde venaient à se fermer, il y aurait encore du rouge, du bleu et du violet », conclut-il.

N'est-ce pas le fruit de l'expérience même de celui qui vient de veiller le corps du père sous le hangar de la Fédial, et qui, regardant autour de soi, voit le jour et la nuit se succéder dans leur contraste de couleurs ?

La mort de son père libère aussi Jaurès de ses attaches avec la Fédial. Il lui suffit de rester avec sa mère, qu'il ne peut ni ne veut laisser seule, mais il peut vivre à Albi ou à Toulouse.

Durant ces trois années (1882-1885), il formera ainsi avec sa Mérotte un couple touchant. A Albi d'abord, où Jaurès a loué une petite maison avec un jardin. Mérotte, en noir, longue robe, chapeau, dentelles, vient attendre son fils à la sortie du lycée. Il lui donne le bras, ils marchent lentement côte à côte dans cet épanouissement doux que donne l'entente d'un fils et d'une mère. Elle, si fière de lui, lui, si heureux d'elle, de son bonheur qui lui vient de lui, de ce qu'il est. Durant une année, il part à Toulouse une fois par semaine donner une conférence à la faculté, puis, en novembre 1883, il assure un cours complémentaire régulier, abandonnant ainsi l'enseignement au lycée.

Il s'installe dans une belle maison toulousaine, 11 *bis,* avenue Frizac. C'est que, avec ses cent trente et un mille habitants, ses musées et son Université, sa riche histoire municipale, mais aussi son rôle d'entrepôt pour les départements du Midi, ses moulins à trente-quatre meules chacun, ses manufactures de tabac, ses ateliers de carrosserie et de sellerie, ses industries alimentaires, et même ses forges et ses aciéries, Toulouse est une véritable capitale. Jaurès va y nouer de solides relations amicales. Avec le recteur Perroud, d'abord, qui l'invite régulièrement, l'ouvre, en historien de la Révolution française — Perroud a écrit une biographie de Mme Rolland —, à ses origines immédiates et tumultueuses de la France contemporaine. Il fait pressentir à Jaurès que là, en 1789, se trouve le terreau fondateur de la République et de la plupart des idées de progrès.

Jaurès côtoie aussi d'aimables collègues, qu'il retrouve chaque jour au café de la Paix pour de longues conversations.

On aperçoit le professeur Jaurès qui fait un tour de promenade avec sa mère, toujours à son bras, place du Capitole. Des étudiants le saluent. Une vingtaine, dont certains préparent l'agrégation, suivent ses cours. Il donne au lycée de jeunes filles un cours de psychologie. Il acquiert très vite la réputation d'un « maître » qui, malgré sa jeunesse, dispose d'une autorité morale et intellectuelle. Sa gloire régionale s'affirme. Il écrit sous la signature du *Liseur* quelques critiques de livres dans *La Dépêche de Toulouse.* On l'invite dans les salons, au château de Loirac, non loin d'Albi, où Mme Desplas reçoit la bonne société locale.

Toutes les élites dirigeantes se retrouvent là, loin des réalités du monde du travail ou du monde urbain. Le parc est vaste et beau, les soirées sont douces, les boissons fraîches. Les dames ont le corps moulé et le buste haut. Malgré la violence des luttes politiques et les traces qu'ont laissé les décisions de Ferry, ici les notables républicains côtoient les prêtres ; les officiers monarchistes ou bonapartistes se mêlent aux riches marchands attachés au régime.

Jaurès est à son aise. On parle positivisme ou religion. Ici on a peu lu Zola mais plutôt Renan.

Qu'on est loin des préoccupations de Jules Guesde qui, dans son journal, *Le Cri du Peuple,* écrit en 1883 : « Le Parti ouvrier français auquel j'appartiens non seulement jusqu'à la prison mais jusqu'au mur, inclusivement, a pour but : l'expropriation de la classe capitaliste et l'appropriation collective des moyens de production et d'échange. Pour moyen : la constitution en parti de classe des prolétaires ou salariés s'emparant révolutionnairement du pouvoir politique pour la transformation nécessaire de la propriété privée en propriété publique. »

Jaurès au château de Loirac est enveloppé par un monde qui l'isole de ces préoccupations-là. Autour de lui, on se soucie de le marier. N'est-il pas un bon parti ? Professeur appelé à une belle carrière universitaire, peut-être politique, n'est-il pas aussi le neveu de l'amiral Jaurès ? Le recteur lui-même s'en mêle. Une toile d'araignée se tisse autour de Jaurès dans la meilleure tradition des villes de province où l'on soupèse pour les mariages bourgeois l'avenir du futur mari et la dot de la fiancée.

D'intermédiaire en intermédiaire, on découvre une Louise Bois, âgée de dix-sept ans, fille d'un solide marchand de fromages, républicain déterminé mais surtout propriétaire d'une grande propriété de près de quarante hectares à Bessoulet. La maison est grande et domine la vallée du Tarn. On y accède par une glorieuse allée bordée de châtaigniers séculaires. C'est la dot.

Mais il fallait au gendre un avenir. Jaurès envoya sa photographie. On se rencontra furtivement sous la houlette de Mme Desplas. Jaurès fut séduit. Louise Bois était ce qu'on appelait une « belle femme ». Grande — elle dominait Jaurès d'une tête —, forte, prises dans des robes et des corsages serrés, ses rondeurs la rendaient conforme aux canons de la beauté du temps. Mais le visage était un peu fade, les yeux inexpressifs ; brune au teint laiteux, elle paraissait douce, presque passive et sans doute est-ce ce qui attira Jaurès qui gardait de la piquante Mlle Prat un souvenir inquiet. Louise Bois, calme, tranquille, semblait raisonnable, et les conditions mêmes du mariage excluant la passion rassuraient Jaurès. D'ailleurs à la première demande à la fin de l'année 1884, on lui fit comprendre qu'on hésitait. Trop jeune, Louise, prétendait-on. En fait, on s'interrogeait. L'avenir de Jaurès, pesait-il autant que la propriété de Bessoulet, son allée de châtaigniers et ses hectares ? On en doutait. A Jaurès de prouver le contraire.

On mesure combien Jaurès manque d'initiative dans ce domaine amoureux, ce qui révèle à la fois timidité, incertitude sur soi et indifférence. Car l'acceptation des lois du milieu social bourgeois est un signe : à cette époque, Jaurès se soumet à l'ordre existant. Au plus profond de lui-même.

Qu'il soit conquis par Louise Bois, c'est sûr, mais qu'il se soit laissé guider vers elle par de bonnes dames, qu'il accepte, même s'il en est choqué, qu'on le récuse une première fois sur les bases d'un mariage bourgeois, voilà qui confirme que, dans le domaine de la vie privée et affective, Jaurès ne conçoit pas le changement, n'en ressent pas le besoin. Peut-être parce que plus que jamais, il s'investit ailleurs, dans le jeu des idées et dans le rêve politique.

Car elle est là, la politique, frappant aux portes de sa vie. S'imposant à lui comme un instinct, le désir profond, irrépressible d'intervenir dans les affaires publiques. « J'aurai probablement à prendre dans un an, écrit-il à Charles Salomon, au moment des élections de 1885, un grand parti. Le problème s'imposera à moi inévitablement. »

Pourquoi ? L'ambition ? Si l'on veut, mais elle n'est pas médiocre. Certes, il veut agir individuellement, mais parce qu'il est cette personnalité forte qui sent le désir d'imprimer sa marque par des mots qui sont des actes. Et la politique telle que la perçoit autour des années 1880 ce jeune philosophe qui cherche, selon la tradition classique, à jouer un rôle dans la cité, à accorder sa pensée à sa vie, n'est-ce pas d'abord cela ? « Je me sens capable, dit-il, d'avoir moins de petites ambitions que beaucoup d'autres. »

« Après tout, dira-t-il, répondant à ceux qui l'accusent, l'ambition n'est pas un crime quand elle est justifiée par le travail et tournée au bien public. »

Volonté donc de viser haut avec une conception morale de la politique. Et toujours le sens du devoir : « Quand je ne rendrais d'autre service à ma ville natale que d'écarter certains candidats de ma connaissance, confie-t-il, les plus creux et les plus plats des énergumènes, ce serait presque un devoir de le tenter, et je crois que je le tenterai. » Autour de lui, nombreux sont ceux qui l'incitent à se lancer dans l'aventure, à s'engager parce qu'ils connaissent ses capacités, qu'ils pressent ses tentations ou devinent ses hésitations. Ses collègues ou ses élèves du lycée d'Albi ou de la faculté de Toulouse savent comment il se passionne pour la politique. On l'entend exalter Gambetta, dénoncer les petitesses, soutenir Jules Ferry.

Quand, à la faculté des lettres, un conférencier — un ancien député du corps législatif impérial — se montre critique à l'égard de Jules Ferry, Jaurès qui, présent par hasard, écoute parmi l'assistance, interrompt l'orateur : « J'enseigne dans cette école, et, lance-t-il, j'imagine que j'ai le droit d'y parler. » Il s'est avancé presque malgré lui, poussé par l'une de ses pulsions inconscientes qui sont toujours révélatrices du désir. Il parle, il subjugue, il conquiert la salle. Le recteur s'exclame : « Quelle révélation, c'est Gambetta au procès Baudin [1]. »

De telles admirations vous portent. Il est difficile aussi de se dérober — sous peine de se renier — à la dynamique du talent et des dons que l'on sent en soi.

Certes, il y a en même temps du calcul et de l'habileté dans la marche de Jaurès vers la candidature aux élections législatives de 1885. Il multiplie les conférences dans toute la région. Il parle à Albi de la politique de colonisation qu'il soutient et qu'il présente comme une action civilisatrice de la France, qui y introduira sa langue et ses vertus, puisque la France est « pure, grande, toute pénétrée de justice et de bonté ». Il parle à Castres, à Carmaux, le pays ouvrier. Il ne s'avance pas lui-même, refusant de faire campagne auprès des comités d'arrondissement qui sélectionnent les candidats. Il sait pouvoir compter sur quelques amis fidèles, anciens professeurs du collège de Castres qui le connaissent depuis l'enfance. Il dispose de l'appui de son oncle, l'amiral Jaurès, le sénateur du Tarn. Il mesure aussi combien sa personnalité peut être utile à la liste républicaine.

En effet, la bataille qui commence — la première bataille que livre Jaurès — est difficile pour les républicains.

Une crise économique qui provoque faillites et grèves se prolonge depuis 1882. Des menaces extérieures semblent se préciser : la Prusse, l'Autriche-Hongrie et l'Italie ont conclu la Triple-Alliance qui ne peut être qu'hostile à la France. Et déjà des nationalistes se regroupent, appelant à la revanche : Paul Déroulède crée la Ligue des patriotes qui rassemble bientôt 200 000 membres au cri de : « Qui Vive ? France ! »

Les républicains, face à cette situation troublée, choisissent la modération à l'intérieur du pays et l'expansion coloniale. Mais Ferry qui l'anime se laisse entraîner dans une guerre avec la Chine à propos

---

1. Gambetta avait défendu des républicains sous l'Empire, notamment le député Baudin.

de la conquête du Tonkin, et quand, le 29 mars 1885, la nouvelle parvient à Paris qu'à Langson 200 Français ont été tués par des troupes chinoises, c'est contre lui l'hallali. « Nous ne vous connaissons plus, nous ne voulons plus vous connaître, s'écrie le radical Clemenceau à la Chambre. Ce ne sont plus des ministres que j'ai en face de moi, ce sont des accusés de haute trahison. »

La presse se déchaîne contre Ferry, contraint de démissionner. Ce soir-là, le 30 mars 1885, sur la place de la Concorde, plus de 20 000 personnes hurlent : « A bas Ferry ! A l'eau Ferry ! A mort le Tonkinois ! »

Langson révolte l'extrême gauche et les radicaux, mais surtout offre aux bonapartistes et aux monarchistes l'occasion d'attaquer l'une des figures symboliques de la République. Ils se regroupent, constituent en vue des élections du 4 et du 18 octobre 1885 une « Union conservatrice », au programme habile qui dissimule l'assaut contre la République sous le couvert de critiques contre les expéditions lointaines, la crise économique, la corruption qu'on voit pointer ici et là, à propos des emprunts lancés pour les travaux de creusement du canal de Panama. L'extrême gauche socialiste a contribué à renverser Ferry, à créer un climat tendu où convergent contre les républicains modérés — les *opportunistes* — tous leurs adversaires de droite et de gauche.

L'Union conservatrice bénéficie, en outre, du soutien du clergé catholique — Ferry est l'homme de la laïcité — et de très nombreux comités qui dans les départements aident et financent les candidats conservateurs.

On sent venir la défaite républicaine. Dans ces conditions, un candidat comme Jaurès, bénéficiant d'une large notoriété, d'une image neuve, au-dessus des compromissions locales, ne peut être qu'accepté. Le 16 août 1885, le Congrès des notables républicains l'accueille avec enthousiasme sur la liste des six candidats.

Voilà, Jaurès est entré en politique. Il a vingt-six ans.

Il a pour lui son éloquence et sa générosité. Il empoigne ses auditoires. Il faut l'entendre refusant les labyrinthes de la petite politique, parler des principes républicains : « La République, s'écrie-il, est le seul gouvernement qui puisse se tromper sans inconvénients irrémédiables... La République est un régime de contrôle, de discussion et de liberté. »

Il va, de ville en bourg, s'adressant aux paysans sur les marchés, sans concessions, sans démagogie, restant lui-même, intellectuel, découvrant ce plaisir de lancer les mots qu'on porte en soi, poussé par cette exaltation d'orateur qui ne biaise pas mais se donne. Il plaide pour cette République qui a œuvré dans tous les domaines, instruction, libertés, grands travaux, expansion coloniale. Et il condamne l'héritage du Second Empire, cette plaie de l'Alsace-Lorraine laissée au flanc de la nation par la défaite de 1870.

En même temps, il rédige pour les candidats républicains leur profession de foi.

Défense républicaine classique, qui satisfait les notables du département et montre les limites de l'analyse de Jaurès. Mais peu à peu, pourtant, de discours en discours, son champ s'élargit. Il parle des pauvres, de la justice sociale nécessaire. Rien de précis encore, mais une sensibilité aux problèmes sociaux qui colore le discours républicain. D'ailleurs, les adversaires sont si typés que, par contraste, Jaurès, quelle que soit sa modération, se trouve déporté à gauche.

Il y a le baron René Reille, grand propriétaire, « roi des montagnes Noires », constamment réélu député du Tarn. Sa fille a épousé le fils du marquis Achille de Solages. Ces deux familles nobles ont ainsi associé la propriété terrienne à l'industrie de Carmaux. Elles tiennent le département sous leur emprise féodale, appuyées sur le clergé dont les éléments libéraux sont mis à l'index, révoqués.

Bataille frontale, sans nuances, exemplaire. Jaurès découvre qu'il ne suffit pas d'être de bonne foi. On l'insulte. On cherche à sa candidature des motifs mesquins. Il en est blessé. Il commence à comprendre que, si l'on vise haut, si l'on est mû par de grands principes et de nobles élans, on est toujours jugé par des nains qui veulent vous rétrécir, vous réduire à leur taille. « J'ai été très affecté un moment, dit-il, mais surtout écœuré par les propos tenus contre moi, mais je sais qu'il faut s'attendre à bien des choses, et j'ai eu bientôt l'esprit rasséréné. »

C'est pour Jaurès l'apprentissage. Ses adversaires ont compris qu'il était sur la liste républicaine le plus redoutable. Dans le quotidien *Le Nouvelliste,* organe conservateur, on l'attaque médiocrement. On dénonce son caractère, son ambition démesurée, ne voudrait-il pas être ministre avant même d'être candidat? Ce petit homme ne sait que bavarder comme un professeur habile, dit-on. Il n'a aucun des élans de la jeunesse. Il choisit prudemment une carrière. Il est laid, sans aucun charme, n'a-t-il pas un tic à l'œil droit fort désagréable?

Mérotte s'inquiète de l'animosité que suscite son fils. Elle savait bien qu'il ne fallait pas faire de la politique. Trop tard. Le 4 octobre, on vote pour le premier tour au scrutin de liste. Malgré les pressions de toute sorte exercées sur les électeurs, Jaurès est élu au premier tour en tête de liste, avec 48 040 voix, soit 110 de plus que le baron Reille, le vieux baron de la politique locale.

L'enthousiasme des républicains va bien au-delà des couches traditionnellement fidèles car Jaurès a fait naître autour de lui un véritable enthousiasme. On a senti en lui une conscience sincère, un esprit supérieur qui n'entraînait dans le comportement ni sentiment ni geste de supériorité. Au contraire, une égalité vécue comme une exigence philosophique et morale.

« Il me semble, écrivait Jaurès à Charles Salomon, que l'humanité est en masse une personne point sotte et point méchante. Plus je vais, plus je trouve que personne n'est tout à fait à mépriser. »

Jaurès avait même envisagé de traiter dans un cours de la « valeur de la nature humaine ». « Tu vois que je veux donner, commentait-il pour Charles, une formule à cet esprit d'indulgence dont tu me raillais un peu. »

Les paysans et les ouvriers du Tarn ne se sont pas moqués de Jaurès. Dans ces discours exigeants que, parfois, ils ne comprennent pas complètement, ils ont vu la preuve du respect qu'il leur portait. Voilà un homme qui ne les méprisait pas.

Le 5 octobre 1885, le lendemain des résultats du premier tour, des travailleurs de Castres adressaient à Jaurès une lettre ouverte que publiait *Le Courrier du Tarn*. « Vous ne nous avez pas déçus, écrivaient-ils. Depuis plusieurs mois, vous combattez pour notre cause dans le parti [républicain] que nous soutenons ardemment. Quant à nous, nous ne vous décevrons jamais. » Témoignage émouvant qui montre que Jaurès a franchi le difficile obstacle du suffrage universel. Il a été reconnu. Le soir des résultats, des groupes d'électeurs enthousiastes l'acclament, et autour de la ferme de la Fédial, où Jaurès est allé embrasser Mérotte, ils crient : « Vive le député du Tarn ! Vive Jaurès ! »

Les résultats de Jaurès sont d'autant plus remarquables que le scrutin a été marqué par une poussée conservatrice. Les partis de droite obtiennent 177 sièges, les républicains, toutes tendances confondues, à peine 129. Après le raz de marée républicain de 1881 qui avait refoulé les voix de droite à 1 789 000 (contre 3 577 000 en 1877), les conservateurs rassemblent 3 541 000 voix. C'est le retour à un équilibre classique après la vague républicaine de 1881 : 45 % de voix conservatrices et 55 % de républicaines.

Devant ce recul, les républicains serrent les rangs en vue du second tour. Elu, Jaurès — dont on connaît déjà les dons d'orateur — court les départements voisins du Tarn, de réunion en réunion. Au plan national, même Jules Guesde, qui prédisait quelques semaines auparavant « la révolution prolétaire dans quatre ans au plus tard », appelle à « l'union des forces républicaines d'avant-garde ».

Cette tactique réussira. La majorité restera au lendemain du 18 octobre aux mains des républicains. Ils sont 383 contre 201 conservateurs. Mais ce sont les radicaux (101) et les socialistes (6) qui au sein du camp républicain font la percée, au détriment des « opportunistes ». Il y a désormais une extrême gauche bien présente. Jaurès n'est encore qu'un parlementaire modéré.

Pourtant, quand, lors d'une réunion tenue à Graulhet le 18 septembre, on lui a demandé où il siégerait à la Chambre des députés, il a répondu : « Je ne ferai partie d'aucun groupe, d'aucune coterie et, enfant du peuple, je voterai toutes les réformes qui pourront améliorer le sort de ceux qui souffrent. »

C'est un véritable programme qui peut l'entraîner loin.

On connaît déjà assez Jaurès pour savoir qu'il le suivra.

II

LA DÉCOUVERTE DE SOI
(1885-1893)

Chapitre 4

La politique telle qu'elle est : député républicain (1885-1889)

Voilà, il est l'un d'eux. Une sourde émotion étreint Jaurès à regarder ces députés qui, au Palais-Bourbon, bavardent salle des Quatre Colonnes ou se mêlent aux journalistes et aux échotiers salle des Pas Perdus. Dans le brouhaha qui précède l'entrée en séance, la garde se prépare à rendre les honneurs au président de la Chambre. Bientôt, il s'avancera, venant de l'hôtel de Lassay, accompagné par le roulement des tambours.

Jaurès est sur la réserve, impressionné. Il a fait ses premières démarches à la Chambre, inscription, découverte des lieux, avec timidité. Il est entré dans le sanctuaire de la démocratie. Ces hommes qu'il croise ce sont encore les modèles, ceux qui l'ont inspiré, qui ont guidé la politique de la France.

Il reconnaît Jules Ferry, le vaincu de mars 1885, le Tonkinois, réélu et qu'on sent, malgré sa moue d'indifférence, aux aguets comme un homme qui attend l'heure de prendre sa revanche. Jaurès dévisage ce grand bourgeois aux yeux lourds, à la longue barbe séparée de part et d'autre de son menton imberbe. Le front est dégarni, le sourire un peu méprisant et ironique. Ferry n'est plus qu'un député parmi d'autres, mais pour Jaurès il incarne toujours la République et son effort pour l'instruction laïque. Il a défendu cet homme dont l'action a exercé sur lui, il le reconnaîtra, « une séduction soudaine et violente dont il ne put jamais tout à fait se libérer ». Ferry et les opportunistes — les modérés — font figure de vaincus du scrutin du mois d'octobre 1885.

Voici Clemenceau, chef de file des radicaux, « intransigeant jusque dans ses moelles », l'un des exécuteurs de Ferry. Tête ronde, crâne chauve, sourcils noirs, moustache tombante à la gauloise. On se presse autour de lui. Il ne regrette pas ses discours contre Ferry, dit-il, même s'ils ont provoqué la poussée conservatrice. « Je ne regarde jamais derrière moi, lance-t-il encore à la cantonade, mais toujours devant moi. » Passent d'autres grands parlementaires, l'élégant Freycinet, auquel la barbe et les cheveux blancs donnent un air de distinction. On dit qu'il est l'homme sur qui compte s'appuyer le président de la République, Jules Grévy. Freycinet, cette « souris blanche », ainsi qu'on le surnomme. Il sait « replâtrer les ministères ».

Voici Waldeck-Rousseau l'austère. Voici Rouvier qui joue de son lorgnon, et celui-ci, très brun, le cheveu ras, la barbe fournie, c'est Daniel Wilson, le propre gendre du président Grévy.

Jaurès est mal à l'aise. Etreint par le décor monumental et solennel, la charge historique qu'il sent peser sur ces lieux, et que ses convictions de républicain passionné, respectueux du Parlement, accusent encore. Il est un représentant du peuple parmi les représentants du peuple. Et le plus jeune d'entre eux : vingt-six ans, le benjamin de l'Assemblée, désigné de ce fait pour assumer les fonctions de secrétaire d'âge. On comprend sa prudence, son anxiété. Il n'est après tout qu'un provincial, célèbre certes, mais qui ne connaît aucun de ses collègues qui le regardent avec une bienveillante condescendance. Il sent entre ces hommes une complicité d'appartenance à ce « club » fermé qu'est la Chambre des députés, mais aucune solidarité ne lie les parlementaires. Chacun pour soi. Des haines, des jalousies, des coups bas, des ragots murmurés. Tel est le monde de la politique parlementaire à une époque où le jeu est individuel, sans aucun groupe ou parti constitué autour d'une communauté d'idées. Ici ce sont des intérêts, les « affaires », l'ambition d'être un jour ministre qui dominent. Jaurès qui a vécu la camaraderie exigeante de l'Ecole normale est désorienté. Il a une trop haute idée du rôle de l'élu du peuple pour imaginer la médiocrité, les petits calculs de ces hommes qui sont surtout des juristes (près de 50 % sur les 560 députés), et parmi eux plus des deux tiers sont avocats. Les autres sont des médecins, des hauts fonctionnaires, des hommes d'affaires, des propriétaires terriens. Rares sont les universitaires, encore plus rares ceux qui ont commencé leur vie comme ouvriers. On en dénombre quelques-uns parmi les élus qui se réclament du socialisme. Mais Jaurès siège au centre gauche avec les opportunistes.

Il admettra plus tard qu'il ignorait même le nom des diverses organisations socialistes, d'ailleurs rivales l'une de l'autre, divisées en petites sectes et que tentait de concurrencer, autour de positions intransigeantes, Jules Guesde. Jaurès ne connaissait que « la République d'un côté, la réaction monarchique et cléricale de l'autre ».

Il constate que dans cette assemblée marquée par la poussée conservatrice, les républicains sont divisés. Qu'est-ce qui peut les rassembler ? Ils sont aigris, hostiles les uns aux autres, mus par des rivalités de personne, séparés par les malentendus. Beaucoup appartiennent — ainsi Ferry — à la grande bourgeoisie. Républicains, ils le sont puisque les milieux d'affaires ont, après 1879, rallié le régime. Mais pour élargir les bases sociales des institutions, il faudrait que ces députés accordent aux couches les plus démunies des avantages que leur pusillanimité leur interdit même de concevoir. Ils gouvernent, votent au jour le jour, « opportunistes » s'opposant aux « radicaux » qui, plus sensibles aux couches populaires, n'en sont pas moins aussi issus de la bourgeoisie. « La question sociale » reste ainsi hors du Palais-Bourbon. Et la politique vise à l'immobilisme, cherche à favoriser la réélection ou à résoudre petitement, quotidiennement les problèmes qui surgissent.

Quand les hommes se donnent — ainsi Ferry — des objectifs, ils ne remettent pas en cause leur domination économique et sociale.

Jaurès, les premières semaines, tente de percer le secret de ces députés et de cette institution qu'il magnifie. Il interroge les uns ou les autres, modestement. « Je sors du Collège », dit-il. Il veut savoir. Il aborde dans l'un des couloirs de la Chambre Jules Ferry. « Quelles sont les fins dernières de votre politique ? » demande-t-il. Ferry le toise. Cet homme jeune, ce naïf, ce néophyte, que veut-il ? « Quel est donc votre idéal ? » insiste Jaurès. « Vers quel terme croyez-vous qu'évolue la société humaine, et où prétendez-vous la conduire ? » Ferry esquisse un sourire, les yeux mi-clos : « Laissez ces choses, répond-il. Un gouvernement n'est pas la trompette de l'avenir. » Jaurès s'obstine. Il demande quelle est la conception générale du monde et de l'Histoire qui anime Jules Ferry. « Vous n'êtes pas, n'est-ce pas, répète Jaurès, un empirique, alors quel est votre but ? » Jules Ferry répond en s'éloignant déjà : « Mon but, c'est d'organiser l'humanité sans Dieu et sans roi. » Mais il n'ajoute pas « et sans patrons ». « C'est un peu court », dit Jaurès.

Jaurès est perplexe. Il s'accroche au combat pour la République. Il sent peser la menace de l'Union conservatrice. Il regrette la division des républicains. Mais il ne sait comment se comporter, seul, sans amitié, sans repère dans cet hémicycle à la lumière glauque d'aquarium. Il respire mal. L'atmosphère est lourde comme l'est le ciel bas quand on ne sait s'il s'agit de l'annonce d'un orage ou, au contraire, de la brume qui étouffe les voix.

Il écoute, fasciné, les premiers discours. Il se tait, ne demande pas la parole alors qu'il a eu pourtant la preuve de son efficacité de tribun. Mais il n'ose intervenir, comme si le cadre, cette tribune des orateurs héritée du lointain Conseil des Cinq-Cents, ce mobilier, lui aussi, de l'époque de brumaire, et qui vit les Bonaparte exécuter leur coup d'Etat, le paralysaient. « La seule pensée d'aborder la tribune, avouera-t-il, me causait un effroi presque insurmontable et qui littéralement me ravageait. »

Il n'a que vingt-six ans.

Cependant, un mois seulement après son élection, il lance une exclamation, notée au *Journal Officiel* du lundi 23 novembre 1885, parce que sa conviction est plus forte que sa timidité. L'un des 65 députés bonapartistes, Paul de Cassagnac, est intervenu pour protester sur les conditions dans lesquelles s'est déroulé le second tour des élections, le 18 octobre. Il accuse le gouvernement de pressions sur les électeurs. Brisson, le président du Conseil, réplique avec vigueur, et Cassagnac retire son interpellation. Des voix venues de la gauche commentent sa dérobade et, parmi elles, celle de Jaurès : « Vous avez constaté l'union de la gauche », lance-t-il.

Première phrase dans l'hémicycle du député Jean Jaurès. Phrase symbolique.

Mais, au-delà de cette volonté d'unir les républicains, c'est l'inconnu où ne se dégagent que quelques orientations.

Jaurès, alors que le Parlement est englué dans les combinaisons politiques, sent monter les problèmes sociaux.

Quelques mois auparavant, Emile Zola a publié *Germinal,* où l'on entend gronder sous la terre la colère ouvrière, la panique du chômage qui saisit les mineurs. « C'est l'ouvrier qu'on force à manger l'ouvrier », s'exclame l'un des héros du roman au moment de la mise aux enchères des tailles. Et les grèves — ces grèves qui avaient secoué les bassins miniers en 1884 — sont les « révoltes de la faim contre le chômage et les amendes ». La certitude rageuse s'affirme que « le tour du pauvre monde viendrait ».

C'est que la condition ouvrière dans cette période de crise économique prolongée est impitoyable. Le chômage partiel frappe, comme une maladie endémique, toutes les activités sans que le chômeur ait la moindre garantie. L'embauche est au jour le jour. Ni congé, évidemment, ni aucune assurance pour le lendemain. Le vieil ouvrier, le malade, l'accidenté n'ont pas de protection. La durée du travail dépasse toujours dix heures, et il faut être présent à l'usine de douze à quatorze heures durant. Les salaires permettent à peine de se nourrir. L'insécurité est ainsi le pain quotidien du monde du travail. Les patrons instituent la rémunération aux pièces pour pousser le rendement. Ils s'organisent afin d'alimenter des caisses qui leur permettent de tenir en cas de grève. On commence à travailler à douze ans et parfois à dix. Témoignage : un enfant du pays minier raconte. « Dès sa dixième année, ma mère pour gagner quelque argent allait tous les jours et par tous les temps distribuer le lait à Carmaux, de porte en porte, traînant un lourd bidon de zinc qui brisait ses frêles épaules. » Des mineurs à Carmaux ont quarante-trois ans de présence au travail, dont trente-huit au fond de la mine, et parfois ils totalisent à peine, sur toute une vie, dix-huit jours d'absence ! Misère ou angoisse ouvrière. Les conditions n'ont guère changé depuis que Hugo écrivait en 1869 dans *Les Années funestes* :

> *Nous étions tous mineurs, lui, mon père, ma mère,*
> *Moi. L'ouvrage était dur, le chef n'était pas bon.*
> *Comme on manquait de pain on mâchait du charbon...*
> *Nous avons demandé, ne croyant pas déplaire*
> *Un peu moins de travail un peu plus de salaire*
> *Et l'on nous a donné quoi ? Des coups de fusil.*

Alors, exaspérées, les villes ouvrières connaissent de brèves explosions de violence. Le 26 janvier 1886, à Decazeville, des mineurs accompagnés de leurs femmes et de leurs enfants se rassemblent devant les bâtiments de la compagnie. On lance des pierres, on brise les vitres des bureaux de l'ingénieur Watrin, considéré comme le garde-chiourme, l'agent d'exécution des patrons. On le bouscule, le pousse vers la fenêtre. Cris, hurlements sauvages, il s'agrippe puis lâche prise, bascule, tombe sur le sol depuis le premier étage, et là la foule le frappe jusqu'à ce qu'il meure.

Episode cruel dans une grève longue et qui dévoile ce cancer de l'injustice sociale.

Jaurès est bouleversé. Quelques jours auparavant, il a assisté au XIe Congrès de la Fédération nationale des mineurs. Aux délégués réunis, il a proposé un système d'organisation des caisses de retraite. Le projet en effet va venir en discussion à la Chambre. Jaurès s'est fait convainquant. « Il faut l'entente entre patrons et ouvriers, dit-il.

Il faut des syndicats puisqu'ils sont depuis 1884 légaux, et les députés ne doivent pas se contenter de vaines déclamations. C'est trop facile. Il faut qu'ils conduisent une étude consciencieuse et généreuse des problèmes sociaux. »

Jaurès s'enflamme. Devant ces délégués mineurs attentifs et graves, les traits burinés et les doigts gourds aux paumes épaisses dont la peau est pour toujours imprégnée de la poussière noire du charbon, il esquisse un programme. « Progrès du bien-être, fierté dans la société humaine », lance Jaurès ; puis, d'une voix résolue, il ajoute : « Cette mission est si haute qu'elle nous soutiendra toujours contre les petites misères inévitables de la vie publique. »

Ici, devant ce Congrès des mineurs, le contraste avec l'atmosphère qui règne dans l'hémicycle est frappant.

Au terme de longues intrigues, les chambres se sont réunies avec solennité à Versailles pour élire le nouveau président de la République. Grévy est vieux : soixante-dix-neuf ans. Mais, autour de lui, son gendre Wilson, sa fille intriguent pour qu'il se représente. L'Elysée est leur officine à partir de laquelle ils distribuent places et décorations. Et Grévy est sensible aux avantages du pouvoir, à cet argent qu'il touche — 1 200 000 francs-or par an — et ne dépense pas, gérant sa vie de président comme un modeste boutiquier. Il accepte de se représenter. Comment écarter ce fier républicain ? Il est réélu par 457 voix sur 589 votants.

Puis c'est la démission du ministère Brisson et la constitution d'un gouvernement Freycinet, le 7 janvier 1886. Ce ne serait que l'écume politicienne des choses si le ministre de la Guerre n'était un général qui porte beau ses quarante-neuf ans : Boulanger. Il parade à peine nommé, torse bombé dans son uniforme chamarré, yeux bleus conquérants, képi de guingois, républicain s'il en est, ami de Clemenceau, faisant peindre des guérites aux couleurs tricolores, améliorant l'ordinaire du soldat et mettant les « curés sac au dos ». N'a-t-il pas, d'ailleurs, refusé de faire intervenir la troupe contre les grévistes en 1884, et accordé aux paysans de généreuses permissions agricoles ? Dans quelques mois, le 14 juillet, il organisera à Longchamp une magnifique revue militaire. Sur l'hippodrome ce sera la liesse populaire, les acclamations pour les troupes qui reviennent du Tonkin, et les cris de « Vive la République ! Vive Grévy ! » recouverts par ceux de « Vive Boulanger ! ». Un chansonnier, Paulus, lancera le soir à *L'Alcazar* des couplets où se mêleront l'esprit du patriotisme populaire, la gouaille parisienne et la gloire de Boulanger. Il chante :

Gais et contents
Nous étions triomphants
En allant à Longchamp
Le cœur à l'aise
Sans hésiter car nous allions fêter
Voir et complimenter l'armée française
Moi je faisais qu'admirer
Notre brave général Boulanger.

Le boulangisme commence.

Jaurès ne sait comment avoir prise sur les événements qui se chevauchent.

Il hésite. Il cherche. Travail profond de sa pensée afin, comme il l'écrit, de trouver « le point d'équilibre de sa vie intérieure et de la vie mouvante des choses ».

Il est déchiré. Il connaît la condition ouvrière. Le 8 avril 1886, il dépose une proposition de loi sur les caisses de secours et de retraite pour les travailleurs. « L'ordre social, note-t-il, il faut le dire nettement, n'est pas conforme à la justice. » Il n'ose pas intervenir à la tribune, mais dans ce texte il s'exprime donc avec force. Quelques mois plus tard (octobre 1887), dans une lettre au président de la chambre syndicale de la laine et du bâtiment de Mazamet, il dit de même : « Je n'ai jamais séparé la République des idées de justice sociale sans lesquelles elle n'est qu'un mot. » Mais ce problème social, il faut le résoudre « dans le calme », pas à la manière des mineurs de Decazeville. Comment ? Par l'action tenace des représentants du peuple. Mais est-ce possible ?

Dès les premiers mois, Jaurès a ressenti l'atmosphère malsaine qui imprègne le monde politique et affaiblit les institutions républicaines. La gloire naissante du général Boulanger — ce recours ! — trouve là un terreau propice pour se développer. Ce climat est si sensible qu'un homme aussi différent de Jaurès que Jules Siegfried, négociateur en coton du Havre, mais provincial et nouveau député lui aussi, fait les mêmes constatations que Jaurès.

« Le président Grévy, devenu vieux, confie-t-il, subissait l'influence croissante de son gendre Wilson, qui donnait le ton et quel ton à l'Elysée ! On respirait un air de corruption, d'incertitude et de scepticisme parfaitement perceptible... Ce qui rappelait le Second Empire, c'était le train gai, brillant et léger de la vie mondaine. C'était aussi la grande place tenue par les affaires. L'affectation générale, surtout dans le monde des affaires et de la politique, était celle du cynisme, un cynisme qui s'étalait impudent, ne respectant rien, se faisant même gloire d'exprimer l'esprit du temps... »

Quand Jules Siegfried parle à ses collègues d'intérêt général, de dévouement à la chose publique, il se fait journellement traiter de « naïf » par ses invités, par son propre frère Jacques, lui-même habitué depuis une quinzaine d'années au ton de la capitale. « Comme vous êtes peu parisien ! » lui dit-on. On a souri aussi de Jaurès, et, même s'il n'a pas les contacts mondains de Siegfried, il se découvre étranger dans ce monde dont il ne partage ni les valeurs ni les préoccupations.

Vers qui aller ?

A l'extrémité gauche de l'hémicycle siègent les socialistes. Il les observe. Ce sont des fortes personnalités aux convictions affichées, au passé tranché. Camélinat, Zéphirin de son prénom, ouvrier à la Monnaie, fut en 1864 l'un des fondateurs de l'Internationale. Il avait à peine vingt-quatre ans. Pendant la Commune, il a réussi à fuir Paris, s'exilant en Angleterre. Amnistié, il n'a pas renié ses idées, déclarant, lors des élections ses intentions dans les réunions qu'il tient à Paris : « Ancien militant de l'Internationale, ancien combattant de la Commune, je m'efforcerai d'être à la Chambre l'homme de mon passé communaliste et socialiste. » Voilà un député qui n'est mû par aucune ambition personnelle.

A côté de lui, siègent d'autres ouvriers — les seuls de la Chambre — tels Numa Gilly, un tonnelier de Nîmes, ou Emile Bazly, un mineur d'Anzin, descendu au fonds du puits alors qu'il n'était qu'un enfant orphelin, fils d'une herscheuse et d'un cordonnier. Renvoyé pour faits de grèves, élu conseiller municipal de Denain, c'est un véritable personnage de *Germinal,* qui, à la Chambre, fait entendre la voix rugueuse et brutale du monde ouvrier humilié et révolté.

Le 11 février 1886, Bazly, précisément, interpelle le gouvernement sur les événements de Decazeville. Le député s'est rendu sur le carreau des mines. Il a parlé avec les ouvriers. Il connaît leurs conditions de vie qu'il a partagées dix-huit ans. A la tribune, il les évoque, mais c'est pour justifier l'assassinat — le lynchage ? — de l'ingénieur Watrin : « Il était détesté, s'écrie Bazly, il avait affamé toute la population. Son rôle a été particulièrement abominable. »

Les députés interrompent l'ancien mineur. On l'accuse de « piétiner les morts ». Bazly domine le tumulte, reprend, lance : « M. le ministre de la Justice, avait-il songé à réprimer les exactions de Watrin ? Non, il a dû alors laisser passer la justice populaire. »

D'ailleurs, conclut Bazly : « Le 14 juillet n'a-t-il pas été illustré par l'exécution des tyrans et des affameurs. » Jaurès est heurté. Le discours de Bazly l'indigne. La mort d'un homme est pour lui « un acte de violence choquante et inutile ». Le débat n'est plus possible. La porte aux revendications de la pensée socialiste est fermée. Car Jaurès est résolument hostile « aux déchaînements des haines sauvages et à l'apologie des watrinades ». Il est sensible à la misère ouvrière, d'accord pour la « République sociale », la République du travail organisé et souverain, mais cela se négocie, s'élabore à l'aide de propositions de loi. Mais Jaurès ne peut s'associer à Camelinat, à Aristide Boyer — un autre député d'extrême gauche venu de l'anarchie à Clovis Hugues, un poète, député socialiste lui aussi. Et le 10 mars, il votera avec les conservateurs contre la motion de censure déposée par Emile Bazly.

En fait, durant ces premiers mois de session, il ne se distingue en rien des députés républicains modérés qui siègent autour de lui. Il adhère, certes avec des questions et des incertitudes, à la politique de la République opportuniste. Il vote des crédits pour les expéditions coloniales en Indochine. Il refuse l'amnistie des délits politiques demandés par le pamphlétaire Rochefort, il approuve le budget des cultes et refuse de se prononcer pour l'annulation des élections en Corse où le clergé a fait pression sur les électeurs. On le voit même voter contre l'impôt sur le revenu et l'élection des sénateurs au suffrage universel. Il est républicain, il défend la politique républicaine. Par souci conservateur ? Plutôt parce qu'il pense qu'il n'y a pas d'autres voies que les réformes, et que la République, si l'on mène une bataille raisonnable, entendra la voix de ceux qui, comme lui, veulent plus de justice. « Je m'imaginais, dira-t-il, parlant de ces années-là, que tous les républicains en poussant à bout l'idée de la République devaient venir au socialisme. » Il ajoutera même : « Dès que j'ai commencé à écrire dans les journaux et à parler à la Chambre, dès 1886, le socialisme me possédait tout entier et j'en faisais profession. »

Reconstruction commode *a posteriori* ? Jaurès s'en défend. « Je ne dis point cela pour combattre la légende qui fait de moi un centre gauche converti mais simplement parce que c'est la vérité. »

En fait, ouvert à la question sociale, il n'en conçoit la solution que par l'action mesurée, celle des députés au Parlement et des ouvriers dans les syndicats. Il participe, on l'a dit, en janvier 1886 au Congrès de la fédération nationale des mineurs, à Saint-Etienne. Il est en contact avec le syndicat des ouvriers mineurs de Carmaux qui rassemble de cinq cents à six cents membres. Il est en relation avec des chapeliers, des mégissiers, des tisserands, tout ce monde ouvrier de la région du Tarn qui se dégage peu à peu de l'univers rural tout en restant associé à lui puisqu'il en transforme les produits. Mais cette ouverture est-elle déjà celle d'un socialiste ? Il tâtonne plutôt, recherchant toujours le point d'équilibre, entre « l'âme » et le réel.

Les convictions et la sincérité des députés socialistes l'attirent. Mais leur violence l'inquiète, leur mode de vie aussi. La femme du poète Clovis Hughes a assassiné un journaliste qui insultait son mari. Ne sont-ce pas mœurs de marginaux plus soucieux de déclamations que d'action efficace et de précision ? Jaurès avec sa bonne foi attentive et son souci d'universitaire rigoureux interroge ainsi Duc-Quercy, un journaliste socialiste, sur ce qui se produirait au lendemain d'une victoire socialiste. Duc-Quercy toise Jaurès, ce « bourgeois » républicain qui « s'avise d'épeler seul la doctrine ». « Cela dépendra du degré d'évolution économique où sera parvenue la société quand nous prendrons le pouvoir », répond-il.

Réponse juste en stricte orthodoxie marxiste. « Mais j'aurais voulu un effort de pensée plus explicite, se souvient Jaurès, et la réponse me parut un peu vaine. »

Isolé, Jaurès ? Jeune député plein d'illusions sur le monde parlementaire et que Ferry ou Duc-Quercy observent avec ironie ? Mais député qui prend au sérieux sa tâche. D'abord, proposition de loi écrite, puis, enfin, le 21 octobre 1886, il quitte son banc, descend le long des travées vers ce cœur de l'hémicycle où s'élève la tribune. Il en gravit les marches. On le sent à la fois exalté et étouffé de timidité. Puis sa voix s'élève, dominant l'émotion. On l'observe. On le guette. Il parle de l'enseignement, du droit pour les communes de créer des écoles primaires, de leur liberté d'innover. « L'Ecole, dit-il, ne continue pas la vie de famille, elle inaugure et prépare la vie des sociétés. »

A droite, on l'interrompt quand il exalte l'esprit critique. A gauche, on lance « très bien, très bien ». Succès ? Jaurès découvre la difficulté de s'exprimer dans cette atmosphère partagée, impitoyable, où ne monte guère l'enthousiasme.

Les journaux, le lendemain, portent sur son discours des jugements nuancés. « Langage élevé et clair », écrit *La République française*. Le quotidien de Clemenceau, *La Justice,* souhaite à la Chambre d'entendre souvent « une parole aussi éloquente, aussi substantielle que celle de M. Jaurès ». Quant au chroniqueur parlementaire du *Figaro,* il raconte avec condescendance la séance : « Nous avons eu un début attendu et préparé depuis longtemps, écrit-il. M. Jaurès, député du Tarn, tout frais émoulu de l'Ecole normale, a essayé pour la première fois sa jeune éloquence, dont hier encore on disait merveille. A droite comme à gauche, personne ne lui a refusé les encouragements usités en pareil cas, et toute la Chambre a fêté sa bienvenue... Tout cela sent un peu le sorbonnien redondant et sonore ; mais sur cet orateur en herbe, le parti républicain fonde les plus grandes espérances. »

Un premier discours qui n'entraîne aucun éclat, mais qui dénoue Jaurès même si sa déception est forte. Ce n'était que cela ! Il a connu les acclamations dans l'amphithéâtre de la Sorbonne, le jour de son oral d'agrégation, la ferveur des lycéens et des étudiants, l'enthousiasme des meetings, et maintenant c'est cette attention gourmée et presque dédaigneuse. « Sorbonnien redondant et sonore ? » Quelques mots qui suffisent à mesurer un fossé : celui qui sépare le parisianisme blasé du journaliste mondain et averti de la sincérité colorée du député et de l'universitaire du Sud.

Mais Jaurès passe outre, trop conscient de sa mission. Et peu à peu en quelques discours on le voit dessiner sa pensée et sa manière. Il choisit un point précis. Il propose une mesure étudiée avec minutie. Par exemple, la question des délégués mineurs qu'il aborde les 17 juin et 8 juillet 1887. Quoi de plus aride ? De moins propice à l'envolée ? Mais la caractéristique de Jaurès, dès ses premières interventions parlementaires, c'est de lier le point particulier, jamais absent, à la ligne générale. Pas un discours de Jaurès à l'orée de sa carrière de grand orateur de l'Assemblée où il n'y ait le dessin d'une perspective où il ne mêle le passé et l'avenir.

Les délégués mineurs ? « Tant que les sociétés n'auront pas réglé l'avènement du prolétariat à la puissance économique, dit-il, nous aurons beau accumuler les lois d'assistance et de prévoyance, nous n'aurons pas atteint le cœur même du problème social. »

Quand il parle du protectionnisme, il évoque concrètement la situation de la propriété paysanne, la solidarité entre ouvriers des villes et exploités de la terre, fermiers, métayers, ouvriers agricoles. Sa voix s'élève, sa verve est libérée. « La grande propriété, lance-t-il, quand elle réclame pour les métayers et les fermiers, ressemble un peu à ces nourrices, qui s'allouent les meilleurs morceaux en disant que c'est pour le petit. »

Il intervient en faveur de la création d'un fond de retraite, d'une assurance sociale, il plaide pour les victimes d'accidents du travail dans l'industrie. Il évoque les « puissantes fédérations de travailleurs libres et solidaires », réclame des crédits pour l'enseignement. Il veut une éducation qui permette aux « enfants du peuple de saisir rapidement les grands traits du mécanisme politique et administratif ». Ainsi, et Jaurès s'enhardit, c'en sera fini des « effrontés qui envahissent de plus en plus la politique, cherchant à faire croire que les membres de la commission du budget délibèrent autour d'une cuve pleine d'or, et qu'il y a là de merveilleux partages... »

On écoute maintenant Jaurès avec une attention qui déjà parfois devient passionnée. Son discours est toujours original. Il a le sens du concret et du réel. Il parle du paysan du Loiret ou de l'instituteur des campagnes du Tarn, du mineur de Carmaux ou du mégissier d'Albi. Sa voix, ses images, sa flamme secouent la somnolence parlementaire, brisent le discours convenu. Et, preuve de son audience, *La Dépêche de Toulouse* lui ouvre ses colonnes. Régulièrement, Jaurès y publiera des articles qui prolongent ses interventions à la Chambre. Payé 100 francs par article, il commence ainsi en même temps qu'il débute au Parlement une activité de journaliste qui ne cessera jamais et qui sera le complément — hebdomadaire puis quotidien — de son action d'orateur.

On est attentif, donc, à droite et à gauche. Les plus perspicaces observateurs discernent le talent. Un jeune député de droite, Jacques Piou, le félicite après son premier discours. « Très beau, très éloquent », dit-il. Jaurès lui prend les deux mains, les serre. « Vous êtes le premier à me faire un tel compliment », répond-il.

On saisit l'attente de Jaurès, sa déception devant l'orgueil blasé, l'incompréhension de ses collègues du centre gauche, indifférents ou goguenards devant la naïveté du jeune élu.

A l'extrême gauche, certains aussi ont remarqué ce député à l'accent vibrant. Dans *La Revue socialiste* du mois d'avril 1887, on y souligne que, M. Jaurès, siégeant au centre ou aux confins de la gauche, a des opinions en matière d'économie sociale qui dépassent certainement celles de plus d'un « extrême gauche qui se croit très avancé parce qu'il revendique la liberté économique ». Jaurès lit l'article. Il est ému. Le directeur de la Revue, Benoît Malon, est un autodidacte, l'un de ces fils du peuple dont le destin fascine Jaurès. Né à Prétieux, dans la Loire, Malon était berger à sept ans. A treize, il tenait les comptes de son patron. Tombé malade, recueilli par un frère instituteur, il commence à lire, à réfléchir. Et il se révolte. Ouvrier blanchisseur à Puteaux, il participe à toutes les grèves, adhère à l'Internationale. Elu député en 1871, il démissionne pour protester contre la cession de l'Alsace-Lorraine. Communard, bien sûr, comme Camelinat ou Vallès. Exilé comme eux, il vit de cent métiers, parcourant l'Europe, toujours avide de savoir, écrivant une biographie de Spartacus. Franc-maçon, soucieux d'unité, sa revue doit être un « foyer commun », un « chantier », où se retrouveront « tous les chercheurs actuels du socialisme, qu'ils soient modérés ou violents, autonomistes ou autoritaires, pacifiques ou révolution-naires, mutuellistes ou communistes, positivistes ou collectivistes ».

Ce programme ne peut que séduire Jaurès, d'autant plus que Malon crée une Société d'économie sociale, qui se propose de conduire des études précises. Nous voilà loin des invectives et des violences qui rebutent le jeune Jaurès. Quand Malon dit qu'il veut écarter les rivalités personnelles, les fanatismes d'école, les intrigues de secte, Jaurès ne peut qu'être d'accord avec cette approche des problèmes sociaux. Et d'accord aussi avec la critique implicite qu'adresse Malon à Jules Guesde, le marxiste intransigeant, quand il écrit qu'il faut « laisser au pape catholique les prétentions saugrenues de l'infaillibilité ».

La Revue socialiste, c'est le centre où devraient se mêler tous ceux qui se préoccupent de justice sociale et qui sont dispersés dans le foisonnement des tendances, des chapelles et des groupes. Est-ce enfin pour Jaurès un lieu où il pourra confronter ses idées, évaluer les différences ? Il va, peu après avoir lu l'article qui lui a été consacré, se rendre au 8, rue des Martyrs, siège de la revue. Il s'y dirige avec timidité, modestie et, dira-t-il, se moquant de lui-même, « l'émotion religieuse d'un néophyte qui va s'inscrire au temple ».

Il faut le comprendre. Il n'appartient pas au monde ouvrier. Il est surtout d'une génération qui, quand on la compare à celle de Malon ou de Camelinat, n'a pas connu les grandes batailles. Jaurès n'a que onze ans à la chute de l'Empire. Le combat des républicains sous Napoléon III ou des communards contre Thiers est une geste qu'il n'a pas vécue. Il est de ces générations que les hasards de la naissance placent entre les grandes failles sanglantes et qui en sont pourtant les héritiers. Mais il ne pourra pas écrire comme Jules Vallès — mort en février 1885 — à Benoît Malon : « Depuis que nous sommes devenus camarades devant les juges de l'Empire, la famine du siège [de Paris], le canon de Versailles, tu m'as toujours vu marcher avec le peuple. » Jaurès n'est qu'universitaire et député. Malon, lui, est contemporain de Blanqui (mort le 1er janvier 1881) dont Eugène Pottier — l'auteur de *L'Internationale* — écrivait en guise d'épitaphe :

> *Contre une classe sans entrailles*
> *luttant pour le peuple sans pain*
> *il eut vivant quatre murailles*
> *Mort, quatre planches de sapin.*

Entre ces héroïques et Jaurès, il y a l'espace du temps, d'une expérience historique. Benoît Malon, par exemple, confie : « J'ai été député en 1871 ; je crois que j'ai fait mon devoir... Mais je me suis juré que jamais de ma vie je ne remettrais les pieds dans un Parlement. C'est la foire aux sottises et le laminoir des bonnes volontés. »

Quand Jaurès monte le petit escalier étroit et sombre qui permet d'accéder à la rédaction de la revue, il pressent tout cela, et c'est en hésitant qu'il demande à voir « M. Benoît Malon ». Le directeur est absent, lui répond-on. Et comme Jaurès redescend l'escalier, il entend rire derrière lui.

Avec son allure et sa politesse de bourgeois, ses « illusions » de parlementaire centre gauche, comment pouvait-il forcer les préjugés des gardiens du « socialisme intégral » ?

Il ne recommencera pas le pèlerinage. Plus tard, il se félicitera de ne pas « avoir été pris de trop bonne heure par la particularité des sectes ». Il garde, ainsi, son énergie individuelle pour la recherche, l'action, le libre jeu de la critique sans souci des nécessités des luttes de tendances et donc des alliances qui obligent aux compromis.

Mais la médaille a un revers. « Au Parlement, je reste en définitive, un isolé », constate Jaurès. Soit.

Si la rencontre entre les socialistes et Jaurès n'a pas eu lieu dès 1885, c'est bien que les divergences idéologiques, les destins séparés liés à l'appartenance aux générations sont essentiels.

Jaurès, en 1885, croit à l'action parlementaire qui, dans la République, joue un rôle décisif. L'éducation du peuple qui l'éclaire, le suffrage universel qui lui permet de choisir ses élus, l'organisation syndicale, la loi : voilà les rouages de la démocratie. Au même moment, Jules Guesde — (quarante ans en 1885) qui partage l'expérience d'un Malon ou d'un Vallès (l'Empire, l'exil) — ne voit dans les consultations électorales que des occasions d'agitation révolutionnaire. Les élus doivent être, selon lui, « des opposants irréductibles, chargés de mettre au pied du mur, de leur propre mur parlementaire, nos bourgeois dirigeants ». Etre député, c'est pour Guesde établir dans « la place forte du capitalisme des points d'appui en vue d'une action insurrectionnelle ».

Ce discours-là, Jaurès ne peut pas le tenir. Question de milieu d'origine, de formation, de génération, de caractère et d'analyse. Dans le monde éclaté des révolutionnaires, il ne se reconnaît pas. Parti ouvrier de Guesde, Comité révolutionnaire central (CRC), possibilistes de Brousse, socialistes indépendants, cette diversité qui est preuve de vitalité est aussi indice de faiblesse et d'immaturité.

Des hommes se détachent. Ainsi, Jaurès est attentif aux propos et à l'action d'un Vaillant (quarante-cinq ans en 1885), lui aussi ancien de la Commune et exilé, qui, derrière ses allures retenues, cache un tempérament déterminé, une volonté tenace d'agir. Elu conseiller municipal de Paris, cet ingénieur aux cheveux en brosse, qui peut ressembler à un retraité tranquille, est un de ceux qui parmi les socialistes veulent tirer parti, positivement, des assemblées élues, pour faire passer des réformes. En ce sens, il est l'un des moins éloignés de Jaurès. Mais tout les sépare encore. Quand, au mois d'août 1888, les anciens de la Commune (Benoît Malon, Jean-Baptiste Clément) appellent à une grande manifestation ouvrière pour célébrer les obsèques d'Eudes — un autre communard victime d'une crise cardiaque, alors qu'il présidait un meeting de soutien aux terrassiers en grève —, Jaurès ne peut pas être présent. Ce mouvement ouvrier, si lourd de ses défaites passées, si soulevé par le désir de s'exprimer, il le côtoie, il dialogue avec lui, il lui propose des réformes, mais il n'en fait pas partie. C'est à un communard que les terrassiers en tenue de travail, la ceinture de flanelle serrant leur taille, font cortège. Jaurès est encore d'un autre monde.

Sa vie privée est une autre frontière. Malon, Guesde, Vaillant ont vécu en exilés, en révolutionnaires mis au banc de la société bourgeoise. Ils ont connu la prison. Jaurès dans les années 1880-1890, au contraire, est un bourgeois de province, un universitaire député qui respecte les hiérarchies et les conventions sociales. Même quand elles interfèrent avec les sentiments. On le voit bien à propos de son mariage.

M. et Mme Bois avaient écarté Jaurès lorsqu'il n'était que maître de conférence à Toulouse. Député, les choses changent. M. Bois espère être sous-préfet, et son futur gendre siège parmi les hommes politiques raisonnables. On fait donc comprendre à madame veuve Jaurès que Louise Bois, qui a dix-huit ans, peut désormais prendre pour époux Jean Jaurès. Ces dames, à nouveau, s'entremettent pour faire passer le message. Jaurès se plie aux usages, sans effort. Visite de demande en mariage à Albi. M. le député du Tarn est au bras de sa mère, Adélaïde Jaurès, en robe noire. Lui est élégant. Toute la famille Bois le reçoit. Les hommes se rassemblent à part. On discute politique, propriété de Bessoulet, on la visite, puis, comme il se doit, on parle contrat. Séparation de biens, puisque Louise est fille de propriétaire conséquent, qu'on lui donne Bessoulet. Cela vous plaît ?

Jaurès aime bien cette propriété de trente-sept hectares, cette maison simple mais bien assise avec son allure de mas et sa ferme attenante. Maison non de rentier mais d'exploitant. Entre les époux, cependant, les acquêts seront communs. Un trousseau (3 000 francs), une rente annuelle et viagère (1 200 francs) et le revenu de la propriété de Bessoulet. Beau parti, Mlle Bois ; mais grand avenir, Jean Jaurès. Ministre, pourquoi pas ? En plus, sa mère lui donne la moitié de la Fédial. Elle signe chez le notaire le 26 juin 1886. Et le mariage, le grand mariage a lieu le 29 juin en l'église Saint-Salvy, la paroisse de la famille Bois. Une cérémonie bourgeoise où se rencontrent toutes les hiérarchies de la République modérée, bien-pensante.

L'amiral Benjamin-Constant Jaurès, ambassadeur, sénateur, est le témoin de son neveu, député du centre gauche. Un prêtre bénit les époux. Les beaux-parents sont des propriétaires. Le frère Louis est officier de marine. Bourgeoisie et élite républicaine, fièrement attachées au régime, mais, à l'exception de Jaurès, fermées au monde bouillonnant du peuple ouvrier. Celui-ci n'est pas présent, d'ailleurs, sinon dans les conversations politiques qui se nouent autour de Jaurès pendant le repas de noces, et encore parle-t-on surtout des monarchistes, des bonapartistes, de l'union des républicains, problèmes politiques plus que problèmes sociaux.

On dit que Jaurès, enflammé par la discussion, oublia l'heure du départ. On dit qu'il prit le soir même le train pour Paris avec sa femme, mais aussi accompagné de sa mère. On dit...

Les jeunes époux s'installent avenue de La-Motte-Picquet avec madame veuve Adélaïde Jaurès.

Mariage bourgeois. Ménage traditionnel. Louise Bois, belle femme, a toute la douceur monotone de la passive. Il suffit de noter quelques détails — son laisser-aller, son absence d'intérêt pour l'action de Jaurès — pour comprendre qu'elle vit « à côté », dans l'univers gris des épouses, sans but, sans qu'elle puisse — ni sa formation ni son milieu ne l'y préparent — partager les préoccupations de son mari. Ses irritations contre la présence de sa belle-mère au foyer sont faites de silence et de bouderie. Femme que tout laisse à penser insatisfaite, guidée par d'autres vers le mariage, subissant la loi sociale et ne s'évadant que par cette indifférence agressive qui fera que, peu à peu, Jaurès aura la réputation d'être « mal tenu », chemises sales, vêtements négligés. Façon pour Louise de refuser sa condition, cette part mineure qu'elle occupe dans la vie, elle, la « beauté d'Albi », qui dépassait de toute la tête son courtaud de mari.

Jaurès, lui, sera toujours fidèle. Il l'aime, si l'on appelle aimer ce côtoiement quotidien, cette décision de vivre toute la vie avec la même femme, parce qu'elle est son épouse, et que c'est ainsi selon le code social et moral en usage. Jaurès dira d'elle : « Elle me repose », ce qui révèle la nature du bonheur qu'il trouve auprès d'elle, de la réussite de cette union qui annule donc tous les commentaires sur les mésententes entre ces époux, mais qui, aussi, limite aux normes les plus convenues la rencontre entre deux êtres.

Pas un drame que la vie intime de Jaurès, la paix plutôt, mais une paix douceâtre, fade, faite de ces lâchetés inconscientes ou nécessaires qu'exige la vie d'un tel couple. Car Louise a la force des immobiles, des silencieuses qui s'expriment par un regard détourné, une manière d'écarter l'autre, de ne plus le voir. Et Jaurès souffre de cela. Il ne comprend pas cette guerre des corps, ce rapport de forces qui s'insinue dans un couple et le structure. Et parce qu'il sait, il sent — même si c'est là le code social — qu'il possède, lui, la vie par ses actes, qu'il la modèle par sa voix et ses écrits, il cède parce qu'il lui faut la paix privée, même une paix morne. Louise ainsi gagne sa bataille contre Adélaïde Jaurès. Habitant d'abord avec le couple, Adélaïde en sera écartée, installée dans une maison de retraite à Versailles.

Défaite et sacrifice de Jaurès, indication sur le pouvoir qu'exerce Louise Jaurès, cette puissance des femmes qui ont accepté leur destin, le subissent et se vengent à leur manière.

Souffrance de Jaurès qui se sépare de Mérotte, alors qu'on sait combien il lui était attaché. C'est pour elle qu'il avait choisi le lycée d'Albi, avec elle qu'il sortait chaque jour à Toulouse. Il l'abandonne. Blessure au cœur de Jaurès. Prix à payer des mariages arrangés, des unions que la passion ne soude pas. Choix de vie. L'arrangement personnel avec ses imperfections est aussi dicté par l'ardeur de la bataille que Jaurès livre ailleurs. Toutes ses énergies, il sent bien qu'il les lui faut pour d'autres combats que ces affrontements privés où s'usent tant d'ambitions.

Le 29 décembre 1887, Jaurès donne à la faculté des lettres de Toulouse une conférence sur les idées politiques et sociales de Rousseau. La salle est comble. On honore le professeur et le député, l'orateur prestigieux qui conclut, évoquant Rousseau au moment où celui-ci n'a pas encore fait les choix décisifs : « Il sentait que la bataille qu'il devait livrer allait bouleverser sa vie, et il hésitait ou, pour le moins, il attendait. »

Jaurès aussi attend et peut-être hésite. La vie parlementaire, après quelques mois, il commence d'en deviner l'âpreté. La vie politique, il en saisit la violence dès lors qu'on se refuse à n'être qu'un conservateur ou qu'un attentiste, l'un de ces opportunistes avec lesquels, même dans sa belle-famille, on le confond encore. Si l'on ne veut pas se contenter de faire « carrière » avec pour seul objectif un portefeuille ministériel, alors oui, c'est toute son existence que l'on joue, et, comme Rousseau, on sait que la « bataille va bouleverser votre vie ».

Mais cette lucidité ne peut rien empêcher. Comment se dérober quand on est porté par des convictions qui ont la vigueur d'une passion, qui sont un idéal ? Dans chaque article qu'écrit Jaurès, dans chacune des phrases qu'il prononce, on sent ce tremblement, ce levain, cette poussée en avant des idées qui organisent un destin. Mystique, Jaurès ? Si cela signifie qu'un sentiment vous emporte, vous élève au-dessus de l'existence quotidienne, et qu'on veut faire partager cette exaltation que l'on ressent, Jaurès est bien un mystique. Quand dans *La Dépêche de Toulouse* il s'adresse, le 15 janvier 1888, aux instituteurs, qu'il leur demande d'enseigner aux enfants « la grandeur de la pensée, le respect et le culte de l'âme en éveillant le sentiment de l'infini qui est notre joie et aussi notre force, car c'est par lui que nous triompherons du mal, de l'obscurité et de la nuit », qu'est-il sinon un mystique ?

En juillet 1888, il prononce le discours de distribution des prix au lycée d'Albi, son lycée, celui où il fit ses premiers cours. Drapeaux tricolores, tribunes, parents d'élèves. Au premier rang Mme Louise Jaurès, l'épouse, chez elle en Albi. Et Jaurès, la tête levée comme le plus souvent quand il parle, les mains tendues vers les jeunes lycéens. « J'aurais pu être leur maître, commence-t-il, je ne suis plus que leur aîné... »

Il s'enflamme, poussé par les mots, faisant comme à son habitude éclater le cadre de l'événement, pour évoquer les principes : « La générosité humaine, les deux puissances, les seules légitimes, la puissance de la vérité et la puissance du travail. »

Le verbe enthousiasme, soulève les applaudissements que Jaurès interrompt : « Ah ! jeunes gens, ne vous plaignez pas de l'heure à laquelle vous arrivez à l'action ! Jamais peut-être une génération n'eut une œuvre plus vaste à accomplir... »

On entoure Jaurès, on l'acclame. On le sent dépourvu de petitesse, sublimé par ce qu'il pense et dit, prêche. Il donne à la politique le visage de la noblesse.

Et pourtant, s'il est une époque où la politique grimace, corrompue par l'affairisme, les scandales, c'est bien durant ces années 1880-1890, le moment précisément où Jaurès découvre le Palais-Bourbon.

Il n'est guère alors de lieux du pouvoir où ne s'aperçoivent les signes d'un « pourrissement » des mœurs politiques, comme si les opportunistes englués dans leur immobilisme n'étaient plus capables de se partager les bénéfices qu'apporte l'exercice de l'autorité.

Certes, tout le personnel politique n'est pas compromis. Mais l'atmosphère est empoisonnée. L'argent, l'argent, l'argent. La Compagnie du canal de Panama soudoie des députés, des journalistes, pour obtenir le droit d'émettre des obligations à lots afin de trouver vite de l'argent frais, sinon c'est la catastrophe. Le percement de l'isthme de Panama promis par de Lesseps, se révèle bien plus difficile que l'entreprise de Suez. Les souscripteurs à partir de 1888 s'inquiètent. Il faut les rassurer, drainer de nouveaux fonds. Des parlementaires s'engagent, arguant des milliers de « petites gens » qui ont déjà versé. Des personnages équivoques font les couloirs de la Chambre pour « conquérir » des députés, un aventurier comme Cornélius Herz est devenu l'un des familiers du président de la République Grévy ; le baron Jacques de Reinach, un banquier arrivé, est l'associé et le complice de Herz. On finance le journal de Clemenceau, on obtient le soutien de certains ministres. Et cela se sent, se sait. Au même moment, le gendre de Grévy, Wilson, utilise sa situation, son influence sur le Président pour monnayer ses services. A ses amis généreux, il fait décerner la Légion d'honneur. Avant même que le scandale n'éclate, ce parfum délétère se répand. André Siegfried, le futur analyste politique, n'est alors qu'un enfant d'une dizaine d'années, mais il rapporte le témoignage de son père dont on a déjà saisi l'étonnement devant le cynisme des politiciens. Jules Siegfried découvre au Parlement « un foyer d'intrigues où l'ambition et les convoitises particulières ne cherchaient même pas à se dissimuler. C'était le moment où la Compagnie de Panama poursuivait son action, bientôt désespérée, sur la presse, le monde des affaires et le Parlement : c'était aussi l'heure trouble où l'Elysée, en dépit de l'honnêteté personnelle du président Grévy, devenait dans une certaine mesure un mauvais lieu ».

Jules Siegfried va quelquefois, le dimanche matin, aux séances d'escrime organisées par Wilson, et où celui-ci réunit chez son beau-père président le monde des affaires et de la politique. Par ses relations avec les milieux de la banque et de la Bourse, Siegfried devine aisément ce qui se trame. Il identifie « la nature empoisonnée d'une atmosphère où vibrionnaient tous les microbes empoisonnés du panamisme ». Il eut l'impression, ajoute son fils, « d'être entré dans une caverne de voleurs. Le choc moral qu'il en éprouva fut si fort que, à la fin de sa première année de mandat (automne 1886), il était atteint d'une sorte de neurasthénie, frappé dans son optimisme traditionnel, dégoûté, découragé, se demandant avec angoisse s'il ne fallait pas démissionner ».

C'est Grévy, compromis par son gendre, qui démissionne le 2 décembre 1887. Qui va lui succéder ? Ferry ? L'ancien président du Conseil paraît le mieux placé, mais Paris s'enflamme. Ferry le Tonkinois ? Jamais. Atmosphère d'émeute autour du Palais-Bourbon. De curieuses alliances se nouent dans la rue entre les nationalistes de la Ligue des patriotes, les partisans du général Boulanger — qu'on a écarté du ministère de la Guerre et nommé à Clermont-Ferrand — et l'extrême gauche, des blanquistes aux socialistes. Ferry, c'est le symbole de l'opportunisme. Tout se mêle contre lui, le nationalisme anti-allemand (il y a eu, en 1887, un incident avec l'Allemagne de Bismarck ; un policier français, Schnœbelé, a été entraîné en territoire allemand, accusé d'espionnage et arrêté ; on a frôlé la guerre), l'antisémitisme déjà (les aventuriers de la Compagnie de Panama, Arton, Cornélius Herz, le baron de Reinach ne sont-ils pas juifs, et en 1882 le krach de la banque de l'Union générale n'a-t-il pas été provoqué par la « finance juive », décidée à couler une banque « catholique » ?), un sentiment antiparlementaire, qui glisse vite à l'esprit antirépublicain et antidémocratique.

Jaurès paraît assez éloigné de ces débats violents qui caractérisent les années 1887-1889. Alors qu'aux yeux de nombreux jeunes intellectuels venus de tous les secteurs de l'opinion, la République opportuniste représente la bassesse et la médiocrité, il la soutient, ne mêle pas sa voix au concert de critiques. Barrès, qui n'a que trois ans de moins que Jaurès, anime ce courant hostile. Jeune, nerveux, un peu dandy, hautain en tout cas, tout en attitude et en orgueil, il est arrivé à Paris en 1882 et commence précisément à effleurer la gloire littéraire autour de 1885. Il s'insurge : « Je suis plébéien, mais je proteste contre la démocratie si elle veut faire de mon pays une étable à porcs. » Octave Mirbeau, autre écrivain, évoque en 1887, ce régime qui « ne connaît que la politique rabaissée, la littérature rapetissée, l'art galvaudé », il renonce à « cette société désemparée et dont les débris flottent pêle-mêle sur les vagues montantes de la démocratie »... L'extrême gauche surenchérit : « Le vol et la prostitution sont au pouvoir », écrit Rochefort, qui a incarné sous l'Empire l'esprit de résistance. Il dénonce « les concussionnaires, les pots-deviniers, les trafiquants de mandats et administrateurs de sociétés véreuses dont se compose la majorité de notre représentation nationale ».

Violence verbale qui culmine en ces heures où l'on croit Ferry en situation d'être élu président de la République. Or, Ferry, c'est « l'infecte canaille à qui nous devons le chômage et la misère ». Ferry, c'est « le lépreux, l'affameur, le meurtrier ». D'ailleurs, conclut Rochefort, « c'est Bismarck qui a ordonné à Ferry l'envoi de cinquante mille hommes au Tonkin » !

Outrances, mais qui mobilisent dans ce climat social difficile marqué par le poids de la crise économique qui dure.

Les députés, réunis à Versailles, sont inquiets. Ils ont peur de l'émeute, du coup de force. Ils cèdent, et Ferry candidat n'obtient qu'un faible nombre de voix. Jaurès a-t-il voté pour lui ? On ne sait, mais il a sûrement approuvé la solution de Clemenceau : « Votons pour Carnot, il n'est pas très fort, mais il porte un nom républicain. »

Sadi Carnot est donc élu président de la République par 616 voix contre 184 au général Saussier, gouverneur militaire de Paris.

Affaire close ? En fait, vient de se déclencher une crise profonde qui fait trembler la République. Le général Boulanger, conseillé, entouré, financé en secret par les milieux monarchistes, mène l'assaut dans les mois qui suivent contre les institutions républicaines qui paraissent si affaiblies. Il réclame « la révision, la dissolution, la constituante ». Au nom de l'assainissement nécessaire du régime, il veut affirmer contre l'Allemagne la force de la patrie. N'est-il pas le « général Revanche » ?

Le grave, c'est qu'aux élections partielles auxquelles il se présente — et la candidature multiple est licite —, il suscite de profonds glissements de voix en sa faveur. Il touche les milieux ouvriers dans le Nord. N'avait-il pas, au temps de la grève de Decazeville et alors qu'il était ministre de l'Armée, indiqué que celle-ci ne prendrait pas parti dans le conflit, qu'elle ne soutiendrait donc pas le patronat ? La pression culmine quand, le 27 janvier 1889, il est élu triomphalement à Paris. Puis, devant les mesures d'ordre prises par le gouvernement, le phénomène s'affaiblit, et Boulanger se discrédite en s'enfuyant à l'étranger.

Mais le boulangisme a remué la France. Autour du général, on a vu se rassembler des radicaux, des socialistes, des intellectuels — Barrès, candidat boulangiste à Nancy —, on a vu se développer une idéologie populiste, antisémite aussi. Barrès est l'un des inventeurs de cet antisémitisme populaire coagulant différentes couches sociales dans un projet politique diffus mais violent, nationaliste. La Ligue des patriotes de Paul Déroulède est comme une ébauche de parti politique de masse, avec son service d'ordre qui tient la rue à Paris. Le mouvement a aussi montré la fragilité idéologique de ces hommes qui se réclament du socialisme : Clovis Hugues et Rochefort ont rallié le général. Un marxiste comme Paul Lafargue, gendre de Karl Marx, d'autres guesdistes seront sensibles à l'aspect populaire du mouvement. Guesde et Vaillant, personnellement, n'acceptent pas d'être candidats contre Boulanger. Et l'extrême gauche du socialisme français refuse longtemps de prendre parti entre le « danger ferryste aussi redoutable que le péril boulangiste ». Guesde va même jusqu'à écrire, en pleine période de montée du « parti national » boulangiste : « Peu importe la structure du pouvoir, tout dépend de la main de la classe qui l'exerce. » Par-dessus bord, la République parlementaire, en somme ! Les blanquistes prennent contact avec Boulanger, et après son élection à Paris, le 17 janvier 1889, le jour de son entrée au Palais-Bourbon, massés place de la Concorde, ils espèrent profiter du tumulte provoqué par le général pour envahir l'Assemblée.

C'est dire que le boulangisme déborde très largement les limites de l'aventure d'un homme. Comme l'écrit Benoît Malon, en mai 1888, dans *La Revue socialiste :* « La crise actuelle n'a pas pour origine que la réclame à la fois savante et triviale dont nous voyons les merveilles depuis un an. Ça n'a été que l'étincelle jetée sur un amas de poudre. En réalité, nous sommes en présence de l'irruption torrentielle de tous les mécontentements, de toutes les déceptions, de toutes les colères, de toutes les espérances qui fermentaient dans les masses. »

Mais quelle perméabilité dans le mouvement socialiste français, quelle crise, aussi, de la société française, et quelle effervescence sur le plan des idées avec l'apparition de cette idéologie composite que Barrès illustre, et qui annonce les idéologies fascisantes du XXᵉ siècle. Le boulangisme est ainsi le révélateur de la crise de la République et de la démocratie.

Et Jaurès ? Il ne participe pas à ce « souffle de révolte » dont parle Barrès, et qui emporte tant d'hommes de l'extrême gauche et tant d'électeurs ouvriers. Malgré la considération dont l'entoure Barrès qui ne l'attaque pas, bien au contraire, dans son journal *La Cocarde,* Jaurès ne cède pas. Il tarde pourtant à intervenir dans le débat, ne s'exprimant que le 27 mai 1887 pour viser sans passion « l'homme à cheval » qui menaçait la démocratie.

Indifférence de Jaurès ? Sous-estimation des tensions de cette période critique dont pourtant la République devait sortir victorieuse ? Peut-être Jaurès ne réussit-il pas à trouver le ton juste, pour soutenir ce régime dont il devine — puis connaît — les tares, contre un mouvement qui charrie avec lui des masses populaires. Mais quand il s'exprime, il prend de la hauteur, à son habitude, et le 18 décembre 1888, il écrit, dans *La Dépêche de Toulouse,* que si l'on écarte les éléments accessoires du mouvement boulangiste, on trouve deux choses, « une aspiration confuse vers un ordre meilleur et un acte de désespoir ». Parce que le peuple qui a senti la nécessité d'un « grand mouvement » ne s'est point « senti de taille à faire lui-même la besogne ».

Fidélité à ses idées, sens de la mesure dans une période agitée et confuse, analyse exacte qui lui fait défendre la République, alors que tant de guesdistes y renoncent, confiance dans le peuple même quand il s'égare, volonté, donc, de lui apporter, par l'enseignement, les moyens de l'esprit critique : Jaurès apparaît durant cette période à la fois discret, en retrait — attentiste —, mais d'une grande fermeté et d'une réelle lucidité. Il n'a guère pesé sur l'événement, mais il a tenu honorablement son rôle, sans dériver. Il n'est encore qu'un républicain affirmé, ouvert aux préoccupations sociales, décidé à élargir les droits à la justice et à l'égalité, mais il l'est avec tant de rigueur et de foi que cela lui évite toute erreur, toute concession à la démagogie ou à l'opinion dominante du jour.

Jaurès n'est pas de ceux qui pour un peu de popularité jettent leurs idées et leurs principes par-dessus leur épaule. Il n'est pas de ceux qui cherchent à tirer un parti personnel d'une situation.

Quand, en 1889, son oncle amiral est nommé ministre de la Marine, il ne bénéficie d'aucun profit pour lui-même. Certes, cette parenté lui a été utile plusieurs fois dans sa vie. Alors qu'élève il demandait une bourse pour le collège, plus tard à Paris, aussi, l'amiral Jaurès recevait chez lui le jeune normalien puis, surtout, au moment de l'entrée en politique, quand en 1885 le poids de l'amiral sénateur du Tarn a sans doute pesé sur le choix de Jean Jaurès comme candidat républicain. Mais ces avantages ont été acquis de manière indirecte, sans être sollicités. D'ailleurs, l'amiral Jaurès meurt un mois après sa nomination. Le gouvernement décide d'organiser des obsèques nationales à celui qui, combattant de la guerre de 1870, ambassadeur à Madrid et à Saint-Pétersbourg puis élu du Tarn, avait incarné les élites républicaines. Jaurès sera naturellement au premier rang durant toutes les cérémonies. Pense-t-il alors à ce qu'il doit à cet oncle, dont la présence à l'horizon familial a pu l'aider à définir sa propre route, à trouver — une fois qu'il eut prouvé sa capacité à surmonter seuls les obstacles — un point d'appui, à entrer ainsi dans le monde politique pour en tirer tous les honneurs qui accompagnent le pouvoir ?

C'est bien ce qu'espéraient les parents de Louise Jaurès. M. Bois, d'ailleurs, a obtenu sa charge de sous-préfet, à Saint-Pons. Ambition comblée. Louise attend, en ce début de l'année 1889, un enfant. Tout cela n'annonce-t-il pas une carrière politique classique, qui conduira lors de la prochaine législature à un poste ministériel ? Après tout, Jaurès n'a que trente ans. Et à la Chambre on écoute désormais ce député bon orateur, capable d'envolées mais aussi doué pour la réplique. Un homme sage qui, s'il parle du socialisme comme d'un « idéal lumineux », s'il évoque l'avènement du prolétariat, choisit la voie de la réforme pour atteindre la justice.

N'écrit-il pas, dans *La Dépêche de Toulouse,* le 17 mars 1889 : « Ce n'est point de l'agitation violente de telle ou telle fraction sociale, c'est d'une sorte de mouvement national que doit sortir la justice. De même qu'en 1789, le peuple et la bourgeoisie se trouvèrent unis pour abolir les privilèges nobiliaires et les abus féodaux, de même, à la veille de 1889, le peuple et la bourgeoisie laborieuse doivent s'unir pour abolir les privilèges et les abus capitalistes. »

Cette entente entre les classes, l'Exposition universelle qu'inaugure le président Sadi Carnot, le 6 mai 1889, semble la manifester. La veille, dans la galerie des Glaces à Versailles, il a célébré le centenaire de la réunion des États généraux. Voici maintenant le Président qui, entouré de centaines de personnalités, parcourt le Champ-de-Mars, admirant la galerie des Machines dont l'armature métallique dit le triomphe du fer. Il parvient, enfin, sous cette tour métallique, dressée comme le symbole de l'industrie nouvelle par l'ingénieur Eiffel. « Elle est arrivée à la date fixée, écrivent les commentateurs, à son heure mathématiquement implacable comme la destinée et sa tête orgueilleuse sur laquelle flotte le drapeau tricolore semble convier à son apothéose les peuples du monde entier. » Vive la tour Eiffel !

Elle attire les foules. Oublié, le général Boulanger, qui n'est plus qu'un exilé qui médite à Londres sur une ambition trop haute pour son caractère. Vive la République dont la politique coloniale est illustrée par une annexe de l'Exposition, et la politique de défense est exaltée par le pavillon du ministère de la Guerre ! Vive la République dont la « lumière éclaire le monde » : 1 150 lampes à gaz, 10 000 lampes à incandescence éblouissant les visiteurs ! C'est le triomphe de la science, de la raison dans la célébration de la prise de la Bastille.

Jaurès vibre à ce spectacle. Lorsqu'il rentre de Versailles après la cérémonie du centenaire des États généraux, et qu'il voit la tour Eiffel illuminée, il s'enthousiasme. Voilà, comme une « planète nouvelle », dit-il. Le phare placé au sommet de la tour éclaire Paris dans sa rotation. « Juste au-dessous des étoiles de Dieu, lance Jaurès, voilà l'étoile du génie humain ! »

Et c'est vrai qu'après la crise morale et politique de ces dernières années, ce mois de mai 1889 est un répit qui prouve que la République est enracinée dans le pays, et que Jaurès a eu raison de faire confiance aux institutions.

Cela fait quatre ans qu'il est député. Les illusions sont tombées. Le monde parlementaire a révélé ses faiblesses. La vague boulangiste a montré la versatilité du peuple car « l'idéal dort dans le peuple d'un lourd sommeil qui ressemble à la mort », note Jaurès le 14 juillet 1889. Mais faut-il renoncer ? Quel est donc, à l'heure actuelle, le devoir de la jeunesse pensante ? demande-t-il, tourné vers ceux qu'on n'appelle pas encore des intellectuels, mais dont Jaurès, à l'évidence, fait partie. « C'est d'assurer dans le peuple cette continuité de pensée qui est en même temps une continuité de dignité et de force. »

Ouvrir les yeux, jeter le germe de l'esprit critique, enseigner, enseigner, tel est le but. Donner plus de conscience afin d'empêcher qu'une « aspiration juste, sincère, énergique » ne devienne un tremplin pour les « démagogues viveurs, effrontés et césariens ».

Vers le peuple toujours, mais à la manière d'un éducateur, d'un pédagogue de la vie politique et sociale, plutôt que d'un militant socialiste tels ceux qui se réunissent précisément à Paris en cet été 1889, celui de l'anniversaire de la prise de la Bastille.

Deux congrès dans la capitale du 14 au 21 juillet car il y a en France les guesdistes du Parti ouvrier français et les possibilistes de la Fédération des travailleurs socialistes de France. Les uns se retrouvent « salle Petrelle », les autres « salle Lancry ». Congrès rivaux, mais qui manifestent la puissance croissante du mouvement ouvrier international. « Vous êtes tous frères, et vous n'avez qu'un seul ennemi, le capital privé, qu'il soit prussien, anglais ou chinois ! » s'écrie Paul Lafargue, et chacun d'espérer la naissance d'une IIe Internationale.

Cet essor et cet espoir, Jaurès les suit. Ils participent pour lui de cette émancipation ouvrière nécessaire et qu'il aide. Mais après quatre ans, n'est-il pas las de la vie politique intense ? Six mois avant les élections des 22 septembre et 6 octobre, il a sollicité à nouveau un poste à la faculté des lettres de Toulouse. Désir de retraite ou souci d'avenir ? Car les élections s'annoncent difficiles pour lui. Le mode de scrutin a — malgré l'opposition de Jaurès — été modifié. Et le scrutin d'arrondissement adopté favorise les notabilités locales, ce baron René Reille ou ce marquis Jérôme-Ludovic-Marie de Solages, son gendre. Ils dominent le pays, et, en 1885, Jaurès ne les a battus que dans le cadre du scrutin de liste. Et puis, il était un jeune professeur inconnu, neveu de l'amiral Jaurès. En 1889, il est un député sortant dont on connaît les préoccupations socialisantes. Alors feu à volonté sur Jaurès.

Celui-ci de son pas de paysan parcourt les chemins, tient réunion sur réunion, redécouvre la nature et les paysages de son enfance. Il va de salle en salle, affrontant avec courage les menaces des partisans du marquis et du baron, la haine du clergé qui conduit contre Jaurès une campagne de calomnies.

Compétition électorale difficile, Louise, retirée à Bessoulet, est au terme de sa maternité. Elle accouchera d'une petite fille, Madeleine, le 19 septembre, trois jours avant les élections. Ses parents, les Bois, découvrent un Jaurès plus à gauche qu'ils n'imaginaient. Car dans l'affrontement les nuances s'effacent. D'un côté, la République et les idées « avancées » ; de l'autre, les conservateurs enracinés dans le pays, héritiers d'une tradition séculaire. Jaurès par son éloquence retourne les auditoires, même les plus prévenus. « Je porte dans mon cœur, lance-t-il, un rêve de fraternité et de justice, je veux travailler jusqu'au bout à le réaliser. »

En face de lui, d'autres méthodes. La pression sociale et morale, celle du château et de l'Eglise. Solages ouvre les portes de sa demeure, distribue bière et tabac. A Castres, c'est un certain Abrial qu'on oppose à Jaurès. Personnage terne, conservateur, fidèle au baron Reille et au marquis de Solages. Il se contente d'accuser Jaurès d'être un « socialiste », un semeur de révolte, un créateur de désordre. Dans la ville de Castres ces arguments ne portent pas, mais dans les cantons ruraux on s'inquiète, et le 22 septembre si Castres donne la majorité à Jaurès, il est battu sur l'ensemble de la circonscription.

C'est brusquement après la tension et l'exaltation de la campagne, après ces quatre années de vie publique, le silence autour de soi.

Un ami qui vous raccompagne, l'épuisement physique oublié tout au long de ces réunions et que l'on ressent tout à coup, écrasant. Le communiqué aux électeurs qu'il faut rédiger pour faire le point, prendre date, rappeler que « le bloc de la réaction cléricale pèse d'un poids si lourd sur les deux circonscriptions de notre arrondissement » que la défaite ne doit pas surprendre.

Et puis Jaurès se redresse, trace de son écriture à la fois ferme et déliée des mots qui sonnent la sincérité : « Je sors de la vie publique, écrit-il, sans découragement et sans amertume, le cœur ferme et le front haut. »

Fidèle. Intègre. Avec comme seule ambition d'exprimer ce qu'il porte en lui afin d'être utile. Il a été cela sans dévier de sa route. Le milieu et ses tentations, la démagogie, ses facilités et ses attraits si grands durant la période boulangiste n'ont pas eu prise sur lui.

Il n'a que trente ans, et il a fait preuve d'une grande maturité politique, ne cédant à aucun des entraînements auxquels ont succombé nombre de ceux qui se disaient des socialistes d'extrême gauche.

Le lendemain de son échec, le journal parisien *La Justice,* de Camille Pelletan, écrit qu'il faut regretter la défaite d'un homme « à qui sa grande éloquence et ses profondes convictions auraient dû garder un siège au Parlement ». Mais, au plan national, les républicains l'emportent. Les boulangistes ne sont que 38 députés — dont Maurice Barrès, élu à Nancy sous l'étiquette « socialiste révisionniste » —, les conservateurs seulement 172 et les républicains — opportunistes et radicaux — 366, dont 6 « socialistes ». L'institution parlementaire a résisté puis vaincu ses adversaires.

Jaurès est satisfait. Il va reprendre son enseignement à Toulouse. Sa petite fille Madeleine l'enchante. Il se confie : « J'éprouve un désir de retraite plus proche du cénobitisme sans retour que d'une simple cure de repos. »

Aveu dicté par la fatigue ou, au contraire, souhait profond de retrouver la vie intellectuelle, et d'en finir avec les agitations et les violences de la politique ?

Les deux, peut-être. Mais comment Jaurès, dont toute la vie est tournée vers la compréhension des autres et de la vie sociale, pourrait-il renoncer à agir, à peser sur l'événement même s'il modifie les formes de son intervention dans la cité ?

« On peut servir puissamment la République dans la vie privée, écrit-il au lendemain de l'élection, par la pensée, le travail et l'honneur. »

Chapitre 5

Le temps des idées :
La philosophie et le socialisme
(1889-1892)

La vie privée ? Jaurès s'y coule sans difficulté.

Il n'a que trente ans. Il a forci, mais, dans le visage plus rond, les yeux gardent cette vivacité mêlée de douceur qu'ils avaient dans l'enfance. On y perçoit aussi ce don pour l'enthousiasme, cette faculté d'émerveillement, qui sont la conséquence de sa générosité. Il accueille le monde. Il s'ouvre à toutes les manifestations de la vie.

Il se penche sur le berceau de sa fille Madeleine, il rit, la prend dans ses bras, écrit au milieu de ses cris, absent par sa concentration et présent par ce sourire quand il tourne vers elle le regard.

Sa femme passe, plus lourde, les traits encore plus flous, un peu décoiffée, des mèches s'échappant de son chignon, heureuse de cette vie familiale traditionnelle qui semble se construire dans l'appartement de bourgeoisie modeste que Jaurès a loué à Toulouse, 20, place Saint-Pantaléon.

Ils ont retrouvé la ville rose où Jaurès à nouveau enseigne, chargé de cours de philosophie à la faculté des lettres. Il avait préparé ce repli, et il a suffi de quelques lettres, d'une visite à Louis Liard, ce huguenot normand, républicain déterminé que Ferry a fait nommer directeur de l'Enseignement supérieur, et qui sait reconnaître les talents pour que Jaurès obtienne sa nomination. Le recteur de Toulouse, Perroud, lui, a déjà apprécié les qualités de Jaurès et, naturellement, a soutenu sa demande. Jaurès lui annonce la bonne nouvelle :

Monsieur le Recteur,
J'ai vu hier Monsieur Liard. Il est entendu que j'aurai une chaire

à Toulouse. J'en suis bien heureux, croyez, je vous prie, à ma respectueuse affection.

Jean Jaurès.

Vous avais-je dit que nous avions depuis quelques jours une charmante fillette ?

Il l'a déjà écrit au recteur, mais il le répète, tout à sa joie paternelle et à l'équilibre que cette vie qui commence lui procure.

Il va enseigner. Il aime ce contact avec les étudiants. Dès la rentrée de 1889 — quelques semaines à peine après les élections —, il commence ses cours sur des thèmes vastes qui traitent toujours des questions fondamentales de la philosophie : « le problème de la connaissance », « Dieu et l'âme ».

Le soir, il donne des cours publics où l'on se presse car, outre ces questions clés, il aborde des sujets liés aux préoccupations contemporaines comme « l'origine du socialisme allemand ». Un public mêlé compose l'assistance. On y trouve des étudiants mais aussi des autodidactes, des ouvriers et des conseillers municipaux socialistes de Toulouse. Jaurès a non seulement l'aura du professeur exceptionnel, mais aussi celle de l'ancien député et du chroniqueur hebdomadaire de *La Dépêche de Toulouse*. Car, après quelques semaines d'interruption, la direction du journal l'a sollicité pour reprendre ses articles. Le recteur consulté par Jaurès a montré quelques réticences. Cette confusion entre professeur et journaliste risque de provoquer des réactions parmi les universitaires. Mais à la fin, parce qu'il connaît la hauteur de vues avec laquelle Jaurès traite les problèmes d'actualité, il donne son accord.

A nouveau, la vie publique fait irruption dans la vie privée de Jaurès.

Certes, le rythme a changé. Les Jaurès reçoivent. On danse, on échange des invitations. On renoue avec des collègues, avec M. et M\ me le Recteur Perroud. Jaurès retrouve la terrasse du café, les longues conversations place du Capitole et les promenades avec sa mère, puisque Adelaïde s'est, elle aussi, installée à Toulouse, et que son fils, toujours attentif, lui prend comme autrefois le bras et fait avec elle quotidiennement les quelques pas de l'affection.

Jaurès dans ce cadre de la capitale régionale s'épanouit. Il met de l'ordre dans ses idées. On le voit à la bibliothèque de la faculté, prenant des notes, dévorant les livres avec cette rapidité de travail, cette intensité dans la concentration, qui fascinent, comme surprennent toujours sa capacité d'assimilation et sa mémoire.

C'est que, avec une fougue confiante, il a repris ses projets de thèse. Travail créateur qui le stimule, et dont il a un ardent besoin.

Car, durant ces quatre années d'action parlementaire, s'il a beaucoup écrit d'articles, beaucoup découvert de la réalité de la politique, il n'a pas eu le temps d'avancer une œuvre personnelle. Or, Jaurès est un intellectuel, pas seulement par sa formation, ses diplômes, son activité de professeur, qui socialement le définissent comme tel, mais surtout par cette constante volonté de réfléchir et de s'interroger, d'écrire pour comprendre. Le bonheur pour lui, « c'est une lumière intelligente et généreuse qui éclaire tous les détails de la vie et tous les côtés de la nature humaine ». Alors, à Toulouse, en cette fin d'année 1889, il est heureux. L'univers de recherche qu'il s'est construit, sa thèse principale sur la réalité du monde sensible, un thème philosophique classique, et sa thèse secondaire — qu'il rédigera en latin selon l'usage — consacrée aux origines du socialisme allemand le satisfont.

Son avidité intellectuelle est avivée par ces quatre années d'action qu'il vient de connaître, la confiance en soi qu'il en a retirée. Trente ans seulement et quel parcours déjà, quel besoin aussi de faire le point pour lui-même et face aux autres. Alors il lit, il annote, il professe, il dicte ses thèses sans même hésiter, avec une assurance confortée par la vie, et que le nouvel équilibre familial renforce. Cet enfant, Madeleine, qu'il chérit, qu'il berce, qui est sur ses genoux pendant qu'il écrit, c'est comme la preuve de cette harmonie de l'univers, de cette unité des choses qu'il veut exprimer.

La défaite électorale ne l'a donc pas affecté. Et la perte de son mandat se transforme sur le plan individuel en un moyen d'enrichissement et de développement intellectuels.

A ceux qui parfois avec perfidie lui présentent leurs regrets de son échec, il répond avec superbe : « Vaincu ? Soit. Mais en tenant haut et ferme le drapeau de la République, mais en faisant face à l'ennemi, en le blessant lui-même. » Et puis un sourire, un mouvement du bras. « Vaincu ? Oui, j'ai été vaincu le soir du 22 septembre, mais le lendemain, quand je lisais dans les journaux le résultat des élections du pays entier, je voyais que la République était triomphante, et j'étais victorieux. »

Ce ne sont pas les succès personnels qui importent à Jaurès, mais bien le mouvement des idées, la transformation des choses. Et à cela, député ou professeur, vie publique ou vie privée, il contribue.

Intellectuel moderne par ce fait, mêlant recherche théorique, enseignement et action publique, ces articles hebdomadaires qui font de lui une personnalité toulousaine, le placent dans le débat des idées et le maintiennent dans le bouillonnement politique.

Or, ces années 1890 sont des années cruciales, un point tournant dans l'histoire de la République.

Les institutions viennent de montrer leur force face au boulangisme. Les élections de 1889 révèlent aux conservateurs les plus lucides que la forme républicaine est enracinée dans le pays, et qu'il ne faut plus rêver à un rétablissement de la monarchie. Il est urgent, au contraire, de former un bloc modéré, qui regrouperait tous ceux qui ne veulent point voir la République s'ouvrir à des réformes sociales profondes.

L'Eglise, elle-même, commence sous l'autorité d'un pape clairvoyant, Léon XIII, à se plier à la réalité. Il ne fallait plus la compromettre avec une monarchie défunte, mais, au contraire, les catholiques devaient se rapprocher des républicains à condition que la foi soit préservée. Le cardinal d'Alger, Lavigerie, était, en accord avec Léon XIII, le plus ouvert à cette évolution. Il multipliait les contacts avec une « droite constitutionnelle » où se retrouvaient d'anciens monarchistes comme Jacques Piou, ou des républicains fort modérés comme Freycinet, Ribot ou Constans, le ministre de l'Intérieur qui a ridiculisé le général Boulanger, vaincu le boulangisme, puis « gagné » les élections de 1889.

Ce mouvement capital qui s'amorce dans l'ordre politique, Jaurès l'observe. Mais pour lui la question républicaine reste essentielle. La République est, dans le droit fil de la Révolution française, l'outil qui doit permettre d'avancer vers l'égalité sociale. Et il prêche toujours l'alliance des ouvriers avec la « bourgeoisie républicaine ». D'ailleurs, comme il l'écrit : « Le Parti socialiste n'est pas très fort à l'heure actuelle. » 1,5 % des électeurs seulement ont voté pour des candidats socialistes en 1889. Heureusement, dit Jaurès, « l'idée socialiste n'est point liée à l'organisation actuelle du parti... elle est beaucoup plus forte et beaucoup plus vaste que celui-ci ». (27 octobre 1889.)

Jaurès est donc très critique pour les guerres de sectes qui opposent les petits partis se réclamant du socialisme.

Il tire sévèrement la leçon des élections de 1889, accusant certains candidats socialistes de s'être associés aux boulangistes et d'avoir fait, ainsi, « le jeu de la réaction », ajoutant toutefois que les électeurs, « ces soldats, étaient de bonne foi quand les chefs n'étaient que des habiles pêchant en eau trouble ».

Mais, en même temps, cette idée socialiste, il l'a fait peu à peu sienne, et les cours qu'il donne, les articles qu'il écrit, sa recherche sur les origines du socialisme allemand sont pour lui façon de la définir. Tache d'autant plus urgente pour Jaurès qu'il est toujours soucieux d'éclairer son action par une réflexion et aussi parce que — toujours dans *La Dépêche de Toulouse* du 27 octobre 1889 —, après avoir montré la faiblesse du Parti socialiste, il ajoute qu'il croit à « un développement prochain et puissant du socialisme dans notre pays ».

Il faut donc comprendre pour maîtriser « ce mouvement possible, et pour voir aussi à quelles conditions il ne dégénérera pas en une vaine et dangereuse agitation ».

Ainsi, la recherche de Jaurès n'est-elle pas gratuite, repliée sur elle-même, mais ouverte sur la réalité, destinée à assurer l'intelligence du moment.

De là, cette passion qui porte cet homme jeune, cet intellectuel qui dispose enfin du temps pour penser. Il se rend régulièrement à Paris, retrouve la bibliothèque de l'Ecole normale supérieure, rue d'Ulm, où il a connu des années heureuses. Derrière le grand bureau de noyer clair, il découvre un nouveau bibliothécaire, un homme jeune, à peine vingt-six ans, Lucien Herr. Le bureau est surélevé, les livres s'y entassent. Le regard de Herr — « bleu clair, avec de petites flammes dorées », dira Léon Blum qui l'a connu en 1891 — est dominateur. L'homme est grand, une sorte de géant athlétique avec un front bossué, un nez droit, des pommettes saillantes, un teint clair et « une moustache blonde tombant à la gauloise sur des lèvres souples, sur une bouche immobile ». Quelque chose de hautain, ou plutôt d'héroïque, d'intraitable et de souverain chez Lucien Herr.

Il regarde s'avancer Jaurès, son aîné de cinq ans. Il connaît l'homme de réputation en expert puisque Herr est lui aussi un ancien élève de l'école, un agrégé de philosophie de 1886, et que Jaurès à ce moment-là est déjà député. Mais Herr, le plus brillant de sa promotion, est un esprit singulier dans le monde universitaire d'alors. Fils d'instituteur alsacien qui a choisi la France, il a parcouru l'Allemagne et la Russie dont il parle les langues. Il sait tout. Savoir encyclopédique mis au service de l'intelligence critique. Il est lié avec les exilés russes qui ont fui le tsarisme, ainsi ce Pierre Lavrov, de quarante ans son aîné et dont la vie est un roman. Déporté par le tsar, Lavrov s'est enfui, a été communard, en fuite encore au moment de la répression puis rentré à Paris après l'amnistie. Il est comme Herr un passionné des philosophes allemands, de Hegel surtout. Comme lui, il a étudié, avec cette intelligente passion des idées qui l'habite, les précurseurs français du socialisme, il a lu Marx l'un des premiers.

Cette culture immense et moderne, Herr ne l'a pas mise au service d'une ambition personnelle. Il est très tôt devenu socialiste. Pour lui, la place de bibliothécaire à l'Ecole normale supérieure est un lieu stratégique. Il pourra influencer ces générations de normaliens qui seront l'élite intellectuelle de l'Université. De haute lutte, avec une obstination qu'explique la mission dont il s'est investi, Herr arrache à Louis Liard, directeur de l'Enseignement supérieur, le poste de bibliothécaire que le directeur de l'école lui conteste car il sait que Herr, contrairement à la convention tacite, ne gardera pas ce poste quelques années, mais toute sa vie. Ce qu'il fit.

Choix de vie, exemplaire et rigoureux. L'héroïsme intellectuel de la discrétion, l'écoute des autres, la mise à leur service de son savoir, le goût aussi du pouvoir sur les esprits qui va de pair avec la tentation du secret que la prudence tactique n'explique pas entièrement.

Quand Jaurès rencontre Lucien Herr dans ce milieu des livres, c'est l'aîné qui se confie, parlant de ses recherches. Il est comme Herr, germaniste, il travaille sur les origines philosophiques du socialisme allemand. Il croit à l'idée socialiste. Il parle, Jaurès, avec cette abondance méridionale et cette sincérité sans arrière-pensée qui emporte l'adhésion. Herr écoute, donne des renseignements bibliographiques, mais ne se dévoile pas encore. Il ne dit pas qu'il a adhéré à la Fédération des travailleurs socialistes de Brousse, ce parti possibiliste opposé au Parti ouvrier français de Jules Guesde. Il n'expliquera pas pourquoi il a fait ce choix possibiliste, sans doute parce que ce sont les seuls socialistes à avoir en bloc pris position contre Boulanger et à s'être rangés sous le drapeau de la défense républicaine. Il ne livrera pas ses amitiés, par exemple, avec un autre jeune normalien, un germaniste, Charles Andler, en poste bientôt lui aussi à l'Ecole normale, et lui aussi grand lecteur de Marx dans le texte. Il ne donnera pas son pseudonyme, celui de Pierre Breton, choisi pour échapper aux mouchards du ministre de l'Intérieur Constans, et qui lui permet d'écrire dans *Le Parti ouvrier* une vingtaine d'articles polémiques ou théoriques, favorables par exemple à la grève générale, moyen de paralyser le capitalisme avant de l'abattre.

Discret et secret, Lucien Herr, ouvert à l'amitié pourtant. Il conçoit sa vie comme une ascèse, où le corps doit avoir la même vigueur que l'esprit. On le voit le matin parcourir les allées du bois de Boulogne à bicyclette — la bicyclette inventée en 1886 —, ou se livrer l'été aux âpres joies de l'alpinisme. Tout cela indique que pour Herr le socialisme est une morale exigeante qui doit faire abstraction de toute préoccupation individuelle. Dans ses choix, parmi les socialistes, il opte pour ceux qui sont les plus proches du monde ouvrier.

Ainsi quand, en octobre 1890, au congrès de Châtellerault les possibilistes se divisent, et que l'une des fractions devient le Parti socialiste ouvrier révolutionnaire, Herr le rejoint. L'homme qui dirige ce nouveau parti, Jean Allemane, est en effet — comme Benoît Malon — un ouvrier. Typographe, lui aussi membre de la Commune et déporté pour cela en Nouvelle-Calédonie, l'homme a le comportement et le langage d'un ouvrier, l'abnégation d'un militant aussi. Herr sait que dans son parti il n'y aura pas place pour les ambitieux ni pour les combinaisons électorales. Et Herr n'a aucun désir de reconnaissance publique. Il approuve le programme de ce Parti socialiste ouvrier révolutionnaire qui « s'efforcera d'accomplir l'œuvre de propagande socialiste et d'organisation ouvrière avec les seuls intéressés, les travailleurs eux-mêmes, à l'exclusion des politiciens ».

Pour Herr, intellectuel militant, Jaurès n'est pas, malgré son passé de centre gauche et de député « républicain », un « politicien ».

Il a suffi de quelques conversations autour du grand bureau surélevé de la bibliothèque, pour que Herr dans la sincérité de Jaurès reconnaisse la démarche d'un philosophe qui veut mettre sa vie en accord avec ses idées. Un homme aussi qui avance de lui-même, seul, vers le socialisme par son seul contact avec les philosophes français et allemands, par son aspiration à la justice. Une grande recrue pour le socialisme qu'il faut simplement conduire jusqu'à la conscience de ce qu'il pense.

Or, entre Herr et Jaurès, tout concourt au rapprochement. L'école, les mêmes maîtres de philosophie — Boutroux —, la même aspiration morale, le même désintéressement, la même volonté de s'engager tout entier dans une mission.

Alors, Herr se découvre. Un soir, racontera Andler, Lucien Herr dévoile à Jaurès son engagement politique. La discussion s'engage entre les deux intellectuels, l'un qui est un militant, l'autre qui connaît l'action au plan parlementaire et électoral, qui voit le socialisme comme un développement naturel de l'esprit républicain, mais qui ignore le cadre astreignant d'un parti, et la discipline librement consentie, mais qui peut être pesante, mutilante même, et qui caractérise tout groupe politique. L'un, Herr, qui a donc mis en œuvre les théories auxquelles il a adhéré ; l'autre, Jaurès, que l'action a entraîné à partir de quelques grands principes, et qui profite de cette période de réflexion que lui a donnée la défaite de 1889, pour clarifier ses idées, rechercher les sources lointaines de ce courant socialiste dont il fait partie sans pouvoir encore le définir.

« La discussion dura presque toute la nuit », précise Charles Andler. Echange historique et décisif car c'est la première fois que Jaurès rencontre un intellectuel socialiste capable de lui apporter au cours de la confrontation des arguments puisés aux mêmes sources érudites. Eblouissement pour Jaurès, émotion. Pas de sarcasme, ici, comme il l'avait subi rue des Martyrs quand il voulait dialoguer avec Benoît Malon, pas de mépris pour l'intellectuel « bourgeois » qu'il est, pas de cette condescendance qui vient d'expériences personnelles plus héroïques sous l'Empire ou pendant la Commune. Herr est un pair. Un cadet. Un normalien. Un philosophe. Un intellectuel d'une rigueur de jugement sans faille. Spinoza, Luther, Rousseau, Kant, Condorcet, Hegel, Cabet ou Leroux, Saint-Simon ou Proudhon : Jaurès trouve enfin un interlocuteur avec qui il peut discuter, et qui lui apporte sur chacun de ces auteurs une réflexion personnelle, une érudition équivalente éclairée par une pratique militante. Et puis Marx, dont Lucien Herr parle à Jaurès.

« Herr sut le convaincre, dit encore Andler. Cette grande recrue, Jaurès, c'est Herr qui l'a amenée, il faut le dire parce que Herr a voulu qu'on le sût. Depuis lors, l'amitié de pensée n'a pas cessé entre les deux hommes. »

Jaurès a-t-il découvert un socialisme d'intellectuels ? Un socialisme de « normaliens » ? En fait, tant chez lui que chez Herr, il y a bien plus qu'une connivence idéologique. C'est l'estime qui naît, fondée sur une morale de vie, un échange d'expériences, aussi, qui ne se limitent pas à l'univers des livres.

Jaurès a affronté les foules et la contestation des meetings. Il a connu le monde parlementaire. Herr côtoie les militants ouvriers, les anciens communards et les exilés. Ils partagent aussi cette idée que le rôle de l'individu dès lors qu'il ne s'isole pas dans l'illusion d'être un surhomme, peut être déterminant. Herr ne néglige ainsi aucune

« position » stratégique. En 1889, il deviendra secrétaire de rédaction de *La Revue de Paris,* parce que c'est un lieu d'influence. Il fait partager à Jaurès cette idée de Pierre Lavrov, que « les forces intellectuelles sont minimes, mais aussi minimes étaient les forces de tes ancêtres qui ont créé le présent ».

Un homme comme Jaurès, qui a le sens de la continuité, ne peut qu'être sensible à cette incitation. « Applique-toi, donc, à devenir une force historique, poursuivait Lavrov, car ce n'est que par cette voie qu'ont été remportées toutes les victoires qui semblaient d'abord invraisemblables, et que la majorité des gens était plus tard prête à considérer comme miraculeuses. Ce qui a toujours opéré le miracle, c'est la force de la pensée et l'énergie de la volonté des individus qui servaient d'instruments nécessaires au déterminisme. »

Cette conciliation entre l'énergie individuelle, la créativité personnelle et le mouvement collectif s'accordent parfaitement aux aspirations de Jaurès.

Herr venait de lui révéler à lui-même ce qu'il voulait.

Moment décisif, cette rencontre de deux jeunes intellectuels dans la bibliothèque de l'Ecole normale. Echange lourd d'avenir parce que les mots vont être germe d'action, de conviction, de rayonnement, et ce au moment même où le mouvement socialiste piétine.

Jaurès l'a bien vu : le socialisme est émietté. Le mouvement syndical est à peine à l'état naissant : 139 692 syndiqués en 1890. Les conditions de vie et de salaire ne se sont pas améliorées, et l'industrie française reste rabougrie, hésitante. La crise économique, le krach bancaire de l'Union générale, les débuts du scandale de Panama rendent timorés les investisseurs, si bien que le prolétariat moderne n'existe qu'à l'état embryonnaire. Des « masses » peu concentrées. Et, compte tenu des souvenirs de la Commune ou de la Révolution française, le prolétariat est tenté par les actions violentes, ouvert, on l'a vu avec Boulanger, aux discours démagogiques, révolté en tout cas : ainsi apparaissent les premiers signes du mouvement anarchiste qui prône l'attentat, « la propagande par le fait ».

Surtout, vers 1890, des problèmes de générations apparaissent. Les militants héroïques vieillissent : ils ont autour de cinquante ans. De là, l'importance de l'entrée en scène d'une nouvelle génération, celle des hommes de trente ans. Jaurès ou Lucien Herr, ou bien encore Viviani ou Millerand. Ce dernier, qui a le même âge que Jaurès, a été élu au Palais-Bourbon comme lui en 1885. Mais il était déjà conseiller municipal de Passy. Renfrogné, un corps taillé à la serpe, une lourde tête à la tignasse hirsute enfoncée entre des épaules carrées, il est avocat. Avec sa mâchoire puissante, son lorgnon, sa vulgarité, c'est un orateur méthodique, incisif. Mais ce n'est pas un intellectuel. « Les grandes facultés lui manquaient », dit un témoin averti, Joseph Caillaux. Et, peut-être sévèrement, un autre contemporain ajoutait : « Son esprit ne possédait nulle vertu qui suppléât à l'insuffisance de son cœur. »

Or, et c'est pourquoi la rencontre de Herr et de Jaurès est importante, les années 1890 sont marquées par un intense bouillonnement d'idées : peut-être ces années sont-elles pour les intellectuels un point d'inflexion, quand des idées nouvelles prennent le dessus.

Jaurès est très attentif à ce mouvement. Des camarades de sa promotion de l'Ecole normale traversent une crise religieuse — ainsi Desjardins — ou bien, par leurs écrits, manifestent qu'ils s'écartent du rationalisme auquel Jaurès est attaché. Bergson, ce rival et ce partenaire avec qui Jaurès dialogue depuis le concours d'entrée, rue d'Ulm (Jaurès premier, Bergson second) et l'agrégation (Bergson second, Jaurès troisième), soutient en 1889 ses thèses de doctorat. L'une, latine, consacrée à la notion de lieu selon Aristote, l'autre, la principale, en français, intitulée *Essai sur les données immédiates de la conscience.*

Jaurès lit ce texte avec attention, le conteste, s'en trouve stimulé dans la rédaction de sa thèse, *De la réalité du monde sensible,* dont une trentaine de pages seront consacrées à une réfutation de Bergson.

Mais l'*Essai* de Bergson n'est qu'un indice parmi beaucoup d'autres de ce changement intellectuel.

On redécouvre la spiritualité, les « grands initiés » (Schuré publie son livre ces années-là). La seule réalité dont on ne peut douter, c'est l'âme, dit-on. On s'élève contre le scientisme ou le naturalisme de Zola qui continue d'avoir avec *La Bête humaine* ou *La Débâcle* un immense succès populaire, mais c'est *Tête d'or* de Claudel, *Le Disciple* de Paul Bourget ou Barrès et son *Culte du moi* qui donnent le ton.

Jaurès s'insurge contre ce courant en philosophe qui comprend les causes sociales de ce glissement idéologique. « Que feront dans la vie tous ces jeunes gens qui se pressent maintenant dans nos écoles de médecine et de droit, dans nos facultés des lettres et des sciences ? se demande-t-il le 3 novembre 1889, dans un article de *La Dépêche de Toulouse.* Iront-ils comme plusieurs que je connais, dégoûtés par les misères de l'intrigue politique, par le matérialisme grossier de certaines sciences et le naturalisme de certaines œuvres, renouveler en eux-mêmes, aux sources évangéliques, le sentiment chrétien et les joies chrétiennes ? »

Aucune ironie de sa part, de la sympathie pour ces étudiants saisis par le désarroi d'une époque de crise, quand les institutions ne portent plus aucune espérance — « Que la République était belle sous l'Empire » —, et qu'éclatent, ici et là, les scandales et les corruptions.

Mais Jaurès est impitoyable avec ceux qui exploitent cette situation : « Les Maurice Barrès ne manquent pas, qui veulent persuader la jeunesse qu'il faut goûter à tout et ne tenir à rien. »

Ce qui inquiète surtout Jaurès, c'est que ce mouvement des idées s'accompagne d'une critique de plus en plus vive de la démocratie et même des formes républicaines. Comme si leur consolidation les déconsidéraient aux yeux d'une avant-garde.

Le cardinal d'Alger, Lavigerie, vient de manière éclatante, alors qu'il présidait un banquet entouré d'officiers de marine, monarchistes pour la plupart, de porter un toast à la République marquant ainsi le « ralliement de l'Eglise aux institutions » (12 novembre 1890), et le pape, lui-même, déclarera bientôt que « la République est une forme légitime de gouvernement » : interview spectaculaire au *Petit Journal,* qui confirme, le 17 février 1892, ce changement d'attitude. Les conservateurs suivent. Mais Paul Bourget dénonce dans « le suffrage universel la plus inique des tyrannies ». De Voguë déclare que peu importe que le gouvernement soit despotique ou républicain, « l'homme se retrouvera l'esclave misérable et asservi par ses passions ».

On voit autour de Maurice Barrès le jeune député boulangiste de Nancy, dans le journal qu'il anime, *La Cocarde,* se renforcer le courant confus où se côtoient antirationalisme, démagogie populiste et, déjà, antisémitisme et nationalisme.

Les scandales qui naissent dans les milieux politiques alimentent ce dégoût que Barrès exprime. Il dénonce « ces gens de nationalités vagues qui accaparent le travail du pays et la politique du pays... qui préconisent l'introduction d'ouvriers italiens sur le sol de la patrie au détriment des travailleurs indigènes ».

Barrès, Rochefort vont plus loin encore, et, pour expliquer l'échec des boulangistes en 1889, Rochefort écrit dans *Le Courrier de l'Est :* « Les Rothschild ont fait venir pour cette année seulement des provinces danubiennes plus de 35 000 juifs qu'ils ont casés dans une foule de petits emplois et fait presque séance tenante naturaliser français. Il fallait le secours de ces dépenaillés pour que le gouvernement obtînt la majorité à Paris. » Cet antisémitisme « social », que les livres d'Edouard Drumont (*La France juive* est publiée en 1886) répandent, s'explique par la crise, la démagogie, aussi, qui mêle le mot de socialisme à ce courant. « Socialisme, c'est le mot où la France a mis son espoir, écrit Barrès dès le 24 novembre 1889... Soyons donc socialistes. » Et du même mouvement, *Le Courrier de l'Est* décrit cette « race d'odieuse origine », ces « chacals puants » au « nez crochu et à barbiche noire », ces « affreux petits individus crasseux, aux lèvres bavantes, aux habits râpés, aux mains chargées de bagues étincelantes, ayant une grosse chaîne d'or sur le ventre et sentant l'oignon »... L'antisémitisme peut être selon Barrès le ciment d'un grand mouvement populaire « antibourgeois ».

N'est-ce pas Drumont qui écrit, à la dernière page de *La France juive* : « Toute la France suivra le chef qui sera un justicier, et qui, au lieu de frapper sur les malheureux ouvriers français comme les hommes de 1871, frappera sur les juifs cousus d'or. » Et Drumont s'exprime dans *La Revue socialiste* de Benoît Malon. Certains guesdistes pensent — et écrivent — parfois « que la question sociale est la question juive ».

D'ailleurs, à la Chambre, les députés boulangistes — Déroulède et Barrès — réclament l'organisation de retraites ouvrières et votent de manière concertée avec les élus socialistes.

On mesure face à ces confusions combien la bataille des idées dans laquelle se lance Jaurès est nécessaire. Combien aussi, dès ces années 1880-1890, mûrit en France ce qui surgira en pleine lumière durant l'Affaire Dreyfus.

Jaurès veut réagir en dressant la barrière du rationalisme contre l'exaltation de l'inconscient. Et s'il écrit une thèse sur la « réalité du monde sensible », c'est précisément pour faire face à ce courant où l'on voit renaître les idées racistes de Gobineau (*Essai sur l'inégalité des races humaines*, 1855, réédité en 1884), où l'on applique aux sociétés le darwinisme : les meilleurs l'emportent, malheur aux vaincus, victimes des lois naturelles, explique le darwinisme social. C'est tout le bloc d'idées légué par la Révolution française et les philosophes du xviiie siècle — ce bloc auquel Jaurès se réfère sans cesse — parce qu'il fonde la démocratie et la République qui se trouve mis en cause par Barrès, par Georges Sorel, et que des savants tentent de justifier.

A l'Ecole des hautes études de la Sorbonne enseigne Jules Soury qui, professeur de psychologie-physiologie, publie en 1889 une monumentale étude de 1 863 pages sur *Le Système nerveux central*. Barrès l'admire, suit ces cours où l'on exalte « les lois fatales, expressions abstraites des rapports de forces naturels ».

Philosophie pessimiste, nietzschéenne qui s'accorde au wagnérisme dont le succès s'affirme en France, portant les mêmes ferments.

C'est bien un « véritable souffle de révolte » qui s'exprime contre la philosophie des lumières, l'intellectualisme. « L'intelligence quelle très petite chose à la surface de nous-même », dira Barrès. Au contraire, on redécouvre l'instinct, on privilégie l'intuition, l'inconscient — et Bergson, que Jaurès conteste, joue son rôle dans ce renouveau. On affirme qu'il existe une « psychologie des foules » (Gustave Le Bon), où s'affirme un anti-individualisme déterminé.

On comprend que Jaurès, durant ces années, exalte l'éducation, revienne sur le travail de l'instituteur, sur la nécessaire prise de conscience individuelle, manière de résister au courant qu'anime Le Bon, et pour qui « les foules ne peuvent penser que par images, ne se laissant impressionner que par les images. Seules les images les terrifient ou les séduisent et deviennent des mobiles d'action ».

Le Bon étaye ses théories sur de pseudo-recherches scientifiques procédant à la mensuration de crânes humains. Il sépare les races, soupèse les cerveaux, affirme que « la foule est conduite presque exclusivement par l'inconscient. Ses actes sont beaucoup plus sous l'influence de la moelle que sous celle du cerveau. Elle se rapproche en cela des êtres tout à fait primitifs ». Dans la même période, un autre chercheur utilise des méthodes semblables, apparemment scientifiques, mesurant plus de six cents crânes extraits d'un vieux cimetière. C'est Vacher de Lapouge, un agrégé de droit, qui a été militant guesdiste, et qui, en 1889, donne à l'université de Montpellier, avec un grand succès, un cours libre de sciences politiques consacré à « l'Aryen, son rôle social ».

A Toulouse, au même moment, Jaurès dispense, lui aussi, son cours libre dont le thème est, dit l'affiche, « Dieu (suite) ».

On saisit l'écart. La volonté chez Jaurès de fonder en raison la grandeur de l'homme sur l'harmonie de l'univers, puis la recherche, avec les origines du socialisme allemand, des continuités logiques et philosophiques. Cela face à ce « darwinisme social » qui légitime la « morale de l'espèce », hiérarchise les individus et les races, reconnaît et justifie les élites naturelles, accepte la violence sauvage comme une preuve de l'élan vital. Rupture avec une tradition, celle des droits de l'homme issue du XVIIIe siècle.

A Montpellier, dans son cours public, Vacher de Lapouge martèle les nouvelles convictions qui rongent peu à peu dans certaines couches intellectuelles l'optimisme généreux de l'époque des lumières : « Il n'y a donc pas de droits de l'homme, dit-il. L'homme perdant son privilège d'être à part, à l'image de Dieu, n'a pas plus de droits que tout autre mammifère. L'idée même de droit n'est qu'une fiction, il n'y a que des forces. » Violence de la pensée antihumaniste. Pas plus de droits de l'homme, reprend Vacher de Lapouge, que de droits du singe, du cheval qu'on attelle ou du bœuf qui se mange.

On devine tout ce que ces idées impliquent de déchaînement, de brutalité et d'acceptation implicite de la servitude.

Jaurès, dans la même période, affirme des convictions opposées. Il rapporte, le 15 octobre 1890, la longue conversation qu'il a eue « l'autre soir à la campagne », au cours d'une promenade, avec l'un de ses amis sorti dans les premiers rangs de l'Ecole polytechnique. Il fait frais, le plateau est découvert, la route blanche, une pleine lune éclaire le paysage, semble mêler la réalité au rêve. Jaurès s'insurge contre la société présente, non seulement pour les souffrances matérielles qu'on pourrait adoucir, mais « pour les misères morales que développent l'état de lutte et une monstrueuse inégalité ». Les travailleurs, dit-il, sont réduits à une « existence inerte et machinale ». Il s'arrête, regarde le ciel. « Au contraire, quand le socialisme aura triomphé, quand l'état de concorde succédera à l'état de lutte... »

Jaurès est aux antipodes de ce darwinisme social qui s'insinue, structure les études des sciences sociales naissantes. « Quand le socialisme aura triomphé, reprend-il, quand tous les hommes auront leur part de propriété dans l'immense capital humain... »

« Nuit sublime », murmure Jaurès. Il respire par tout son corps cette nature qui l'entoure. Tête levée, il parle d'une voix haute : « Les hommes comprendront mieux le sens profond de la vie. » Le but ? Il montre le paysage, le ciel. L'humanité est sortie de l'univers, elle ne peut pas être en son fond, brutale et aveugle. Il hausse la voix : « Il y a de l'esprit partout, de l'âme partout. » L'univers ? « Il n'est qu'une immense et confuse aspiration vers l'ordre, la beauté, la liberté et la bonté. » Le but ? Le sens de la vie ? « L'accord de toutes les consciences, l'harmonie de toutes les forces et de toutes les libertés. » L'Histoire ? L'humanité ? « Le triomphe de la conscience et de l'esprit. »

Il reprend sa marche. Il parle de « justice universelle ». Il sourit, saisit le bras de son compagnon : « Allez, laissez faire l'univers, il a de la joie pour tous. Il est socialiste à sa manière. »

A l'autre extrémité de la France du Sud, à Montpellier, dans l'amphithéâtre où il donne son cours du soir, Vacher de Lapouge, d'une voix nette et chargée d'ironie, conclut : « Oui, tous les hommes sont frères, tous les animaux sont frères, mais être frères n'est pas de nature à empêcher qu'on se mange. Fraternité, soit. Mais malheur aux vaincus. La vie ne se maintient que par la mort. Pour vivre, il faut manger, tuer pour manger. »

Deux hommes, deux philosophes, deux regards sur l'Histoire.

Une époque divisée. Des courants d'idées antagonistes. On mesure l'importance du combat que mène Jaurès.

Il le conduit à sa manière, intellectuel moderne, qui combine enseignement et recherche théorique, rédaction et publication hebdomadaire d'articles dans un grand quotidien.

Vie équilibrée, à la mesure de cette énergie de Jaurès, de sa rapidité dans le travail, de son dynamisme, de sa passion pour les idées et pour l'actualité.

Et sa force, son originalité lui viennent de ce qu'il mêle ces différentes préoccupations, que son action de journaliste s'enrichit de sa réflexion de philosophe, de ses discussions avec Lucien Herr. Il commence d'occuper ainsi une place originale — et qui n'aura pas d'équivalent — dans le socialisme français, par cet aller et retour incessant qu'il fait en lui-même entre la préoccupation théorique et l'expression publique, entre la méditation et l'action, entre le travail intellectuel et le commentaire d'événements.

Ainsi, le 25 février 1890, mentionne-t-il pour la première fois le nom de Marx, dans *La Dépêche de Toulouse*, et son article inspiré à la fois par ses discussions avec Lucien Herr et ses recherches pour sa thèse, est en même temps une critique des faiblesses des socialistes français. Jaurès admire, écrit-il, chez « ses camarades socialistes allemands, leur attachement à la théorie. Ils sont pénétrés de la pensée de Marx et de Lassalle... Le socialisme allemand n'est donc pas une coalition vague de mécontentements et d'appétits, il représente une doctrine, une idée, et cette idée descend dans la foule ».

Articles de professeur qui veulent enseigner. Il arrive même à Jaurès d'établir à la demande de ses lecteurs une bibliographie élémentaire pour comprendre le socialisme, conseillant « les livres clairs et décisifs », des brochures de Guesde ou de Lafargue, les textes de Louis Blanc, de Proudhon, de Lassalle, et « dans le livre vigoureux et algébrique de Marx, *Le Capital*, les chapitres décisifs sur la plus-value et sur l'expropriation des travailleurs ».

Aucun sectarisme de chapelle chez Jaurès : Proudhon est le voisin de Marx, Guesde celui de Benoît Malon. Déjà manifeste, cette volonté d'unifier, de confronter par le libre examen, de puiser à toutes les sources pour opérer la synthèse et aussi mener la lutte contre les « sophismes de l'économie libérale ».

Ces articles, son enseignement public où se pressait une assistance mêlée, son passé de député, sa chaleur communicative, ses conférences en font l'une des personnalités en vue de Toulouse. Socialiste ? D'inspiration à l'évidence et d'appartenance idéologique. Il l'affirme dans ses articles tout en marquant qu'il n'est affilié à aucun parti et en indiquant bien qu'il conserve son indépendance de jugement.

Quand, pour la première fois, le 1er mai 1890, des cortèges se forment dans toutes les villes pour revendiquer la journée de huit heures, et manifester la solidarité internationale des travailleurs — premier signe d'un réveil possible du mouvement ouvrier —, au moment où la IIe Internationale se reconstitue (se sera fait définitivement au Congrès de Bruxelles du 18 au 23 août 1891), Jaurès observe plus qu'il ne prend parti.

Atmosphère tendue dans les quartiers de Paris et des grandes villes. Le ministre de l'Intérieur, Constans, a fait sabler les rues pour que les chevaux puissent charger. La troupe est mobilisée. Panique chez une partie de la population qui craint le « grand soir » de la révolte, la violence. Jaurès se félicite de la mobilisation socialiste et ouvrière, mais, en même temps — et c'est le signe de son indépendance, de ses distances avec le mouvement socialiste et sa tactique —, il regrette la « procession théâtrale et vaine qui risquait de dégénérer en bagarre et de mettre aux prises le peuple des casernes et les soldats du travail ».

On sent qu'il récuse le choix de la violence dans la lutte des classes, qu'il croit à la conciliation. « Le rôle du socialisme, dit-il, n'est pas de jeter la bourgeoisie épouvantée dans la résistance. Au contraire. Il doit créer peu à peu, par l'immensité de la propagande internationale et pacifique, un tel état des esprits et des choses, que la bourgeoisie vienne à lui moitié par persuasion, moitié par nécessité. »

Volonté du compromis, présente chez Jaurès, souci des voies pacifiques, refus de la démagogie. Il est ce qu'il est. Il dit et écrit ce qu'il pense.

A Toulouse, on connaît sa sincérité. Parmi les auditeurs des cours publics de Jaurès, il y a de nombreux jeunes socialistes, ainsi Albert Bedouce, qui a à peine vingt ans mais compte déjà. Cet enfant naturel, autodidacte, qui a commencé à travailler à l'âge de douze ans, a fondé un groupe de la Jeunesse antiplébiscitaire hostile à Boulanger. Il va adhérer au Parti ouvrier français de Jules Guesde. En Jaurès, il voit un intellectuel prestigieux qu'il faut faire glisser du socialisme des idées au socialisme organisé du parti.

En effet une telle audience dans une ville pour un homme aussi jeune que Jaurès, et qui a déjà été député, ne pouvait que conduire à une rentrée sur la scène politique. Bientôt, on sollicite Jaurès de faire partie du conseil municipal à l'occasion d'une élection partielle. Nous sommes en juillet 1890. Voilà dix mois seulement qu'il n'a plus de mandat électif.

La politique active lui manque-t-elle à ce point puisqu'il se porte candidat ? La question est mal posée. Tout le conduit à la politique dès lors qu'il ne s'est pas enfermé dans le silence et la solitude. Chacun des mots qu'il prononce ou qu'il écrit est un acte politique, un pas vers une élection.

Il mène une courte campagne active, vigoureuse, socialiste d'inspiration. Il plaide — déjà — pour l'unité entre radicaux et socialistes « afin de former un grand parti d'action socialiste capable de mener à bien toutes les réformes ». Il entraîne ses auditeurs par sa conviction. « Oui, je le dis bien haut, crie-t-il, tant qu'il me restera un souffle, je l'emploierai à combattre pour les faibles contre les puissants, pour le peuple contre ceux qui l'oppriment, pour la justice sociale contre l'iniquité et contre l'injustice... »

Il est brillamment élu par 8 400 voix sur 9 100 votants, scrutin presque d'unanimité qui va au professeur, au généreux dont on sait qu'il sera chargé, au sein du conseil municipal, de l'instruction publique. Aux élections générales suivantes de renouvellement, en mai 1892, il sera réélu avec toute la liste et deviendra troisième adjoint au maire avant d'être désigné deuxième adjoint.

Voici donc à nouveau Jaurès investi d'une charge élective. Sa vie n'en devient que plus pleine. Il est de ceux dont on a le sentiment que plus on leur confie d'activités, et plus ils sont capables d'en assumer comme si le temps pour eux pouvait se dilater.

Dans ce conseil municipal d'Union républicaine radicale et

socialiste, Jaurès va être confronté à des problèmes concrets de gestion du monde scolaire.

Il s'y montre efficace, créant l'émulation entre les écoles de la ville, attribuant des livres et des carnets de caisse d'épargne de 50 francs aux meilleurs élèves, et s'attachant à doter Toulouse de bâtiments neufs permettant à l'enseignement supérieur de s'exercer dans un cadre accueillant. C'est lui qui, le 20 mai 1891, présentera la nouvelle faculté de médecine et de pharmacie au président de la République, Sadi Carnot.

Période enrichissante pour Jaurès. Il administre, prend la mesure de la complexité des choses. Jamais il ne se montre sectaire, préférant maintenir des subventions à des institutions culturelles plutôt que de les transformer en aide aux chômeurs. Pourtant, il connaît la misère des ouvriers du quartier de Saint-Cyprien, ses électeurs dont certains viennent suivre des cours. Mais pas de démagogie. La culture est importante. Il suggère même de créer un musée ouvert aux travailleurs dans la salle des Illustres du Capitole. Souvent, dans cette gestion d'un secteur de l'activité municipale, il se heurte aux élus socialistes. Ils sont quatre socialistes attentifs aux actes et aux paroles de Jaurès. Charles de Fitte, blanquiste, un typographe de trente-trois ans, pugnace qui a rompu avec ses origines nobles. Il y a un tailleur, Daydé, un chapelier, Coulon, un tailleur de pierre Dejean. Ceux-là guesdistes. Ils sont ouvriers, réticents devant toute forme de bourgeoisie. Leur ouvriérisme irrite Jaurès, même si leur spontanéité, leur passion pour apprendre — typique des militants de ce temps-là — l'émeut.

Ce contact avec ces hommes lui est précieux. Il se rapproche encore des socialistes tels qu'ils sont, dans la vie. Il doit de même affronter, comme adjoint, des conflits sociaux, lui qui se donnait comme objectif de résoudre « la question sociale ». Grève des employés des omnibus et tramways pour la journée de huit heures : violences dans la rue. Les dragons chargent. Les chevaux sont dételés des voitures que les non-grévistes veulent sortir des dépôts et qu'on renverse. Toulouse est remplie de troupes, mais, contre l'avis de De Fitte, Jaurès refuse de condamner le préfet. Il est toujours respectueux de l'ordre républicain, sûr que « la collaboration des pouvoirs publics au mouvement ouvrier est infiniment désirable ». Il œuvre pour un compromis que finalement la municipalité réussit à imposer. Jaurès va même jusqu'à prendre la défense de la propriété privée, condamnant les grèves aveugles, les grèves partielles. Réaliste, Jaurès. Socialiste, mais ne s'aveuglant pas au nom d'une idéologie et décidé à trouver des solutions aux problèmes quand ils se posent.

Compromis ? Pourquoi pas s'il y a une réelle amélioration des conditions de travail.

Socialisme ? D'accord, à condition qu'il entraîne une majorité plutôt qu'il ne s'isole dans des sectes.

Discours de « bourgeois » naïf même si généreux ? Dans le regard sarcastique de De Fitte, dans ses reproches, Jaurès voit et entend l'accusation. Mais il est sûr d'avoir raison. Il n'est pas ouvrier, mais il flâne dans les rues de Toulouse au bras de sa mère, il observe avec une attention compréhensive. Pas de condescendance pour ces badauds du peuple, leurs joies, leurs curiosités. Il faut qu'ils aient une vie plus humaine, il faut que l'organisation du travail leur permette de « voiler d'un peu de fantaisie la monotonie de l'existence quotidienne ». Alors, jailliront des « sources vives de travail de tous les points de la démocratie ».

Utopie ? Il faut « un grand rêve d'avenir », dit Jaurès.

Mais, parfois, ce rêve, on le fusille à bout portant.

Année 1891.

Fourmies est une ville d'un peu plus de 15 000 habitants, située à 200 kilomètres au nord de Paris. Ville ouvrière avec ses filatures de laine où, dans la rumeur des métiers et l'atmosphère humide et chaude comme celle d'une serre, travaille douze heures par jour presque toute la population. Et l'on commence à l'âge de douze ans.

Misère, chômage, angoisse, désespoir et révolte car, pour suivre la conjoncture et accroître leurs profits, les industriels ont baissé les salaires. Plusieurs grèves ont éclaté, spontanément et sur ce terrain favorable, les guesdistes du Parti ouvrier français essaient d'organiser et d'unir les travailleurs. Culine, le dirigeant local tient meeting sur meeting. Paul Lafargue, avec pour objectif la préparation du 1er mai, vient de Paris et en onze jours au mois d'avril parlera dans huit réunions avec une combativité qui entraîne. Le Parti ouvrier français se mobilise donc. D'ailleurs, dans toute la France, c'est lui qui se développe, comptant à peine 2 000 adhérents en 1889, mais déjà 6 000 un an plus tard (et près de 10 000 en 1893). De Saint-Quentin on vient soutenir les ouvriers de Fourmies en vue de l'organisation d'une manifestation importante, pour les huit heures et la hausse des salaires, le 1er mai.

Les patrons se sont aussi regroupés pour ne pas céder, faisant apposer sur les murs de Fourmies une affiche dans laquelle ils annoncent qu'ils sont tous unis, prenant « l'engagement d'honneur de se défendre collectivement, solidairement, pécuniairement dans la guerre qu'on veut leur déclarer ».

La guerre ? Le 1er mai, deux compagnies d'infanterie sont à Fourmies. Le préfet, le maire de la ville ont cédé aux exigences du patronat. Et, face aux manifestants qui refusent dans l'après-midi de se disperser, la troupe ouvre le feu avec une nouvelle arme, le fusil Lebel : neuf morts, huit jeunes de moins de vingt et un ans et un enfant de douze ans à peine. Parmi les blessés, on relèvera un enfant de deux ans.

Une manifestation fusillée.

A la tribune du Palais-Bourbon, le député socialiste Ernest Roche fera le récit du 1er mai, déployant une chemise ensanglantée face aux députés, une chemise percée de six balles. « S'il y avait une justice en France, lance-t-il, M. Constans, ministre de l'Intérieur, payerait de sa personne la mort de ces innocents. »

Constans ne parlera que de « faits regrettables », préférant faire pression sur la justice afin que Culine et Lafargue soient rapidement jugés pour « provocation directe au meurtre ». L'un — Culine — est condamné à six ans de réclusion, et l'autre — Lafargue —, à un an.

« Justice de coin des bois », dira le journal *Le Socialiste*. Ce verdict indigne Jaurès. Il avait d'abord réservé son jugement, refusant même de voter en conseil municipal une subvention que proposait de Fitte pour les victimes. Mais, sans mentionner Fourmies (« Je ne veux pas dire un mot des événements de Fourmies », avait-il précisé), il avait averti que « si le gouvernement oubliait ses grandes et belles promesses, la politique ne serait plus qu'une sanglante comédie ». Ajoutant même : « Je sens très bien que dans certains milieux l'animosité contre le socialisme va grandissant, et qu'elle est bien près de se tourner en haine aveugle. »

Il retient encore sa condamnation. Il fait encore crédit par souci de rigueur, par manque d'information aussi parce que les journaux accusent Culine et les ouvriers d'avoir recherché la violence. Mais le compte rendu du procès et le verdict démontrent à Jaurès qu'une « partie de la société française s'est abandonnée à la haine et à la peur ». Et c'est cette partie-là qui compose le jury. Alors Jaurès s'exprime. Il le fait avec netteté. Il écrit dans *La Dépêche,* le 15 juillet : « Le vrai crime de Culine — cet ouvrier père de quatre enfants —, le seul, c'est d'avoir été un organisateur des forces ouvrières et un socialiste. »

Il sait, maintenant, Jaurès dans cet été 1891, l'été de Fourmies, que parmi les républicains certains ont choisi la répression contre les ouvriers. Qu'ils ne veulent rien céder de leurs privilèges. Qu'ils

116

forment avec les anciens monarchistes un bloc conservateur arc-bouté, heureux de faire l'éloge comme on peut le lire dans *L'Illustration* du fusil Lebel, « dont la balle peut très certainement traverser trois ou quatre personnes à la suite les unes des autres et les tuer ». Il sait aussi qu'il franchit un seuil : « En disant ce que je dis aujourd'hui, écrit-il, je ne me fais pas des amis partout. »

Ni parmi ses collègues ni dans sa belle-famille. Il sait qu'il va quitter la zone floue où il se tient encore, non par prudence, mais par honnêteté à l'égard de ce qu'il pense des organisations socialistes. Il aimerait infiniment mieux parler d'autre chose, confie-t-il. Ce serait si simple. « Mais [le ton se fait grave, solennel], mais je me considérerai comme un lâche si, au moment où semblent commencer pour les militants du socialisme français les épreuves qu'on pouvait prévoir, la prison, la calomnie légale, la proscription, je n'affirmais pas une fois de plus que je suis uni à eux de doctrine, d'esprit et d'âme. »

Jaurès a choisi.

La tuerie de Fourmies secoue toute l'opinion. C'est le 15 mai que le pape Léon XIII publie son encyclique *Rerum Novarum,* qui fixe la doctrine sociale de l'Eglise face au monde ouvrier. Et, en France, des hommes comme La Tour du Pin et de Mun, catholiques et monarchistes, revendiquent le droit d'être d'accord avec les socialistes. Les catholiques-sociaux de Fourmies soutiendront Lafargue quand le Parti ouvrier français pour le faire sortir de prison le présente à une élection partielle qui a lieu à Lille. Il sera élu le 8 novembre 1891. « Ce qui entre dans le Parlement, dira l'économiste Leroy-Beaulieu, c'est le collectivisme. » Et Engels parlera de la transformation d'une « banale élection partielle en grande action politique de portée incalculable ».

Mais la prise de position de Jaurès est d'autant plus importante que, à partir des événements de Fourmies, l'on assiste à des perversions de l'indignation. Elles marquent à la fois la profondeur de la secousse et les incertitudes de l'opinion.

Déroulède, à l'Assemblée, au nom des boulangistes, annonce « un déchaînement cent fois plus terrible que celui même de 1893, plus terrible et plus juste aussi car, nés de la Révolution et de la République, vous aurez méconnu et la République et la Révolution ».

Plus grave, Edouard Drumont, dans *Le Secret de Fourmies,* explique que la fusillade a eu lieu car le sous-préfet juif, Isaac,

117

agissait sur l'ordre des Allemands qui voulaient connaître les performances du fusil Lebel ! Et Drumont raconte comment une « enfant du peuple » a eu tout le haut du crâne emporté par une balle. Le curé de Fourmies « ramassa sa cervelle sur le pavé, mais on n'a jamais pu retrouver la magnifique chevelure blonde dont elle était si fière ».

« La légende prétend, continue Drumont, que cette chevelure a été dérobée et vendue ; elle aura probablement été orner la tête chauve de quelque vieille baronne juive, et quelque gentilhomme décavé, jouant la comédie de l'amour près de la femme pour se faire prêter l'argent par le mari, a peut-être couvert de baisers dans quelque boudoir du quartier Monceau les blondes dépouilles de l'ouvrière assassinée. »

Cela aussi, c'est la France des années 1890, et cet univers contradictoire, bouillonnant, déchiré par les tensions, les oppositions, les espoirs, les égoïsmes et les haines est celui dans lequel se meut Jaurès.

L'été, il s'installe à Bessoulet, en famille. Les beaux-parents sont présents, M. Bois enfin sous-préfet, Mme Bois, tatillonne, bavarde, et Louise Jaurès, avec ce masque lourd, cette nonchalance faite d'indifférence et d'ennui. Madame veuve Jaurès vient passer quelques jours. Elle fait, rayonnante au bras de son fils, quelques promenades dans le parc jusqu'au bord du Tarn, jusqu'à ce point de vue qui permet d'apercevoir la cathédrale d'Albi. Madeleine, petite fille de deux ans, est la joie de la maison. Jaurès est attentif à chacun de ses gestes. Elle est même là quand il écrit. Car, bien sûr, il travaille. A ses thèses qu'il achève dans cet été 1891, et dont les titres sont arrêtés (*De la réalité du monde sensible* et *De Primis Germanici socialismi lineamentis apud Lutherum, Kant, Fichte ed Hegel — Des origines du socialisme allemand*). Elles partiront bientôt à l'impression en vue de la soutenance qui doit se tenir en Sorbonne au début de l'année 1892.

Dans cet été 1891, à Bessoulet, Jaurès retrouve aussi la campagne.

Il a besoin de ces paysages, de cette « réalité sensible » du monde. Coucher de soleil, terre meuble, multiples formes de la vie, ciel étoilé et lumineux des nuits estivales. Il communie, il dilate sa poitrine et son esprit à cette générosité ordonnée de la nature. Il écoute les vibrations, les palpitations de cet univers qui l'environne. « Oui, dit-il aux amis qui viennent à Bessoulet, nous pouvons prendre à témoin de nos sublimes espérances la nuit sublime où s'élaborent en secret des mondes nouveaux ; nous pouvons mêler à notre rêve de douceur humaine l'immense douceur de la nature apaisée. »

Il rentre de ces promenades avec une exaltation tranquille. Madeleine dort. Il peut écrire. Tenter de mettre en harmonie ses analyses de la société, ce socialisme auquel il vient, à propos de Fourmies, de manifester son adhésion de principe et ses sentiments intimes, cette certitude mystique qu'il y a une unité du monde, un sens à l'Histoire et à la vie. Or, tout le mouvement des idées, les faits de l'actualité, le ralliement des catholiques à la République, l'encyclique *Rerum Novarum,* le visage social que se donne l'Eglise mais aussi Fourmies, les luttes ouvrières, ses lectures de Marx et ses discussions avec Herr le sollicitent.

Il a ancré en lui une « foi » que le spectacle de la nature et son analyse de l'Histoire confortent. Et il y a la raison à laquelle il ne renonce pas, qui structure toute sa pensée, et il y a cette Eglise, ce socialisme dont il partage l'espoir. Or, les socialistes les plus illustres s'affirment matérialistes avec vigueur. Vaillant vient de donner une interview au journal *Le Radical,* où il redit son athéisme avec force. Comment concilier tout cela ? Cette foi, fichée en soi, irrépressible ?

Ecrire pour se comprendre et définir son point de vue, sa synthèse personnelle.

Déjà, il a suivi, dans les mois qui précèdent cet été 1891, les débats des théologiens qui font de Toulouse un centre de réflexion catholique notable. Dans *La Dépêche* du 25 juin 1891, il interpelle Camille Pelletan, un journaliste et un député radical, libre penseur : « Vous dites qu'il n'y a plus de théologiens, lui lance-t-il. Qui sait ? Ici, nous causons démesurément de la nature de Dieu, de la liberté, du devoir, de la grâce, de l'évolution, des mystiques. » Et il ajoute : « Les hommes qui ont le sens de l'éternel comme Hugo sont les seuls qui aient vraiment le sens de leur temps. »

Voilà qui surprend la rédaction de *La Dépêche,* toute anticléricale. Mais, pour Jaurès, affirmer cela ce n'est en rien soutenir l'institution catholique. Il ne croit même pas, après réflexion, à la possibilité pour l'Eglise d'élaborer une doctrine sociale. Et malgré les effort des de Mun, ou l'encyclique *Rerum Novarum,* qu'il a un temps jugée positive, il écrit, le 21 août 1891 : « L'Eglise ne peut être durablement favorable à l'affranchissement social des travailleurs, car ce serait mener à leur affranchissement religieux et ruiner le catholicisme, l'Eglise se rejettera donc forcément, un jour ou l'autre, vers la réaction politique et sociale. »

Et pourtant, cette foi, cette conviction en soi.

Il écrit.

Moins d'une trentaine de feuillets (restés inédits jusqu'en 1959 et publiés sous le titre *La Question religieuse et le socialisme*), sans doute un projet d'article, peut-être destiné à *La Revue socialiste*.

Là, en ces quelques pages, il unit ses convictions et sa foi, sa raison rationaliste et sa raison mystique. « L'humanité, écrit-il, n'a quelque valeur que comme expression de l'infini », et il ajoute : « La race humaine est essentiellement religieuse, le problème religieux est le plus grand problème de notre temps, de tous les temps. » Mais il récuse « le christianisme flottant des dilettantes mystiques ». Il condamne la religion institutionnelle, « organisation théocratique au service de l'iniquité sociale ». D'ailleurs, « le christianisme traditionnel se meurt, philosophiquement, scientifiquement et politiquement ». Et — liaison avec le socialisme — « le régime social actuel est un régime d'abrutissement et de haine, c'est-à-dire un régime irreligieux ». « Si nous condamnons l'ordre social actuel, c'est encore une fois parce que, en même temps qu'il compromet le bien-être des hommes, il opprime leur liberté, il empêche l'avènement de la vie religieuse de l'humanité. »

Tout est dit.

Pour Jaurès, dans les profondeurs de l'univers, la conscience est présente. Mais Dieu n'est pas incarné. Jaurès refuse toute imagerie et, donc, toute dogmatique catholique.

Dieu est un principe inscrit dans l'unité du monde qui est bien conscience puisque « tous les êtres conscients sortent par une évolution naturelle de l'univers ».

Lutter contre l'ordre social capitaliste, pour le socialisme, vouloir la disparition de ce capitalisme qui est « dans la société humaine tout imprégnée de douceur chrétienne et de générosité philosophique comme une usine infecte dans un bois mystérieux profond et doux, c'est une « action vaillante et juste qui continue, en quelque sorte, l'œuvre de Dieu ».

Jaurès, fidèle à lui-même, à toutes les facettes de sa personnalité, Jaurès, conjuguant sa foi et sa raison.

Et il restera ainsi toute sa vie puisque, le 24 janvier 1910, il dira à la tribune de la Chambre : « Je ne suis pas de ceux que le mot Dieu effraie. J'ai, il y a vingt ans, écrit sur la nature et Dieu et sur leurs rapports et sur le sens religieux du monde et de la vie un livre dont je ne désavoue pas une ligne, qui est resté la substance de ma pensée. »

Ce livre, c'est sa thèse qu'il soutient en Sorbonne, le 12 mars 1892, et qui exprime d'une manière plus vaste ce qu'il condensait en cette trentaine de feuillets durant l'été 1891 à Bessoulet, terminant, précisément, la rédaction de sa thèse.

Il y écrira sur ce monde « où l'homme sentira soudain, à un attendrissement étrange de son cœur et de ses yeux, qu'un reflet de la douce lampe de Jésus est mêlé à la lumière apaisée du soir ». Naïveté, illusion, que cette affirmation conjointe de la « réalité du monde sensible » et de la foi ? Le président du jury de soutenance devait déclarer qu'en trente années d'enseignement, c'était la première fois qu'il rencontrait un philosophe aussi naïf pour croire que le monde sensible existe.

D'autres commentateurs, sans utiliser les mêmes mots de dérision, font de Jaurès l'homme d'une impossible conciliation entre l' « idéalisme » de sa jeunesse bourgeoise et ses convictions politiques socialistes. Un homme ayant passé un compromis bâtard entre deux parties de lui-même. Ah ! s'il avait lu plus attentivement Marx, dit-on ! il eût découvert le matérialisme dialectique qui l'eût contenté... N'est-ce pas aussi façon détournée de réduire Jaurès ? Pourquoi ne pas le créditer d'une synthèse personnelle et qui vaut bien le matérialisme dialectique ? Après tout, on attend encore la démonstration rigoureuse — c'est-à-dire incontournable — du matérialisme, dialectique ou pas. Affaire de conviction philosophique. Et Jaurès philosophe avait la sienne, celle d'un philosophe qui avait lu Kant et Hegel, et n'ignorait pas Marx. Chacun peut adhérer ou rejeter la théorie de Jaurès, mais personne ne peut dire que cette synthèse n'est pas satisfaisante sans supposer — imposer — qu'il existe une lecture de l'univers indiscutable. Ce qui dérange les matérialistes chez Jaurès, c'est que son originalité philosophique, sa mystique vont de pair avec un engagement dans la raison et dans l'action.

Ainsi, dans le texte qu'il écrit pendant l'été 1891, et qui est exaltation de sa croyance et de ses convictions, il conclut : « Même si les socialistes éteignent un moment toutes les étoiles du ciel, je veux marcher avec eux dans le chemin sombre qui mène à la justice, étincelle divine qui suffira à rallumer tous les soleils dans toutes les hauteurs de l'espace. »

Et le 5 février 1892, il a soutenu sa thèse latine devant un jury étonné de l'audace d'un candidat qui choisissait d'étudier le socialisme allemand et de démontrer qu'il était issu de Luther et des philosophes. « Ne manquez pas la soutenance de thèse, vendredi, avait dit le professeur Gabriel Seailles, membre du jury, à ses étudiants. Il s'agit d'un travail sur le socialisme, et le candidat, dit-on, est aussi éloquent que Gambetta. »

On disputa Jaurès. Mais même quand on était hostile à son point de vue — c'était le cas de son ancien maître Boutroux ou de l'ancien ministre Waddington, tous deux membres du jury — comment lui refuser le talent, l'érudition et l'intelligence ? La générosité, aussi, quand il écrit en conclusion de son étude : « L'heure est proche où convergeront et se joindront de toute part en un seul et même socialisme toutes les âmes, tous les esprits, toutes les forces et facultés de la conscience et aussi la fraternelle union chrétienne, la dignité et la véritable liberté de la personne humaine et même l'imminente dialectique des choses, de l'Histoire, du monde. »

Il fut donc reçu docteur. Il avait rejoint avec éclat, au panthéon universitaire, Bergson. Mais contrairement à son ancien camarade de Normale, la recherche philosophique n'était qu'une partie de sa vie. Il retrouvait en sortant des amphithéâtres la vie politique, mettant en pratique dans sa propre existence cette unité dont il faisait le principe même de l'univers.

La dynamique, le mouvement étaient, chez cet homme massif, une nécessité vitale car il fallait sans cesse recommencer. Rien n'était acquis.

A Paris, dans ce mois de mars 1892, alors que Jaurès soutenait ses thèses en Sorbonne, des explosions se produisaient dans différents quartiers, faisant des victimes. La police arrêtait un certain François Claudius Kœnigstein, alias Léon Léger, dit Ravachol. Deux immeubles occupés par des magistrats, une caserne et le restaurant Very où Ravachol a été arrêté sont visés. On juge Ravachol, condamné aux travaux forcés, puis à mort. Entendant son verdict, il lance : « Vive l'anarchie ! » Il a, à un mois près (il est né le 14 octobre 1859), l'âge de Jaurès. Le couperet de la guillotine interrompt le cri qu'il poussait « Vive la Ré... », Vive la Révolution, et cet assassin de droit commun était l'exemple même d'un pauvre, marginalisé, mêlant en lui des aspirations à un renouveau de la société et une violence criminelle pathologique. « L'anarchie, disait-il, c'est l'anéantissement de la propriété. »

Cette série d'explosions anarchistes est un signe que la question sociale « pourrit ». Que la fusillade de Fourmies et la condamnation des militants socialistes ne résolvent pas les problèmes, dès lors qu'aucune réforme importante ne vient améliorer la condition ouvrière. Et ce n'est pas en s'enfermant derrière les frontières par un tarif douanier protecteur comme elles le décident (à l'initiative du ministre Méline, le 11 janvier 1892) afin de « stabiliser » la société française en évitant toute concurrence, que les couches dirigeantes pourront éviter la fermentation de la révolte.

D'ailleurs, les conservateurs le savent. Le journal républicain modéré *Le Siècle* écrit, en février 1892 : « Le socialisme s'organise et prend peu à peu ses formations de combat. Il n'est plus permis d'assister avec scepticisme à cette agitation qui ne saurait manquer d'aboutir à une conflagration plus ou moins prochaine mais inévitable. »

Cette lutte qui ne cesse pas, qui se durcit ne surprend pas Jaurès. « Ce qui rend si dramatique la vie du monde, dit-il, c'est que la bataille n'est jamais gagnée. » Pourtant, à cette ombre de pessimisme qui donne à sa conception de la vie un sens tragique, il ajoute : « Mais la bataille n'est jamais tout à fait perdue. »

Le mouvement, la lutte, « l'action hardie qui, plus encore que la théorie hardie, donne des ailes à l'homme », il les vit. Quand, le 27 mars 1892, Jules Guesde vient à Toulouse prononcer une conférence, Jaurès refuse d'intervenir au côté du leader du Parti ouvrier français. Mais il est présent au premier rang, écoutant l'orateur marxiste affirmer avec force : « On ne pourra plus faire le silence sur le socialisme. »

Jaurès, quelles que soient les divergences sur les moyens d'action, approuve. Le jeune Bedouce, après la conférence, l'invite à rencontrer Guesde. Ils se rendent tous deux rue Peyrolières, à l'hôtel d'Espagne où Guesde est descendu. La chambre est modeste, pauvre même, avec son décor usé. Elle convient à Guesde, à son visage osseux d'ascète. Les deux hommes parlent toute la nuit, confrontant leurs conceptions. Celle de Guesde, intransigeante, favorable à la lutte frontale. Celle de Jaurès, plus souple, faisant confiance au lent et progressif travail de l'éducation, accordant toute sa valeur à la démocratie et aux institutions républicaines. Alors que pour Guesde elles ne sont que des formes vides, des illusions. Mais Jaurès rend hommage à l'effort du Parti ouvrier français pour organiser, définir un programme. Et Guesde peut bien s'irriter, « essayer de heurter ce qu'il y a d'évangélique et de doux chez Jaurès », racontera Bedouce, il est sensible à l'intelligence, à la ferveur de son cadet de quatorze ans.

Cette rencontre, c'est aussi celle de deux générations que les expériences historiques ont séparées et qui enfin se rejoignent. Rencontre symbolique qui lie les premiers fils de l'unité entre socialistes français.

« C'est une très bonne journée », dira Guesde à Bedouce, après le départ de Jaurès.

LA DÉCOUVERTE DE SOI

Celui-ci, qui rentre chez lui, place Saint-Pantaléon, médite peut-être sur la densité de sa vie. Il y a quelques jours, il était face au jury de thèse, en Sorbonne. Maintenant, il vient de rencontrer Jules Guesde. Il est passé de la théorie à la vie.

Demain ?

Il sait que sa vie sera plus pleine encore parce qu'il est ainsi fait, qu'il veut comprendre et transformer le monde.

Chapitre 6

L'appel de Carmaux
(1892-1893)

Eté 1892. Les vacances. Jaurès se retourne sur les mois passés. Il est en Auvergne. Il marche dans la campagne, soigne sa gorge dans une station thermale. Il parle avec tant de force que souvent la voix s'affaiblit. Il faut veiller à cela. Il s'est donc accordé ces quelques jours de vacances et de soins après ces années d'études, de travail, de rencontres, d'action. Les thèses soutenues, les dizaines d'articles écrits, la gestion municipale, Herr, Guesde, ce socialisme qu'il a enfin replacé dans un système de pensée.

Il marche sous le ciel bas d'Auvergne, que tout à coup dégagent de grands souffles de vent qui donnent à l'étendue un air d'Océan.

Une sensation de plénitude envahit Jaurès. Trente-trois ans. Il tient enfin son cap. « Si l'homme comprend le véritable cours des choses, dit-il, il l'aide et le précipite, et il est vraiment révolutionnaire. »

Lui a compris. Il lui faut agir plus vigoureusement encore. Il est prêt de toute son énergie juvénile.

Louise et Madeleine l'attendent. Près d'elles, la paix, joie de voir Madeleine courir. Il saisit la main de Louise. Elle ne se dérobe pas. Main douce, un peu molle. Pourquoi s'attarder à cette question qui vient parfois s'ébaucher dans l'esprit de Jaurès sur les mobiles et les comment de l'autre, de Louise, une femme ? La question ne se formule même pas. N'est-ce pas ainsi, la femme ? Jaurès a pour modèle sa mère, équilibrée, satisfaite, accomplie dans le cadre traditionnel. Laissons cela. Pensons à l'Histoire, à l'action, à l'évolution de l'homme.

125

« L'individu humain, dit-il, est le produit d'une terrible évolution de la nature, il est l'héritier de bien des forces brutales, il porte en lui des instincts d'animalité... Mais les puissances instinctives seront disciplinées et harmonisées par une haute et générale culture. La nature ne sera pas supprimée ou affaiblie, mais transformée ou glorifiée. »

Etudier, comprendre, enseigner, agir.

Dans cet équilibre, depuis trois ans, c'est l'action qui est la moins représentée. Depuis 1889, philosophe, professeur, journaliste, Jaurès s'est mêlé aux idées, au mouvement du temps. Une étape vient de s'achever. Le sait-il? Il est, en tout cas, quand il rentre à Bessoulet au mois d'août, plus que jamais disponible, force amplifiée, orientée clairement, qui ne demande qu'à s'appliquer.

De la propriété de Bessoulet à Carmaux, la cité minière, il n'y a, à peine, qu'une trentaine de kilomètres.

Jaurès connaît bien les mineurs de Carmaux.

En 1885, il a tenu dans la ville ouvrière une réunion lors de sa campagne électorale. Difficile. Il n'était qu'un professeur bourgeois, et on l'a accueilli par des ricanements. On l'a interrompu. Puis il s'est imposé. Il n'ignore rien des conditions de vie des mineurs, de cette domination du clan Reille-Solages, dont il a eu à affronter la puissance. C'est le clan qui l'a fait battre en 1889.

Solages, avec son gros visage poupin aux yeux étonnés, ses allures élégantes de membre des clubs parisiens, tient les mineurs. Il joue du paternalisme et surtout du bulletin de paye, des contrôles tatillons sur le travail, les idées, la vie privée même.

Certes, depuis 1884, un syndicat s'est organisé, et la montée du mouvement ouvrier se fait aussi sentir à Carmaux. D'autant plus que les mineurs de Decazeville, d'Anzin ou de Saint-Etienne sont à la pointe de l'action. Parmi les députés socialistes, il y a d'anciens ouvriers du fond, qui posent la question de la nationalisation des mines (ainsi, le 19 novembre 1889). Depuis la loi du 21 avril 1810, elles sont accordées par l'Etat en concession à perpétuité à des propriétaires privés. A Carmaux, les Reille et les Solages, ces nobles qui, à l'heure républicaine, possèdent encore un empire fait de forêts, de mines donc, de hauts fourneaux, de verrerie.

Est-ce qu'on peut encore régner ainsi, même si ces maîtres-là sont charitables, paternels? Mme la marquise — une Reille — a même donné le sein à un fils d'ouvrier.

Les mineurs sont encore soumis mais têtus.

Ils sont fils de petits paysans. Souvent, après être remontés de la mine, ils exploitent eux-mêmes quelques arpents de terre, complément au salaire insuffisant, garantie en cas de chômage et orgueil de l'indépendance maintenue. Mais cela aussi change. On est de plus en plus ouvrier et de moins en moins paysan. La Compagnie des mines le veut parce qu'elle recherche une productivité élevée du travail. Elle souhaite avoir ses ouvriers entièrement dans sa main. Mais, en même temps, cette transformation qui est une prolétarisation favorise la diffusion des idées politiques. Les journaux arrivent. La voie ferrée — un embranchement de la ligne Albi-Toulouse — débloque le pays, apporte les écrits et les idées. Des cafés s'ouvrent. On s'y rencontre. On y parle. On s'y « coalise » contre les Reille-Solages. Grève en 1869, grève en 1883, grève en février-mars 1892. Là, les mineurs ont présenté un catalogue de 28 revendications qui concernent aussi bien la discipline du travail, le régime des sanctions que la question — vitale — des salaires. Arbitrage du préfet du Tarn. Le travail reprend.

Cependant, ces actions, le climat de l'époque rendent irréversible une évolution des mineurs. Il y a quelques mois encore, Jaurès a pu soutenir devant les mineurs, pour une élection au Conseil général, un républicain modéré, Héral, opportuniste. Jaurès a invoqué la solidarité républicaine. Mais le temps a passé vite : Héral est maintenant un adversaire. Jaurès est devenu socialiste, et les mineurs ont leur propre leader : Jean-Baptiste Calvignac.

Cet homme énergique, au visage rond, à la moustache tombante, aux yeux durs derrière un lorgnon, est né en 1864. Il est le fils d'un petit paysan que la faim a poussé vers la mine. Mais un accident a tué ce père au fond du puits.

Calvignac se distingue de ses camarades par sa formation : ouvrier qualifié, serrurier, il a poursuivi ses études jusqu'à seize ans, puis fait le tour de France pour devenir compagnon. A Carmaux, il est rentré comme ajusteur à la compagnie. Ces ouvriers d'atelier qui forment une aristocratie, qui vit au jour — que l'épuisement du travail dans les galeries n'abrutit pas. Calvignac lit, dirige le syndicat depuis la grève de 1883. Et — rencontre des conditions locales et de l'évolution nationale — il adhère au Parti ouvrier socialiste révolutionnaire de Jean Allemane, celui dont est membre Lucien Herr, le bibliothécaire de la rue d'Ulm. Rapprochement significatif des mouvements profonds qui se produisent dans le climat politique et idéologique du pays. Calvignac crée même une Fédération ouvrière du Tarn qui rassemble les cercles politiques de la région et les sections syndicales. On se donne un journal, *La Voix des Travail-*

leurs. Chaque succès dans l'organisation renforce la conviction, gagne des adhérents. Le 15 mai 1892, Jean-Baptiste Calvignac est élu maire de Carmaux.

Défi des ouvriers à leur patron, défi du suffrage universel au baron Reille et au marquis de Solages. Election qui ébranle le château. Col cassé blanc, perle dans la cravate blanche, moustache en croc, le marquis s'indigne. Calvignac, élu, s'absente pour exercer sa fonction. On lui refuse les congés qu'il demande. Il passe outre. N'est-il pas l'élu du suffrage universel ? Scandale à la Compagnie. D'autant plus que Calvignac récidive. Il est élu, à la fin juillet 1892, conseiller de l'arrondissement de Carmaux. Alors, le 2 août, la compagnie le licencie. Ainsi que l'écrira le journal *Le Temps* : « Calvignac a le droit de se faire élire maire, et la compagnie a le droit de le renvoyer. » Telle est la logique des républicains modérés.

Mais ce raisonnement ne passe plus. Le 15 août, meeting des mineurs. Ils exigent la réintégration de Calvignac. Ils envahissent à 6 heures du soir la maison du directeur de la Compagnie, Humblot. Portes et vitres sont brisées. Le directeur est armé. Un gendarme et le maire s'interposent. Humblot remet sa démission entre les mains du gendarme. Et le soir, vers minuit, le marquis de Solages et les siens quittent le château pour Albi.

Epreuve de force. Grève qui va durer dix semaines.

La France s'émeut et se divise. Les leaders socialistes, tous courants confondus (Duc-Quercy, proche des guesdistes, Millerand ou Viviani, qui seront socialistes indépendants), les radicaux (Clemenceau) viennent parler à Carmaux.

Jaurès s'engage. Deux mille ouvriers mineurs à Carmaux, constate-t-il, et un baron et un marquis qui prétendent être leurs maîtres et ne les connaissent même pas de vue. L'hiver, ils vivent à Paris, l'été, au château. Les ouvriers de Carmaux ne sont pour ces messieurs-là que des jetons de présence qui s'accumulent dans la caisse avec d'autres jetons de toute origine.

Jaurès écrit. On sent l'énergie et la détermination. Plus d'hésitation. La frontière est précisément tracée. Il ne peut admettre que « tous ces hommes, qui ont un cerveau et un cœur, ne soient que des mannequins noircis de charbon », et qu'on exige d'eux qu'ils choisissent le jour des élections, d'un geste automatique, le bulletin de vote qui convient au baron et au marquis.

Temps révolus que ceux-là, dit Jaurès. Ce qui le révolte, c'est que, dans cette affaire, le suffrage universel, auquel il attribue une vertu sacrée, est remis en cause. « La compagnie, dit-il, en faisant du bulletin de vote une dérision, a criminellement provoqué la violence des ouvriers. »

Temps révolus mais longs à changer. La lutte est dure. Le nouveau président du Conseil, Emile Loubet, a fait envoyer 1 500 hommes de troupe à Carmaux : un soldat pour deux grévistes. La faim s'installe, que seule la solidarité nationale permet de vaincre. Charles Péguy, alors jeune étudiant, collecte comme des centaines d'autres pour les mineurs de Carmaux. Baudin, le député socialiste du Cher, est dans la cité en permanence aux côtés de Duc-Quercy, socialiste indépendant qui affiche les idées de Guesde.

La tension est sensible. Et l'indignation est d'autant plus forte à gauche et dans les rangs ouvriers que la presse parisienne — *La Libre Parole* de Drumont du 6 au 18 septembre — révèle les dessous de l'affaire de Panama et étale au grand jour la corruption des députés et des ministres modérés. Sous le pseudonyme de Micros, un banquier de province démonte le mécanisme de l'achat de parlementaires et de journalistes. Il donne des noms, avance des preuves. « J'avais bien entendu dire par-ci, par-là, que les hommes politiques ne dédaignaient pas les arguments monnayés, écrit-il, mais, pour la première fois, je me trouvais en présence d'une affirmation positive, et j'en fus vivement frappé », conclut-il.

Scandale parlementaire qui rend encore plus vive la pression des socialistes sur le gouvernement. Si celui-ci n'impose pas une solution, on peut craindre des violences, des provocations. Déjà, les mineurs ont chassé de Carmaux un anarchiste, Tournadre, qui proposait de l'argent à ceux des mineurs qui utiliseraient la dynamite contre les bâtiments de la Compagnie. La vigilance et la lucidité politiques le contraignent à un départ rapide. Dans sa malle, on trouve des lettres de soutien de personnalités monarchistes (la duchesse d'Uzès). Mais demain un autre peut séduire tant l'exaspération est vive.

Peu à peu, cependant, la résolution des mineurs, le soutien des socialistes — Alexandre Millerand à la Chambre réclame du gouvernement qu'il se saisisse des mines — entame la résistance du clan Reille-Solages. Le marquis fléchit le premier. Il démissionne le 14 octobre de son siège de député. Le 18, Reille accepte le recours à l'arbitrage. Le 30, la décision est rendue par Loubet : Calvignac est réintégré ; le directeur de la Compagnie, Humblot, reprend ses fonctions (en fait, il sera muté à Paris), tous les grévistes sont réembauchés à l'exception de ceux — neuf — qui ont été condamnés pour violation du domicile de Humblot.

Ce compromis, favorable aux mineurs, est d'une importante

signification politique. « La victoire ouvrière de Carmaux, écrit Jaurès, donnera un élan nouveau à la démocratie. »

« Victoire, continue-t-il, parce que l'influence politique du baron Reille est mortellement atteinte. »

Victoire parce que tous les courants du socialisme et les radicaux ont soutenu les mineurs. Même si l'enthousiasme de Jaurès masque les concessions ouvrières, ces neuf mineurs condamnés qui doivent quitter Carmaux, leurs camarades ressentent le compromis comme un succès.

Ils rentrent au chant de *La Carmagnole* dans la mine. Ils accueillent dans l'enthousiasme les graciés. Chants, cortèges, plus de 10 000 personnes éprouvent leur force et se convainquent qu'elles ne peuvent plus perdre.

Or, une élection va se dérouler bientôt pour remplacer le marquis démissionnaire.

Perdre ? On va gagner.

Cependant les choses ne sont jamais aussi simples qu'on le pense dans l'enthousiasme d'un cortège, au lendemain d'une victoire. D'abord, la deuxième circonscription d'Albi où doit se dérouler l'élection comporte 4 cantons ruraux sur 5. Certes, le canton de Carmaux représente-t-il plus de 30 % des inscrits, et la ville ouvrière à elle seule dépasse 66 % de ce tiers.

Mais les paysans pèsent lourd aussi. Isolés, petits propriétaires, ils peuplent les cantons de Pampelonne ou de Monestiès, de Valderiès ou de Valence d'Albi. Ils travaillent dur sur des terres cristallines et schisteuses, où ils cultivent du seigle, un peu de blé associés à un maigre élevage bovin. Cette polyculture est d'un faible rapport. Et ce monde rural, immobile, constitue une masse importante d'électeurs aux idées traditionnelles, même si c'est la ville de Carmaux qui fait la décision.

Qui choisir, dès lors, pour candidat ?

Le marquis ne se représentait pas. Il venait de se remarier avec une Reille, encore, cousine germaine de sa première femme. Le clan a désigné sur le conseil du préfet, ce républicain modéré, Héral, qu'avait soutenu Jaurès en 1891. Manière de semer le trouble, de conquérir avec ce républicain les voix paysannes et les prudents du canton de Carmaux.

Les syndicalistes et les socialistes de la ville hésitent. On pense à Calvignac. Récusé : il ferait peur aux paysans. On propose la candidature à Duc-Quercy, proche des guesdistes. Il refuse. Il n'est pas venu à Carmaux pour obtenir un siège de député. Et puis, il n'est pas du pays. Justin Soulié, un blanquiste du Comité révolutionnaire central, maire du village de Rosières, présente sa candidature sans emporter l'adhésion des ouvriers.

Et commence de circuler le nom de Jaurès. Il était du pays. Il parlait patois. Il avait été député. Il vivait à Bessoulet l'été, si près de Carmaux. Pendant la grève, son attitude avait été sans équivoque. Alors ?

Les ouvriers approuvent, mais les dirigeants syndicaux, Berton le mineur, Aucouturier le verrier, se méfient de ce professeur rallié si tardivement au socialisme. On propose Louis Camelinat, le communard. Jaurès, Jaurès, Jaurès, répond-on. Il faut des garanties. On les demande à Bedouce, le guesdiste de Toulouse. La section du Parti ouvrier français qu'il dirige n'a qu'une douzaine de membres. Bedouce les consulte et explique : « Nous avons établi un certificat de socialisme à Jaurès. » Cela ne suffit pas. On exige de Jaurès qu'il souscrive au programme du Parti ouvrier français tel qu'il a été défini à Marseille en septembre 1892. Il le lit, rien ne le heurte.

Il vint donc pour être désigné. Première réunion, pleine de contestations et de questions. Soulié maintiendrait sa candidature. Jaurès était-il vraiment socialiste ? demandait-on. On vota. Une majorité pour Jaurès. Alors Aucouturier se leva, solennel : « Nous vous avons combattu, citoyen Jaurès, dit-il, mais la majorité est avec vous. Nous nous rallions donc à votre candidature. Si vous marchez droit, vous n'aurez pas d'amis plus fidèles et plus dévoués que nous. »

Jaurès était donc le candidat des ouvriers, le candidat des socialistes. Explicitement. Qu'il eût pour rival le républicain modéré Héral, pour lequel le préfet faisait ouvertement campagne auprès des maires des petites communes rurales, dit assez la rupture que représentait dans sa vie cette candidature.

Les choses étaient devenues claires. L'action suivait les choix théoriques et la mise au point des idées accomplis durant ces trois dernières années par le philosophe Jaurès.

Cette désignation l'exalte. Elle est une preuve de l'unité naturelle de sa vie. Il commence sa campagne dès le mois de décembre 1892, associant paysans et ouvriers. Tactique adaptée à la réalité électorale ? L'union entre les paysans et les ouvriers est chez lui une ligne constante qu'il a déjà défendue au Parlement le 8 mars 1887. Il tient à Carmaux une réunion commune rassemblant les agriculteurs et les mineurs. Il dit : « Les travailleurs de la ville nous ont donné comme premier mandat de nous occuper des travailleurs de la campagne. »

Il parcourt ces cantons ruraux qu'il connaît bien. Il entre dans les fermes. Il parle le patois, sa langue occitane. Il est écouté avec attention, mais rien n'est gagné. Les paysans sont prudents, méfiants. Inquiets des violences. Le 5 novembre à Paris, on a déposé une bombe devant le siège social de la Compagnie des mines de Carmaux. Un garçon de bureau la découvre, la transporte imprudemment au commissariat de la rue des Bons-Enfants, où elle explose, le tuant ainsi que cinq agents. Obsèques solennelles des gardiens de la paix se déroulant à Notre-Dame en présence du gouvernement. Cet attentat n'est-il pas le fruit amer de la propagande des socialistes ? Le préfet le murmure. Héral, le rival de Jaurès, le suggère. Jaurès peut bien avancer l'hypothèse d'une provocation, l'insinuation chemine, confortant les réticences.

D'ailleurs, durant ces jours de la fin décembre, le scandale de Panama s'amplifie. On découvre le cadavre du baron de Reinach le 20 novembre. Mort naturelle, assassinat ? Ce même 20 novembre, Cornelius Herz s'enfuit à Londres. Le lendemain, le député boulangiste Delahaye, au Palais-Bourbon, recommande la constitution d'une commission d'enquête : « Le trafic de la croix d'honneur à l'Elysée, lance-t-il, n'est qu'une misère à côté des trafics de Panama. Daniel Wilson, le gendre du Président, n'était qu'une imprudence. Panama, c'est tout un syndicat politique... C'est la curée au grand soleil de la fortune des citoyens, des pauvres, des besogneux, par des hommes ayant mission de la protéger et de la défendre. »

Dans quelques jours, le 22 décembre, on découvrira le chéquier de Cornelius Herz et sur son talon les noms permettant de savoir qui a touché, quels sont les députés « chéquards ». Bien sûr, cela incite les plus politisés des électeurs à un vote d'indignation et de protestation qui ne peut qu'aller vers Jaurès. Mais chez les paysans, plus timorés, plus soupçonneux, c'est l'antiparlementarisme qui se renforce. Que veut-il, ce professeur, ce bourgeois, à demander nos voix ? Quel intérêt peut-il bien y trouver, lui comme les autres ? Les questions rampent : il y a bien une tante de Jaurès, du côté des Barbaza, qui s'en va répéter que Jaurès « s'est fait socialiste pour battre monnaie. Il est bon mari, et la belle Louise a besoin d'argent ».

Bataille serrée, donc. Au premier tour, le 8 janvier 1893, Jaurès l'emporte de 253 voix sur Héral (4 660 contre 4 407). Au second tour, Soulié s'étant désisté en sa faveur, Jaurès distance Héral de 424 voix.

Les quatre cantons ruraux, malgré la campagne active de Jaurès, son programme de suppression de l'impôt foncier d'Etat et ses propositions d'ouverture de crédits à faible taux pour les paysans, ont voté contre lui. L'inquiétude a joué. Le préfet n'a pas œuvré en vain. Mais Carmaux a fait la décision : 1 172 voix de majorité.

Jaurès est l'élu des ouvriers.

Joie du Carmaux des mineurs. Joie de Jaurès. La vie, une fois de plus, tient ses promesses. Il voulait de l'action. Elle est là. Guesde le salue, l'accueille. Maurice Barrès, le hautain et passionné écrivain, l'adversaire, se félicite de l'élection. « Jaurès apportera dans la discussion et la propagande des doctrines socialistes, écrit-il, le 20 janvier, l'état d'esprit d'un philosophe et d'un historien. Monsieur Jaurès est tel que nous puissions compter sur lui. »

On se prépare à regagner Paris. Louise Jaurès s'en félicite. Député opportuniste ? Député socialiste ? Qu'importe pour elle. Un député est un député, et, au fond, en quoi ces changements d'opinion la concernent-elle vraiment ? Qui la consulte ? Qui lui parle ? Paris vaut mieux que Toulouse. Alors, vive l'élection ! Façon de s'éloigner aussi de sa famille, pleine de regrets et de bavardages. Un gendre socialiste ? Etait-ce dans le contrat matrimonial passé avec les Bois ?

Jaurès n'entend pas les rumeurs qui traînent au ras du sol.

Il va, tête haute.

Le Jaurès qui, le 8 février 1893, se dirige en descendant les travées de l'hémicycle, vers la tribune du Palais-Bourbon, se souvient sans doute de ses émotions, de ses timidités et de ses illusions d'il y a huit années, huit années déjà, quand il était entré pour la première fois, à vingt-six ans, à la Chambre des députés.

Maintenant, il marche d'un pas assuré. Illusions dissipées. Le mot républicain cache la corruption : 104 « chéquards », dont des anciens ministres ont émergé à la Compagnie du canal de Panama pour voter les textes utiles aux banquiers de la Compagnie.

« La démocratie depuis dix ans, écrit Jaurès, a sans cesse capitulé devant la puissance des millions. » Républicains ? Il s'indigne de toute son énergie qui est conviction, désir de lutte contre les injustices, sens vertueux de ce que doit être un représentant du peuple. « Pour beaucoup de prétendus républicains, lance-t-il, la République n'est que la substitution de l'oligarchie financière à l'oligarchie terrienne, du grand industriel au hobereau, du banquier au prêtre et de l'argent au dogme. »

Il retrouvait l'hémicycle glauque, les députés dont la combativité est la seule chose commune à tous. A propos de Panama, ils s'écharpent sous l'œil des socialistes. Voici Déroulède qui accuse Clemenceau : « Cet homme a été un agent de désagrégation funeste pour notre pays, et je cherche grâce à quoi et grâce à qui, et je dis qu'il a été l'obligé de M. Cornelius Herz... »

Voici Freycinet et Rouvier, anciens présidents du Conseil, impliqués eux aussi.

Toute une génération d'hommes politiques se trouve compromise, écartée des affaires pour plusieurs années — Clemenceau jusqu'en 1906 —, laissant place à de jeunes élus, appartenant à la nouvelle génération : Louis Barthou — habile, fluet —, Poincaré, Delcassé, Deschanel.

Jaurès, avec eux, va avoir à faire à forte partie.

Ils ont, eux aussi, entre trente et quarante ans, comme Jaurès. Ils sont poussés par une ambition féroce, « fils de la louve », dira-t-on. Travailleurs, bons bourgeois aux solides études, républicains, ils n'ont pas — sur ce point aussi ils ressemblent à Jaurès — l'expérience des luttes contre l'Empire. Ce régime, c'est, naturellement, le leur. Ils veulent en profiter sans remords. Etre ministre. Prendre le pouvoir. Voici leur but. A trente-trois ans, en avril 1893, Poincaré est déjà ministre de l'Instruction publique dans un gouvernement Charles Dupuy.

Ils ne sont pas touchés par le scandale de Panama. Ils en tirent avantage. A eux les places. Et même si les chéquards après la levée de l'immunité parlementaire obtiennent un non-lieu, ce sont eux, ces jeunes loups, qui vont s'emparer des commandes.

Le socialisme ? Une utopie, selon eux. Dangereuse parce qu'elle menace l'ordre social dont ils sont issus et le système politique dans lequel ils se coulent habilement. Pourquoi les Millerand, les Jaurès, qui ont leur âge, ne rentreraient-ils pas dans le système ? Cyniques, ils ne comprennent pas la passion d'un Jaurès. Seul un Maurice Barrès, quels que soient ses choix politiques, sait reconnaître en Jaurès cette flamme d'enthousiasme et de pureté.

Car Jaurès ne se laisse pas séduire.

Il récuse tout rôle de « prince de la jeunesse » que Barrès s'attribue et serait prêt à partager avec lui. Philosophe ? Historien ? Compliments. Trop d'honneur, répond Jaurès. Apporter à la jeunesse des réponses à ses inquiétudes ? « Marchons, pas de subtilités, pas de vaines ténèbres, commente Jaurès. Allons au but qui est la justice, éclairons les esprits, affranchissons le travail. Une fois émancipé, tout homme cherchera lui-même son chemin. »

Un conseil à la jeunesse ? Il n'en connaît qu'un seul. Travailler,

travailler. Formule banale mais la seule souveraine et magique. Elle a fait le monde et le renouvellera.

Voilà Jaurès. On sait quelle place il accorde aux questions et au sentiment religieux. Mais s'il s'agit d'en faire l'objet d'un bavardage fumeux qui masque le combat indispensable pour la justice, il répond : « Affaire privée. Donc, dit-il, de l'action et encore de l'action ! Voilà le mot d'ordre précis de l'heure présente. »

La phrase sonne comme un souvenir de la période révolutionnaire. Une proclamation à la Danton ou à la Hoche. Et il est vrai que Jaurès se sent porté par le mouvement de la vie, cette force que donne la mise en œuvre de ce que l'on pense, la concordance entre ce que l'on est et ce que l'on dit et fait. L'unité de soi vous lance avec la puissance d'un boulet.

Jaurès à la tribune, le 8 février, dénonce la corruption révélée par le scandale de Panama : « Nous assistons à une sorte de décomposition sociale », clame-t-il. On veut l'interrompre. On lui rappelle : « Il y a sept ans, vous étiez centre gauche. » Il écarte le perturbateur, le chéquard Emmanuel Arène, d'une phrase sarcastique. Il a la repartie vive. « C'est le procès de l'ordre social finissant qui est commencé », conclut-il.

Il est partout. En province, parce que les élections sont fixées au 20 août et au 3 septembre 1893, et qu'on le convie à parler pour soutenir les candidats. En quelques mois, il intervient sept fois à la tribune (à propos du traitement des instituteurs, de l'impôt foncier, contre la répression policière lors du 1er mai à Paris).

Lui qui, durant la première législature, avait été comme paralysé, ne trouvant pas le ton, il est totalement libéré.

L'âge ? L'expérience ? Ils jouent, mais vient d'abord ce sentiment d'avoir enfin trouvé l'accord avec soi.

Le fait aussi qu'en face de lui les républicains modérés ont jeté le masque. Non-lieu pour les chéquards. Procès pour faits de grève, violence contre le député Baudin, arrêté par la police le 1er mai, violence contre les monomes d'étudiants. La police a chargé sur le boulevard Saint-Michel et des passants ont été matraqués aux terrasses des cafés. On relèvera un mort.

Républicains, ces hommes de gouvernement ? Ils sont d'abord des conservateurs contre lesquels Jaurès se dresse. Il parle aux étudiants qui ont fondé au quartier Latin la Ligue démocratique des écoles. Il leur dit : « C'est avec l'homme tout entier que le socialisme doit aller au combat. » Il tient meeting rue de la Montagne-Sainte-

Geneviève pour soutenir Millerand et Viviani. Enfin, il fait campagne à Carmaux, pour lui, et dès le premier tour, le 20 août 1893, il est réélu député. Il a gagné plus de cinq cents voix en huit mois.

Il est bien, désormais, le député de Carmaux, le député socialiste, l'élu des ouvriers.

III

LA PLÉNITUDE
D'UNE VOCATION
(1893-1898)

Dans la guerre sociale
(1893-1895)

Plénitude. Il suffit de voir Jaurès marcher dans Paris pour sentir chez cet homme l'assurance que donne « le sentiment de continuité de sa propre vie ».

On le rencontre au quartier Latin, dans ce jardin du Luxembourg qu'il traverse pour se rendre rue d'Ulm, à la bibliothèque de l'Ecole normale, où l'attend son ami Lucien Herr. On le croise rue Soufflot, regardant avec une nostalgie apaisée le Panthéon, ou bien quand il arrive sur la place faisant un détour pour retrouver l'église Saint-Etienne-du-Mont.

Il a loué un appartement, 27, rue Madame, à la limite de ce quartier des écoles qu'il a parcouru tant de fois quand il était étudiant. Ce choix d'un lieu lié à son passé est significatif de l'état d'esprit de Jaurès. « Je suis resté fidèle dans ce qu'on appelle la politique, dit-il, à ce rêve d'universelle félicité et de croissante perfection humaine qui exaltait ma jeunesse d'écolier. »

Au quartier Latin, il retrouve ses souvenirs.

Peu de chose a changé depuis les années 1880, les bâtiments de la nouvelle Sorbonne ont été inaugurés en 1889, quelques modifications se sont produites sur la façade du lycée Louis-le-Grand. Mais le décor d'ensemble est le même. Et c'est ce qui attire Jaurès. Tour Clovis, noble ordonnancement de l'architecture du lycée Henry-IV, « colonnes allongées par le mystère » du Panthéon, rue de la Montagne-Sainte-Geneviève, jardin de l'Ecole normale avec son bassin. Jaurès ne veut pas couper avec sa jeunesse studieuse. Il reste étudiant, professeur. Intellectuel attiré par ces lieux « où les choses semblent échapper au temps et fuir l'Histoire qui passe en une douce et silencieuse éternité ». Un quartier, des bâtiments qui le confirment dans cette certitude que sa vie est une, unifiée.

D'ailleurs, il poursuit son travail intellectuel.

Levé tôt dans cet appartement modeste de la rue Madame, il écrit, lit toute la matinée. Ses interventions à la Chambre ne sont que très rarement — presque jamais — improvisées. Jaurès a trop le souci de la grandeur et du rôle de la fonction parlementaire pour se contenter des variations brillantes dont il serait capable. Ces discours ne sont pas seulement des analyses ou des offensives politiques. Il veut faire des propositions.

Dès le 21 novembre 1893, dans son interpellation de rentrée au Parlement, il a fixé aux socialistes, face aux républicains modérés enfermés dans leur conservatisme, une tâche précise : « Nous apporterons les projets de réforme que vous n'avez pas apportés, et, puisque vous désertez la politique républicaine, c'est nous socialistes qui la ferons ici. »

Mais cela suppose que chaque proposition soit soutenue par une étude technique. On n'invente pas, même avec une culture classique encyclopédique, un « projet de dégrèvement de la propriété non bâtie » (17 janvier 1894). Ou encore une modification des tarifs douaniers (février 1894). Jaurès travaille chaque fois plusieurs jours sur ces textes.

La matinée passe. Madeleine court dans l'appartement. Louise va, nonchalante, d'une pièce à l'autre, surveillant distraitement le travail de la bonne et de la jeune femme qui se charge de sa fille. Deux personnes pour aider Louise Jaurès, tout à son inactivité paisible. Parmi les relations de Jaurès, on commence même à s'étonner de cette « belle femme élégante qui ne s'occupe pas du linge de son mari ».

« Il a plus de vingt chemises à moi », dira ainsi Gérault-Richard, un journaliste, prétendant même que Mme Gérault a raccommodé les pantalons de Jaurès.

Mais qu'importe à Jaurès ? Il oublie tout, assure-t-on, parapluie, pardessus. « Et dans sa valise, racontera Gérault-Richard, il y a de tout, un chapeau, même un chapeau de sa femme, des souliers, du linge sale et du fromage. » Et la valise ne ferme pas. Jaurès dit : « J'ai encore oublié de la porter chez le forgeron ! » et il éclate de rire.

Car il y a ce rire de Jaurès, cette générosité dans l'expression qui irrite parfois comme si on se trouvait face à un homme « dilaté » aux gestes exagérés. Homme du Midi, resté provincial dans un Paris plus guindé, plus sarcastique où chacun s'observe.

« A une de ses plaisanteries, dit Jules Renard, l'auteur au regard impitoyable de *Poil de carotte,* il rit trop, d'un rire qui descend les marches et ne s'arrête qu'à terre. » Et Renard remarque l'accent, un « bizarre dédain pour le " c " d'avec ». La parole lente, « grosse, un peu hésitante, sans nuances ».

Il ajoute : « Bonne santé sous tous les rapports. »

Et il marche d'un bon pas, Jaurès, vers la rue d'Ulm ou vers la Chambre des députés. Avec son col raide, sa cravate qui remonte, son embonpoint qui s'annonce, cette paupière de l'œil droit qui clignote nerveusement, sa barbe et ses cheveux drus coupés en brosse, son visage coloré, son allure carrée, il ne ressemble pas à un professeur distingué tels qu'on les imagine. Plutôt, dit encore Renard, « maître de quatrième qui ne serait pas agrégé et ne prendrait pas assez d'exercice, ou à un commerçant qui mange trop bien ».

Mais il suffit de quelques mots, pour découvrir la mémoire étonnante, pleine, l'homme capable de faire intervenir à chaque instant l'Histoire, la cosmogonie, soucieux de ne jamais enfermer un sujet dans des limites étroites ou mesquines.

« Les quelques citations que je fais, dit Jules Renard, auxquelles je ne tiens pas beaucoup, il ne me laisse même pas les achever. » A part cela, il crache volontiers dans son mouchoir...

Manières frustres d'un « paysan de génie », mais qu'on oublie tant la distinction de la pensée s'impose.

Dans ce quartier Latin où les jurys successifs l'ont consacré, il ne prépare pas que ses interventions à la Chambre. Conférences pour des étudiants, articles pour *La Revue socialiste :* il continue durant ces années 1893-1895 à définir son socialisme, d'une manière théorique, pour se situer dans le débat des idées qui se poursuit, pour marquer les différences aussi qui le séparent des marxistes orthodoxes qui, tels Paul Lafargue ou Jules Guesde, se veulent ou s'imaginent les gardiens scrupuleux du dogme.

Vie intellectuelle active, intense, qu'il faut interrompre pour retrouver l'estrade d'une réunion publique en province, d'une visite aux électeurs de Carmaux, ou pour écrire d'un seul jet un article destiné à *La Dépêche de Toulouse* ou — et ils seront de plus en plus nombreux — à *La Petite République,* le journal des socialistes indépendants que dirige Alexandre Millerand et, plus tard, en 1898, Gérault-Richard.

Alors, ces marches dans Paris, le long de la Seine vers la

Concorde ou bien vers le Panthéon, à travers le quartier Latin, ce sont les moments de rêverie que s'accorde Jaurès, l'équivalent de ces promenades dans le parc de Bessoulet.

Il longe le Panthéon qu'il voit tel un « temple impérissable et éternel, sans définition, sans date, sans style, sans histoire, temple de la pensée et du rêve, environné de silence et soulevé par une muette exaltation ».

Il emprunte les petites rues où parfois s'ouvre l'une de ces salles où on l'attend pour un débat, une conférence.

Place Maubert, rue Mouffetard : il se sent à l'aise dans ces quartiers populeux qui grouillent à l'ombre de l'Histoire, et où il lui semble qu'on parle joyeusement, mais « à voix presque basse comme pour ne pas jeter le trouble trop vif de la minute présente dans l'immuable et méditative tranquillité des choses ».

Ce ressourcement quotidien dans le travail intellectuel et l'atmosphère vraie de la ville — ou de la campagne — sont nécessaires à Jaurès. Parce qu'il affronte chaque jour aussi l'impitoyable arène politique.

Le combat est devenu plus rude.

D'abord, parce que Jaurès est maintenant pour tous les modérés un adversaire. Pire, quelqu'un qui, « sorti par la porte opportuniste » du Palais-Bourbon, y est rentré comme socialiste. Au moment même où la poussée du mouvement socialiste inquiète les conservateurs.

Sur les 10 500 000 inscrits, on n'a compté que 7 500 000 de votants, et parmi eux plus de 600 000 voix pour les socialistes. Cela peut sembler faible, mais ce nombre de suffrages a été multiplié par cinq depuis 1889. Ce flux intervient alors que se produisent les premiers attentats anarchistes, que les syndicats se renforcent, que les cortèges parcourent les rues des villes le 1er mai, que les revendications ouvrières se font à la fois plus précises et plus pressantes. Dès lors, pour tous les conservateurs, la priorité est à la défense de l'ordre social. Dans *La Nouvelle Revue* M. de Marcère, le directeur politique, écrit : « Il faut avoir le courage d'être réactionnaire. »

C'est l'« esprit nouveau ». Car la République est acceptée, installée. On s'y est rallié. Sur 566 membres de l'Assemblée, on ne compte que 76 monarchistes ou révisionnistes, mais 27 ralliés et, surtout, 278 républicains de gouvernement. Hommes décidés, dans le cadre des institutions républicaines, à s'associer avec tous ceux qui placeront au premier rang la lutte contre les bouleversements sociaux. Et de leur point de vue, le socialisme est associé à l'anarchisme.

La bataille est d'autant plus ardente qu'il y a, à la Chambre, une cinquantaine d'élus socialistes. Chiffre imprécis parce que des glissements se produisent, et que les groupes parlementaires n'ont pas encore une existence officielle, même s'ils existent de fait.

On reconnaît sur les bancs de l'extrême gauche Jules Guesde, Vaillant, qui représentent déjà l'histoire du socialisme, et puis les « jeunes », Alexandre Millerand, Jaurès, Viviani — un avocat de trente ans, né en Algérie, fils d'un avoué d'origine corse. Cet avocat des syndicalistes élu dans le Ve arrondissement. Ces trois-là, socialistes indépendants, éloquents, organisent le travail, se partageant les interventions techniques, entraînent les députés guesdistes, blanquistes ou du Parti socialiste ouvrier révolutionnaire de Jean Allemane. Millerand, Parisien qui a adhéré au socialisme dès 1886, fait figure de leader. C'est lui qui a organisé le groupe où l'on retrouve l'ouvrier mineur Basly.

Si Jaurès éprouve, ces années-là, un sentiment de plénitude, c'est grâce à la fraternité qu'il vit sur les bancs du Palais-Bourbon.

Il n'est plus un isolé. Il a des camarades avec qui il partage l'espoir. Ce groupe de l'Union socialiste a d'abord fait sourire. Clovis Hugues, « barde mystique », dit Guesde, avec ironie, est toujours là, hirsute. On se souvient qu'il a tué en duel, en 1877, un bonapartiste. Ils n'ont, ces députés, ni le chic, ni la morgue, ni la désinvolture d'un de ces « jeunes loups », Poincaré, Barthou, Delcassé, Leygues, qui forment l'élite neuve des républicains modérés. Les socialistes ont des allures, disent les journaux conservateurs avec ironie, d' « apôtres laïques — avec leurs yeux distendus, des bouches prêtes à l'imprécation et de ces barbes qui ne s'acquièrent que par le travail et l'austérité des mœurs »... Les plus indulgents ajoutent, pour renvoyer ces élus dans l'utopie inefficace ou le passé poussiéreux : « Ils vivent moitié dans l'Evangile, moitié dans la Révolution de 1789... »

En face, les républicains de gouvernement, des hommes jeunes, ambitieux, décidés à se battre et trois leaders qui, durant plus de deux ans, vont se succéder à la tête du gouvernement ou de la présidence de la Chambre. Charles Dupuy, un homme de quarante-deux ans, ancien professeur de philosophie, élu député de la Haute-Loire, énergique, conservateur sans complexe, décidé à faire respecter l'ordre. Son rival en ambition, son semblable en pensée est Casimir-Perier, quarante-six ans, une immense fortune accumulée depuis le Premier Empire par une famille avide au gain. Il est proche des milieux monarchistes constitutionnels : les orléanistes. Casimir-

Perier est certes républicain mais d'autorité. Petit-fils d'un ministre de Louis-Philippe, fils de député richissime, il est le principal actionnaire des mines d'Anzin. Pour Guesde, pour les socialistes, Casimir-Perier c'est « l'homme aux quarante millions, Casimir d'Anzin », le symbole de cette République qui se contente d'être un mode de gouvernement et renonce à déployer ses principes d'égalité et de justice et de liberté dans le domaine social.

Il y a aussi Alexandre Ribot, avocat, magistrat, député du Pas-de-Calais, qui fut président du Conseil au moment de l'affaire de Panama et qui, sans être compromis lui-même, en fut victime. Réélu en 1893, il joue à nouveau un rôle de premier plan parmi les modérés. Vêtu de noir, maigre et grand, Jaurès, un jour en le voyant monter à la tribune, murmura à son voisin : « Phocion », faisant référence à un général et homme politique athénien ; puis, devant répondre à Ribot, il commença : « On pourrait dire de vous ce qu'on disait de Phocion : tu es long, tu es triste comme les cyprès, et comme les cyprès tu ne portes pas de fruits ! »

Entre ces hommes et les jeunes ambitieux qui les entourent, les « deux gosses » — ainsi qu'on les appelle — Louis Barthou et Raymond Poincaré, mais aussi les Leygues, les Delcassé, d'une part, et, d'autre part, les socialistes, Jaurès spécialement, il ne peut y avoir, ces années-là, de complicité ou même de compréhension.

Après un discours particulièrement vif et passionné de Jaurès, Ribot lui fera part de son étonnement. Il avait connu un député centre gauche, il retrouvait un socialiste déterminé. La transformation humaine de Jaurès, visible même dans cette manière de parler, plus assurée, plus enthousiaste, surprenait Ribot. Il interrogea Jaurès, et celui-ci répondit : « Parmi vous, j'avais la sensation d'être un volcan vomissant de la glace. »

Cette atmosphère s'explique d'ailleurs par les mots que, dans la lutte politique, les uns et les autres emploient, et qui aigrissent encore le climat de « guerre sociale » qu'entretiennent les attentats anarchistes, la répression militaire des manifestations ouvrières. Une « grande peur » (démesurée par rapport à la réalité) saisit la classe politique modérée, comme si on était à la veille d'une révolution sociale. Une vingtaine d'années seulement séparent cette période de la Commune, et, parmi les députés socialistes, on compte d'anciens communards, et on reconnaît dans les allées proches du pouvoir, dans les rangs de l'armée d'anciens versaillais ou des hommes qui ont participé à la répression.

Ces souvenirs ne s'oublient pas. Ils expliquent en partie les crispations réciproques — une des caractéristiques incontournables de l'histoire française —, la politique réactionnaire des Dupuy, Casimir-Perier ou Ribot et l'espérance révolutionnaire des socialistes qui, portés par le succès des élections de 1893, ont le sentiment qu'il suffira d'une dizaine d'années pour conquérir le pouvoir.

Entre ces formations parlementaires, se situent les radicaux. Mais Georges Clemenceau n'a pas été réélu, emporté par le scandale de Panama. Le groupe radical, s'il a ainsi perdu son leader, pèse dans les scrutins 140 voix (sur 566 députés), force imposante qui peut, associée à des « révisionnistes », aux socialistes, à des députés qui rompent le temps d'un scrutin leur lien d'appartenance, faire tomber un président du Conseil.

Or, le dynamisme des socialistes est capable d'entraîner les radicaux, d'autant plus que dans cette assemblée où la discipline de vote, parce que les partis structurés n'existent pas encore, est affaire de conviction personnelle et non de règles définies par une adhésion, un discours, les péripéties d'une séance peuvent faire basculer une majorité. Plus encore, le jeu du vote permet aux rivalités personnelles de s'exprimer dans la discrétion. Car des hommes comme Charles Dupuy et Casimir-Perier se jalousent, et Alexandre Ribot guette. Président du Conseil, président de la Chambre des députés, président du Sénat, président de la République : autour de ces fonctions prestigieuses, c'est un ballet d'ambitions et d'intrigues qui opposent ceux que rassemble pourtant la volonté de mener la même politique réactionnaire.

Ces données permettent aux socialistes de peser plus que ne le permettrait leur groupe d'une cinquantaine de députés. Et, dès lors, le retentissement des discours, le rôle dans la vie parlementaire se répercute avec beaucoup de force hors de l'hémicycle. Jaurès, par son talent oratoire, les coups de boutoir qu'il donne à Charles Dupuy ou à Casimir-Perier, devient vraiment une personnalité nationale, rassemblant sur sa tête la notoriété, la sympathie, mais aussi symbolisant pour ses adversaires l'homme à abattre et déchaînant la haine.

C'est aussi la « question sociale » qui, par le rayonnement de ce groupe parlementaire et par l'explosion des bombes anarchistes, ou la vigueur des luttes sociales, se trouve posée, déclenchant peur, réaction et, en même temps, phénomène d'attirance.

En 1896, un journaliste du *Figaro* pourra écrire avec ironie dans une grande enquête de son journal : « Le pape est socialiste, Guillaume II est socialiste, Maurice Barrès est socialiste. M. de Bleichroeder est socialiste, Mimi-patte-en-l'air est socialiste. Plus on a de rentes, plus on ne fait rien, plus on joue au poker, plus on *five o'clock,* plus on s'habille chez Redferm, plus on se coiffe chez Lentheric, plus on est socialiste. » Derrière la caricature, on sent l'irritation des conservateurs à voir poser dans des milieux de plus en plus vastes les questions sociales et à constater l'intérêt que suscite le socialisme.

Tout cela, malgré le climat d'hostilité et de répression, explique que les élus socialistes de 1893 vivent cette période, écrira Jaurès plus tard, « comme une sorte d'aurore ».

« Elle avait, dit encore Jaurès, je ne sais quoi de juvénile et d'ardent qui est resté dans le souvenir de tous comme un enchantement. Il y avait dans le groupe socialiste soudainement grandi une allégresse, une force admirable d'espérance et de combat... En quelques jours, en quelques semaines, une sorte de grande amitié commune s'était formée. »

Jaurès vit cette fraternité comme un des grands moments de sa vie. Dans sa première législature, il avait souffert de la solitude. Voici que se fait cette rencontre des générations et des sensibilités, des expériences historiques différentes, première étape vers un socialisme unifié.

Les élections d'août 1893, la formation de ce groupe parlementaire, dont Jaurès est une des figures centrales, sont donc un moment important.

« Pour ceux qui, comme moi, dit Jaurès, étaient arrivés au socialisme par des sentiers solitaires, sans être passés par l'école des groupements, sans avoir été mêlés aux luttes tragiques du passé, et sans avoir subi les dures épreuves des premiers temps de la propagande, il y avait dans cette soudaine et cordiale familiarité avec les militants des premiers jours une émotion de combat : il nous semblait que nous étions associés rétrospectivement à toutes les luttes, à tous les efforts d'un grand parti. »

Et le chroniqueur de *L'Illustration,* le grand hebdomadaire bien pensant, ne peut que constater avec déception que ces hommes, qu'on savait avoir des idées différentes sur de nombreux points, « faisaient preuve d'une discipline admirable, supérieure à toutes les querelles de comités, à toutes les rancunes. Ils votent, poursuivait le journaliste, interrompent et tapagent avec un ensemble de chœur antique ».

Cette union, cette solidarité dans la lutte expliquent la transformation qui s'opère chez Jaurès, sa pugnacité, son adhésion proclamée aux thèses fondamentales du socialisme.

146

Comme dans *La Dépêche de Toulouse,* le vieux sénateur Bernard Lavergne, un notable de soixante-dix ans qui avait guidé Jaurès dans les premières années de sa carrière politique, l'interroge sur son attitude à l'égard du collectivisme, Jaurès répond qu'il souscrit aux principales idées de Marx ; mais qu'à son avis, elles ne sont pas en contradiction avec l'affirmation de l'individualisme, le déploiement des énergies personnelles et même le respect des formes légitimes de la propriété privée. Et il se montre favorable à la mise à la disposition de la nation des moyens de production. « Sinon, devant l'essor du machinisme, que ferez-vous ? » demanda-t-il au sénateur des salariés.

Le débat est ouvert, et Jaurès affiche ses idées et ses choix.

Il le fait avec encore plus de force au mois de novembre 1893, lors de l'ouverture de la session à l'Assemblée.

Ce furent, durant les dernières semaines de l'année, des séances passionnées. Les tribunes de l'Assemblée étaient pleines d'un public tendu, les journaux rendaient compte des affrontements. Charles Dupuy, le président du Conseil, avait tracé un tableau favorable de l'action des républicains modérés, jouant de la sensibilité patriotique pour faire applaudir l'armée dont de grandes manœuvres spectaculaires venaient de montrer la rénovation. On devine aussi à ses propos que la politique extérieure s'oriente vers une alliance franco-russe, tenaille qui doit serrer l'Empire allemand entre ses mâchoires. Une flotte russe a été reçue triomphalement à Toulon. En outre, Dupuy annonce un « ensemble de lois sociales inspirées du principe de la solidarité humaine ». Mais l'essentiel, c'est la tonalité conservatrice de son discours. Dénonciation des attentats anarchistes pour mieux confondre les socialistes avec les terroristes. Prise de position nette contre le socialisme, associé à la dictature. « Nous répudions, lance Dupuy, les doctrines qui, sous des vocables divers, collectivisme ou autres, prétendent substituer la tyrannie anonyme de l'Etat à l'initiative individuelle. » Claquement des pupitres socialistes, applaudissements de la majorité à l'Assemblée, appel au calme de Casimir-Perier qui a été élu contre le candidat de gauche, le radical Brisson, président de la Chambre, signe de la tendance dominante chez les nouveaux élus.

Jaurès, une semaine plus tard, le 21 novembre, monte à la tribune. Il va parler au nom des socialistes. Public attentif dans les tribunes, députés de la majorité ironiques, accueillant les premières phrases par des sarcasmes. Le voilà donc, le transfuge, le converti ! Jaurès parle avec une fougue, une rigueur, une chaleur qui, peu à peu, imposent le silence. Au fur et à mesure qu'il martèle ses arguments, c'est comme si se dégageait d'un corset, celui d'un vieux Jaurès, une force incandescente. C'en était bien fini de la « glace », et le volcan laissait jaillir la lave contre cette « déclaration de guerre au mouvement socialiste » qu'avait prononcée Charles Dupuy.

Grand discours.

« C'est entre nous, lance Jaurès, le combat avoué, déclaré, implacable. » Or, le socialisme sort de la profondeur même des choses « de la République que vous avez fondée, et du régime économique qui se développe dans ce pays depuis un demi-siècle ». Il sort des souffrances. Point besoin de « meneurs », ce mot qu'a employé Dupuy. Il y a certes, dit Jaurès, « une poignée de militants affrontant tout à la fois la colère des gouvernements et l'indifférence plus terrible encore des travailleurs. Ils ne sont pas les ambitieux et les intrigants que vous dites. Ils ont été des hommes de croyance, des hommes de foi ».

Foi, croyance.

Jaurès, unifié dans ce discours politique qui le fait sortir du rang, l'impose aux côtés de Millerand comme l'une des figures de proue du groupe socialiste.

Il contraint Dupuy et les républicains modérés à assumer leurs contradictions. « Vous avez fait des lois d'instruction... » commence-t-il. Il s'arrête, regarde les députés, reprend sa respiration, interroge à voix basse : « Vous avez décrété l'instruction rationnelle, vous avez été laïques », puis dans un grand souffle : « Mais qu'avez-vous fait là ? Eh bien, vous avez interrompu la vieille chanson qui berçait la misère humaine, et la misère humaine s'est réveillée avec des cris, elle s'est dressée devant vous, et elle réclame aujourd'hui sa place, sa large place au soleil du monde naturel, le seul que vous n'ayez point pâli. »

« La République, conclut-il, c'est le grand meneur, traduisez-la donc là devant vos gendarmes. »

A gauche et à l'extrême gauche, on fit un triomphe à Jaurès.

C'était son premier très grand discours. Il a atteint la maîtrise de son art oratoire parce que ses idées sont claires, sa place définie, son destin dessiné. Et que cela lui donne cette jubilation intellectuelle, cette certitude morale sans lesquelles il n'est pas non plus de grande intervention.

Certes, l'ordre du jour qu'il propose à l'Assemblée de voter fut repoussé. Mais l'argumentation de Jaurès, son inspiration avait imposé l'idée à des radicaux qu'on « ne pouvait combattre le socialisme sans déserter les principes républicains ». Ils hésitèrent trois jours à « condamner énergiquement la politique rétrograde et provocatrice du ministère » (termes de l'ordre du jour de Jaurès), puis, le 25 novembre, les ministres radicaux du cabinet Dupuy remettent leur démission. Jaurès a ouvert la faille. Le 25 novembre, Charles Dupuy démissionne. Les mots et la passion ont fait craquer la coalition réactionnaire.

Jaurès vient d'acquérir sa stature de grand parlementaire.

Hiver 1893-1894. La crise économique desserre un peu son étreinte, et la situation de l'agriculture s'améliore puisque les tarifs protecteurs la mettent à l'abri de la concurrence étrangère tout en l'ankylosant dans ses structures et ses méthodes archaïques. Et pourtant, malgré cette reprise, les temps sont durs. Les couches sociales les plus défavorisées, celles des villes, ne profitent guère du renouveau économique. Au contraire, elles ressentent comme une aggravation de leurs conditions de vie, les novations — la première voiture automobile Dion roule en 1893 — qui creusent un écart plus grand entre elles et les favorisés, les « bourgeois » qui désormais ont dans les villes leurs quartiers, leur mode, leur langage, ces mots anglais qui se répandent, ce *sport*, le *lawn-tennis* où l'on *flirte*.

La colère est d'autant plus vive chez certains que toutes ces nouveautés semblent réservées encore à une infime minorité. Que, par ailleurs, il ne paraît pas y avoir d'issue politique puisque le suffrage universel, le parlementarisme n'ont conduit qu'à l'affairisme, aux scandales et à la corruption. Comment s'intéresser aux jeux du Palais-Bourbon, quand on voit Charles Dupuy renversé, remplacé au poste de président du Conseil par Casimir-Perier, président de la Chambre, auquel succède Charles Dupuy... On prend les mêmes et on recommence.

Dès lors, s'explique la violence spontanée de certaines manifestations que la troupe réprime avec rigueur. De là aussi, que certains écrivains ou journalistes — tel Jean Grave — prônent l'anarchie, et que dans leurs publications, ainsi *L'Almanach du père Peinard,* on publie des textes en l'honneur de Ravachol. Ainsi, ces couplets de *La Ravachole* qui se chante sur l'air du *Ça ira* :

> *Dans la gran'ville de Paris*
> *Il y a des bourgeois bien nourris*
> *Il y a les miséreux*
> *Qui ont le ventre creux*
> *Ceux-là ont les dents longues*
> *Il y a les magistrats vendus*

Il y a les financiers ventrus
Il y a les argousins
Mais pour tous ces coquins
Il y a la dynamite
Il y a les sénateurs gâteux
Il y a les députés véreux
Il y a les généraux
Assassins et bourreaux
Il y a les hôtels des richards
Ah nom de Dieu, faut en finir
Assez longtemps geindre et souffrir
Plus de guerre à moitié
Plus de lâche pitié
Mort à la bourgeoisie.

Minorité que celle qui entonne cette chanson. Plus encore, individus isolés que ceux qui passent aux actes, pratiquent la « propagande par le fait ». Mais ils sont le symptôme d'une maladie sociale, et ils servent de prétexte à toutes les provocations. Ils permettent au gouvernement d'amplifier son offensive contre le socialisme. Casimir-Perier dans son discours d'investiture a beau avoir déclaré qu'il « veut opposer aux doctrines socialistes non le dédain, mais l'action généreuse et féconde des pouvoirs publics », il y renonce vite pour faire appel au poids de la loi. Car le 9 décembre, du haut des tribunes du public, un homme jeune, Auguste Vaillant, jette dans les travées du Palais-Bourbon, sur les députés, une bombe qui explose, blessant légèrement un parlementaire. Le président de la Chambre, Dupuy, lance un « la séance continue ! » cependant que les députés cachés sous leur banc se redressent et applaudissent.

Indignation, peur panique, la Chambre vote en quelques jours des lois répressives qui limitent, au nom de la lutte contre l'anarchie, la liberté de la presse, celle de réunion et d'association. C'est toute la vie démocratique qui peut être suspendue et le mouvement social entravé au nom du combat contre le terrorisme.

Les socialistes s'indignent contre ces « lois scélérates ». Et Jaurès est au premier rang, rappelant son expérience de Carmaux, une nouvelle fois, évoquant les provocations. Et l'on saura, plus tard, par le préfet de police Andrieux, que la bombe jetée par Vaillant dans l'hémicycle avait été fabriquée dans un laboratoire de la police.

L'intention est donc claire : briser l'organisation des luttes sociales en utilisant la révolte anarchiste, en manipulant les individus les plus fragiles abandonnés à leur sort. Vaillant est condamné à mort le 10 janvier. Sa grâce, sollicitée par Jaurès, est refusée par le président Sadi Carnot. Il est exécuté le 7 février et, autre ambiguïté de ce mouvement anarchiste, la duchesse d'Uzès — qui finança Boulanger — déclare avec hauteur se charger de la petite Sidonie, fille adoptive de Vaillant.

Atmosphère trouble de cette fin de siècle, quand sur les places on dresse les bois de la guillotine pour trancher la tête d'hommes égarés ou malades auxquels on a fourni la dynamite pour qu'ils accomplissent ce qu'ils croient être leur mission. Peur et haine qui se répandent, lois répressives qui permettent au gouvernement de surveiller les militants ouvriers. « Pourquoi, s'écrie Jaurès, sur les indices les plus vagues, sur les prétextes les plus futiles, sur de simples délations de quartier, sur des dénonciations anonymes, avez-vous multiplié chez les pauvres gens les perquisitions et les arrestations ? »

Exécutions inutiles aussi.

On guillotine Vaillant. C'est Emile Henry qui place une bombe au restaurant Le Terminus, près de la gare Saint-Lazare, et qui se moque des victimes. C'est lui qui déjà avait disposé un engin explosif devant le siège parisien de la Compagnie des mines de Carmaux. On l'arrête. On le juge. Aucun regret de sa part : « Ce n'est pas aux assassins qui ont fait la semaine sanglante de Fourmies, lance-t-il, de traiter les autres, d'assassins ! »

Condamnation à mort. Exécution à l'aube, le 21 mai 1894, sur la place de la Roquette.

Clemenceau est dans la foule pour rendre compte du supplice dans le quotidien *La Justice*. Barrès est aussi présent parce qu'il veut raconter dans *Le Journal*.

« La place de la Roquette est occupée militairement, écrit Clemenceau. Il y a là mille hommes. C'est beaucoup pour en tuer un seul. »

Il voit le bourreau, M. Deibler, et ses aides calant les traverses encastrées en croix. Voici Emile Henry, « son visage blême m'aveugle ». « Il jette un regard circulaire et, dans un rictus horrible, d'une voix rauque mais forte, lance convulsivement ces mots : " Courage, camarades ! Vive l'anarchie ! " »

Barrès, de son côté, rentre las, meurtri. « La matinée du 21 a servi la révolte et desservi la société », écrit-il. « Le sang et l'énergie vont susciter au plus profond de l'être d'étranges émulations. » Puis, avec sévérité, il conclut : « La lutte contre les idées se mène par des moyens psychiques, non avec les accessoires de M. Deibler. Dans une crise, où il faudrait de hautes intelligences et des hommes de cœur, le politicien et le bourgeois n'apportent que des expédients. »

Et Jaurès ?

Ces exécutions le révulsent, le déterminent encore plus à lutter contre cette société qui provoque de telles répressions pour de tels actes : crime contre crime. « Nous réprouvons les attentats », dit-il sans hésitation. Et, dans ce style jaurésien bien flamboyant, il ajoute : « Nous condamnons le Moi humain affirmé par le crime. » Il a étudié les biographies des terroristes. « Cette triste épidémie anarchiste ne sort pas du peuple, conclut-il, et n'est pas propagée par lui. Les bombes sont lancées par des ratés de la société bourgeoise. »

Mais le mal est fait. La machine répressive tourne contre les militants ouvriers, et l'opinion apeurée suit, approuvant les lois scélérates. Pour Jaurès, c'est une véritable offensive qui se déroule, non contre les anarchistes, prétexte commode et sans doute partiellement fabriqué de toutes pièces ou utilisé par la police, mais contre les libertés.

« Il y a longtemps, écrit Jaurès, que les hommes de Panama ont juré de détruire la liberté de la presse et la liberté de réunion. » Et les démonstrations de Jaurès ébranlent parce que l'évolution politique confirme ses analyses. Chaque jour, l'« esprit nouveau » est à l'œuvre. Là, c'est le ministre de l'Instruction publique et des cultes — Eugène Spuller, un compagnon de Gambetta — qui déclare qu'il n'est plus nécessaire de soupçonner l'Eglise. La République n'est plus menacée que par les collectivistes. Ici, c'est le ministre des Travaux publics, Jonnart, qui conteste certains droits syndicaux des cheminots. Les députés radicaux de la « gauche » anticléricale, dont les électeurs sont souvent des petits fonctionnaires, s'insurgent. Débats houleux à la Chambre. Casimir-Perier pose la question de confiance : renversé par 231 voix contre 217.

Une fois encore, la pression socialiste, les interventions de Jaurès ont fait chanceler la majorité.

Mais tour de valse : Charles Dupuy descend de son fauteuil de la présidence de la Chambre pour remplacer le président du Conseil Casimir-Perier, et celui-ci se réinstalle à son fauteuil de président de la Chambre !

Combinaisons. Conservatisme de la majorité qui l'emporte malgré les coups d'épaule de Jaurès. Une nouvelle équipe se constitue autour de Charles Dupuy. On y retrouve les « jeunes loups », les deux « gosses », Raymond Poincaré, ministre des Finances à trente-trois ans, Louis Barthou, ministre des Travaux publics à trente et un, Georges Leygues, ministre de l'Instruction publique à trente-six. Et Dupuy n'a que quarante-trois ans. Le personnel gouvernemental conservateur se renouvelle donc. Et Félix Faure, à la Marine, ou le général Mercier, à la Guerre, font figure d'anciens, alors qu'ils ne sont que quinquagénaires. Programme de Dupuy : « Nous garantirons résolument l'ordre public contre toutes les agitations, et nous assurerons en toute circonstance l'exacte observation des lois républicaines. »

Dans l'arsenal des lois, il y a, maintenant, celles qui sont scélérates.

Le calme politique semble revenu. Fin de session parlementaire, Emile Henry guillotiné. Majorité reconstituée. Louise Jaurès prépare les valises en vue du départ pour Bessoulet. L'ordre règne.

A Lyon, le 24 juin, le président de la République Sadi-Carnot vient de présider un banquet de mille couverts. Il aime ses visites en province qu'il a inaugurées après son élection en 1887 à la présidence, créant une coutume qu'allaient perpétuer tous les autres chefs d'Etat. L'opinion publique s'est habituée à ce polytechnicien austère, à la barbe carrée, qui est soucieux des obligations de sa charge. C'est un homme de devoir et d'autorité. Il a refusé de gracier les anarchistes. Que la justice passe.

Lorsqu'il quitte le banquet dans sa calèche pour se rendre au Grand-Théâtre, la nuit est tombée. Les cuirassiers entourent la voiture qui emprunte la rue de la République, roule devant la Bourse où de nombreux badauds acclament le Président. Il est facile pour Santo Caserio, un ouvrier boulanger qui semble n'être que l'un de ces nombreux immigrés italiens venus en France, de gagner les premiers rangs de la foule. Puis, tout à coup, de bondir sur la chaussée, et, se faufilant entre les soldats de l'escorte, de s'agripper à la portière d'une main et de frapper de l'autre, d'un coup de poignard, le président de la République. Atteint au foie, Sadi-Carnot succombera après une hémorragie de trois heures. Caserio, un anarchiste qui a fui d'Italie pour échapper à la police, est arrêté. Lui aussi a poussé le cri de ralliement des désespérés fanatiques de cette fin de siècle : « Vive l'anarchie ! »

Il a voulu venger, expliquera-t-il, ses camarades Ravachol, Vaillant, Emile Henry, envoyés au bourreau.

Son acte déchaîne une puissante vague de colère. L'émotion populaire, sincère, se tourne contre les Italiens, pourchassés ici ou là. Les magasins qu'ils tiennent ont leurs vitrines saccagées. Les insultes accueillent les immigrés, et souvent les bousculades, les coups suivent les injures. Brutale et brève flambée de xénophobie qui révèle — comme l'ont fait les attentats — les tensions d'une société qui change.

Les deux assemblées réunies en congrès à Versailles, le 27 juin, choisissent comme président de la République Casimir-Perier par 451 voix sur 851 votants, le candidat soutenu par les gauches — Brisson — n'a obtenu que 195 voix. Ainsi, entre à l'Elysée dans cette période marquée par la peur un homme qui symbolise cette République de l'esprit nouveau, soucieuse de conserver plutôt que de s'ouvrir, défendant avec hargne les privilèges. Le richissime Casimir-Perier, Président symbolique de cette République conservatrice qui dans les jours suivants aggrave encore les lois scélérates, limitant encore la liberté de la presse, puisque sous couvert de prévenir « le développement des théories anarchistes », ce sont désormais les tribunaux correctionnels et non plus les jurys qui vont avoir à connaître les délits.

A la Chambre des députés, quand s'ouvre la discussion de ce projet de loi, la colère de la gauche est extrême. Et c'est Jaurès qui l'incarne.

Depuis des jours déjà, avant même l'assassinat de Sadi-Carnot, il est en première ligne. Combatif, il prend souvent la parole au nom du groupe socialiste, ne laissant aucun répit au gouvernement.

Il défend, le 21 juin, la liberté d'opinion des enseignants contre un ministère de l'Instruction publique qui les persécute dès lors qu'ils ont une activité politique ou même, simplement, des opinions socialistes.

Peu après l'élection de Casimir-Perier, il réclame une réforme fiscale et propose un impôt progressif sur le revenu et les successions. Là, il touche au cœur des privilèges, il se désigne comme l'un des hommes à abattre car l'impôt sur le revenu scandalise tous les possédants. Poincaré présente le projet comme une mesure d'inquisition contre les fortunes privées. D'autres modérés et les journaux de la même tendance assurent que l'on va vers la confiscation des biens, la négation du travail et de l'honneur. Tollé contre Jaurès, d'autant plus fort que cette proposition semble aussi dirigée contre Casimir-Perier dont on connaît la fortune. Jaurès incarne ainsi, en face du chef de l'Etat, administrateur des mines d'Anzin, un autre visage de la République.

Quand, dans le débat sur la nouvelle loi sur la presse, on le voit monter à la tribune, on sait qu'une fois encore il va porter le fer au cœur des questions.

Nous sommes le 25 juin. Les députés ont encore dans la mémoire le discours où il dénonçait, à propos de l'impôt, « la tyrannie réelle du capital ». Voici qu'avec la même énergie il stigmatise une société et un monde politique qui, par leurs injustices et la corruption, favorisent le développement du terrorisme. « Le jour où le même navire emportera vers les terres fiévreuses de la relégation le politicien véreux et l'anarchiste meurtrier, dit-il, ils pourront lier conversation : ils s'apparaîtront l'un à l'autre comme les deux aspects complémentaires d'un même ordre social. » Il ajoutera : « Rappelez-vous la grande image du poète antique : la poussière est la sœur altérée de la terre ! Et dites-vous bien que toute cette brûlante poussière de fanatisme anarchiste qui a aveuglé quelques misérables sur les chemins est la sœur de cette boue capitaliste et politicienne que vos prescriptions légales ont séchée. »

Puis, alors que le silence pèse sur l'hémicycle, il propose de voter un amendement au projet de loi sur la propagande anarchiste. Il commence à lire lentement : « Seront considérés comme ayant provoqué aux actes de propagande anarchistes tous les hommes publics, ministres, sénateurs, députés qui auront trafiqué de leurs mandats, touché des pots-de-vin, participé à des affaires véreuses... »

Malaise de la majorité, trouble au moment du vote. Comment ne pas approuver Jaurès ? On compte les voix : 42 pour le refus du texte socialiste. Contestation. On a bourré l'urne, disent les socialistes. On recompte. 4 voix de majorité seulement. Jaurès proteste à nouveau. On refait l'addition : une seule voix de majorité pour le gouvernement de Charles Dupuy. Médiocre victoire qui illustre la puissance parlementaire de Jaurès. Certes, le lendemain, la loi sur la presse est votée à une nette majorité, et le pays est désormais sous surveillance. N'importe qui peut, dans le cadre des nouvelles lois, être poursuivi pour « propagande anarchiste ». Et le premier condamné — à deux ans de prison — sera un socialiste, le blanquiste Jean-Louis Breton.

Mais Jaurès s'est fait entendre dans le pays. Quand le ministère public traduit devant les tribunaux de la Seine une trentaine de personnes arrêtées dès le 1er juillet, et où sont habilement mêlés droits communs et intellectuels accusés de diffuser les idées anarchistes (les écrivains Jean Grave et Sébastien Faure ou Félix Fénéon), le jury — c'est encore lui qui juge — acquitte les intellectuels.

155

Victoire du bon sens à laquelle la contre-offensive de Jaurès n'est pas étrangère. Et dans le pays profond, les députés peuvent constater que la politique réactionnaire ne plaît pas. Casimir-Perier n'est pas le président de la République de tous les Français. Qu'est-ce donc que cette République qui se donne un millionnaire pour la représenter ? Le mot de « République », Jaurès l'a fait sonner dans le pays avec une autre tonalité.

A droite, désormais, on le craint. On connaît son énergie, son efficacité à la tribune du Palais-Bourbon. On mesure son audience, l'écho qu'il a dans le mouvement socialiste. Du 14 au 18 septembre 1894, il participe au Congrès du Parti ouvrier français à Nantes. Il est accueilli par des acclamations enthousiastes. Il préside la séance au cours de laquelle un jeune avocat de trente-deux ans, à la silhouette féline, à la voix douce, Aristide Briand, proclame la nécessité de la grève générale, parce que c'est l'arme efficace, absolue des travailleurs. Et Jaurès, avec nuance, soutient cette proposition contre la majorité guesdiste. D'ailleurs, il n'adhère pas au parti quand on le sollicite. Il est socialiste mais unitaire, répond-il, ne choisissant pas entre les courants. Ce que je suis ? précise-t-il à ceux qui l'interrogent, « j'ai cessé d'être un rêveur du socialisme pour devenir vraiment un militant cherchant à mettre au service de l'idée toute la force du prolétariat ».

Il se bat sans trêve. Il commence à apparaître aux yeux de ses camarades et de ses ennemis comme un symbole.

On dit que le 8 avril 1894, au terme d'un meeting tenu ensemble, Guesde se tourna vers Jaurès et dit : « Je puis mourir puisque j'ai maintenant un homme comme Jaurès qui continuera mon œuvre et la mènera à bien. »

En moins de deux ans, Jaurès s'est donc installé au premier rang des socialistes. Avec modestie.

On l'entend dans les meetings reconnaître d'une voix grave qu'il n'a pas « débuté dans le socialisme militant ».

Il se tourne vers Guesde. Il élève le ton, il est solennel : « Ce sont ces militants de la première heure, dit-il, ces survivants de la Commune, ces proscrits indomptés, ces propagandistes infatigables, qui sont les vrais fondateurs du socialisme français. » Et il tresse leur nom en une chaîne unique où il mêle, par-delà les appartenances, Vaillant et Guesde, Allemane et Brousse.

« Je ne reclame pour moi qu'une chose, dit-il, c'est de n'avoir pas attendu pour comprendre le socialisme et y adhérer, qu'il fût la force qu'il est aujourd'hui. »

Ces mots, ces actions qui rythment sa vie, durant ces années difficiles, quand les attentats anarchistes favorisent la réaction gouvernementale, ce sont eux qui le poussent sur le devant de la scène nationale. Il n'a nul besoin de récrire son histoire personnelle. On le voit, on l'entend, on mesure l'hostilité qu'il suscite. Il est, sur tous les fronts, figure de proue. C'est un redoutable honneur qu'il assume.

L'automne vient après cet été ensanglanté par le meurtre de Sadi-Carnot.

Les Jaurès regagnent Paris. Jaurès, durant son séjour dans la propriété de Bessoulet, a, comme à son habitude, lu, écrit. Relu la préface qu'il destine à la réédition d'un livre de Benoît Malon, le directeur de *La Revue socialiste*. Malon est mort, au mois de septembre 1893, en stoïcien. Depuis 1887, il était atteint d'un cancer, et, ayant subi une trachéotomie, il ne communiquait plus avec son entourage qu'en griffonnant des notes sur un cahier. Longue et douloureuse agonie de ce partisan du « socialisme intégral » auquel Jaurès rend hommage.

Dans cette préface à *La Morale sociale* de Malon, Jaurès, une fois de plus, s'affirme humaniste et moraliste. Il écrit avec le ton religieux d'un inspiré qui puise à toutes les sources de la culture. « Quand le prolétariat va à la bataille, dit-il, il y a en lui tout à la fois comme les trois rayons tordus par Vulcain en un seul éclair : appétit, passion, sacrifice. » Les mots sonnent. « Le socialisme est en lui-même une morale. » Les prolétaires sont abêtis par l'ignorance ou flétris par le vice ? « Mais qu'importe le passé mauvais ! C'est visage d'homme : entrez. Dans ces deux yeux, il y a lueur humaine : entrez ! C'est ici la cité des hommes. »

C'est toute une sensibilité et une générosité qui s'expriment, celles qui, dans l'imagerie populaire, montrent le « soleil de l'avenir » éclairer une mer démontée sur laquelle vogue la barque des prolétaires, hommes vigoureux, avançant vers la pureté, cependant que se battent et se noient, égoïstes, déchirés, les corrompus de la société bourgeoise.

Souvent dans ces dessins, le capitaliste ventru qui s'enfonce, condamné par l'Histoire, ressemble à une caricature antisémite.

Car la société française — on l'a vu à propos des événements de Fourmies ou de l'assassinat de Sadi-Carnot — est parcourue de courants xénophobes et racistes, qui s'identifient parfois avec un anticapitalisme sommaire. La figure de Rothschild devient un symbole et, en 1885, Jules Guesde a pu s'écrier dans une réunion publique : « La République n'existera qu'au jour où Rothschild sera devant un peloton d'exécution. »

Même si plus tard, en 1892, Guesde déclare contre Drumont : « Ce n'est pas la finance ni la juiverie qui est en train de détruire le prolétariat, mais les patrons plus catholiques les uns que les autres qui sont responsables de la misère des travailleurs. » La confusion d'un nom et d'un système économique demeure. Et, bien que « l'antisémitisme soit le socialisme des imbéciles », cette idéologie populiste, diffusée par Drumont ou Barrès et par certains socialistes, se répand. Quand, le 29 octobre 1894, *La Libre Parole,* le journal antisémite, annonce l'arrestation gardée jusque-là secrète d'un officier pour espionnage, et que, le lendemain, le journal titre en manchette « Haute trahison. Arrestation d'un officier juif », cette identification entre la trahison et l'identité juive s'accomplit presque spontanément, recelant en elle-même les preuves de la culpabilité.

L'officier s'appelle Alfred Dreyfus. Il sera jugé le 19 novembre 1894, à huis clos, condamné à l'emprisonnement et à l'exil à vie, alors que la culpabilité n'était pas prouvée. L'argument d'autorité — un dossier secret — ayant convaincu les juges militaires. Dreyfus ne cesse de proclamer son innocence. Mais comment aller contre la certitude de la culpabilité fondée sur l'identité juive de Dreyfus ?

C'est le colonel Sandherr, chef de la Section de renseignements, qui explique quand on s'interroge sur les preuves avancées ou sur l'attitude de Dreyfus : « On voit bien que vous ne connaissez pas les juifs. Cette race n'a ni patriotisme, ni honneur, ni fierté. Depuis des siècles, ils ne font que trahir. » Affaire réglée.

Le 5 janvier 1895, à 8 h 45, dans la grande cour de l'École militaire, c'est la cérémonie impitoyable de la dégradation. Dreyfus, digne, supportant la violence des gestes d'un adjudant qui lui arrache les insignes du grade, avant de briser le sabre qu'il a sorti du fourreau du capitaine. Et des cris s'élèvent de la foule : « Judas, traître, mort aux juifs ! » Barrès, témoin, décrit ce qu'il appelle « la parade de Judas », « sa figure de race étrangère, son nez ethnique ». Et Léon Daudet, autre témoin, évoque « la face terreuse, aplatie et basse, sans apparence de remords, étrangère à coup sûr, épave du ghetto ».

Ecrivains français qui tracent à coups de plume moins le portrait de Dreyfus que celui d'une certaine France. Celle qui pense, avec Barrès, que « les juifs sont de la patrie où se trouve leur plus grand intérêt ».

Qui sait, ce jour-là, que Dreyfus écrit dans sa cellule : « Innocent, j'ai affronté le martyre le plus épouvantable qu'on puisse infliger à un soldat. » Il pleure. Il concentre toute son énergie pour ne pas céder à la tentation de la mort. « Fort de ma conscience pure et sans tache, confie-t-il à sa femme, je me dois à mon nom. Je n'ai pas le droit de déserter tant qu'il me restera un souffle de vie. Je lutterai avec l'espoir prochain de voir la lumière se faire... »

Il y faudra des années qui bouleverseront la situation politique française.

Jaurès perçoit-il, en cet hiver 1894-1895, ce que signifie la condamnation du capitaine Alfred Dreyfus ?

Il vit une période de grande tension. La lutte politique s'est encore avivée. Toute la gauche est dressée contre les lois scélérates et l'atmosphère qu'elles font régner. La présence de Casimir-Perier à l'Elysée paraît un défi à la République. Et la population n'aime pas ce personnage dédaigneux, imbu de sa personne, l'orgueil soutenu par une immense fortune.

Dans la presse de gauche, il est l'objet de fréquentes attaques. Et le journaliste Gérault-Richard, qui dirige *Le Chambard,* a été déjà condamné treize fois pour délits de presse. Prétentieux, hâbleur, intrigant et ambitieux, Gérault-Richard publie un nouvel article intitulé « A bas Casimir ». Il met en cause la famille du Président, les spéculations du grand-père alors ministre de Louis-Philippe : « Les crimes du grand-père profitent au petit-fils puisqu'ils lui assurent la supériorité dans le royaume des exploitants. » Inculpé, Gérault-Richard demande à Jaurès de le défendre devant le tribunal.

Un signe de la place qu'occupe désormais Jaurès. Il accepte, connaissant les risques : il va s'attaquer au président de la République. Mesurant ainsi, dès qu'il se lève dans la salle d'audience, la difficulté de sa tâche. Le public silencieux est assis comme au spectacle. Les magistrats, impassibles, incarnant cette justice dont Jaurès soupçonne qu'elle sert le pouvoir. Jamais — il le dira —, il ne s'est senti aussi mal à l'aise. Mais, peu à peu, sa voix s'assure, vibre d'indignation quand il rappelle les origines de la fortune de Casimir-

Perier, la carrière du grand-père qui a réprimé la révolte des canuts lyonnais, ceux qui criaient en 1831 : « Du pain ou du plomb ! »

Voilà la tradition du président de la République. Jaurès explique que Casimir-Perier est entré à l'Elysée non comme un arbitre, mais en président de combat, puis la voix de Jaurès s'amplifie encore. Peut-être est-ce le malaise qu'il ressent à parler dans cette salle d'audience qui le conduit à ces images violentes : « J'aimais mieux pour notre pays, dit-il, les maisons de débauche où agonisait notre vieille monarchie de l'ancien régime que la maison louche de banque et d'usure où agonise l'honneur de la République bourgeoise ! » Et le Président s'étonnant et s'indignant de cette comparaison, Jaurès s'exclame : « Songez que nous parlons au nom d'un siècle de silence. »

Gérault-Richard sera condamné au maximum de la peine : un an de prison et 3 000 francs d'amende. Mais le verdict est masqué par les commentaires de l'intervention de Jaurès. Elle apparaît à tous les modérés comme scandaleuse. Jaurès a décidément tranché les amarres, homme que le talent rend dangereux, que l'on sent, à droite, « irrécupérable », que la fidélité à ses idées, son intransigeance, ses vertus pour tout dire, jointes à sa largeur de vue, à sa générosité, à son intelligence et à sa culture, sa morale et sa haute idée de sa fonction désignent comme l'adversaire principal. Homme à abattre.

La haine qu'il suscite déjà, on la mesure quand il intervient à la Chambre, le 24 décembre 1894. A propos de Dreyfus.

Le ministre de la Guerre ayant proposé le rétablissement de la peine de mort pour les crimes d'espionnage, Jaurès monte à la tribune. Il veut, au contraire, demander la suppression de la peine de mort pour les soldats qui commettent des voies de fait. Indignation de la droite. Voilà que Jaurès veut détruire l'armée, la discipline, prétend-elle. Jaurès rétorque que le Conseil de guerre vient de se montrer indulgent envers Dreyfus, parce qu'il était officier comme ses juges. La solidarité de caste a joué. S'il s'était agi d'un prolétaire, c'eût été sans hésiter le peloton d'exécution, mais pour un officier, que de ménagement ! « On n'a pas fusillé le maréchal Bezaine, dit-il, on ne condamne pas Dreyfus à mort »(...) « Et en face de ces jugements, conclut-il, sous les applaudissements de l'extrême gauche, le pays voit que l'on fusille, sans grâce et sans pitié, de simples soldats coupables d'une minute d'égarement ou de violence. »

Echange de propos vifs avec Louis Barthou, le jeune ministre des Travaux publics. On se renvoie l'accusation de mensonges, puis l'Assemblée vote la censure contre Jaurès et son exclusion temporaire des débats pour injures, provocations et menaces à un membre du gouvernement.

On se bouscule dans l'hémicycle ; Barthou et Jaurès s'envoient leurs témoins. Le duel au pistolet aura lieu le jour de Noël. Les deux hommes tirèrent, en vain, deux coups de feu.

Mais Jaurès, on le voit, n'avait pas mis en cause la culpabilité de Dreyfus.

Comment l'aurait-il pu, ignorant les dessous du procès à huis clos ? Au contraire, le jugement lui avait paru dicté par la solidarité bourgeoise typique de la « justice de classe ». Et les premières démarches des proches de Dreyfus lui faisaient suspecter la manœuvre des « riches » décidés à faire libérer l'un des leurs. « On a surpris un prodigieux déploiement de la puissance juive pour sauver l'un des siens, écrivait-il dans *La Dépêche de Toulouse,* le 26 décembre 1894. Dreyfus livrait les documents secrets pour de l'argent, voilà tout. »

Conclusion rapide, dictée par des présupposés : l'impossibilité d'imaginer la condamnation d'un innocent et, peut-être aussi, un reflet inconscient de l'antisémitisme régnant dans bien des milieux. Ce qui l'emportait pourtant, c'était la conviction que les juges avaient été indulgents. Une chanson rappelant les propos de Jaurès à la tribune du Palais-Bourbon martelait :

> *Jaurès prouve que la loi militaire*
> *Pour trahison peut punir de la mort*
> *Car si ce fut l'enfant du prolétaire*
> *Nous n'aurions pas de doute sur son sort*
> *Nous savons bien que douze bonnes balles*
> *Bien dirigées lui briseraient le cœur*
> *Mais aux Dreyfus la peine capitale*
> *Est repoussée au mépris de l'honneur.*

Ces derniers incidents du Palais-Bourbon, le duel avec Barthou ont, à nouveau, fait de Jaurès l'acteur principal des luttes entre la droite et la gauche. Quand Gérault-Richard, emprisonné, est candidat à une élection qui doit se tenir à Paris, le 6 janvier 1895, Jaurès se jette dans la bataille.

Il faut que Gérault-Richard soit élu. Il se rend même à Bruxelles pour convaincre Rochefort, l'ancien boulangiste, de faire campagne pour Gérault-Richard. Et Maurice Barrès se déclare « heureux de cette cohésion entre des éléments à la fois précieux et semblables ».

Jaurès fait ainsi figure de leader, rassemblant autour de son nom les socialistes, mais aussi d'anciens boulangistes ou de jeunes intellectuels, tel Charles Péguy, qui le suivent avec passion, dévorant ses articles de *La Petite République* ou de *La Revue socialiste*.

Quand Gérault-Richard est élu, c'est bien la victoire de Jaurès remportée contre le président Casimir-Perier. Pour ce grand orgueilleux, le désaveu est insupportable. Il signifie que le réquisitoire de Jaurès au procès de Gérault-Richard contre les Perier est approuvé par les électeurs. Comme, par ailleurs, Casimir-Perier souffre des intrigues qui l'isolent dans son palais de l'Elysée, il démissionne le 16 janvier 1895, et le 17, c'est le président du Conseil, Charles Dupuy, avec qui il avait plusieurs fois échangé les places, qui démissionne à son tour.

« S'il fallait indiquer d'un mot le caractère de la session parlementaire qui vient de finir, écrit *La Revue des Deux Mondes* en janvier 1894, nous dirions qu'elle a appartenu au parti socialiste. »

Oui, Jaurès est un homme dangereux.

Ce « diable d'homme » de Jaurès, comment fait-il ?

Paul Lafargue, le guesdiste, le gendre de Marx, n'était pas le seul à s'interroger. Jaurès déployait une activité multiforme. Discours toujours argumentés, souvent sur des sujets techniques, voyages en province car le député de Carmaux ne néglige pas sa circonscription. Il connaît beaucoup de ses électeurs individuellement, qu'ils soient mineurs ou paysans. Il leur rend visite, leur parle patois. Attentif, souriant, mais n'hésitant pas, si les demandes qu'on lui adresse lui paraissent injustes, à rabrouer son interlocuteur, à faire une leçon de morale sociale. Jamais démagogue, Jaurès.

Et puis, toujours la même boulimie de connaissances, la même passion pour les œuvres des hommes, qu'elle soit un outil qu'il prend entre les mains et qu'il regarde comme un objet d'art, ou qu'il s'agisse d'une pièce de Shakespeare, un article de revue ou la cathédrale d'Albi, qu'il redécouvre à chaque fois avec émerveillement.

Mais son rapport à la culture n'est jamais d'un dilettante, d'un distingué amateur. Il laboure ce champ-là aussi, annotant les livres à coups de crayon. Quand il tient une réunion dans une ville de province, il disparaît pour une heure ou deux, visite le musée, s'attarde devant les toiles, consulte les catalogues et griffonne ses réflexions. Il n'est jamais en repos, toujours un livre sous le bras qu'il feuillette, et cela suffit pour qu'il en connaisse le contenu.

« Diable d'homme » que l'activité rend plus actif encore. Toujours dialoguant avec lui-même, porté par la passion de convaincre, un peu redondant peut-être, rançon de sa profusion verbale, de sa générosité. Intellectuel au sens le plus moderne du mot, ne séparant jamais l'action de l'idée.

Alors qu'il vient de manière décisive de peser sur le jeu politique par ses discours à la Chambre, le voici qui intervient dans le débat des idées. Le 12 décembre 1894 et le 10 janvier 1895, il participe à un grand débat contradictoire organisé salle d'Arras par les étudiants collectivistes. Devant une assemblée passionnée, il polémique avec Paul Larfargue à propos de l'idéalisme et du matérialisme dans la conception de l'Histoire.

On sent Jaurès joyeux. Là, il est pleinement à l'aise, ce public d'étudiants, c'est celui devant lequel il peut, comme autrefois dans les amphithéâtres, faire vivre par les mots sa pensée. Affirmer cette fusion entre l'action et l'idéal, entre la réflexion et le militantisme, prendre du champ aussi par rapport à la politique quotidienne et retrouver le souffle que donnent les grandes perspectives.

Face à Paul Lafargue qui prétendait que la constitution de la propriété privée était le préalable « matériel » à partir duquel se formaient dans les têtes les idéaux de justice, Jaurès affirme : « Il y a dans l'histoire humaine non seulement une évolution nécessaire, mais une direction intelligible et un sens idéal. »

Il existe une « aspiration secrète à la réalisation d'un plan de vie ». Et il construit la synthèse nécessaire entre idéalisme et matérialisme.

Là où Marx se contente de dire qu'il y a dans le cerveau humain le « reflet des phénomènes économiques », Jaurès répond : « Je l'accepte, oui, il n'y a dans tout le développement de la vie intellectuelle que le reflet des phénomènes économiques dans le cerveau humain, oui, mais il y a en même temps le cerveau humain, il y a par conséquent la préformation morale de l'humanité. »

Selon Jaurès, Marx n'a pas exprimé la réalité de l'ultime : au commencement du commencement, il y a bien la conscience, sa capacité à saisir le reflet. Là est le mystère, là est la racine de l'idéalisme de Jaurès. Pas de contradiction entre lui et Marx : « loi idéale » et « loi mécanique » s'entrelacent pour expliquer l'Histoire.

L'assistance, tendue, écoute chaque mot, apprécie tant la chaleur communicative de Jaurès que la riposte ferme de Lafargue.

Alors que la période politique vécue est difficile, que les

explosions anarchistes, les théories sommaires (l'antisémitisme comme explication de l'oppression) se multiplient, l'effort de recherche conduit par Jaurès est riche d'avenir. Peu à peu, Jaurès devient pour les jeunes intellectuels parisiens un modèle. D'autant plus que, dans *La Revue socialiste,* il poursuit la publication d'une série d'articles. Il y répond aux critiques qui présentent le socialisme comme une « dictature collectiviste ». Il affirme que la liberté est « l'âme même du socialisme ». « Nous aussi, s'exclame-t-il, nous avons une âme libre. Nous aussi, nous sentons en nous l'impatience de toute contrainte extérieure ! » Et il ajoute : « Plutôt la solitude avec tous ses périls que la contrainte sociale : plutôt l'anarchie que le despotisme quel qu'il soit. »

Cette affirmation « libertaire », cette synthèse entre l'idéalisme et le matérialisme définissaient, article après article, un socialisme français, original, qui refusait « l'encasernement et l'anarchie », et voulait construire une « démocratie industrielle ».

Les mots parlaient aux étudiants.

Le jeune Charles Péguy, alors élève de l'Ecole normale, lisait tous les textes de Jaurès, empruntait *La Revue socialiste* à la bibliothèque, assistait au débat avec Lafargue, ne manquait pas un numéro de *La Petite République,* cet « organe à peu près officiel, disait-il, des socialistes français ».

Ceux, parmi ces étudiants, qui avaient la chance de rencontrer Jaurès étaient immédiatement conquis par la simplicité, la culture, la spontanéité de Jaurès.

Jaurès les entraînait le long des quais de la Seine, de son pas régulier de paysan. Il parlait, il écoutait. Il pouvait réciter en latin et en grec, et, avec Péguy, partager le culte de l'Antiquité.

« Combien d'hommes ont connu les poètes par la retentissante voix de Jaurès, racontera plus tard Charles Péguy. Racine et Corneille, Hugo et Vigny, Lamartine et jusqu'à Villon, il savait tout ce que l'on sait. Et il savait énormément de ce que l'on ne sait pas. Tout *Phèdre* à ce qu'il me semblait, tout *Polyeucte.* Et *Athalie* et *Le Cid...* »

Impossible de caricaturer un homme comme Jaurès. On l'approche, on l'écoute, on le lit : à aucun moment on ne sent le sectarisme ou l'aveuglement. Engagé certes mais à un niveau tel, que cela exclut la polémique vulgaire. Jaurès met toujours le sujet qu'il traite dans la perspective de l'Histoire.

Quand il parle de la laïcité (le 11 février 1895 à la Chambre), il commence par refuser le « positivisme étriqué ». Il dit : « Quelques explications mécanistes n'épuisent pas le sens de l'univers, le réseau des formules algébriques et des théorèmes abstraits que nous jetons sur le monde laisse passer le fleuve. » Les religions sont sorties du fond même de l'humanité. « Elles sont un document incomparable de la nature humaine. »

Mais, pour autant, il ne doit pas y avoir « de vérité sacrée, c'est-à-dire interdite à la pleine investigation de l'homme... Ce qu'il y a de plus grand au monde, c'est la liberté souveraine de l'esprit ».

Oui, Jaurès est un homme dangereux. Un homme à abattre.

On s'y prépare. Il faut briser cette force qui attire et menace les gouvernements, l'ordre social. Ce leader qui domine de son intelligence et de sa largeur de vues le monde politique français, il faut le faire taire.

Certes, les hommes ont changé à la tête de l'Etat. A Casimir-Perier et à Charles Dupuy ont succédé, à la présidence de la République, Félix Faure ; à la présidence du Conseil, Alexandre Ribot. Le « grand despotisme bourgeois » (Jaurès) de Casimir-Perier est remplacé par l'autosatisfaction et le souci d'apparat grandiloquent du « Président-Soleil », Félix Faure, élu avec les voix monarchistes. C'est dire qu'à quelques ajustements près — amnistie pour les prisonniers politiques, excepté les anarchistes et les traîtres —, le gouvernement Ribot continue la politique de Dupuy, et qu'il trouve sur sa route le même obstacle : Jaurès.

Même si Jaurès a été durant quelques semaines terrassé par la maladie, la fatigue plutôt.

Au mois d'avril 1895, il se rend à Sidi-bel-Abbès en convalescence dans la maison des Viviani. La famille du jeune député socialiste habite une coquette villa rue Denfert-Rochereau. Jaurès découvre avec ravissement cette nature vive et colorée, mais en même temps il constate la situation des Arabes, « leur extrême misère matérielle et intellectuelle », aggravée sinon provoquée par le colonialisme. Il précise : « Il n'est que temps pour la France d'aviser si elle ne veut pas être responsable du déclin d'une race vraiment noble, ou se préparer elle-même les plus graves difficultés. » Mais il identifie aussi ce qu'il appelle « l'usure juive » et écrit : « Sous la forme un peu étroite de l'antisémitisme se propage en Algérie un véritable esprit révolutionnaire. »

A l'évidence, Jaurès, pris par le climat d'Alger, n'évalue pas encore la gravité de l'antisémitisme. Pourtant, il avait pris soin trois ans auparavant d'indiquer, se démarquant ainsi de tous ceux qui — de Barrès à Drumont — propageaient l'antisémitisme au nom de la révolte, qu'il « n'avait aucun préjugé contre les juifs. J'ai peut-être même, ajoutait-il, des préjugés en leur faveur car je compte depuis longtemps parmi eux des amis excellents. » En fait, dépassant la question, il concluait : « Je n'aime pas les querelles de race, et je me tiens à l'idée de la Révolution française, si démodée et si prudhommesque qu'elle semble aujourd'hui, c'est qu'au fond il n'y a qu'une race : l'humanité. » Position de principe claire qui le conduit, en Algérie, à mettre en accusation l'impérialisme. Mais l'heure pour lui n'est pas encore de dénoncer la lèpre de l'antisémitisme. Trop de tâches du moment lui masquent le danger. Il avait été en tout cas sensibilisé aux questions coloniales puisqu'il demandait que, s'agissant des « Hindous dominés par l'Angleterre, des Arabes dominés par la France », les socialistes prennent l'initiative « des propositions humaines ou des protestations nécessaires » (17 mai 1896).

Quand il rentre en France, il a retrouvé toute sa vigueur, mène les dernières batailles de la session parlementaire, puis, avec Louise et Madeleine, il s'installe pour l'été à Bessoulet.

Des amis, Georges Renard — le nouveau directeur de *La Revue socialiste* —, passaient leurs vacances à proximité. Les familles se réunissaient. On déjeunait plantureusement, on jouait au croquet. On bavardait longuement dans le crépuscule, sous les cèdres du parc. La paix.

Et tout à coup l'orage, une nouvelle fois venu de Carmaux.

Car personne n'avait oublié Carmaux.

L'humiliation, infligée par les mineurs en 1892 au marquis de Solages et au baron Reille, était dans toutes les mémoires. Calvignac siégeait toujours à la mairie, preuve vivante de la victoire remportée sur la Compagnie des mines. Et comment pouvait-on ne pas se souvenir de Carmaux, alors que Jaurès était l'élu des mineurs ?

Ceux qui craignent Jaurès, qui veulent le bâillonner, qui souhaitent l'abattre doivent d'abord lui infliger sur le terrain, dans sa circonscription, une défaite aussi symbolique qu'avait été le succès des ouvriers.

Dans les luttes sociales, rien ne s'oublie, et rien n'est jamais définitivement acquis.

Or, la situation politique nationale a changé. En 1892-1893, le gouvernement avait joué les médiateurs entre les mineurs et la compagnie. Il avait contribué, avec les députés socialistes, à élaborer un compromis.

Maintenant, la droite gouverne, adossée aux lois de répression. La majorité et Alexandre Ribot, en particulier, ont essuyé plusieurs fois le feu efficace de Jaurès. Pas d'indulgence pour lui. En 1892, on pouvait encore hésiter sur sa détermination socialiste, imaginer qu'à Paris, une fois élu, il se montrerait « raisonnable », revenant à ce centre gauche où il avait débuté. Il n'y a plus d'illusions à avoir sur l'homme qui a fait tomber Charles Dupuy et Casimir-Perier, qui s'est battu en duel avec Barthou. Jaurès est l'ennemi le plus dangereux. Frapper Carmaux, humilier et contraindre ses électeurs à plier les genoux, c'est blesser Jaurès, peut-être à mort, et obtenir ainsi, qui sait, sa défaite électorale. Jaurès chassé de la Chambre par le suffrage universel, cela vaut mieux qu'une censure temporaire votée par la majorité des députés.

Sus à Carmaux, sus à Jaurès.

Le représentant du gouvernement dans le Tarn est le préfet Pierre Doux, l'un de ces hommes à l'échine souple, qui servent avec brutalité les maîtres. Grands serviteurs de l'Etat, les appelle-t-on. Ils servent en effet après avoir, avec prudence, flairé où est la force.

A son arrivée dans le Tarn, le préfet avait pris contact, comme il se doit, avec les élus de la région, et il avait donc rendu visite à Jaurès. Disert, il avait essayé d'établir avec Jaurès ce lien de complicité tacite qui doit unir les gens de la même origine, et qui, au-delà des oppositions de façade, ont, n'est-ce pas, les mêmes intérêts, la même sensibilité. Sûr aussi de ses talents, persuadé de pouvoir duper ce naïf de Jaurès en le flattant. Un professeur, après tout, seulement un professeur, à la tenue négligée, alors que M. le Préfet Doux aimait l'uniforme strict, roulait grand train, calèche et réceptions nombreuses à la préfecture d'Albi. Il avait affirmé à Jaurès qu'il était un lecteur assidu de ses articles, fort intéressants, ma foi, il en appréciait la hauteur de vues. D'ailleurs, il souhaitait comprendre le socialisme, c'était nécessaire dans ce département. Il lirait ce que lui conseillerait Jaurès. Son objectif étant de pratiquer une politique de rassemblement des républicains du département. Jaurès était à l'évidence l'un d'eux. Il pouvait donc compter sur l'aide du préfet. Et le préfet Doux faisait — mais fallait-il le préciser — confiance au parlementaire, à son esprit de responsabilité.

Tels sont les usages, telles sont les formes qu'un préfet se doit de respecter avec un élu de la nation.

On entendit, pourtant, le préfet Doux dire avec conviction, alors qu'il se croyait seulement entouré de personnes de bon sens : « Il faut que nous ayons Jaurès, d'une manière ou d'une autre, c'est un homme à abattre. »

C'est que le préfet Doux non seulement était le représentant du gouvernement d'Alexandre Ribot, de cette majorité réactionnaire, mais qu'il avait pris conscience de la détermination du patronat de la région.

Le marquis de Solages se souvient de la fuite précipitée à laquelle on l'a contraint, la nuit, par une porte dérobée de son château de Carmaux. Ce n'est pas tant son siège de député qu'il regrette, mais qu'on l'ait contraint de démissionner, lui, et qu'un Jaurès ait pris sa place, voilà qui est inacceptable. Le baron Reille est encore plus déterminé. Et ils comptent désormais un nouvel allié, le patron de la verrerie de Carmaux, Resseguier. Un homme indestructible, l'un de ces maîtres sortis du peuple, et qui ont toute la hargne, la bonne conscience haineuse des gens qui ont réussi à la force du poignet. Ce républicain s'est construit un empire, à partir du commerce des bouteilles qu'il avait inauguré à Toulouse. Puis il a contrôlé leur fabrication, à Carmaux, acquérant des parts dans l'usine, en bâtissant une autre. Il possède dans l'Hérault, au Bousquet-d'Orb, d'autres ateliers. Il a toujours conduit une habile politique, faite d'absence de scrupules — volant les brevets des autres fabricants —, de démagogie, payant plus, en apparence, son personnel, et l'exploitant en fait, fort de cette générosité illusoire. Etablissant ainsi avec la Compagnie des mines un accord par lequel il obtient le charbon à un prix préférentiel qui lui permet de l'emporter sur ses concurrents. Il a fait entrer au conseil d'administration de la verrerie le marquis de Solages, et entre Resseguier, ce vieillard combatif de quatre-vingts ans, les Reilles et les Solages se constitue ainsi une alliance décidée à briser le mouvement ouvrier.

D'autant plus que les circonstances sont favorables.

La verrerie dispose de plus de cinq millions de bouteilles en stock, pour une production journalière de cent mille bouteilles. Le préfet Doux — sur ordre du gouvernement — incite à une politique impitoyable à l'égard de toutes les revendications. Il ne faut rien accepter. Etouffer dans l'œuf tout mouvement. Et sur le plan politique, c'est l'« esprit nouveau » qui souffle. Le marquis de Solages et le baron Reille se reconnaissent dans cette République qu'incarnent Dupuy, Ribot, Casimir-Perier et même Félix Faure.

Resseguier est d'autant plus satisfait de cette incitation à agir que, depuis 1887, ses ouvriers s'organisent.

Son personnel n'échappe pas en effet à la montée syndicale.

Faisant appel à de la main-d'œuvre qualifiée, Resseguier a recruté dans la région de Montluçon. Parmi les ouvriers qui se sont installés à Carmaux, certains appartiennent au Parti ouvrier français, ainsi Aucouturier (l'un de ceux qui se rallieront à la candidature de Jaurès en 1892) qui organise le syndicat. Car si les salaires donnés par Resseguier sont, par rapport à ceux de la mine, élevés, les conditions de travail sont dures. On souffle le verre à la bouche, dans la chaleur des fours. La peau est brûlée par l'intense lumière du foyer, on transpire. Il faut boire une eau tiède qui gonfle l'estomac, coupe l'appétit. Les maladies d'épuisement sont fréquentes. La verrerie est l'une de ces fabriques de la fin du XIXᵉ siècle où l'on travaille comme dans un bagne.

« Sait-on, demandera Jaurès, que pour pouvoir suffire, sans y dépenser tout le sang de leurs veines, à l'énorme transpiration que provoque la fournaise, les verriers sont obligés de boire au moins vingt litres d'eau par jour ? »

Et il s'indigne de ces « honnêtes gens » qui s'étonnent que les verriers, pour leur repas, afin d'aiguiser leur « appétit mort », mangent une nourriture délicate. « Quels gourmands que ces verriers ! disent les honnêtes gens, il leur faut tous les bons morceaux. »

En 1891, une grève a éclaté. Resseguier et, ironise Jaurès, son gendre qui est aussi chef du personnel, Mauffre, prétendent ne pas payer les bouteilles imparfaites, mises au rebut, alors qu'il les vendent aussi. Les ouvriers obtiennent pour elles une rémunération. En fait, la verrerie récupère ce qu'elle accorde en augmentant la productivité de chaque verrier.

Mais Resseguier sent que, s'il ne veut pas se trouver confronté à d'autres mouvements, il doit réagir. Solages, Reille, le préfet Doux sont prêts à le soutenir.

Puisqu'il est en position de force avec ce stock qui lui permet de tenir des semaines, la verrerie peut être le fer de lance de l'offensive politique et sociale que patronat et gouvernement veulent déclencher à Carmaux contre Jaurès. Le docteur Sudre, médecin de la Compagnie des mines, organise le bloc politique — d'esprit nouveau —, ralliant tous les conservateurs. Un seul objectif, effacer l'échec de 1892-1893 ; en finir avec les ambitions ouvrières et, par ricochet, liquider politiquement Jaurès.

Pour cela, frapper d'abord l'homme qui, à Carmaux, symbolisait la victoire ouvrière de 1892 qui avait été le prélude à celle de Jaurès aux élections de janvier puis d'août 1893 : Jean-Baptiste Calvignac, le maire ouvrier, cet emporté et ce têtu, ce rusé dont tout le visage reflétait la détermination et l'intelligence vive.

Il est toujours facile de trouver un prétexte quand on est un gouvernement peu soucieux de la réalité de la démocratie, et qu'on cherche dans l'arsenal des lois et des règlements un moyen de briser un élu.

Le préfet Doux constata donc que Calvignac avait omis de réviser les listes électorales dans les délais : il décida la suspension du maire. Et le gouvernement, par décision du Conseil des ministres, choisit, le 12 mars 1894, de révoquer Calvignac, maire de Carmaux, pour une durée d'un an.

A lui seul, ce décret montre l'intention politique et la réalité de l'offensive concertée. Mais à Carmaux on réagit : le conseil municipal tout entier démissionne. Nouvelles élections. Et, camouflet pour le gouvernement et son préfet, les électeurs votent socialiste. Nouveau conseil municipal. Calvignac est élu maire. On ne peut plus clairement constater la volonté du suffrage universel. Peu importe pour le gouvernement : l'élection de Calvignac est annulée. Pour sortir de l'impasse, les conseillers municipaux socialistes décident que l'un d'entre eux, le premier adjoint, Mazens, occupera le fauteuil du maire jusqu'à ce que Calvignac soit rééligible, en avril 1895.

Un homme politique ne se juge vraiment que quand il détient le pouvoir, ne fût-ce qu'un pouvoir de maire.

Le préfet Doux entoure Mazens de prévenances. Il était le meilleur. Pourquoi céderait-il sa place à Calvignac ? Peut-être Doux usa-t-il d'autres moyens de pression ? C'est aussi dans les attributions d'un préfet politique que de savoir comment on corrompt un homme. Mazens, en tout cas, refusa de céder la place le moment venu. Ce fut une séance tumultueuse. Calvignac proféra-t-il des injures ? Cria-t-il « traître et vendu » à son ancien camarade ? Baudot, un autre conseiller municipal, syndicaliste à la verrerie de Resseguier, se joignit-il à lui ? Quoi qu'il en soit, sur plainte du préfet, Calvignac et Baudot furent traduits en justice. Il s'agissait, dit le procureur, d' « agitateurs connus ». Ils étaient carmausins, c'est tout dire. Jugement impitoyable : Baudot révoqué. Calvignac condamné à quarante jours de prison et privé de ses droits civiques pour une durée de cinq années.

Revanche de 1892 ? Solages, Reille, Resseguier et le préfet Doux l'imaginent. Mais, aux élections cantonales du 28 juillet 1895, Baudot et Calvignac sont élus au conseil d'arrondissement pour l'un, et au conseil général pour l'autre. Têtus, ces ouvriers ! On va leur montrer où est la force en cette année 1895.

Baudot et Pelletier — un délégué de la verrerie du Bousquet-d'Orb — sont licenciés par Resseguier le 30 juillet 1895. La direction a utilisé le même prétexte que celui employé en 1892 par la Compagnie des mines contre Calvignac : absentéisme. Il est exact que Baudot et Pelletier ont assisté, en tant que délégués, au congrès corporatif des verriers.

Et Resseguier, fort de l'appui de tout le patronat local, du soutien déterminé du préfet et des directives gouvernementales, refuse par avance tout arbitrage. Vous voulez faire grève, dit-il aux ouvriers, ne vous gênez pas. A plusieurs reprises, il a annoncé qu'il ne céderait jamais devant une menace de grève. Il l'a écrit dans une lettre pubiée par *La Dépêche de Toulouse.* Et il contrôle d'ailleurs un journal toulousain, *Le Télégramme,* où il multiplie les mises en garde. Resseguier est un patron averti.

Il est clair que derrière lui, après l'éviction de Calvignac de la mairie, le patronat et le gouvernement cherchent l'épreuve de force et espèrent bien que Jaurès, contraint d'intervenir, sera la victime de choix d'une bataille si bien préparée par ses adversaires.

Carmaux, où, comme dans un miroir grossissant, les événements de 1895 permettent de saisir la manière dont fonctionne réellement la IIIe République quand elle est aux mains de ces conservateurs déterminés que sont MM. Dupuy et Ribot.

Au fil des jours, les relations du pouvoir politique et du patronat se dévoilent. Le jeu du préfet pour tourner les volontés du suffrage universel apparaît en pleine lumière. La violence exercée par le biais de la police, de la justice ou de la direction de la verrerie contre le monde ouvrier est mise à nue. La netteté de la politique de réaction qui vise à briser l'organisation syndicale et les élus socialistes est flagrante.

Comme est évidente la volonté de résistance, le combat pied à pied que mènent dans ces conditions difficiles les ouvriers et leurs élus.

Si l'on veut se convaincre que la démocratie est une conquête permanente et que les rapports de forces entre les groupes sociaux en déterminent le fonctionnement et en définissent l'étendue, il suffit de se rendre à Carmaux au mois d'août 1895.

Le 31 juillet, les ouvriers de la verrerie ont déclenché la grève pour protester contre le licenciement de leurs délégués Baudot et Pelletier. Puis ils ont télégaphié à Jaurès.

Il séjourne à Bessoulet. Il faut qu'il vienne d'urgence. Il est le député de Carmaux, celui des ouvriers. Comment ne répondrait-il pas à leur appel. Il quitte donc sa propriété, Louise et Madeleine, ses amis Renard et arrive à Carmaux dès le 1er août.

Il est entré dans la nasse.

On l'attend sur le quai de la gare. Les ouvriers lui exposent la situation. Jaurès fait une analyse réaliste. La grève est difficile. Il faut négocier. Il rencontre le soir même le chef du personnel, Mauffre, propose un compromis. Il indique que les ouvriers acceptent les sanctions contre leurs délégués, demandent, en revanche, que ceux-ci ne soient pas licenciés.

Mauffre, glacial, distant, déclare qu'il transmettra à M. Resseguier.

Jaurès sort de la rencontre persuadé que le patronat recherche l'épreuve de force. Il devine l'enjeu national qu'elle va représenter. A Paris, le journal *Le Temps* commente la proposition de Jaurès — cette capitulation honorable des ouvriers — comme une manœuvre socialiste qu'il faut rejeter car elle est destinée à politiser le conflit.

Resseguier la refuse.

Jaurès sent le drame monter. Il conseille aux ouvriers de reprendre le travail sans avoir rien obtenu, en assurant par la solidarité les revenus des licenciés. Capitulation totale pour sauver l'essentiel : le travail du plus grand nombre. Mais un bruit commence à se répandre : Resseguier ne va même pas accepter ce retour. Pour en finir avec l'agitation.

Le 7 août, Jaurès expédie un télégramme au président du Conseil, Alexandre Ribot. Tout y est dit, clairement :

Carmaux, le 7 août.

Je m'adresse directement au Chef responsable du gouvernement républicain. La situation à Carmaux est subitement devenue grave. Hier mardi, à 11 heures du matin, tout le monde ici croyait la grève terminée... Mais M. Resseguier télégraphiait aux ouvriers de Carmaux que lui-même ne rouvrirait sa verrerie que plus tard, et à des conditions qu'il ne faisait pas connaître... Voilà la grève rouverte et rouverte par le patron et lui seul... Il la veut pour briser le syndicat, il la veut aussi pour ses desseins politiques : fondateur et principal actionnaire d'un journal de combat, il veut avoir raison des socialistes à Carmaux par la famine...

172

Pour moi, aucune insinuation provocatrice ne me fera perdre le sang-froid que je garderai jusqu'au bout, et que jusqu'au bout je conseillerai à tous. Car il me paraît impossible qu'il n'y ait pas de protestation de toute la France républicaine...

Jaurès, par ce télégramme, par cette certitude évoquée d'une solidarité nationale avec les ouvriers de Carmaux, montre qu'il a compris que le défi déborde le cadre d'un affrontement local. Il relève le gant. Prenant date, se souvenant des événements de Fourmies, des provocations, du climat politique de cette période marquée par les attentats et la répression, il écrit à Ribot :

Il se peut que les ouvriers exaspérés par l'injustice et la misère se laissent aller à de justes ressentiments et répondent enfin à la violence par la violence.

Au jour du danger, je serai avec eux, devant eux, et si le gouvernement et les patrons ont le triste courage de faire tirer sur ces braves gens, coupables avant tout d'être républicains, que le sang versé retombe sur le triste régime qui, sous le nom usurpé de République, aura préparé ou toléré un tel crime.

Les hostilités sont ouvertes. Carmaux est le terrain d'une bataille nationale. La presse ne s'y trompe pas. Resseguier dans son journal, *Le Télégramme*, multiplie les accusations que l'on reprend à Paris dans les quotidiens modérés. On y exalte ce grand patron courageux, M. Resseguier : « Pour la première fois, on va voir une compagnie industrielle regimber résolument contre les prétentions des ouvriers et leur imposer les siennes », enfin ! écrit ainsi *La Revue des Deux Mondes*. Et c'est « M. Resseguier qui a changé tout cela. » La même revue accuse Jaurès d'en prendre à son aise avec les difficultés des mineurs, ces hommes dont il utiliserait la misère à des fins personnelles. Le journaliste décrit Jaurès installé paisiblement dans sa propriété de Bessoulet, préparant sa tournée de soutien aux grévistes, en lisant pour se distraire *Beatrix* de Balzac. « On ne peut que l'en louer, conclut-il, les passions les plus violentes ont, par moments, un impérieux besoin de se détendre ; mais les verriers de Carmaux n'ont pas à leur portée des distractions du même genre. Que feront-ils pour passer le temps et subsister en attendant ? »

Ainsi, commence à se diffuser la calomnie, à se dessiner la caricature d'un Jaurès menant une vie à l'aise, et, pourquoi pas, de nabab, tout en prêchant la révolte aux malheureux qu'il exploite. La haine a agrippé Jaurès, rançon de son engagement. Elle ne le lâchera plus.

Les menaces non plus.

Carmaux vit en état de siège. Le préfet Doux multiplie les patrouilles de gendarmes à cheval, les perquisitions et même, dès qu'un prétexte se présente, les arrestations. Dans la salle du tribunal où l'on juge ainsi Aucouturier et des verriers, le procureur Bertrand, montrant Jaurès qui est présent avec une délégation d'ouvriers, lance : « C'est cet homme, messieurs les juges, qui pervertit les esprits par ses idées malsaines et sans doute par sa présence ici il a tenté d'exercer sur le tribunal une pression déloyale. »

Malgré la protestation des députés socialistes auprès du président du Conseil, Ribot, le procureur ne sera pas inquiété.

Tension aussi parce que, dans les rues de Carmaux, les gendarmes serrent de près Jaurès, et que lors d'une charge l'un d'eux lui murmure : « Citoyen Jaurès, rentrez quelque part, on veut vous assassiner. » Un des gendarmes avouera plus tard qu'un de ses collègues ayant été chargé d'abattre Jaurès, il l'avait menacé de le tuer à son tour s'il voulait exécuter cette mission.

A plusieurs reprises, en tout cas, Jaurès fut pris dans des bousculades et des charges violentes de la police.

La situation est si clairement le résultat d'une provocation patronale soutenue par le gouvernement que le vice-président de la verrerie, Sirven, démissionne pour protester.

En France, la solidarité s'exprime rapidement avec force. Collectes, meetings, tel celui que tient Jaurès à Paris, au *Tivoli Vauxhall,* devant plus de 10 000 personnes. A Carmaux même, les députés socialistes viennent soutenir les ouvriers. Jaurès s'adresse à tous ceux qui ont une influence et dont la notoriété peut aider les verriers dans leur lutte. Il écrit ainsi à Clemenceau une véritable supplique pour l'inviter à se rendre à Carmaux, lettre émouvante qui reflète l'engagement de Jaurès.

Carmaux, le lundi 19 août.

Cher Monsieur Clemenceau,

Vous connaissez sans doute les détails de la lutte engagée par M. Resseguier contre ses ouvriers : pouvez-vous nous aider? Vous savez quel souvenir profond et reconnaissant tous les ouvriers de Carmaux ont gardé de vous ; ils me prient, dans la crise qu'ils traversent et où ils ont avec eux le droit — tout le droit — de faire appel à vous. Vous pouvez les aider dans la Justice ; et puis, oserai-je le

*dire ? si vous vouliez seulement non plus écrire, mais parler pour eux !
Ici tous vous accueilleraient avec la plus vive joie, et il y aurait une bien
belle manifestation républicaine.*

*Et comme il serait bon qu'en dehors même des formules,
auxquelles je tiens beaucoup pourtant, s'affirmât l'esprit socialiste et
généreux contre les réactions misérables !*

*Je sais bien que vous vous recueillez loin de la lutte brutale, et que
vous avez trouvé dans ce travail recueilli des joies nouvelles et très
hautes. Mais il y a dans cette agression d'un patron contre ses ouvriers
qu'il affame, dans la complicité du gouvernement, dans le défi jeté à
toute organisation syndicale et à toute pensée socialiste une telle audace
de réaction qu'il faut que tous les lutteurs de la première heure se
retrouvent debout.*

*Si j'ai été indiscret, vous me pardonnerez, j'en suis sûr, mon
indiscrétion. Croyez à mon cordial et respectueux dévouement.*

Jean Jaurès.

Mais Clemenceau ne répondra pas. Seuls se déplaceront les
députés socialistes. C'est ainsi que Millerand parle au côté de Jaurès,
le 14 septembre. A chaque fois, la mobilisation policière tente
d'empêcher la tenue de la réunion. On voudrait intimider, décourager auditeurs et orateurs.

« Dans toutes les manœuvres dirigées contre Carmaux, s'exclame Jaurès, je ne trouve devant moi que des policiers, et quand je
suis réduit par la lutte à parler d'eux, j'ai pour tout un jour le dégoût
de moi-même. »

C'est que cette lutte dans la rue, quotidienne, cette expérience
de l'affrontement, des injustices — on va arrêter le 15 octobre les
deux trésoriers ouvriers qui gèrent les fonds de solidarité —, cette
haine dont il se sent entouré, ces menaces dont il est l'objet
transforment Jaurès.

Aucune amertume. « Ils ne m'abaisseront pas à leur niveau, dit-il, et je les combattrai de près sans jamais me ravaler à eux. » Il y a en
Jaurès des ressources qui le mettent à l'abri de cette contagion de la
brutalité. « Je retrouve parfois, explique-t-il, en une heure rapide de
solitude, les maîtres de la pensée qui ouvrent aux hommes le chemin
des cimes et de l'éternelle sérénité. » Il lit les classiques. Il marche
dans la campagne. Il est seul. Il se ressource.

Et puis, quand « j'éprouve, continue-t-il, la nausée de tous les
mensonges, de toutes les combinaisons égoïstes, de toutes les

brutalités plates par lesquelles les hommes d'argent servis par les hommes de pouvoir essaient de prolonger leur domination, je me retourne vers quelques-uns de ces travailleurs ».

Il aime ces hommes qui ont le sens du sacrifice, ces autodidactes que la foi et les convictions ont élevés « vers le problème social, vers le problème humain ». « Alors, dit Jaurès, je suis rassuré sur la nature humaine, et c'est avec un tranquille mépris que je regarde opérer la police gouvernementale et nationale. »

Mais cette expérience marque Jaurès. Il découvre au cœur de la société la violence du pouvoir d'Etat. « Ah ! messieurs, s'écriera-t-il à la Chambre, le 24 octobre, en interpellant le gouvernement, il faut en finir avec la légende de la modération des modérés. »

Ce sont ces modérés qui font charger la police. Ce sont eux qui font passer les menottes aux poignets des trésoriers du fonds de solidarité accusés injustement de malversations. Tout est mis en œuvre pour briser le mouvement. On fait même appel à des ouvriers extérieurs à Carmaux, mais ces « jaunes » refuseront de trahir leurs camarades.

Jaurès réfléchit à tout cela. A ces pressions ponctuelles exercées sur le préfet pour obtenir la reprise du travail. Un poste d'institutrice offert à une jeune femme, si son père et son frère rentrent à la verrerie. Des promesses d'aide financière à d'autres, s'ils se soumettent.

En outre, Jaurès a dû physiquement affronter les charges de police, ces gendarmes à cheval qui le pourchassent le long des trottoirs, de porte en porte, « nous poussent, racontera-t-il à la Chambre, dans les corridors, y faisant avancer le poitrail de leurs chevaux, balayant ainsi pendant deux heures, au grand trot, les places de la ville de Carmaux, où rien, rien ne se passait ».

L'on sait maintenant que Jaurès est aussi un homme du courage physique. Car il a fait front dans la rue à cette violence.

A la tribune du Palais-Bourbon, les 24 et 25 octobre 1895, il poursuit son récit, sa mise en accusation de Ribot et de ce gouvernement modéré où Georges Leygues, un jeune ministre de l'Intérieur de trente-huit ans, tente de faire face à Jaurès. En vain. Les faits sont précis, indiscutables. L'ironie de Jaurès, son mépris mordant quand il parle des « ridicules tyranneaux qui nous tenaient sous clé ». Et, évoquant *Les Châtiments* de Victor Hugo, il ajoute : « Nous n'avons jamais eu la pensée d'écraser sous cette massue cette vermine. »

Débat houleux, mais où Jaurès s'impose, une fois de plus, comme un orateur exceptionnel que la gravité saisit quand il rapporte que le journal de Resseguier imprimait comme un récit anodin que, sur le marché de Carmaux, un paysan avait dit : « Mais enfin, ce Jaurès, on ne s'en débarrassera donc pas bientôt, d'un coup de barre de charrette entre tête et cou ? »

Et Jaurès, lisant ce passage, ajoutait : « Un jour viendra peut-être, en effet, où nous serons abattus par un de ceux que nous voulons affranchir... » Un instant de silence, comme une méditation. Puis Jaurès reprend : « Qu'importe, après tout ! L'essentiel n'est pas qu'à travers les innombrables accidents de la vie et les agitations de l'Histoire nous soyons épargnés par la faveur des hommes ou la grâce des choses ; l'essentiel est que nous agissions selon notre idéal, que nous donnions notre force d'un jour à ce que nous croyons la justice, et que nous fassions œuvre d'hommes en attendant d'être couchés à jamais dans le silence et dans la nuit. »

Assemblée saisie par la sincérité et la puissance du discours, Assemblée un temps figée avant que ne se déclenchent à gauche et à l'extrême gauche les applaudissements.

Certes, la majorité l'emporte dans le vote et repousse l'interpellation de Jaurès par 273 voix contre 176. Mais les mots, les faits de Jaurès sont restés dans les têtes.

Dès le lendemain, Camille Pelletan, cet observateur aigu du monde politique, ce député radical de cinquante ans à l'allure bohème, sa barbe hirsute, son cigare dans la bouche, écrit : « Ce discours révèle un nouveau Jaurès. Maintenant, il est l'orateur complet. Il a fait un des chefs-d'œuvre de la tribune avec une longue accumulation de faits. Il manie la raillerie comme l'indignation. »

Au vrai, Jaurès a blessé à mort le ministère Ribot.

L'estocade est donnée le 28 octobre, à propos de la gestion financière des Chemins de fer du Sud, qui laisse présager des malversations et un nouveau scandale. Ribot est renversé ce jour-là, par 275 voix contre 196.

Jaurès, de manière éclatante, a gagné la première manche de cette bataille.

Après Charles Dupuy et Casimir-Perier, Alexandre Ribot apprend que ce « diable d'homme » est, à lui tout seul, une force redoutable.

Et il n'est pas seul.

Chapitre 8

Le berceau de la liberté
(1895-1896)

On entoure Jaurès. Les députés socialistes se pressent pour le féliciter, écouter ses avis. Le résultat du vote vient d'être proclamé, et immédiatement Ribot s'est levé du banc des ministres, cependant que le brouhaha des fins de séance et des morts de gouvernement envahit l'hémicycle.

Au président de la République, à Félix Faure de tirer les conclusions du scrutin.

Des députés radicaux, ceux qui se sont joints aux socialistes pour faire tomber Ribot s'agglomèrent autour de Jaurès, cependant qu'il poursuit ses explications.

On aime l'écouter. « L'offensive contre l'esprit républicain a échoué », dit-il. Et il est vrai que la clef de voûte gouvernementale de cette entreprise de réaction, dont un des points d'application était la guerre sociale conduite à Carmaux, contre Jaurès, vient de tomber.

Il faut changer de majorité, commente Jaurès, en finir avec l' « esprit nouveau ». Jaurès rappelle ce qu'il disait à Charles Dupuy — Dupuy, Ribot, Casimir-Perier, trois visages pour une même politique : « Vous ne pouvez détruire la République, mais vous y introduisez ses ennemis d'hier... Vous ne pouvez détruire les lois de laïcité, vous y introduisez le plus possible d'esprit clérical. »

« Voilà ce qui a été condamné », conclut Jaurès. Il faut donc changer.

On approuve Jaurès. Il y a une autre majorité qui se cherche, et qu'on voit surgir le temps d'un scrutin, quand un discours de Jaurès l'entraîne. Elle est composée de députés radicaux, appuyés par les élus socialistes auxquels pourront se joindre des républicains opposés à l'esprit nouveau, à cette réaction qui s'allie aux adversaires du régime.

Après tout, Félix Faure, bien qu'élu par une coalition des droites, est respectueux des institutions, ce Président-Soleil — Félix Ier, raille-t-on — tout autant soucieux d'apparat que de bonnes fortunes (Félix-le-Bel donne des audiences particulières dans le salon d'argent, le soir, à l'Elysée) pourrait faire appel à un radical pour former le gouvernement.

Pourquoi pas ?

Jaurès quitte le Palais-Bourbon.

Octobre 1895. Il rentre chez lui à pied, comme à son habitude, soucieux de prendre un peu d'exercice pour lutter contre l'embonpoint qui le gagne, pour tenter de contrôler ce corps qui s'alourdit, modifiant les traits de son visage, massif, carré désormais. Pourtant, l'apparence n'est pas pour Jaurès une préoccupation. Il va, brûlant sa vie. Mais parfois, il s'essouffle, l'épuisement l'abat. Discours, rédaction, voyages, manifestations, tension nerveuse, il peut brutalement s'effondrer tout d'une masse. La semaine de repos qu'il a prise à Alger, en avril, n'est plus qu'un lointain souvenir. Tout l'été, ce fut Carmaux.

La haine aussi fatigue. Alors, ces quelques minutes de marche avant de retrouver l'appartement de la rue Madame, ces instants de solitude, quel apaisement.

Mais tant de choses à faire.

Il ne peut ni ne veut s'interrompre. Il est devenu un leader, qui donne les orientations, qu'on consulte, qui doit élaborer des compromis. Cela exalte, cela soutient, et cela tend l'esprit jusqu'à la rupture.

Heureusement, il y a ces instants de marche, cette pensée méditative retrouvée, ces pages lues, rapidement, mais qui transportent ailleurs, dans le monde des idées. Il peut alors, neuf à nouveau — mais la fatigue est là encore, souterraine, sensible, dans ce tic de la paupière droite qui bat nerveusement —, écrire, parler, conseiller.

« Jaurès, c'est le pape », constate un témoin qui mesure l'influence que Jaurès exerce sur les socialistes.

Certains, parmi eux, s'inquiètent de l'autorité d'un homme qui refuse d'être autre chose qu'un « socialiste indépendant », et qui n'accepte pas le dogme marxiste mais présente ses analyses personnelles.

Friedrich Engels, gardien de l'orthodoxie, interroge à plusieurs reprises Paul Lafargue. Le gendre de Marx lui répond par un aveu d'impuissance : « Ce n'est pas nous, écrit-il, qui aidons Jaurès à prendre la place qu'il occupe. Il la prend tout seul. Il est l'un des orateurs les plus écoutés de la Chambre. Jusqu'ici, son action n'a pas été nuisible, elle a été bonne, au contraire, car sa manière de présenter le socialisme le fait pénétrer dans des milieux où nous n'avions pas accès. »

Il ajoute, pour tenter de convaincre Engels, et lui prouver qu'il ne cesse pas d'être vigilant : « Il donne aux yeux des bourgeois un air de respectabilité au socialisme. Jaurès et Millerand sont, en ce moment, les deux socialistes que redoutent le plus les libéraux. Un jour, peut-être, ils deviendront dangereux, mais alors le socialisme sera tellement puissant qu'ils ne pourront lui faire beaucoup de mal. »

Ce machiavélisme ne convainc guère Engels. « Aujourd'hui, répond-il, ils ont l'oreille de la Chambre où ils font taire les nôtres, demain ils auront l'oreille du pays. »

C'est que l'opinion constate l'efficacité de Jaurès.

Pour la première fois dans l'histoire de la République, le Président est contraint d'accepter la constitution d'un gouvernement radical homogène.

Changement de cap impressionnant par rapport aux orientations de 1893.

Certes, ni Clemenceau ni Pelletan, les plus brillants radicaux, ne font partie de la combinaison. Mais l'écho politique de cette transformation est immense. Victoire de Jaurès, des luttes sociales auxquelles il a été mêlé. Non qu'il se fasse trop d'illusions sur la capacité des radicaux à bouleverser le capitalisme... « Pour le radicalisme, dit-il, le capitalisme est un monarque légitime qu'il ne faut pas détrôner, mais seulement discipliner avec un fouet. Etrange et éphémère conception qui équivaut, en économie, à la monarchie constitutionnelle en politique. »

Mais il vaut mieux les réformes proposées par les radicaux que la réaction des hommes de l'« esprit nouveau ». « Il faut, dit Jaurès, à Dupuy ou à Ribot préférer le radical Léon Bourgeois qui vient de prendre la tête du nouveau gouvernement. »

Cet homme de quarante-quatre ans, ancien avocat entré dans l'administration préfectorale, a accédé aux fonctions de préfet de police. Petit mais vigoureux, un binocle derrière lequel brillent des yeux vifs, Bourgeois est attentif aux autres. Il a rendu bien des services, et les électeurs l'ont choisi comme député de la Marne en 1888.

Il parle d'une voix douce, n'est pas qu'un pragmatique puisqu'il ébauche une théorie de la solidarité. Il faut des lois sociales pour compenser les méfaits du libéralisme, mais il ne faut jamais attenter à la propriété privée. Il s'entoure d'hommes nouveaux, Godefroy Cavaignac à la Guerre ; un professeur, Paul Doumer, aux Finances, et un ancien théologien devenu médecin, Emile Combes qui, à soixante ans, devient ministre de l'Instruction publique et des cultes. Sur 10 membres ministres, on prétend que le gouvernement Bourgeois comprend 8 francs-maçons.

Un changement d'orientation net, même si dans son discours d'investiture Léon Bourgeois, prudemment, ignore la question de la séparation de l'Eglise et de l'Etat pour s'en tenir à un ensemble de projets sociaux (retraites ouvrières, arbitrages en matière de conflits sociaux, projets de loi sur les sociétés de secours mutuels).

Mais ce qui fait sensation dans ce programme, c'est le projet d'un impôt général sur le revenu. Un taux de base de 1 % s'élèverait progressivement jusqu'à 5 % pour les revenus supérieurs à 50 000 francs (soit environ 600 000 francs actuels). Paul Doumer, un homme d'origine modeste, souligne en le présentant que son texte n'a rien de révolutionnaire, et qu'il s'agit d'introduire un peu d'ordre et de justice dans le système fiscal français. Il n'empêche, un souffle d'inquiétude et de réprobation passe sur la Chambre des députés et surtout sur le Sénat, où l'on évoque déjà « l'antichambre du communisme ». On se souvient que Jaurès avait, quelques mois auparavant, évoqué un type similaire d'imposition. La tâche de Léon Bourgeois paraît donc rude, mais il déjoue les premières embûches et obtient la confiance. Les socialistes faisant bloc derrière lui.

Jaurès est satisfait. Les choses avancent. Il a donné le coup d'épaule décisif. A Carmaux aussi. Première conséquence de l'arrivée de Léon Bourgeois, le préfet Doux, l'homme des perquisitions, des patrouilles de gendarmes à cheval, est déplacé, nommé à Tulle. Entre le gouvernement et le patronat, ce n'est plus l'union sacrée. Mais il faut bien autre chose pour faire plier Resseguier. Le patron de la verrerie est raidi dans son refus. Sa haine. Pas question pour lui de céder. Il peut attendre. A l'abri de ses stocks et de sa fortune, de l'appui de tout le patronat.

Une idée germe en cette fin d'année 1895 pour échapper à l'impasse de ce conflit qui serre les gorges parce que la misère et la faim sont là, malgré la solidarité ouvrière qui entoure les verriers, toujours sans embauche, fermes eux aussi. Pourquoi ne pas tenter de construire une usine qui appartiendrait aux ouvriers, qui ferait pièce à celle de Resseguier ? « On pourrait », écrit Jaurès, et c'est comme un rêve partagé qu'il exprime, « on pourrait opposer usine à usine, et frapper l'industriel réactionnaire et violent dans ses intérêts comme dans son orgueil. On pourrait ainsi briser l' " entêtement irréductible " du " patron despote ". »

Cette idée, une fois lancée, s'empare des esprits et court comme une flamme.

Le mouvement ouvrier est certes divisé. La création en septembre 1895, au Congrès de Limoges, de la CGT — à l'initiative de la Fédération du livre et du Syndicat national des chemins de fer — n'a pas réussi à rassembler les organisations de travailleurs.

Diverses questions litigieuses ont été débattues. Celle, d'abord, de la nécessité de la grève générale. Cette forme d'action, condamnée par le Parti ouvrier français, est approuvée par Jaurès comme l'un des moyens de la lutte du prolétariat. On a buté aussi sur la notion d'indépendance des syndicats par rapport aux partis socialistes, du rôle des anarchistes ou encore de la nécessité de l'action économique des ouvriers pour se libérer.

Aussi, bien que la CGT représente un effort d'unité, la Fédération des Bourses du travail a refusé d'y adhérer. Ses dirigeants sont souvent venus de l'anarchisme. Ils se défient des « politiciens » à la Millerand, ou même à la Jaurès, tout autant que des « marxistes » comme Guesde. Ils sont d'abord syndicalistes, et l'un d'eux, Fernand Pelloutier, secrétaire général de la Fédération des Bourses du travail, incarne, à vingt-huit ans, cette attitude rigoureuse, indépendante et soupçonneuse. Pelloutier, issu d'un milieu petit-bourgeois, est dévoré par sa passion de militant. Cet homme jeune — que la maladie va terrasser — a rompu avec le marxisme. Anarchiste un temps, il se dévoue à la classe ouvrière en mettant au-dessus de tout son indépendance intransigeante par rapport à la politique. Libertaire, méfiant et très critique à l'égard du parlementarisme, il a néanmoins de l'indulgence pour Jaurès qui « paraît incliner, dit-il, au communisme libertaire », et qui ne resterait « fidèle au parlementarisme que pour cette seule raison que plus les réformes législatives se révéleront impuissantes à transformer le système social, plus impérieusement il faudra les réclamer parce que la déception irritée du peuple obligera la nation à mettre la main sur le capital ».

Mais la vigilance de Pelloutier et d'autres anarcho-syndicalistes sera toujours en éveil.

Cependant, la proposition de Jaurès, cette usine créée par les ouvriers, séduit dans toutes les chapelles du monde ouvrier. Ceux qui sont partisans du mouvement coopératif (et les tenants des coopératives de producteurs sont nombreux dans le mouvement ouvrier) ne peuvent que l'approuver avec enthousiasme.

Or, il y a de l'argent pour commencer l'entreprise : 100 000 francs (1 200 000 francs actuels) en or et en billets ont été donnés à Rochefort, le pamphlétaire, directeur de *L'Intransigeant*, par une vieille dame — M\ :sup:`me` Dembourg. Après avoir tenté en vain d'offrir cet argent au théoricien anarchiste Jean Grave, elle s'est tournée vers Rochefort, qui incarne — avec toutes ses ambiguïtés —, depuis sa résistance à Napoléon III, la république « intransigeante ».

Elle lui a tendu cette valise usée dans laquelle se trouvait cette somme importante.

Rochefort entretient avec Jaurès de bonnes relations. Jaurès n'est pas dupe du personnage. Il se souvient de son boulangisme. Rochefort peut être utile, et il est, à sa manière, sincèrement républicain. N'a-t-il pas soutenu Gérault-Richard après que Jaurès fut allé le quérir à Bruxelles. Maintenant, il vient souvent à Bessoulet, bavard, racontant son passé. Le projet de verrerie ouvrière le séduit. Il met à la disposition de l'idée les 100 000 francs de M\ :sup:`me` Dembourg.

Il en faut quatre fois plus. On réussira à rassembler la somme nécessaire. Toute la France est touchée. Listes de souscription, quêtes, dons privés, chanteurs des rues qui racontent l'aventure pathétique des verriers de Carmaux, loteries. Pas une réunion sans un appel en faveur de la verrerie. Le patronat voulait une épreuve de force. Jaurès et les ouvriers ont relevé tous les défis.

Mais il faut donner des garanties d'indépendance par rapport aux partis politiques, s'entendre aussi sur la nature de cette verrerie. Une verrerie aux verriers — appartenant aux seuls travailleurs de l'usine —, ou une verrerie ouvrière propriété de tous les ouvriers du pays ? Longs débats, comités rivaux, risques d'échecs : Jaurès doit tout affronter, conciliant, ménageant les susceptibilités, alors qu'il est personnellement favorable — contre les guesdistes — à la verrerie ouvrière bien de tout le prolétariat.

La solution de Jaurès — unitaire — l'emporte enfin. L'espoir était trop fort, l'enjeu trop évident pour que les obstacles ne soient pas surmontés. « Il faut que tous les travailleurs fournissent leur pierre à cette usine ouvrière, écrit Jaurès. Elle sera à Carmaux, en face du grand patronat vaincu, la forteresse de la liberté syndicale et politique. »

A Carmaux ? Quand il écrit le 26 novembre 1895, Jaurès le croit encore. Mais il doit se rendre à l'évidence. Albi est un site plus favorable à la construction. Le charbon y serait moins cher, les logements plus nombreux, les terrains moins onéreux.

Longs débats et réel déchirement. Les verriers sont installés à Carmaux. Les mineurs et les commerçants de la ville sont hostiles à leur départ : les uns pour des raisons électorales (les socialistes seront affaiblis), les autres parce qu'ils perdront une clientèle, et qu'ils craignent la contagion de l'idée « coopérative ».

Et Jaurès ? Sa base s'amenuise. Albi est dans une autre circonscription. Il sait bien que ce départ, s'il a lieu, le mettra en difficulté à Carmaux, et que cette victoire remportée sur le patronat et la droite peut aboutir, pour lui, à une défaite, et donc permettre au patronat d'atteindre l'un des objectifs qu'il visait.

Jaurès ne veut pas peser dans la décision. Il n'est pas de ces députés qui se constituent une clientèle et la protègent à n'importe quel prix. Que des arbitres tranchent.

Ils seront cinq parmi lesquels Gérault-Richard, Viviani et Millerand. Le 7 janvier 1896, ils rendent leur verdict : ce doit être Albi. Des protestations s'élèvent parmi les applaudissements. Rien n'est simple. Jaurès n'est pas présent.

L'épuisement — qui est peut-être aussi le résultat de ces contradictions qu'il doit dénouer, de ces oppositions qu'il lui faut surmonter, de cette division sans fin recommencée — a triomphé un temps de lui.

Il écrit aux verriers, le 11 janvier : « J'espère qu'après cette tourmente tous les esprits et tous les courages se redresseront, et que la solidarité socialiste et ouvrière triomphera de tout. » Puis quelques mots de confidence, lui si avare de plaintes. « Je souffre beaucoup, ajoute-t-il en effet, d'être retenu en ce moment par l'épuisement et la maladie loin de la lutte. Il faut savoir se résigner à la condition de l'homme qui est d'avoir des forces bien limitées, bien inférieures à celles que réclame un perpétuel combat. Mais je vous assure que je n'oublie pas vos intérêts. Je ne tarderai pas à reprendre la campagne de presse. Courage et Union ! »

Le courage ne manquera pas.

Il y a les verriers qui chantent dans les cours des immeubles à Paris pour gagner quelques sous.

Il y a ceux qui se rassemblent à l'aube, en janvier, vêtus de leurs habits du dimanche. Les outils sur l'épaule, ils partent pour Albi, pour ce terrain marécageux, où durant dix mois ils vont, transformés en terrassiers, en charpentiers, en maçons, construire leur usine.

Et le soir, ils referont les seize kilomètres qui les séparent de Carmaux.

Il y a ceux qui vivent sur le chantier avec leur famille et qui se nourrissent de soupe, car on ne touche que six sous de l'heure.

Il y a les femmes qui sont plus déterminées que leurs maris.

Il y a tous ceux auxquels le froid vif et la faim rendent les gestes gauches.

Et il faut recommencer jour après jour, dans l'incertitude jusqu'au bout, épopée ouvrière que suit avec émotion toute la France du travail.

Une autre France, hostile, ne désarme pas.

A Carmaux, les conservateurs, les partisans du marquis de Solages et de Resseguier se préparent. Jaurès a trahi Carmaux, répètent-ils, excitant la colère des commerçants. Le docteur Sudre, le médecin de la Compagnie des mines, est l'âme de cette offensive. Certes, le 26 janvier 1896, il est battu dans une élection cantonale par le candidat socialiste. Mais dans la perspective des futures élections législatives de 1898, il constitue à Carmaux un « Cercle républicain progressiste », qui regroupe les conservateurs et les modérés hostiles aux socialistes. Et, dans une lettre au marquis de Solages, il affirme, le 2 février : « Quel que soit le prix, nous vaincrons. »

Jaurès sait qu'il est placé en position de faiblesse. Mais c'est le prix de la bataille qui n'est jamais pour lui un combat où les objectifs personnels priment.

Ce qui compte, c'est ce qui se construit à Albi.

« Là, à deux pas d'une cathédrale que nous devons admirer bien qu'elle symbolise tant de siècles d'ignorance et de douleurs, la classe ouvrière érige sa première basilique où les chœurs chanteront, non dans le tonnerre des orgues, mais dans la majestueuse mélodie des machines. »

Mais, pour Jaurès, la situation ne s'est pas seulement dégradée à Carmaux.

Au plan national, le gouvernement radical se heurte à une opposition de plus en plus résolue. On ne lui pardonne pas son projet d'impôt sur le revenu. Si la Chambre des députés continue de soutenir Léon Bourgeois, de voter même le projet de loi, avec l'appui de Jaurès et malgré l'hostilité farouche de la commission du budget (le député Cochery étant le rapporteur), le Sénat cherche tous les prétextes pour faire tomber le gouvernement. On joue de la Constitution, de l'ordre du jour, on refuse le vote des crédits pour les troupes engagées à Madagascar, on se drape dans la défense de la liberté contre « l'anthropométrie fiscale » que ne manquerait pas de susciter l'impôt sur le revenu. Dans le pays, un mouvement d'opinion, bien orchestré par la presse conservatrice se développe. Sur le passage de Félix Faure, on crie : « Vive le Sénat ! A bas le ministère ! » Soixante-dix conseils généraux émettent des vœux hostiles à l'impôt sur le revenu.

Il faudrait de la part des députés et du gouvernement une détermination politique nette pour s'opposer au Sénat, passer outre à cette obstruction qui est, de manière biaisée, une violation de l'esprit de la Constitution, un coup de force contre Léon Bourgeois. Mais celui-ci manque de volonté. Et plutôt que d'affronter le Sénat, de libérer les crédits par décret, il démissionne le 23 avril 1896, sans même se battre. Ministère des bonnes intentions.

Nouveau tournant politique qui ramène l'Assemblée à l' « esprit nouveau », à cette droite d'avant le gouvernement radical. Jaurès mobilise les socialistes. Au Palais-Bourbon, le 24 avril, il exhorte les députés à réagir contre le coup de force sénatorial. Et par 291 voix contre 250, les députés réaffirment leur volonté de réformes.

Dans le pays, des réunions se tiennent.

A Paris, le 25, un meeting au Tivoli Vauxhall rassemble plus de 10 000 personnes, radicaux et socialistes mêlés. Camille Pelletan est à la tribune tout aussi farouche que Jaurès. Il fallait, disait-il, se dresser contre « le bloc de la réaction ». Pelletan évoque la prise de la Bastille. Il fallait...

Mais quelques jours plus tard, Félix Faure chargeait Jules Méline de constituer le nouveau gouvernement. Et celui-ci — bénéficiant d'une faible majorité (28 voix) — était investi.

Il comprenait l'adversaire déterminé de l'impôt sur le revenu, le député Cochery, devenu ministre des Finances, et comme ministre de l'Intérieur, Louis Barthou que Jaurès avait affronté en duel.

L'intermède radical s'achevait. Méline allait faire régner l' « esprit nouveau » avec plus de force que jamais.

Une défaite, cela doit s'expliquer, surtout quand le nouveau chef de gouvernement est celui qu'on appelle « Méline-pain-cher », ce député des Vosges de cinquante-huit ans, qui, parce qu'il veut satisfaire ses « grands électeurs », les filateurs hostiles à la concurrence internationale, s'est fait le partisan d'une politique protectionniste, favorable aussi aux propriétaires terriens.

Bonne et solide assise électorale, fondée sur ces intérêts associés qui provoquent le maintien des prix élevés du pain : « Méline-pain-cher » !

Avec ses favoris grisonnants, ses lèvres pincées, son air volontaire, ce petit homme fluet, étroit d'épaules mais au regard pétillant de ruse, a un projet politique précis : maintenir une politique conservatrice, refuser, bien sûr, l'impôt sur le revenu et donner des gages aux milieux cléricaux.

Sa politique est favorisée par la conjoncture. La crise économique cède la place à la croissance. Mais, surtout, il bénéficie de l'image favorable qu'ont de lui les agriculteurs, protégés de toute concurrence, flattés par cet habile qui, ne se souciant en rien des conséquences à long terme pour le pays de sa politique de repliement, a créé, par exemple, en 1884, le Mérite agricole.

Que les électeurs votent bien, et peu importe si les structures et la productivité agricoles ne sont pas rénovées, ou bien si l'industrie française ne se développe pas, refusant le vent du large de la compétition.

Politique myope, sans envergure, politique vieillie, peu adaptée aux nécessités de l'avenir, même si elle est conduite par ces nouveaux leaders politiques, tel Louis Barthou qui ne sont, comme le dit Jaurès, que les « jeunes Machiavels de la bourgeoisie fatiguée ».

Jaurès, avec obstination, cherche les causes de cet échec parlementaire des radicaux.

Elles sont dues à la timidité radicale, mais aussi à la division des socialistes, à leur difficulté à constituer un grand parti unifié disposant d'un programme dont la force serait suffisante pour conquérir le pouvoir ou soutenir avec suffisamment d'influence les radicaux, pour que ceux-ci résistent à la pression des conservateurs.

Ce que vient de vivre Jaurès — la lutte sur le terrain et l'expérience du gouvernement radical, l'une et l'autre avec des résultats ambigus — le pousse à la réflexion.

D'autant plus que, aux élections municipales qui ont eu lieu en mai 1896, les socialistes remportent un grand succès.

Des minorités socialistes entrent dans les conseils municipaux de

Lyon, Grenoble, Montpellier, Perpignan, Castres, Creil, Armentières. Surtout Lille, Marseille (avec les maires socialistes Delory et Flaissières), Dijon, Toulon, Limoges, Montluçon, Roubaix, Calais, Denain, Commentry, Roanne, Firminy, Sète et, bien sûr, Carmaux, se sont donné des maires socialistes.

La secousse est considérable et vient compenser l'échec parlementaire des radicaux, montrant que le flux continue de grossir. A droite, c'est l'inquiétude devant cette « marée rouge » qui, parfois, donne aux modérés le sentiment d'être assiégés dans leurs quartiers. Mais que faire de cette poussée, de ces succès ?

D'abord, les fêter.

Le 30 mai 1896, Jaurès est présent avec tous les socialistes à un grand banquet organisé à l'initiative des républicains socialistes du XIIe arrondissement, ceux de Millerand.

Dans les grands salons du restaurant de la Porte Dorée, se retrouvent côte à côte Guesde et Brousse, Vaillant et Jaurès, Millerand et Viviani. Seuls, les allemanistes ont refusé de participer à cette célébration. Les maires nouvellement élus sont acclamés, le Marseillais et le Lillois. On salue Jaurès. Atmosphère chaleureuse où les discours exaltent la victoire, avec pour thème partagé cette idée lancée par Millerand : « Contre l'ennemi commun, un seul cœur, un seul esprit, une seule action. »

Rassemblement qui démontre qu'au-delà des positions affichées séparant les guesdistes des socialistes indépendants ou des possibilistes, une pratique commune unit ces différentes familles du socialisme. Que le marxisme de Guesde est davantage un style de discours et une façade, une référence plus imaginaire que réelle. C'est Millerand et non Jaurès qui, à ce banquet de Saint-Mandé, prononce le discours important.

Il salue les pionniers du socialisme, rituel de la reconnaissance de la nouvelle génération aux vieux lutteurs. « Ils ont connu — dit Millerand, tourné vers Clovis Hugues, Guesde, Vaillant — des jours difficiles, les rancœurs, les insuccès, l'amertume plus cruelle des divisions fratricides. »

Il montre la salle, la table des élus si nombreux, Marseille, Dijon, Lille, Carmaux, il dit : « Ils reçoivent aujourd'hui la juste récompense de leur inlassable persévérance. Le grain qu'ils ont jeté a germé. La moisson sera fructueuse. »

Puis Millerand annonce son programme qui comporte trois points.

Est socialiste seulement celui qui « accepte la substitution nécessaire et progressive de la propriété sociale à la propriété privée ».

Est socialiste seulement celui qui s'adresse « au suffrage universel... Nous ne réclamons que le droit de persuader ».

Est socialiste celui qui ne sacrifie pas la patrie à l'internationalisme.

Comment Jaurès pourrait-il ne pas être d'accord ? D'ailleurs, l'unanimité se fait même si certains se joignent à l'approbation de ce programme par habileté. Paul Lafargue, le guesdiste, reconnaîtra plus tard : « Nous n'avons jamais critiqué en public le credo de Saint-Mandé parce que nous pensions que son élasticité et son vague pouvaient être utiles pour attirer au socialisme une partie de l'élite de la bourgeoisie que n'avait pu entamer notre propagande trop précise. »

Jaurès ne partage par ce machiavélisme naïf. Socialiste indépendant, il tente, une fois encore, la synthèse entre l'action à court terme, ses bénéfices immédiats et, d'autre part, le projet qui doit demeurer clair. Ne pas s'enliser dans la réforme. En faire un tremplin. Et ne pas le condamner. Tel est Jaurès. En tout cas, avec le discours de Saint-Mandé, une doctrine et un programme ont été définis. Et l'on entend même Jules Guesde dire : « L'action parlementaire est un principe socialiste par excellence, il faut d'abord prendre le gouvernement. »

Jaurès, justifié ; Jaurès, satisfait.

L'été, la fatigue de ces combats ininterrompus. A Bessoulet seulement, dans cette campagne du pays d'Albi, il retrouve par les gestes quotidiens une sensation profonde de détente. Il lit, écrit comme à son habitude, parle à Madeleine qui va avoir sept ans. Parfois, il cuisine, rit avec cette abondance qui choque certains de ses interlocuteurs. Pas de mélancolie visible chez lui, mais de l'entrain le plus souvent, une telle capacité à rêver de l'avenir ou à penser avec intensité, qu'il en oublie l'élémentaire, quelquefois jusqu'au ridicule, sortant de sa poche des chaussettes et s'épongeant le front avec, sans même s'en apercevoir. Trop passionné, trop entier pour être préoccupé par ces détails vestimentaires ou usuels auxquels d'autres accordent trop d'importance. Indifférence de Jaurès, comme s'il ne pouvait concevoir qu'on le juge aussi à ces distractions-là, à sa mine, alors qu'il ne voit que l'essentiel, que sa générosité est telle qu'il fait toujours crédit à ceux qu'il rencontre, leur prêtant le meilleur, ne remarquant chez eux que le positif.

Que cachent ces inattentions ? Un malaise inconscient, un refus du monde, une déception quant à ce que la réalité pourrait être vraiment — sordide, cruelle, fermée, inerte ? Ou bien faut-il voir dans ces attitudes un rejet délibéré du pessimisme par angoisse de découvrir dans le monde et en soi un vide ? Et cette suractivité, cette profusion dans le langage, l'écriture, les actes, n'est-elle pas aussi fuite ? Devant l'environnement immédiat, qui le cerne, Louise, ou les choses de la vie ? La politique, dès lors, cette passion brûlante, n'étant aussi qu'une « fuite » en avant.

A moins qu'il y ait chez Jaurès trop de sensibilité, trop de rigueur morale, un surmoi tel, qu'il l'oblige à agir, parce qu'il faut changer le monde, constituer le sens de la vie, affirmer ce sens, puisqu'on agit.

Jaurès, incapable de ces périodes d'inactivité paresseuse où certains se laissent bercer nonchalants et heureux. Jaurès, heureux de faire, et la pensée est un faire.

Et puis, comment demeurer inactif quand le monde est ce qu'il est, que Jaurès voit à chacune de ses visites sur le chantier de la verrerie ouvrière, à Albi, l'effort des ouvriers tendus vers la réussite, ces femmes et ces enfants dont certains couchent à la belle étoile, dont le corps, maigre et maintenant hâlé par le soleil, dit le travail et l'espoir. Les murs sont déjà hauts, le toit posé. Bientôt, on achèvera les fours. Les coopératives de consommation de la Seine ont décidé de passer commande. Est-ce qu'on peut ne pas se donner tout entier à l'action quand on voit ainsi surgir de terre cette première construction de la « cité des hommes » ?

Et Jaurès repart.

Du 27 juillet au 1er août 1896, il est à Londres où se tient le IVe Congrès de l'Internationale.

C'est le premier contact de Jaurès avec des représentants du mouvement ouvrier étranger. Il le vit avec passion. Il découvre Londres. Il parle mal la langue, mais il lit dans le texte les grands auteurs anglais, et il a cet enthousiasme juvénil pour engager le dialogue, s'imposer aussi car son discours est salué par des acclamations frénétiques. On se lève, on agite mouchoirs et chapeaux.

Jaurès a justifié par son intervention le travail des parlementaires socialistes qui « peuvent prendre le parti des ouvriers et utiliser une partie de la machinerie politique pour leur venir en aide ».

Il s'est rangé, disant cela, aux côtés de Millerand — comme à Saint-Mandé — pour faire voter l'exclusion des anarchistes et se faire

190

reconnaître avec les socialistes indépendants membres à part entière de l'Internationale. Cela au terme de longues séances chaotiques qui marquent les divisions du mouvement ouvrier.

Les critiques des syndicalistes révolutionnaires et des anarcho-syndicalistes seront sévères pour les « politiciens ambitieux. Ces hommes, dira ainsi Fernand Pelloutier, n'ont de socialiste que l'étiquette ». Et l'anarchiste Sébastien Faure ajoutera que « Jaurès, Guesde et tous ces autres bavards parlementaires seront, un jour, qui ministre de la Guerre, qui de l'Instruction publique, qui des Affaires étrangères ».

Jaurès souffre de ces attaques qui lui semblent injustes. A quel moment a-t-il pensé à un poste ministériel ? Il sait qu'au quartier Latin de petites organisations comme le groupe des Etudiants socialistes révolutionnaires internationalistes, des écrivains comme Georges Sorel le critiquent. Est-il donc impossible de se faire comprendre ? N'a-t-il pas déclaré à Londres : « Nous n'avons jamais dit, nous ne dirons jamais que la révolution sociale ne sera réalisée que par la voie parlementaire. Nous n'avons jamais dit, nous ne dirons jamais que le socialisme doit s'enfermer comme en une prison dans la légalité capitaliste. »

Que pouvait-on ajouter, que pouvait-on faire de plus ? Jaurès traçait son sillon dans cette France contradictoire.

Certains militants syndicalistes revendiquaient l'apolitisme, d'autres la révolution, d'autres encore ne voyaient de solution que dans le mouvement coopératif ? Pourquoi toutes ces actions ne convergeraient-elles pas ?

France contradictoire, dont les mouvements politiques ou idéologiques reflétaient la lente croissance industrielle, l'archaïsme des structures rurales, l'esprit de réaction du gouvernement Méline, et où, en même temps, le courant socialiste gagnait du terrain.

France contradictoire, républicaine, mais où une armée largement pénétrée par les monarchistes pesait lourd, si bien que Jaurès demandait « au peuple ouvrier et socialiste de se tenir prêt partout à défendre la République. Il en sera peut-être besoin ».

France contradictoire, républicaine, mais où l'on s'apprêtait à recevoir avec éclat les souverains russes, ce tsar Nicolas II, avec qui, sans l'avouer, on venait de conclure un traité d'alliance. Et Félix Faure se proposait de l'accueillir en grand uniforme chamarré. Le Conseil des ministres refusa l'habit mais décida d'une réception fastueuse. Parades, salves d'artillerie. 930 000 provinciaux sont, dit-on, venus à Paris pour jouir du spectacle. Et la moindre fenêtre sur le parcours du cortège a été louée dix louis. La République, commente-t-on avec orgueil, fait aussi bien qu'une monarchie. La presse entretient l'enthousiasme de la foule. Et les banques — ou l'ambassade russe — n'y sont pas étrangères : il faut lancer, pour des milliards de francs-or, les emprunts russes. Et chaque émission placée représente pour les banques et les journaux des millions de commissions et de subventions... Cette affaire de corruption là, plus vaste, plus grave que celle de Panama, car c'est le sort même du pays — par cette politique d'alliance avec le tsar — qui est en jeu, car c'est le développement économique de la nation qui est entravé par cette ponction de son épargne, passe sans contestation.

N'était Jaurès.

Il ne connaît pas le dessous des cartes : ce travail souterrain des intermédiaires qui paient pour qu'on écrive comme il faut. Mais il déclare : « Il faut vraiment que l'opportunisme et la réaction comptent sur la diminution intellectuelle et morale du peuple de Paris pour lui demander d'acclamer le tsar. » Mais le peuple se presse et applaudit le cortège. Jaurès dénonce alors la politique extérieure menée en secret, qui lie la France à la politique russe. Il parle des 100 000 Arméniens massacrés. Il accuse le gouvernement Méline : « Devant ce sang versé, dit-il, devant ces abominations et ces sauvageries, devant cette violation de la parole de la France et du droit humain, pas un cri n'est sorti de vos bouches, pas une parole n'est sortie de vos consciences, et vous avez assisté, muets, et par conséquent complices, à l'extermination complète. »

Le ministre des Affaires étrangères, Hanotaux, se tait.

La presse à gage se tait.

Jaurès dit que la Russie a changé. On compte de grandes usines à Saint-Pétersbourg et à Moscou, comme à Paris et à Roubaix. Quatre mille ouvriers des fabriques, à Saint-Pétersbourg, se sont mis en grève. Comme à Carmaux. Et l'on demande aux prolétaires parisiens d'acclamer Nicolas II à pleine poitrine ! « Le tsar est aujourd'hui l'un des gardiens de l'ordre établi, rappelle Jaurès. Que Leygues et Resseguier lui fassent cortège et l'acclament. » Mais le peuple ? Il est pourtant devant l'Opéra, aux Champs-Elysées malgré Jaurès. Désespoir, amertume ?

« Les foules se précipiteront et se livreront », dit-il.

Se retirer du combat ? Au contraire, il faut « se commettre avec la société et y fortifier les éléments qui la doivent dissoudre ».

192

Mais Jaurès, lui-même, n'est pas toujours capable de pressentir les événements qui annoncent précisément une crise de cette société.

A l'automne 1896, pendant que la foule acclame les souverains russes et que Jaurès dénonce cette politique, un jeune juif, Bernard Lazare, fait imprimer à Bruxelles une brochure intitulée : *Une erreur judiciaire, la vérité sur l'Affaire Dreyfus.* Elle est tirée le 6 novembre à 3 000 exemplaires et adressée aux personnalités susceptibles d'intervenir. Donc à Jaurès. Lui, si sensible à la question des droits de l'homme, à l'intégrité de la justice, comment ne sent-il pas qu'Alfred Dreyfus qu'on enchaîne sur sa paillasse de l'île du Diable, dont on a fait un bagnard à vie, sans preuves, et malgré ses protestations d'innocence, est victime d'une erreur judiciaire qui devient une machination ?

Jaurès reçoit Bernard Lazare qui lui expose le mécanisme de la condamnation. Aucune charge réelle contre Dreyfus. Des témoignages d'experts, contradictoires. La production d'une pièce secrète fabriquée pour entraîner la conviction des juges, et qu'on dissimule à la défense, sous prétexte qu'il s'agit d'un dossier secret.

Jaurès connaît Bernard Lazare. Ce jeune écrivain l'a souvent attaqué dans la presse au nom de « l'anarchie ». Il a publié un poème et des contes philosophiques, et dirige une revue. Juif mais incroyant, c'est un marginal à la morale exigeante. Jaurès l'écoute sans à priori et cependant il n'interviendra pas à ce moment-là. Pourtant, Lucien Herr, son ami, est sans doute déjà persuadé de l'innocence de Dreyfus. Mais Jaurès au diapason de toute l'opinion française n'entend pas. Ni Lazare ni Lucie Dreyfus qui s'adressent aux députés pour réclamer justice.

Indifférence ? Partage-t-il l'avis du journaliste socialiste Zevaès qui, dans *La Petite République,* écrit de Bernard Lazare que « ce distingué représentant du *High Life* anarchiste, qui est en même temps l'un des plus fidèles admirateurs de Sa Majesté Rothschild, vient de publier une brochure... qui est moins un essai sincère de réhabilitation d'un innocent victime d'une erreur judiciaire qu'une cynique réclame personnelle... et cette interprétation est encore la plus honorable pour M. Bernard Lazare. »

Ou bien, plutôt, est-il trop engagé dans sa lutte quotidienne pour prendre conscience de ce qui se joue là-bas à l'île du Diable autour du prisonnier Dreyfus, de cet homme qui écrit : « Souvent épuisé comme je le suis, je m'effondre sous les coups de massue et je ne suis plus alors qu'un pauvre être humain d'agonie et de souffrance. »

Mais c'est la rançon de ceux qui sont pris par l'engrenage du combat de ne pouvoir parfois deviner ce qui se prépare. Jaurès n'échappe pas à ce sort. Car, pour lui, l'engrenage tourne.

D'abord des joies. Une victoire.

Le 25 octobre, en présence des autorités officielles, après que des salves eurent salué le commencement de la fête, Jaurès, accompagné de Rochefort, inaugure la verrerie ouvrière d'Albi.

Emotion, enthousiasme. Des mois d'efforts et de sacrifice. Une victoire remportée sur l'adversaire et sur le scepticisme ou le découragement. Il a fallu la ténacité ouvrière. Il a fallu les coups de boutoir que Jaurès donnait au Parlement. Il a fallu le ministère radical de Léon Bourgeois. Il a fallu vaincre les divisions. Et Jaurès a dû oublier sa fatigue, souvent.

Le gouvernement de Méline n'a rien pu faire contre cette entreprise déjà lancée. Défi gagné face à Resseguier et à ses alliés politiques et patronaux.

Le temps est beau. Trois tables dressées dans la cour de la verrerie pour un banquet de 1 500 personnes. Un ouvrier préside. « On dirait une noce monstre mi-champêtre mi-faubourienne », écrit un journaliste. On chante *La Marseillaise*. Puis on réclame *La Carmagnole*. Et, tout à coup, Jaurès, le lourd Jaurès, bondit sur la table. Le poing gauche fermé, la main droite levée et ouverte comme pour lancer chaque mot avec plus de force. Il chante à pleins poumons, la foule reprend au refrain. Elle l'acclame. Il entonne le *Ça ira*.

Le journaliste de *L'Illustration* s'indigne et s'étonne d'entendre dans la bouche de « M. Jean Jaurès, ancien élève de l'Ecole normale supérieure, ancien professeur de philosophie à la faculté de Toulouse, député d'Albi » les mots : « Tous les bourgeois on les pendra. »

Explosion, libération chez Jaurès après ces mois où il a été tendu vers le but, conscient des risques de cette épopée, exalté que ces hommes, avec lui, soient parvenus au but. On crie : « Vive Jaurès ! Vive la République sociale ! »

Cette violence des chansons répond aux violences qu'il a affrontées, à cette lutte des classes qu'il a subie à Carmaux.

Il parle enfin, le dernier, en conclusion de la fête, après que Rochefort eut allumé le premier four.

Il parle des usines qui sont des prisons, des lieux de plaisir où l'on pleure de tristesse, des églises d'où Jésus serait chassé s'il pouvait parler.

« Sur cette rive du Tarn à jamais illustre, lance-t-il, vous avez élevé, citoyens, un temple que l'humanité considérera toujours comme le berceau de la liberté ! »

Emphase ? Emotion, plutôt, à la mesure de ce qui était en jeu. Moment où Jaurès mêle le présent à cette vision d'une histoire, où chaque pas s'inscrit dans un « plan de vie » et conduit à un monde meilleur.

Le lendemain déjà, il faut affronter la haine.

Jaurès doit parler à Carmaux. Dès son arrivée dans la ville, des manifestants le sifflent. La police intervient avec brutalité contre les ouvriers venus l'accueillir à la gare. Dans la salle de la réunion, des perturbateurs servent de prétexte aux policiers qui interviennent pour rétablir l'ordre et, en fait, pour disperser les 4 000 auditeurs. Jaurès ne peut parler. Comme si le gouvernement et ses adversaires voulaient lui faire sentir qu'il n'a pas gagné. Qu'à Carmaux on prépare sa défaite électorale. Car ce sont les hommes du docteur Sudre, ceux du Cercle républicain progressiste, qui, soutenus par la police, ont sifflé et empêché la réunion de se tenir.

Jaurès n'ignore pas qu'à Carmaux il est affaibli. Que la victoire des verriers, il risque de la payer de sa défaite. Le 5 novembre, il interpelle le ministre de l'Intérieur, Louis Barthou, démontrant que ces incidents ont été préparés, que le gouvernement n'a pas renoncé à l'intention de le briser. Qu'il y a eu complot.

Barthou, avec ironie, parlera de l'hostilité de la population de Carmaux, à l'égard de Jaurès, et il obtiendra un vote favorable.

Hier, c'était la fête à Albi, la victoire célébrée. Le lendemain, l'échec. L'hostilité organisée.

A chaque jour sa lutte. C'est toujours la vie de Jaurès.

Chapitre 9

« Le pouvoir,
vous ne nous le donnerez pas »
(1896-1897)

Un instant de répit. C'est la fin de la matinée. Depuis des heures déjà Jaurès travaille dans la petite pièce qui, dans l'appartement du 27 de la rue Madame, lui sert de bureau. Sur la table en bois blanc, des livres, des journaux, des brochures, des feuilles en vrac couvertes de l'écriture rapide et sensible de Jaurès. Ce matin, il a presque la nausée. C'est la fin du mois d'octobre 1896. Il a lu tout ce qui a été publié sur la politique du Sultan turc à l'égard des Arméniens. Il a rassemblé les témoignages, horribles. Il est déjà intervenu à la chambre sur ce sujet, mettant en question la politique étrangère de la France et le silence complice dont elle entoure les crimes turcs. Il va parler à nouveau.

Un instant de répit avant de recommencer. Il se lève. Il ne sent plus ces tics qui agitent ses lèvres et ses paupières, mouvements instinctifs qui nuisent au sourire et au regard et qui semblent être les preuves supplémentaires de sa concentration et de sa tension intérieures. Il cherche sur le parquet, parmi les documents qui s'entassent, ceux que demain il lui faudra lire, ces enquêtes, ces statistiques sur la vie du monde paysan, la répartition de la propriété, son évolution, l'incidence des tarifs protecteurs de Méline sur le cours des produits agricoles, la misère des domestiques de ferme. Il pense en effet à une grande interpellation à la Chambre sur ces réalités rurales, ce paysannat qu'il connaît et auxquels les socialistes doivent offrir des perspectives s'ils veulent conquérir le pouvoir.

Il se redresse. Dans cette petite pièce, il paraît prisonnier. Il fait partie de ces intellectuels au physique rude, qu'on verrait bien dans un champ ou, tel Lucien Herr, dans une forêt. Avec les années, Jaurès donne l'impression d'être encore plus trapu, court, épais. Mais on ne voit d'abord — ainsi le décrit un témoin — « que la tête dont le carré de la barbe proémine et aurait toute la puissance de celle d'un légionnaire romain, mais d'un Romain blond, tête posée à même les épaules, dont la force se ramasse dans le reste du corps aussi trapu ».

Il a, pour saisir un livre, les gestes lents d'un paysan, machinalement il tire sur son pantalon, que retient mal la ceinture parce que le ventre commence à être proéminent. Mais quoi qu'il fasse, le pantalon glisse, et des plis en tire-bouchon se forment sur les bottines à élastique de Jaurès.

Enfin il a trouvé le livre qu'il cherchait, un classique grec. Le visage de Jaurès se détend. Voilà l'instant de répit. Il lit à haute voix, en grec, quelques vers. Et si un visiteur entre dans le bureau, il trouve Jaurès, rêveur, apaisé, la tête un peu levée, comme regardant au-delà des murs.

Plus tard, le déjeuner pris, rapidement, il se rend à la Chambre des députés à pied.

Pas résolu. Attention vive à ce spectacle de la rue. Une blanchisseuse, une femme qui vend des fleurs, des mendiants, les omnibus qui passent, et ces automobiles qu'on voit de plus en plus nombreuses (on en comptera 1 200 en 1897), les bicyclettes aussi qui se répandent (presque 500 000 déjà la même année). Lucien Herr qui en vante les mérites, qui se rend ainsi à la campagne, chez l'un ou l'autre de ses amis, Andler, Monod, ou chez ce jeune normalien brillant, dont il parle souvent, Léon Blum, l'un des animateurs de *La Revue blanche,* cette publication où écrivent quelques auteurs intéressants, Jules Renard, Mallarmé, d'autres d'avant-garde.

Jaurès marche avec cette concentration qui lui donne un air de gravité. Il lit la rue, ces affiches qui annoncent qu'on joue *Ubu Roi,* ou que se tient l'Exposition du Cycle et de l'Automobile, qu'après *Cyrano de Bergerac* (décembre 1897) on donnera du même Edmond Rostand *La Samaritaine* et qu'on annonce de Gogol *Le Revizor.* Dans la vitrine d'une librairie, les livres de Francis Jammes et sur les bancs des marchands de journaux, les gros titres de *L'Echo de Paris,* de *L'Eclair,* du *Matin,* du *Figaro.* Rien. Dans la presse pas un mot de ce qui préoccupe Jaurès en ce moment, de ce qui va faire le contenu des discours qu'il doit prononcer, dans quelques heures, ce 3 novembre 1896, de ce qui se passe là-bas, en Arménie, qui le révolte, les images insupportables qui le hantent et qu'il décrira du haut de la tribune du Palais-Bourbon : « Les femmes enceintes éventrées et leurs fœtus embrochés et promenés au bout des baïonnettes ; et des filles distribuées entre les soldats turcs et les nomades kurdes et violées jusqu'à ce que les soldats les ayant épuisées d'outrages les fusillent enfin en un exercice monstrueux de sadisme avec des balles partant du bas ventre et passant au crâne, le meurtre s'essayant à la forme du viol ; et le soir auprès des tentes... les grandes fosses creusées pour tous ces cadavres ; et les prêtres décapités et leurs têtes ignominieusement placées entre leurs cuisses... Voilà ce qui a été fait, voilà ce qu'a vu l'Europe, voilà ce dont elle s'est détournée... »

La violence et le réalisme des mots laissent la Chambre des députés médusée.

Que répondre quand Jaurès rappelle que la presse se tait, que le silence du gouvernement est inadmissible, qu'il « y a un siècle l'Europe entière n'eût pas hésité à faire appel à la France et que la France eût répondu » ? Et Jaurès annonce qu'il ne laissera pas l'oubli s'établir, qu'il parlera autant qu'il faudra. Et en effet, dans les semaines qui suivent, il interviendra à trois reprises.

Mais qu'attendre de ce gouvernement Méline ?

Il dispose d'une majorité de 50 à 80 voix à la Chambre. Face aux problèmes qui se posent, il choisit la réaction ou le silence, prélude à l'étouffement. Durer et consolider l'ordre établi, tel demeure son programme politique.

Quand certains journaux à l'automne 1896 commencent à s'interroger sur les conditions de la condamnation de Dreyfus, quand le 10 novembre *Le Matin* publie un fac-similé du bordereau à partir duquel, sur la base d'une ressemblance d'écriture, Dreyfus a été accusé, Méline fait voter par la Chambre un ordre du jour de confiance au gouvernement. Et dans les bureaux de l'état-major ou du service de renseignements c'est la même volonté de ne pas rouvrir le dossier.

Quand le lieutenant-colonel Picquart, un Alsacien, nommé nouveau chef du service de renseignements, un catholique intègre ayant un sens aigu de la morale, découvre lors de ses recherches que l'écriture du bordereau ressemble à celle d'un officier corrompu et suspect, le commandant Esterházy, et qu'il s'en ouvre à ses supérieurs (les généraux Gonse et de Boisdeffre) on lui répond : « Si vous ne dites rien, personne ne saura rien », et comme il s'indigne il devient gênant. On lui retire le dossier Dreyfus et on l'envoie en mission, avant de le nommer au début du mois de janvier 1897, au 4ᵉ régiment de Tirailleurs et de l'expédier dans le Sud tunisien. Pendant ce temps, un autre officier, le commandant Henry, forge les pièces, des faux donc, qui doivent permettre, le cas échéant, de confondre Dreyfus. A l'aide de documents authentiques, il fabrique un billet qu'aurait écrit l'attaché militaire italien à Paris — Pannizardi — à son collègue allemand Schwartzkopen et ainsi rédigé : *Cher ami, j'ai lu qu'un député va interpeller sur Dreyfus. Si on me demande à Rome de nouvelles explications, je dirai que j'avais jamais des relations avec ce juif. C'est entendu. Si on vous demande, dites comme ça, car il faut pas qu'on sache jamais ce qui est arrivé avec lui. Alexandrine.*

Prix de son dévouement : Henry est nommé lieutenant-colonel et il remplacera, à la tête du service de renseignements, Picquart.

Affaire verrouillée, imagine-t-on.

Et il est vrai que l'opinion, après les articles concernant le bordereau, après la seconde édition en France de la brochure de Bernard Lazare — *Une Erreur judiciaire* — n'est pas mobilisée. Si l'on exclut quelques titres à sensation, les journaux se désintéressent du cas de Dreyfus. Il faut que *La Libre Parole,* le quotidien antisémite annonce qu'un faux Dreyfus se trouvait à l'île du Diable, pour créer quelques commentaires. Vite abandonnés. Seuls Mathieu Dreyfus ou Bernard Lazare s'acharnent. Seuls quelques intellectuels — ainsi Lévy-Bruhl, professeur de philosophie au lycée Louis-le-Grand, cousin de Dreyfus et ami de Lucien Herr sont convaincus de l'innocence du capitaine et de la nécessité de la révision de son procès.

L'opinion et Jaurès — comme tous les hommes politiques — ne pressentent pas la tourmente qui s'annonce.

Pouvait-on d'ailleurs, face à un gouvernement aussi réactionnaire que celui de Méline, espérer en un recours aux masses du pays ?

Certes, les verriers de Carmaux et avec eux le mouvement ouvrier avaient remporté une victoire.

Aux portes d'Albi, les fours de la verrerie ouvrière chauffaient. Mais que tout cela était fragile, et partiel. A Carmaux même, une partie de la population, endoctrinée par les partisans du marquis de Solages montrait son hostilité à Jaurès. Elle l'avait fait dès le lendemain de l'inauguration de la verrerie. Elle recommença le 29 novembre 1896.

Jaurès, Millerand et Camille Pelletan, sur tout le parcours qui les conduisait de la gare où ils avaient été accueillis par Calvignac et les socialistes carmausins, furent insultés, marchèrent sous les sifflets et les jets d'ordures. « Jaurès-la-honte », « Jaurès-Misère », criait-on. Les contremaîtres et les porions de la verrerie Resseguier et de la mine bien encadrés ne laissèrent pas les orateurs prendre la parole. La gendarmerie intervint au nom du maintien de l'ordre, arrêtant Calvignac et Aucouturier. Le tribunal les condamna à cinq et dix jours de prison.

Mais plus gravement la faiblesse était aussi au cœur du mouvement ouvrier. Sa division en courants opposés les uns aux autres persistait. L'incertitude régnait, malgré le programme de Saint-Mandé et l'efficacité des députés, aux premiers rangs desquels Jaurès et Millerand. Quelles perspectives ? Grève générale ou conquête du pouvoir par l'élection ?

La contradiction était encore plus grande entre la « phrase révolutionnaire » et la pratique.

Alors que les socialistes administraient depuis mai 1896 des dizaines de municipalités, on continuait à annoncer la révolution et à rêver du « grand soir ».

Jaurès vit douloureusement cette division d'autant plus qu'il est personnellement interpellé par des ouvriers.

En effet, quelques mois à peine après qu'on a allumé les fours, la verrerie ouvrière connaît sa première crise. Quatre verriers. Quatre hommes qui se sont dépensés sans compter sur le chantier, travaillant comme maçons et terrassiers, construisant les murs et les fours dans les difficultés et les privations, sont les 13 et 14 décembre 1896 renvoyés de la verrerie par décision du conseil d'administration. Drame local mais qui illustre tous les problèmes qui se posent au mouvement ouvrier. Les hommes licenciés ont été d'ardents syndicalistes. Resseguier avait mis le nom de l'un d'entre eux (Etienne Guegnot) sur la liste noire : à ne réembaucher à aucun prix. Et c'est Aucouturier qui le renvoie de la verrerie ouvrière ! L'accusation ? Ces hommes seraient des anarchistes qui refusent la discipline du travail, imposée par le conseil d'administration décidé à ce que l'usine réussisse à tout prix. Les quatre sont des libertaires qui contestent l'autoritarisme des chefs, la « raison d'Etat » qui impose sans discussion l'obéissance aux ouvriers. Alors qu'est-ce qui change ?

Ils alertent Fernand Pelloutier. Ils écrivent à Jaurès dès qu'ils sont sanctionnés. Ils expliquent qu'à la verrerie on a violé les règles de la démocratie, les principes syndicaux. C'est bien le heurt de deux conceptions de l'organisation ouvrière qui vient de se produire.

Et Jaurès ne répond pas. Déchiré. Impuissant. Durant plusieurs mois, il n'écrit plus sur la verrerie ouvrière, ni dans *La Dépêche de Toulouse,* ni dans *La Petite République.* Il ne rompra le silence que pour dénoncer le jugement rendu par les tribunaux vers lesquels se sont finalement tournés les quatre ouvriers renvoyés.

Mais en même temps ce silence n'est pas fuite : Jaurès assume l'expérience de la verrerie. Avec toute ses contradictions. A Carmaux, il paie — et il paiera — le prix de ce choix courageux. Les faits lui enseignent que l'unité du mouvement ouvrier est une des clés indispensables pour transformer la situation française.

Mais quelles difficultés pour changer cette société ! Jaurès en a conscience. Il connaît personnellement ces paysans crédules qui suivent les ordres des notables. Dans les villages, on l'interroge : « Est-ce vrai que vous voulez démolir toutes les églises, monsieur Jaurès ? » Il répond en patois d'une boutade : « Et que ferai-je de toutes ces pierres ? »

On rencontre dans les quartiers ouvriers, le samedi soir, après la paye, des silhouettes titubantes, révélatrices de cet alcoolisme, fléau des classes populaires. On côtoie des femmes au corps trop tôt flétri, ouvrières des filatures, herscheuses, paysannes, toutes vouées aux travaux pénibles, aux maternités nombreuses et à la domination masculine qui, à l'atelier, s'exprime aussi par des violences sexuelles qu'on doit subir.

Certes Zola, dans *L'Assommoir, Germinal* ou *Nana,* a forcé en romancier « naturaliste » certains traits, et la fin du siècle a vu s'améliorer un peu les conditions de vie. Mais la réalité demeure oppressante. La prostitution, la mendicité, la marginalité concernent des dizaines de milliers de personnes, cancer pour un tissu social, obstacle à une organisation politique des défavorisés. Souvent dans la rue, on croise « un homme qui demande l'aumône. Il dit des mots sans suite et regarde avec des yeux terribles, des yeux de scaphandre dans sa figure cuite ».

Jaurès — comme Jules Renard, auteur de ce portrait inoubliable de mendiant — est sensible à cette misère humaine que la société produit.

Il sait que des idéologies sommaires peuvent rapidement se répandre sur ce terrain favorable à leur progression.

Il existe ainsi, un antisémitisme populaire qu'exploite la Ligue antisémitique que dirige Jules Guérin, un escroc qui se présente comme la victime des juifs. Elle compte (juillet 1898) plus de 10 000 adhérents répartis en 130 sections de 60 membres chacune. Son programme est simple — démagogique : « Protéger le travail national sans distinction de classes sociales contre les efforts de la concurrence étrangère. Libérer les Français et la nation du joug des juifs qui possèdent argent, banque, crédit, chemin de fer et les principales entreprises industrielles et commerciales. Interdire aux juifs l'accès de toutes les fonctions publiques... »

Des commerçants se rassemblent en 1896 — ainsi dans la Ligue antisémitique du commerce poitevin — afin d'affirmer : « Pour l'honneur et le salut de la France, n'achetez rien aux juifs. »

Les publications catholiques, dont l'influence est considérable et qui touchent quotidiennement des centaines de milliers de lecteurs (notamment par les différentes éditions de *La Croix,* le journal des assomptionnistes), développent des arguments identiques à ceux de *la Libre Parole* de Drumont ou de *L'Intransigeant* de Rochefort.

Le juif est l'ennemi de la France, l'accapareur. *La Libre Parole* tire quotidiennement à plus de cent mille exemplaires mais sa violence limite son écho alors que les publications de la « bonne presse » catholique insinuent les mêmes idées, les mêmes images avec une efficacité redoutable. Les juifs sont le peuple déicide. « Ils sont maudits si nous sommes chrétiens », répète-t-on.

Ces sentiments antisémites se marient avec le nationalisme et le chauvinisme qui reprennent et amplifient le courant qui avait porté la vague boulangiste.

On mêle l'étranger et le juif dans ce complot maléfique contre la France. Des escrocs — comme Léo Taxil — « vendent » leurs révélations aux milieux catholiques et *La Croix* les répand : on y voit des dignitaires francs-maçons se vouer au culte de Satan. Les prophéties connaissent un succès fulgurant. En 1896, le baron de Novaye publie : « *Ce qui va nous arriver. Guerre et révolution.* » Le juif, le franc-maçon, l'étranger finissent par se recouvrir. « Des choses qui au premier abord ont l'air invraisemblables et monstrueuses paraissent en effet presque toutes simples et toutes naturelles dès qu'on réfléchit que le juif est l'âme de la franc-maçonnerie », écrit Drumont.

Telles sont les idées qui ont cours sous le gouvernement Méline, quand se sont répandues dans de larges secteurs de l'opinion ces analyses qu'un Vacher de la Pouge, un Barrès, un Soury ou un Le Bon avaient commencé à diffuser dans des cercles intellectuels une

La maison natale de Jean Jaurès, à Castres, 5 rue Reclusanne.
(Musée Jean-Jaurès, Castres.)

Les deux frères, Jean et Louis Jaurès, et leur mère Adélaïde Jaurès, née Barbaza. *(Musée Jean-Jaurès, Castres.)*

Jaurès à l'École normale supérieure (le deuxième assis à partir de la gauche) est de la même promotion que Bergson (le premier debout à droite), celle de 1878. Il sera nommé professeur au lycée d'Albi. Il songe à se marier. Mais la famille de Mlle Prat repousse sa demande en mariage. *(Musée Jean-Jaurès, Castres, et Roger-Viollet.)*

Il donne des cours à la Faculté des Lettres de Toulouse. On le voit au café de la Paix, place du Capitole. Les renseignements confidentiels transmis par l'Académie sont excellents. *(Roger-Viollet et musée Jean-Jaurès, Castres.)*

MINISTÈRE DE L'INSTRUCTION PUBLIQUE.

ACADÉMIE de *Toulouse*

ENSEIGNEMENT SUPÉRIEUR.

RENSEIGNEMENTS CONFIDENTIELS.

Nom et prénoms du fonctionnaire. *Jaurès Jean*

Fonctions. *chargé d'un cours complémentaire à la Faculté des Lettres.*

Caractère, conduite et habitudes sociales. Rapports avec ses chefs, les autorités et le public. *Bon caractère. Excellent fils. Les rapports avec ses chefs ont toujours été des meilleurs*

Sagacité et jugement. Fermeté. *Irréprochables*

Exactitude et zèle. *id*

Élocution. *d'une rare facilité.*

Son enseignement a-t-il la gravité et la profondeur indispensables aux cours de Faculté? *Vui*

Indiquer l'objet de cet enseignement pour la présente année. *Ne fait pas de cours public. Prépare les élèves de la Faculté à la licence et à l'agrégation.*

Nombre et heures des conférences ou manipulations par semaine. *trois d'une heure*

Nombre des élèves inscrits aux conférences ou manipulations. *15 pour la licence, 6 pour l'agrégation*

Composition de l'auditoire de la leçon publique.

Convient-il ou conviendrait-il aux fonctions administratives?

Se livre-t-il à des travaux étrangers à ses fonctions? *prépare des thèses.*

Travaux et publications pendant la présente année.

A-t-il droit à l'avancement?

La famille Jaurès est souvent réunie à Bessoulet avec celle des Bois. Adélaïde Jaurès, la mère de Jean, est la deuxième en partant de la gauche. Louise Jaurès la troisième. Madeleine Jaurès, la fille de Jean *(ci-contre),* est la petite fille la plus à droite sur la photo de groupe. *(Musée Jean-Jaurès, Castres, et musée de l'Histoire vivante de Montreuil.)*

Jaurès garde le contact avec ses électeurs. Il parle patois. Il discute. Ici avec le maire de Pampelonne. On vient l'accueillir en groupe à la gare de Carmaux. Cette activité militante ne l'empêche pas de mener de front son *Histoire socialiste. (Musée Jean-Jaurès, Castres.)*

Histoire Socialiste

1789-1900

sous la direction de JEAN JAURÈS

PAR

JEAN JAURÈS *(Constituante ; Législative ; Convention jusqu'au 9 Thermidor);*
GABRIEL DEVILLE *(Du 9 Thermidor au 18 Brumaire);*
BROUSSE *(Du 18 Brumaire à Iéna);*
HENRI TUROT *(D'Iéna à la Restauration);*
VIVIANI *(La Restauration);*
FOURNIÈRE et ROUANET *(Le règne de Louis-Philippe);*
MILLERAND et GEORGE RENARD *(La République de 1848);*
ANDLER et HERR *(Le Second Empire);*
JEAN JAURÈS *(La Guerre franco-allemande);*
DUBREUILH *(La Commune);*
JOHN LABUSQUIÈRE *(La Troisième République (1871-1885);*
GÉRAULT-RICHARD *(1885-1900);*
JEAN JAURÈS *(Conclusion : le Bilan social du XIXᵉ siècle).*

JULES ROUFF et Cⁱᵉ, Éditeurs, Cloître-Saint-Honoré, Paris.

(Tous droits réservés).

A Carmaux, autour de Jaurès — et du maire Calvignac (ci-dessus) —, les passions se déchaînent. Lors des grèves ou des élections, l'arrivée de Jaurès donne souvent lieu à des manifestations. (Musée Jean-Jaurès, Castres.)

L'adversaire de Jaurès est le marquis de Solages (ci-dessus). Lors de la grève des verriers à Carmaux, en 1895, Jaurès prend la tête des manifestations, qui se déroulent dans un climat de violence avec un important déploiement militaire. (Musée Jean-Jaurès, Castres, et Cl. Reynes.)

La construction de la verrerie ouvrière d'Albi est une véritable épopée ouvrière. Elle est inaugurée en 1896. Jaurès participe à de nombreuses assemblées populaires; ici le banquet des socialistes de Pampelonne en 1910. *(Musée Jean-Jaurès, Castres.)*

Dans le climat de l'Affaire Dreyfus de nombreux incidents émaillent les séances de la Chambre.
Jaurès en est souvent l'un des acteurs. Il se battra en duel avec Barthou.
(Musée Jean-Jaurès, Castres.)

Vie de famille. Jaurès, qui porte son fils Louis sur l'épaule,
est en compagnie de sa femme *(au centre)*, de sa fille *(à droite)*
et de proches parents. Sa mère vivait avec le frère de Jaurès *(ci-dessous)*
et la fille de celui-ci, Yvonne. *(Musée Jean-Jaurès, Castres.)*

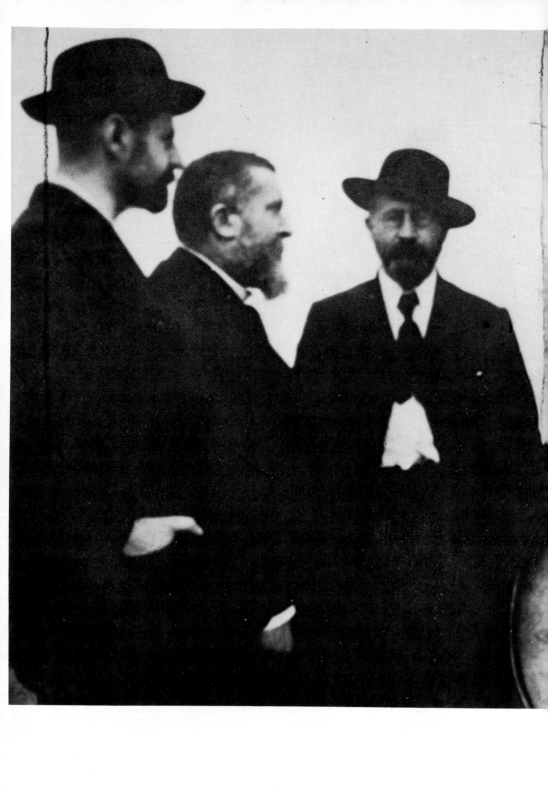

Au congrès de l'Internationale, à Amsterdam, Jaurès put compter
sur la compréhension de Vandervelde *(au centre sur la photo de gauche)*
et fut mis en accusation par Jules Guesde *(ci-dessous)*.
(Musée Jean-Jaurès, Castres, et Roger-Viollet.)

GRÈVE DE GRAULHET (Tarn). — M. J. JAURÈS à Graulhet

Jaurès reste proche des ouvriers et des paysans. Il se mêle à eux. Ainsi avec des grévistes de Graulhet en 1909. Il a cinquante ans. Sa fille vingt. *(Musée Jean-Jaurès, Castres, et musée de l'Histoire vivante de Montreuil, Cl. Nadar.)*

dizaine d'années auparavant. Elles ont fait leur chemin, portées par les difficultés sociales, les incertitudes devant l'avenir. Gaston Léry, le rédacteur en chef de la *Libre Parole,* peut ainsi écrire en 1896 : « Les âmes sont en cette fin de siècle douloureusement tiraillées par des angoisses d'autant plus lancinantes qu'on n'en perçoit pas les causes. Du haut en bas de l'échelle sociale on s'inquiète, on interroge l'horizon et l'on croit y deviner à mille prodromes que de violentes catastrophes nous menacent. »

Il suffira d'un événement pour que s'agglomèrent tous ces courants et toutes ces forces. L'opinion publique peut alors devenir, comme l'écrit Jules Renard dans son journal de ces années-là, « cette masse poisseuse et velue ».

Et pourtant Jaurès qui est, plus que l'écrivain, plongé dans cette réalité, qui a parfois un moment d'abattement, ne se laisse jamais emporter longtemps par le pessimisme ou le découragement. Combatif, croyant à une prise de conscience des plus humbles, voulant leur ouvrir les portes de la « cité des hommes », il ne désespère pas.

Certes il peut être, face à la cruauté de la vie et à la mort, bouleversé. C'est ainsi que, en novembre 1896, quand il apprend que le jeune député socialiste Sautumier — qui a battu aux élections, en février 1896, Maurice Barrès à Neuilly-Boulogne — vient de se suicider, l'émotion le submerge. Mais la sensibilité de Jaurès n'est ni morbide ni contemplative. Lorsqu'il prononce, le jour de l'inhumation, le discours d'adieu, sa voix est nouée par la tristesse, plus grave qu'à l'accoutumée. « Pour moi, personnellement, dit-il, je crois d'une foi profonde que la vie humaine a un sens, que l'univers est un tout, que toutes ses forces, tous ses éléments conspirent à une œuvre et que la vie de l'homme ne peut être isolée de l'infini où elle se meut et où elle tend. »

Jaurès n'a pas changé depuis qu'il méditait dans sa maison de Bessoulet sur le sens de la vie. Seulement, cette réaffirmation d'une croyance enracinée en lui, Jaurès, s'il la répète parce que la mort l'oblige à exprimer cette certitude intime, ne s'y complaît pas.

Il hausse la voix. « Même devant le cercueil d'un compagnon aimé, reprend-il, je me refuse à scruter l'énigme de la vie et de la mort. » Affaire de foi personnelle, affaire privée. Et avec force il lance sa conclusion : « Nous ne voulons pas dissiper en des rêves hautains ou vagues sur l'univers et la destinée notre énergie de combat. »

Se battre : revoici l'essentiel. Pour permettre aux hommes, à tous les hommes de choisir un jour leur foi et de s'interroger librement « sur l'énigme de la vie et de la mort ». Mais cette capacité dont dès maintenant jouit Jaurès — ce privilège essentiel et qui fonde la nature même de l'homme — peut devenir un obstacle à la lutte. Un luxe égoïste où l'on s'enferme, ignorant que, au même instant, des millions d'hommes et de femmes ne disposent d'aucun des droits élémentaires. Etre homme aujourd'hui, c'est donc garder pour soi la question du sens de la vie et marcher s'il le faut sous un ciel dont chaque étoile aurait été éteinte.

Cette expression généreuse de la solidarité de Jaurès avec ceux qui sont démunis non seulement du nécessaire matériel mais aussi de la « lucidité » et de l' « interrogation » philosophique, certains ne la comprennent pas.

Barrès qui est toujours attentif aux propos et aux actions de Jaurès, s'indigne. Dans ses *Cahiers,* il recopie un long passage du discours de Jaurès prononcé sur la tombe de Sautumier, cet adversaire dont le suicide l'a ému. D'une écriture rageuse, Jaurès commente : « Quel finalisme, quelle niaiserie !... Quel témoignage de l'à-peu-près romantique, de la misère intellectuelle de ce vaniteux sonore ! »

C'est que Barrès a peur de la mort. « Toujours par-dessus tout, avoue-t-il, augmente dans cette neurasthénie mon sentiment de la mort et ce grouillement des vers dans un cadavre qui est toute ma vie secrète, mon agitation sentimentale. » Et la confiance de Jaurès, dans le sens de la vie, cette capacité qu'il a de « s'oublier » au service des autres, on sent qu'elle irrite Barrès comme un inaccessible altruisme, un don de soi auquel il ne parviendra jamais. Il ne partagera jamais ce « credo socialiste » dont Jaurès dit qu'il doit unir « en une même pensée révolutionnaire l'action militante et l'œuvre d'éducation ».

Cette définition, Jaurès la formule le 18 décembre 1896 dans un article qu'il consacre à la mémoire de Blanqui.

Souvent, il revient à ce révolutionnaire qui passa l'essentiel de sa vie emprisonné. En Blanqui « l'Enfermé » il reconnaît l'un de ces hommes qui n'appartiennent pas à l' « ordre des ambitions ».

Jaurès est l'un de ceux-là, et c'est sans doute cette identité qu'il ressent, qui lui fait méditer sur le sort et l'action de Blanqui. D'autres aussi, ces ouvriers autodidactes, brûlés par la soif d'apprendre et de se dévouer à leur classe, ainsi d'un Benoît Malon, d'un Calvignac, d'un Aucouturier appartiennent à la même fraternité des généreux. Sans qu'il se confie, on devine que Jaurès ne comprend même pas l'ambition individuelle dont le ressort est la recherche du profit, des honneurs ou d'un poste ministériel. Il ne trace aucun plan de carrière. Lévy-Bruhl, le jeune professeur de philosophie apparenté à Alfred Dreyfus, confiera : « Je n'ai jamais vu Jaurès faire un retour sur sa propre situation et se demander d'une manière plus ou moins nette si tel ou tel acte profiterait ou ne profiterait pas à son avenir. »

Il fait ce qu'il croit devoir faire, jusqu'au bout.

En cette fin d'année 1896, c'est les paysans qu'il veut défendre.

Le 14 décembre, il dépose une demande d'interpellation à propos de la politique agricole du gouvernement. Il sait que Méline se présente comme un défenseur du monde rural. Et dans cette France où la majorité de la population active est encore paysanne, comment accéder au pouvoir si on ne démystifie pas la politique réactionnaire du gouvernement dans le domaine rural, si on ne démontre pas aux paysans que leur avenir est lié au Parti socialiste ?

Jaurès entreprend donc d'élaborer un programme pour les paysans. Il s'est appliqué avec méthode à préparer ses discours. Les socialistes ont réalisé une grande enquête dans tous les villages et Jaurès a dépouillé les questionnaires. Il a tout lu, matin après matin, des articles, des documents consacrés à la situation paysanne. Et ses discours sont ainsi à la fois précis, argumentés et portés par ce souffle de passion qui anime toujours Jaurès.

Méline le sait si bien qu'il retarde plusieurs mois l'interpellation de Jaurès, et ce n'est que le 19 juin 1897, un samedi, que Jaurès monte à la tribune. Discours exceptionnel puisqu'il s'étendra sur trois samedis successifs, Jaurès parlant encore les 26 juin et 3 juillet.

Il fait une chaleur accablante. En habit, les députés présents suffoquent, et Jaurès à la tribune a le visage écarlate. L'effort physique et intellectuel qu'il accomplit est immense. A la mesure du sujet et illustrant l'importance, sous la IIIe République, de l'institution parlementaire. C'est du Palais-Bourbon que se diffusent les idées. C'est de cette tribune qu'on fait tomber les gouvernements. Là est le cœur de la vie politique, le lieu où un leader peut imposer son image.

Celle de Jaurès est maintenant dessinée. Il est le grand orateur parlementaire, intervenant sur toutes les questions importantes. Mais il s'est acquis la réputation d'un spécialiste des questions paysannes.

Il parle donnant des chiffres : 28 000 propriétaires qui possèdent à eux seuls autant de terre que six millions de paysans ! Et que dire de ceux — trois millions — qui n'ont qu'une infime parcelle ! Et qui connaît la dureté des contrats des fermiers et des métayers ou les conditions de vie du prolétariat rural, ces trois millions et demi de domestiques de ferme et de journaliers ?

A ceux-là doit-on parler de « l'énigme de la vie et de la mort » ou bien des moyens de se battre pour changer leur sort, cet assujettissement qui les lie comme du bétail à leur propriétaire ? « Et vous, messieurs, lance Jaurès, qui parlez toujours de la défense de l'individualité, je vous demande s'il y a une forme basse de phalanstère, une forme inférieure de communisme comparable à cette condition des domestiques de ferme qui n'ont aucune parcelle de propriété, aucun droit garanti, qui n'ont jamais une heure pour se retrouver avec eux-mêmes, pas une table à eux, pas un domicile à eux. »

Il parla des vignerons du Midi et des bûcherons du Cher, « si pauvres dans la vivante richesse des forêts » ; des cultivateurs de la région bretonne... et « leurs misérables chaumières ».

Les données chiffrées étaient soulevées par le lyrisme, la beauté et la puissance des images. L'objectif désormais était clair : briser l'isolement où l'on retient les paysans. Leur montrer qu'une solidarité d'intérêt les lie aux ouvriers et que, pour sauver leur propriété individuelle, ils devaient s'associer au socialisme.

La chaleur terrassait l'Assemblée mais l'attention ne faiblissait pas tant l'ampleur des vues de Jaurès tranchait avec les habituels discours de circonstance. Il évoquait les grands domaines gallo-romains, la force des étés et l'abondance des automnes. Il s'indignait : « Oh, messieurs, je connais le pharisaïsme idéaliste, je sais qu'il est vulgaire et humiliant de parler de choses matérielles pour les autres quand on s'est assuré à soi-même l'entière satisfaction. »

Il parlait du repas des paysans, de ceux qui au sortir « des vignes remuées par eux ne buvaient que de l'eau ». Il montrait que l'évolution économique rendait le paysan solidaire des grands mouvements collectifs. L'ombre courte de la pierre du bornage ne cachait plus au paysan le reste du monde : « Pour la première fois, lui, l'égoïste et l'isolé, c'est par la longue souffrance des crises qu'il est entré en vivante communion avec la race humaine. »

Les applaudissements de l'extrême gauche hachaient le discours. La droite tentait en vain de l'interrompre, s'exclamant quand d'une phrase, d'un fait Jaurès dévoilait des conditions de vie ou qu'il lançait un appel aux paysans : « Il faut qu'ils apprennent à prendre conscience de leurs intérêts de classe, et à faire briller, au-dessus de tous les privilèges de la propriété divine, leurs paroles et leur force, comme ils font briller l'éclair de leurs faux au-dessus des herbes mûries. »

L'économiste Leroy-Beaulieu, apôtre du libéralisme, contesta Jaurès, s'indignant que l'orateur socialiste ait tronqué des citations de ses articles et donc, prétendait-il, déformé sa pensée. Jaurès sans renoncer à sa démonstration — Leroy-Beaulieu souhaite résoudre la crise agricole en liquidant la petite propriété paysanne — admit qu'il avait résumé la pensée de l'économiste et qu'il rectifierait son discours : « Je ne veux pas qu'on puisse dire, conclut-il, qu'un socialiste altère même la nuance de la pensée d'un contradicteur. »

Mais chaque mot, chaque démonstration avait atteint leur cible. Méline puis l'élégant Paul Deschanel tentèrent après Leroy-Beaulieu de répondre. Ils évoquèrent tous le « collectivisme » dont hypocritement, à les entendre, Jaurès avait dissimulé la réalité barbare. Ce que Jaurès proposait aux paysans, prétendaient-ils, c'étaient la spoliation et la tyrannie. Mais les statistiques étaient impitoyables : en dix années de 1882 à 1892, le nombre de propriétaires avait baissé de 138 000. La concentration capitaliste était à l'œuvre, alimentant l'exode rural. Et quand Jaurès, en novembre 1897, demanda une enquête publique sur l'état de la propriété rurale et la condition des ouvriers agricoles, la majorité gouvernementale rejeta sa proposition.

Qui avait peur de la vérité ? demanda Jaurès. Qui liquidait la petite propriété paysanne ? Le monde rural n'avait rien à attendre de la politique de Méline.

Une fois de plus Jaurès avait ébranlé le gouvernement. Dans le pays les socialistes répandaient son discours sous forme d'une brochure qu'ils diffusaient dans les villages. Les socialistes n'étaient plus seulement ceux qui parlaient aux ouvriers et pour les ouvriers, mais ceux qui s'adressaient aux paysans en exaltant leur rôle, leurs désirs : « Le paysan, toujours, de l'origine des temps à l'heure présente, avait rappelé Jaurès, a fait entendre de siècle en siècle une protestation pour avertir les puissants que lui aussi il saurait et voulait jouir. »

L'heure était venue. Et c'était un « paysan de génie », un paysan « cultivé » qui le clamait et qui dans la chaleur d'un après-midi de juillet, le visage ruisselant de sueur, comme un moissonneur, lançait : « Le pouvoir, vous ne nous le donnerez pas, ce n'est pas à vous à nous le donner, c'est au peuple de le conquérir. »

Les mots de Jaurès portent d'autant plus que le climat de ces mois-là est passionnel, qu'une inquiétude diffuse règne, qu'il semble qu'on attende le dénouement d'une crise qui ne se manifeste pas d'une manière extrême ou spectaculaire mais qui imprègne pourtant l'atmosphère.

On guette. On pressent. On écoute les prédictions et les prophéties. Une voyante, Mlle Couesdon, qui a annoncé le scandale de Panama et dont les salons se disputent la présence, voit, en mars 1897, un grand incendie dans un bâtiment proche des Champs-Elysées, voué aux œuvres de charité.

La charité est à la mode. On collecte dans les milieux aristocratiques pour les cercles ouvriers catholiques ou les victimes de la répression en Arménie. Une société de secours existe même pour venir en aide aux femmes du monde tombées dans la misère. Réponses bien-pensantes et rassurantes aux inégalités et aux cruautés d'un monde dont Jaurès dénonce inlassablement l'injustice.

En mai se tient rue Jean-Goujon, au 17, un Bazar de la Charité qui reconstitue, dans un hangar recouvert d'un grand vélum, une ruelle du Moyen Age. Des dames de la meilleure société gèrent les échoppes.

Dans une salle de projection, un film et des actualités cinématographiques. La découverte spectaculaire du moment est en effet le cinématographe. Le 4 mai la vente bat son plein, quand un incendie éclate dans la salle de projection où, pour alimenter les lampes, sont entreposés des tubes d'oxygène et des bidons d'éther. En quelques minutes, c'est la panique, les scènes horribles de l'égoïsme, les femmes embrasées, les femmes piétinées par les hommes du monde qui se précipitent vers la sortie se frayant un chemin à coups de canne. Sur 125 victimes on ne compte que cinq hommes dont trois vieillards, un médecin et un enfant de douze ans ! Il y avait une centaine de jeunes hommes dans le bazar.

L'émotion en France est considérable : 1 500 familles parmi les plus titrées sont touchées. On évoque un attentat anarchiste. Le président de la République et les membres du gouvernement assistent aux obsèques à Notre-Dame. C'est la première fois depuis vingt-cinq ans que les pouvoirs publics participent à une cérémonie religieuse. Signe non seulement de l'émotion provoquée mais aussi de la ligne politique du gouvernement Méline. Il n'est pas récompensé puisque le prédicateur dans son prêche dénonce la France impie, frappée par la colère divine. A l'en croire, cette catastrophe doit rappeler chacun à son devoir d'obéissance et de respect des valeurs religieuses.

Ce fait divers, les commentaires qu'il provoque, l'utilisation politique qui en est faite montrent que rien n'échappe au champ des passions politiques. La presse de gauche, le président de la Chambre, le radical Brisson, les socialistes protestent contre cette « conception odieuse de la divinité et de la religion ». On décrète l'affichage dans toutes mairies du discours de Brisson, c'est dire qu'une majorité anticléricale peut se reformer contre l' « esprit nouveau » incarné par Méline.

Mais celui-ci contourne l'obstacle, joue de toutes les habiletés pour se prolonger. Il fait approuver par la Chambre... complice, une prolongation du mandat des députés pour six mois. On ne votera qu'en mai 1898 et non en août 1897 au terme de quatre ans comme il était prévu. « Le printemps, dit Méline, est plus propice aux élections que l'été. » En fait, c'est le moyen de consolider son pouvoir, d'engranger aussi, pour sa majorité gouvernementale, les résultats de sa politique extérieure.

Le 14 août 1897, en effet, le président de la République, Félix Faure a quitté Dunkerque pour Cronstadt. Il rend aux souverains russes la visite que ceux-ci ont effectuée à Paris l'année précédente. Sur le cuirassé *Pothuau,* Félix Faure joue au monarque républicain, accueillant à bord du navire le tsar Nicolas II et levant son verre pour le toast d'adieu aux « deux nations amies et alliées ».

Le mot *allié* telle une flamme le long d'une traînée de poudre court de salle de rédaction en chancellerie, marquant avec éclat la naissance officielle d'un nouveau système d'alliance en Europe.

Succès diplomatique pour la France mais entrée dans un jeu durci de rivalités nationales qui peuvent conduire à un affrontement entre puissances européennes. Pourtant l'opinion française s'enthousiasme.

Que peut la voix de Jaurès, sa lucidité quand, en mars 1897, il demande quels intérêts financiers se dissimulent derrière l'alliance russe ? Et il est vrai que dès le lendemain du voyage de Félix Faure, la Russie sollicite l'introduction de nouveaux titres d'emprunts russes sur le marché de Paris. Dans ses interventions, dans ses critiques, Jaurès voit se dresser en face de lui Gabriel Hanotaux, le ministre des Affaires étrangères.

Cet homme de quarante-quatre ans est un normalien comme Jaurès. Ses travaux historiques et l'habileté avec laquelle il conduit sa carrière lui permettront, dans les mois qui viennent d'entrer à l'Académie française. Il supporte mal les attaques de Jaurès, son analyse de la solidarité « réactionnaire » qui unit le gouvernement de Méline à celui du tsar, et surtout l'accusation d'avoir aliéné l'autonomie de la France à l'alliance russe. Des bancs de la droite et de ceux du gouvernement on interrompt Jaurès, on réclame la censure contre lui. Quelques jours plus tard, Jaurès écrira : « Nous avons bien le droit de dire aux classes prétendues dirigeantes, à la bourgeoisie sénile qui a si misérablement enlisé la grande et glorieuse France, que jamais, même aux jours les plus humiliés de Louis XV, elle ne fut si bas. Et ce qu'il y a de pire, c'est que les dirigeants ne paraissent pas s'apercevoir de cette diminution, comme ces malades qui s'en vont d'anémie et que leur sang appauvri n'avertit même plus du péril par une révolte... Plus imbéciles encore que criminels, nos grands hommes d'Etat descendent avec un sourire de vanité la pente des humiliations et des décadences. O France aimée, échappe à ces hommes et relève-toi ! »

Violence des propros où s'affiche un mépris vigoureux, prononcé avec superbe du haut d'une culture historique et d'une intelligence, d'un désintéressement aussi qui ne laisse aucune chance à l'adversaire dans le débat.

Quand Méline tente d'interrompre, Jaurès répond par une citation de Benjamin Constant : « Voulez-vous que nous ajoutions le silence de l'opposition au silence de toutes ces têtes qui ornent les murs du sérail ? »

Il n'a qu'à puiser dans son érudition pour enrichir sa verve et sa démonstration. Comment lui faire face ? L'expulser du Parlement, le faire battre à Carmaux ?

On y songe toujours. On continue de s'y préparer. Les élections sont dans moins d'un an. Cela passe vite. Les hommes du marquis de Solages et de Resseguier « travaillent » Carmaux et les cantons ruraux. Ils sont optimistes. Comme Méline ou Barthou qui dans leurs discours au début du mois d'octobre 1897 se montrent assurés de l'avenir, dressant un bilan glorieux de ce ministère, l'un des plus longs déjà de la IIIᵉ République. Méline s'élève contre l'anticléricalisme, prêche la réconciliation, animateur de plus en plus déterminé de l'esprit nouveau.

Qui pourrait menacer un tel gouvernement ? Jaurès ? Un peu de patience. Les électeurs vont le renvoyer à sa chaire de philosophie.

Le gouvernement a le pays bien en main. Qui peut soupçonner

en cette fin d'été 1897 que les éléments d'une convulsion politique se mettent peu à peu en place ?

En effet, au long des mois, depuis cet automne 1896 qui avait vu plusieurs journaux publier le bordereau à partir duquel Dreyfus avait été envoyé au bagne, pour la vie, des fils se sont noués. Des hommes se sont rencontrés, formant peu à peu un groupe, un réseau (leurs adversaires diront « un syndicat ») décidé à obtenir la révision du procès de l'officier juif. Et parmi eux, il y a Jaurès. Certes il n'est pas l'un des premiers à entrer en scène. L'été il ne séjourne pas à Paris. Or, c'est dans la capitale que tout commence, en été précisément.

Le lieutenant-colonel Picquart s'est confié à un avocat, Louis Leblois : l'écriture du bordereau ressemble à celle du commandant Esterházy. De plus il existe un « petit bleu » — un pneumatique — preuve des relations entre Esterházy et l'attaché militaire allemand. Enfin, pour emporter la décision du tribunal militaire, un « dossier secret » a été communiqué aux juges et dissimulé à la défense. Picquart a fait ses confidences en homme qui se sent menacé, qui repart dans le Sud tunisien où tout peut se produire. Mais il demande à Leblois le secret. Leblois est protestant, alsacien. Il ne parlerait pas si lors d'une rencontre avec le vice-président du Sénat Scheurer-Kestner, autre protestant, autre Alsacien, celui-ci ne lui faisait part de ses doutes concernant la culpabilité de Dreyfus et ne nommait Esterházy. Leblois confirme.

La machine est en route.

Jaurès ne soupçonne rien encore, mais tout naturellement par une sorte de logique sociale et politique les fils s'orientent vers lui. Scheurer-Kestner est un homme intègre. Ce député du Haut-Rhin a démissionné en 1871 pour protester contre l'abandon de l'Alsace-Lorraine. Ce qu'il sait maintenant des conditions du procès de Dreyfus et des soupçons qui pèsent sur Esterházy le tourmente. Il ne supporte pas l'idée d'une injustice. Qu'un innocent — Alsacien comme lui — soit au bagne lui semble intolérable. Il se confie à des sénateurs au mois de juillet 1897. Mathieu Dreyfus, Bernard Lazare, Lévy-Bruhl sont avertis. Et bientôt Lucien Herr, autre Alsacien.

Lucien Herr, c'est le lien direct avec Jaurès.

Pourtant l'été passe sans que le groupe autour de Lucien Herr ne se mette en mouvement. Dès le mois d'août, ils ont le sentiment de détenir, enfin, des « commencements de preuves très substantiels ». Mais ils comptent sur un revirement spontané de la presse, de l'état-major et du gouvernement. Ils ne mesurent pas que l'engagement réactionnaire de Méline ne peut que le conduire à soutenir l'état-major et la chose jugée. Dès lors, ils se contentent de s'avertir les uns les autres, sans trop insister. Et Jaurès est sans doute, à la fin de l'été, mis lui aussi dans la confidence, un peu plus tard que les autres puisqu'il ne rentre à Paris que pour l'ouverture de la session parlementaire. Léon Blum, cet ancien normalien, ami de Lucien Herr, devenu conseiller d'Etat et figure de la vie littéraire et mondaine parisienne, est averti lui aussi à la fin de l'été. « J'avais passé les vacances de 1897, à la campagne, très près de Paris », raconte-t-il. Pendant le mois de septembre, Lucien Herr enfourchant sa bicyclette venait me voir à peu près chaque après-midi. Il me dit un jour, à brûle-pourpoint : « Savez-vous que Dreyfus est innocent ? » « Dreyfus ? Qui cela, Dreyfus... »

Blum en effet, bien que juif — « juif moyen », dira-t-il avec un excès de modestie —, doit faire un effort pour « se souvenir qu'un capitaine d'artillerie avait été accusé de haute trahison »...

Jaurès, homme politique est plus au fait. Il est intervenu on le sait. Il n'a pas mis en doute le jugement. Mais il connaît la rigueur de son ami Herr. Quand celui-ci lui soumet le faisceau de preuves qui conduisent à innocenter Dreyfus et au moins à contester les conditions de son jugement, Jaurès avec sa minutie habituelle, sa conscience d'intellectuel scrupuleux les étudie. Il questionne à plusieurs reprises Lucien Herr et, dans cette fin d'été 1897, il rencontre Léon Blum, chez lui, rue Madame, et peut-être aussi rue du Val-de-Grâce, chez Lucien Herr.

Jaurès et Blum ont en commun l'amitié avec Lucien Herr. Ils parlent du bibliothécaire de l'Ecole normale, « nul homme plus que Herr ne possédait si naturellement un autre homme, explique Blum. Une emprise physique ajoutait à cet ascendant de raison ». Il est vrai que Herr a une taille de bon géant, un crâne démesuré et bosselé. Il a surtout sa force de conviction. Il parle avec une voix sans dureté et même tendre, mais qui dénude tout, bouscule. Il répète, à Blum, à Jaurès, en énonçant l'un après l'autre les faits, les arguments, les preuves : « Dreyfus est innocent. »

Entre ces trois hommes, Jaurès, Herr et Blum (38, 33 et 25 ans), la confiance, l'estime, l'amitié sont totales. Car Jaurès a vite décelé derrière le dandysme du jeune conseiller d'Etat Léon Blum — de celui qu'on appelle Little Bob — une sensibilité ouverte aux questions sociales, à l'interrogation philosophique, un homme en marche comme il l'a été lui-même, vers le socialisme. Et Blum pour sa part est fasciné par l'intelligence de Jaurès, sa culture, son don de visionnaire. Il avait cru que le grand orateur parlementaire n'était

212

qu'un sophiste, « intoxiqué par la musique de sa propre éloquence »,
il découvre la vivacité d'un esprit critique que l'érudition ou les
convictions n'engourdissent pas.

Pourtant, Jaurès n'est pas des quelques hommes qui investissent
dès le début toute « leur énergie de combat » dans la bataille pour
Dreyfus. Hésitation devant les preuves qui vont s'amonceler de
l'innocence du capitaine ? C'est vrai un temps. Mais plutôt, durant
les derniers mois de l'année 1897 — d'octobre à décembre — où l'on
voit le cas Dreyfus devenir une « affaire », le poids des responsabilités politiques et aussi les timidités que provoque l'adhésion à un
schéma général d'explication. Et d'autant plus que la plupart des
premiers dreyfusards sont d'anciens « panamistes ».

Certes, chez Jaurès ces obstacles seront rapidement balayés mais
ils existent. Jaurès est un des grands leaders du socialisme français.
Doit-il entraîner ce courant dans la tourmente dreyfusarde au risque
de le diviser plus encore ? Par ailleurs, Jaurès insère Dreyfus dans sa
vision de la lutte des classes. L'affaire n'est-elle pas — dans cette
optique — un exemple de la rivalité de clans opposés des couches
dominantes ? En quoi cela concerne-t-il le prolétariat ? Celui-ci ne
doit-il pas consacrer toute sa puissance à atteindre ses propres
objectifs ? Il faut quelques semaines — quelques semaines seulement
— à Jaurès pour qu'il affirme l'exemplarité humaine du combat pour
Dreyfus, la valeur révolutionnaire d'une lutte pour la justice.

Jaurès est ainsi dans une situation intermédiaire — et donc
décisive — entre les intellectuels, ses amis Herr, Lévy-Bruhl, Blum
et les hommes de parti. Il appartient aux deux groupes. Normalien
comme Herr, député comme Guesde ou Millerand. Soucieux de vérité,
quel que soit le prix à payer pour la vérité, et préoccupé par les questions
d'unité socialiste et même de tactique parlementaire ou électorale.

Il ne fera jamais de concessions au mensonge, mais il passera des
compromis, en homme politique, pour préserver par exemple l'unité
du groupe parlementaire socialiste.

Sa double appartenance, au monde des intellectuels et à celui
des politiques, pèsera lourd dans l'Affaire Dreyfus et dans l'histoire
du pays. En s'engageant aux côtés des dreyfusards, qui sont surtout
de brillantes individualités marginales, il engagera le socialisme.

Or, les événements s'accélèrent.

Le 29 octobre, Scheurer-Kestner a demandé à rencontrer le
président de la République pour lui faire part de sa conviction :
Dreyfus est innocent. Félix Faure est embarrassé. Il écoute le vice-

président du Sénat qu'il estime puis se retranche : « Ma neutralité dit-il, est celle de la loi » et, raccompagnant Scheurer-Kestner, il ajoute à mi-voix : « Faites attention à ce que vous allez faire. »

Mais le protestant Scheurer-Kestner est de ces hommes qui par leur vertu mettent dans les combinaisons des politiciens le grain de sable qui les grippe.

Le 30 octobre, il rencontre le ministre de la Guerre, le général Billot, le 3 novembre, Méline. On l'écoute attentivement sans lui donner d'assurance. Il espère — comme d'autres partisans de Dreyfus, ainsi Joseph Reinach — que Méline qui, comme eux, a commencé sa carrière avec Gambetta, comprendra la nécessité d'une révision. Ils n'ont pas saisi que Méline est solidaire de l'état-major, paralysé par ses choix conservateurs.

L'Affaire Dreyfus n'est pas ainsi le produit d'une simple erreur judiciaire ou la conséquence d'un aveuglement aggravé par l'enchaînement malheureux des circonstances et le jeu des passions mais bien l'aboutissement normal — le paroxysme — de cette politique de l' « esprit nouveau » que Jaurès dénonce et combat depuis plusieurs années.

Entre les fusillades de Fourmies, les machinations du préfet Doux à Carmaux, le soutien apporté à Resseguier et au marquis de Solages, et l'Affaire Dreyfus, il y a continuité, même si dans le détail des prises de position des reclassements s'opèrent.

A l'état-major, on s'inquiète des rumeurs qui commencent à filtrer, des démarches de Scheurer-Kestner. Les généraux Pielleux, de Boisdeffre, Gonse, le lieutenant-colonel du Paty de Clam entourent le nouveau chef du service de renseignements, le lieutenant-colonel Henry qui lui-même — peut-être eût-il le traître lové au cœur de l'état-major depuis des années ? — s'efforce de protéger Esterházy, l'avertissant de manière rocambolesque (dame voilée, rendez-vous mystérieux, agents grimés) des menaces qui pèsent sur lui.

La presse de droite, antisémite, essaye d'allumer des contre-feux préventifs. *La Patrie, Le Petit Journal, Le Gaulois, L'Avenir militaire* parlent déjà d'une « France avilie, perdue entre les mains d'une tourbe sans nom dirigée par Scheurer-Kestner... » Le 19 octobre, sort le premier numéro de *L'Aurore*, dans lequel Georges Clemenceau — écarté depuis le scandale de Panama des affaires publiques — prend parti pour Dreyfus.

Jaurès est à l'écoute, tendu, silencieux encore, soucieux de ne pas commettre d'erreur que paierait l'ensemble des socialistes. Il n'a pas la liberté de manœuvre d'un Lucien Herr ou d'une de ces personnalités qui n'engagent qu'elles-mêmes.

Mais en quelques jours les éléments s'accumulent.

Le 14 novembre, lettre de Scheurer-Kestner dans *Le Temps* : « Des faits nouveaux se sont produits qui démontrent l'innocence du condamné. Si, convaincu qu'une erreur judiciaire a été commise, j'avais gardé le silence, je n'aurais plus pu vivre tranquille avec cette pensée, sans cesse renaissante, que le condamné expire le crime d'un autre. »

Le 9 novembre, le ministre de l'Intérieur affirme que le « capitaine Dreyfus a été régulièrement et justement condamné par le conseil de guerre... Il n'appartient au gouvernement que d'assurer l'exécution de sa condamnation. »

Le 15 novembre Mathieu Dreyfus, dans une lettre au ministre de la Guerre, accuse le commandant Esterházy d'être l'auteur du bordereau. Le ministre de la Guerre décide alors, pour laver Esterházy de tout soupçon, de le faire comparaître devant une Cour martiale, ce qui, s'il est innocenté, confirmera la culpabilité de Dreyfus.

La bataille est engagée dans l'opinion publique. « Il faut avouer que les juifs sont forts », lit-on dans *La Libre Parole*. « Pour essayer de sauver leur Dreyfus, ils ont réussi à affoler le pays. »

Jaurès se tait encore. Mais il est de plus en plus conscient de l'importance de l'affrontement qui s'engage. Il voit Scheurer-Kestner, l'écoute. Il confronte longuement les faits avec Lucien Herr. Il rencontre Mathieu Dreyfus et Bernard Lazare. Tous ceux-là savent qu'il est un des pivots essentiels de la situation. Le jour où Jaurès se prononcera, le rapport des forces changera car à lui seul, par ce qu'il représente et par l'efficacité de son action, Jaurès est un allié déterminant. Mais Jaurès garde le silence. Il n'ignore pas que dans certains départements, surtout ceux du Midi, beaucoup de socialistes sont hostiles au « syndicat judaïco-financier ». Ils vont jusqu'à dénoncer les « youtres de la finance » ou bien défendent Esterházy contre « l'abominable complot tramé contre lui » (*La République sociale* de Narbonne du 18 novembre 1897).

En même temps, Jaurès sait qu'autour de Herr, à l'Ecole normale — son Ecole normale —, de jeunes hommes se rassemblent. Des universitaires (Gustave Monod, Charles Seignobos, Andler bien sûr ; Paul Dupuy, le surveillant de l'Ecole), des écrivains d'avant-garde : tous ceux dont Jaurès se sent proche sont décidés à se battre pour Dreyfus. Herr envisage, précisément en cette fin d'année 1897, de dresser une liste de signatures pour mettre le gouvernement en demeure de réviser le procès de Dreyfus. Liste d' « intellectuels » — (le mot se répand à ce moment-là). Le directeur de l'école, lui-même, Perrot et plus tard son successeur Ernest Lavisse laisseront faire, facilitant la tâche de Lucien Herr, dreyfusards dans leur for intérieur mais prudents.

Car la répression peut frapper : on sait le sort fait au lieutenant-colonel Picquart. D'ailleurs l'atmosphère s'échauffe au quartier Latin. Les premières bagarres ont lieu, encore brèves mais annonciatrices d'une tension plus grande. Dans ce climat, Herr n'entraîne pas seulement les professeurs mais aussi les étudiants. C'est lui qui convainc un jeune philosophe aux cheveux rasés, au regard passionné, Charles Péguy. Celui-ci va se lancer dans la bataille, devenant le « chef militaire » des étudiants dreyfusards qui font le coup de poing dans les amphithéâtres et les rues du quartier Latin.

Jaurès piaffe. Depuis plus de dix ans, pas un débat politique auquel il n'ait participé, pas un affrontement où il ne se soit engagé. Son silence même, aujourd'hui, alors qu'il est par tous les liens amicaux, les contacts qu'il prend, averti, confirme l'importance qu'il attache à sa prise de position. Ne pas se tromper, ne pas gaspiller ce capital si difficilement accumulé par les socialistes. N'écrit-il pas en cette fin d'année 1897 — l'article paraîtra dans la revue *Cosmopolis* en janvier 1898 — que le socialisme aura conquis le pouvoir d'ici à dix ans ? Et Jules Guesde partage ce point de vue.

Cependant Emile Zola dans une série d'articles que publie *Le Figaro* s'enrôle. L'écrivain est au faîte de la gloire. Sa popularité immense, ses tirages considérables. Respecté, honoré, il vise l'Académie française. Voici qu'il brûle cette respectabilité qui l'entoure en prenant parti pour Scheurer-Kestner, dont il vante la « vie de cristal ». Il condamne « la basse presse en rut battant monnaie avec les curiosités malsaines, détraquant la foule pour vendre son papier noirci ». Enfin, il dénonce — l'un des premiers avec une vigueur qu'on ne trouve guère chez les socialistes, et même pas chez Jaurès à cette date — « l'antisémitisme, ce poison qui est dans le peuple... Et toute cette lamentable Affaire Dreyfus est son œuvre ; c'est lui seul qui affole aujourd'hui la foule ». Mais optimiste, Zola conclut : « La vérité est en marche, rien ne l'arrêtera. »

Zola, avant Jaurès.

Quelques jours plus tard, *Le Figaro* publie des photographies du bordereau et des lettres d'Esterházy : la similitude d'écriture est flagrante. Surtout Estherházy s'y dévoile comme un ennemi de la France : « Je suis absolument convaincu que ce peuple ne vaut pas la cartouche pour le tuer... » écrit-il à sa maîtresse. « Je ne ferais pas de mal à un chien mais je ferais tuer cent mille Français pour le plaisir... »

Pourtant, c'est contre Zola qu'on se dresse dans les milieux bien-pensants. « Zola-la-honte », « Zola-pot-bouille », « Zola-l'Italien », hurle-t-on.

Et Jaurès enfin prend la plume. Mais quelle prudence par rapport à Scheurer-Kestner, Zola ou même Herr. Il écrit le 27 novembre : « Que Dreyfus soit ou non coupable, je n'en sais rien et nul ne peut le savoir puisque le jugement a été secret. »

Pas convaincu par Lucien Herr, Jaurès ? Il écrit en politique, soucieux de ne pas offrir le flanc à une contre-attaque, réservé dans son verdict comme un leader responsable. Il poursuit avec le même souci d'équilibre, décevant en un sens : « Que Dreyfus soit juif ou chrétien, il m'importe peu ; et si l'odeur de ghetto est souvent nauséabonde, le parfum de rastaquouère catholique des Esterházy et autres écœure aussi les passants. »

Mais il choisit son angle d'attaque qui, politiquement, sur le terrain de ce qui est acquis avec certitude lui paraît le plus fructueux : « On ne devrait pas permettre de juger et condamner à huis clos, dit-il, car l'armée alors devient la redoutable idole, retirée dans la justice secrète comme en un sanctuaire et sacrifiant sans contrôle qui il lui plaît... » Et il ajoute, identifiant le péril, si cette situation se prolonge : « Il n'y aura plus en France qu'un pouvoir, le pouvoir des hauts galonnés traînant à volonté les opposants devant les juges militaires et avec l'aide du huis clos les supprimant. »

Elargir aux principes le cas Dreyfus en refusant — encore — de se prononcer, telle est la tactique prudente de Jaurès qui, cependant, pèse dans le sens dreyfusard.

Quelques jours plus tard, le 2 décembre, Lucien Herr écrit et la différence est notable, l'analyse plus explicite chez l'intellectuel resté intellectuel que chez Jaurès : « L'innocence de Dreyfus ne fait pas de doute pour moi. J'ai bon espoir qu'on viendra à bout de la résistance désespérée des militaires qui se voient déshonorés et perdus. Mais la bataille sera rude et est encore indécise. C'est une chose épouvantable que la question se pose ainsi de savoir non où est le vrai mais si le vrai l'emportera sur les égoïsmes coalisés. »

Mêmes adversaires pour Jaurès et Herr : les grands chefs militaires. Mais prudence calculée chez le politique et détermination plus libre chez l'intellectuel.

On le constate encore le 4 décembre 1897.

Ce jour-là, à la Chambre, Méline doit faire face aux interpellations concernant l'Affaire. Le président du Conseil, calme, habile, tente de désamorcer les révélations concernant Esterházy. Il prétend qu'il n'y a aucune liaison entre ce dernier et Dreyfus. « Dans les deux cas, dit-il, la justice est seule concernée. Elle a jugé Dreyfus. Elle s'apprête à juger Esterházy. Tout est bien. »

« Messieurs, conclut-il, il n'y a pas d'Affaire Dreyfus. »

Une motion présentée en fin de séance et condamnant « l'odieuse campagne des dreyfusards » est adoptée par les députés : Jaurès — ainsi que Guesde et Vaillant — s'est abstenu.

Le 8 décembre pourtant, il accuse le gouvernement d'être complice de la machination judiciaire. Mais le 11 il fait, dans un autre article, un pas en arrière, revenant à son analyse prudente : « Si la terrible sentence avait accablé un pauvre homme sans relation, sans fortune, se serait-on soucié de lui ? Ce sont des " meutes rivales " qui s'affrontent ; autour du procès deux fractions de la classe privilégiée se heurtent : les groupements opportunistes, protestants et juifs d'un côté, les groupements cléricaux et militaires de l'autre. »

La conclusion à laquelle il se contraint est trop générale pour satisfaire Jaurès. Il veut parvenir à une certitude. Il passe donc ses matinées à consulter les documents, les photographies du bordereau et des spécimens de l'écriture d'Esterházy, à relire les articles de Zola, les lettres de Scheurer-Kestner et de Mathieu Dreyfus. Sa passion humaniste ne s'assèche pas à une description du rapport des forces ou à une sociologie des groupes en conflit. Le prolétariat, dit-il, « doit sauvegarder tout ce qu'il y a de bon et de noble dans le patrimoine humain ».

Mais Jaurès veut tenir les deux bouts de la chaîne : la défense de Dreyfus et aussi le maintien de la cohésion des socialistes. Seulement, cette prudence lui pèse, cet esprit de responsabilité politique le fait souffrir. Il est physiquement perturbé par ce dilemme. Il a cru trouver avec ses attaques contre l'armée et son appel à une justice transparente le ciment d'une unité. Mais il ne peut ni ne veut échapper à la vérité singulière du cas Dreyfus, irréductible dans son humanité.

Alors, montrant qu'il a parfaitement conscience du retard qu'il s'impose, il écrit pour ses amis Herr, Blum, Lévy-Bruhl, Durkheim, et ces jeunes normaliens Péguy, Langevin, Perrin, qui sont à la pointe de la lutte pour Dreyfus : « Dès maintenant, nous saluons avec une émotion respectueuse tous ces jeunes hommes, toute cette élite de pensée et de courage qui, sans peur, protestent publiquement contre l'arbitraire croissant des porteurs de sabre, contre le mystère dont ils enveloppent leur parodie de justice. A ces jeunes hommes, je suis presque tenté de demander pardon pour nos tergiversations et nos lenteurs. Mais la leçon n'est point perdue. Ils font leur devoir de citoyens : nous suivons leur exemple à notre poste de combat. »

Chapitre 10

Le temps du mensonge et de la lâcheté
(1898)

C'était un étrange début d'année. Dans les salons parisiens, on affirmait : « Il n'y a qu'un poète, c'est Rostand. » On en oubliait Victor Hugo. On écoutait l'auteur de *Cyrano de Bergerac* raconter comment, rendant visite à Mlle Lucie Faure, il avait rencontré dans les appartements de la fille du président de la République la très charmante Mme Louis Barthou. Elles avaient demandé au poète un sonnet pour une bonne œuvre. Tout à coup Félix Faure était entré pour faire une visite à sa fille. « Il revenait de la chasse et avait un petit chapeau mou. Quel homme merveilleux. On comprend que le tsar l'adore... C'est ce que l'Europe a de mieux comme Louis XIV. »

Jules Renard qui rapporte ces propos ajoute dans son *Journal*, à la date du 3 janvier 1898 : « Cet homme-là doit se donner beaucoup de mal. Il est digne d'être président de notre République, qui, depuis la Révolution n'a pas fait un pas vers le bon sens ni vers la liberté. C'est une République qui ne tient qu'à être reçue chez les Greffulhe. » Même si Jules Renard est un écrivain familier de *La Revue blanche,* un auteur critique, il est vrai que cette République peut provoquer l'étonnement.

L'armée qui, en ce début janvier, est observée puisqu'elle est au centre du débat et qu'une cour martiale doit juger dans les jours qui viennent le commandant Esterházy, est peuplée d'officiers qui pour une grande part sont sortis des écoles tenues par les religieux et spécialement par les jésuites. En 1896, le quart des élèves de Saint-Cyr et le tiers des élèves de l'Ecole navale ont été élèves des Pères. Mieux, les descendants des grandes familles hostiles aux institutions

220

peuplent les états-majors. Ainsi se constitue au cœur même de l'Etat une société militaire qui méprise les civils et les politiciens, qui se voue au service de l'Etat qu'elle ne confond pas avec la nation ou la République. On comprend que Jaurès mette l'accent sur la réforme nécessaire de cette « haute armée », cette « Idole » que l'affaire Dreyfus « montre au plein jour de la place publique, criblée de tares ».

Etranges premiers jours de janvier.

Jaurès travaille rue Madame. Herr ajoute nom après nom sur sa liste d'intellectuels favorables à Dreyfus. Des professeurs (Buisson, Appel, le doyen de la faculté des sciences de Paris), des écrivains — Anatole France, Octave Mirbeau — rejoignent le camp des dreyfusards. Zola dont les articles ont fait sensation publie maintenant, faute de journal pour l'accueillir, des brochures : *Lettre à la jeunesse, Lettre à la France*. Les hommes politiques sont les plus réticents à s'engager. A part Jaurès et Clemenceau qui n'a rien à perdre, les autres songent à leurs électeurs, se déterminent prudemment. Pour un Ludovic Trarieux, ancien garde des Sceaux, pour un Arthur Ranc, qui fut communard, que de silences !

Les jeunes intellectuels éprouvent du mépris pour les calculs politiciens. Ils sont exigeants. Comme ils admirent Jaurès, dont les articles sont clairement dirigés contre les antidreyfusards — l'armée, le gouvernement — même s'ils ne sont pas explicitement en faveur de Dreyfus, ils voudraient que Jaurès s'engage avec cette netteté, cette ardeur dont il est capable, qu'il crie avec eux : « Dreyfus est innocent. »

Ils sont d'autant plus pressants que le procès d'Esterházy va s'ouvrir. Le commandant escroc sera-t-il acquitté ou condamné par la Cour martiale ? On suppute. Ils n'oseront pas le disculper, estiment les plus optimistes. D'autres sont inquiets. Des rumeurs conduisent à penser que les juges militaires pour ne pas favoriser la révision du procès Dreyfus acquitteront Esterházy. C'est ce qu'a écrit le 31 décembre l'attaché militaire italien Pannizardi à son ami Schwartzkoppen qui a quitté Paris pour prendre un commandement en Allemagne. Les deux complices de débauche et d'espionnage continuent en effet de correspondre, et Pannizardi — Alexandrine pour le beau Maximilien — explique : « Tout le monde croit que l'affaire connue se clôturera dans la première semaine de 1898 avec un acquittement pour Esterházy pour espionnage. Le gouvernement a des intérêts trop grands pour ne pas faire ainsi. »

Cela se murmure à Paris.

Un matin de début janvier, fort de cette inquiétude, deux jeunes gens, deux intellectuels, Jérôme Tharaud et Charles Péguy, se présentent chez Jaurès, rue Madame. Ils ont 24 et 25 ans. Péguy est, comme il le dit, « un dreyfusiste forcené ». L'un et l'autre ont pour Jaurès « une affectueuse et respectueuse vénération ».

Ils le trouvent dans son « étroit cabinet de travail » encombré comme à l'habitude. Sur son bureau Jaurès a toujours des albums portant des spécimens de l'écriture du bordereau, de l'écriture de Dreyfus et de celle d'Esterházy. Jaurès est tout entier pénétré de l'Affaire. Il paraît fatigué, sa voix est rauque, il est enroué, le visage rouge. Il semble même à Péguy que Jaurès est « peiné, triste ». Jaurès entraîne les deux jeunes gens dans la rue, puisqu'il se rend à la Chambre. Il est congestionné. « Je crois que je vais tomber malade, dit-il, je ne sais pas si j'aurai la force de tenir jusqu'à la fin de la législature. » Voilà des mois qu'il se bat à coups de discours. « L'autre jour, pendant que je parlais contre cette Chambre lâche et hostile, confie-t-il, c'est comme si j'avais eu mille aiguilles qui me traversaient le cerveau. »

Péguy et Tharaud écoutent cet aîné, ce leader qu'ils admirent et qui se confie simplement, avouant sans orgueil ses faiblesses, sa fatigue. Peu avant d'arriver à la Chambre, sur le boulevard Saint-Germain, ils croisent un « petit vieillard, l'air à la fois finassier et propret, fouinassier et guilleret, marchant menu à côté de quelqu'un. Jaurès dit : " C'est Méline, il a encore de la vie, le vieux " »

La discussion entre les jeunes gens et Jaurès est vive, ouverte. Jaurès explique qu'il veut entraîner dans l'action en faveur de Dreyfus tout le groupe socialiste de la Chambre. Mais Péguy comme Tharaud refusent de prendre en compte ces considérations politiques, ce sens des responsabilités qui est aussi, si la manœuvre de Jaurès réussit, un facteur favorable, peut-être déterminant, dans la lutte des dreyfusards.

« Qu'importent ces hommes, qu'importent ces partis, s'exclame Péguy ! Qu'importent ces députés, ces ministres, qu'importent ces politiciens, qu'importe ce groupe ? Marchons seuls. On n'a pas besoin d'être plusieurs. Puisque nous avons raison, puisque nous sommes justes, puisque nous sommes vrais, commençons par marcher... Si les autres suivent, tant mieux. S'ils ne suivent pas ou s'ils contrarient, mieux vaut marcher sans eux, avancer que rester en arrière avec eux, et que de reculer avec eux pour leur faire plaisir. »

Cette conception de l'action, Jaurès ne peut la partager, même s'il en saisit les attraits.

Combien il lui serait facile de jouer les héros, la grande et belle âme, chevauchant à sa guise l'indignation et la révolte. Il essaie de faire comprendre ce que signifie avoir le sens de l'action collective. « Ne croyez pas que c'est pour mon agrément que je m'efforce d'entraîner tout le groupe », dit-il.

Il élève la voix, rauque, irritée. Il se plaint, l'un des rares moments où il laisse percer sa lassitude : « Vous ne pouvez vous imaginer à quel point je suis obsédé, commence-t-il. Le travail que je fournis en séance et que vous connaissez par les journaux n'est rien en comparaison du travail que je suis forcé de fournir dans les réunions du groupe. »

Ils approchent du Palais-Bourbon. Jaurès parle avec plus d'irritation : « Les ennemis et les adversaires ne sont rien, dit-il. Ce sont les amis. Vous ne pouvez savoir à quel point je suis excédé. Ils me mangent, ils me dévorent, ils ont tous peur de n'être pas réélus. Ils m'arrachent les pans de mon habit pour m'empêcher de monter à la tribune. Je suis déjà vidé. Je suis creusé, je suis épuisé par ces dévorations intérieures, je suis exténué d'avance. »

A nouveau, il dit qu'il va tomber malade.

Jaurès est pris en effet dans ce nœud de contradictions qu'il ne délie que par un effort de volonté.

A la haine des adversaires s'ajoutent la timidité des camarades et l'exigence morale de l'action. Il lui faut ne rien compromettre, sachant que chacune de ses paroles engage, au-delà de lui, un mouvement social qui met en jeu l'avenir de la politique de la République et la vie quotidienne de millions d'hommes et de femmes.

Jaurès assume. Jaurès est écartelé. Grandeur de cet homme qui fait front, ne renonçant à rien d'essentiel, essayant de trouver, à chaque étape du développement de l'Affaire, les mots, le terrain, la direction qui peuvent entraîner le plus grand nombre.

Or voici que, comme on pouvait le craindre, le Conseil de guerre, le 10 janvier, après une seule journée d'audience et une délibération de cinq minutes, acquitte le commandant Esterházy.

Dans la salle d'audience, dans les rues voisines du Cherche-Midi les cris de « Vive l'armée », « Vive la France », « Mort aux juifs » retentissent cependant que quelqu'un lance, saluant ce « héros » : « Chapeau bas devant le martyr des juifs. »

Le 12, pour compléter cette caricature d'une armée choisissant de sauver ceux qui en son sein l'ont méprisée, insultée et trahie et bannissant ceux qui l'honorent, le lieutenant-colonel Picquart est arrêté, incarcéré au mont Valérien.

Le sénateur Scheurer-Kestner n'est pas reconduit dans sa charge de vice-président du Sénat.

Dans le camp des partisans de Dreyfus, c'est l'accablement. « Nous restions là, écrira Léon Blum, atterrés, désespérés devant les débris de notre œuvre, rompue entre nos mains. »

Jaurès s'indigne. La justesse de la ligne d'action qu'il a mise en œuvre en condamnant dans ses articles la haute armée, ses tribunaux et leur huis clos est confirmée. Mais comment se féliciter d'un échec qui réalise les prédictions les plus sombres ? Pour Jaurès, c'est bien la République qui se trouve en danger puisque, au cœur des institutions, l'Idole, cette « haute armée se discrédite et se déshonore elle-même. Dès lors, la nation qui souffrirait ces procédés retournerait à la barbarie ».

On voit combien la prudence de Jaurès sur Dreyfus lui-même pour irritante qu'elle soit aux yeux de certains — les Péguy ou les Bernard Lazare — n'est en rien timidité.

Jaurès a porté le fer, avant les autres (dès la fin du mois de novembre 1896) dans le cœur du système qui a écrasé Dreyfus. Pour lui, l'Affaire est la conséquence inhumaine et exemplaire de la politique de réaction.

Au Palais-Bourbon, dans la majorité qui soutient Méline, certains veulent encore aller plus loin. Et ils sont un groupe important.

Le 10 janvier le député de Châteaubriant Pontbriand, membre du groupe parlementaire antisémite, dépose une proposition de loi visant à « n'admettre dans l'Administration, dans l'Armée ou dans la Marine comme officiers, que les Français ou les personnes nées de parents naturalisés français depuis trois générations ». Elle recueille les voix de 158 députés !

Un mois plus tard (le 11 février) le député de Dax, Denis, est soutenu par 198 députés quand il demande au gouvernement « quelles mesures il compte prendre pour arrêter la prédominance des juifs dans les diverses branches de l'Administration française ».

Ce même député avait, le 25 mai 1895, suggéré déjà que tous les juifs soient rassemblés au centre de la France, loin des frontières, dont, par leur penchant à la trahison, ils menaçaient la sécurité !

Voilà ce que l'Affaire fait apparaître, qui révulse Jaurès et les hommes qui autour de Herr se sont engagés dans la bataille. Zola est l'un d'eux. Dans la nuit du 11 au 12 janvier, puis durant toute la journée du 12, il écrit un long article, porté par l'indignation. Il paraîtra le 13, dans *L'Aurore,* sous le titre que Clemenceau a tracé d'une main rageuse : « J'accuse. »

On s'arrache le journal. Trois cent mille exemplaires sont vendus en quelques heures. « J'accuse le lieutenant-colonel du Paty de Clam... J'accuse le général Billot... J'accuse le général de Boisdeffre et le général Gonse... » écrit Zola.

Dans les rues déjà des groupes se forment. Carrefour Chateaudun, des garçons épiciers brûlent des exemplaires de *L'Aurore.* Des pierres sont lancées contre les magasins juifs. On crie : « A mort Zola », dehors ce « demi-Italien », ce « quart de Grec ». « La seule réponse des bons Français à l'Italien Zola : Merde. »

Jaurès lit et relit le texte. Il en saisit le but tactique : contraindre la justice civile à juger Zola et par ce biais rouvrir le procès de Dreyfus hors du huis clos militaire.

L'après-midi du 13, il court à la Chambre des députés. C'est l'atmosphère des grands jours. Chacun commente l'article de Zola, la plupart pour s'indigner. Le groupe des députés socialistes se réunit et immédiatement à l'initiative de Jaurès le débat s'engage. Il faut prendre position, dit Jaurès. C'est une « bataille qu'il faut livrer ». Viviani, Millerand sont plus prudents. Question dangereuse, disent-ils, tournés vers la majorité du groupe. Ils pensent aux élections prochaines mais ils avancent des arguments qui se présentent comme ceux de la fidélité la plus exigeante aux principes : « Zola n'est point un socialiste, Zola est après tout un bourgeois. Va-t-on mettre le Parti socialiste à la remorque d'un écrivain bourgeois ? » Cette démagogie ouvriériste donne bonne conscience. Le groupe hésite. Jaurès repart à l'assaut. Millerand répond. Jules Guesde tout à coup se lève et, « comme s'il suffoquait d'entendre ce langage », il ouvre la fenêtre de la salle où le groupe délibère et dit : « La lettre de Zola c'est le plus grand acte révolutionnaire du siècle. »

Vaillant, comme Guesde, soutient Jaurès dans sa volonté d'intervenir dans le débat. Et Guesde, qui comme Jaurès condamne les « cannibales de l'état-major », ajoutera avec amertume : « Que ferons-nous un jour, que feront un jour les socialistes d'une humanité ainsi abaissée et avilie ? Nous viendrons trop tard... les matériaux humains seront pourris lorsque ce sera notre tour de bâtir notre maison. »

La séance à la Chambre est fixée au lendemain 14 janvier.

Jaurès a désormais les coudées plus franches même s'il est conscient des réticences d'une partie du groupe des députés socialistes. Il intervient donc, avec force, accusant Méline de s'allier aux ennemis de la République. « Vous voulez pour sortir de l'impasse, où vous êtes acculés, lance Jaurès, tenter une diversion contre la presse et les journalistes. Je vous dis moi tout simplement ceci : vous êtes en train de livrer la République aux généraux. »

Plus de 100 députés s'abstiennent sur l'ordre du jour de confiance au gouvernement.

Dans le pays, la presse s'embrase. Zola est poursuivi. Les journaux socialistes commencent à mettre l'accent sur les périls qui menacent la République. « La réaction monte, monte, monte », écrit *Le Réveil du Nord.* « Il faut que les républicains se ressaisissent, il n'est que temps. »

Jaurès voudrait aller plus loin. Il multiplie les rencontres, les discussions. Il voit Herr, Blum, Péguy. Il pense même soumettre l'affaire Dreyfus à l'examen d'une assemblée de militants et fonder ainsi par un acte solennel l'unité et la conscience socialistes. Mais il sent des résistances. Guesde lui-même qui a saisi l'importance du texte de Zola, murmure pourtant que le « peuple n'a pas le droit de disperser sa pitié ».

Le 19 janvier, les députés socialistes se réunissent à nouveau, longuement.

Discussion passionnée d'où sort un texte très en retrait par rapport à la ligne de Jaurès.

A nouveau, Jaurès a choisi le compromis. Il signe ce manifeste qui dit aux ouvriers : « Haut les cœurs, citoyens, au-dessus de cette ignominieuse mêlée ! Prolétaires, ne vous enrôlez dans aucun des clans de cette guerre civile bourgeoise ! Ne vous livrez pas à des possédants rivaux d'un jour, commensaux du même privilège, convives échauffés et gloutons qui se prennent de querelles dans le banquet et qui demain se réconcilieront contre vous si vous forcez la porte de la salle. »

Le nom de Dreyfus n'est pas même prononcé. L'individualité de la victime singulière disparaît sous l'abstraction des principes : « Guerre au capital juif ou chrétien ! Guerre au cléricalisme ! Guerre à l'oligarchie militaire ! »

Jaurès a signé le texte afin de ne pas s'isoler du groupe. Il sait que certains souhaitent l'écarter. Les sociaux-démocrates allemands — Kautsky après Liebknecht — pèsent dans le sens de la culpabilité de Dreyfus. Pour eux Jaurès n'est qu'un humaniste qui n'a pas sa place dans les rangs socialistes.

Jaurès a donc signé, mais il va se servir de ce texte pour continuer d'intervenir avec une force et une détermination qui révèlent que, assuré qu'il est par sa signature d'avoir montré qu'il est solidaire des députés socialistes, il peut maintenant aller loin, aux avant-postes. Il parle peu de la culpabilité ou de l'innocence de Dreyfus. Mais il détruit, par ses arguments, leur logique et la violence révolutionnaire de ses propos, tous ceux qui ont condamné Dreyfus et le gouvernement qui les protège et les utilise par esprit de réaction.

Pas de haine chez Jaurès, même dans ses interventions indignées. Il y a même — notera Péguy — comme « un arrière-plan de sincère tristesse quand il parle pour combattre ». Mais il le faut. Le 22 janvier, dans *La Lanterne,* le journal d'Aristide Briand, il s'adresse aux soldats : « Il est temps aujourd'hui, écrit-il, si nous ne voulons pas périr, de révolutionner la haute armée par la loi républicaine. » Et il appelle les soldats du peuple de France à ne pas se laisser « égarer par ces fourbes, nobles et jésuites que recrute la haute armée ».

Le même jour, à la Chambre, il intervient dans le tumulte et comme on l'a accusé de préparer de nouvelles éditions de *La Débâcle,* d'être le complice de Zola contre l'armée, il hurle : « Il y a d'abord le mensonge et la lâcheté dans les poursuites incomplètes engagées contre Zola. »

Le président de la Chambre, Brisson, le rappelle à l'ordre, mais Jaurès, furibond, le bras tendu, reprend : « La débâcle, elle était dans les généraux de cour protégés de l'Empire, elle est dans les généraux de jésuitières protégés par la République. »

Brisson tente à nouveau d'interrompre Jaurès. En vain. C'est toute la politique de Méline que Jaurès met en cause, l'alliance avec les ennemis de la République, les antisémites.

« Oui, lance-t-il, si le cri de mort aux juifs a été poussé dans les rues c'est par ceux qui vous soutiennent. »

Le tumulte est à son comble. Le député de Nîmes, le comte de Bernis, prend à partie Jaurès. « Vous êtes du syndicat » (les dreyfusards seraient payés un « syndicat » de banquiers juifs). « Vous êtes l'avocat du syndicat. » « Vous êtes un misérable et un lâche », répond Jaurès.

Le comte de Bernis, qui est apparenté au marquis de Solages, se précipite vers la tribune dont Jaurès descend. Gérault-Richard tente de le retenir. Bernis réussit cependant à frapper par deux fois Jaurès dans le dos.

On lève la séance cependant que la bagarre se généralise, qu'il faut protéger Méline. Et la troupe doit faire évacuer l'hémicycle et les couloirs où l'on continue de s'affronter.

Un degré de plus vient d'être franchi dans la passion. Jaurès s'est imposé comme le leader parlementaire des dreyfusards.

Le lendemain alors que toute la presse commente les incidents, et en profite pour faire de l'antiparlementarisme, décrivant les députés : « les crocs ouverts, la bave aux lèvres », Jaurès reprend son discours : « Pourquoi laissez-vous l'honneur de l'armée à peine couvert par ce pauvre haillon de justice incomplète ? Les généraux sont-ils seuls juges de leurs actes ? » demande-t-il. Mais aux questions précises qu'il pose, Méline refuse de répondre, et au moment du vote, une majorité considérable (360 voix contre 126) se prononce en faveur du gouvernement. Les députés ont voulu voter contre Jaurès.

Même dans le groupe socialiste, on s'irrite de son engagement. On n'est pas dupe de sa tactique : signer les textes du groupe qui se veulent habiles, et sans nommer Dreyfus, s'engager à fond aux côtés de ses partisans, pour Zola, contre l'armée et les antisémites.

Il racontera à Blum plus tard, qu'un jour, au sortir de la Chambre, des députés socialistes l'ont pris à partie, entraîné du côté des Champs-Elysées : « Alors Jaurès est-ce que vous allez continuer longtemps encore ? lui disent-ils. Ne voyez-vous pas que vous nous perdez tous, que nos électeurs nous rendront solidaires de vous... »

Jaurès avait haussé les épaules, ne s'insurgeant même pas, répondant simplement : « Vos électeurs sauront bientôt la vérité : ce qu'ils vous reprocheront alors, c'est votre mollesse, votre lâcheté et vous viendrez me chercher pour vous excuser auprès d'eux. » Et Jaurès avait ajouté, avec son large sourire : « Je me connais bien, j'irai. »

Comment Jaurès pourrait-il renoncer alors que le dégoût et l'indignation le saisissent devant ce qui se passe dans les villes d'Algérie et de France et qui trouve son prétexte dans l'Affaire Dreyfus ?

A Alger les émeutiers antisémites tiennent la rue du 19 au 25 janvier. La police — d'où les municipalités ont exclu les juifs —, l'armée sont complaisantes et laissent les pillages des magasins juifs s'organiser.

Un étudiant de vingt-cinq ans, Max-Régis — futur maire d'Alger —, dirige le mouvement que l'on célèbre à Paris dans les milieux nationalistes.

On assiste parfois dans ce milieu violent de l'Algérie à de véritables pogroms. Un journal, *L'Antijuif,* est diffusé quotidiennement à 20 000 exemplaires. On chante :

> *A mort les juifs, à mort les juifs*
> *Il faut les pendre*
> *Sans plus attendre*
> *Il faut les pendre*
> *Par le pif.*

Ou bien on reprend le refrain de *La Marseillaise antijuive :*

> *Chassons l'étranger*
> *Ça fera travailler*
> *Ce qu'il nous faut c'est un meilleur salaire*
> *Chassons de notre pays*
> *Toute cette bande de sales youdis.*

Jaurès immédiatement prend position à la Chambre et dans une série d'articles. Il condamne l'antisémitisme, demande que l'on « fasse des Arabes des citoyens ayant droit à une représentation légale et à une part de pouvoir politique ». Il suscite ainsi la haine de ceux qui, en Algérie, prétendaient, par l'antisémitisme, exprimer le « combat social ».

L'Affaire Dreyfus pousse ainsi Jaurès à prendre des positions claires là où après son premier voyage à Alger il avait hésité à définir des solutions.

C'est que la situation générale en se durcissant se simplifie. Les atteintes à la liberté de la presse se multiplient : ne voit-on pas le ministre de l'Intérieur interdire l'entrée en France des journaux étrangers de langue française (suisse et belge) partisans de Dreyfus ?

Surtout, les rues sont parcourues par les bandes antisémites et antirépublicaines. Elles s'organisent autour des adhérents de la Ligue antisémitique. Un fonctionnaire de la Préfecture de police indique dès le 14 janvier 1898 que l'exaspération est universelle, à Clignancourt, à Montmartre, chez les chômeurs et les gens des faubourgs, en milieu étudiant. On prépare manifestement un mouvement qui se terminera par le pillage des boutiques juives.

Les principales villes de France (Paris, Marseille, Lyon, Bordeaux, Perpignan, Nantes, etc.), toutes les régions de l'Est sont touchées par des manifestations antisémites, souvent violentes. Il y a des morts. On crie « Vive l'armée », « A bas les juifs ».

Parfois les manifestations s'étendent sur plusieurs jours et dégénèrent en véritables batailles de rues.

Ce climat, inquiétant pour les institutions républicaines, saisit Jaurès à la gorge. Il ne se passe pas de jours, dans cette période, qu'il n'intervienne, qu'il n'essaie de tirer en avant les socialistes réticents, toujours prudents.

Ce sont ceux qui sont les moins engagés dans la démarche électorale — Jean Allemane et les adhérents de son parti — ou bien les anarchistes qui réagissent avec le plus de vigueur à l'offensive de la réaction.

Allemane félicite Zola : « Que les socialistes agissent, qu'ils fassent appel à la lutte contre la réaction multicolore », écrit-il. Et le secrétariat de son parti invite à « l'union des peuples contre tous leurs ennemis sans distinction de race, de nationalité et de religion ».

Sébastien Faure, l'anarchiste, condamne l'antisémitisme dans *Le Libertaire*. Il ne voit dans la réaction qui se manifeste que le rassemblement de « débris déchus ». « Epaves royalistes, immondices plébiscitaires et napoléoniennes, résidus boulangistes et scories cléricales, toutes ces saletés réactionnaires se sont donné rendez-vous dans cet égout collecteur ! »

La différence est grande d'avec le manifeste si balancé des députés socialistes, signé par Jaurès.

Surtout les partisans d'Allemane et les anarchistes descendent dans la rue. Quand les antisémites organisent un meeting au Tivoli Vauxhall, ils en sont chassés par plus de deux cents contre-manifestants, anarchistes et allemanistes pour la plupart. Ces marges du mouvement socialiste se trouvent ainsi au premier rang de la lutte pour Dreyfus, contre la réaction, sans aucun souci électoral.

Comme Jaurès.

Car quand on demande à Jaurès de témoigner en faveur de Zola, au procès qui s'ouvre le 7 février, il n'hésite pas.

Le palais de Justice est entouré de forces de l'ordre. Les manifestants hurlent : « A mort Zola », « A mort Jaurès ». Les antisémites de la Ligue de Jules Guérin font la loi aux abords du Palais. Les généraux qui viennent déposer avec morgue exercent face aux jurés d'assises le chantage. Le général de Boisdeffre menace : « Si la nation n'a pas confiance dans les chefs de son armée... ils sont prêts à laisser à d'autres cette lourde tâche. » Les journaux — *La Croix*, catholique — débordent d'injures. On chante dans les rues :

> *Zola c'est un gros cochon*
> *Plus il devient vieux plus il devient bête*
> *Zola c'est un gros cochon*
> *Quand on l'attrapera nous le flamberons.*

On crie « Mort aux juifs ».

Dans les couloirs du Palais cependant, Jaurès, calme, dialogue avec Anatole France et lui récite, avec son érudition habituelle, des poètes mineurs du XVIIᵉ siècle !

Il est apaisé. En accord avec lui-même. Ces « cannibales » (le mot est de Zola) qui réclament la mort, incarnent tout ce qu'il combat depuis toujours et dont le gouvernement de Méline a favorisé et utilisé la résurgence.

Il sait que les magistrats sont aux ordres. Que le président du tribunal, à chaque fois que l'on veut aborder le cas Dreyfus, intervient pour dire « la question ne sera pas posée ». Justice truquée même si ce sont des jurés qui vont se prononcer.

Et cependant il faut déposer, avancer dans la salle d'audience pleine d'officiers qui du bout du fourreau de leur sabre scandent les dépositions qu'ils approuvent. Il leur fait face, tournant le dos à la Cour, puis sur une remarque du président, il se déplace un peu, sans cesser de regarder cette assistance hostile : « Monsieur Emile Zola, commence-t-il, est en train d'expier par des attaques passionnées le noble service qu'il a rendu au pays. »

Jaurès hausse la voix. Il sait, dit-il, pourquoi on hait Zola, pourquoi on le poursuit.

« Ils poursuivent en lui l'homme qui a maintenu l'interprétation rationnelle et scientifique du miracle », l'homme de *Germinal* qui a montré l'ascension du prolétariat misérable. Ils poursuivent « l'homme qui vient d'arracher l'état-major à cette irresponsabilité fumiste et superbe où se préparent inconsciemment tous les désordres de la patrie ».

Puis Jaurès se tourne vers Zola.

« Ainsi on peut le poursuivre et le traquer mais je suis sûr d'être l'interprète de tous les citoyens libres de ce pays en lui disant ici que, devant lui, nous nous inclinons tous avec respect. »

Déposition éclatante qui, spectaculairement, après les nombreux articles et discours consacrés par Jaurès aux circonstances de l'Affaire Dreyfus, trace une frontière nette, infranchissable, entre le socialisme et les antidreyfusards.

Jaurès, une fois de plus, s'affirme comme le leader de tous ceux qui refusent une politique de réaction. Il est le seul parmi les hommes politiques importants — avec Clemenceau, défenseur de Zola au procès — à s'être engagé aussi totalement dans le camp de Dreyfus. Les autres, prudents, tels Millerand ou Viviani, ou même les Barthou, les Poincaré, les Waldeck-Rousseau, se gardent bien de se prononcer tout en étant persuadés de l'innocence de Dreyfus. Mais, pensent-ils, on n'affronte pas l'armée et l'opinion quand on est candidat à une élection prochaine.

Lorsque le verdict tombe, le 23 février, les prudents et les habiles se félicitent de leur attitude : le jury d'assises a condamné Zola au maximum de la peine : un an de prison et trois mille francs d'amende.

Dans les rangs dreyfusards, c'est l'indignation.

Dès le lendemain, Jaurès est parmi les députés qui interpellent le ministre de la Guerre sur l'attitude des généraux durant le procès Zola.

Méline ne répond même pas, menace simplement les dreyfusards de lois répressives. Et 420 voix contre 40 l'approuvent. Alors qu'on lit dans la presse que « Zola outre crevée, citrouille éventrée sur laquelle tout un peuple va pouvoir désormais piétiner du talon », qu'à Carmaux on dénonce Jaurès pour son témoignage au procès Zola, le gouvernement pourchasse ceux qui se sont engagés aux côtés de l'écrivain. Professeurs destitués, adjoint au maire relevé de ses fonctions, fonctionnaires déplacés. Comme l'avait dit Jaurès, l'Affaire Dreyfus n'est pas seulement l'affrontement de personnalités marquantes s'opposant à propos de la condamnation d'un homme dont on conteste ou approuve le jugement, mais bien le heurt politique de deux conceptions de la République.

Un conflit où l'on retrouve d'anciennes différences. Jaurès dans un camp. Et Bergson, son condisciple, nommé en 1898 professeur de philosophie à l'Ecole normale supérieure, qui garde, malgré ses origines, un silence prudent. Jaurès dans un camp et Barrès l'ancien boulangiste dans l'autre. Barrès qui avait d'abord paru hésitant, qui avait confié à Léon Blum : « Il y a un souvenir qui m'obsède. J'ai assisté il y a trois ans à la dégradation de Dreyfus... Eh bien, je me demande si je ne me suis pas mépris, chacune des attitudes... chacune des expressions de visage que j'interprétais comme le signe d'une scélératesse pouvait être d'un stoïque, d'un martyr. »

Mais Barrès qui choisit l' « instinct national » et qui, au soir de la condamnation de Zola, exulte : « Je renonce à décrire le tourbillon, la fraternité, la joie de cette fin de journée », note-t-il.

Jaurès dans un camp et avec lui Herr, Blum, Péguy, Clemenceau, Maeterlinck, Verhaeren, Briand, tous ceux dont le nom est publié dans *L'Aurore*. Ils sont les intellectuels, cette « République des professeurs » contre laquelle se dressent Rochefort, Drumont, Barrès, de Mun, Maurras, et aussi François Coppée et Paul Valéry.

Une cassure, une opposition vives.

Jules Renard note le soir du verdict contre Zola : « Je me sens un goût subit et passionné pour les barricades... Et puisque nos ministres s'en fichent, à partir de ce soir, je tiens à la République qui m'inspire un respect, une tendresse que je ne me connaissais pas... » Renard qui voit en Barrès « un gentil génie parfumé... Barrès parlant de patrie qu'il confond avec sa section électorale ».

Moment violent et passionné de l'histoire du pays où Jaurès joue un rôle capital.

Jaurès quand il écrit en 1898 « si Dreyfus est innocent, il n'est plus ni un officier ni un bourgeois, il est dépouillé par l'excès même du malheur de tout caractère de classe ; il n'est plus que l'humanité elle-même, au plus haut degré de misère et de désespoir qui se puisse imaginer ».

Jaurès quand il répète : « Dreyfus est seulement un exemplaire de l'humaine souffrance en ce qu'elle a de plus poignant. Il est le témoin vivant du mensonge militaire, de la lâcheté politique, des crimes de l'autorité. »

Jaurès quand il conclut : « Nous pouvons dans le combat révolutionnaire garder des entrailles humaines ; nous ne sommes pas tenus pour rester dans le socialisme de nous enfuir hors de l'humanité. »

Jaurès (et c'est, dira Charles Andler — l'ami de Herr —, son éternel honneur), écrivant cela, s'engageant ainsi, dépasse le cadre étriqué dans lequel se limitaient les différents courants du socialisme.

Tout à coup, en osant parler ce langage humaniste, le sien depuis toujours, il donne au socialisme français « une nouvelle grandeur morale » (Blum).

Ce pas important dans l'histoire du mouvement socialiste et donc dans l'histoire du pays, ce pas est accompli grâce à Jaurès.

S'il en a été capable, c'est qu'à aucun moment de sa vie politique il n'a tranché avec les exigences de raison et de morale de l'intellectuel qu'il était à l'origine. Chez lui, ni souci de carrière et donc de stratégie électorale, ni cynisme d'homme de pouvoir ou d'ambitieux soucieux d'y accéder, mais simplement la fidélité à des convictions, une générosité et une intelligence passionnées, un sens aigu des responsabilités.

Le maintien aussi des amitiés hors du cercle des politiciens ou des élus.

Le rôle de Lucien Herr fut ainsi décisif. Il convainquit, pesa sur Jaurès ; publia dans *La Revue blanche* une protestation contre « les individus bottés », ces militaires « qui se méprennent sur leur rôle jusqu'à se croire les maîtres quand ils sont des instruments ». Herr qui condamnait avec vigueur l'antisémitisme et polémiquait avec Barrès : « Je suis l'un quelconque de ces " intellectuels ", écrivait-il, dont la protestation vous a si fort diverti... »

Herr, violent et lucide, interpellant Barrès : « L'homme qui, en vous, hait les juifs, et hait les hommes d'outre-Vosges, soyez sûr que c'est la brute du XIIᵉ siècle, et le barbare du XVIIᵉ. Et croyez que le monde moderne serait peu de chose s'il n'était l'avènement d'un droit nouveau... » C'est parce que Jaurès est demeuré en communion intime avec Herr qu'il n'est pas, face au groupe socialiste, un isolé, mais qu'au contraire il déplace le socialisme vers les positions des intellectuels.

C'est parce qu'il demeure en relations avec de jeunes intellectuels, tel Blum, tel Péguy — qui en mai 1898 fonde au voisinage de la Sorbonne, à l'angle de la rue Cujas et de la rue Victor-Cousin, la librairie Bellais, librairie dreyfusarde et socialiste —, qu'il ne s'ankylose pas.

Il sait que chaque jour ces étudiants vont protéger les professeurs dreyfusards — Aulard, Buisson, Seignobos — qu'ils se battent contre les antisémites nombreux au quartier Latin.

Bref Jaurès homme politique ne s'est pas isolé dans sa fonction. Il n'est pas prisonnier du rôle qu'il joue. Il reste en lui, vivace, cette exigence, cette passion de l'étudiant et du professeur qu'il fut.

Mais ce qui est richesse peut apparaître dans le court terme des luttes politiques comme une faiblesse, surtout quand on s'est désigné à l'adversaire comme l'ennemi principal. L'homme à briser.

Or les élections sont là, dans quelques semaines, le 8 mai.

Il faut maintenant pour les adversaires de Jaurès à Carmaux retirer le bénéfice des efforts qu'ils ont déployés depuis des années en vue de cette échéance électorale.

On s'entend d'abord sur un candidat. Le préfet Alapetite et Resseguier font pression sur le marquis de Solages afin qu'il accepte le combat. Dans cette période de vive réaction, le marquis peut apparaître comme un bon candidat. Catholique zélé, il finance les écoles religieuses de Carmaux, subventionne les bonnes œuvres, pratique le paternalisme, représente l'ordre et aussi la République puisqu'il est un rallié. Le pape Léon XIII l'a même personnellement reçu ainsi que le baron Reille, député de Castres. Surtout il est le patron des Mines, celui qui procure le travail — donc le pain. Et ses agents électoraux joueront là-dessus avec brutalité. Il donne à boire aussi. Sur les 20 000 investis dans la campagne électorale (240 000 francs de 1984) la moitié est représentée par des frais de restaurant et de café. On paye à boire en échange du vote. Solages dispose, en outre, de l'appui du clergé, des notables, des contremaîtres, de l'organisation montée par le docteur Sudre, ce cercle républicain progressiste qui depuis des années prépare cette campagne électorale. Des bandes sont prêtes qui vont courir la campagne, suivant Jaurès à la trace, menaçant les auditeurs de leurs bâtons, jetant des pierres, hommes payés chers par le marquis et qui hurlent « A bas Jaurès », « A bas Zola » et couvrent la voix de Jaurès en frappant l'une contre l'autre des casseroles.

Durant cette campagne, on s'est écarté de Jaurès, on a craint d'être vu avec lui.

A ceux qui — des artisans par exemple — étaient considérés comme ses soutiens on a retiré toute commande. Les agents de Solages établissent des fiches de renseignement où l'on indique les mal-pensants. Ceux-là sont interdits de clientèle. Les ouvriers mineurs les abandonnent, craignant d'être reconnus, ou alors ils se glissent chez eux par des entrées discrètes, honteux de leur prudence, murmurant qu'ils ne peuvent se dérober à la pression des gens du marquis. « Je vote pour le pain », avouent-ils.

Le gouvernement Méline appuie naturellement le marquis de Solages par l'action de son préfet, des gendarmes.

Méline lui-même, le 17 avril, à Remiremont, prononce un grand discours, programme qui se veut équilibré : « Ni réaction ni révolution », proclame-t-il. Barthou, son ministre de l'Intérieur, emboîte le pas, colorant même ses propos d'esprit républicain. C'est que l'un et l'autre sentent que, dans les départements, la réaction la plus traditionnelle, antirépublicaine, portée par les passions de l'Affaire Dreyfus est reconstituée. La presse catholique, *La Croix* surtout, se déchaîne, dénonçant tous les candidats partisans de l'école laïque. Les socialistes s'inquiètent. Le conseil national du Parti ouvrier français dénonce, en avril, la menace qui pèse sur « la forme républicaine elle-même ».

Mais à Carmaux, point de nuances. Il faut abattre Jaurès. Il ne peut tenir une seule réunion. Les militants, menacés de perdre leur emploi, sont peu nombreux à se mobiliser. De plus, à la veille des élections, par mesure administrative — on voit le poids du préfet —, la Fédération socialiste et le Syndicat des mineurs sont dissous. Le journal *La Voix des Travailleurs,* à la suite d'une scission dans la Fédération, cesse de paraître. Et les imprimeurs soumis à des pressions du préfet refusent de fabriquer des publications socialistes. Le marquis de Solages, au contraire, bénéficie de l'appoint de quatre quotidiens régionaux, dont il diffusera près de 60 000 exemplaires !

Interdit de parole dans les hameaux et les villages, ne disposant d'aucun moyen d'information, en butte à l'hostilité de certains Carmausins qui lui reprochent le départ des verriers pour Albi, Jaurès mène cependant le combat.

Il tente de parler à Carmaux. On crie « Jaurès misère », « Jaurès affameur ». Des affiches lui reprochent d'avoir pris parti pour Zola. Il prépare, y lit-on, les « désastres de la partie ». On lui adresse l'expression d'un « unanime mépris ». On lui crie : « Vive l'armée », « A bas les traîtres », « A bas Jaurès ».

Contre lui la propagande du marquis est simple, brutale. « Il faut des patrons à l'ouvrier comme il faut des généraux aux soldats », répète Solages. Aux paysans, il affirme : « La République sociale que représente l'ami de Zola veut vous dépouiller, socialiser vos propriétés, vos terres. »

Sa profession de foi martèle la même peur : « Nous avons devant nous le socialisme, c'est-à-dire la haine de classe, la ruine de l'industrie, la destruction de la propriété individuelle, le gaspillage des deniers publics, la négation de tout ce qui fait les grands peuples depuis l'origine du monde : Religion ! Famille ! Patrie ! L'imminence du péril doit grouper tous ceux qui veulent un régime de paix dans la liberté et la justice. »

A chaque fois le nom de Jaurès est associé à Zola. Sur les affiches les attaques contre Jaurès sont plus vulgaires. On dit de lui : « Esclave du Syndicat, des juifs sans patrie, il a défendu Zola qui défendait le traître Dreyfus. » Il paie chèrement son témoignage. Il sent la haine chez ces hommes simples — des contremaîtres, des mineurs — que l'on paie, auxquels on promet une prime et qu'exalte aussi, tout simplement, l'envie d'abattre ce Jaurès qu'on respecte trop, qui parle trop bien, qu'on sent si généreux. Alors on lance des pierres, on tape sur les casseroles, on assomme.

Durant huit jours, ce fut une campagne électorale dure, dangereuse, oppressante, pendant laquelle Jaurès sait qu'il risque fortement d'être battu. Le jour du vote, la police dut à la demande des socialistes protéger les urnes. Mais la pression, l'intimidation ne cessent pas. Le 8 mai au soir, avec quelques camarades seulement, de ceux qui ont bravé les périls, il attend les résultats au café Filaquier, où se tiennent les réunions socialistes.

Une immense fatigue l'accable. Il se tait, les yeux rêveurs. A une heure du matin, on lui apporte les résultats : 6 702 voix pour le marquis de Solages, 5 515 pour Jaurès, qui à Carmaux même garde une courte majorité de 99 voix, insuffisante pour combler le déficit des cantons ruraux.

Dans les rues on crie « A bas Zola », « A bas Jaurès », « Vive le marquis » et des cortèges bientôt vont parcourir joyeusement Carmaux.

Le but que s'étaient fixé les conservateurs parisiens et locaux est atteint.

Jaurès reste lourdement immobile cependant que les cris de joie et de haine retentissent. Il semble dire, il murmure : « Le peuple ne nous comprend pas. » Il est affecté. Il se reprend, rédige un télégramme à *La Petite République* : « Je suis battu à une grosse majorité. Sous la puissance du patronat, la région carmausine a fléchi. » Puis il ajoute : « Vive la République sociale ! » et le point d'exclamation net, droit est comme un défi.

Jaurès était battu par le marquis de Solages. Guesde dans le Nord, soumis à une pression identique, l'était par Motte, le patron du textile. Et Drumont l'antisémite était triomphalement élu à Alger.

Les socialistes perdaient donc leur leader le plus prestigieux.

Il restait un second tour, le 22 mai. Une élection de Jaurès pouvait être assurée dans la deuxième circonscription du Ve arrondissement. Le candidat Charles Gras, en position d'être élu, accepta après quelques hésitations de se retirer, pour laisser la place à Jaurès.

Celui-ci était incertain. La fatigue pesait. Sa femme enceinte insistait afin qu'il se retirât de la lutte politique, pour un temps. Il invoqua les difficultés familiales que suscitait son engagement. Mais les socialistes se faisaient pressants. Péguy insistait. Et finalement à

11 heures, Gérault-Richard (lui-même battu) apporta à la mairie du Vᵉ la déclaration de candidature de Jaurès. Sa campagne, son élection allaient créer un mouvement d'entraînement, estimaient les socialistes. « Jaurès ne s'appartient pas. »

Mais à 13 heures, Jaurès seul se rendit à la mairie, retira sa candidature et, pour éviter toute pression nouvelle, prit le train pour Toulon, afin de retrouver son frère.

Pour la deuxième fois, il subissait un échec électoral. Méthodiquement, on avait eu raison de lui.

Mais qui pouvait imaginer qu'on allait étouffer la voix de Jaurès ?

IV

AU SERVICE DE LA JUSTICE
ET DE L'HISTOIRE
1898-1902

Chapitre 11

« Au plein jour la justice ! »
(1898-1899)

Jaurès se souvient. Il lui suffit de regarder sa fille Madeleine qui va avoir neuf ans, pour se remémorer sa première défaite électorale, il y a neuf ans donc, quand, battu, il avait repris son enseignement de philosophie à la faculté des lettres de Toulouse.

Neuf ans. Si pleines ces années qu'un siècle semble séparer dans la vie de Jaurès ces deux dates, ce retour au statut de simple citoyen, au moment où, coïncidence, il va être père une seconde fois. Louise est enceinte. Et cela a pesé sur la décision de Jaurès de ne pas se présenter dans le Ve arrondissement, au second tour.

Neuf ans, le socialisme et ses combats, cette influence acquise par l'action conduite jour après jour. Neuf ans pour devenir ce leader dont on attend les analyses et les directives. Et qui pourtant se dérobe à l'élection à n'importe quel prix.

On dit — un rapport de police — qu'entre 11 et 13 heures, ces deux heures qui suffisent à Jaurès pour changer d'avis et retirer sa candidature, son beau-père et sa belle-mère se sont joints à sa femme pour lui demander de prendre du champ. Louise, dit-on encore, depuis quelques mois, supportait mal la tension d'une vie politique que traversait de plus en plus la haine.

Jaurès cède. Non pas seulement pour éviter les colères familiales, mais parce qu'il a physiquement et intellectuellement atteint les limites de la résistance. Non qu'il n'ait plus d'énergie. On le verra dès le lendemain de l'élection écrire, tenir des meetings, se dépenser comme jamais. Mais la liberté est toujours une cure de jouvence. Et

Jaurès dans le groupe des députés socialistes, au sein de l'hémicycle, dans ce lieu clos des ambitions se sentait étouffer.

Et puis comment abandonner Carmaux ? Là sont ses racines. « Je ne quitterai Carmaux que lorsque Carmaux me chassera », dit-il. Et à Carmaux il a encore la majorité des électeurs pour lui. Il s'explique donc, dans une lettre que publie *La Petite République* et dans laquelle il donne clairement toutes ses raisons. Jaurès n'est pas l'homme de la dissimulation. Il rend compte. C'est son devoir.

« Pour rétablir ma santé, affaiblie par cinq années d'activité sans relâche, écrit-il, et pour veiller sur celle de ma famille, il faut que j'aie absolument une période de relâche... Il me semble d'ailleurs, d'une façon générale, que notre parti aurait tort d'user et d'abuser, jusqu'à l'épuisement, de la force de ses élus. »

Fatigue, famille, poids de la fonction de député auxquels s'ajoutera la fidélité à Carmaux, tout est-il dit ?

Jaurès ajoute, et ce n'est sans doute pas le moins important pour lui, qu'il veut garder le contact avec la vie des idées, qu'il a un besoin insatiable de réflexion, de lecture et de connaissance : « Notre parti devrait, au contraire, précise-t-il donc, imposer à ses élus, de loin en loin, une retraite où ils pourraient renouveler leur énergie, rejoindre le mouvement des idées... »

On devine que Jaurès, qui a consacré sa première interruption de mandat à la rédaction de ses thèses, se sent prêt à entreprendre une nouvelle œuvre. Il en a le désir. Tant d'actions durant ces neuf années, tant de commentaires quotidiens, de discours enserrés dans l'actualité, qu'il a le désir, naturel chez l'intellectuel qu'il est, de s'élever, pour une réflexion dégagée de l'événement, bref, comme il l'écrit, « il veut retrouver les vastes horizons de pensée et de lumière ».

Mais il ne suffit pas de vouloir penser. Il faut aussi organiser la vie matérielle. Il y a certes Bessoulet, les petites rentes qui viennent de la propriété et de la dot de Louise, une belle-famille qui reçoit Madeleine durant les vacances, mais cela, précieux, ne représente qu'une aide.

L'essentiel reste à assurer, et l'indemnité parlementaire — 25 francs par jour environ, soit 9 000 francs par an (environ 110 000 francs de 1984) — qui permettait à Jaurès de faire face aux nécessités disparaît. Pourtant Jaurès refuse d'envisager de recommencer à enseigner à Toulouse. D'ailleurs, il n'est pas titulaire de sa chaire. Mais surtout, il est demeuré parisien par les préoccupations, les habitudes intellectuelles, les amitiés. Seulement il n'a aucun revenu et ne possède rien — hors Bessoulet. Il n'a ni le goût de l'argent ni celui de la propriété. On sait, parmi ses amis, qu'il a souvent des difficultés financières, mineures certes mais étonnantes dans le milieu qui est le sien.

Heureusement le 24 mai, deux jours seulement après le scrutin, Millerand lui propose de partager avec Gérault-Richard la direction politique de *La Nouvelle République,* à charge pour Jaurès d'écrire un éditorial quotidien.

Du point de vue de Millerand, l'initiative est avantageuse : la notoriété de Jaurès, l'affection dont il est entouré par les électeurs socialistes, sa virtuosité et son indépendance, son dynamisme vont assurer au journal une audience plus grande. Si Jaurès accepte, c'est que cette tribune lui offre le moyen de peser sur l'événement, de conserver le contact avec l'actualité sans y être totalement soumis comme l'est un député.

Ecrire, commenter, correspond à un besoin et un plaisir chez Jaurès. Il le fait d'ailleurs avec une facilité déconcertante. Le matin, chez lui, il lit les journaux, se rend souvent à la bibliothèque de l'Ecole normale. Là, il échange son point de vue avec Lucien Herr, affûte ses idées et son sujet dans ce dialogue amical mais sans concession. Puis il va au siège de *La Petite République.* Il y partage son bureau avec Gérault-Richard. C'est comme dans tout journal le va-et-vient des rédacteurs, amplifié ici par celui des « camarades » qui veulent échanger quelques mots avec Jaurès. Il répond, affable, tout en prenant une vingtaine de feuillets, du papier écolier grand format. Il écrit son titre, posément. « Le titre planté au haut de la page comme on fiche un pieu. »

Jaurès commence à creuser son sillon tout droit. Il utilise un porte-plume à gros bec, il rédige vite et si on ne venait l'interrompre, il irait jusqu'au bout d'un seul jet. Il n'éprouve pas le besoin de relire quand il reprend le fil de l'article, tant sa mémoire est précise et le plan clair dans sa tête. Certes, le style est oratoire, la même idée est reprise souvent plusieurs fois sous des formes différentes. Mais les formules fortes jaillissent de l'abondance même et la clarté de la démonstration, sa rigueur sont toujours parfaites.

Il y a ainsi un style Jaurès, où les images, les métaphores se déploient en une spirale, donnant au plus factuel des articles (ou des discours) une tonalité littéraire. Ce style « sensible » qui coule du cœur et de l'intelligence de Jaurès, enveloppe à chaque fois la totalité du monde. Jaurès ne peut aborder un thème sans, par le jeu d'une métaphore ou d'une référence explicite, le situer dans la *nature* et dans l'histoire, c'est-à-dire le temps, bref le réinsérer dans l'*univers*. Jaurès manifeste dans l'écriture la fusion de l'événement et de la vision de l'homme politique et du poète. Un article de Jaurès — et il en va de même de ses discours — est chaque fois expression de l'*Unité* qu'est *sa* vie, de cette Unité dont il fait le principe même de *la* vie.

Il écrira donc régulièrement un éditorial dans *La Petite République* et Millerand lui offre des appointements de 1 000 francs par mois (environ 12 000 francs de 1984), ce qui est plus que l'indemnité parlementaire et dégage Jaurès des problèmes financiers immédiats.

Un fils, Louis, va naître le 27 août et le surplus de revenus permettra aux Jaurès, à l'automne 1898, de s'installer au 7 de l'avenue des Chalets, une petite traverse qui relie la rue du Ranelagh à la rue de l'Assomption, non loin de l'hippodrome d'Auteuil, dans ce quartier tranquille de Passy qui a, encore, des allures de village.

Jaurès y respire mieux, lui qui a tant besoin des souffles, des vibrations de la vie de la campagne. Souvent on le croisera dans ces rues paisibles, marchant d'un bon pas, un air à la fois concentré et absent.

En même temps, ce changement de quartier indique — au-delà des besoins réels d'espace provoqués par la naissance de Louis — les distances qu'il prend avec sa jeunesse. Il lui reste fidèle mais il est devenu Jaurès et non plus seulement l'ancien normalien. Le quartier Latin est une étape de sa vie, et non le lieu unique autour duquel tourne toute son existence. Paris ne se limite pas au quartier des Ecoles, sa vie non plus.

Cela correspond aussi à l'épanouissement de la maturité.

Il va avoir quarante ans, deux enfants.

La vie publique, les attaques subies, les responsabilités que la place éminente de Jaurès impose, la mesure qu'il a prise de lui-même, de ses capacités, de ses dons et aussi de ses adversaires ou de ses camarades ont achevé de définir sa personnalité.

Un homme d'action, un homme de pensée qui se refuse délibérément aux entrelacs de la nostalgie. Un homme bon qui sait railler avec vigueur l'adversaire mais ne sait pas et ne veut pas haïr.

Charles Péguy, qui l'observe avec les yeux attentifs d'un étudiant intransigeant, constate que si la joie de Jaurès est « florissante et s'échappe de son corps, de ses mains et de ses yeux quand il parle pour convertir » elle se voile quand il parle pour combattre. Il y a même alors chez lui, selon Péguy, un « arrière-plan de tristesse ».

Jaurès ne se réjouissant jamais des « ignominies bourgeoises ». Humaniste, militant pour la « Cité des hommes », « Jaurès sait bien, ajoute Péguy, qu'il n'y a pas deux humanités, la bourgeoise et la socialiste ». Culture et philosophie, bonté et générosité l'ont « heureusement prémuni contre toute joie mauvaise ».

Pourtant les calomnies, ce visage banal que prend la haine ne manquent pas.

Ici et là, dans la presse hostile, on assure qu'il jouit de douze mille francs de rente et d'un « château » à Bessoulet.

Rochefort, dans *L'Intransigeant,* multiplie en juin 1898 les attaques personnelles, comme s'il voulait discréditer celui qui désormais, dans un journal rival, tient chaque jour la plume. Il reproche à Jaurès de n'être qu'un converti tardif au socialisme et rappelle son passé « opportuniste ». Il s'agit déjà de briser cette réputation d'intégrité et de rectitude qui fait la force de Jaurès.

Rochefort l'accuse en de nombreux articles de pratiquer à l'égard de la religion un double jeu hypocrite, la condamnant publiquement cependant qu'en famille il tolère les liens étroits avec le catholicisme.

Jaurès, le 14 juin, croit nécessaire de répondre au polémiste. Il s'explique sur la richesse qu'on lui prête. « Je vis de mon travail seul, dit-il. Si demain je ne pouvais plus tenir la plume, j'en serais réduit à l'absolue pauvreté. » Mais s'il répond longuement, c'est que le commentaire de Rochefort à l'égard de la religion l'a atteint. Il veut faire la lumière. « Ma mère et ma femme sont des chrétiennes pratiquantes, dit-il. Je n'ai pas le droit de gêner leur liberté ou de contraindre leurs sentiments. » Il parle clair, ne revendiquant comme nécessité impérieuse que sa volonté de soustraire « ses enfants à l'enseignement congréganiste, afin qu'ils ne risquent pas d'être déformés par une pression systématique et continue dans le sens du dogme ».

Mais cette transparence que Jaurès offre ne peut faire cesser les attaques. Et sur les mêmes thèmes. Ils reparaîtront au moindre prétexte. La période, la véritable guerre que se livrent dreyfusards et antidreyfusards, ne favorise aucune trêve, aucun respect des règles.

On l'a vu durant la campagne électorale à Carmaux.

Jaurès que son éditorial quotidien maintient sur la crête de l'actualité, au premier poste de combat, ne peut qu'être la cible d'attaques redoublées.

On s'en rend compte quand, le 18 juillet, l'assemblée plenière des professeurs de la faculté des lettres de Paris est réunie pour examiner les demandes de cours libres, qui seront donnés en Sorbonne, à la rentrée.

Jaurès est candidat. Il veut traiter des « principes du socialisme dans leur rapport avec les idées d'individualité, de moralité, d'art et de religion, en se plaçant à un point de vue tout philosophique et doctrinal ». Le libellé de son sujet dit assez que l'angle choisi est celui de la théorie et non de la polémique ou de la politique. Jaurès, normalien, agrégé, docteur ès lettres, ancien chargé de cours à Toulouse, personnalité de premier plan, a toutes les qualités requises pour traiter le sujet, sous forme de « cours libre ». Et pourtant sa candidature, malgré l'avis favorable de seize professeurs, dont les historiens Lavisse et Aulard, est rejetée par 21 voix, et un bulletin blanc. Choix politique même si ceux qui l'ont décidé ont avancé la prudence et l'objectivité nécessaires, ou le souci de préserver la Sorbonne des violences.

Comme si plusieurs fois par semaine, les antisémites ne venaient pas troubler les cours, comme si Charles Péguy n'était pas contraint de prendre la tête des étudiants dreyfusards et de « bondir hors de sa librairie vers les amphithéâtres menacés ». Une voix criant « Durkheim est attaqué, Seignobos est envahi ! » « Rassemblement », répondait Péguy qui affectionnait toujours les expressions militaires... « Tous sautaient sur leurs cannes et avec lui filaient à la Sorbonne. »

Jaurès est donc victime de son engagement politique et de l'Affaire aussi qui divise si fortement les intellectuels.

L'assemblée générale de la Ligue des droits de l'homme — favorable à Dreyfus — se tient le 4 juin. Elle s'organise en sections locales, recrutant surtout des professeurs, atteignant — ce qui est modeste — 4 580 adhérents à la fin de 1898, et doublant un an plus tard.

En face on ricane et Barrès parle des intellectuels, « ces anarchistes de l'estrade », mais on s'organise aussi, on engrange des soutiens et des signatures. Déroulède réactive la Ligue des patriotes et des écrivains comme Jules Lemaître ou François Coppée préparent une Ligue de la Patrie française.

Pas question dans une telle situation d'affrontement d'autoriser un cours de Jaurès en Sorbonne.

Mais la démarche de Jaurès auprès de l'université indique qu'il ne se contente pas de son activité de journaliste ou d'orateur — car il va se rendre dans de nombreuses villes de province. Ce cours eût été pour Jaurès l'occasion tant recherchée de mettre en perspective l'action, de définir les principes en posant les questions.

C'est dans cette période où Jaurès vit la frustration d'un travail créateur que l'éditeur Jules Rouff le sollicite pour diriger l'élaboration et la réalisation d'une histoire de la France contemporaine depuis 1789, et en écrire plusieurs volumes.

Il s'agirait d'une édition à bon marché, offerte en fascicules à un large public.

Jaurès accepte avec enthousiasme. Depuis longtemps il médite sur la Révolution française, il a abordé ce thème dans de nombreux articles, des discours, des conférences. Dès 1892, il a entrepris des recherches et multiplié des lectures qui deviennent systématiques vers 1897. Il choisit de traiter l'histoire de la Constituante et de la Législative, ainsi que la guerre de 1870. Il pense à Guesde (pour la Convention), à Herr, Andler, Gérault-Richard, pour les principaux volumes. Et, à la surprise de l'éditeur, qui finira par accepter, il propose comme titre, provocateur et symbolique, *Histoire socialiste*. Manière d'afficher l'orientation puisque aussi bien quelles œuvres historiques échappaient aux préoccupations politiques ? « C'est du point de vue socialiste, écrira Jaurès, que nous venons raconter au peuple, aux ouvriers, aux paysans, les événements qui se développent de 1789 à la fin du XIXᵉ siècle. C'est bien la vie économique qui a été le fond et le ressort de l'histoire humaine. »

Mais pour l'heure ce n'est encore qu'une entreprise qui commence dans laquelle Jaurès se lance avec passion. On le rencontre de plus en plus fréquemment à la Bibliothèque nationale et à celle de la Chambre des députés, aux Archives, au musée Carnavalet. Herr lui prête des caisses de livres. Il en perd de nombreux — qu'il rachète — car il les emporte en voyage et on le surprend utilisant la moindre minute, entre deux interventions, pour feuilleter, lire, annoter, oublier ce qui l'entoure tant il participe à ce qu'il lit, revivant les épisodes du passé révolutionnaire, accusant à haute voix tel ou tel député à la législative d'avoir falsifié les faits pour voler des voix aux Girondins ! Jaurès a trouvé l'œuvre créatrice qu'il va pouvoir conduire dans cette période où il n'est plus député.

Une fois de plus alors se pose la question de sa phénoménale capacité de travail, de sa rapidité d'assimilation.

On le verra se mêler à une discussion passionnée sur l'Affaire Dreyfus au siège de *La Petite République* et rédiger en même temps le début d'un chapitre de ses *Causes de la Révolution*. Cela symbolise son refus de séparer son travail d'intellectuel de l'action politique. Le désir d'unité, toujours, rassemble sa vie.

Comment pourrait-il d'ailleurs délaisser l'actualité à la place qu'il occupe, alors que des dizaines de milliers de lecteurs attendent chaque jour son article et que les hommes politiques savent qu'il peut dévoiler la manœuvre qu'ils méditent et la compromettre ?

Mais cette volonté d'agir, ou de rester uni — politique et intellectuel à la fois — n'est pas pour Jaurès résultat d'une demande extérieure. Il veut intervenir parce qu'il le doit. *Ago quod ago* aime-t-il répéter comme Gambetta : je fais ce qu'il faut faire jusqu'au bout.

Et d'abord analyser la situation politique, exposer — il le fait dès le 11 mai — les raisons de son échec dû à une défection d'une partie de la classe ouvrière attirée par le « donneur de travail » qu'est Solages, par la coalition ouverte des « réactionnaires et des opportunistes » et par « l'abstention narquoise » des dirigeants locaux du Parti radical.

Certes au plan national les socialistes remportent cinq mandats de plus. Mais Guesde est battu. Il avait prédit — et c'était là ce qui déterminait la stratégie de son parti — que les socialistes remporteraient 160 sièges ! Ils sont à peine cinquante. Et encore le doit-on au progrès dans les circonscriptions rurales, résultat des efforts et des discours de Jaurès.

Dans cette Chambre il n'y a guère de majorité prévisible. Ce peut être la poursuite du gouvernement Méline. Et le vieux tenace le croit quand est porté à la présidence de la Chambre — contre le radical Henri Brisson — un jeune modéré élégant, qui est allé à Carmaux tenir une réunion contre Jaurès, Paul Deschanel. Mais en fait, la Chambre hésite à prolonger Méline. Les ambitions personnelles dévorent toujours après quelques mois les majorités. Millerand au nom des socialistes promet leur appui à tout ministère de gauche. La défense des institutions républicaines est une nécessité. On vote des ordres du jour contradictoires, et Méline démissionne le 15 juin.

Place à qui ?

La crise dure. Félix Faure consulte. Charge le radical Henri Brisson de constituer le gouvernement, peut-être dans l'espoir de le voir échouer et de confier le gouvernement à Godefroy Cavaignac. Brisson manœuvre, prend Cavaignac à la Guerre et obtient la majorité.

Ministère ambigu. Radical ? Certes. Mais Cavaignac est la forte personnalité du Conseil des ministres.

Fils du général qui en juin 1848 réprime l'insurrection, cet homme de quarante-cinq ans, honnête et impétueux, brûle d'ambition. Il a la confiance des militaires et de l'état-major. Il est naturellement hostile à la révision du procès de Dreyfus. Mieux, nationaliste à la Boulanger, il rêve peut-être d'un pouvoir fort dont il serait le glaive. Jaurès avancera même l'hypothèse qu'il y a chez Cavaignac la volonté inconsciente de prendre sa revanche sur le destin qui n'avait pas permis à son père, candidat à la présidence de la République, d'entrer à l'Elysée en 1848.

Déroulède ne s'y est pas trompé. « Je vote pour un cabinet où M. Cavaignac apporte une garantie que l'honneur de l'armée, l'"honneur de la Légion d'honneur, l'honneur du pays seront sauvegardés. »

Le ministère radical de Brisson n'est donc en rien un pas vers la révision du procès Dreyfus. Au contraire, en son sein, Cavaignac, par sa réputation d'intégrité, ses ambitions, est un homme qui peut être dangereux.

La nouvelle législature s'ouvre ainsi dans l'ambiguïté, l'incertitude et dans la menace qui rôde autour des institutions républicaines. Va-t-on subir un coup de force de l'armée, appuyée sur quelques hommes de gouvernement et des manifestations de rues, au nom de la défense de la Patrie ? Durant plusieurs mois, ce fut pour les dreyfusards une hypothèse inquiétante dont ils relevaient les indices.

Comment riposter à ce risque ? Jaurès a une solution : l'unité des socialistes.

Rue de la Douane, dans le XII⁰ arrondissement, existe l'une de ces salles de réunion parisiennes où les meetings se succèdent. Jaurès connaît bien celle-ci, le Tivoli Vauxhall. Il y a parlé plusieurs fois, appelant à la solidarité avec les mineurs ou les verriers de Carmaux et quand, le soir du 7 juin, il monte à la tribune, il reconnaît la foule des grands meetings.

Voilà deux semaines qu'il écrit dans *La Petite République* et ses articles visent à convier toutes les organisations qui se réclament du socialisme à discuter entre elles de la question de l'unité. Cette unité est aux yeux de Jaurès la condition pour défendre les institutions républicaines et aussi pour attirer à soi « ces jeunes gens de la bourgeoisie pauvre — savants, chimistes, ingénieurs, professeurs de demain — qui sont pénétrés de l'esprit du socialisme ». Il leur manque simplement le contact « avec la force décisive, avec l'énergie révolutionnaire du prolétariat militant ».

Ils sont là ces militants, plus de 10 000 dans la salle du Tivoli Vauxhall pour ce « grand punch socialiste » organisé par *La Petite République*. C'est Jaurès qui préside. Avant lui parleront douze orateurs. Mais c'est lui qui conclut. Son éloquence suscite l'enthousiasme. Il appelle à un vote en faveur d'une « unité organique suprême ». Approbation à l'unanimité.

Succès de Jaurès ?

Il a voulu faire pression sur les cadres politiques, sur ces sectes ou partis : POF, POSR, CRC, FTSF, les socialistes indépendants, sans compter les sous-groupes, tous ceux qui depuis des années se surveillent, s'excommunient, se subdivisent, Guesde, Allemane, Vaillant, Millerand, chacun jaloux de son indépendance qui est aussi moyen de préserver son pouvoir.

La salle applaudit. L'idée de l'unité fait son chemin dans les têtes, mais les dirigeants condamnent l'initiative et la manœuvre de Jaurès. Les guesdistes ne sont même pas venus au meeting. Vaillant refuse ce qui serait le « suicide des organisations ». On rappelle que Jaurès, après tout, n'est qu'un nouveau venu dans la famille socialiste, toujours suspect pour les plus sectaires.

Les guesdistes s'inquiètent. « Des journaux à nous se laissent prendre par la propagande de Jaurès. Je vois chez les nôtres des tendances à l'union à tout prix », écrit un cadre du parti à Guesde.

Celui-ci est-il jaloux de la place prise par Jaurès ? Craint-il de ne pas être dans le futur parti unifié le numéro 1 ? Ou bien est-il en désaccord plus profond avec Jaurès ? Sans doute un peu de tout cela. Il est si difficile de résister à cette force en mouvement qu'est Jaurès, à cet homme qu'on sent animé par de grandes idées, un homme dont il faudrait reconnaître la supériorité, accepter le leadership, et ce n'est jamais facile.

D'autant plus qu'après la réunion au Tivoli Vauxhall, Jaurès pousse en avant, dans toutes les directions.

Le 2 juillet, il est à Montpellier et devant une salle enthousiaste, encore, il réclame la révision du Procès Dreyfus.

Or, Jules Guesde et son parti sont décidés à ne plus s'intéresser à Dreyfus. Ils sont revenus à leurs premières analyses : cette bataille n'est pas celle des prolétaires. A eux de compter les coups et d'observer ces requins qui se dévorent. Jaurès est accablé, surpris. Pourquoi ce retournement qui le révolte ? La défaite de Guesde aux élections ? La déception devant l'ensemble des résultats si peu conformes au succès qu'on escomptait ? La myopie des « cadres » d'une organisation qui s'enferme dans son sectarisme parce qu'elle ne sait pas prendre d'initiative ?

Après tout, Jaurès n'est qu'un solitaire. « Nous ne pouvons sacrifier le seul parti qui soit organisé en France à un tas d'incohérents... Que deviennent nos programmes, nos actions spéciales dans tout cela ? » se demandent les guesdistes.

Un appareil en face d'un homme. Et c'est l'appareil qui est lent, lourd, aveugle, et qui commet erreurs d'analyse et bévues politiques.

Car alors que les dirigeants des formations socialistes recroquevillés sur leurs organisations pensent d'abord à publier des communiqués ou des mises en garde contre les risques de l'unité, Cavaignac, le ministre de la Guerre, a pris une initiative spectaculaire. Il veut en finir avec ce « cancer » de l'Affaire Dreyfus. Il se fait communiquer le dossier par le service de renseignements et l'état-major. Les généraux mettent le ministre en condition, lui montrent leurs documents, ces pièces fabriquées par le colonel Henry et dans lesquelles Dreyfus est nommément désigné.

Cavaignac convaincu décide de prendre l'offensive et alors que ses prédécesseurs s'étaient prudemment abrités derrière l'autorité de la chose jugée, le 7 juillet 1898, il monte à la tribune du Palais-Bourbon.

Voilà les pièces, dit-il, voilà le dossier. Et il lit, sûr de son fait, le « faux » Henry, ce billet de l'attaché militaire italien Panizzardi-Alexandrine à Schwartzkoppen, le beau Maximilien.

Stupeur de la Chambre. Soulagement de tous les députés. Enfin. Tout rentre dans l'ordre. L'armée est blanchie. Dreyfus reste à l'île du Diable. Les juges militaires ont bien jugé.

Cavaignac triomphe. « Que demain, conclut-il, tous les Français puissent s'unir pour proclamer que cette armée qui fait leur orgueil, qui fait leur espérance... n'est pas forte seulement de la confiance du pays mais qu'elle est forte aussi de la justice des actes qu'elle a accomplis. »

La Chambre debout acclame Cavaignac. On vote l'affichage du discours dans toutes les communes de France et seuls quinze socialistes et... Méline s'abstiennent. L'opinion est presque unanime. Camille Pelletan, le radical, se félicite « d'avoir toujours cru à la culpabilité de Dreyfus ». Drumont parle de « verdict suprême » et Alexandre Millerand écrit que ce discours a « soulagé la conscience publique… Il croit désormais de son devoir d'observer le silence sur ce douloureux et irritant sujet ».

Le silence !

Les dreyfusards sont accablés.

Herr, Blum, écoutent le compte rendu de cette séance, la tête dans les mains, muets et immobiles. Ils savaient Cavaignac probe, laborieux, méthodique. « Ce qui était effrayant, effarant, ajoute Blum, c'est qu'il pût croire à tout cela de bonne foi. Et la Chambre entière l'avait acclamé. » Socialistes compris.

Tout à coup, le tintement de la clochette. C'est Jaurès qui revient de la Chambre. Il a assisté à la séance. Il regarde Herr et Blum. Puis il explose. Il invective ses amis avec véhémence et colère. Et, note Blum, « il y avait en lui quelque chose de triomphant et de radieux ». Il va et vient, il parle, les mots se bousculent.

« Alors quoi, vous aussi ? » dit-il. Il raconte :

« Tout à l'heure, à la sortie de la Chambre, j'ai dû me débattre contre un groupe de camarades qui m'entouraient, qui me pressaient. Ils s'imaginent que tout est fini, les nigauds, ils m'adjuraient de clore ma campagne. » Il s'arrête, tend les mains et avec cette force de conviction irrésistible : « Mais vous ne comprenez pas que maintenant, et maintenant pour la première fois, nous tenons la certitude de la victoire. »

Pour Blum et Herr brusquement la situation s'éclaire.

« Méline était invulnérable parce qu'il se taisait, poursuit Jaurès. Cavaignac parle, discute, donc il est vaincu.

« Nos seuls adversaires dangereux étaient le mystère et le silence, ajoute Jaurès. Maintenant que Cavaignac a donné l'exemple, il faudra tout publier, tout exhiber, il faudra que l'état-major épuise ses réserves. On ne pourra plus nous glisser à l'oreille " mais vous savez, il existe une pièce secrète qui… " Nous contrôlerons tout, nous vérifierons ce qui est authentique et ce qui est faux. Les pièces que Cavaignac a citées tout à l'heure, eh bien ! moi je vous jure que ce sont des faux. Elles sentent le faux, elles puent le faux. Ce sont des faux. D'ailleurs imbéciles, fabriqués pour couvrir d'autres faux, et j'en ferai la preuve. »

Il poursuit rayonnant : « Les faussaires sont sortis de leur trou ; nous les tenons maintenant à la gorge… Ne prenez plus ces airs d'enterrement ; faites comme moi, réjouissez-vous… »

Jaurès dont la lucidité est une force politique. Jaurès seul, alors que succombent tous les élus socialistes.

252

« C'est triste, commente-t-il, pensif, qu'il ne s'en soit pas trouvé un seul... Pour la première fois, j'ai regretté mon échec de Carmaux. » Puis il serre les poings. « Les acclamations passeront : la vérité restera. J'ai le journal. »

Il est à son bureau de *La Petite République.* Il écrit comme à son habitude le titre au milieu de la page : *Lettre ouverte au ministre de la Guerre.*

« Vous avez fait hier à la Chambre une œuvre utile et une œuvre criminelle, commence-t-il. Vous avez fait une œuvre utile en produisant au pays une partie du dossier... Criminelle parce qu'il s'agit de faux. » Et Jaurès analyse le discours de Cavaignac, débusque l'intention — et la menace politique que recèlent les procédés du ministre.

« Il vous fallait un succès immédiat, continue-t-il, impitoyable, un succès de tribune et d'opinion. L'Elysée vous fascine et vous avez pensé que les passions chauvines vous y porteraient. Prenez garde : ce n'est pas toujours impunément qu'on viole le droit, la justice et la vérité. »

Jaurès a décelé la faiblesse et identifié l'adversaire. Rien ne l'arrête. Avec l'autorité et la hauteur de ton de celui qui sait qu'il a raison, il interpelle aussi vigoureusement les socialistes. Sa colère perce sans concession. « Quand les groupes socialistes de Paris le voudront, quand ils voudront sortir des équivoques, des ignorances et des mensonges pour saisir sur le vif le monstrueux fonctionnement de la machine militaire, je suis prêt à faire devant eux la preuve de ce que je dis. »

Jamais il n'a été aussi dur. Finies les précautions oratoires. Les ménagements. La vérité est en cause, le sort d'un homme en question et la République en danger.

Mais un tel ton creuse un fossé. L'unité s'éloigne. Le 24 juillet le conseil national du Parti ouvrier publie une déclaration retentissante, véritable désaveu de l'action de Jaurès. « Le Parti ouvrier, affirme Jules Guesde, ne saurait sans duperie et sans trahison se laisser un seul instant dévier de sa route, se laisser aller à suspendre sa propre guerre. » Le socialisme se doit aux millions de victimes torturées dans les bagnes patronaux. Il ne doit pas « s'égarer dans des redressements de torts individuels qui trouveront leur réparation dans la réparation générale ». Ces positions sont aux antipodes de celles de Jaurès. Car pour le Parti ouvrier peu importe qu'un homme pourrisse au bagne de l'île du Diable. Pas de temps à perdre avec ce cas individuel. Battons-nous pour la révolution sociale, cette « réparation générale ».

Logique obtuse qui n'est pas capable de saisir le lien entre la lutte pour « un innocent » qui prend valeur de symbole et la bataille collective. Logique dangereuse qui fait fi de la vie d'un homme, au bénéfice de l'abstraction d'une victoire future. En s'opposant avec fermeté à ce point de vue, Jaurès non seulement se bat pour Dreyfus mais pour une conception différente du socialisme.

Car naturellement il n'est pas décidé à céder. Vaillant déclare que « L'Affaire est un fumier qui a pourri les meilleurs citoyens. Et même Jaurès. Il faudrait le fusiller celui-là », aurait-il lancé. Boutade de vieux communard ? Drumont, dans la *Libre Parole,* affirme que Jaurès ne s'est pas remis de sa défaite électorale et qu'il en est devenu fou.

Jaurès est seul et concentre sur sa personne — comme l'avait fait Zola au temps de *J'accuse* — toutes les haines.

Ses camarades socialistes le savent obstiné. Une réunion se tient chez Millerand : Guesde et Vaillant sont présents. On l'adjure de cesser sa campagne inutile et néfaste. Il refuse. Montre le danger que représentent Cavaignac et la Haute Armée. Il argumente. « Dreyfus, dit-il, condamné à faux et criminellement par la société que nous combattons devient un élément de la Révolution. »

On l'écoute. Chacun est muré dans ses intérêts de groupe, son sectarisme ou ses ambitions.

Un accord est enfin proposé que Jaurès accepte : il n'écrira qu'en son nom personnel, n'engageant pas les socialistes.

Soit.

Le revoici à son bureau. Il est seul à Paris dans cette chaleur estivale, tout entier voué à la démonstration, à cette série d'articles qu'il intitule *Preuves* et qui paraîtront à partir du 10 août et jusqu'à la fin du mois.

Ils occupent une grande partie du journal. Ils ont la rigueur d'une démonstration mathématique. Si le *J'accuse* de Zola était un cri de colère, les *Preuves* de Jaurès sont un réquisitoire dont les conséquences ne sont pas moins décisives que l'article de Zola.

En fait le texte de l'écrivain et la série de Jaurès sont les deux coups de boutoir qui ont fait éclater le mensonge.

Jaurès a fait un énorme effort de documentation. Pas une pièce qu'il ne passe au crible. Et au terme de ses articles il est évident que

Dreyfus est innocent, Esterházy l'un des coupables, l'état-major fabriquant des « faux imbéciles ».

Au ministère de la Guerre, c'est l'inquiétude. Ces arguments irréfutables troublent le ministre. Il est partagé entre le désir de faire cesser brutalement cette campagne de presse et celui de démontrer qu'elle n'est faite que de mensonges.

C'est l'été. Mais la diffusion de *La Petite République* n'a jamais été aussi forte. Des lettres destinées à Jaurès s'entassent, menaces, injures, mépris, mais aussi témoignages d'admiration. Dans le pays, la Ligue des droits de l'homme prépare une série de meetings. L'effet du discours de Cavaignac s'est déjà effacé. Jaurès avait raison de dire que « les acclamations passeront et la vérité restera ».

Chaque soir, il rentre chez lui, tranquillement, à pied ou par l'omnibus, ignorant la haine qu'il rencontre parfois quand on le reconnaît.

Ses amis, Herr, Blum, le soutiennent. Des rumeurs contradictoires circulent. Bruit de coup d'Etat de l'armée.

On parle d'un dîner donné en l'honneur de Félix Faure qui se serait tenu chez le président du Conseil, Brisson, en présence des ministres.

Cavaignac, officieusement, dans cette réunion qui n'a pas de pouvoir délibératif, aurait soumis au président du Conseil la liste des dreyfusards qu'il faudrait déférer en Haute Cour. Aux côtés de Scheurer-Kestner et de Picquart, de Mathieu Dreyfus et de Bernard Lazare, on trouve les journalistes gênants, Clemenceau de *L'Aurore,* Ranc du *Radical,* d'autres et naturellement Zola et Jaurès.

Initiative surprenante, manière de sonder Brisson ? Qu'il accepte ou qu'il démissionne, la voie est libre pour le ministre de la Guerre. Le président de la République, antidreyfusard déterminé, confiera la charge à Cavaignac. La République serait une nouvelle fois garrottée.

Mais Brisson déclare qu'il ne se prêtera pas à ce coup de force. Cavaignac décide alors de reprendre le dossier. On ne peut laisser les attaques de Jaurès sans réponse. L'officier de son cabinet — le capitaine Cuignet — qu'il charge de l'examen des pièces découvre alors, par simple contre-jour, que le document où Dreyfus est nommé est un faux sommaire. « Un faux imbécile » comme l'avait écrit Jaurès par simple déduction logique. Le lieutenant-colonel Henry est convoqué le 30 août dans le bureau de Cavaignac en présence des généraux Gonse et de Boisdeffre. Et il s'effondre : « Mes chefs étaient très inquiets, explique-t-il. Je me suis dit : ajoutons une phrase... J'ai agi seul dans l'intérêt de mon pays. »

255

Les événements se succèdent rapidement : à minuit l'agence Havas annonce les aveux d'Henry ainsi que son arrestation et son incarcération. Le lieutenant-colonel Henry a été conduit au mont Valérien.

Le 31 août alors que l'opinion est encore sous le coup de cette annonce, une nouvelle fois à minuit, une dépêche d'Havas tombe : « Le lieutenant-colonel Henry s'est coupé la gorge avec un rasoir qu'il avait apporté dans sa cellule. »

Les généraux Pielleux et de Boisdeffre démissionnent. Le 4 septembre, c'est au tour de Cavaignac. On apprend que Esterházy s'est enfui en Belgique et de là à Londres. Mme Alfred Dreyfus adresse au gouvernement un recours formel en révision du procès de son mari. Le 4 septembre, à la majorité, le Conseil des ministres accède à sa demande. Le général Zurlinden, successeur de Cavaignac au ministère de la Guerre, démissionne à son tour, n'acceptant pas la révision. Il est remplacé par le général Chanoine.

Un homme Jaurès — comme hier Dreyfus ou Zola — un homme, sa détermination, son courage intellectuel et sa clairvoyance politique, un homme appuyé d'abord sur des principes moraux qu'il ne sépare pas de ses choix politiques, un homme qui pense qu'il doit y avoir *unité* entre le destin — et le salut — d'un seul et le sort de tous, entre la morale et la politique, un homme qui associe la rigueur intransigeante à l'intelligence des situations, cet homme, Jaurès, vient de porter en quelques semaines le coup décisif qui change les conditions de l'Affaire Dreyfus. Et modifie ainsi l'évolution politique du pays.

Car les événements qui se sont succédé révèlent à l'opinion moyenne, jusqu'alors peu concernée ou hésitante, la machination montée contre Dreyfus et clament son innocence.

Les dreyfusards, quant à l'objet précis de leur combat — l'innocence ou la culpabilité de Dreyfus —, l'ont emporté. Et cela on le doit à Jaurès qui n'a pas plié à l'heure où toute la Chambre des députés se levait pour applaudir Cavaignac.

Rarement des articles — comme le *J'accuse* de Zola — auront autant pesé que *Preuves*.

Jaurès s'épanouit, tâche accomplie. Ses amis l'entourent. Jaurès, pour reprendre les mots de ce Lavrov que Herr lui avait fait connaître, s'était « appliqué à devenir une force historique ». Les résultats de sa campagne en faveur de Dreyfus lui démontrent que l'idée de Lavrov qu'il avait fait sienne est exacte : c'était bien « la force et la pensée et l'énergie de volonté des individus qui servaient d'instrument nécessaire au déterminisme ».

N'est-ce pas le souvenir de Lavrov que l'on trouve dans ces formules que Jaurès aime à utiliser, évoquant son « énergie de combat » ? Mais ses articles sur l'*Affaire* (qui allaient être publiés en volume le 25 septembre, augmentent encore leur diffusion et leur effet) dévoilent un autre aspect de Jaurès.

Péguy qui, à la librairie Georges Bellais, sa librairie, son quartier général, a décidé de publier lui aussi des articles de Jaurès sous le titre *L'Action socialiste*, écrit à propos des *Preuves* que ces textes « resteront comme un des plus beaux monuments scientifiques, un triomphe de la méthode, un monument de la raison, un modèle de méthode appliquée, un modèle de preuve ».

Cela dans le camp adverse où l'on vient une fois de plus de subir les assauts de Jaurès, de s'incliner devant lui, on ne le pardonne pas. Nouvelle recrudescence de haine contre Jaurès. Nouvelles rancœurs. A la dimension aussi de la bataille politique qui se joue.

Car il reste non seulement à conduire l'Affaire Dreyfus jusqu'à son terme — la libération de l'innocent — mais aussi à écarter la menace de coup de force que continue de faire planer le camp antidreyfusard.

Barrès avec cynisme pose bien le problème politique quand il écrit : « Au reste ce sont les dreyfusards plus que Dreyfus qu'il faut abattre... car quand même leur client serait innocent, ils demeureraient des criminels ».

Et en regard, Blum indique que les dreyfusards voulaient « transformer la coalition révisionniste en une armée permanente au service du droit humain, de la justice. De l'iniquité subie par un individu, nous tâchions, comme Jaurès l'avait fait dès le premier jour, de remonter à l'iniquité sociale ».

Bataille politique donc, violente, incertaine.

Le suicide d'Henry a exacerbé les passions. Les élucubrations des antidreyfusards qui continuent de jouer sur le « dossier secret », l'existence d'une mystérieuse lettre de l'Empereur d'Allemagne ne convainquent pas. Sur leur route ils trouvent à chaque fois Jaurès, toujours au premier rang, poussé par son succès, le triomphe politique de sa démonstration.

Sa plume court sur les feuilles grand format que le secrétaire de rédaction emporte toutes bruissantes à l'imprimerie de *La Petite République*. Il clame : « A genoux devant la France coquins qui la déshonoriez ! Pas de huis clos ! Pas de ténèbres ! Au plein jour la justice pour le salut de l'innocent, pour le châtiment des coupables, pour l'enseignement du peuple, pour l'honneur de la Patrie. »

Mais à cette conception de l'honneur de la Patrie, certains en opposent une autre. Et durant quelques mois de l'automne 1898 au printemps 1899, le fléau de la balance hésitera.

Dans sa cellule du mont Valérien, le lieutenant-colonel Henry avait commencé avant de se suicider une lettre à sa femme : « Ma Berthe bien aimée, je suis comme fou, écrivait-il, une douleur épouvantable m'étreint le cerveau, je vais me baigner dans la Seine. »

Puis il s'était tranché la gorge. Sa veuve à laquelle on accorde une pension veut défendre la mémoire de son mari. Une souscription est ouverte dans la *Libre Parole*. Voici Henry transformé en héros. Charles Maurras, un jeune écrivain provençal de trente ans, se lance dans l'apologie de l'officier : « Quatorze campagnes, deux blessures et qui jugea utile de se faire deux blessures de plus. » Henry n'aurait accompli qu'un « faux patriotique » pour le bien et l'honneur de tous.

Vingt-cinq mille souscripteurs apportent leur pierre au « monument Henry ». Toute une France se révèle (militaires, aristocrates, prêtres, étudiants, artisans, commerçants) qui exprime sa haine, son antisémitisme. Barrès, Valéry, Léautaud, de Mun sont là, aux côtés de ceux qui voudraient : « La vivisection sur les juifs plutôt que sur d'inoffensifs lapins », et de ces autres qui rêvent de « fours », de « wagons d'exportation », de ce « Vendéen qui serait heureux de décrocher le flingot de ses ancêtres de 1793 pour canarder les youtres qui empoisonnent la France ». Et l'on n'oublie pas dans la haine Jaurès.

Ce courant antisémite se nourrit de nationalisme, le contexte international l'entretient. A Fachoda sur le Haut-Nil, un Français, le capitaine Marchand fait face à l'Anglais Lord Kitchener. L'armée — dans cet officier courageux — est humiliée par la retraite que le capitaine Marchand, sur ordre du gouvernement, doit effectuer devant les Anglais. Les Ligues — celle de la Patrie française, celle des Patriotes —, des associations — Le Grand Occident — recrutent des milliers d'adhérents, dont les sections, les permanents défilent dans les rues des principales villes. Au « Manifeste des intellectuels » dreyfusards, s'opposent les écrivains de la Patrie française.

Les idées, les hommes, les principes s'entrechoquent. Et Jaurès est au centre du jeu.

Il fustige avec une verve railleuse et une plume acérée ceux des intellectuels qui sont antidreyfusards : Brunetière, ce critique littéraire qui essaie de sauver cette sorte de « faillite personnelle en proclamant la faillite générale de la science et de la liberté ». Paul Bourget, « qu'aigrit ses pauvres jalousies littéraires », Jules Lemaître « coquette repentie qui soudainement devient prêcheuse ».

Pas de concession chez Jaurès, pas de complicité mondaine mais aucune vulgarité et une attaque qui ne se limite pas à l'individu mais qui veut expliquer un mouvement.

« Il y a autre chose dans cette mobilisation des intellectuels réactionnaires. La société d'aujourd'hui, qui, malgré ses vices et ses crimes, ne veut pas périr, entend restaurer à tout prix l'autorité. Et elle exige que des hommes dont c'est le métier de penser donnent eux-mêmes l'exemple et le signal de l'abdication de la pensée. Et elle ne sera tout à fait tranquille que quand la science aura été reniée par les savants, quand l'esprit critique aura été renié par les critiques, et quand la pensée se sera elle-même prostituée à la force. » Jaurès menant de front la bataille des idées et la bataille politique, sachant que l'une influe sur l'autre et vice versa. Et tirant de l'Affaire Dreyfus des leçons générales, prenant à contre-pied les socialistes, affirmant dans *La Revue de Paris* le 1ᵉʳ décembre 1898 : « Rien n'est au-dessus de l'individu... C'est l'individu humain qui est la mesure de toute chose... Voilà le socialisme. » Et face à des adversaires qui ricanent et avouent qu'ils veulent « une descente de lit en peau de youpins afin de la piétiner matin et soir » ou face à des camarades enfermés dans leur « haine de classe » il répète : « Quel que soit l'être de chair et de sang qui vient à la vie, s'il a figure d'homme, il porte en lui le droit humain. »

Il fallait du courage, en une période de tension politique intense et en étant soi-même l'un des acteurs principaux couvert d'injures, entouré d'incompréhension, menant l'assaut, pour affirmer la dignité humaine de l'adversaire dès lors qu'il était homme.

Au même moment, Guesde continuait de protester rageusement, rappelant une nouvelle fois à l'ordre ses militants : « Il serait temps qu'on se rappelât que le socialisme n'a pas pour objectif la libération d'un capitaine d'état-major, mais l'affranchissement du prolétariat », martelait-il.

Ces hommes — Guesde et ceux qui le suivaient —, quelles que

fussent leurs qualités, n'avaient donc rien compris à la démonstration de Jaurès et ils ne savaient même pas décrypter la réalité telle qu'elle se déployait sous leurs yeux.

A la fin septembre, les terrassiers s'étaient mis en grève à Paris. Des incidents éclataient. La CGT préparait la grève des cheminots, espérant que s'embraserait alors la grève générale. Echec de ces mouvements mais l'état-major fit pression sur le gouvernement Brisson et brusquement Paris se réveilla occupé par 60 000 hommes de troupe.

L'importance de la mobilisation militaire n'était pas sans rapport avec l'ampleur limitée des mouvements sociaux. Une atmosphère de guerre civile semblait peu à peu se constituer. Les adhérents des Ligues manifestaient leur appui, l'armée exaltait la figure du capitaine Marchand, la résistance nécessaire aux Anglais.

Au nationalisme et à l'antisémitisme, venait s'ajouter, avec les menaces de grève, la peur sociale.

Dans *L'Aurore,* Clemenceau insultait Brisson dans des articles d'une violence débridée : « Il nous mène en se lamentant sur sa destinée aux catastrophes dernières. Plus bête que lâche ou plus lâche que bête ? Les deux. Brisson, Sarrien, Bourgeois, toute la bande de la radicaille, plus jésuite que toute la jésuiterie. Jamais on ne vit tel déchet d'humanité lamentable. »

Les régiments traversaient Paris. Coup de force ?

Dans cette situation inquiétante, on se souvint chez les socialistes de l'appel à l'unité de Jaurès.

Le 16 octobre, salle Vanier, Jaurès préside une réunion enfin commune. Guesde et Brousse sont à ses côtés. Il n'en tire aucun orgueil. Les idées font leur chemin poussées par les hommes et la nécessité. Un Comité de vigilance est créé où chaque parti et chaque journal socialiste aura deux délégués. Allemane, Jaurès, Brousse, Gérault-Richard, Guesde, Millerand, Vaillant, Viviani, Zévaes font partie de ce Comité. Mais les guesdistes sont encore réservés. Il faut se contenter d'informer, disent-ils.

Pendant ce temps, le 25 octobre, place de la Concorde, les adhérents de la Ligue des Patriotes manifestent. Immense rassemblement où l'on crie « Vive l'armée », « A Bas Jaurès », « A mort les juifs ». Des bagarres éclatent dans les rues proches du Palais-Bourbon, car c'est le jour de la rentrée des Chambres qui a été choisi par Déroulède pour cette manifestation.

A la tribune de la Chambre, tout à coup, le ministre de la Guerre, le général Chanoine, déclare qu'il croit à la culpabilité de

Dreyfus et que, dans ces conditions, il démissionne, remettant aux mains des représentants de la nation l' « honneur de l'armée ».

Dehors les mouvements de rue, Paris rempli de troupes, à la Chambre la crise gouvernementale ouverte car Brisson démissionne. Climat menaçant : première tentative de la part des antidreyfusards de forcer le cours politique des choses.

La preuve : Le 1er novembre Félix Faure choisit pour former le nouveau gouvernement Charles Dupuy, ce vieux routier sous la présidence duquel Dreyfus a été condamné !

Sous la pression des événements un Comité de rapprochement socialiste remplace le 27 novembre le Comité de vigilance. On avance dans la voie fixée par Jaurès. Mais en cette fin d'année 1898, la situation reste dangereuse, même si les forces socialistes se sont quelque peu regroupées. Les intellectuels de la Ligue des droits de l'homme pèsent sur l'opinion et Jaurès n'a jamais eu une telle audience. Ses idées peu à peu se sont répandues. Le mouvement ouvrier a rejeté l'antisémitisme. Malgré les dirigeants, la « base » écoute Jaurès et l'entoure d'affection.

Quand il se rend dans une ville de province, des milliers d'auditeurs l'attendent. On l'accueille à la gare, on lui fait cortège.

A Marseille (en mai 1899) ils sont 30 000 sur les trottoirs de la Canebière. Il leur adresse la parole du balcon de l'hôtel de Noailles, avant d'intervenir à l'Alhambra.

De telles scènes se reproduisent dans de nombreuses villes. On veut entendre ce Jaurès qu'on a lu, que la droite insulte, et dont on sent instinctivement qu'il ne poursuit aucun but personnel.

Quand il doit parler à Orléans, *Le Progrès du Loiret* (18 octobre 1898) annonce ainsi la réunion sous la plume de Charles Péguy : « Notre maître et notre ami Jean Jaurès n'est ni un rhéteur ni un sophiste, il est un orateur et un philosophe. Il est aussi un tribun et un justicier. Vos lecteurs pourront s'en apercevoir en assistant à la conférence qu'il nous a promis de donner bientôt à Orléans. » Dans l'Aube, l'une des plus solides fédérations du Parti ouvrier français, le journal officiel du parti convie les travailleurs à venir accueillir à la gare Jean Jaurès : « Ce cœur d'or qui détient dans le monde le sceptre de la parole... Le grand semeur de l'idée socialiste. »

C'est l'époque où Lucien Herr, qui pour quelques semaines écrit dans un nouveau journal radical, *La Volonté,* peut dire que « dans une France rétrécie, desséchée, racornie, un petit nombre d'hommes pour une œuvre de justice, d'humanité et d'honneur, ont pu entreprendre la lutte contre la force souveraine des brutalités liguées, des intérêts syndiqués, des haines coalisées ».

Jaurès — et le peuple le devine — est le premier de ces hommes qui « ont pu dans une bataille de chaque jour, ébranler une à une les âmes ».

Mais rien n'est joué. Ce qui s'est passé au mois d'octobre — de la rue à l'armée et au gouvernement — n'est qu'une tentative. Qui montre la résistance des institutions au coup de force mais aussi la détermination de ceux qui veulent empêcher la démocratie de fonctionner.

De ceux qui, comme l'écrivain Paul Léautaud, envoyant leur obole à la souscription ouverte par la *Libre Parole* en faveur de la veuve du lieutenant-colonel Henry, s'affirment « pour l'ordre, contre la justice et la vérité ».

Mais il y a aussi, heureusement, la vie privée, et jamais Jaurès ne paraissait aussi heureux qu'au moment où, chez lui, il se penchait sur le berceau de Louis, son fils.

Son visage s'épanouissait et s'illuminait dans un sourire qui irradiait la bonté. Il avait donné à ce fils le prénom de son frère. Et l'on murmurait que l'une des raisons pour lesquelles, en mai 1898, il avait renoncé à être élu, à Paris, c'était parce qu'il s'était rendu à un argument de sa femme : la carrière militaire de son frère souffrait de son action politique.

En fait, Louis Jaurès, plongé dans ce milieu dominé par les idées réactionnaires qu'était le corps des officiers de marine, acceptait, avec beaucoup de dignité, les allusions ou les critiques. Solidaire de son frère en toute occasion, l'une des périodes les plus difficiles — il y en aura d'autres encore plus oppressantes — fut ces mois de 1898-1899 durant lesquels une bonne partie des cadres de l'armée prenait ouvertement parti contre la réhabilitation de Dreyfus. Sur les 25 000 souscriptions de la *Libre Parole* pour la veuve du lieutenant-colonel Henry, on dénombre 3 000 signatures d'officiers. Et l'antisémitisme s'exprime avec violence chez les officiers.

Plus grave : les rumeurs de coup d'Etat militaire se précisent. On cite les noms du général Pielleux. Quand le gouvernement Dupuy fait voter le 9 février un texte de circonstance, « la loi du désaisissement » qui transfère de la Chambre criminelle à l'assemblée pleinière des Trois Chambres de la Cour de cassation les demandes — même en cours, donc celle de Mme Dreyfus — de révision, l'agitation est à son comble.

Pour Jaurès il est clair que le gouvernement refuse encore la procédure de la révision, que Charles Dupuy son vieil adversaire manœuvre avec une Chambre dont la majorité des députés reste hostile aux dreyfusards même si quelques hommes politiques habiles parmi les plus jeunes — tel Poincaré —, évaluant le rapport des forces, se rallient avec prudence au camp de la révision. Pour ceux-là, dont la carrière est à faire, il s'agit de ne pas être balayé de la scène politique le jour où les dreyfusards l'emporteront. Longtemps silencieux, ils parlent enfin : « Je suis heureux d'avoir saisi, à cette tribune, dit Poincaré le 9 février, l'occasion trop longtemps attendue de libérer ma conscience. »

En fait, c'est bien le rapport de forces dans le pays qui sera déterminant. Jaurès tient meeting sur meeting. A l'Ecole normale Lucien Herr, Péguy, le groupe des étudiants dreyfusards sont sur le qui-vive. Tout événement peut servir de prétexte à un coup de force.

Les « droites » se rassemblent, font étalage de leur puissance et de leur rayonnement. La Ligue de la Patrie française reçoit des milliers d'adhésions et le journal *L'Eclair* peut publier quatorze listes qui attestent de l'accueil fait aux idées antidreyfusardes dans le pays : sur la première liste on dénombre 23 académiciens, plusieurs dizaines de membres des différentes sections de l'Institut, des centaines de professeurs d'université et du Collège de France. Au sein de cette Ligue, les plus actifs se préparent avec Charles Maurras à fonder l'Action française. Une revue paraîtra sous ce titre en juin 1899. La Ligue des Patriotes rassemble 30 000 membres bien organisés capables de se mobiliser rapidement, et l'on voit Paul Déroulède, sa canne à la main, son immense redingote démodée soulevée par le vent, entraîner les manifestants. Cet ancien boulangiste est un véritable conducteur d'hommes. Insensible au ridicule de l'outrance, il campe un personnage à la don Quichotte dont le poids politique, le prestige dans les milieux militaires, les liens avec l'état-major sont réels. Il complote. Le Grand Occident dirigé par Jules Guérin édite toujours l'hebdomadaire *L'Antijuif*, possède un siège, rue Chabrol. Guérin bénéficie de soutiens financiers occultes, et peut se permettre de payer des permanents 10 francs par jour, plus 50 francs à la fin du mois pour leur chambre (120 et 600 francs de 1984). Ils encadrent des équipes spéciales recrutées autour des Halles, au faubourg Montmartre, aux Ternes et aux Batignolles.

Voilà le Paris dans lequel éclate, le 18 février 1899, la nouvelle de la mort subite de Félix Faure, victime d'une attaque. L'on sait vite que Mme Steinheil s'est enfuie par la porte du jardin de l'Elysée, ses vêtements en désordre, cependant qu'agonisait son amant.

Il semble qu'on vive un roman naturaliste, une scène inventée par Zola. On ricane, mais une crise politique grave est ouverte. Le poids du président de la République dans le déroulement de l'Affaire Dreyfus a été important. Son successeur peut jouer un rôle décisif. On parle à droite de Méline. Pourtant le 18 février, les Chambres réunies en Congrès élisent Emile Loubet, homme avenant, modéré, dont l'accent provençal enchante et l'allure — petite taille, barbe blanche, sourire — rassure. Il n'a pas pris position dans l'Affaire Dreyfus mais cet avocat de Montélimar est un républicain fidèle aux principes. Il est élu par 483 voix contre 279 à Méline.

Défaite des droites. « Avant huit jours, nous aurons chassé Loubet de l'Elysée », dit Jules Lemaître, l'un des animateurs les plus fougueux de la Ligue de la Patrie française. « Cette élection est un défi à l'opinion publique », conclut-il.

Jaurès s'inquiète. Est-ce l'occasion du coup de force ? Quand Loubet arrive de Versailles — où s'est tenu le Congrès —, il est accueilli à la gare Saint-Lazare par des centaines de manifestants qui l'injurient, lancent des œufs pourris, lui crient « A bas Panama Ier » car Loubet fut président du Conseil au moment du scandale. Sa voiture est secouée, poursuivie de cris, tout au long du trajet jusqu'à l'Elysée.

On parle de plus en plus d'une action de l'armée, des bonapartistes et des partisans du duc d'Orléans.

Le déclenchement aurait lieu le jour des obsèques solennelles de Félix Faure à Notre-Dame, le 23 février.

Jaurès, par ses articles quotidiens, souligne que la République est en danger, qu'il faut la sauver. Les guesdistes sont toujours réticents et ce sont les socialistes révolutionnaires d'Allemagne qui fournissent à Herr et à Péguy les hommes qui se préparent à réagir.

L'atmosphère est lourde le 23 février 1899. Un témoin — l'historien Jules Isaac — explique : « Les factieux pouvaient compter sur l'armée — généraux, officiers —, la police, certaines complicités gouvernementales, leurs troupes de ligueurs et les nervis à gages embauchés à Alger ou recrutés sur la place de La Villette. L'heure semblait venue au prononciamento. Le grand déploiement de forces militaires et policières prévu pour les obsèques du Président défunt était une occasion rêvée. Nous le pressentions et prîmes nos dispositions en conséquence. »

Jaurès depuis plusieurs jours suit la montée et la préparation de ce coup d'Etat. Le 19, le 20, le 21 des manifestations ont lieu dans

Paris, observées par les militants placés en des points stratégiques par Lucien Herr et Péguy. Le 23, deux régiments — le 4ᵉ et le 32ᵉ de Ligne — seraient prêts à marcher derrière Déroulède aux côtés de qui se trouve Barrès. Mais quand, place de la Nation, Déroulède essaie d'entraîner les troupes que commande le général Roger et qui reviennent de la cérémonie à Notre-Dame, son cri « Mon général à l'Elysée ! » n'est suivi d'aucun effet. Le général Roger rentre à la caserne de Reuilly où Déroulède, refusant d'en sortir, sera finalement arrêté.

Ce nouvel échec après celui d'octobre, et venant au lendemain de l'élection d'Emile Loubet à la Présidence, montre la résistance des institutions. C'est ce que souligne Jaurès qui appelle pourtant à la vigilance.

Il parcourt la France. Sa conviction balaie chez les socialistes de la base les dernières résistances à l'engagement pour la cause de Dreyfus dont il démontre qu'elle se confond avec celle de la République et du socialisme.

Le travail de Jaurès en direction de la France profonde et provinciale est déterminant. C'est elle qui — a contrario, la Commune l'avait montré — fait la décision quel que soit le choix de Paris.

Les résultats de ses efforts sont clairs. A Grenoble, quand Drumont veut tenir une conférence en mai 1899, 15 000 personnes manifestent contre le journaliste antisémite et il ne peut reprendre le train que sous la protection de deux escadrons de l'armée. C'est cette évolution de l'opinion, son glissement à la défense de la République contre « le sabre et le goupillon » (on voit apparaître la formule) qui modifie l'équilibre.

Car à Paris les faits contradictoires se succèdent. Le nouveau ministre de la Guerre Kranz est un antidreyfusard notoire. Le 29 mai Déroulède est acquitté par le jury de la Seine. Mais le 3 juin — date clé de l'Affaire Dreyfus au plan juridique —, la Cour de cassation casse le jugement condamnant Dreyfus et ordonne son transfert en France pour qu'il y soit à nouveau jugé.

Sur l'île du Diable, après cinq ans d'enfer, Dreyfus voit à nouveau la mer.

On apprend que Picquart arrêté depuis près d'un an est libéré. C'en est trop pour l'opinion nationaliste.

En ce début juin 1899, elle tente une dernière manœuvre, symbolique. Sur le champ de courses d'Auteuil, pendant près de

265

deux heures, la « jeunesse dorée » insulte le président de la République. La boutonnière ornée d'un œillet blanc, les manifestants lui lancent leur mépris, et pour finir, après avoir bousculé Mme Loubet, l'un d'eux, le baron Cristiani, donne au Président un violent coup de canne. Le service d'ordre insuffisant laisse faire.

A gauche, c'est l'indignation. Jaurès éclaire les complicités qui ont permis cette manifestation, insiste sur la passivité coupable du président du Conseil Dupuy. Il appelle dans *La Petite République* à contre-manifester. On s'organise, et le 11 juin — une semaine plus tard — vers l'hippodrome de Longchamp, les gauches se rassemblent. Les ouvriers sont là aux côtés des étudiants, Blum, Herr, Péguy, arborant — pour la première fois — l'églantine rouge.

De la place de la Concorde aux tribunes de Longchamp, un immense cortège se déroule. Cette fois-ci des milliers d'hommes de troupe ont été mobilisés. Mais sous le soleil clair l'ordre règne parmi les manifestants. Foule immense résolue, « chantante », joyeuse. « Une femme qui s'était fait un bonnet de son écharpe rouge marchait en tête de la colonne. En tête aussi Lucien Herr que sa haute stature désignait aux regards et qui ce jour-là, jour décisif, paya de sa personne et fut le chef, le grand meneur de la foule révolutionnaire, en imposant à tous, même aux agents, par son allure à la fois résolue et calme. »

Herr, l'ami de Jaurès.

Ce jour était leur triomphe. Leur détermination, leur alliance avaient fécondé l'Histoire. Herr et Jaurès, l'un soutenant l'autre.

Clemenceau, dès ce 11 juin, tire la leçon des événements : « J'espère, dit-il, que tous les républicains sans distinction de nuances ont fini par découvrir la connexion de l'Affaire Dreyfus avec les idées représentatives de la République elle-même... Devant l'Eglise et la Monarchie, il est grand temps pour le Parti républicain de se reprendre et de donner à la République un gouvernement. »

Le lendemain 12 juin, dans *La Petite République,* Herr dénonce les brutalités policières qui ont marqué, la veille, le retour des manifestants dispersés. Il en a été le témoin : « Je n'ai jamais vu, écrit-il, une intervention policière aussi absurdement incohérente, aussi brutale, aussi stupidement conduite. »

A la Chambre, Vaillant interpelle le gouvernement, lisant le texte de Lucien Herr.

Charles Dupuy hésite. Son gouvernement conservateur est paralysé entre sa crainte de la « révolution populaire » dont il veut jouer, et la poussée antirépublicaine qui déborde largement les limites de l'Affaire Dreyfus, et remet en cause les institutions.

Une fois encore rien n'est tranché. Le capitaine Marchand rentré de Fachoda est accueilli en triomphe aux cris de « Vive l'armée ». A la Chambre, ce 12 juin, Dupuy se défend mal.

Il est renversé.

Victoire incontestable de la gauche. Victoire des manifestants du 11 juin. Victoire de Jaurès.

Mais ces jours-là, il peut lire dans *Le Socialiste,* le journal de Jules Guesde, que « les Dupuy et les Loubet sont les ennemis irréductibles de la classe ouvrière ». Que ce qui compte, ce n'est pas de manifester à Longchamp ou de renverser Charles Dupuy, mais bien de lutter pour « la République sociale ».

Certains socialistes du Parti ouvrier français souhaitent même, pour préserver leur pureté doctrinale des initiatives unitaires de Jaurès : « Une cassure définitive et le plus tôt sera le mieux. »

La route vers l'unité sera longue.

C'est elle pourtant qu'espère, que veut construire Jaurès.

Chapitre 12

« Comme par un coup de couteau »
(1899-1900)

A-t-il le temps, Jaurès, en ce mois de juin 1899, alors que, après la chute du ministère Dupuy, victoire de la « gauche dreyfusarde », s'ouvre une longue crise ministérielle, que le président de la République Loubet consulte, a-t-il le temps de penser, Jaurès, qu'il va avoir quarante ans en septembre, qu'il a parcouru, atteindrait-il même l'âge moyen des Français, plus de la moitié de sa vie ?

A-t-il le temps, lui que les jours alourdissent donnant de plus en plus à sa silhouette cette allure de bourgeois qui mange trop ?

Et quel autre plaisir sensuel aurait-il ?

La parole certes. Et chacun sait qu'il parle en se donnant tout entier, voix rauque, basse, un début lent, des mots séparés par de grands vides. Il marche en parlant, parfois une main dans la poche, tire un mouchoir et s'en essuie les lèvres. Il peut parler deux heures, ne buvant qu'une goutte d'eau. Tout à coup après un grand vide : « Une grande vague sonore et gonflée qui menace avant de retomber doucement. Il y a une douzaine de vagues de cette ampleur. C'est le plus beau. C'est très beau. »

Jules Renard qui l'a écouté ajoute qu'il a « une voix qui va jusqu'aux dernières oreilles, mais qui reste agréable, une voix claire, très étendue, un peu aiguë, une voix, non de tonnerre, mais de feux de salve ». Et puis « une gueule, mais le coup de gueule reste distingué ».

D'un mouvement du bras : « il écarte des choses », « le doigt souvent en l'air montre l'idéal ». « Les poings pleins d'idées vont se choquer quelquefois. »

Il a l'air « un peu d'un ours aimable », dit encore Renard. Parfois quand on l'interroge sur l'un de ses discours, il répond, le bras levé, d'une boutade : « Est-ce que je me rappelle ce que j'ai dit ? » Il n'écrit pas ses discours en effet, se contentant d'en répéter les paroles les plus amples alors qu'il marche de chez lui à la Chambre. Sans doute aussi prend-il des notes techniques quand il s'agit de questions précises. Et puis quelques mots jetés sur le papier, une citation, un vers qui sont le tremplin à son imagination verbale. Car parler est son plaisir. Joie physique et innocente. Il ne voudra jamais faire enregistrer sa voix parce que, dit-il : « J'ai besoin de visage. »

Une jeune femme, Blanche Vogt, étudiante à l'attention aiguë, remarque d'une manière amicalement critique « qu'il enflait de grandeur verbeuse le moindre propos familier » et qu'il « était incapable de faire jaillir une étincelle — d'humour — du contact de deux mots », qu'il goûtait cependant l'esprit des autres, mais avec une certaine méfiance.

Trop grave, Jaurès, un rapport aux mots trop essentiel pour pouvoir et savoir en jouer comme avec des osselets, Provincial en cela et non Parisien.

D'ailleurs — Trotski le notera — « dans sa figure, sa voix, ses gestes, et tout l'ensemble on a la conviction définissable d'une sincérité enfantine. Athlétique sur la tribune, il paraît énorme et cependant il a une taille au-dessous de la moyenne. Il est trapu et sa tête est bien fixée sur son cou avec des pommettes expressives, enjouées, aux narines qui se dilatent pendant son discours, se donnant tout entier au torrent de sa passion. Il appartient par son aspect au même type humain que Mirabeau et Danton. Comme orateur il est incomparable et n'a pu être comparé ». Et ajoute Trotski : « Ce n'est pas sa riche technique ni sa voix puissante qui frappe comme un miracle ni la libre largesse de ses gestes, mais la naïveté géniale de son enthousiasme... »

A l'écouter parler dans un meeting, on constate que la communion s'opère. La fusion avec la foule est totale. Le discours est bien cet acte charnel qui épuise l'esprit et le corps, qui satisfait pleinement Jaurès.

Qu'est l'amour physique, le rapport sexuel avec Louise, comparé à cela ? Tout ce que l'on imagine de Louise, tout ce que l'on sait de sa formation, ce qu'on entrevoit de ses attitudes physiques, de sa passivité et de son dédain affecté et jaloux pour la vie publique de Jaurès, laisse à penser qu'entre elle et lui, il n'y eut que ces relations sexuelles convenues des mariages bourgeois, dans lesquels la femme subit, n'ayant même pas une conscience claire des raisons de son insatisfaction.

D'autant plus que catholique pratiquante, Louise est même incapable d'imaginer des libertés.

Quant à Jaurès, trop de fureur dans sa vie, trop de passion sur les estrades, trop de gratifications intellectuelles et trop de préjugés pour qu'il accorde autre chose que de la tendresse sincère et de brèves étreintes, vite dénouées car sans doute Louise soupire. Louise est lasse et lui timide, fatigué, préoccupé, emprunté et maladroit.

Hypothèses certes, puisque l'on n'a aucune confidence directe, mais il n'est pas interdit de partir de la face connue d'une existence pour reconstituer les zones obscures. L'une et l'autre intimement liées.

Jaurès le vertueux ne peut avoir qu'une vie personnelle aux actes simples — ce qui n'exclut aucune complexité. Il a atteint son équilibre. La sensualité débridée, elle est dans la parole, union charnelle du corps, de la pensée et de l'action sociale.

Elle est aussi dans la manière de manger, beaucoup, avec un enthousiasme charnel là encore, et pourtant de la distraction. Il peut arriver à Jaurès de dîner une deuxième fois oubliant qu'il l'a déjà fait. Ce rapport à la nourriture — des plats simples, « paysans » — est aussi révélateur d'une relation au monde. Il engloutit. Les aliments, les livres, le temps, la vie.

En juin 1899, il est plus actif que jamais, bousculé par les événements, appelé à participer comme premier des convives à ce banquet des surprises qu'est la vie politique.

Loubet cherche donc un président du Conseil. Raymond Poincaré, modéré, qu'une sincérité tardive et habile a placé dans le camp des dreyfusards, échoue. Le président de la République confie alors à Waldeck-Rousseau, un sénateur de cinquante-trois ans, avocat, grand parlementaire, grand bourgeois, ministre de l'Intérieur sous Gambetta, la tâche de former le gouvernement. Il a fait — avec Ferry — en 1884, voter la loi sur les syndicats. Fils d'un républicain proscrit par Louis-Napoléon Bonaparte le 2 décembre, il semble l'homme de la situation. De souche républicaine, il est partisan de la modération et a des liens avec les milieux financiers et industriels. Il est proche par exemple du banquier Aynard ou encore de Jean Dupuy, le propriétaire du *Petit Parisien,* le journal populaire à grand tirage.

C'est un adversaire déterminé du collectivisme. Aux élections de 1898, il a pris position contre Jaurès et Guesde. En même temps, il est un défenseur de la laïcité républicaine et un homme de sang-froid. Il affecte d'ailleurs une attitude distante. Seuls les yeux au regard un peu flou traduisent la vie dans un visage immobile. Jaurès ne l'a jamais rencontré. Blum le considère comme intelligent mais pas plus qu'un Freycinet. C'est en tout cas, à ce moment de l'histoire de la République, l'homme qui convient et qui se définit lui-même comme un « républicain modéré mais non modérément républicain ». Homme d'ordre, il a le sens de l'Etat, et son souci premier sera de faire rentrer l'armée dans la stricte obéissance au pouvoir civil.

Pour cela, comme ministre de la Guerre, il choisit le général de Galliffet, prince des Martigues, qui a réprimé la Commune et est devenu pour toute la gauche le « fusilleur ». Mais de ce fait, il a la confiance de l'armée et est lui aussi, comme Waldeck-Rousseau, décidé à la faire plier.

Le choix de Waldeck-Rousseau est habile : pour mater l'armée, il prend l'homme qu'elle ne peut contester. Mais il y a la gauche. Or, Waldeck-Rousseau apprend que Millerand, le socialiste, a approché Poincaré lors de sa tentative de formation d'un gouvernement. Et Waldeck-Rousseau se décide. Millerand va se voir proposer le ministère du Commerce. Il sera, avec Gallifet et Waldeck-Rousseau, l'un des trois hommes forts de ce ministère réduit à onze ministres (Delcassé aux Affaires étrangères, Caillaux aux Finances, Dupuy, le propriétaire du *Petit Parisien,* à l'Agriculture).

Mais il faut non seulement obtenir une majorité à la Chambre mais d'abord réussir à faire coexister Millerand et Galliffet.

Entre les deux hommes — réalistes — l'entente est aisée. Millerand est un ambitieux. Il est favorable — depuis le programme de Saint-Mandé — à des réformes. Il croit à la nécessité de la défense républicaine. Et les antidreyfusards sont encore une force. Mais qu'on juge de la difficulté : Vaillant, Guesde, Allemane, les principaux dirigeants socialistes donc, ont vécu la Commune ! Et c'est dans le souvenir du massacre des communards que la gauche se retrouve. Et voici l'un des siens — le leader du groupe parlementaire depuis que Jaurès a été battu — qui s'assied à la même table gouvernementale que le général Galliffet. Or, Millerand ne peut se passer de l'appui des camarades : si son entrée se faisait en rupture avec le groupe des députés socialistes, le ministère Waldeck-Rousseau n'aurait pas de majorité. Il faut donc trouver une caution morale. Et politique. Millerand ne peut la chercher qu'auprès de Jaurès dont chaque socialiste connaît le désintéressement. Personne ne pourra soupçonner s'il donne son approbation à la combinaison, qu'il cherche un avenir ministériel pour lui-même.

Les deux hommes se rencontrent. Millerand convainquant, dissimulant ses démarches auprès de Poincaré, l'acceptation qu'il avait déjà donnée à Waldeck-Rousseau, mettant en avant avec son ondoyante et efficace logique, portée par l'ambition, la défense républicaine, les réformes possibles, Jaurès — si l'on en croit Blum — « a supplié Millerand de ne pas être ministre. »

Et encore ignore-t-il la présence de Galliffet que Millerand dissimule.

Ce qui inquiète Jaurès, c'est le ferment de division qui va rendre encore plus difficile l'unité des socialistes. « Vous n'avez pas le droit, dit-il à Millerand, de garder secrètes les ouvertures que Waldeck-Rousseau vous a faites. »

Il fallait les communiquer aux députés socialistes. Millerand en convient et le 21 juin, il rencontre les députés. Mais dès la veille, au château des Galliffet à Clairefontaine, le gouvernement a été constitué. Millerand n'en dit rien aux députés, qui n'élèvent aucun obstacle de principe à la participation, sinon qu'elle doit être personnelle et ne pas engager le socialisme.

Le 22 juin éclate comme une bombe la nouvelle : Millerand est ministre en même temps que le général Galliffet ! Coup double de Waldeck-Rousseau, et tempête dans l'opinion. Guesde, en convalescence en province, rentre « pour faire face à l'orage et renonce à se guérir, dit-il, pour reprendre la barre du navire quelque peu désemparé ».

Jaurès est divisé. Autour de lui à *La Petite République,* Viviani, Gérault-Richard, Briand, et tous les ambitieux qui rêvent d'une carrière, pressent Jaurès d'approuver Millerand. On apprend que Vaillant a télégraphié au futur ministre : « Cela me paraît si odieux, si ignoble, que je ne puis y croire et j'espère être au plus tôt détrompé, rassuré. » La droite nationaliste tempête elle aussi : un socialiste au gouvernement, c'est la fin du pays, le désordre assuré. Et la présence de Galliffet ne suffit pas à la rassurer.

Jaurès incertain, scrupuleux, hésite. Il n'est pas homme à envisager, chez les autres, de petites raisons à d'aussi grands choix. L'ambition de Millerand ? Il ne la voit pas, ne s'y attarde pas. L'unité des socialistes, le front républicain contre les menaces, les réformes possibles : voilà ce qui lui importe et qu'il veut évaluer.

Il se rend chez Lucien Herr, le 23 juin, à l'Ecole normale. Là les deux hommes parlent, dans le jardin, autour du bassin, à la bibliothèque. Ils ont en commun ce même désintéressement qui leur fait gommer les aspects triviaux, petitement individuels des questions. Herr a beaucoup réfléchi sur le sujet. Il a déjà télégraphié puis écrit à Jaurès. Et maintenant il parle. C'est sûr, ni l'un ni l'autre n'auraient donné leur assentiment à l'entrée d'un socialiste dans un ministère où siégeait le « massacreur » du camp de Satory, mais les faits sont là.

Alors ? C'est l'instant de la décision. En politique il faut choisir entre des maux. Une unité compromise ? Oui. Mais en revanche la République est renforcée, la menace militaire liquidée, et un pas décisif est accompli pour l'enracinement des institutions républicaines. Et puis, quel hommage au socialisme, quel signe de reconnaissance, quelle légitimité de le voir appeler au secours de la République. Jaurès écoute. Il a une confiance absolue dans l'intégrité de Herr et il a pu juger — dans l'affaire Dreyfus — de la justesse d'analyse de cet intellectuel engagé. Herr est favorable à la participation de Millerand ? Jaurès se décide à son tour. Il apportera son soutien à Millerand. L'un et l'autre en pleine conscience de ce qu'ils font. Des injures qu'ils vont essuyer. « Jaurès sachant d'avance le calvaire qu'il aurait à monter. Herr sachant d'avance les risques de la tâche. »

Dans la décision de Jaurès avaient pesé aussi les arguments de Waldeck-Rousseau. Le président du Conseil avait choisi Joseph Reinach, le dreyfusard des premières heures, comme intermédiaire avec Jaurès. La présence de Galliffet au ministère de la Guerre était indispensable, devait-il expliquer. « G., écrivait Waldeck-Rousseau à Reinach qui le transmit à Jaurès, non seulement me couvre devant l'armée, mais couvre tout le cabinet et la République et cela même devant l'Europe. »

Jaurès avait choisi — en réaliste — d'accepter le « fusilleur » pour caution de moralité.

Le soir même de sa décision, il est à son bureau de *La Petite République* et il écrit, sans hésiter, sans détour, l'éditorial qui le lendemain va l'engager. « La République est en péril, commence-t-il. Si un ministère a le courage, pour la sauver, de frapper les factieux galonnés, peu nous importe les instruments dont elle se sert... »

Galliffet, un instrument pour Jaurès. Seulement cela. Et il l'écrit, allant à l'essentiel. Puis il ajoute : « Pour ma part et sous ma responsabilité personnelle, j'approuve Millerand d'avoir accepté un poste dans ce ministère de combat. Que la République bourgeoise, à l'heure où elle se débat contre la conspiration militaire qui l'enveloppe, proclame elle-même qu'elle a besoin de l'énergie socialiste, c'est un grand fait. » Jaurès reprend les termes de sa discussion de l'après-midi, rue d'Ulm, avec Herr. Comme toujours, il dépasse le circonstanciel, l'anecdotique pour dessiner la perspective tant à propos de Galliffet, que de la participation d'un socialiste au gouvernement. « Quelle que soit l'issue immédiate, conclut-il, ce sera une grande date historique. Et un parti audacieux, conquérant, ne doit pas, à mon sens, négliger ces appels du destin, ces ouvertures de l'Histoire. »

Jaurès est si sûr de ses convictions, du sens de l'Histoire, qu'il ne craint pas le risque de la dissolution du socialisme dans la participation. Si Jaurès est ainsi apte au compromis, c'est qu'il est lui-même sans compromission.

Mais il était lucide en prévoyant les conflits qui vont déchirer les socialistes.

Le groupe parlementaire se désagrège. Guesde rencontre Vaillant et tous deux établissent « une ligne de défense socialiste ».

Quand le 26 juin Waldeck-Rousseau, suivi de ses ministres, entre dans l'hémicycle, c'est le déchaînement des passions. On crie : « Vive la Commune, à bas l'assassin ! » La droite insulte Millerand. Waldeck-Rousseau à la tribune tente de dominer le tumulte. On l'entendra faire appel au « concours de tous les républicains pour mettre fin à des agitations dirigées sous des dehors faciles à percer, contre le régime que le suffrage universel a consacré ».

Ses phrases sont hachées par les interruptions. Pour prononcer son discours — bref, une dizaine de minutes — il restera près d'une heure face aux députés.

Galliffet, apostrophé, maigre, le teint brique, l'œil flamboyant, répondra aux cris par un défi : « Assassin ? Présent ! »

Enfin Waldeck-Rousseau peut conclure son discours en déclarant : « Si nos efforts ne sont pas stériles, la République reprendra bientôt son œuvre de progrès économique et social. »

Le vote paraissait incertain. Mais le banquier Aynard entraîna le groupe des députés qu'il influençait. La présence de Galliffet, de Dupuy, de Georges Leygues (à l'Instruction publique) et surtout de Waldeck-Rousseau était une garantie pour ces hommes intelligents qui voulaient éviter les aventures. L'ordre dans la République, une intégration réussie des milieux ouvriers sous la direction des couches dirigeantes, la collaboration avec les socialistes « réformistes » leur paraissaient constituer un programme raisonnable. Préférable en tout cas aux risques contenus dans l'aventure à la Déroulède. Des hommes comme Barthou, Poincaré, Rouvier, partageaient ce point de vue et disposaient avec *Le Petit Parisien, Le Temps, Le Matin* de moyens d'influence sur l'opinion. Ils pouvaient la faire évoluer dans ce sens.

Vingt-cinq socialistes votèrent pour Waldeck-Rousseau, et dix-sept autres s'abstinrent. C'est dire que le groupe des députés avait été sensible même sur sa gauche, aux arguments de Jaurès. Et par 263 voix contre 237, le gouvernement l'emporta.

Scrutin important qui marque un tournant dans l'histoire de la République.

Jaurès a fait pencher la balance. Naïf ? Dupé ? Ne saisissant pas le calcul des Waldeck-Rousseau ou des Aynard ? Jaurès victime des nécessités d'un choix de défense républicaine à court terme et sacrifiant pour cela les intérêts du socialisme ?

Le reproche en a été fait à Jaurès. Trotski se souvient d'avoir vu souvent « Jaurès à côté de Millerand sur la tribune, bras dessus bras dessous, en apparence complètement d'accord sur les moyens et les buts ». Mais Trotski ne se trompe pas. Millerand est un « rusé parlementaire, froid, calculateur ». Jaurès, « un enthousiaste désintéressé, frémissant et véhément ». Seulement selon Trotski Jaurès « ne mesure pas la combinaison politique passagère à l'aide d'un grand mètre des perspectives historiques. Il est là tout entier, selon la perspective du jour... sa politique manque de proportions et souvent " l'arbre lui cache la forêt " »... Jaurès était né pour une époque de « grande marée », poursuit Trotski. Il lui est échu de déployer son talent dans une période de réaction européenne... Entre tous les dons, Jaurès a manqué d'un seul : le talent d'attendre... en calculant et vérifiant la marée prochaine qui s'avance.

Jugement sévère — bien que plein de sympathie pour Jaurès — Appréciation fausse.

En fait, Jaurès a choisi, en appuyant Millerand, la démocratie : qui suppose l'acceptation des autres groupes démocratiquement élus dans le cadre du suffrage universel et du Parlement. Il a par là même, et la présence du général Galliffet est symbolique, « liquidé » au plan politique, d'une certaine manière, l'affrontement sanglant de la Commune, et refusé de faire de ce souvenir encore vivant dans les hommes l'obstacle à la collaboration. C'est ainsi un choix lourd d'avenir que Jaurès fait. Mais pour lui il est dans le droit fil de son attitude durant l'Affaire Dreyfus et il ne se pose pas dans les termes d'opposition entre le réformisme et la révolution. Jaurès est l'homme de l'unité et de la synthèse. Il défend la voie d'un réformisme révolutionnaire.

Le 4 juillet, Waldeck-Rousseau prononce la clôture de la session ordinaire du Parlement. La France a donc maintenant un gouvernement révisionniste. Et le général Galliffet décide les premières mesures de reprise en main de l'armée. Des officiers sont déplacés, d'autres mis à la retraite, les règles d'avancement sont modifiées, le Ministre est désormais le maître au lieu des généraux. L'armée se tait, accepte. Millerand qui, comme ministre du Commerce, gère un immense secteur (l'Industrie, les PTT, le Travail) entreprend immédiatement des réformes qui, notamment dans le domaine du travail, favorisent la protection des ouvriers. Il crée une Direction du Travail, confirme les pouvoirs d'un haut fonctionnaire d'une grande probité, Arthur Fontaine, qui se dévoue avec compétence à sa tâche. Les faits donnent raison à Jaurès.

Millerand n'oublie pas d'où il vient. De très nombreux socialistes s'adressent à lui pour bénéficier d'un secours, un emploi. Jaurès et Georges Sorel interviennent ainsi en faveur du leader Fernand Pelloutier qui, malade, obtiendra un poste d'enquêteur à l'office du travail.

Mais la polémique ne cesse pas pour autant dans les groupes socialistes.

Aux raisons théoriques et politiques de discordes s'ajoutent la hargne contre ces camarades qui avec Millerand accèdent aux avantages et aux joies du pouvoir.

On dit que Mme Jaurès elle-même est reçue dans les meilleurs salons bourgeois et qu'elle rend les invitations. On lit avec dépit, dans l'*Illustration,* que les rentiers n'ont plus à craindre pour leurs rentes. Ces socialistes de gouvernement ne sont guère farouches. Tout un contentieux ancien qui s'est un temps estompé, qui a reparu souvent, à propos de la verrerie d'Albi et surtout de l'Affaire Dreyfus, un passif dont les origines remontent à l'entrée même de Jaurès en politique, resurgit. Alexandre Zévaes, journaliste, député guesdiste, reçoit ainsi chez lui, le 10 juillet, Guesde, Lafargue et des blanquistes pour mettre au point un *Manifeste socialiste* qu'on lancera le 14 juillet. La plume est trempée dans la colère, le ressentiment, l'amertume, parfois la jalousie et aussi l'indignation sincère. On y condamne le « scandale » d'un socialiste « la main dans la main avec le fusilleur de mai ». On y dénonce une « politique prétendue socialiste, faite de compromissions et de déviations ». On y dit que le « Parti socialiste, parti de classe, ne saurait être ou devenir, sous peine de suicide, un parti ministériel ». Heureusement, y affirme-t-on, « l'heure des dupes est passée ».

Jaurès reçoit ce texte comme une gifle en plein visage. Il le lit, le relit. A chaque mot, il est visé. Et avec lui tous ceux qui soutiennent le gouvernement et qui, avant cela, se sont engagés dans l'Affaire Dreyfus. Il ressent douloureusement cette attaque où son honnêteté est suspectée. Il serait donc un « dupeur ». Il ne serait pas un socialiste. Tout l'engagement de sa vie est piétiné. Maintenant, ce sont aussi les camarades qui l'injurient. Il sent que certains socialistes voudraient le chasser, sont aveuglément hostiles à l'unité. Charles Bonnier, ami intime de Guesde, écrit : « Hurrah, il n'y a plus d'union avec Jaurès et les autres... C'est le moment d'accentuer les différences et de couper toute possibilité de réconciliation. » Ceux-là sont enfermés dans leur monde, leur parti, et préfèrent l'impuissance et la défaite au renouvellement nécessaire des points de vue.

Jaurès est révolté. « Agression inqualifiable », dit-il. « Nous avons été frappés par le *Manifeste* comme par un coup de couteau. » Il est donc pour certains socialistes l'un des « hommes qui ont compromis l'honneur et les intérêts du socialisme » ! Lui qui est insensible aux attaques venues de la droite, est durement blessé. Il lui aurait été si facile de devenir l'un de ces hommes politiques du centre, prudent comme Poincaré, habile comme Waldeck-Rousseau. Quelle carrière ! Mais il ne pense pas ainsi, Jaurès. C'est l'incompréhension qui le révolte. Il se confiera à Blum qui rapportera ses propos : « Il souffre, dit Blum, de l'inintelligence de certains socialistes. »

Il écrit son article porté par ce sentiment d'homme intègre calomnié. Il nomme Guesde et Vaillant, il les accuse de n'employer que des paroles vagues et de formuler en même temps « l'outrage le plus sanglant qui puisse être adressé à un militant, à un homme, que nous avons voulu essayer de duper le prolétariat »... Il faut qu'ils s'expliquent. Ai-je eu tort, demande Jaurès, de m'engager dans l'Affaire Dreyfus ? Qu'on le dise. Mais il va beaucoup plus loin. Il accuse : « Qui trompe-t-on ? Nous touchons ici à une vraie crise de conscience où la discipline étroite et mécanique des groupes substituée à la vivante unité que nous voulons fonder a faussé non seulement tous les sentiments de camaraderie et d'amitié, mais toutes les notions morales. »

Voilà Jaurès au cœur de sa pensée : la politique est aussi une morale. Et il existe des formes d'organisation qui détruisent toute vérité humaine, la dissolvent dans « le mystère des groupes ». « Nous accusons, poursuit Jaurès, le détestable système du morcellement socialiste qui empêche les explications de se produire, les consciences de s'affirmer. »

Et puis, cet homme de quarante ans qui a si souvent avec une humilité de néophyte marqué sa déférence à l'égard des anciens, parle avec l'autorité d'un égal à Guesde et à Vaillant : « Quels que soient les immenses mérites, dit-il, ils ne peuvent plus à eux seuls chasser du socialisme et de l'action qui leur plaît... Le socialisme va cesser d'être la propriété individuelle des chefs de groupe ou même la propriété corporative des groupes eux-mêmes ! »

Jaurès émancipé, Jaurès écouté. Car dans les départements, dans les fédérations socialistes, on lui donne raison.

On accuse les dirigeants d'avoir cherché le prétexte Galliffet pour attaquer Jaurès et refuser l'unité qu'il propose. Vaillant lui-même — plus ouvert que Guesde — constate dans une lettre du 19 juillet qu'il adresse au socialiste allemand Liebknecht : « Nous sommes frappés par la puissance de popularité de Jaurès... Les groupes ont peur de perdre leur organisation en se mettant contre Jaurès. »

Dès lors, il faut faire machine arrière. Et c'est Lafargue qui s'excuse dans une lettre à Jaurès, met l'accent sur l'importance du débat car, dit-il, si après quelques années de participation au gouvernement, les travailleurs n'ont vu aucune modification de leur situation, « il se retourneront contre nous pour nous demander des comptes » et ce sera la banqueroute pour le socialisme. Et ajoute Lafargue : « Jaurès, comment avez-vous pu croire que nous, dont vous devez connaître la sympathie et l'admiration pour votre caractère entière-ment loyal et votre tempérament révolutionnaire, nous eussions pu vous classer dans la catégorie des dupeurs du prolétariat ? »

Qui visait-on alors ?

Mais Jaurès a trop en tête l'intérêt collectif du socialisme pour triompher. Il dit simplement : « Oui, expliquons-nous. » N'ayant pu abattre Jaurès, il faut bien accepter le principe d'un Congrès général de tous les socialistes qui est fixé au mois de décembre 1899.

Jaurès a imposé le dialogue unitaire. Il faut compter avec lui. Il est à lui tout seul — car il ne dispose pas d'organisation — par ses actions et ses articles une force qui fait jeu égal avec tous les groupes socialistes.

Mais le coût de cette nouvelle bataille gagnée est lourd. On a écrit certains mots pour le blesser. La fraternité, l'humanité dont rêve Jaurès ne sont qu'un espoir lointain.

Il est atteint sans aucun doute, même si le Congrès général prévu pour décembre peut être le grand moment de l'unité socialiste. Il ne veut pas céder au ressentiment mais l'indignation devant l'injustice des accusations demeure. Il ne l'oublie que dans l'action, ou bien dans cette immense recherche qu'il a entreprise pour mener à bien son *Histoire socialiste de la Révolution*. N'est-ce pas d'ailleurs pour « fuir » les aspects sordides, désespérant du réel qu'il s'enfonce dans ces documents, ces livres, où il retrouve le combat politique, des hommes en lutte mais qui ne l'agressent pas et dont le combat est comme magnifié, épuré par l'éloignement ? « Le travail, écrit-il, est la grande force qui féconde la nature et la vie. Il est aussi la lumière intérieure, la puissance de sérénité qui, contre les sottises, les vilenies, les lâchetés, les trahisons, préserve le cœur clairvoyant et pur des mortelles amertumes. »

C'est l'aveu d'un homme sensible, « pur », qui choisit de répondre positivement par la création et le travail aux déceptions quotidiennes que provoquent les relations humaines particulièrement impitoyables dans le monde politique. Mais il s'agit à l'évidence d'un procédé de « défense » qui n'entraîne aucune agressivité. Jaurès se replie, puise dans le travail personnel et solitaire, les forces qui lui permettent de rester ouvert. Car cet homme qui parle de « mortelles amertumes » — et Jaurès utilise les mots justes — n'est ni mélancolique, ni misanthrope, ni même seulement réservé.

Au contraire, il va vers les autres. Même quand il ne comprend pas leur langue. A Londres, où il s'est rendu en juillet 1896, pour une réunion de l'Internationale, il rencontre une délégation de verriers anglais qui viennent lui apporter leur salut afin qu'il le transmette aux verriers de Carmaux engagés dans la construction de la verrerie ouvrière. On verra Jaurès expliquer durant de longues minutes, par gestes seulement, la technique de la verrerie française. Il est — apparemment — tout de spontanéité, d'affabilité. Il ne recherche pas l'isolement glorieux que donnent les tribunes et dans les Congrès, il choisit souvent de rester dans la salle, avec les délégués, les interrogeant, fraternel sans démagogie, attentif sans affectation. Mais de cette manière il « préserve » son « cœur clairvoyant » (là encore il faut prendre garde aux mots utilisés par Jaurès) des sécheresses de l'égoïsme, mais aussi des engagements profonds et des déceptions de l'amitié. Et sans doute de l'amour. Un témoin — de Monzie — peut noter : « Jaurès décourageait les élans de l'amitié individuelle, sa tendresse se diffusait comme son verbe. »

Remarque précise qui indique bien que Jaurès est ouvert aux autres, qu'il aime l'humanité, mais qu'il ne fixe pas d'une manière intense son affection.

Est-ce le résultat de l'échec amoureux de sa jeunesse ? La rupture du rêve au contact de la réalité et l'instinct dès lors qui le pousse à ne pas s'attarder, à ne pas investir, à laisser libre le temps, la tête et le cœur, pour le travail, l'action politique au service des grandes causes collectives et non des amours ou des amitiés individuelles ? Ou bien, sans qu'il y ait besoin de rechercher une origine, est-ce dans la « nature » même de Jaurès, dans sa philosophie, fruit aussi de son affectivité (et réciproquement), de vouloir embrasser tous les hommes, tout l'univers, de les aimer tous ? Relation « mystique » avec l'humanité, avec l'histoire, le discours étant la messe de cette religion des hommes — le socialisme — dont Jaurès est le prêtre et le prophète.

Cela implique cette disponibilité aux autres, cette tendresse, cette pitié pour les plus humbles, les plus écrasés, et en même temps rend difficile l'amitié ou l'amour-passion. La relation à deux ne peut, pour Jaurès, être exaltée. D'ailleurs, s'il s'ouvre au monde, n'est-ce pas aussi par expérience de l'impossibilité de conduire des relations à deux ? Avec sa mère, la douce Mérotte, la fusion parfaite existait. Mais il a dû se séparer d'elle. Avec Louise ? On sait sur quel mode mineur de communication s'est établie leur relation. Avec Madeleine, sa fille ? Il l'aime mais elle l'inquiète. Lorsqu'ils se sont installés 7, avenue des Chalets, elle a suivi les cours du lycée Molière. Mais les résultats scolaires sont médiocres, la santé de Madeleine et son équilibre psychologique fragiles. On sent une enfant insatisfaite, peut-être à cause de la figure forte et absente du père associée à celle faible et présente de la mère.

Alors, se vouer à l'Histoire.

Elle est là, d'abord, vibrante dans tous ces documents qu'il consulte dans les bibliothèques et aux Archives, ces journaux de l'époque révolutionnaire — *L'Ami du Peuple, Le Vieux Cordelier, Les Révolutions de Paris* — qu'il lit, recopie sur des cahiers d'écolier. Toute cette documentation nécessaire à l'écriture de cette *Histoire socialiste de la Révolution française* dont les premiers fascicules doivent sortir dans quelques mois, en février 1900.

Travail considérable accompli par Jaurès qui explore des séries d'archives inédites. Dans ses voyages, il transporte toujours avec lui des livres. Parfois sa valise s'ouvre par mégarde et tombent sur le quai des gares des dizaines d'ouvrages annotés, des fiches où sont recopiées des citations ou la cote d'un document.

Et puis il faut écrire. Dans le brouhaha de *La Petite République,* chez lui le matin. Les phrases s'enchaînent si bien que Jaurès emporté par l'élan oublie de séparer les chapitres, donnant à l'éditeur Jules Rouff — spécialisé dans l'édition populaire et qui a déjà à son actif, toujours sous forme de fascicules, l'*Histoire de France* de Michelet et les œuvres de Victor Hugo — un manuscrit compact, tout d'une traite.

Et puis ce temps de l'écriture et de la recherche essentiel à l'équilibre psychologique et intellectuel de Jaurès, il faut l'arracher au temps de l'Histoire qui se fait et auquel Jaurès ne cesse d'être mêlé. Penseur, créateur, journaliste, intellectuel, il demeure aussi un homme de l'action.

Le 8 août, il est à Rennes où la veille s'est ouvert le nouveau procès d'Alfred Dreyfus.

Il doit chaque jour envoyer un article à *La Petite République* et aux différents journaux auxquels il collabore. Il loge chez Victor Basch, un professeur de philosophie. Les audiences se tiennent au lycée de Rennes. Les rues qui y conduisent sont barrées. La ville paraît en état de siège. Ce ne sont qu'uniformes, galop des chevaux, choc des crosses de fusils et cliquetis des sabres. Les sept officiers qui composent le Conseil de guerre sont à l'évidence soumis à la hiérarchie et la déposition des généraux ne peut que les convaincre.

Jaurès se lève à cinq heures. Il écrit, il lit, il respire les senteurs de la campagne bretonne. Il se rend à l'audience puis pour déjeuner à l'auberge des Trois Marches, à l'entrée de Rennes où dans une salle close il retrouve tous les dreyfusards. On commente, on suppute. « La belle voix de Jaurès clapronne, son rire puissamment retentit. » Il est ému pourtant. Le visage de Dreyfus — ce nom déjà chargé d'histoire mais qui n'était qu'un nom — le bouleverse. « Une émotion de pitié » le saisit. Il lit dans le regard une profondeur de souffrance inexprimable. Il partage, il comprend l'homme et son courage moral — grâce à cette faculté de communion qui est la sienne. « Quand il s'est avancé le dos courbé, écrit-il, d'une allure automatique, marchant tout droit devant lui, il m'a semblé qu'il était condamné à une marche sans fin, en ligne droite, sous une rafale de haine contenue. »

Il craint pour Dreyfus un effondrement. Il se demande si une « lassitude infinie n'aura pas raison avant la réhabilitation suprême, de cette volonté héroïque si obstinée pourtant à vivre pour l'honneur ». Surtout qu'il pressent le jugement de ces officiers qui « serrent les dents sur leur proie ».

Hors de la salle des fêtes du lycée, la tension est grande. On va tirer et blesser l'avocat de Dreyfus, Laborit. L'inspecteur général de l'armée — Négrier — s'est fait menaçant. Galliffet le met en disponibilité. A Rennes des bandes antisémites, venues de Paris et même d'Alger, parcourent les rues. A Paris, Jules Guérin et ses amis du Grand Occident se sont barricadés dans leur permanence. « Le fort Chabrol » va tenir, entouré d'un cordon de troupes, plusieurs semaines. Pendant ce temps, le gouvernement prépare l'arrestation des chefs des Ligues, dont Déroulède, afin de les traduire devant le Sénat constitué en Haute Cour.

Le 9 septembre, le verdict tombe : Dreyfus est reconnu coupable par cinq juges sur sept et condamné à dix ans de détention avec circonstances atténuantes.

Jaurès rugit. « Les juges du Conseil de guerre se sont déshonorés », dit-il.

Cette obstination dans le mépris de la vérité de la part des officiers, les mesures prises à Paris contre Déroulède et Jules Guérin confirment Jaurès dans son analyse et son choix : il fallait protéger la République en soutenant le gouvernement Waldeck-Rousseau.

Il stigmatise ceux qui comme Drumont parlent à propos du verdict de Rennes d'un « nouvel Austerlitz » ou bien comme Barrès affirment que « la conscience nationale française a été irritée, froissée, parce que des étrangers de l'intérieur et de l'extérieur ont voulu nous faire marcher. Nous enregistrons, continue Barrès, avec une immense espérance, la victoire de Rennes ».

François Coppée dans *Le Gaulois* évoque lui aussi « le complot international dont de trop nombreux Français se sont faits les complices » et qui vient, à Rennes, de recevoir un grave échec.

Jaurès évalue cette accentuation d'un nationalisme xénophobe dont la droite veut faire un tremplin. Le combat continue donc, moins inégal puisque le gouvernement a changé de camp.

Puis il pense à l'homme Dreyfus, à son désespoir, à cette lassitude infinie qui doivent l'habiter maintenant. Et quand la question lui est posée par Joseph Reinach et Mathieu Dreyfus de savoir s'il faut solliciter un recours en grâce afin d'obtenir une libération immédiate ou bien entamer la longue lutte pour un nouveau procès, il hésite d'abord puis il se rallie à la demande de grâce.

La décision a été difficile à prendre. Jaurès se trouvait avec Mathieu Dreyfus, Clemenceau et Reinach dans le bureau de ministre de Millerand. Les arguments s'opposaient violemment. Millerand promettait de remettre sa démission si la grâce n'était pas immédiate.

C'est Millerand qui avait mis au point ce compromis qui libérait Dreyfus sans prononcer l'innocence.

Clemenceau s'est indigné puis a donné aussi son accord. Jaurès assis au bureau de Millerand a rédigé lui-même la déclaration de Dreyfus. « Mon cœur ne sera apaisé, a-t-il écrit, que lorsqu'il n'y aura plus un Français qui m'impute le crime qu'un autre a commis. »

Peut-être à cet instant dans ce bureau du premier ministre socialiste de la République française, pesant directement sur l'événement, Jaurès a-t-il refait le chemin parcouru.

Le 19 septembre en Conseil des ministres, Dreyfus est gracié par le président de la République.

Le 21, Galliffet adresse un ordre du jour à l'armée : « L'incident est clos ! déclare-t-il. Les juges militaires, entourés du respect de tous, se sont prononcés en toute indépendance. Nous nous sommes, sans arrière-pensée, inclinés devant leur arrêt. Nous nous inclinerons de même devant l'acte qu'un sentiment de profonde pitié a dicté à M. le président de la République... Donc, je le répète, l'incident est clos ! »

Dreyfus innocent ? Qui en parle sinon les dreyfusards ? L'eau se referme comme si rien ne s'était produit. L'incident est clos.

Les compromis laissent souvent un goût amer. Les dreyfusards se divisent. Le passionné Charles Péguy se scandalise. Il commence à penser que ce Jaurès qu'il admire encore n'est qu'un politicien qui, avec l'aide de son complice Clemenceau, a dégradé « la mystique en politique ».

Ceux-là, jusqu'au-boutistes avec la souffrance des autres, n'ont pas vu, comme Jaurès, Dreyfus s'avancer le dos voûté vers ses juges.

Jaurès, une fois encore, vient de prendre une décision mesurée, où le destin de l'homme Dreyfus est pris en compte, en même temps que la situation politique.

Ce Jaurès qu'on accuse d'être un rêveur, quand on le suit à la trace de ces décisions, on le découvre réaliste, précis, sachant analyser les rapports de forces dans l'instant et choisir, sans céder aux tentations gratifiantes du tout ou rien, seulement ce qui est possible et souhaitable.

Or, le bilan qu'il porte sur les premiers mois du gouvernement Waldeck-Rousseau est positif.

Déroulède et Buffet, chef du bureau politique du duc d'Orléans, ont été condamnés par la Haute Cour à dix ans de bannissement. Jules Guérin président de la Ligue antisémite et du Grand Occident à dix ans de détention.

Le climat dans le pays change. Jaurès peut retourner à Carmaux sans que la police et l'armée n'entravent sa réunion. Il peut inaugurer à Albi la Bourse du travail et à la verrerie ouvrière présider à la mise à feu du troisième four. Des socialistes allemands et belges (Vandervelde) sont présents. Jaurès exalte « le soleil de l'internationalisme ».

Surtout, avec peut-être trop de générosité, incapable qu'il est de « noircir » ou de lire les intentions mesquines d'un homme mû par l'ambition individuelle, il pense que Millerand « reste pleinement fidèle à lui-même ». Le langage qu'il tenait comme député, dit Jaurès, celui du propagandiste socialiste, il le conserve exactement comme ministre. « Il a toujours été évolutionnaire en ce sens qu'il a toujours répudié l'emploi des moyens violents. » Et Jaurès ajoute que c'est le marxisme même qui détourne « les travailleurs des vieilles méthodes révolutionnaires et leur conseille la conquête légale et graduelle du pouvoir par le suffrage universel ».

Il approuve donc les réformes et les règlements de Millerand (peu de chose en apparence mais est-ce que le fait pour le vendeur d'un magasin d'avoir le droit de s'asseoir durant son travail — plus de dix heures — est peu de chose ? Jaurès ne le pense pas), sa loi sur la durée du travail (huit heures pour les ouvriers des PTT ; onze heures pour tous les travailleurs avec en quatre ans réduction à dix heures).

Sur toutes ces questions il est en désaccord — par exemple sur la durée du travail — avec Guesde et Vaillant, qui résistent à toute idée de réforme. « Les réformes, dira Guesde, jetées à l'appétit de la foule ne peuvent être que des trompe-la-faim. »

Et Guesde réaffirme « qu'il ne peut rien y avoir de changé dans la société actuelle tant que la propriété capitaliste n'aura pas été supprimée ». Jaurès a exprimé un avis diamétralement opposé. Il argumente, démontre, insiste. Il a une autre conception, un gradualisme lucide qui tient compte de la vie quotidienne des gens. Ainsi il s'attache aux cas individuels, en ancien parlementaire, qui sait qu'il faut intervenir parfois auprès des ministres. Il écrit à Caillaux le 7 février 1900 :

Monsieur le Ministre,

Permettez-moi de recommander à votre bienveillante attention M. Pierre Danguille, employé à la trésorerie générale d'Aurillac

depuis le 27 mars 1889 et actuellement chef de bureau qui sollicite un
emploi de percepteur...

Il ne peut dès lors qu'approuver le 16 novembre le programme
de Waldeck-Rousseau, pourtant très modéré, mais où s'annonce une
série de mesures contre les congrégations religieuses.

Le socialisme est au bout de la République. Jaurès défend donc
la République.

Ce faisant, il est au diapason de l'opinion. Le 19 novembre 1899,
500 000 personnes défilent place de la Nation pour l'inauguration du
monument du sculpteur Dalou, *Le triomphe de la République*. C'est
le journal de Jaurès qui a pris l'initiative de la manifestation. Pendant
six heures, les manifestants venus de province passent devant la
tribune où ont pris place Waldeck-Rousseau et le Président Loubet.
On agite des drapeaux rouges et même un drapeau noir — si bien que
Loubet quittera la tribune —, on chante *La Marseillaise, La
Carmagnole, Le ça ira*.

Depuis la manifestation nationaliste à Auteuil contre Loubet,
six mois à peine se sont écoulés. Mais l'atmosphère a changé, le
rapport des forces s'est modifié. La démocratie a été maintenue. Pas
de violence. Pas d'aventure. Des progrès.

Ce chemin-là parcouru, on le doit pour une bonne part à Jaurès.
Il n'assiste pas à la manifestation. Il parle en province, dans le Jura. Il
remplit sa fonction de grand pédagogue des idées socialistes. Et ainsi
il prépare aussi le Congrès général des socialistes qui doit se tenir du
3 au 8 décembre, au gymnase Japy, à Paris. Et où il va affronter son
camarade-adversaire Jules Guesde.

Ce Congrès, on s'y rendait comme à une guerre. Et c'était,
disait-on, pour l'unité. Mais chacun avait dans la tête mille reproches
et dans la mémoire des souvenirs d'accusation. Et le général Galliffet
et Millerand, comme les vivantes incarnations des problèmes posés à
la pratique et à la théorie des socialistes. Peut-on, doit-on, entrer
dans un ministère bourgeois, et avec qui et pour faire quoi?

A ce Congrès, on s'était préparé avec soin. On avait constitué
des Fédérations, des groupes, pour avoir le droit d'envoyer à Paris
des délégués et de voter. Herr et les intellectuels (Péguy, Bourgin,
Roques, Simiand, Perrin, Langevin, Halbachs, Mauss, tous ces
jeunes hommes, normaliens souvent, chercheurs déjà — et qu'on

allait retrouver dans quelques années à la tête de grandes chaires de l'université) avaient créé le Groupe de l'Unité socialiste. Léon Blum était leur délégué au Congrès.

Les guesdistes arrivèrent tous ensemble, chantant l'*Internationale,* ce chant encore inconnu du mouvement ouvrier et qu'ils intronisaient ainsi d'un seul coup de théâtre, agitant leurs drapeaux rouges. Et, dans le gymnase Japy naturellement, ils s'installèrent à l'extrême gauche.

Dominant les sept cents délégués, les spectateurs des tribunes applaudissaient et intervenaient à leur gré. Et la fumée qui flottait dans la salle. Et ces souvenirs des grandes assemblées révolutionnaires, la Convention, les réunions des jacobins. Et les hommes sur l'estrade, Jaurès le visage empourpré, Viviani le teint bistre, Vaillant vieillard aux cheveux blancs, Guesde méthodique et prophétique, visage anguleux qu'encadrent les longs cheveux. Et les habiles, les ambitieux, Briand qui entoure Jaurès de son amitié intéressée. Dès le premier instant des heurts se produisent. Sur l'ordre du jour, sur la manière de délibérer. En fait une seule question se trouve au centre des débats : Millerand, Millerand. Un socialiste dans le gouvernement.

Lafargue, celui dont on murmure chaque fois qu'il est le gendre de Marx, et qui de sa voix joviale lance des sarcasmes, parle des « nouvelles recrues, qui veulent exploiter le socialisme et détourner le parti de sa véritable voie »...

On l'a interrompu plusieurs fois. Qui sont les nouveaux venus ? Guesde intervient maintenant. Millerand ? « Un socialiste égaré dans une majorité ministérielle bourgeoise n'est qu'une voix isolée et inutile criant dans le désert capitaliste. » Et quand le 6 décembre, à 10 heures du matin, Millerand arrive au gymnase Japy, il est accueilli aux cris répétés de « Galliffet, Galliffet » si bien qu'il ne pourra pas se faire entendre.

Et Jaurès ? Il a subi sans mot dire le discours de Lafargue qui a lancé au milieu des interruptions : « Un homme sortant de la bourgeoisie comme le citoyen Jaurès... » Il a laissé le même Lafargue le décrire comme « contraint de renier son passé ». Et la salle a hurlé : « Vive Jaurès ! »

Quand il répond, il parle (dit Blum) « d'une voix simple et lente qui grossit et monte peu à peu, créant sans effort les mots et les images, ajoutant à la pensée, suivant l'expression de Schiller, l'ornement mélodique de son lyrisme ». Il manquait de temps, donc, selon Blum, il eut une concision plus pleine, une vigueur plus pressante et plus nourrie.

Pour Jaurès la question de la participation n'est pas une question de principe mais de tactique. « Il faut, dit-il, pénétrer tous les jours la société bourgeoise avec des réformes qui tout en étant compatibles avec son principe peuvent hâter sa désorganisation. » Il faut mettre dans le jeu socialiste l'atout ministériel. Il maintient sa ligne, celle de la fusion entre réforme et révolution : « C'est cette politique agissante, continue, à la fois réformiste et révolutionnaire, qui sera, dit-il, quoi qu'on fasse, la politique de demain, la force des choses vous y conduira ! » « Nous sommes tous, lança-t-il en concluant, les uns et les autres de bons révolutionnaires. »

On l'acclame.

Aristide Briand plus tard exalte les vertus de la grève générale révolutionnaire, manœuvre de Congrès pour séparer les guesdistes des blanquistes. Les principes, l'extrémisme verbal servaient à Briand à manipuler sans scrupule les délégués.

Pendant ce temps, Jaurès siégeait à la Commission des résolutions où l'on pesait chaque mot, où par 29 voix contre 28 et un absent on adoptait un texte qui, tout en condamnant la participation à un gouvernement, l'admettait dans des « circonstances exceptionnelles ». Motion de synthèse qui pouvait satisfaire tout le monde. Guesde promit de s'y rallier. Mais quand les membres de la Commission des résolutions regagnèrent la salle, Guesde demanda la parole et proposa au vote des délégués un autre texte, abrupt.

Alors Jaurès bondit.

On ne l'avait jamais vu ainsi, comme si brusquement toute sa colère contre cette incompréhension qui l'entourait, ces procès d'intention qu'on montait contre lui venait au jour.

Il hurle : « Guesde, il y a là un acte de déloyauté, Guesde, je vous appelle ici, Guesde vous êtes sourd à l'honneur, Guesde vous êtes déchu, c'est une trahison, une trahison ! Vous êtes déshonoré Guesde, c'est une félonie ! »

Dans la salle c'est le tumulte. Tout à coup un délégué brandit une simple pancarte portant un seul mot UNION. Et le calme après une suspension de séance est rétabli.

On vota le texte sévère de Guesde : 818 voix. Puis celui ambigu de la Commission : 1 140 voix pour et 240 contre.

On constitua un Comité général de 45 membres où les adversaires des participationnistes avaient la majorité. Une résolution sur la presse fait obligation aux publications socialistes d'éviter toute polémique entre courants socialistes.

Dans la salle du Congrès, écoutant la lecture de ce dernier texte, Charles Péguy s'insurge. *Les Cahiers de la Quinzaine* qu'il se propose d'éditer, les livres que publie la Société d'édition (et que contrôle financièrement Herr) il les sent menacés par cette résolution qu'il analyse comme une atteinte à la liberté de la presse.

D'ailleurs toute l'atmosphère de ce Congrès le glace. Jaurès le déçoit. C'est donc cela la politique ! Ce n'est que cela le socialisme quand il devient politicien ! Péguy dans son incompréhension ne voit pas toute la réalité. Il n'entend pas cet appel à monter à la tribune pour les communards. Ils s'avancent, Vaillant, Camélinat, Allemane, des vieux qui surgissent de la salle.

Certes tout ici est contradictoire. Millerand dont on vient de tolérer la présence au gouvernement est le collègue-ministre de Galliffet qui a fait fusiller les camarades de ces vieillards qui pleurent en voyant se ranger sur l'estrade les porteurs de drapeaux rouges.

On vote par acclamation la constitution unitaire du Parti. Jaurès, Guesde, Vaillant se tiennent proches l'un de l'autre.

Où sont les divisions, les insultes d'il y a quelques heures ?

Un témoin, Daniel Halévy, parle de miracle et de force mystérieuse qui depuis six jours tient unis ces hommes divisés. « Un dieu est dans la salle et courbe et unit toutes les têtes », conclut-il.

Un dieu ? Une religion ? Seulement l'espoir partagé, la foi dans l'avenir et dans la justice. Une fidélité. On chante. On danse *La Carmagnole*. On entonne *L'Internationale,* le nouvel hymne socialiste.

L'unité est-elle réalisée pour autant ?

Les membres du Parti ouvrier français de Guesde n'ont guère participé à l'enthousiasme. Mais la preuve est faite qu'il existe un fort courant unitaire. Le moment est-il venu pour qu'il emporte tous les obstacles ? Jaurès veut le croire. Quant à Guesde, il imagine être le vainqueur, le seul. « Les plus vaincus, écrit-il à Liebknecht, sont les socialistes indépendants et autres intellectuels qui avaient compté sur Jaurès... et qui se trouvent comme journalistes et comme députés placés directement sous notre contrôle. Plus de crainte maintenant d'être envahi, débordé par les arrivistes de la bourgeoisie libérale et justiciarde... ! » Etait-ce là un climat d'unité ?

Aucun soupçon n'a donc été levé. « La question Millerand, comme l'écrit Jaurès, avec une lucide et discrète ironie, le Parti l'a résolue par cela même qu'il s'est refusé à la poser. »

Jaurès était le premier à savoir qu'on ne peut longtemps ignorer les problèmes réels. Or, le cas Millerand est fondamental. Un observateur lointain attentif et passionné, Lénine, dira que le « millerandisme... est l'expérience la plus considérable en matière d'application de la tactique politique révisionniste sur une grande échelle, à une échelle vraiment nationale ».

Sous le jargon des mots une vérité perce, que Blum exprime plus simplement. L'entrée de Millerand au gouvernement, écrit-il, « est un acte révolutionnaire... qui a ouvert une série que l'Histoire prochaine complétera ». Et le 1ᵉʳ janvier 1900 il note dans *La Revue blanche* : « Nul n'ignore parmi les socialistes réfléchis que la métaphysique de Marx est médiocre, nul n'ignore que sa doctrine économique rompt une de ses mailles chaque jour... » Sans doute écrivant cela, Blum pense-t-il à ce « socialiste réfléchi », son aîné et ami Jaurès, qu'il admire. Mais la pensée de Jaurès est plus complexe que ce jugement à l'emporte-pièce et Blum d'ailleurs, quelques mois plus tard, ne le reprendra pas.

Blum s'était peut-être, le temps d'une phrase, laissé aller à un mouvement de colère, identifiant après ce qu'il avait vu au gymnase Japy le marxisme à Guesde.

Car les militants du Parti ouvrier français, et d'abord leur chef, posent aux gardiens de l'orthodoxie marxiste. Ils sont « les » marxistes. Comment ne pas remettre en cause la doctrine quand on les voit agir, maladroits, violents, imbus de leur autorité et de leur représentativité ?

Pour eux, après les embrassades du Congrès, il s'agit comme l'écrit encore Guesde à Liebknecht de se préparer « au divorce à notre bénéfice qui s'imposera avant peu ».

D'une tournée chez les socialistes du Rhône, de l'Isère, du Var et de la Drôme, Guesde rentre avec l'idée que « jamais nos troupes n'ont été moins entamées, partout on est avec nous contre les ministériels ».

Il s'agit simplement pour Guesde — et Vaillant — de ne pas assumer la responsabilité du divorce devant l'opinion, tout en le souhaitant, tout en le préparant.

Jaurès conçoit-il cela ? Il ne prête jamais aux autres des desseins hypocrites. Les manœuvres tortueuses, il ne les conçoit pas. Par vertu ? Sans doute, mais aussi par souci de ne pas s'engluer dans les labyrinthes de la mauvaise foi et des apparences où l'on perd son âme pour un semblant d'efficacité. Il va droit.

A ceux qui le rencontrent ces jours-là, au début de l'année 1900, il réaffirme la justesse de son choix.

Waldeck-Rousseau vient de faire perquisitionner au journal *La Croix,* organe des assomptionnistes et qui fut un véritable brûlot antisémite, antidreyfusard et antirépublicain. Et la Congrégation des Augustins de l'Assomption est dissoute par jugement.

Quand on évoque devant Jaurès la fragilité de l'unité réalisée entre socialistes, les manœuvres de Guesde, il rit. Le mouvement venu des profondeurs emportera les hésitations. Et puis qu'on écoute les opinions des socialistes étrangers. Jaurès leur a ouvert les colonnes de *La Petite République,* et ils n'ont pas jeté l'anathème.

Or, dans cette période naissante du xxᵉ siècle, Jaurès est de plus en plus attentif à la situation internationale.

On se bat entre Boers et Anglais en Afrique du Sud. Toutes les puissances « impérialistes » coalisées mènent l'assaut contre les Chinois à Pékin. On voit côte à côte les soldats anglais, allemands, français, américains, italiens, russes, rétablir avec brutalité l'ordre colonial.

« Les peuples européens, commente Jaurès, sont livrés aux pires suggestions de la convoitise et de la haine. » Et prémonitoire, il ajoute, au moment où la coalition des armées nationales semble marquer la réconciliation européenne au détriment des peuples des autres continents : « L'Europe est exposée à tous les hasards s'il ne se forme pas dès maintenant un parti de la Paix européenne, une Ligue européenne de la Paix. » Comment ? Mais l'Internationale socialiste peut jouer ce rôle et Jaurès commence à préparer le Vᵉ Congrès que l'Internationale doit tenir à Paris en septembre 1900.

Un Paris qui se transforme, qui n'est plus qu'un immense chantier. Partout des palissades, des terrassements. On creuse le métro, on prépare la mise en service des stations de la ligne de Vincennes à la porte Maillot pour le printemps et cela doit coïncider avec l'ouverture de l'Exposition universelle.

Avec le changement de siècle, les modifications profondes dans les mœurs, dans les idées, tout ce qui est au travail dans les profondeurs de la société, semblent plus manifestes. Automobile, dirigeable, cinématographe imposent leur présence étonnante. Le téléphone et l'électricité, d'autres inventions annoncent plus de simplicité et d'aisance dans la vie quotidienne. Peu à peu de nouvelles possibilités s'ouvrent.

Jaurès, quand il est en province, dicte ses articles par téléphone. Et parfois, il les improvise, sans une hésitation et quand, à l'autre bout du fil, la dactylo lui relit un article, il rectifie ses erreurs comme s'il avait un texte sous les yeux.

Mais cette expansion — outre qu'elle touche moins la France que les autres pays puisque les équipes dirigeantes à Paris préfèrent favoriser la rente et les emprunts russes au lieu de l'investissement — va de pair avec des glissements dans le domaine des idées.

La victoire, même incertaine encore des dreyfusards et des institutions républicaines, provoque des réactions dans les milieux intellectuels.

On le voit chez Péguy que le succès politique de Jaurès révulse et qui glisse à l'opposition d'abord morale puis farouchement antisocialiste et nationaliste.

Péguy ménage encore pour quelque mois Jaurès mais dans cette année 1900, il sent peser la tutelle de Lucien Herr sur ses publications. Il est de plus en plus sensible à l'enseignement que Bergson donne au Collège de France, depuis plusieurs mois. Péguy ne fait que suivre une « mode » qui s'affirme quand Bergson est officiellement nommé au Collège de France le 17 mai 1900. Péguy assiste à ses cours du vendredi qui sont comme une grande messe mondaine et intellectuelle où le philosophe, selon Péguy, « ajoute un supplément nouveau au monde ».

A 16 h 45, tous les vendredis, Péguy se mêle, serré dans sa pèlerine bleue, aux jeunes femmes, aux étudiants, aux bourgeois qui font du cours de Bergson le lieu où s'élabore, pense-t-on, une nouvelle philosophie, dégagée des lourdeurs du rationalisme, éloignée des rumeurs de la politique même si elle ne peut — quoi qu'en dise son auteur — échapper à la signification politique. Et d'une certaine manière, c'est de l'Anti-Jaurès.

Le vieux débat entre les philosophes rivaux continue donc. Et Péguy est allé de l'un à l'autre, au moment où le socialisme s'organise, qu'il est reconnu comme une force politique qui compte par le pouvoir.

Il écrira dans quelques mois (octobre 1901) : « Je prie qu'on veuille noter que je suis un des plus grands ennemis, loyaux, de Jaurès. Même, je suis son plus grand ennemi, s'il est vrai qu'il n'y a pas de socialiste en France qui ait comme lui l'amour de l'unité mystique et s'il est vrai qu'il n'y a pas de véritable anarchiste qui ait plus que moi la passion de la liberté. »

Le thème de la liberté, Jaurès depuis des années montre qu'il est au cœur du socialisme. Et la philosophie de Bergson, il l'a combattue — en philosophe — dès sa soutenance de thèse contraignant Bergson à lui répondre, fût-ce sans nommer Jaurès.

Réfutation philosophique qui pour Jaurès a un sens politique, car selon lui, idées et politique ne peuvent être séparées. C'est vrai qu'il vit l'unité. Un philosophe est dans le monde. Et il ne lui semble pas étonnant, compte tenu des idées de son ancien condisciple, que le philosophe Bergson ait refusé durant toute l'affaire Dreyfus de s'engager. Ou bien, qu'en février-mars, il fasse paraître en trois livraisons, dans *La Revue de Paris, Le Rire,* un essai sur l'art comique comme un pied de nez narquois à l'actualité. Et Jaurès pourtant répond à sa manière par une conférence qu'il donne, le 13 avril 1900, à la porte Saint-Martin sous la présidence d'Anatole France. « Artistes, n'ayez pas peur de nous », dit-il. « De l'humanité tout entière la démocratie veut faire une élite... Il faut amener tous les hommes à la plénitude de l'humanité. » Il y aura renouveau artistique, s'il y a renouveau social. Et les artistes enfin seront compris.

Péguy s'insurge. Il n'est plus en « sympathie ». La force même du mouvement socialiste et la discipline qu'il se donne le hérissent. Il se rebelle au moment où *Le Temps,* parlant de l'Unité socialiste, écrit qu'un « péril nouveau surgit à l'horizon ». Où Maurras publie son *Enquête sur la monarchie.*

Comme si le courant intellectuel qui depuis des années donnait l'assaut aux idées rationalistes se trouvait renforcé par sa propre défaite politique et s'agglomérait de nouveaux éléments, s'affirmant nettement antirépublicain et nationaliste.

Cela touche des hommes jeunes — Péguy. Et ce sentiment antidémocratique se manifeste avec d'autant plus de hargne que l'opinion lui a donné tort, ce qui renforce le goût pour l'élitisme.

A Jules Renard avec qui il déjeune, le 13 février 1900, « Claudel parle du mal que l'Affaire Dreyfus nous a fait à l'étranger. Cet homme intelligent, ce poète sent le prêtre rageur et de sang âcre. » « Mais la tolérance ? » lui demande Renard. « Il y a des maisons pour ça », répond Claudel. Et il affecte « de ne comprendre et de n'admirer que les ingénieurs »

C'est en quelques mots le mariage nouveau qu'il exprime entre la modernité de l'esprit de réaction, entre le refus du rationaliste et la volonté d'épouser le nouveau siècle, entre l'élitisme et le nationalisme.

Jaurès ne peut que se trouver au centre de ce conflit des idées, puisqu'il n'a jamais abandonné ce terrain.

Il est, là aussi, une cible. Péguy s'éloigne et, critique injuste, comptabilise les désaccords pour justifier la rupture. Il continue de voir Jaurès, de marcher en bavardant à ses côtés. Mais le courant ne passe plus. De vieilles jalousies surgissent. Ainsi Péguy — qui n'a jamais été reçu à l'agrégation — se cabre de plus en plus souvent, surtout quand Jaurès, dit Péguy, « se rappelant qu'il avait commencé, normalien, par être un brillant agrégé de philosophie, entreprenait de faire le philosophe ». Peu importe à Péguy que Jaurès le soit effectivement et qu'il n'abandonne jamais la réflexion philosophique. Pour Péguy ces entretiens devenaient alors désastreux.

« Un jour, précise-t-il, j'eus le malheur de lui dire que nous suivions très régulièrement les cours de M. Bergson au Collège de France, au moins le cours du vendredi. J'eus l'imprudence de lui laisser entendre qu'il faut le suivre pour savoir un peu ce qui se passe. Immédiatement, en moins de treize minutes, il m'eut fait tout un discours de la philosophie de Bergson, dont il ne savait pas, et dont il n'eût pas compris le premier mot. Rien n'y manquait. Mais il avait été le camarade de promotion de M. Bergson dans l'ancienne Ecole normale, celle qui était supérieure. Cela lui suffisait. Ce fut une des fois qu'il commença à m'inquiéter. »

Ce qui étonne surtout, c'est la mauvaise foi de Péguy, son assurance et sa partialité. Il ignore la réflexion philosophique de Jaurès sur Bergson. Il ne peut déjà plus écouter Jaurès, le juger objectivement. La politique a fait son œuvre, aveuglant Péguy, cachant la réalité de Jaurès. Péguy vient d'entrer dans le camp de la haine.

Mais comment « pardonner » à Jaurès ? Il est partout.

Dans les journaux : chaque jour, dans son éditorial, il prend position.

Dans les revues : ses conférences sont reproduites par *La Revue socialiste* ou *Le Mouvement socialiste*, une jeune publication fondée par Hubert Lagardelle et Longuet, le petit-fils de Karl Marx.

Dans la confrontation des idées : il intervient en février 1900 devant les étudiants collectivistes. Le vieux communard Allemane préside cette réunion, au cœur du quartier Latin, Salle des sociétés savantes.

C'est Jaurès philosophe qui parle, prenant parti dans la polémique qui oppose entre eux les socialistes allemands. Eduard Bernstein, un socialiste longtemps exilé en Angleterre, s'est donné pour mission de « réviser » les postulats marxistes. En 1899, il publie

« *Les prémisses du socialisme et les tâches de la social-démocratie* ». Karl Kautsky lui répond.

Le débat en fait concerne tous les socialistes puisqu'ils assistent à la montée et, en même temps, du fait même de cette poussée, à l'intégration des organisations ouvrières. Comme l'écrit en France un ami de Jaurès, Francis de Pressensé : « On ne se fait pas élire pour se croiser les bras... L'action s'impose et l'action n'est le plus souvent possible que dans l'ordre des réformes et du progrès graduel. »

Mais alors que devient la classe ouvrière et son rôle, que deviennent la théorie marxiste de la paupérisation, la théorie de la valeur, celle des crises et même celle de la lutte des classes ?

Pour Bernstein : « Tout est dans le mouvement, rien n'est dans le but final. » Pour les marxistes orthodoxes tel Kautsky : « L'essentiel est le but final, mais il faut le mouvement pour s'approcher du but. » Et pour l'aile gauche où l'on voit apparaître la jeune Rosa Luxemburg : « Tout est dans le but final, rien dans le mouvement. »

Jaurès affirme d'abord que le « marxisme contient en lui-même les moyens de se renouveler, là où il faut ». Il est donc avec Kautsky contre Bernstein. Et pour lui, toujours sur le même versant, « la classe prolétaire et la classe bourgeoise sont et demeurent quoi qu'on fasse, radicalement distinctes et radicalement antagonistes ».

Cependant, contre Kautsky, il ne souhaite pas isoler le prolétariat mais au contraire multiplier les contacts avec la classe bourgeoise. « Nous voulons la révolution mais nous ne voulons pas la haine éternelle. » Il prêche « pour les rencontres momentanées, les coopérations d'un jour ». « Et quelle joie ce sera, conclut-il, sublime, universelle, éternelle, le jour où ce sera la rencontre définitive de tous les hommes. »

Jaurès exprime sa foi. La controverse il la dépasse, il constate la lutte des classes, mais ce n'est qu'un moment de l'Histoire : le but c'est l'unité des hommes. Utopie ? Cet humanisme introduit dans la logique de la violence le frein de la générosité et de la bonté.

Pour Jaurès l'Histoire est le produit du conflit des classes mais le rôle de l'homme est non pas de nier ce fait, mais de le dominer, et de choisir l'intérêt de tous les hommes, même s'ils luttent entre eux, de ménager leurs brèves rencontres, préface « à la rencontre définitive ».

Un humanisme socialiste est ainsi défini par Jaurès. Il suppose une éducation des hommes, des prolétaires, et c'est pourquoi l'on voit Jaurès — et d'autres intellectuels — animer des universités populaires qui doivent « éviter les généralités pompeuses et vaines », et chasser les « fantômes de la nuit ».

Il soutient l'Ecole socialiste que créent pour les étudiants les chercheurs rassemblés autour de Lucien Herr. Le premier cours consacré aux doctrines socialistes françaises contemporaines sera donné par Léon Blum.

Certes ces initiatives cesseront vite mais elles marquent la volonté de Jaurès d'être présent sur chaque front.

Dans cette année, celle de ses quarante ans, il est vraiment le visage du socialisme français. Et Lafargue qui séjourne à Berlin est contraint d'écrire à Guesde : « Hier soir j'ai parlé avec les socialistes des différents courants (allemand, belge, autrichien). Ils sont tous plus ou moins pour Jaurès... Ils ne tirent leurs informations que de la lecture de *La Petite République*. Pour eux Jaurès est toujours le grand homme de l'Affaire Dreyfus. »

Et voici que son nom se détache sur de grandes affiches rouges qui sont collées sur les murs à partir du 10 février 1900. Elles annoncent la mise en vente des fascicules hebdomadaires de la grande *Histoire socialiste de la France contemporaine*. Guesde s'est dérobé, « préférant rester étranger à l'entreprise », découvrant plutôt ses limites. Et même Lucien Herr renonce à écrire la partie qui lui était confiée : le Second Empire.

Il reste donc Jaurès pour la Révolution française. Il assure l'histoire des trois assemblées révolutionnaires (Constituante, Législative, Convention) jusqu'à la chute de Robespierre en thermidor, puis le « Bilan social du XIXᵉ siècle » et « L'histoire de la guerre de 1870 ». Mais c'est *La Révolution française* qui l'impose comme historien.

Il écrit, dit-il, pour les « ouvriers et les paysans ». Mais les spécialistes — le professeur en Sorbonne Aulard — reconnaissent dès la parution une œuvre originale, ouvrant la voie à une histoire économique, régionale et sociale de la Révolution, faisant éclater le cadre des histoires politiques traditionnelles. Jaurès a réalisé une œuvre pionnière assise sur des documents originaux.

Jaurès l'a écrite avec passion, mais aussi un sens aigu de l'objectivité. Mêlant son expérience d'homme politique à sa philosophie de l'Histoire, enrichissant ses portraits de ses confrontations avec les hommes politiques contemporains. Comment ne pas penser à Guesde quand il dit de Robespierre : « Oui, il y avait en lui du prêtre et du sectaire, une prétention intolérable à l'infaillibilité, l'orgueil d'une vertu étroite, l'habitude tyrannique de tout juger sur la mesure de sa propre conscience, et envers les souffrances individuelles la terrible sécheresse de cœur de l'homme obsédé par une idée et qui finit peu à peu par confondre sa personne et sa foi, l'intérêt de son ambition et l'intérêt de sa cause. »

Jaurès perspicace, traçant ce portrait au burin de la lucidité mais parlant aussi de la probité morale, du sens religieux et passionné de la vie de Robespierre et surtout prenant, à son habitude, de la hauteur.

L'Histoire, en effet, est, pour Jaurès, « une mêlée étrange où les hommes qui se combattent servent souvent la même cause. Le mouvement politique et social est la résultante de toutes les forces. Toutes les classes, toutes les tendances, tous les intérêts, toutes les idées, toutes les énergies collectives ou individuelles cherchent à se faire jour, à se déployer, à se soumettre l'Histoire ».

Vision généreuse du grand remuement humain, qui est une poussée collective, dont la résultante est l'Histoire. Il voit cela Jaurès et l'on pourrait conclure alors à la dérision des luttes partielles, à l'inutilité de l'engagement. Jaurès pourrait n'être qu'un philosophe, qu'un historien, qu'un intellectuel qui regarde et compte les coups, sachant qu'à la fin, c'est l'Histoire qui totalise, qui brasse les camps, les classes et les hommes.

Mais il y a une morale de la vie et de l'Histoire. Il faut choisir. C'est cela la vertu d'honnêteté et d'objectivité. « Je ne veux pas faire à tous ces combattants qui m'interpellent une réponse évasive, hypocrite et poltronne, précise Jaurès. Je leur dis : " Ici sous ce soleil de juin 93 qui échauffe votre âpre bataille, je suis avec Robespierre, et c'est à côté de lui que je vais m'asseoir aux Jacobins. " »

Oui, il faut choisir.

C'est pathétique, tragique même, mais tous ces morts de la Révolution que Jaurès a réveillé : « Ils vous imposent la loi de la vie, la loi étroite du choix, de la préférence, du combat, du parti pris, de l'âpre et nécessaire exclusion. »

En ces quelques lignes, Jaurès dit son dilemme personnel, comment il le ressent et le tranche.

Ainsi il s'est tout entier engagé dans cette œuvre où il réussit à mettre en mouvement « la vaste mer paysanne », les individualités (Danton, Babeuf, Marat, Robespierre), les forces économiques. Livre d'historien — et d'avant-garde —, livre de philosophe et livre de politique. Car il y a toujours chez Jaurès un aller et retour de la recherche et des idées, à l'action.

Ce livre dans lequel Jaurès dit qu'il a « procédé au classement des titres historiques du prolétariat ouvrier et paysan », Jaurès voudrait qu'il se répande. Non par vanité d'auteur. Quand en 1899 Péguy a rassemblé sous le titre *Action socialiste* certains de ses articles, Jaurès a manifesté sa réticence. Mais publier, « c'est encore agir, dit Jaurès après réflexion, et je me suis rendu de bon cœur à ce vœu ».

Il donne donc des interviews au *Matin*, reprises par *Le Cri des Travailleurs*, le journal de la Fédération socialiste du Tarn. Il commente son livre dans *La Dépêche de Toulouse* et il publie plusieurs articles dans *La Petite République*. Ce sont « ses » journaux. Les autres feront un quasi-silence. *La Revue de Paris* que Jaurès sollicite refuse ainsi l'un de ses commentaires.

Mais à « gauche » on rencontre les mêmes réticences. Le parti de Guesde, hostile à Jaurès, boycotte le livre. Jaurès qui a voulu une histoire écrite par les représentants de tous les courants socialistes se trouve ainsi bâillonné dans sa propre famille de pensée !

D'autres socialistes sont partagés. Andler écrit à son ami Herr : « J'ai reçu les fascicules parus... La préface n'est pas bonne. Le reste est pour le fond au niveau des meilleurs manuels et plein d'idées ingénieuses dans le détail et cela se lit comme un roman. »

Ce livre qui se voulait — selon Jaurès — matérialiste avec Marx, mystique avec Michelet, héroïque avec Plutarque, n'eut donc pas, tout compte fait, l'écho qu'il méritait. Les historiens le louèrent sans doute. Mais cela ne toucha guère le grand public.

Les adversaires — de droite et de gauche — l'ignorèrent ou le critiquèrent avec violence, après l'avoir à peine feuilleté. « C'est une philosophie digne de M. Pantalon, dit Georges Sorel, et une politique de pourvoyeur de guillotine. »

Jaurès était donc victime de son engagement politique. On savait ce qu'on devait penser de lui avant même de l'avoir lu. Qu'il condamnât avec netteté les massacres de septembre 92 — « acte vil et sot » —, qu'il jugeât les hommes avec nuance et objectivité, peu importait. Il était le socialiste, ce tribun, et on ne voulait plus voir l'intellectuel, le chercheur scrupuleux.

Et puis trop de dons Jaurès, trop de facilité, une telle profusion, une telle abondance dans la production ne permettaient pas d'apprécier à sa juste valeur ce travail, qui apparaissait comme une activité parmi d'autres, et c'était vrai. Ah, s'il n'avait produit que cette œuvre-là, économisant ses forces, ne parlant que de ce sujet, bref s'il était devenu l'un de ses spécialistes, une sorte de Bergson de l'Histoire, prudent dans l'engagement politique et social, gérant sa vie et ses idées, ses créations avec la minutie d'un bourgeois, qui « place » au mieux son patrimoine, comme on l'eût loué ! Or, il était à la manière de Hugo (« en prose il égale Victor Hugo », disait Blum) l'un de ces êtres protéiformes, totalement unis dans leur diversité, mais que l'opinion moyenne, déconcertée — et peut-être inconsciemment jalouse —, veut réduire à un seul aspect. Mais ce « diable d'homme », Jaurès, insouciant de son image, dilapidant ses dons au service des autres, de cette « cause » — cette foi — qu'il a embrassée, va de l'avant, avec parfois de brefs accès d'amertume « qu'il ne laisse jamais devenir " mortelle " et se plongeant dans la lecture d'un grand classique ou bien dans le travail sa lumière intérieure... sa puissance de sérénité. »

Difficile pourtant de garder la tête froide quand de toute part montent les assauts. Jaurès qui souhaite l'unité, la voit, même dans sa fragile expression née au Congrès de décembre, remise en question.

Dans un Paris qui se laisse entraîner par le tourbillon de l'Exposition universelle, qui rêve devant les pavillons de l'industrie, le charme exotique des pavillons coloniaux ou l'étonnant tapis roulant qui court sur les quais de la Seine ou bien qui s'extasie devant la première ligne de métro Maillot-Vincennes ouverte à la circulation, dans un Paris où l'on assiste aux jeux Olympiques avec leurs matches internationaux, leurs athlètes qui célèbrent le culte tout récent du sport, les polémiques continuent en effet entre socialistes.

Jaurès maintient son cap de soutien au gouvernement, favorable par exemple aux mesures d'arbitrage en cas de grève que propose Millerand.

Certes il ne s'illusionne pas. Millerand surévalue les possibilités de conciliation. Et il suffirait à Jaurès de lire *Le Temps* pour savoir que, selon le journal conservateur « les idées de l'honorable M. Millerand ne diffèrent pas essentiellement de celles des plus modérés de ses prédécesseurs ».

Surtout, Jaurès voit monter les conflits ouvriers qui rendent encore plus indispensable l'unité socialiste. Grève au Creusot chez Schneider : de longs cortèges résolus ont parcouru la ville, ébranlant la citadelle industrielle et patronale. Grève à Carmaux, grève à Montceau-les-Mines. Le nombre des syndiqués augmente. La résolution et le calme des grévistes aussi.

Mais à la Martinique, lors d'une grève des coupeurs de canne à sucre, la troupe tire, il y a des morts.

Plus grave par la résonance nationale, à Chalon-sur-Saône, la troupe intervient et des grévistes sont tués. Millerand n'est plus qu'un ministre parmi d'autres, « assassin du prolétariat » si l'on en croit Jules Guesde. Il n'est plus qu'un massacreur. Peu importe que Galliffet ait démissionné, remplacé par le général André, un polytechnicien d'esprit républicain.

La cassure s'approfondit donc au Comité général socialiste entre « révolutionnaires » et « ministériels ». On accuse Jaurès de ne pas avoir assisté à 24 séances sur 26 de la Commission de propagande. C'est le règne des « bureaucrates » de la révolution, tatillons et sectaires, qui tend à s'imposer, alors que les élus invoquent la supériorité du suffrage universel. On leur répond que : « Les socialistes n'ont pas à s'inquiéter du corps électoral, masse fuyante et nébuleuse. » Seuls les comités sont compétents. On se méfie des élus, soupçonnés d'ambition politicienne.

Ces divergences graves ne peuvent que surgir au Congrès de l'Internationale qui doit se tenir salle Wagram du 28 au 30 septembre et qui doit être suivi d'un Congrès national.

Dans les semaines qui précèdent, c'est une véritable veillée d'armes. Les Fédérations du Parti ouvrier français dénoncent ce gouvernement durant lequel on n'a jamais vu les « travailleurs aussi trompés, condamnés, sabrés, fusillés, massacrés... L'ancien socialiste Millerand et l'avocat des panamistes Waldeck-Rousseau ont droit aux malédictions du prolétariat tout entier ».

C'est bien la rupture qui est recherchée et Jaurès le sait. Il fait front. S'appuie sur Briand, personnage ambigu mais habile qui recrute dans les départements pour obtenir le plus grand nombre de délégués au Congrès de septembre. Les guesdistes ripostent et créent — avec les fonds du propriétaire du *Matin*, Edwards, le propre beau-frère de Waldeck-Rousseau — un quotidien, *Le Petit Sou*, qui prend comme cible Jaurès. Jaurès accusé de vouloir dominer, diviser et se servir du parti socialiste. Et pour cela : « Il nous flatte... mais il nous mettra de côté quand il n'aura plus besoin de nous. »

A nouveau ce soufflet de la suspicion donné par les camarades sur le visage de Jaurès, à nouveau ces arguments mesquins qui fuient le vrai débat pour le personnaliser de manière vulgaire.

Jaurès une fois de plus est atteint. Et il répond : « Nous accusons le POF d'avoir joué le double jeu, dit-il, de tromper la classe ouvrière, de diviser et d'affaiblir le courant révolution-naire... »

Mais, s'il se bat, Jaurès est épuisé. Il souffre de la gorge. Il a ces bouffées d'amertume devant les « vilenies » dont on l'accable.

Pourtant, il est à la tribune quand le 23 septembre s'ouvre le Congrès de l'Internationale. Il préside. N'est-il pas le plus connu des socialistes français ? Dans la salle, parmi ces délégations venues du monde entier, on reconnaît l'Autrichien Adler, l'Allemand Kautsky et l'Italien Enrico Ferri. Des femmes aussi Clara Zetkin et la « terroriste russe » Vera Zassoulicht, vieille dame maintenant.

Les débats sont courtois. Kautsky sur le cas Millerand fait voter une motion qui retiendra dans des circonstances exceptionnelles l'idée de participation à des gouvernements bourgeois. Et Guesde associé à Ferri pour la combattre est battu. On se sépare et l'on promet de se retrouver à Amsterdam, en 1904.

Mais l'Internationale n'est qu'un lever de rideau, qui a marqué la défaite des intransigeants. On va se retrouver le lendemain dans la même salle entre Français. Guesde veut y prendre sa revanche.

Ce fut donc le Congrès de la division. Un millier de délégués qui s'injurient. On crie « assassins », « jésuites », « renégats ». On scande « Galliffet, Millerand, massacreurs ». On hurle « Chalons ! Martinique ! ».

On se bat pour la procédure, le vote par tête ou par mandat. Briand a fait la salle. On votera par délégués. Les partisans de Guesde sont en minorité. Jaurès est assis comme un simple délégué au milieu de ses partisans, du côté droit. Il regarde. Il supporte mal cette atmosphère folle des congrès quand, des tribunes, le public injurie les orateurs et que l'on s'accuse entre camarades (ainsi Briand attaque-t-il Lafargue) « d'être un aristocrate qui vit dans les châteaux et joue aux démagogues dans les congrès ».

On se traite de « voleur » ou de « fusilleur ». Et quand un guesdiste (Andrieux) entre dans la salle et montrant sa main blessée, clame qu'on vient de l'agresser à coups de couteau dans les couloirs, les délégués du Parti ouvrier français se lèvent avec Guesde qui crie : « Nous fuyons les assassins. »

Ils partent avec leurs drapeaux, leur violence, leurs certitudes et leur dévouement militant. Ils vont tenir dans une autre salle — salle du Globe puis salle Vautier — leur Congrès cependant que Jaurès réaffirme la nécessité de l'unité et lance un appel aux socialistes, à ceux de la base.

Ainsi s'en est fini des faux-semblants du mois de décembre 1899. Nous sommes en septembre.

Dehors l'Exposition universelle, ses centaines de milliers de visiteurs, ses constructions spectaculaires — le Grand Palais —, cette puissance de la société capitaliste qu'elle révèle.

Et quelques jours auparavant, le 22 septembre — à la veille de l'ouverture du Congrès de l'Internationale — le gouvernement a, sous deux immenses tentes dressées dans le jardin des Tuileries, offert un banquet à 20 777 maires de France. On compte 606 tables reliées par téléphone aux onze cuisines ! L'organisateur circule entre les tables en automobile. Les serveurs ont reçu mission de repasser les huit plats et de verser abondamment à boire. Quand Loubet prend la parole on lui réserve un triomphe et des acclamations rythmées. Au-delà de l'anecdotique ou du spectaculaire, ce banquet monstre confirme que les institutions républicaines sont enracinées dans la réalité provinciale et municipale.

Mais le socialisme ?

Qu'il semblait faible avec ses haines et ses violences verbales, ses hésitations sur la tactique, ses anathèmes. C'est de tout cela que Jaurès voulait le tirer.

Alors il ne renonce pas.

En novembre, il est dans le Nord pour organiser dans ce fief guesdiste une Fédération autonome. Il combat donc mais il est toujours prêt à la confrontation et quand Delory, le maire socialiste de Lille, l'invite à participer le 26 novembre à l'hippodrome de Lille à un grand débat avec Jules Guesde, il accepte.

C'est le heurt de deux « méthodes » devant une assistance tendue et attentive. Ici pas d'injures mais la netteté des positions. Guesde dit : « Il faut couler, sans distinction de pilote, le vaisseau qui porte la classe capitaliste et sa fortune. » Et Jaurès répond : « C'est une injustice meurtrière de nous reprocher les fautes, les erreurs, ou les crimes de ceux que nous ne soutenons que pour empêcher des crimes plus grands ! »

Guesde rétorque : « La classe ouvrière ne doit pas être appelée à monter la garde autour de la République de ses maîtres. » Et Jaurès éloquent, rigoureux, porté par les applaudissements et cette attention passionnée et collective exalte la démocratie républicaine.

Il aime ce grand moment de pédagogie où ne se heurtent, par la voix, que deux hommes différents, que les idées.

« Facile, dit-il, de parler en général de lutte des classes, mais il faut examiner chaque cas particulier » et « il ne suffit pas de connaître la direction générale des vents pour déterminer d'avance le mouvement de chaque arbre, le frisson de chaque feuille de la forêt ». On l'ovationne comme on a ovationné Guesde. Jaurès est ému. Certes les blessures sont profondes mais ce duel loyal des chefs fait avancer toute la troupe.

« Quels que soient les dissentiments, quelles que soient les difficultés, lance-t-il, en conclusion, quelles que soient les polémiques, entre socialistes on se retrouve... »

Il parle de l'avenir, de l'unité, de la grande fraternité socialiste. De l'unité qui naîtra « par la lumière, par la raison, par l'organisation ». « Et cela pour faire d'abord œuvre de réforme et, dans la réforme, œuvre commençante de révolution. »

Il ne renie jamais ses idées, Jaurès, même pour un succès de foule. Mais il peut lancer, parce qu'il le pense, qu'il le vit, le ressent ainsi : « Révolution, oui, car je ne suis pas un modéré, je suis avec vous un révolutionnaire. »

Chapitre 13

« J'ai droit à la commune humanité »
(1900-1902)

Jaurès dit : « le Bloc ». C'est le nom qui s'est imposé pour désigner la majorité qui soutient le ministère Waldeck-Rousseau.

Le mot n'est pas de lui, peut-être de Clemenceau, mais Jaurès le reprend. Le Bloc républicain doit être un ministère de défense républicaine, afin de préparer et de gagner les élections qui sont au bout de la route : en avril 1902. Et ainsi achever de battre ceux qui au moment de l'Affaire Dreyfus ont menacé la République. Pour que ce Bloc demeure compact, il faut un ciment.

Réforme sociale? Impôt sur le revenu? On en parle. Et Jaurès appuie chaque tentative, chaque esquisse, qu'elle vienne de Mille-rand ou du ministre des Finances, ce jeune inspecteur des Finances, Joseph Caillaux, d'une intelligence acérée. Mais point d'illusion chez Jaurès; il ne faut pas trop attendre à la veille d'une consultation électorale. Des promesses, oui. Un grand bouleversement non.

Alors quel ciment pour cette majorité disparate où l'on retrouve des députés socialistes élus par les mineurs du Nord et Monsieur le banquier Aynard?

Waldeck-Rousseau par conviction, et par habileté politique, a trouvé le lien. Il a déjà dénoncé ces congrégations qui ont pris parti contre la République. Puis déclaré qu'il y a en France « trop de moines ligueurs et trop de moines d'affaires ». Le voici maintenant à Toulouse en ce 28 octobre 1900. Il est impassible comme à son habitude, à peine un mince sourire, un ton plus ferme encore. « Les congrégations, dit-il, ont une fortune immobilière qui dépasse le milliard de francs et surtout elles donnent un enseignement antirépu-

303

blicain ». « Dans ce pays, affirme-t-il, dont l'unité morale fait la force... deux jeunesses moins séparées encore par leur condition que par leur éducation grandissent sans se connaître... »

Il faut mettre fin à cela dont on a mesuré le danger pendant l'Affaire Dreyfus. L'anticléricalisme sera le ciment du Bloc républicain.

Machiavélisme qui consiste à faire de l'Eglise un bouc émissaire ? En fait, en chaire et dans leurs journaux, trop d'ecclésiastiques se sont engagés dans le combat politique, pour qu'il n'y ait pas un contrecoup. Et puis il y a une logique de la République que Waldeck-Rousseau, lui si modéré pourtant, exprime avec force : « Il faut choisir : être avec la Révolution et son esprit ou avec la Contre-Révolution contre l'ordre public. » « Il ne faut plus, dit le radical Brisson, que dans les écoles religieuses on glorifie les traîtres de Quiberon... les royalistes de 1793. »

Et Jaurès ? On sait ce qu'il a écrit dans les années 1890, du sens de la vie et de la conscience déjà présente au creux initial de l'univers.

Jules Renard l'interroge au cours d'un déjeuner chez Léon Blum. « En religion, il paraît assez timide, note-t-il. Il est gêné quand on aborde cette question. Il s'en tire par des : " Je vous assure que c'est plus compliqué que vous ne croyez. " Il a l'air de penser que c'est un mal nécessaire, et qu'il faut en laisser un peu. Il croit que le dogme est mort et que le signe, la forme, la cérémonie sont sans danger. »

En fait, Jaurès approuve sans hésitation Waldeck-Rousseau. « Il faut, dit-il, arracher à l'Eglise sa puissance politique, ses privilèges sociaux, sa dotation budgétaire, il faut l'exclure de l'enseignement... Jusqu'à ce que le progrès des lumières, l'influence de l'éducation laïque et le relèvement social des opprimés aient séché peu à peu les habitudes et les croyances. »

Sectarisme ? Pour lui, il y a une différence profonde entre la religion et le dogme, d'un côté, et les questions que posent le sens de l'univers, de l'autre.

« Je n'aime pas pour ma part, ajoute-t-il, qu'on habitue le peuple à se croire quitte avec le problème de l'univers par une facétie. »

C'est là une question grave que les hommes quand ils seront libérés des entraves de leur misère et de l'exploitation qu'ils subissent pourront enfin affronter en conscience. Voilà la pensée de Jaurès.

Mais l'entend-on, le comprend-on, veut-on être attentif à ce qu'il dit ?

Il sent sur lui le poids des préjugés et des haines. « C'est une chose étrange, murmure-t-il, comme à certaines heures des paroles sont dites qui ne sont pas entendues. »

C'est cela, cette incompréhension, cette « inintelligence », ces vilenies qui l'épuisent.

En ce début d'année 1901, alors que Waldeck-Rousseau engage devant la Chambre un débat sur la loi concernant les « associations » manière habile de poser la question des « congrégations » (« associations » qui devront demander une « autorisation »). Jaurès est malade.

La gorge irritée au point de ne plus pouvoir parler. Non point l'une de ses banales affections de quelques jours qu'il connaît souvent, mais une incapacité qui va durer plusieurs mois, lui rendant toute prise de parole impossible ou terriblement douloureuse. Usure des cordes vocales, forcées lors des Congrès socialistes, irritation de toute la gorge due à l'atmosphère de ces salles, mais aussi peut-être véritable blocage de la voix comme si le corps exigeait la rupture de l'échange, dès lors que les mots ne peuvent pas être entendus par ceux auxquels on s'adresse, ces socialistes qui vous insultent, mettent en doute votre bonne foi et quittent les salles où on les réunit en criant « assassins ».

Impuissance de Jaurès à parler en ces premiers mois de l'année 1901 qui sont ceux de son impuissance à réunir les socialistes, qui sont les mois de la division.

Il est contraint dès le 23 janvier de faire publier un communiqué dans *La Petite République* : « Je m'excuse auprès des militants du XIᵉ arrondissement de ne pouvoir assister ce soir à la réunion pour laquelle je suis annoncé, j'en suis empêché, à mon grand regret, par une extinction de voix presque complète. »

Il ne croit encore qu'à une indisposition de quelques jours. Mais l'irritation empire, la voix s'éteint, presque inaudible. Au journal on laisse entendre que Jaurès est gravement malade, peut-être ne pourra-t-il plus jamais parler, ses cordes vocales atteintes par un cancer. Jaurès consulte, est contraint de se soigner, d'avouer dans un autre communiqué : « Je suis atteint d'une sérieuse affection du larynx qui me condamne absolument et pour plusieurs mois à éviter tout effort de parole et toute réunion publique. Je prie les groupes envers lesquels j'avais contracté des engagements, même à assez longue échéance, de m'excuser. »

On devine son désarroi. Tant de choses à dire dans cette période où dans tout le pays s'est engagé autour du thème des « congrégations » une grande controverse politique, passionnelle, dans laquelle le Pape Léon XIII intervient, rappelant que les « congrégations sont nécessaires à la liberté catholique ». Moment crucial où les forces politiques se rassemblent en vue de l'affrontement électoral décisif de 1902. Bloc ou réaction ? Cléricaux ou anticléricaux ? Gauche ou droite ?

Les ligues, les conservateurs, les catholiques de l'Action libérale populaire constituent une force compacte. En face il n'y a d'abord que des individualités qui se regroupent dans des Comités, une Alliance républicaine démocratique (de Rouvier à Barthou, Poincaré, Leygues et Waldeck-Rousseau lui-même) dont on connaît les liens avec les milieux financiers.

Mais pour constituer l'infanterie de cette République, il faut une force ramifiée, regroupant tous ces petits notables locaux anticléricaux, farouchement républicains et qui ont, comme le dira Camille Pelletan, « un attachement passionné au règne de la propriété individuelle dont il ne s'agit ni de commencer ni même de préparer la suppression ».

Ceux-là se retrouveront dans le Parti républicain-radical et radical-socialiste autour de Pelletan, de Léon Bourgeois. Ce premier parti de la République regroupe près de 1 000 comités locaux, plus de 50 000 adhérents, hommes influents, francs-maçons souvent. Ils tiennent le 23 juin 1901 leur premier congrès à Paris. Ils sont véritablement le premier parti organisé de la République, pesant sur elle, présent dans les rouages du pouvoir et de la société.

Jaurès suit la constitution de ce parti radical avec une attention quotidienne. Il en saisit le rôle, capital pour la République. A Carmaux, dans les futures élections, si les conseillers généraux et les notables radicaux font campagne pour lui, il peut être élu. Et ce qui vaut pour lui doit, dans de multiples circonscriptions, jouer en faveur soit des socialistes, soit des radicaux. Le Bloc peut l'emporter.

Mais en même temps les regrets sont forts : où est ce grand parti socialiste unifié qui aurait pu, dû, jouer ce rôle moteur ?

Cette obsession de l'unité — cette angoisse — ne le quitte pas. Dans ce paysage politique où se constituent ces organisations ramifiées, il faut qu'il y ait les socialistes. Seulement, il ne peut plus parler. Alors il écrit. Des articles, des préfaces. Il lit ces nouveaux auteurs qui s'imposent, Nietzsche, par qui une partie de la jeunesse intellectuelle paraît être fascinée. Il continue ses recherches sur la Révolution française et les premiers fascicules parus depuis quelques mois sont maintenant publiés sous forme de volume.

Mais il est préoccupé. Louise est rentrée à Bessoulet avec les enfants, Madeleine qu'on a dû retirer du lycée Molière, petite fille dont la scolarité est perturbée.

Ce monde familial échappe à Jaurès. Il subit passif et tolérant les décisions que Louise prend, appuyée sur sa famille à elle, Monsieur le sous-préfet Bois et sa femme, l'un et l'autre farouchement modérés, hostiles à l'évolution politique de leur beau-fils. Et à Bessoulet, souvent, pour éviter toute remarque et tout conflit, Jaurès entraîne loin de la maison les camarades ouvriers qui viennent de Carmaux ou d'Albi lui rendre visite.

Jaurès ne s'insurge pas contre cette atmosphère critique et même hostile. Il réagit en homme traditionnel qui laisse sa femme régner sur le foyer. Il fuit le conflit avec elle, la discussion. Par respect de l'autre mais aussi parce que les vrais enjeux sont ailleurs, dans la société, et que la femme — l'épouse — est cantonnée dans les taches traditionnelles, que la conduire par une confrontation d'idées à partager les idéaux et les combats de son mari n'est pas important, ou demanderait un effort surhumain qui supposerait une autre conception de l'amour chez Jaurès, un autre type d'amour.

Alors dans la famille il renonce non seulement au pouvoir mais à la participation au pouvoir, replié dans son bureau, tendre, ne demandant qu'à donner son affection et à trouver la paix chez lui.

De ce point de vue, avenue des Chalets, il se sent bien. Il aime ce quartier paisible de Passy. Il marche à pas lents sous les arbres, les mains derrière le dos, s'arrêtant pour caresser un chat ou un chien. Confiant à l'un de ses amis : « J'ai besoin de voir de la verdure quand je cesse de lire ou d'écrire. Le balancement d'une branche, la forme d'un nuage, le passage d'un oiseau me détendent jusqu'à me procurer un vrai bien-être. »

Dans ce quartier il respire. Parfois il pousse jusqu'à l'hippodrome d'Auteuil qu'il longe ou bien jusqu'aux quais de la Seine.

Mais ce ne sont là que rares moments de détente, indispensables à Jaurès, si brefs cependant. Il faut faire face, tenter de reprendre le chemin de cette unité qui, aux yeux de Jaurès, est plus que jamais nécessaire.

Or la division s'est approfondie. Quand le 3ᵉ Congrès des organisations socialistes s'ouvre à Lyon (26-28 mai 1901), salle des Folies-Bergère, les guesdistes ne sont même pas présents. Leur journal — *Le Petit Sou* — ricane devant ces « folies ministérielles » qui entraînent Jaurès et les siens, les Millerand, les Briand, les Viviani, à la remorque de Waldeck-Rousseau. Rien ne trouve grâce à leurs yeux. L'anticléricalisme ? « Une nouvelle manœuvre de la classe capitaliste pour détourner les travailleurs de leur lutte contre la servitude économique, mère de toutes les autres servitudes politiques et religieuses. » « Le seul anticléricalisme sérieux en régime bourgeois, disent-ils, c'est l'anticapitalisme. »

Jaurès n'est qu'un « dupeur et un menteur » et les ministériels des « infâmes ».

Avec les partisans de Guesde il n'est donc même plus possible de rêver pour le proche avenir à l'unité.

Mais dans la salle des Folies-Bergère, alors qu'à la tribune Jaurès est contraint de se taire, sa gorge douloureuse, c'est une autre division. Ne sont plus représentés que les socialistes indépendants (Jaurès, Briand) les « blanquistes » proches de Vaillant, les allemanistes et les partisans de Brousse.

Or, à peine le Congrès est-il ouvert que le jeune secrétaire du groupe des étudiants collectivistes, Amédée de la Porte, demande la parole et pose la « question Millerand » de la manière la plus brutale.

Jaurès est accablé. Il semble que chaque groupe de socialistes produise en son sein une droite et une gauche par un processus sans fin, et que la gauche s'enferme dans le sectarisme et recherche l'exclusion. Jaurès intervient. Il ressemble, dit un témoin, à une « grosse dame sensible ». Il dit aux étudiants qu'ils le « poignardent dans le dos ». Longuet éclate en sanglots. On repousse la proposition. Mais une partie de la salle se lève. Ce sont à nouveau des cris, le chant de *L'Internationale* entonné par les partisans de Vaillant qui quittent la salle, entraînant d'autres délégués. A la tribune Jaurès gesticule, crie, le visage empourpré par l'effort qu'il doit faire : « La France socialiste n'est pas diminuée par le départ d'une secte. »

Mais il sait que l'unité est désormais lointaine, qu'il a échoué. Dans *Le Petit Sou* les guesdistes se moquent de ce « Pierre l'Ermite » qui s'en va cherchant des camarades et qui n'est qu'un cavalier seul. Le journal de Guesde publie pour compléter ses attaques des textes de socialistes étrangers, Parvus Helphand, Rosa Luxemburg surtout, qui accusent Jaurès d'avoir déserté le poste de la révolution, par impatience, de s'être laissé porter par « les vagues de la publicité ». Il s'agit bien selon Guesde d'une trahison. Jaurès est tombé avec les socialistes ministériels dans un « fossé » où ils barbotent. Ils couvrent du pavillon socialiste « les brigandages coloniaux et le traitement des grèves à coups de fusils ». Ils sont « pires que les radicaux ». « Ils commencent par supprimer des articles du programme socialiste et ils finissent par lancer la bourgeoisie et sa meute contre d'anciens compagnons d'armes. »

Accablant. Insupportable. Si injuste. Et il faut l'accepter. Voir se constituer autour de Guesde et de Vaillant *Le Parti socialiste de France* (à Ivry le 3 novembre 1901), parti centralisé sûr de représenter « l'unité socialiste révolutionnaire, la fraction du prolétariat international organisé ». Parti farouchement hostile à Jaurès, à ces « criminels qui avaient voulu vendre les droits du prolétariat pour un portefeuille de ministre ».

La haine, la vilenie. L'obligation de constituer face à ce Parti socialiste de France un *Parti socialiste français* (à Tours en mars 1902) autour de Jaurès, « parti de transformation sociale et de défense républicaine ». Et constater non seulement cette division en deux Partis socialistes rivaux et ennemis mais aussi l'existence de huit Fédérations qui n'ont adhéré ni à l'un ni à l'autre, qui attendent que l'unité vienne pour se fondre dans le grand courant unique.

Jaurès marche dans les rues de Lyon, en ce mois de mai 1901, après qu'on a fermé les portes de la salle des Folies-Bergère et qu'il ne reste sur les tables que les papiers épars et les cendres refroidies.

Mal à la gorge. Amertume. Epuisement.

« Nous sommes dans une ruelle étroite, dit Jaurès, et des deux toits opposés il pleut également sur nous. »

Tête et corps lourds, marche lente.

Il faudrait « le beau soleil de l'unité socialiste pour nous sécher un peu ».

La gorge brûle. Qui le croiserait alors se demanderait quel est ce promeneur préoccupé, dont le visage exprime à la fois désespoir et inébranlable résolution, quel est cet homme où s'associent naïveté du regard et énergie farouche ? La mâchoire est lourde, volontaire. Celle d'un lutteur. Les yeux ont une clarté rêveuse. Peut-être se souvient-il de ce qu'il écrivait à la mort de Wilhelm Liebknecht, le socialiste allemand, il y a quelques mois, en août 1900 ? « Nous ne nous attarderons pas, disait-il, à gémir sur cette médiocrité de la race humaine qui attend pour rendre justice aux hommes de labeur et de combat qu'ils aient disparu. »

Jaurès sait qu'il est, qu'il veut être, l'un de ces hommes-là, au labeur, au combat.

« Nous ne nous attarderons pas, continuait-il, à dénoncer la mauvaise foi des partis qui attendent pour renoncer au mensonge et à la calomnie que la mort se soit interposée entre leurs adversaires et eux. »

Il parle de Liebknecht mais il pense à ceux, les socialistes, qui l'accusent d'avoir trahi.

« Il y a des heures, dit-il encore, où l'élévation morale de quelques hommes isolés suffit à empêcher la chute irréparable de la conscience. »

La morale, l'individu et sa volonté, comme seuls recours. A une condition : « Toujours la vérité, rien que la vérité, toute la vérité. »

La Vérité ? Jaurès avait pour règle de la dire à tous. A lui-même d'abord et sur ce qui lui tient le plus à cœur dans l'ordre politique, l'unité des socialistes.

Il le dit dans une lettre à Charles Péguy, le 17 novembre 1901, la dernière manifestation de ce qui fut une chaude relation qui s'achève.

« Vous m'accuseriez sans doute, commence Jaurès, d'avoir la folie de " l'unité mystique " si je disais que les divisions des socialistes sont superficielles. » Jaurès connaît les critiques déjà acerbes de Péguy. Les divisions entre socialistes tiennent à des dissentiments, à « des graves malentendus sur les méthodes », reconnaît Jaurès.

Il ne faut plus d'utopie, dit Jaurès : « Où l'erreur commence c'est lorsqu'on attend la chute soudaine du capitalisme et l'avène-ment soudain du prolétariat, ou d'un grand ébranlement politique de la société bourgeoise ou d'un grand ébranlement économique de la production bourgeoise. »

Pas de « grand soir » pour Jaurès. Voilà la vérité difficile et têtue qui impose des réformes. Et tant pis si Millerand, comme un ministre quelconque, se rend à la réception qu'on offre pour la venue des souverains russes qui assistent aux grandes manœuvres de l'armée française. Tant pis. C'est aussi le prix à payer. Il faut dire la vérité. A Millerand. Raconter au pays l'angoisse des souverains russes. « Ces regards apeurés de la pauvre impératrice qui semblait un oiseau pris au filet, cette nervosité saccadée de l'empereur tournant à tout instant la tête de droite et de gauche, comment expliquer ? — se demande le ministre Caillaux, témoin de la réception. On eût dit que tous deux appréhendaient que les républicains qui les entouraient ne composassent d'un moment à l'autre un tribunal révolutionnaire... »

Dire que c'est au lendemain des massacres atroces qui ont décimé le prolétariat intellectuel de Russie que le ministère de la Défense républicaine invite le tsar à passer en revue des hommes qu'on entraîne pour les massacres futurs. »

Et cent mille hommes en effet défilèrent devant le tsar au camp de Béthiny, près de Reims.

Savoir — et dire — que « les directions d'un grand Empire liées à celles de l'Europe sont des êtres d'abjection » (Caillaux) et mettre en garde contre « la logique de cette politique à deux qui conduit peu à peu la France aux plus grandes difficultés ».

Lucidité de Jaurès qui prévoit dès 1901 les conséquences de cette alliance avec la Russie tsariste mais qui refuse pourtant de condamner Millerand qu'on voit tourner autour du tsar dans les salons du château de Compiègne.

Réalisme : car il y a la République, l'opinion dans sa diversité et — cela aussi c'est une vérité qu'il faut dire — « le socialisme ne peut donc pas, ne doit donc pas être imposé par une minorité ».

La pensée de Jaurès se déploie avec cohérence autour de cet axe : la vérité qu'il faut proclamer, la vérité des faits qu'il faut voir tels qu'ils sont.

Quand les mineurs de Montceau-les-Mines se mettent en grève au printemps de 1901, il les soutient dans leur revendication de salaire face aux Compagnies, mais il approuve Waldeck-Rousseau de ne pas intervenir dans ce domaine, se contentant — et Jaurès s'en félicite — d'accéder aux demandes des mineurs sur la question des retraites et de la durée du travail.

Quand les mineurs décrètent la grève générale pour protester contre la présence des troupes que le gouvernement a envoyées à Montceau, Jaurès la condamne. Et naturellement, il est l'objet des critiques violentes des guesdistes. Mais il s'explique longuement devant les ouvriers, dans *La Voix du Peuple,* l'organe de la CGT. « On ne dit plus aux prolétaires : " Prenez un fusil ", mais on croit que la grève générale d'abord légale sera conduite bientôt à s'armer du fusil. » Il y a là un « artifice de révolution ».

Or, « la révolution ne se décrète pas, ne se fabrique pas ». Il va plus loin : arrêter les activités, « morceler la vie », c'est précisément le contraire de la révolution qui est « exaltation de la vie... possible seulement par la conscience d'une vaste unité. » Et la conclusion tombe, implacable : « En dehors des sursauts convulsifs — imprévisibles — ressources suprêmes de l'Histoire aux abois, il n'y a aujourd'hui pour le socialisme qu'une méthode souveraine : conquérir légalement la majorité. »

La boucle de la vérité, des congrès aux prises de position sur des faits précis est fermée. République, suffrage universel, légalité, majorité, réforme. La ligne politique de Jaurès est claire, sans faux-fuyant.

Elle s'appuie sur une conception de l'homme et de l'Histoire. Et là aussi il dit la vérité. Il veut l'exprimer parce qu'il constate que les idées sont en mouvement.

A la chambre des députés, le catholique social Albert de Mun, dans le débat sur les associations, s'est écrié : « Depuis vingt ans vous gouvernez, vous tenez tous les ressorts de l'enseignement et des lois, et tout à coup, pendant que vous êtes occupés à déchristianiser le peuple, des milieux intellectuels arrive l'écho d'un mouvement de renaissance religieuse. Vous pensez arrêter ce mouvement avec vos lois et vos décrets. Vous vous trompez : il est plus fort que vous. »

De Mun, même s'il exagère et si l'intention de Waldeck-Rousseau ne se situe pas à ce niveau, exprime une réalité que Jaurès a déjà signalée en pleine bataille intellectuelle de l'Affaire Dreyfus.

D'autres courants d'idées lui paraissent inquiétants. Les 17, 19 et 21 février 1902, il choisit ainsi de parler à Genève, à l'invitation du chef du parti radical genevois et ministre de l'Instruction publique, des rapports entre « la philosophie de Nietzsche et le socialisme ». La salle de l'université est trop petite pour le conférencier. Il interviendra donc à Victoria Hall, brillant et érudit, répondant à Nietzsche à propos de la chute de l'Empire romain et accusant bien plus la « névrose des Néron » que celle du « christianisme ».

Surtout, il récuse l'affirmation agressive de l'individu contre l'humanité. Individualiste Jaurès ? Oui, il l'est, précise-t-il. « Tout individu humain a droit à l'entière croissance. » Mais nous ne devons pas nous couper de l'humanité, « nous voulons que toute l'humanité soit un surhomme. »

Utopie ?

Jaurès a d'autant plus besoin d'elle — d'autant plus de mérite à affirmer cette foi en l'homme, ce refus de couper avec les autres afin de s'isoler dans l'orgueil du moi — qu'autour de lui en ces années 1901-1902 grouillent les haines, les ragots, les calomnies. On n'a pas pu étouffer sa voix ? Il pèse dans la vie politique ? Il faut atteindre l'homme au plus intime de lui-même. Dans sa vie privée.

Et les attaques ne viennent pas d'abord de ses adversaires de droite.

Tout a commencé un dimanche de juillet, le 7 de cette année 1901. Ce jour-là, Madeleine Jaurès célèbre avec éclat, à Villefranche d'Albi, sa communion solennelle selon les bonnes traditions bourgeoises et provinciales : robe blanche et déjeuner de toute la famille réunie à Bessoulet. Un moment privé, banal, si ne paraissait dans un périodique, *L'Ecole laïque,* sous la signature d'un instituteur retraité de Toulouse — auquel naguère le premier adjoint Jaurès refusa quelque crédit —, un article rapportant le fait « Invraisemblable mais vrai... lamentablement vrai ». Le récit insiste, prétendant que Madeleine Jaurès a été confiée aux « bonnes sœurs de Villefranche d'Albigeois » alors qu'il existe une école laïque. « Voilà quelle est l'éducation de la fille de M. Jaurès le " leader socialiste " », conclut-on.

Le fiel, les ragots, la bêtise. Mais dans la situation où se trouve Jaurès, en butte aux critiques acerbes des socialistes, dans la situation du pays aussi où se développe l'affrontement entre défenseurs des congrégations et anticléricaux, quand soi-même on prend chaque jour position dans *La Petite République,* quand on est pour de nombreux adversaires de tous camps — droite, extrême gauche — la cible, quand on est guetté par les envieux et les rivaux, un tel écho peut aller loin.

Jaurès ne néglige pas l'article de *L'Ecole laïque.*

Dans sa vie privée aussi il pratique la vérité. Le 11 juillet il s'explique. « J'ai dit que ma femme était chrétienne et pratiquante et que pour l'éducation des enfants une transaction nécessaire était intervenue entre la mère pratiquante et chrétienne et le père socialiste et libre-penseur... »

Sans doute est-ce avec amertume qu'il écrit ces lignes dans *La Petite République.* Lui, si discret, si pudique, voici qu'il est contraint d'ouvrir la porte de sa vie privée, et de laisser les curieux et les ennemis, les voyeurs entrer dans son intimité. Il avait déjà évoqué ce sujet après les attaques de Rochefort. Il faut recommencer, affirmer avoir toujours maintenu ses enfants dans des établissements laïques. Mais « j'ai pensé que je n'avais pas le droit d'interdire aux enfants de participer au culte sous la direction de leur mère... »

Est-ce suffisant ?

Tous les journalistes de proie s'abattent sur Jaurès. Les uns murmurent qu'il n'est catholique que pour s'emparer d'un héritage.

Les autres qu'il n'a aucune fermeté dans les principes, qu'il est lâche. La calomnie se mêle au sarcasme et aux sourires entendus. « Pauvre Jaurès ! » qui se soumet aux lubies de sa femme. Les socialistes adversaires de Jaurès vont mettre en cause son intégrité morale. Du soutien à Waldeck-Rousseau à la communion de Madeleine, il y a un lien logique, disent-ils. On prépare même une campagne de meetings contre lui. Dans *L'Aurore,* le journaliste Urbain Gohier, dreyfusard, commence une série d'articles intitulée : « Le cas Jaurès », qui témoigne d'un acharnement dans la haine, d'une volonté exaspérée de détruire comme en manifestent souvent les ratés, ceux qui se sont cru un grand destin littéraire ou public et qui se sont peu à peu laissés emprisonner dans les colonnes d'un journal.

Gohier écrit au curé de Villefranche d'Albigeois, publie sa naïve réponse (« Mlle Jaurès a fait sa première communion avec beaucoup de piété et d'édification »), s'indigne des contre-attaques de Jaurès.

Car Jaurès dans ses discours ou ses billets polémiques s'en prend à ceux qui l'attaquent, ainsi à Rochefort ce « vieillard pestiféré », ce « faquin », ce « baveux ». Et Gérault-Richard qui soutient Jaurès se battra en duel — et blessera — Léon Daudet. Gohier n'en est que plus agressif, attaquant Jaurès par la « gauche ». « Monsieur Jaurès, écrit-il, est-il tabou ? Qu'il ait justifié par les sophismes les plus extravagants, les plus révoltants tous les crimes et toutes les trahisons, qu'il se soit associé, expressément ou tacitement aux fusillades, aux extraditions, aux violences policières, qu'il ait enfin lancé dans l'église de Villefranche un insolent défi à la France révolutionnaire, les citoyens n'ont pas le droit de le juger ! »

Le but de Gohier est clair : il faut détruire cette popularité qui entoure Jaurès et qui est insupportable à un homme comme Gohier. En mêlant habilement reproches politiques et événements privés, il cherche à faire basculer dans le camp des adversaires de Jaurès ceux qui l'estiment mais que trouble le soutien au gouvernement Waldeck-Rousseau.

Opération de grande envergure poursuivie avec ténacité parce qu'on croit enfin tenir Jaurès à la gorge, lui qu'on ne prend jamais en défaut. Et cela est insupportable. Car il y a dans la rage d'un Gohier et de ceux qui aboient contre Jaurès le désir homicide de faire disparaître leur contraire, de nier même la possibilité qu'il existe un homme comme Jaurès. Son existence est reproche.

Jaurès assume ainsi, sans le vouloir, cette fonction de « bouc émissaire », quand toute une collectivité — car les attaques virulentes viennent de gauche et de droite — choisit quelqu'un d'exemplaire à lapider. Quelqu'un qui dit le vrai, quelqu'un de bon et de juste, qu'on hait d'amour et qu'on veut tuer. Manière aussi de réduire à l'humble et médiocre condition humaine celui qu'on sent d'une autre trempe, si généreux, si différent, refusant de marcher dans la boue et de bâtir sur elle une grande carrière.

Alors Gohier va plus loin. Il assure que *La Petite République* est financée par la vente de vêtements et de chapeaux fabriqués dans les prisons ou les couvents. Voilà la complicité de Jaurès avec l'Etat répressif prouvée. Gohier va enfin rechercher dans le passé de Jaurès de quoi l'accabler, imagine-t-il.

Le 28 octobre 1901, il titre sur deux colonnes : « Jaurès et Dieu » et il rassemble dans cet article une vingtaine de citations extraites de la thèse de Jaurès : *De la réalité du monde sensible.*

Jaurès se prétend laïc, commence Gohier, *mais il a toujours le mot Dieu sous la plume. Voici un document écrit, imprimé :* De la réalité du monde sensible, *par Jean Jaurès, docteur ès lettres, chargé de cours de philosophie à la faculté des lettres de Toulouse, édité à Paris chez Félix Alcan. Parcourons le volume. Page 33 : « la conscience humaine a besoin de Dieu... » Page 58...* Et Gohier donne d'autres citations avant de conclure : *Evidemment ce charabia philosophique ne signifie pas grand-chose. Le seul but de l'auteur est de répéter le mot Dieu dix fois dans la même page... Il y en a 370 pages comme ça...*

En quelques lignes, le 31 octobre, Jaurès réplique à Gohier dans *La Petite République* sous le titre *Ignorances :*

M. Gohier avait démontré jusqu'ici qu'il ne savait pas un mot de ce que c'est que le socialisme. Il croit utile de démontrer maintenant qu'il ne sait pas un mot de philosophie. Il cite sans les comprendre les fragments d'un livre de moi, La réalité du monde sensible, *où j'ai tenté de concilier le panthéisme idéaliste de Spinoza et le panthéisme réaliste de Hegel. Et M. Gohier oubliant que c'est là un effort de la pensée libre et qui ne relève que de la raison, me conteste le droit d'écrire que je suis affranchi de toute religion et de tout dogme.*

Jaurès est plus serein quand on l'attaque ainsi sur le plan des idées. D'ailleurs, la publicité faite autour de son livre fait qu'il sera réédité quelques mois plus tard, en 1902. Avec l'accord de Jaurès qui précisera qu'il n'a pas changé un mot au texte initial.

Le plus déplaisant pour Jaurès dans cette polémique a été l'obligation où il s'est trouvé de comparaître devant le Comité général socialiste.

A une première réunion, malade, il ne vient pas. On se gausse. Il se dérobe, prétend-on. On le met en accusation. Les réunions, rue Portefoin se prolongeront six semaines durant et Jaurès doit expliquer, se justifier et convaincre. Il est épuisé, la gorge toujours irritée, la voix faible et rauque. Pas de pitié pour sa maladie et sa pudeur. On exige des comptes avec une violence que n'expliquent ni les orientations politiques ni l'événement lui-même.

Ici aussi au sein de son parti opère le mécanisme du bouc émissaire, cette volonté de supplicier un homme bon dont on sait qu'il est désintéressé et qu'il refuse les habiletés.

Meurs donc pour prouver que tu n'es qu'un homme et pour assurer qu'un homme tel que toi ne peut pas exister, ne doit pas exister. Et pour que notre démonstration soit parfaite, c'est nous qui allons t'immoler. Puis nous pleurerons ta perte, preuve de la cruauté du monde et justification de nos lâchetés. Jaurès est maintenant confronté à cette réaction, comme une malédiction qu'il doit subir et qui est en même temps signe de reconnaissance. Il est un « élu ».

Au Comité général socialiste, les séances de discussions se multiplient. Voilà un débat qui avive l'intérêt : un homme est accusé. Le meilleur. On ricane. On veut voir cet homme illustre, ce tribun dans la situation ridicule d'avoir à avouer qu'il a cédé à sa femme. Ce n'est donc que cela Jaurès, cet homme plein de faiblesses — comme nous — avec ses tics au visage, ces gestes machinaux, cette fatigue et ce désespoir qu'on lit dans toute son attitude. On ne se dit même pas que s'il est là c'est bien qu'il accepte de participer à quelque prix que ce soit à cette collectivité humaine qu'on appelle un parti et que s'il subit ces grossièretés, ce ridicule, c'est parce qu'il a enraciné au corps la foi dans le socialisme. On l'agresse pour finalement à l'unanimité l'absoudre et plus tard le Comité Général sera dissout pour avoir outrepassé ses pouvoirs.

Car il s'était manifesté à l'occasion de cette affaire une dérive inquiétante du parti, de ses cadres, de ses membres, une tendance à l'inquisition et à la bureaucratie morale tatillonne.

Ce qui s'était passé là, sans effet majeur, c'était une sorte de procès public, attentatoire à la dignité et à la liberté de choix.

Spontanément, avait surgi une conception « totalitaire » de l'appartenance au socialisme et du socialisme lui-même, comme s'il portait au cœur de soi cette pathologie, ce virus, contre lequel, précisément, Jaurès luttait depuis toujours. Et il le fit encore, tirant le bilan de cette affaire. Dégageant les principes, partant des faits. « Les femmes sont restées attachées, constatait-il, à la tradition catholique. » Le mari, libre-penseur, devait-il imposer par la force à tous les siens sa propre évolution ? Devait-il « briser la transaction qui est la base commune du foyer » ?

Jaurès s'y refusait. Il avait depuis cette affaire, disait-il, subi les railleries, les interprétations calomnieuses, les mensonges jésuitiques. « Je plains ceux qui dans le trouble de l'angoisse, d'un tel problème, cherchent seulement une occasion d'accabler un adversaire ou de diminuer un compagnon d'armes. » Il ne céderait pas à leur pression. Il était hostile à tout recours à la violence dans la famille et dans l'Etat pour abolir les antiques croyances. Il refusait même cette forme de violence qu'on appelle l'insulte. Le couplet de *La Carmagnole*

Le Christ à l'écurie
La Vierge à la voirie

l'avait toujours choqué « non par sa grossièreté même » mais, poursuivait Jaurès, « parce qu'il me semble exprimer la révolte débile et convulsive plus que la liberté de la raison ».

Jaurès ne faisait donc aucune concession à cet anticléricalisme vulgaire et ricanant qu'on trouvait chez beaucoup de socialistes, héritiers d'une longue tradition de blasphème. Il ne les condamnait pas : « Bien des hommes ont besoin d'aller jusqu'à l'outrage pour se convaincre eux-mêmes qu'ils se sont affranchis. »

Lui refusait ce comportement « débile ». Mais il revendiquait haut et fort d'être respecté dans ce qu'il était. « J'ai droit, lançait-il, à la commune humanité. »

A aucun moment, durant toutes ces semaines insupportables, Jaurès n'a fléchi.

Ulcéré, blessé, désespéré et révolté, il a dit ce qu'il pensait aux uns et aux autres. Calmement. Il est socialiste. En lutte parmi les socialistes. Et les hommes sont ce qu'ils sont. Médiocres. Aveuglés. Mais ils ont visage d'hommes. On se bat avec eux, pour eux.

Or, les élections sont là, le 25 avril 1902, sans doute les plus passionnées qu'ait connues jusqu'alors la IIIe République. Deux camps face à face. Chacun est obligé de s'y ranger. Républicains contre réactionnaires. Les définitions sont sommaires mais incontournables. Des modérés comme Poincaré sont contraints d'être avec

« la gauche » parce que pour les « réactionnaires tout ce qui n'est pas avec eux est contre eux ». Mais après les élections, quelles alliances se noueront-elles ?

Jaurès sait bien que des reclassements s'opéreront au fil des années et que les socialistes, cette fois-ci, puisque les institutions républicaines ne sont plus menacées devront se tenir en dehors afin de rester eux-mêmes. « Je considérerai, dit-il à un mois des élections, comme un ennemi direct de la classe ouvrière tout gouvernement qui, au lendemain des élections, appellerait un socialiste et tout socialiste qui répondrait à cet appel. » Peut-être s'agit-il là d'une position tactique, permettant aux guesdistes de se rapprocher des socialistes du Parti de Jaurès. Rien n'y fait : le Parti socialiste de France ira à la bataille seul. Jaurès verra même un candidat de Guesde se dresser contre lui.

Mais à Carmaux en avril 1902, il est difficile de s'opposer à Jaurès.

Dans la ville, on veut prendre sa revanche contre le marquis de Solages. Il est encore candidat, avec les mêmes procédés. Il paie à boire. Il investit dans la campagne vingt-cinq pour cent de plus qu'en 1898. Il parcourt les cantons ruraux entouré de contremaîtres et de partisans salariés. Il évoque toujours les mêmes thèmes : la propriété, l'Eglise, surtout le travail qu'il peut donner. Il condamne Jaurès, ce personnage que même ses amis dénoncent : « Ecoutez-les parler de Jaurès, dit-il, et vous saurez qui il est. »

Seulement il y a les ouvriers de Carmaux. Calvignac a été réélu maire en mai 1900. La victoire de Jaurès c'est une histoire d'honneur. On ne se laissera pas faire. Le préfet d'ailleurs n'est plus hostile à Jaurès mais discrètement favorable à ce socialiste ministériel. Les radicaux font aussi campagne pour Jaurès. Le vent est porteur. Mais il ne faut rien négliger.

On a dans la mémoire le souvenir de ces réunions dans les campagnes où Jaurès ne pouvait parler, où ses amis étaient accueillis à coups de gourdins et de pierres. Et Jaurès devait repartir sous les injures. Alors, cette fois-ci, malgré le marquis on quitte la mine, à quelques centaines, on accompagne Jaurès, à pied dans sa tournée. Il avait été lapidé à Bourgnounac, à 14 kilomètres de Carmaux, il y a quatre ans. On ira avec lui. C'est jour de foire. Un cortège se forme sous la pluie qui tombe à verse. Un témoin raconte : « Lui, en tête de l'interminable cortège, trempé, crotté, harassé, mais joyeux quand même, enthousiaste et chantant dans sa marche, pour tromper la fatigue, les couplets révolutionnaires. Jamais roi n'eut aussi fervente escorte. »

A Bourgnounac, on rencontre le marquis et la gent marquisarde. Sur le marché, des cris et des bousculades au milieu des paysans. On se bat. Mais la force a changé de camp. Jaurès peut parler. En quatre ans — grâce à lui — une orientation politique nouvelle s'est imposée. Le marquis de Solages est encore présent. Il est toujours le patron. Mais Jaurès peut même rappeler avec ironie que le 14 juillet 1789, en prenant la Bastille, un ancêtre du marquis, le chevalier de Solages, a été délivré par les insurgés. « Depuis, le descendant du marquis a violenté les ouvriers de Carmaux... » « Mais, conclut Jaurès, il va être battu. »

Au soir du 25 avril, on attend dans l'anxiété. Ce n'est que tard dans la nuit que la nouvelle est officielle : Jaurès élu par 6 543 voix contre 6 154 au marquis de Solages. L'enthousiasme à Carmaux et à Paris — devant *La Petite République* — se libère enfin. Il semble que Justice vient d'être rendue, effaçant pour Jaurès cette boue des calomnies, des campagnes mesquines.

Dans le pays le Bloc remporte au terme du second tour (le 11 mai 1902) 350 sièges dont 210 radicaux et radicaux-socialistes. Les socialistes ont 48 élus mais à l'intérieur de ce groupe, les guesdistes ont essuyé presque partout des revers. A Carmaux le rival de Jaurès a obtenu trois voix. Guesde lui-même est battu alors que Briand est élu.

Le Parti socialiste de France a perdu le tiers de ses électeurs qui n'ont pas suivi sa politique hostile à Jaurès et au Bloc républicain. La nouvelle majorité dispose ainsi de plus de 80 sièges d'avance sur les réactionnaires. Drumont, n'est pas réélu. Battus aussi les deux socialistes Viviani et Allemane.

Mais le succès emportait les regrets personnels. On se réunit Porte Dorée pour tenir le banquet de la victoire et Viviani préside. « Le socialisme, dit Jaurès, traçant la perspective, doit être l'aiguillon du Parti radical jusqu'à ce que celui-ci, manquant de souffle, abandonne... »

L'opinion qui s'est mobilisée pour les élections (21 % des inscrits seulement se sont abstenus) paraît étonnée de ce résultat si flagrant. Et il est vrai que 200 000 voix seulement séparaient au premier tour les deux camps ! Et puis d'autres événements préoccupent les journalistes. Trente mille personnes ont péri dans l'éruption du volcan de la montagne Pelée à la Martinique. Pendant des semaines, la presse est pleine de récits épouvantables. Les journaux suivent aussi le voyage du Président Loubet en Russie. Ce n'est qu'à son retour que Waldeck-Rousseau lui présente sa démission. Alors à nouveau la situation intérieure s'impose à l'opinion. On commente le départ de Waldeck-Rousseau alors que sa politique l'a emporté aux élections. Mais Waldeck-Rousseau est réaliste : « Je sais, dit-il à Caillaux, la puissance des étiquettes, je me rends compte que la nouvelle majorité entendra être conduite par des hommes que leur passé aura classés dans son plein centre... »

C'est Waldeck-Rousseau qui propose à Loubet Emile Combes, « précisément un de ces radicaux en qui la majorité aura confiance et qui appliquera la loi des associations en se conformant aux directions que j'ai tracées ».

Le 7 juin, Combes forme son cabinet composé de sept radicaux. Camille Pelletan est ministre de la Marine, le général André est à la Guerre, Delcassé aux Affaires étrangères et un homme politique rassurant, Rouvier, est nommé aux Finances. Dans cette équipe gouvernementale, et selon le vœu de Jaurès, il n'y a pas de socialistes.

Jaurès est maintenant non seulement le plus notable des députés socialistes mais encore l'une des personnalités marquantes du Palais-Bourbon.

En quatre années hors de la Chambre, il a encore élargi son rôle et son autorité. Le voici à nouveau à son banc dans l'hémicycle.

V

l'HOMME DE L'UNITÉ
(1902-1906)

Chapitre 14

« Le Roi Jaurès »
(1902-1903)

« C'est une belle salle de théâtre. C'est du théâtre. »

Jules Renard, qui vient d'assister avec Léon Blum à une séance de la Chambre des députés, les a tous vus, les parlementaires qui vont d'un banc à l'autre, le difforme, le bavard, le somnolent ou celui qui partage d'une raie précise ses cheveux rares. « Je me défie d'un homme qui attache tant d'importance à ses poils », note-t-il, caustique, dans son *Journal*. Il a entendu l'extrême gauche qui grogne souvent. Il a vu les petites boîtes où l'ami prend de quoi voter pour vingt-cinq amis. Petites boîtes de dominos : blanc c'est oui, bleu c'est non. Il a identifié tous les ténors, Deschanel, Jaurès, et il a remarqué comment parfois « au pied de la tribune présidentielle, des députés, des ministres semblent tenir familièrement un conseil privé ».

A la présidence de la Chambre, dès le 1er juin, c'est le radical Léon Bourgeois qui a battu Paul Deschanel, un modéré qui durant quatre ans a occupé cette magistrature difficile avec impartialité. En le rejetant, la Chambre a signifié que la nouvelle majorité, le « Bloc des gauches », tient à affirmer sa prépondérance. Jules Renard quand il tente de suivre les débats éprouve une impression de confusion, puis, dit-il, « l'ordre s'y met ». Il retire le sentiment qu'un tiers au moins des députés travaille beaucoup.

Les intuitions de Renard sont exactes. Un ordre existe dans cette Assemblée à majorité de gauche et Jaurès n'y est pas étranger.

Le président du Conseil Emile Combes est un homme de

soixante-sept ans, petit, gras, barbiche et moustaches blanches, front largement dégarni, avec une interrogation dans les yeux clairs. Il paraît plus vieux que son âge, parcheminé, mais c'est un résolu. Il est né dans le Tarn, comme Jaurès. Elève du séminaire de Castres et destiné à une vocation religieuse, il a soutenu une thèse de théologie sur la psychologie de Saint Thomas d'Aquin. Ses supérieurs l'ayant écarté de la prêtrise, il a enseigné la philosophie dans un collège religieux, puis perdant la foi, il est devenu médecin, notable provincial — il exerce à Pons —, maire et sénateur. Venu tard à la politique et aux responsabilités, l'homme a des convictions. Anticlérical farouche, ce n'est pas un antireligieux. Un hérétique et non un renégat. Il est — même ses adversaires les plus critiques le reconnaîtront — incorruptible. Avec cela, habile, jouant de la rivalité entre Waldeck-Rousseau et Léon Bourgeois pour se faire désigner comme le successeur de Waldeck-Rousseau.

Caillaux qui l'observe en ce mois de juin 1902 note « qu'il se glisse au pouvoir et qu'il a aperçu qu'un moyen d'assurer sa longévité ministérielle s'offrait à lui : il lui suffira d'appliquer violemment la loi sur les Associations ». Autrement dit, il va ordonner des expulsions d'ordre religieux, refuser des autorisations aux congrégations enseignantes. Bref, là où Waldeck-Rousseau brandissait un glaive sans l'abattre à tout coup, il va le laisser retomber. Cent vingt établissements congréganistes sont fermés dès le 27 juin 1902. En août des décrets ordonnent la fermeture de tous ceux qui sont en contradiction avec la loi. En octobre 1903, dix mille établissements d'enseignement congréganistes auront été clos. Et même si la moitié d'entre eux vont rouvrir avec une façade laïque, le bouleversement est considérable. Il touche plus de un million et demi d'enfants.

Jaurès entretient avec son « pays » les meilleures relations. Chaque jour, Jaurès arrive à pied à la Chambre, s'attarde dans la salle des Quatre Colonnes, bavarde avec les journalistes et les collègues, à quelque groupe qu'ils appartiennent. Il se rend en Commission, prend le nouveau député Aristide Briand par le bras, lui fait découvrir les dédales du Palais-Bourbon, et souvent il va jusqu'à la bibliothèque, y feuillette un livre pris au hasard. Il lui suffit de ces quelques minutes de lecture — un classique, un poète — pour que sa fatigue intellectuelle disparaisse et qu'il puisse jouer son rôle.

Or, il est capital.

Jaurès, en effet, est le grand parlementaire du Bloc des gauches, presque le leader. Situation étrange puisque les socialistes ne sont pas représentés au gouvernement. Cependant une « Délégation des gauches » s'est constituée, présidée par un élu radical de Saône-et-Loire, Sarrien, mais où Jaurès joue le rôle central. Il est du Tarn, terre radicale autant que socialiste. Il a ses entrées depuis toujours à *La Dépêche de Toulouse* qui sert de tremplin aux quarante députés et aux vingt sénateurs de la région. Il incarne par ses origines géographiques et sociales, et culturellement par son attachement à la République, cette majorité radicale et socialiste.

Dès lors, l'influence parlementaire de Jaurès est considérable. Il y a, en plus de ses raisons de fond, son talent, son sens du débat, des concessions, son désintéressement, ses qualités de négociateur, sa capacité à comprendre l'autre et en accepter les points de vue. Au sein de la Délégation, J.-L. Breton et Francis de Pressensé, Colliard, représentent les socialistes de la tendance jaurésienne (Parti socialiste français) car les élus guesdistes et leurs alliés (Parti socialiste de France) refusent d'y siéger.

La puissance d'argumentation de Jaurès, ses qualités d'écrivain, sa rapidité dans la rédaction font que le plus souvent, c'est lui qui, à la suite d'un long débat, trouve la formule de compromis qui met tous les députés d'accord. « Et Jaurès — conte l'un des témoins — l'écrit de cette large écriture si facilement reconnaissable, puis pour éviter les plaisanteries et les déductions faciles de la droite qui veut voir en Jaurès le grand chef de la majorité, d'autres délégués — Barthou, etc. — recopient l'exemplaire destiné à la presse... »

Jaurès s'épanouit. Non d'orgueil ou d'ambition réalisée. Quelle ambition autre pour lui que d'agir avec efficacité afin d'aider ses convictions à passer dans les faits ? Sur l'un des feuillets où il note rapidement des citations ou des réflexions, on découvre une phrase qui illustre parfaitement sa pensée. « Il y a quelque chose de plus noble que posséder le pouvoir, écrit-il, c'est de faire faire par d'autres ce qui est utile et nécessaire pour le bien du pays. »

Cependant la place qu'il occupe et que ne souligne, les premiers mois de la législature, aucun titre, renforce encore sa conviction que la ligne politique qu'il a définie est la bonne. Il pèse sur l'événement d'une manière qui n'a jamais été aussi directe. Et comme il ajoute à sa présence et à son poids à la Chambre l'écho de ses articles et de sa popularité, il est vraiment un acteur majeur du Bloc des gauches. S'il n'est pas ambitieux, il est vrai que Jaurès a besoin de reconnaissance sociale. Toute sa vie le montre. Il est homme de « concours » et de « défi ». Il relève le gant de ce tournoi sans fin qu'organise la société : diplômes, élections, débats, bataille d'idées, duels même, et ce challenge quotidien que représente un article à écrire. Il n'est pas une épreuve qu'il n'ait affrontée avec la jubilation du concurrent qui se sait capable d'être, dans toutes ces courses, le meilleur.

Il y a chez Jaurès un incontestable goût de la compétition, afin de pouvoir recevoir sur la tribune lors d'une distribution des prix ou lors d'un meeting, ou à la Chambre, les signes de l'admiration. Non pas recherchée pour eux-mêmes, comme marquant l'excellence, non pas pour s'assurer de la perfection du moi, un moi insatiable, mais pour vivre l'appartenance parfaite au groupe des hommes. Je suis des vôtres, semble-t-il dire, voyez ce dont je suis capable, au service des intérêts de tout le groupe. Je suis l'un de vous, celui qui tente d'être, non pour lui-même, mais pour vous, l'image vivante de l'Idée que nous nous faisons d'un homme. C'est en ce sens que Jaurès est respectueux des hiérarchies et des valeurs sociales. Non dans la soumission aveugle à une structure mais dans la reconnaissance de règles qui permettent à la fois d'exalter l'individu et de lui faire admettre librement les valeurs du groupe.

Cette manière de s'imposer dans le respect d'autrui, par le raisonnement et l'intelligence, l'argumentation et la négociation, prend évidemment une signification politique.

Pour les uns, Jaurès exerce dans le Bloc, aux côtés du président du Conseil, une « dictature du talent », pour les autres, il est « le ministre du verbe », pour d'ironiques commentateurs ou les écho-tiers, il est le « terre-neuve du petit père Combes ».

Il est sûr qu'il domine son compatriote du Tarn de toute son intelligence. Mais si Jaurès soutient Combes, c'est qu'il pense qu'il faut « républicaniser » le pays.

Jaurès a, lors de l'Affaire Dreyfus, dénoncé « les généraux de Jésuitières » et il sait que l'enseignement congréganiste se développe rapidement. Ainsi, depuis 1880, dix nouvelles écoles se sont créées à Lyon. Et les établissements confessionnels représentent plus de 40 % des élèves du second degré, c'est dire que les enfants des principaux cadres de la nation, que les futures élites du pays échappent à l'enseignement laïque et sont, dans le climat de l'époque, élevées contre les principes républicains. Cela aux yeux de Jaurès est intolérable. Si au dire de certains, Combes, « élevé au Séminaire, ayant failli entrer dans les ordres, est imbibé de la haine du prêtre séculier contre les réguliers » (ainsi le pense Joseph Caillaux), Jaurès, tolérant et généreux, juge en politique. Il s'est déjà expliqué plusieurs fois à propos de la religion. Il respecte le phénomène historique, le poids des questions que celui-ci charrie et qui participe de la condition humaine, mais il ne tolère pas l'Eglise et ses dogmes, sa richesse et sa puissance. Il dira après les premières mesures de

Combes : « L'arbre — l'Eglise — est mordu à la racine, il dépend de nous de l'arracher. »

Il est donc en plein accord avec Combes, sans céder au sectarisme (on sait ce qu'il pense de l'anticléricalisme débile dont il a eu à souffrir lors de la communion de Madeleine), mais avec détermination. Il soutient Combes quand celui-ci doit faire face à l'opposition d'abord discrète puis publique de Waldeck-Rousseau. Celui-ci, malade — un cancer du foie allait l'emporter dans moins de deux années —, a repris son poste au Sénat et regrette que son successeur — pourtant choisi par lui — transforme la loi sur les Associations en loi d'exclusion alors qu'elle ne devait être qu'une loi de contrôle et de police. « Ne tolérer ni les moines ligueurs ni les moines d'affaires, mais laisser tous les autres en repos en se bornant à les surveiller », telle était la devise de Waldeck-Rousseau qu'il ne reconnaissait pas dans la manière d'Emile Combes.

Combes rencontra Waldeck-Rousseau. Il avait aiguisé ses arguments avec Jaurès et il explique à l'ancien président du Conseil que « les cléricaux ne sauraient aucun gré des ménagements qu'on aurait pour eux. La modération gouvernementale leur apparaîtrait comme un signe de faiblesse ». Combes assurait Waldeck-Rousseau que cette « modération enhardirait les cléricaux. Le Parti républicain a le sentiment du danger, concluait-il. Il a perçu, au cours de l'Affaire Dreyfus, que la congrégation s'était accordée avec le militarisme. Il exige qu'il soit agi contre elle ».

C'est la position de Jaurès. Mais elle suscite — contre Combes et surtout contre Jaurès présenté comme son mentor et son soutien —, une nouvelle bouffée de haine. A chaque moment politique crucial, Jaurès se trouve ainsi au centre de la cible.

A la Chambre, Ribot se lève à son banc. « Quand il parle de sa place, tout le monde se tait », remarque Jules Renard. L'ancien président du Conseil lance, tourné vers Combes puis vers Jaurès : « Vous ne voulez pas de l'apaisement, vous voulez la violence mais le pays en meurt. »

Et il est vrai que la politique de fermeture des établissements religieux non autorisés provoque des manifestations nombreuses, parfois violentes.

Les paysans de l'Ouest élèvent des barricades ; ceux des Alpes veulent s'opposer à l'expulsion des moines de la Grande Chartreuse. La Ligue des femmes françaises tente de manifester, place de la Concorde, et de remettre une pétition à Mme Loubet. L'armée doit intervenir et cela crée de très nombreuses hésitations chez les officiers dont certains démissionnent.

Mais pour Jaurès la République se défend, elle qui, si souvent, fut menacée par les coups de force. Il approuve Combes de demander aux préfets « de veiller à ce que les faveurs dont la République dispose ne soient accordées qu'à des personnes sincèrement dévouées au régime ». Il s'agit de faire plier « le parti noir ».

Jaurès est donc le pivot de la majorité parlementaire, bien au-delà de l'importance du groupe des députés socialistes. Ceux-ci acceptent son autorité morale et politique, qui tient à son talent et qu'il exerce avec bienveillance et modestie.

La situation la plus difficile est celle d'Alexandre Millerand. Il était le leader du groupe au temps du discours de Saint-Mandé. Il retrouve un banc de député après son passage au ministère du Commerce mais Jaurès l'a supplanté. Jaurès, en effet, a acquis durant l'affaire Dreyfus, par ses articles, ses livres, son dévouement, une notoriété qui le place bien loin au-dessus de Millerand, critiqué d'ailleurs pour sa participation au gouvernement, avec Galliffet. Ainsi et quelle que soit la bienveillance de Jaurès, se préparent des dérives, alimentées par la déception individuelle.

Mais qu'y peut Jaurès ? Il est tout à ses activités. Et le 17 octobre 1902, la Délégation des gauches décide de présenter — au nom de tous les groupes de la majorité — sa candidature à la prochaine session comme vice-président de la Chambre. Il sera effectivement élu à cette charge le 13 janvier 1903. La discipline du Bloc des gauches a parfaitement joué.

Scandale ! les droites et le centre protestent. Cet homme a chanté *La Carmagnole,* dit-on, conduit des grèves et des manifestations, attaqué l'armée et le voici vice-président de la Chambre des députés. La presse de droite s'indigne ou se moque de Jaurès. On annonce qu'il sera ridicule dans cette fonction et les échotiers se gaussent de sa tenue. Comment cet homme pourra-t-il rendre son salut à la garde qui présente les honneurs dans la Rotonde et le Salon de la Paix ?

Les journalistes attendent avec impatience cette cérémonie, les collègues guettent l'impair. Jaurès en habit, il faut voir cela ! Or, quand Jaurès apparaîtra « flanqué de deux officiers, sabre au clair » on sera surpris par son aisance, la bonne coupe de son habit, frac noir et cravate blanche. Jaurès est un peu pâle mais il salue avec distinction le lieutenant et le capitaine commandant le détachement de l'infanterie coloniale qui lui rend les honneurs. Examen à nouveau réussi. Jaurès va s'installer au fauteuil présidentiel, diriger les débats avec la rigueur un peu sévère d'un professeur, courtois et impartial.

Jaurès, avec l'accession à cette vice-présidence, est devenu un personnage officiel et, par sa place dans la majorité parlementaire, un homme qui compte dans les cercles gouvernementaux, une puissance.

Il a quarante-quatre ans, deux enfants, il habite toujours le XVIᵉ arrondissement. Il publie. Il dispose d'une tribune régulière : belle carrière, murmure-t-on avec envie. Il est reçu dans quelques salons de « gauche » ou plus modestement « républicains ».

Celui que tient, par exemple, la marquise Arconati Visconti, veuve d'un aristocrate italien fortuné. Cette femme d'une cinquantaine d'années est intelligente, cultivée. Véritable mécène elle a doté le Collège de France, l'Ecole pratique des Hautes Etudes. Victor Hugo a été témoin à son mariage. Dans son salon de la rue Barbet-de-Jouy elle reçoit les élus républicains et les intellectuels influents. Briand et Viviani s'y montrent. Blum y passe ainsi que Waldeck-Rousseau. On y rencontre les plus brillants des dreyfusards. On y parle littérature et politique. La marquise est la fille d'un ami de Gambetta, Alphonse Peyrat.

Elle entretient avec Jaurès une amitié intellectuelle, profonde, faite d'escarmouches. Le jeudi soir, son jour, elle aime, parmi les politiques et les professeurs, afficher son caractère « homme » avec une affectation de vulgarité et de rudesse, refusant sa porte aux femmes. Le dimanche elle invite les artistes et les critiques d'art.

Jaurès est ravi de ces invitations : « La pensée de ces jeudis est pour moi, écrit-il, une des meilleures choses de Paris et de partout. » Et il ajoute dans une autre lettre : « Il y a quelque chose de réchauffant dans cette bonne intimité intellectuelle, dans cette commune admiration des belles et nobles causes de l'esprit malgré tous les dissentiments d'autre sorte. »

A Jaurès la marquise voue affection et admiration. Mais rien d'ambigu. Pourtant cette relation ne va pas sans éclats. On se fâche — pour des motifs politiques — puis on se réconcilie. « Sur la prière de toute le monde, écrit la marquise à une amie, j'ai amnistié à contrecœur Jaurès. Hier jeudi, il a fait sa grande rentrée. » « C'est lui aussi un monstre », confie la marquise. « Cet homme qui vit dans l'immonde politique reste un idéaliste incorrigible... Il finira par se noyer dans le puits où il regarde la lune. »

Marcel Proust, dans les articles qu'il donne au *Figaro,* et qu'il

signe Horatio, a évoqué la silhouette du Jaurès mondain de l'année
1903 :

> *Je ne voudrais pas*, écrit Proust, *par une historiette dont je ne puis
> d'ailleurs garantir les termes, faire du tort, auprès de ceux de son parti,
> à l'homme merveilleusement doué pour la pensée, pour l'action et
> pour la parole qu'est M. Jaurès. Mais en somme qui pourrait
> s'offusquer de ceci? Un jour que l'admirable orateur dînait chez une
> dame dont les collections sont célèbres, et qu'il s'extasiait devant une
> toile de Watteau : « Mais, dit-elle, Seigneur, si votre règne arrive, tout
> ceci me sera retiré. »*
>
> *(Elle entendait règne communiste.) Mais alors, le Messie du
> monde nouveau la rassura par ces paroles divines : « Femme, n'ayez
> pas de souci de cela, car toutes ces choses vous seront laissées en garde,
> par surcroît, en vérité, vous les connaissez mieux que nous, vous les
> aimez davantage, vous en prendrez mieux soin, il est donc bien juste
> que ce soit vous qui les gardiez.*

Et Proust, ironique, d'ajouter :

> *J'imagine qu'en vertu du même principe, à savoir que les choses
> doivent aller à qui les aime et les connaît, M. Jaurès dans une Europe
> collectiviste laisserait à M. d'Haussonville...*

Et de parler châteaux.

Jaurès fréquente aussi, moins régulièrement, le salon d'Elisa-
beth de Clermont-Tonnerre, duchesse de Gramont. Elle reçoit rue
Raynouard, dans sa demeure entourée de jardins, à Passy. On
rencontre chez elle Barrès et Anatole France, Jaurès se mêle à ce
monde plus littéraire que celui qu'il côtoie chez la comtesse Arconati
Visconti. Il discute philosophie, parle avec assurance, rit de ses
propos.

On découvre ainsi un Jaurès épanoui, sûr de lui, optimiste,
participant aux mondanités du monde politique. Avec Louise, il est
invité aux réceptions que donne le président de la Chambre. Louise,
d'une élégance un peu gauche, a la beauté mûre des belles
bourgeoises provinciales. Avec son accent chantant, sa naïveté, elle
ne sait pas participer à ces conversations parisiennes où les femmes
doivent briller avec plus de verve que leurs époux ou se taire avec
intelligence. On l'ignore donc et ces sorties ne peuvent réellement
aider Louise à comprendre ou à participer à la vie de Jaurès.

D'ailleurs, ces salons féminins qu'il fréquente, seul, chez la
marquise Arconati Visconti ou la duchesse de Gramont, sont bien la

preuve que Jaurès ne peut avoir une relation complète avec une femme qui serait un partenaire à la fois affectif, physique et intellectuel. Homme de son temps, il fragmente. Louise au foyer, tendre et pacifique. La marquise et la duchesse, pour le brillant des idées. Il pourrait y avoir un versant adultère voué à la sexualité. Ce serait aussi dans les mœurs des milieux politiques de l'époque. Mais Jaurès est vertueux. Il est un mari fidèle. S'il trompe sa femme, c'est avec la politique, les idées et le socialisme.

Cependant, vu de l'extérieur, pour qui se contente des échos ou des apparences, Jaurès a été peu à peu perverti par la machine politique et sociale. Lui, qui avait dénoncé l'Idole militaire, voilà que la troupe le salue au garde-à-vous. Et *L'Illustration* fait de cet événement sa couverture, représentant dans un cliché suggestif un Jaurès en habit, tout de dignité et de conformisme.

Si l'on sait que la France est l'une des terres privilégiées de l'antiparlementarisme, celle où — par expérience : Panama, scandale des décorations, etc. — l'on suspecte avec le plus de force l'intégrité des élus, on comprendra que ces faits paraissent confirmer les critiques et les calomnies qui visent Jaurès.

Leur efficacité ne serait pas aussi forte s'il n'y avait une « critique de gauche », venue des rangs guesdistes et des milieux anarchistes. Mais il suffit presque à la droite de laisser se répandre — et peut-être d'aider financièrement — les publications venues de la « gauche » pour que l'image de Jaurès soit ternie. La « droite » n'aura plus qu'à recueillir les fruits de cette campagne. Avec Jaurès, se confirme que, contre un homme de « gauche », la plus meurtrière des attaques, face à l'opinion, doit venir de la « gauche ». D'une certaine manière, la calomnie est crédibilisée. La « trahison » prouvée. L'indignation exprime la protestation de la pureté contre la corruption. Jaurès avait un jour déclaré, pour répondre à ceux qui l'accusaient d'avoir un mode de vie de bourgeois, qu'il vivait exclusivement de son travail et, avait-il ajouté, « si je ne suis pas un Lucullus, je ne suis pas non plus un ascète ». Mot maladroit qui va servir de prétexte à de nombreux échotiers, à la publication d'une brochure qui, reprenant le titre du fameux périodique anarchiste « L'Assiette au beurre », qui dénonce les turpitudes de la bourgeoisie et des parlementaires se partageant les « bons morceaux » de la vie sociale, s'intitule « L'Ascète au beurre ». Un Jaurès avide et ventripotent y écrase sous son siège la multitude des pauvres.

Le texte est d'Urbain Gohier, et les dessins de l'anarchiste

Grandjouan. On voit, à feuilleter ce pamphlet, comment les calomnies s'enrichissent l'une l'autre. La propriété de Bessoulet devient un château où l'on exploite des ouvriers agricoles et qui produit chaque année des milliers de francs de rente. Jaurès possède de plus un pavillon dans le quartier bourgeois de Passy. Peu importe aux calomniateurs la modestie de la demeure, avenue des Chalets.

L'antisémitisme, toujours sous-jacent, s'exprime dans les dessins de façon allusive mais on devine que, volontairement ou involontairement, le caricaturiste exploite aussi ce filon-là, né de l'attitude de Jaurès au moment de l'Affaire Dreyfus.

Jaurès vit comme un grand bourgeois. Jaurès est riche. Jaurès est l'ami des juifs parce qu'ils sont riches. Jaurès ment : souvenez-vous de la communion de sa fille. Jaurès est un dupeur. Jaurès exploite les ouvriers à son profit. Et ce dernier thème est le plus utilisé. Les autres éléments ne sont que façon d'en prouver la véracité.

Or, ici, les attaques des guesdistes renforcent la calomnie. Même si elles se situent à un autre niveau. Et les luttes ouvrières qui se poursuivent, la répression policière rendent plus violent le contraste entre la « vie large » du vice-président de la Chambre des députés, Jean Jaurès, et la réalité vécue quotidiennement par le prolétariat.

On peut lire ainsi dans le pamphlet de Gohier : « Socialisme ! Haut idéal ! Avec les mots sonores, on nous a pipés, on nous a fait marcher, on nous a fait combattre. Et puis, brutalement, la vérité nous apparaît. Celle d'un Jaurès qui s'est servi du corps des ouvriers pour grimper marche après marche l'escalier de l'ascension sociale. » La chanson satirique d'un guesdiste s'intitule même « Le roi Jaurès ». C'est le thème de la trahison pour son profit personnel qui est repris à chaque strophe. Car c'est cela qui indigne le plus les ouvriers et leur laisse, alors que leur vie continue, âpre, misérable, un goût d'amertume, de désespoir et d'envie dans la bouche.

> *J'ai mis ma Carmagnole à l'envers...*
> *Alors ces messieurs à gros ventre*
> *Verront que j'en tiens pour le centre*
> *Qu'importe une abjuration*
> *Mon trône vaut bien un sermon...*
> *Qu'importe ce que dit la presse*
> *J'ai mon fauteuil de souverain*

> *On s'y repose avec ivresse*
> *Je suis un roi républicain.*

L'élection à la vice-présidence de la Chambre — pour une session et il y a quatre vice-présidents ! — a avivé la calomnie. Celle-ci ne débouche pas seulement sur le sarcasme mais sur l'appel au châtiment.

> *Petits soldats faites escorte,* dit la chanson,
> *A l'homme qui monte au pouvoir*
> *Le fusil que votre main porte*
> *Sera l'outil du désespoir.*

Une publication qui se dit blanquiste et qui s'emploie à dénoncer les « Crapules et Compagnie » s'en prend dans l'un de ses numéros à « Jaurès et la Petite République ». « Jaurès a, y lit-on, dépassé Loyola pour le jésuitisme, transformé en cour des miracles une partie du socialisme. »

L'argent, pour lui, « n'a pas de secret et surtout pas d'odeur ». Mais les mains caleuses des travailleurs commencent à se crisper : « ce qui n'indique rien de bon pour ceux qui les ont trompés ».

« M. Jaurès est marqué par le châtiment et il n'y échappera pas. »

Il est difficile d'apprécier l'écho dans l'opinion de ses campagnes. Quand Jaurès participe à des meetings ouvriers, jamais il n'est l'objet de manifestations de rejet de la part de l'assistance. Ces calomnies, ces publications sont la preuve de sa notoriété et confirment le rôle de « bouc émissaire » que joue Jaurès dans la société française. Il cumule sur sa tête depuis plusieurs années déjà une nuée d'outrages et de menaces. Elles influencent surtout les milieux de la bourgeoisie moyenne, la plus exacerbée, la plus sensible — parce que travaillée par l'ambition et l'égoïsme — à la jalousie. Ce groupe social ne sait raisonner qu'en terme d'individu et rarement en terme de classe ou d'idée. En écoutant les accusations de trahison portées contre Jaurès et venues de la « gauche », elle se rassure : les ouvriers, les pauvres, parce qu'ils sont dupes de Jaurès, sont bien ces êtres inférieurs, qui n'ont pas accédé à l'intelligence de la société — confondue avec le cynisme — dont croient être propriétaires, avec leurs biens immobiliers, les petits-bourgeois. Ecouter les attaques contre Jaurès, croire à leur contenu, c'est pour ces milieux, s'affirmer différent du peuple, exprimer sa jalousie contre la « réussite » d'un homme, avouer l'incapacité dans laquelle on se trouve de comprendre même son dévouement.

Le petit-bourgeois hait dans Jaurès ce qu'il ne pourra, par lâcheté et impuissance, jamais être : un homme du combat social collectif, un homme d'idées (un intellectuel), un homme désinté-ressé. Et que les attaques contre Jaurès viennent de la « gauche » les crédibilisent aux yeux du petit-bourgeois. Il peut en jouir, les partager, sans même s'engager. C'est dans cette couche petite-bourgeoise, aigrie et hargneuse, lâche et conformiste, anti-intellec-tuelle et égoïste, que la haine contre l'homme Jaurès prend racine. Il suffira qu'on accuse Jaurès d'être un « agent de l'étranger » comme cela commence d'apparaître en 1902-1903, pour que cette haine, longtemps souterraine, un peu honteuse d'elle-même, explose enfin, parée du superbe manteau du patriotisme et que, mesquine et sordide, elle devienne l'expression de la noblesse des sentiments.

Le 23 janvier 1903, parlant de la situation internationale, Jaurès a dénoncé par avance ce qui va devenir le thème majeur des attaques portées contre lui. « Oui, a-t-il dit, c'est entendu, mes amis et moi, nous sommes agents de l'étranger... Mais lorsque je me retourne vers cette majorité républicaine, savez-vous que je ne trouve pas une seule tête dans le parti républicain qui n'ait été marquée de cet anathème ? »

Et Jaurès énumère tous ceux que la calomnie a frappés, Clemenceau-l'Anglais, Ferry-le-Prussien, Gambetta-le-Génois, « Gambetta que nous aurions de la peine à retrouver sous la profondeur des outrages que vous avez accumulés contre lui ».

Puis, prenant son élan, le bras tendu, Jaurès d'un ton solennel a conclu : « Et moi, je vous dis à vous tous, républicains : souvenez-vous que dans notre histoire, il y a deux forces indivisibles, deux mots synonymes : contre-révolution et calomnie. »

Mais les exhortations de Jaurès n'y peuvent rien : c'est son être profond, l'incorruptibilité même de son âme, la sincérité de ses convictions, l'efficacité de ses actions qui le condamnent à être la victime « naturelle » des flux de la calomnie et de la haine.

Au départ il peut n'y avoir que sincère incompréhension.

Quand Jaurès, le 14 juin 1902, a apporté à la Chambre son soutien au ministère Combes, affirmant qu'il voulait « collaborer avec toute la gauche pour une œuvre d'action républicaine et réformatrice » et, ajoute-t-il, « nous voulons en même temps poursuivre les fins supérieures en vue desquelles le prolétariat s'est organisé », les milieux intellectuels dreyfusards ont applaudi.

Puis, peu à peu, le style même de Combes, les a irrités. Ils ont identifié en lui moins un laïque qu'un « gallican », très « Eglise de France », persuadé — comme le dit Joseph Caillaux — « de la nécessité d'un enseignement religieux pour les masses et voulant simplement que les leçons en fussent distribuées par des prêtres séculiers, libéraux, détachés de la Curie romaine, disciples ou émules du vicaire savoyard ».

Pour partiale que soit cette critique, elle s'appuie sur des déclarations de Combes qui condamne « l'enseignement superficiel et borné de l'école laïque » et s'affirme « philosophe spiritualiste ». Il y a surtout ces expulsions entourées de mobilisation policière et militaire, ce climat qui semble hostile à la liberté.

Combes et Jaurès peuvent bien montrer que la liberté n'est pas en cause, que « le monde des couvents crie vive la liberté » pour mieux maintenir ses privilèges, rien n'y fait. Le thème de la liberté touche des intellectuels aussi engagés aux côtés de Dreyfus, que Gabriel Monod ou Bernard Lazare.

On rencontre aussi chez eux une défiance à l'égard de la politique, du parlementarisme, des compromissions qu'ils provoquent. Si bien que Jaurès — qui n'était pas député au temps de l'Affaire Dreyfus — apparaît comme celui qui incarne cette mutation de la noblesse d'une cause en vile réalité politicienne.

C'était déjà net chez Charles Péguy. Mais au fil des jours, sa hargne, sa haine se révèlent, reprenant les mêmes termes que les pamphlets les plus vulgaires. Il écrira, au début de 1903, la chanson du Roi Dagobert qui est le double masqué de la chanson guesdiste du Roi Jaurès.

Les « bonjour mon cher », les « il pleut sur ma profession de foi », les « je fais, défais, refais la loi », le fait que « Dagobert a aux *Cahiers de la Quinzaine* compte ouvert », tout permet d'identifier Jaurès à ce Roi qui n'écoute plus. « Je suis devenu sourd », dit-il. Et saint Eloi est le socialiste Pressensé.

Jaurès pour Péguy a trahi. Ce que cherche Jaurès, prétend Péguy, c'est non à défendre la vérité et la justice, mais à conquérir la puissance. « Il a peu à peu et de plus en plus glissé dans le sens gouvernemental, dans le sens autoritaire, dans le sens d'une autorité de commandement... Jaurès dans une assemblée, dominant la foule, c'est un Roi. » Jaurès n'est plus philosophe, il n'est que « parlementaire, dans ses discours, sa pensée, son ambition, son sens, ses espoirs ». Quand il fait de la philosophie, elle est oratoire. Et l'on discerne même dans sa manière de parler, « dans son effort, dans son geste martelé, dans son poing de marteau, dans sa phrase de commandement forte et grave une incitation à l'obéissance, à la soumission ». Et quand Péguy ajoute : « C'est le gouvernement dont on ne se méfie pas, le gouvernement à qui les simples et tant d'innocents se donnent », il retrouve le thème pamphlétaire du « dupeur ». Comme un petit-bourgeois, Péguy se rassure : lui est lucide, lui sait démasquer Jaurès dupeur. Péguy ne se laisse pas tromper.

En fait, Péguy exprime de manière littéraire les mêmes dépits que ces couches moyennes, dont le seul critère est la réussite individuelle et qui la voient se fragmenter en poussière sous leurs doigts. Car Péguy s'en prend même au professeur Jaurès « qui est docteur » (ah, cette haine des candidats recalés aux concours, qui la mesurera !), qui pourra enseigner la réalité du monde sensible (ah, ce regret de ne pas avoir soi-même soutenu une thèse !). Péguy, lui aussi, transforme Jaurès en bouc émissaire. Il lui faut détruire cette vie qui est réussite, à laquelle on ne peut rien reprocher sinon les « trahisons » qu'on lui prête.

Mais faisant cela, Péguy n'est pas plus singulier qu'un Paul Deschanel arbitre des élégances du Palais-Bourbon et qui murmure aux journalistes, le jour de l'inauguration de la vice-présidence par Jaurès, qu'il faut s'inquiéter car « ses pantalons sont moins sûrs que ses discours ». Péguy, lui, « écrit » la chanson du Roi Dagobert. Il n'est pas plus original que ces journaux qui — comme *Le Républicain Orléanais* du 19 janvier 1903 — à propos de la même cérémonie précisent qu'il faudrait ce jour-là, pour Jaurès, « un de ces vêtements multicolores partageant leur homme de la tête aux pieds en tranches rouges, noires, blanches ou bleues, qui distinguaient les étudiants de la Renaissance. La calotte mi-républicaine, mi-conservatrice qui présida à l'entrée du néophyte Jaurès dans le monde politique et social donnerait encore fort bon air à sa face rubiconde, le pourpoint jaune rayé de noir évoquerait les thèses d'antan du nouvel élu en l'honneur des traditions et des croyances d'un Dieu créateur infini et adoré... ».

Sous l'ironie qui se veut légère, tous les reproches habituels dessinent la caricature maintenant tracée de Jaurès. Et Péguy n'est plus que l'un des adversaires ajoutant son trait à un portrait de haine et de vulgarité.

Jaurès n'est pas seul à subir cette haine. Sa famille en souffre. Il n'est pas facile d'être, dans un climat passionnel, la mère, l'épouse, les enfants ou le frère de Jaurès. Celui-ci a même dû retirer sa fille — Yvonne — de l'Institution des Sœurs Bleues de Castres. Elle est la nièce d'un antéchrist.

Car le déchaînement des passions à propos de la politique anticléricale de Combes vaut bien celui de l'Affaire Dreyfus et le prolonge d'ailleurs. Or, Jaurès est au centre de la tourmente dans l'un et l'autre cas. Et il ne s'agit pas seulement de « politique » mais bien de ce qui, en chaque individu, appartient au plus instinctif et donc au plus violent : respect des hiérarchies, de l'armée, de la religion. Si bien que la haine qui frappe Jaurès et les siens est d'une autre nature que politique. Elle surgit du plus profond de l'être et de son comportement, et serait incompréhensible si la politique se réduisait à la raison.

Cette haine apparaît d'autant plus exagérée que les bouleversements entrepris par Combes ne viennent en rien bousculer la structure sociale française ou la répartition des richesses. Si Jaurès, cependant, soutient le programme combiste c'est qu'il estime que les menaces cléricale et militaire pèsent sur la République et qu'il faut les écarter, définitivement, par le moyen de la loi et du contrôle démocratique, puis, comme il le dit, viendra l'heure des objectifs du « prolétariat organisé ». Il sait bien en effet que les notables du Comité républicain du Commerce, de l'Industrie et de l'Agriculture qui soutiennent Combes — et financent les radicaux — sont des « anticollectivistes » farouches, et que Combes, dès le 6 octobre 1902, dénonce lui-même devant eux les « revendications hautaines d'un socialisme exaspéré ». Si bien que le Bloc des gauches, l'alliance Combes-Jaurès a et ne peut avoir qu'un objectif limité — de grande signification symbolique et politique : réduire le poids de l'Eglise dans la vie sociale de la République et plier définitivement l'armée au pouvoir civil.

Comment Jaurès d'ailleurs pourrait-il se faire des illusions sur le ministère Combes quand deux postes essentiels sont confiés à des modérés classiques : le ministère des Finances est attribué à Rouvier, et le ministère des Affaires étrangères laissé à Delcassé. De manière explicite, Combes a abandonné l'économie et la politique extérieure aux mains du centre droit. On ne touchera ni à la fortune ni aux alliances. Les deux domaines ne sont-ils pas confondus quand l'entente avec la Russie passe par la souscription aux emprunts russes. Comme l'écrit avec beaucoup de lucidité le *Journal des Débats* : « Deux ministres du cabinet nous empêcheront de tomber dans les abîmes révolutionnaires : MM. Rouvier et Delcassé. »

Jaurès a-t-il fait dès lors un marché de dupes, sacrifiant ces deux réalités déterminantes — l'économique et le social d'une part, les relations internationales d'autre part — à un combat pour la défense de la République qui n'entame pas le pouvoir de direction des forces dominantes ?

La question lui est constamment posée, de manière confuse, haineuse ou polémique par les socialistes regroupés autour de Guesde et Vaillant ou bien par les syndicalistes de la CGT, de plus en plus entraînés vers le « syndicalisme révolutionnaire » et se défiant des partis politiques.

En septembre 1902, au Congrès de Montpellier, la CGT avait d'ailleurs fusionné avec la Fédération des Bourses du Travail où les éléments venus de l'anarchisme étaient nombreux. Leur antimilitarisme, leur antiparlementarisme, leur ouvriérisme en faisaient des adversaires instinctifs de toute la politique du Bloc — en fait de tout gouvernement. Et l'élection d'un Jaurès à la vice-présidence de la Chambre ne pouvait que les cabrer dans leur attitude hostile.

Or, l'année 1902 est marquée par une brutale poussée de grèves, sans équivalent depuis dix ans. On dénombrera près de cinq millions de journées chômées. Une crise boursière et industrielle vient en effet, de 1901 à 1903, ralentir la croissance générale de l'économie. On voit même apparaître dans l'agriculture viticole du Languedoc des phénomènes d'effondrement des cours qui commencent à inquiéter.

Les succès politiques de la gauche, les réformes de Millerand — même critiquées — favorisent aussi la dynamique ouvrière. Ainsi en octobre 1902, une grève générale des mineurs — pour le rétablissement des primes, la journée de huit heures et les conditions de retraite — éclate dans tout le pays. Que va faire Jaurès ?

Pas d'hésitation. Il met en œuvre sa ligne politique. Il se rend sur le terrain, à Carmaux, avec Millerand. Il soutient la grève mais appelle à l'arbitrage. A la Chambre, il intervient, le 23 octobre dans le même sens. Et Combes suit ses conseils. Un arbitrage est rendu, un projet de loi augmentant les retraites déposé. Différence notable d'avec les gouvernements précédents : le gouvernement n'a pas fait intervenir l'armée. Le calme a régné durant cette grève de près de deux mois.

La position de Jaurès est donc sans équivoque : soutenir les grévistes, pousser à la négociation et à la conciliation le gouvernement. Et ne pas sacrifier le mouvement ouvrier à la solidarité avec le Bloc des gauches.

Quand le préfet de police fait expulser un an plus tard — le 29 octobre 1903 — les trois mille ouvriers rassemblés dans les Bourses du Travail, à Paris, pour protester contre les méthodes des bureaux de placement, Jaurès à la Chambre dénonce les brutalités policières, les coups de feu, qui ont fait une centaine de blessés. La violence ne peut rien régler, dit-il. Elle est aveugle et stérile. Il parle aussi de cette manière aux syndicalistes révolutionnaires, restant fidèle à sa volonté d'arbitrage et de négociation.

Combes doit condamner l'action de la police et ses brutalités.

Jaurès n'a pas à rougir de sa place dans la Délégation des gauches.

Mais la multiplication des grèves, l'action syndicale, les limites de la politique gouvernementale ne peuvent que provoquer parmi les socialistes une montée des critiques contre le Bloc des gauches et le rôle de Jaurès et accentuer une poussée à « gauche » au sein de son propre parti.

Que dire alors de Guesde et de Vaillant rassemblés dans le Parti socialiste de France, qui tient congrès à Commentry du 26 au 28 septembre 1902, puis à Reims un an plus tard ?

Le parti se réorganise, condamne en Combes un gouvernement bourgeois. A la Chambre, les députés qui se réclament de ce courant mènent une bataille parlementaire pour défendre les intérêts des différentes catégories de travailleurs. Mais pour les éléments les plus durs, c'est là trop de modération. « Le parti est devenu plus respectueux de la légalité que n'importe quel autre parti bourgeois », écrit l'ami de Guesde, Bonnier. Or, cette légalité-là vivifie le système capitaliste. Et Bonnier se demandera même plus tard si « l'élément révolutionnaire n'est pas passé chez les antisémites et les nationalistes ».

Le jeune Trotski, séjournant à Paris à cette époque, a pris part à une manifestation guesdiste où l'on crie des invectives contre Millerand. Et en Jaurès il identifie un adversaire.

Au même moment, la social-démocratie allemande condamne nettement dans la résolution de son Congrès de Dresde la « politique révisionniste », le rapprochement avec les « partis bourgeois », dénonçant l'abandon sans contrepartie de la « tactique éprouvée et glorieuse basée sur la lutte des classes ». Les guesdistes se trouvent renforcés dans leur lutte contre Jaurès par ces prises de position.

La puissante social-démocratie allemande devient ainsi une référence et son arbitre dans les affrontements entre socialistes français.

Jaurès proteste, demande qu'on lui envoie les publications allemandes afin de suivre les débats. Il note que les Allemands ne connaissent pas la réalité de la situation française et qu'ils commettent donc, en jugeant d'après leurs critères, « une erreur sérieuse ».

Mais il n'y a pas que les guesdistes qui s'appuient sur les socialistes allemands. Au sein du Parti socialiste français, le parti de Jaurès, un homme comme Jean Longuet, petit-fils de Karl Marx, est en relation régulière avec Kautsky. Avec lui toute une « aile gauche » se reconstitue. Elle est composée d'hommes hauts en couleur comme le vétérinaire Pierre Renaudel, à la voix aiguë dans un corps énorme, ou bien Gustave Hervé, un professeur d'histoire au lycée de Sens, qui, à trente-deux ans, est devenu, dans son journal *Le Pioupiou de l'Yonne,* le chantre violent de l'antimilitarisme.

Cette aile gauche, sans principes stables, multiplie les « phrases révolutionnaires » et cherche à faire sortir Jaurès du Bloc des gauches. Mais Jaurès est le symbole du Parti. On ne peut l'attaquer directement. On veut donc atteindre sa politique par ricochet en s'en prenant à nouveau à Alexandre Millerand dont le passé de ministre, les votes à la Chambre — en faveur du budget des cultes — prêtent à critique. Longuet et l'aile gauche veulent donc « épurer » le Parti socialiste français de Millerand et des « ministérialistes ».

« Pour sûr, écrit Longuet à Kautsky, on ne peut dire que l'exclusion de Millerand résoudra tous les problèmes du parti et certains membres de la même bande y demeureront. Mais j'estime que si nous parvenons à nous débarrasser de Son Excellence, cela servira du même coup d'avertissement aux Deville, aux Rouanet et même à Jaurès. »

C'est bien Jaurès qui était visé par cette stratégie. Il le comprit. Au Congrès de Bordeaux (du 12 au 14 avril 1903), contre les Hervé, les Renaudel, les Longuet, Jaurès choisit de défendre Millerand, montrant que le ministre avait pris des mesures qui, sur la durée de la journée de travail, mettaient la France à l'avant-garde des législations ouvrières. Mais il s'emportait, s'attachant au comportement de ces socialistes dont il avait eu lui-même à souffrir. « On a appelé Millerand assassin, dit-il, tueur d'enfants et lorsqu'on l'a amené ainsi à se replier un peu sur lui-même, on se retourne vers lui et on lui dit : " Mon cher — vous n'êtes pas resté suffisamment avec nous ! " »

Et il martela sa formule : « Ce qu'il faut exclure du Parti socialiste c'est l'esprit d'exclusion ! »

Millerand intervint, son corps massif, sa tête lourde de lutteur, immobile à la tribune, défendant ses idées sans concession : « Croyez-vous, lança-t-il, que vous pourrez prendre le pouvoir, tout d'un coup, tout entier, pour faire, en un jour de miracle, la Révolution ? » Si c'était cela, il fallait l'exclure. Il ajoutait que les classes sociales étaient solidaires, qu' « antagonisme, solidarité, ce sont deux points de vue différents qui s'imposent ».

Langage hérétique qui indispose les délégués. A la Commission des résolutions, ils décident — contre l'avis de Jaurès — d'exclure Millerand du Parti. Il faut en séance que Jaurès, pathétique, remonte à la tribune, affirme sa solidarité avec Millerand, pour que par une courte majorité, 109 voix contre 89, on repousse la demande d'exclusion. Mais il est clair que la gauche ne va pas lâcher Millerand, portée qu'elle est par un courant qui s'exprime dans les Fédérations et qui s'appuie sur l'évolution internationale.

En effet, pas un Parti socialiste qui ne soit soumis à un affrontement entre une « gauche » et une « droite ».

L'Allemand, l'Italien, le Russe vivent ces conflits. Et ils sont le résultat d'une montée des contradictions à l'intérieur de chaque pays et entre les pays.

Le partage du monde s'achève. En Extrême-Orient un nouvel impérialisme — le japonais — s'oppose à l'expansion russe. La France est l'alliée privilégiée de la Russie, et Delcassé fixe comme but à cet accord le maintien de l'équilibre des forces en Europe, en même temps il cherche à nouer des relations avec l'Angleterre et l'Italie.

Dans les Balkans, le jeu des grandes puissances se mêle au grouillement des nationalismes et des rivalités ethniques. Le monde, pour tout observateur, devient une poudrière. Et Jaurès le sent. Il prend donc position nettement en ces années 1902-1903. Sans se soucier des accusations qui vont se déverser sur lui. Il écrit aux socialistes italiens que l'alliance de leur pays avec l'Allemagne et l'Autriche est un contrepoids « nécessaire à notre chauvinisme et aux fantaisies franco-russes ». Elle est, dit-il, un facteur qui permet d'entrevoir un vaste groupement européen.

Il souhaite aussi que l'on desserre les liens de l'alliance franco-russe et qu'on parle avec l'Allemagne.

Il s'en prend au chauvinisme français ? Bref, il brise avec

l'unanimité qui entoure — à quelques marginaux près — la politique extérieure. Dès lors, il donne à ses ennemis de nouvelles raisons de le haïr, comme « agent de l'étranger ». Haine d'autant plus vive que les banques russes versent aux journaux de solides pourboires car l'alliance avec le tsar, c'est l'association de l'épargne française et de l'Etat russe, pour le plus grand profit des banques.

Quand il monte à la tribune de la Chambre, le 23 janvier 1903, Jaurès est déjà couvert d'injures et de critiques. Agent de l'étranger ? Oui, dit-on. Naïf ? A l'évidence puisqu'il prône la paix et le désarmement et ne croit pas que la guerre soit inéluctable. Et ce ne sont pas seulement les conservateurs qui l'accusent de naïveté, mais aussi ceux qui parmi les socialistes pensent que la paix ne peut s'installer qu'après la fin du capitalisme.

Jaurès plaide aussi sur le plan extérieur pour une négociation. Il croit à la possibilité de la paix. Pas de catastrophisme, pas de fatalisme ; et son espoir n'est pas fondé sur l'illusion mais sur le réalisme.

Un thème central s'affirme ainsi chez Jaurès en ces années 1902-1903. Celui qui suscitera le plus de ricanements et qui, au fur et à mesure que la tension internationale montera, que le chauvinisme que Jaurès a constaté dès septembre 1902 « dans la presse, dans la littérature, dans les écoles et les universités, dans les discours des généraux et des ministres de la Guerre français », s'accentuera. Et croîtra la haine, celle qui, compte tenu de ce qu'elle croit représenter — la patrie —, osera s'exprimer à visage découvert, comme une attitude noble et l'expression d'une vertu outragée.

C'est déjà le cas ce 23 janvier 1903.

Il dit : « La paix est possible en Europe, dès maintenant. » Et l'on ricane, même quand il avance que depuis trente-deux ans elle existe, « large clairière de paix ». On lui répond : cela décourage le peuple. Il dit : « Il n'y a que trois choses qui dégradent le courage d'un peuple : c'est le mensonge, la paresse et le défaut d'idéal. »

On lui crie, des bancs de la droite : « Il faudra encore des canons », ou encore : « C'est de la poésie, c'est un rêve. » Nous sommes les grands réalistes de la justice et du droit. Mais ce qu'il propose c'est de « surveiller les événements du point de vue de la paix ; c'est de conduire tous vos actes avec la méthode de la paix ».

Ricanements, haussements d'épaules, calomnies : Jaurès est bien un agent de l'étranger.

Mais ce jour-là, le *Journal Officiel* pour la première fois de son histoire se vend à la criée dans les rues à plus de dix mille exemplaires.

La double image de Jaurès, apôtre de la paix et rêveur — pour ne pas dire celle d'agent de l'étranger —, commence de s'imposer.

Mais le succès même de ce discours permet d'évaluer l'écho des mots de Jaurès. Cela aussi provoque la haine.

Il la subit avec calme. Il ne lit même plus les lettres d'insultes qu'il reçoit quotidiennement. S'il les parcourt, il hausse les épaules sans amertume, peut-être avec un sentiment de miséricorde pour ces anonymes qui l'injurient. Une heure de dialogue avec un grand écrivain, cela suffit à le laver des souillures. Car, au milieu de toutes ces luttes parlementaires, il continue de préserver son carré personnel de rêverie et de richesse culturelle. Parfois les deux coïncident.

Il fait adopter par la Chambre, le 27 novembre 1903, une proposition invitant le gouvernement à débloquer les crédits nécessaires pour classer et publier les archives relatives à la vie économique de la Révolution française. Quand il est monté à la tribune, pour défendre le projet, on l'a entendu aussi convaincant que lorsqu'il évoque les grands problèmes de la politique internationale. Pas de cassure en lui. L'unité toujours. Et le 23 décembre 1903, il est nommé président de la Commission pour la recherche et la publication des documents relatifs à la vie économique de la Révolution française.

Et cette Commission se met immédiatement au travail, préparant par des Instructions adressées aux historiens la publication de documents qui vont constituer, en quelques années (de 1903 à 1914), soixante-quatre volumes ! Cette réalisation au point de convergence de son activité d'intellectuel, de ses préoccupations de politique et de son rôle de parlementaire pourrait être une preuve du sens du concret de Jaurès. Mais il est si commode de le traiter de naïf ou de rêveur, quand on ne veut ou ne peut le calomnier, que l'accusation restera.

Alors, devant ce procès qui lui est intenté, devant les lettres anonymes, Jaurès se contente de poursuivre sa route. Avec la certitude — pessimiste celle-là — que c'est le sort réservé à ceux qui refusent les compromissions que d'être ainsi attaqués ou incompris.

Il sait ainsi que Zola a reçu des centaines de lettres anonymes où parfois le nom de Jaurès le « complice » est cité. On y dit : « A mort, à mort, infâme, sale juif », on y menace : « Vous êtes condamné. Pourquoi parmi tes témoins n'as-tu pas cité le Kaiser allemand qui te paie de concert avec la juiverie cosmopolite ? »

Et encore Zola n'a-t-il pas, comme Jaurès commence à le faire, mis en cause le « chauvinisme français ». Zola est mort, le dimanche 28 septembre 1902, d'asphyxie, sans que l'on puisse prouver ni l'attentat ni l'accident. Mort qui affecte Jaurès comme celle d'un proche, d'un combattant. Quand il écoute Anatole France qui le dimanche 5 octobre prononce sur la tombe de l'écrivain un adieu bref et fort, qu'il voit les cinquante mille personnes venues rendre hommage à Zola, il sent cette communion qui unit les hommes autour de l'un des leurs qui fut exemplaire. Qu'importent alors les calomnies, ces titres narquois de la *Libre Parole :* « Un fait divers naturaliste. Zola asphyxié », ces quelques chants qu'on entend ici et là.

> *Zola la Mouquette*
> *Est mort et bien mort*
> *Dreyfus qui le regrette*
> *Partagera son sort.*

Tout cela est balayé. Et cette approbation du Juste, même si elle est posthume, Jaurès sait qu'elle viendra parce qu'il croit au sens de la vie.

Alors, il continue Jaurès, implacable. En avril 1903 il s'exprime à la Chambre, plaçant les droites devant un dilemne qui les emprisonne : « Ou bien, dit Jaurès, le Parti nationaliste a cru à la réalité de ces pièces accusant Dreyfus, et à la vérité de la légende et jamais un parti ne descendit plus bas dans l'ordre de l'intelligence... Ou bien il n'y a pas cru, et jamais parti politique n'est descendu plus bas dans l'ordre de la probité. »

La tenaille du raisonnement s'est refermée. Jaurès n'est pas homme à abandonner le combat de la vérité. *Vérité,* c'est le dernier livre écrit par Zola, que publie *L'Aurore* en septembre 1902 et qui paraîtra en volume en 1903.

Et c'est le même mot qui résonne dans le discours de Jaurès le 30 juillet 1903 devant les élèves du lycée d'Albi. « Le courage, dit-il, c'est de chercher la vérité et de la dire, c'est de ne pas subir la loi du mensonge triomphant qui passe, et de ne pas faire écho aux applaudissements imbéciles et aux huées fanatiques. »

Jaurès est ému. Il a enseigné dans ce lycée. Il reconnaît les bâtiments, l'odeur même de ces salles où il a éprouvé pour la première fois le plaisir d'enseigner, de convaincre.

Si loin déjà : trente-deux ans. Une vie.

Il parle alors de l' « insensible fuite des jours », du choc que représente ce retour. « Le temps nous avait dérobé à nous-mêmes, parcelle après parcelle, et tout à coup c'est le gros bloc de notre vie que nous voyons loin de nous... »

Un moment de silence après cet aveu, puis la poussée de la vie qui s'affirme toujours.

« Mais qu'importe, reprend Jaurès, qu'importe que le temps nous retire notre force peu à peu, s'il l'utilise pour des œuvres vastes en qui survit quelque chose de nous. »

Cette confiance de Jaurès dans l'avenir, dans la mémoire, cette certitude née de sa conception même de la vie et de l'univers, de sa foi, il l'exprime face à ces jeunes gens avec la force que donne la fidélité à son propre passé. Il s'adresse à eux sans aucune de ces flatteries qu'ont souvent les adultes devant ceux qui n'ont pas encore commencé leur vie. Aucun souci de séduire chez Jaurès. Il dit, « comme à des hommes, quelques-unes des choses qu'il porte en lui ».

Et dans cet été 1903, il fait part de son angoisse devant les risques de guerre, cette montée des périls qu'il a identifiés. « Quoi donc, s'exclame-t-il, la paix nous fuira-t-elle toujours ? » Les capitales modernes seront-elles incendiées par les obus comme l'a été le Palais de Priam ? Les hommes seront-ils toujours forcenés et déçus ? Car s'il affirme sa volonté d'empêcher la guerre, Jaurès ne s'illusionne pas. Lui dont on prétend qu'il est un naïf et un rêveur, il dit sans facilité : « Il n'y a pas de certitude toute faite en histoire. Je sais combien sont nombreux encore aux jointures de l'histoire les points malades d'où peut naître soudain une passagère inflammation générale... »

Ce qu'il défend, ce n'est donc pas l'utopie de la paix à coup sûr, mais bien le réalisme de la paix qui n'est pas impossible. C'est dire qu'il privilégie l'action et la volonté des hommes, animés par la lucidité et non la passivité au déterminisme économique qu'il repère aussi bien à droite qu'à l'extrême gauche. Il vante ainsi le courage, vertu majeure dont il fait l'un des ressorts de son discours et de sa vie. Et ce faisant, il parle de sa propre vie.

Comme à chaque fois que dans un texte — fût-il général — un homme s'engage, c'est sa pensée qu'il confie. « Le courage, dit Jaurès, c'est d'être tout ensemble un praticien et un philosophe. Le courage c'est de comprendre sa propre vie... Le courage c'est d'aimer la vie et de regarder la mort d'un regard tranquille... Le courage c'est d'aller à l'idéal et de comprendre le réel. »

La philosophie que Jaurès expose est celle de la lucidité, vertu essentielle qu'il associe au désintéressement. « Le courage, c'est d'agir et de se donner aux grandes causes sans savoir quelle récompense réserve à notre effort l'univers profond, ni s'il lui réserve une récompense. »

Ce que veut Jaurès, et il le proclame une nouvelle fois dans cette cour du lycée d'Albi où il fit ses premiers pas de professeur de philosophie, c'est « restituer à l'homme le sens de la grandeur de l'homme ».

Mais est-ce possible, quand la misère étouffe l'âme ?

Jaurès, quatre mois après ce discours d'Albi, parcourt la région du Nord. Les ouvriers des usines textiles sont en grève depuis le mois de mars. Jaurès est à Armentières, à Houplines, au Cateau-Cambrésis, à Caudry, dans la vallée de la Lys. Il pousse la porte des maisons ouvrières. Il parle aux grévistes qui dans le calme réclament l'application de la loi Millerand-Colliard sur la durée du travail. Ce sont les syndicats qui, le 22 octobre, l'ont appelé à leur aide pour qu'il impose au patronat une procédure d'arbitrage.

Il voit la misère, les salaires de 14 à 15 francs par semaine, ces « ménages si pauvres, parqués dans de si petits appartements où le père, la mère, la grand-mère, la jeune fille et les enfants, la vieillesse, la puberté, tout cela est couché pêle-mêle dans des promiscuités misérables où ne peut germer que le vice ».

Il a observé des « ménages perdus, des familles perdues qui étaient comme des cadavres de noyés au fond d'une eau trouble de misère » et au-dessus, à la merci de la moindre difficulté, des milliers d'hommes et de femmes qui surnagent et qui sont tout près d'être engloutis. A Armentières, la reine de la toile, « nous avons vu des lits qui n'avaient pas un morceau de toile pour couvrir la nudité et la pudeur des enfants ».

Voilà la réalité. Jaurès qui peut dans les antichambres de l'Elysée participer comme vice-président de la Chambre à la réception en l'honneur du roi d'Italie Victor-Emmanuel, Jaurès qui fréquente les salons « républicains » de la marquise Arconati Visconti ou de la duchesse de Gramont, n'a pas été réduit au silence ou aveuglé par cette entrée dans les cercles du pouvoir. C'est toujours la même flamme, la même indignation, doublée d'un sentiment de culpabilité qu'il exprime. « Ah, je l'avoue, dit-il, je me suis reproché la sorte d'indifférence égoïste où nous vivons ! »

Car ce spectacle abominable est un crime. Et, tourné vers ceux qui, avec lui, ont combattu pour la révision du procès de Dreyfus, quand ce n'était pas des prolétaires qui étaient en jeu, il lance : « J'ai le droit de dire : à votre tour maintenant, il y a d'autres victimes, il y a d'autres accablés, il y a d'autres opprimés et ces ménages misérables... ont, ceux-là aussi, le droit de l'homme, la dignité de la personne humaine, et ce droit étant violé, c'est au nom de l'humanité que nous protestons... »

A la Chambre, il rapporte ce qu'il a vu, dénonce le patronat qui refuse l'arbitrage, conteste ceux qui, porte-parole des filatures — ainsi le député Jules Dansette, lui-même issu d'une lignée d'industriels du textile —, prétendent que le patronat est arrivé à l'extrême limite des concessions aux ouvriers. Et dans son argumentation Dansette brandit un journal guesdiste du Nord — *Le Travailleur* — qui accuse Jaurès de soutenir la grève pour favoriser le Parti socialiste français dans sa concurrence avec le parti de Jules Guesde, puissant dans le Nord.

Ce n'est pas la première fois que les adversaires de droite de Jaurès se servent d'arguments venus de l'extrême gauche ! Néanmoins, l'effort de Jaurès a en partie porté ses fruits : par 512 voix contre 2, la Chambre des députés recommande la reprise de l'arbitrage et une enquête sur les conditions de vie des ouvriers du textile.

Plus de cinquante ans après l'enquête du docteur Villermé sur le prolétariat du Nord, Jaurès a contraint le pays à regarder la réalité misérable des villes ouvrières. Il est, décrivant les travailleurs d'Armentières, dans la lignée de Victor Hugo qui écrivait : « Caves de Lille on meurt sous vos voûtes de pierre », il demeure dans le droit fil du Zola de *Germinal*.

Mais alors, puisque le temps passait et que la condition ouvrière changeait si peu, la question revenait avec force : Jaurès ne s'illusionnait-il pas sur l'efficacité des réformes, les vertus de l'arbitrage ? Ne valait-il pas mieux choisir la voie de la violence révolutionnaire ?

Dans le mouvement ouvrier français — au parti de Guesde ou dans celui de Jaurès, à la CGT — ces questions se posaient avec une force redoublée. Au fur et à mesure que s'organisait le monde ouvrier, la tentation revenait de briser, d'un seul coup, le cadre de la société et de l'économie capitalistes.

Au sein du Parti socialiste français, Millerand symbolisait le courant hostile à la révolution, d'autant plus que l'ancien ministre, se sentant rejeté, relégué par Jaurès a un rôle de second plan, ayant pris goût aux avantages et aux griseries du pouvoir, glissait au cours de ses votes vers le centre.

Le 4 janvier 1904, la Fédération de la Seine décide de son exclusion. Il s'agissait pour l'aile gauche — et Jean Longuet l'écrivait à Kautsky — de préparer l'unité des socialistes français dans un parti révolutionnaire.

C'est pour la France la manifestation de cette poussée à « gauche » qui travaille le mouvement ouvrier international.

En 1902, Lénine a publié *Que faire ?* Et il a, dès les premières lignes, condamné l'action de Millerand, « ce bernsteinisme pratique », puis il a défini l'organisation du parti formé d'hommes dont, écrit-il, « la profession est l'action révolutionnaire ». En novembre 1903, à Londres, s'affirme l'opposition entre bolcheviks et mencheviks. Dans cette tourmente qui s'annonce et où la guerre et la révolution avancent vers l'Europe comme deux nuées, le Bloc des gauches français apparaît bien fragile. Pourtant Jaurès continue de le soutenir, persuadé qu'il peut dans de nombreux domaines appuyer et faire avancer des solutions utiles aux plus humbles. Ainsi, en novembre 1903, il approuve les mesures que prend en Algérie le gouverneur Jonnart et qui sont favorables aux indigènes. Face à ceux qui disent : « Vous qui connaissez la race arabe, vous devez être de mon avis : plus on en tue, et moins il y a de bêtes malfaisantes », la politique du gouvernement Combes est positive. Sinon quelle autre issue que « la réciprocité sinistre de la cruauté et des meurtres, un incendie de haine, éclatant ici, couvant là, mais partout effrayant ».

Jaurès choisit donc de soutenir Combes, de jouer ce rôle qu'on lui prête parfois de « directeur spirituel de la République ». Mais il ne cède jamais rien sur l'essentiel.

On l'a vu ainsi, en juin, dénoncer avec indignation le pogrom qui s'est déroulé à Kichinev, en Russie, qui est l'alliée de la France. Il met en cause « la responsabilité directe du pouvoir » tsariste. Il en appelle à l'opinion publique. Il se montre sur ce terrain de la politique extérieure aussi rigoureux que sur le plan social.

C'est là, précisément ce que certains députés du Bloc des gauches reprochent à Jaurès. Sa fidélité à ses idées les inquiète. Il n'est pas « assimilable ». Il peut revêtir le frac, saluer avec courtoisie les officiers de la garde, s'incliner devant le roi d'Italie, il ne change pas. Cela, après un an et demi de législature, un an de vice-présidence de la Chambre, s'impose comme une évidence à l'aile la plus modérée du Bloc des gauches.

Et le 13 janvier 1904, alors que Jaurès se présente à nouveau, pour le renouvellement de sa charge à la vice-présidence, il lui manque une trentaine de voix pour être réélu. On lui préfère un radical inconnu, comme si d'avoir choisi M. Gerville Reache suffisait à rendre anodin l'échec de Jaurès. En fait cela signifie surtout que n'importe qui aux yeux des conservateurs et des modérés valait mieux que Jaurès. On ne l'a donc toléré qu'un an.

Mais est-il possible que des hommes comme Barthou ou des radicaux acceptent à la vice-présidence un Jaurès qui devant les ouvriers tisseurs rassemblés à Caudry exalte la grève dans les filatures et dénonce la misère ouvrière et en rend responsable le « régime d'anarchie et de dilapidation capitaliste » ?

Jaurès irrécupérable, Jaurès resté lui-même, refusant à ce tournant décisif de sa vie qu'est la quarantaine, et alors que toutes les portes de l'Etat lui sont ouvertes, d'abdiquer ou d'éculcorer les convictions et la foi de sa jeunesse.

Chapitre 15

« Camarade Guesde, camarade Jaurès ! »
(1904)

La guerre. Ce n'était qu'un mot. L'Europe vivait depuis trente-trois ans dans cette « large clairière de paix » dont parlait Jaurès. Mais du « fourré des passions et des haines, dans la forêt épineuse et sauvage où rôdent depuis des siècles des bêtes de proie », cette guerre que craignait Jaurès venait de sortir, montrant son mufle sanglant.

La guerre faisait la une des journaux, envahissait les écrans des actualités du cinématographe. Et l'on découvrait qu'elle était bien présente, puisqu'elle opposait, au loin il est vrai, le Japon et notre allié, si acclamé, la Russie du tsar.

La guerre. On se rassurait. Ces brigands jaunes qui avaient le 7 février 1904, sans avertissement, torpillé sur la côte de Corée, dans la baie de Chemulpo, un croiseur et deux cuirassés russes, la puissante Russie, notre alliée, allait les châtier. Le droit, la justice et la force étaient naturellement du côté de Saint-Pétersbourg puisque les journaux à gages le répétaient, vantaient l'excellence de la marine et de l'armée russes, sur lesquelles nous comptions tant. N'était-ce pas pour cela que nous avions souscrit des milliards d'emprunts russes ? Et puis le tsar était un homme sage. Qui pouvait soupçonner qu'il avait, en Extrême-Orient, pratiqué une politique impérialiste, refusant les compromis, que dans son entourage on recherchait même l'affrontement, parce que la fuite en avant dans un conflit armé est souvent la solution que croient trouver à leurs difficultés intérieures les régimes dictatoriaux.

Mais qui dévoilait cela en France ? La guerre, dès lors qu'on n'y était pas mêlé, permettait de s'enflammer, de prendre parti pour ces braves soldats russes, ce général Stoessel, un héros qui commandait la place de Port-Arthur, encerclée par les Japonais. Et Edmond Rostand déclamait :

> *Stoessel dans Port-Arthur, c'est Masséna dans Gênes*
> *Souhaitons-lui Marengo !*

La guerre est toujours un engrenage. Jaurès, depuis des années, dénonçait la soumission de la France à la politique russe, le secret qui entourait la diplomatie de Delcassé. Savait-il que chaque fois qu'en Conseil des ministres une question de politique étrangère était posée, Emile Combes avait coutume de dire : « Laissons cela, Messieurs, c'est l'affaire de monsieur le président de la République et de monsieur le ministre des Affaires étrangères » ?

La guerre qui survient confirme en tout cas ses analyses les plus sombres. Sans doute la France réussit-elle à rester en dehors du conflit et ne se trouve-t-elle pas opposée, elle, alliée de la Russie, à l'Angleterre, alliée du Japon. Au contraire, Paris et Londres, d'accord pour ne pas s'engager en Extrême-Orient aux côtés de leurs amis respectifs, se rapprochent et concluront « une entente cordiale ». Mais Jaurès voit au-delà de ce cas particulier. L'engrenage, un jour, peut entraîner dans un conflit le pays ignorant, alors que sa sécurité ne serait pas menacée. « Il est vraiment extraordinaire, écrit-il, que ni le texte ni le sens exact des traités conclus avec la Russie n'aient été communiqués à la nation que ces traités engagent. »

N'est-ce pas la preuve que le Bloc des gauches et la Délégation dans lesquels Jaurès joue un rôle éminent n'ont aucune prise sur les décisions graves ? Que Delcassé — comme Rouvier aux Finances — reste inaccessible, échappe à tout contrôle parlementaire ? Ces événements internationaux provoquent ainsi chez Jaurès une interrogation sur le Bloc des gauches. Après la fissure qu'a manifestée son échec à la vice-présidence de la Chambre, la crise internationale est une nouvelle preuve des limites de cette entente entre les radicaux et Jaurès.

Mais point d'autocensure chez Jaurès : son soutien au gouvernement il ne le conçoit qu'à la condition d'avoir la liberté de critiquer.

« Si nous étions conduits par des conventions secrètes, jusqu'au seuil de la guerre, écrit-il, le pays ne pardonnerait pas à ceux qui depuis des années ont étouffé sous des clameurs patriotiques les questions que si souvent le Parti socialiste a essayé de poser. »

Car l'alliance russe, critiquée par Jaurès dès l'origine, est le « chef-d'œuvre » de la diplomatie française. Des acclamations pour le tsar, orchestrées par la presse vendue aux banques et à l'ambassade russe, aux voyages des présidents de la République en Russie, les ministres des Affaires étrangères, et Delcassé au premier chef, ont cru que l'axe Paris-Saint-Pétersbourg redonnerait à la France sa puissance d'initiative. Selon Jaurès, au contraire, ce n'est que par un dialogue avec l'Allemagne, pour un accord en Europe, que peut se bâtir la paix.

Mais veut-on la paix ? Voilà des mois que ce mot de paix revient sous sa plume. Parce qu'il sent monter la guerre. Et elle est là maintenant, lointaine encore, mais à l'horizon déjà. Il dénonçait le chauvinisme ? Il dénonce maintenant la « désinformation » (tarifée sans doute) qui exalte la puissance militaire russe, la cohésion de l'Empire autour du tsar. *L'Illustration* est pleine des premiers reportages photographiques qui mettent en scène l'héroïsme et le dévouement des sujets du monarque absolu, père des peuples. Comment Jaurès pourrait-il être dupe ? Lucien Herr, son ami, connaît bien les réalités russes. Il parle la langue de Tolstoï. Il connaît les exilés et les débats qui après la scission de Londres opposent au sein du Parti social-démocrate russe bolcheviks et mencheviks. Il lit Lénine et aussi Gorki, qui vient dans *Les Bas-Fonds* de montrer quelle est la réalité de la société russe. Alors Jaurès dénonce ces journaux qui mentent, ajoutant sottises à sottises et s'employant à dissimuler l'ampleur des défaites russes. Ce climat international qui se dégrade, cette opinion publique manipulée par une presse à gages ou laissée dans l'ignorance par un gouvernement qui refuse de dévoiler ses intentions inquiètent Jaurès.

Ceux qui le rencontrent en ce début d'année 1904 le trouvent préoccupé, vieilli même, changé en tout cas, comme si les réalités difficiles du moment marquaient le physique même de Jaurès. Il est incontestablement à un tournant en ce début d'année. Il se pose des questions de « tactique » : comment et avec qui s'allier pour défendre la paix, obtenir sur le plan intérieur des réalisations en faveur des ouvriers et des couches sociales les plus démunies ? Faut-il encore faire bloc avec ce gouvernement ?

Ne s'interrogerait-il pas lui-même que, dans son parti, on le ferait à sa place. Au Congrès de Saint-Etienne, qui se tient du 14 au 16 février 1904, l'aile gauche est encore renforcée : elle montre que le parti s'affaiblit, passant de 11 000 à 8 000 membres. Elle souligne — sans exiger le retrait du soutien socialiste à Combes — les insuffisances du Bloc des gauches. Elle relève que sur le plan du socialisme international la condamnation de la « collaboration » avec les gouvernements bourgeois s'accentue. La social-démocratie allemande se rallie tout entière à la résolution de son Congrès de Dresde. Kautsky, qui vient de publier « *La Révolution sociale* », August Bebel, qui à soixante-trois ans fait figure de fondateur et de chef historique du socialisme allemand, affirment du haut de la puissance de leur parti la « vérité » marxiste de leur ligne intransigeante qu'ils veulent imposer à toute l'Internationale et qui reçoit l'appui du parti de Jules Guesde, affirmé dès son Congrès de Reims.

Cela aussi inquiète Jaurès.

Le VIe Congrès de l'Internationale doit se tenir au mois d'août à Amsterdam. Comment faire front à la guerre sans l'unité des socialistes et comment résister aux choix « tactiques » imposés par les sociaux-démocrates allemands venant soutenir le rival de Jaurès, Jules Guesde ? Le risque est grand, et Jaurès le mesure, de voir ce Congrès d'Amsterdam se transformer en tribunal qui jugera — et condamnera — la politique de Jaurès. Et en même temps comment renoncer à l'unité des socialistes en France et dans le monde, seul moyen de peser avec détermination sur les forces sociales conservatrices — sur les évolutions donc — sans être absorbé, digéré, réduit par elles ?

Voilà les préoccupations de Jaurès qui le tourmentent. Il est lucide. Au Congrès de Saint-Etienne, il dit que le gouvernement de Combes « n'a pas toujours, même dans ses limites étroites, toute la bonne volonté qu'il devrait avoir ». De plus, Jaurès a découvert dans l'action parlementaire et dans la participation à une majorité gouvernementale les résistances des structures de l'Etat. « Lorsque le gouvernement a cette bonne volonté, dit-il, il n'est pas servi de façon efficace et loyale par tout l'appareil administratif. »

Faut-il donc révolutionner l'Etat ? Pour Jaurès, il faut appliquer la loi, la plus démocratique possible — et c'est pour cela, qu'il soutient le Bloc des gauches —, changer aussi l'état d'esprit en réformant les institutions. Il s'interrogera ainsi (en mai 1904) sur le fonctionnement de la justice. « Quand donc la République s'occupera-t-elle de faire pénétrer dans sa magistrature le sens du progrès social ? » demande-t-il. Les magistrats de la Cour de cassation, du Conseil d'Etat, même quand ils sont capables du plus beau courage pour la défense du droit individuel, sont aussi, constate-t-il, « des réactionnaires inconscients ou forcenés » dès qu'il s'agit des questions sociales.

Aucune naïveté donc chez Jaurès, aucune illusion mais au contraire une perception fine de la complexité d'une société, où dans le même individu on peut trouver le défenseur farouche des droits de l'homme et l'adversaire résolu de la justice sociale.

Dans l'analyse de Jaurès, pas de schématisme : une ouverture au rêve tel qu'il est, condition nécessaire pour le transformer. Il faut donc encore soutenir Combes, parce que dans sa lutte pour la laïcité, il fait avancer les principes républicains. Et qu'il est menacé.

Le 17 mars, il n'a plus que onze voix de majorité. Le 29, les députés décident à une forte majorité (318 voix contre 256) de créer une commission d'enquête sur la politique du ministre de la Marine, le radical Camille Pelletan, qui a eu l'audace de baptiser des cuirassés « Liberté », « Egalité », « Ernest-Renan » ou « Démocratie », et qui a tenté de briser la caste des officiers de marine, en favorisant les officiers sortis du rang. Comment ne pas voter pour Combes, rester associé au Bloc des gauches qu'abandonnent peu à peu les éléments les plus modérés ?

C'est la voie étroite que continue de suivre Jaurès, chemin difficile et qui se rétrécit encore du fait de l'aggravation de la situation internationale, de la poussée à gauche, de la montée des luttes ouvrières et réciproquement du glissement à droite d'une partie de la majorité de Combes.

Sa politique, Jaurès veut l'expliquer. Il le fait dans *La Petite République,* mais de ce journal, il n'est pas le maître. Il a dû se défendre des attaques qui l'accusent de profiter des ventes de vêtements fabriqués dans les prisons ou les couvents et dont la publicité est faite par le journal. Des boutiques ont même été ouvertes dans l'immeuble du quotidien. Les rapports entre Jaurès et Gérault-Richard se tendent ainsi et par ailleurs l'évolution de Millerand rend difficile, dans cette période de tension parmi les socialistes, la continuation de la collaboration de Jaurès à un journal qui avait été celui de l'ancien ministre.

Or, le rôle de la presse, alors que montent les risques de guerre, apparaît à Jaurès et à ses amis — Herr, Blum — décisif. Ils avaient déjà pu apprécier son importance au moment de l'Affaire Dreyfus et ils avaient alors déjà pensé à créer un journal, qui fût celui des « dreyfusards » face à la prolifération des feuilles antisémites, qu'elles se rangent sous la bannière de *La Croix* ou de la *Libre*

Parole. La question se pose à nouveau maintenant que la presse, à propos de l'alliance franco-russe et de la guerre russo-japonaise, montre sa cécité ou sa vénalité.

Et puis Jaurès et ceux qui pensent comme lui, ses amis, presque tous intellectuels et hommes de plume, rêvent à ce journal qu'ils dirigeraient, créeraient à leur image. Jaurès y a songé dès 1896. Ce rêve, les circonstances semblent imposer qu'il devienne réalité. Herr, Blum, Jaurès sont persuadés qu'il y a place pour un grand journal de vérité, qui ferait pièce, non seulement aux journaux à fort tirage mais au journal du parti de Guesde, *Le Socialiste.*

Chez Jaurès, ce projet provoque l'enthousiasme. Il aime écrire des articles. Ils se comptent déjà par milliers. Sa facilité s'adapte bien à cette forme d'écriture et de réflexion liée à l'actualité. Sa rapidité de pensée et de rédaction lui permettent de réagir vite à l'événement. Il ne se préoccupe pas du surcroît de travail que la direction politique de ce journal provoquera, ou même des problèmes financiers qui surgiront. Le dynamisme du projet l'emporte.

Lucien Herr et Léon Blum, Lévy-Bruhl vont mettre en forme ce que Jaurès est capable de concevoir et d'animer mais non pas d'élaborer « administrativement » et financièrement.

On pense d'abord construire à partir de ce qui existe : *La Petite République* qu'on rachèterait et qu'on épurerait. Gérault-Richard et Dejean, les propriétaires, semblent se prêter à l'opération puis, brusquement, se dérobent. En janvier la décision est donc prise de lancer un nouveau journal. Et la question première est celle des capitaux. Jaurès n'entend rien à l'argent. Ce monde lui est totalement étranger. Herr, Blum, Lévy-Bruhl vont s'employer à rassembler des fonds.

L'entreprise n'est pas si difficile. Jaurès est l'homme politique majeur de la gauche, un des grands leaders parlementaires. Il bénéficie de l'amitié des intellectuels qui ont fait le dreyfusisme. Enfin, il suscite des sympathies dans les milieux juifs, par suite de son engagement en faveur de Dreyfus. Son socialisme fait de sincérité et de foi, de rigueur et de raison n'inquiète pas trop. Et de plus, chacun des participants à l'entreprise investira. Lévy-Bruhl verse ainsi 100 000 francs (environ 1 200 000 francs de 1984). Mais Jaurès 10 000 — l'indemnité parlementaire annuelle est de 9 000 francs. Herr donne la même somme qui correspond à deux fois son traitement annuel de bibliothécaire. Francis de Pressensé apporte pour sa part 30 000 francs. Cet homme, qui atteint la cinquantaine, est issu d'une riche famille protestante. Après avoir été chef de cabinet du ministre de l'Instruction publique en 1887, puis diplomate, il a assuré pendant dix-neuf ans le bulletin de politique extérieure du *Temps*. Il est devenu socialiste jaurésien pendant l'affaire Dreyfus. Député de Lyon, il est président de la Ligue des droits de l'homme et se chargera au journal de la politique étrangère. Le banquier Louis Dreyfus versera 25 000 francs, Briand 5 000 et le député Rouanet 2 000. En tout on rassembla 880 000 francs (environ 10 millions de francs de 1984).

Un soir, le 6 avril 1904, se tint chez Jaurès la première assemblée générale qui désigna un conseil d'administration de trois membres, des amis de Jaurès, Herr, Rouanet et l'éditeur Casevitz. Blum et Lévy-Bruhl étaient commissaires aux comptes.

Jaurès était confiant : 70 000 exemplaires suffisaient à équilibrer le journal, comment ne les vendrait-on pas ?

On discuta du titre. On pensa — peut-être Jaurès — à *Lumières,* mais le titre étant pris on se rallia à la proposition de Lucien Herr : *L'Humanité.* Herr, en suggérant ce mot, était fidèle à sa plus intime pensée pour qui « il n'y a qu'une vérité humaine... Le degré de civilisation se mesure au degré de cosmopolitisme ». Mais s'il fut aussi un titre jaurésien, c'était bien celui-là, exprimant la volonté d'universel qui avait toujours animé Jaurès, ce souci de dépasser le fait quotidien et partiel, ce désir de parler au nom de tous les hommes et pour l'homme. Un titre marqué par l'époque sans doute — *L'Aurore, Le Temps...* — mais indiquant le souci de replacer la politique dans un projet culturel, dans une vision philosophique ouverte. Mais l'engagement du journal serait évidemment marqué. Jaurès écrivait ainsi à Longuet : « Le journal sera authentiquement et activement socialiste et il cherchera à faire la conciliation à gauche. J'ai demandé un article à Allemane qui a accepté. J'en demanderai aux principaux militants des organisations ouvrières. »

Trouver des collaborateurs fut chose aisée. On établit l'organigramme du journal, d'une modernité remarquable, avec ses correspondants étrangers, ses rubriques « Mouvement social », « Questions économiques », « Mouvement syndical en France et à l'étranger », sa « Chronique scientifique », ses « Questions agraires » et sa rubrique « Enseignement ». Parmi les collaborateurs littéraires, on trouvait Blum et Michel Zevaco, Tristan Bernard et Jules Renard, Anatole France et Octave Mirbeau, Henry de Jouvenel et Abel Hermant. Les éditoriaux étaient assurés notamment par Briand, Viviani, Allemane, et naturellement Jaurès, directeur politique. Herr assistait Pressensé à la page — capitale — de politique extérieure. Blum s'était engagé à donner deux articles de critique par mois et voulait dans cette rubrique qui s'ouvrait à la une du journal « démontrer le rapport étroit qui rapproche aujourd'hui le mouvement litté-raire de l'évolution sociale » et « négliger ainsi le délassement fugitif et médiocre pour ne retenir que les textes qui élèvent le débat ».

Le journal comptait huit agrégés, sept normaliens : équipe d'intellectuels dont Briand avec sa gouaille se moqua : « Ce n'est pas *L'Humanité,* ce sont les humanités », dit-il. Equipe où l'on rencontre des jeunes chercheurs, ceux qui s'étaient rassemblés autour de Herr et de Blum dans le Groupe de l'Unité socialiste. Il y a là, comme éditorialiste, Charles Andler, Marcel Mauss, Albert Thomas. Une rédaction jaurésienne qui a, dans l'Affaire Dreyfus, montré son efficacité et son but : concilier la fidélité au socialisme et l'engage-ment militant, avec la défense des principes humanistes.

Trouver les fonds, le lieu — 110, rue de Richelieu —, définir l'esprit du journal, créer l'équipe : Jaurès découvrait la difficulté de l'entreprise qu'il avait à conduire de front avec son travail parlemen-taire, les articles qu'il continuait d'écrire pour *La Dépêche de Toulouse* alors qu'il avait cessé de collaborer à *La Petite République* depuis le début de l'année 1904.

Le premier numéro de *L'Humanité* était prévu pour le 18 avril. Période de surexcitation et d'angoisse, où il faut tout inventer.

Est-ce dans un moment de fatigue et peut-être afin de trouver un appui de plus ou un conseil technique que Jaurès se rendit, quelque temps avant la sortie du journal, à Suresnes, chez l'artisan qui imprimait *Les Cahiers de la Quinzaine.* Il demanda à voir Péguy qui était absent.

Entre les deux hommes, le fossé — du fait de Péguy — s'est creusé. Péguy reproche à Jaurès « sa capitulation devant la démago-gie combiste, et bientôt sa complicité ».

Mais quand il apprend la visite de Jaurès, Péguy décide de lui rendre visite. « J'étais le plus jeune, un tout jeune homme en comparaison de lui, par conséquent, je devais lui céder le pas... nos anciennes relations n'avaient rien eu que de hautement honorable. »

Rien d'un mouvement spontané chez Péguy, mais une pensée qui calcule minutieusement ce que l'un doit à l'autre.

Le lendemain Péguy est chez Jaurès. Il trouve, à l'entendre, un « tout autre homme, vieilli, changé ». Où était le Jaurès de plein air et de bois d'automne ? Jaurès comme il eût été s'il ne lui fût jamais arrivé malheur, et dont le pied sonnait sur le sol dur des routes ! Le malheur qui, selon Péguy, s'est abattu sur Jaurès, c'est la politique. Il serait devenu le Jaurès ruisselant et rouge des meetings enfumés, ce Jaurès rouge et « lourdement mondain des salons de défense républicaine ».

La description est partiale, retouchée — ce rouge qui caractériserait Jaurès — pour frapper et caricaturer. Mais peut-être dans la lassitude d'un Jaurès qui se confie à Péguy : « Je fais des courses, des démarches... Les gens ne marchent pas, les gens sont fatigués, les gens ne valent pas chers... » y a-t-il l'aveu de ces difficultés qu'il rencontre avant même que le journal ne soit sorti, ces premiers pas du quotidien.

Est-il « las, voûté, ravagé » ? Péguy n'a-t-il comme il l'écrit « jamais vu personne d'aussi triste, d'aussi désolant, d'aussi désolé, que cet optimiste professionnel » ? On ne peut nier que chez Jaurès, parfois, des accès dépressifs, d'abattement, viennent rompre pour quelques instants le dynamisme. Mais Péguy, noircissant le tableau à dessein, veut prouver que Jaurès s'est « perdu » en politique. Qu'il tient lui le beau rôle jusqu'à proposer, non pas sa collaboration au journal : « Ma vie appartient tout entière aux *Cahiers* », dit-il, mais celle de quelques-uns de ses amis. Jaurès lève un peu les bras au ciel, puis répond à Péguy d'un air désolé : « Vous savez ce que c'est, dit-il, j'ai mon personnel plein avant de commencer. Il est plus facile d'avoir des collaborateurs que de trouver des commanditaires... » Monta-t-il « lourd, écroulé, dans ce fiacre baladeur » ainsi que le dépeint Péguy ? Ce fut en tout cas en ce début de l'année 1904 leur dernière rencontre.

On y lit sans doute la fatigue de Jaurès à la veille d'un événement important de sa vie politique et personnelle — créer et faire vivre, animer un journal national, ce n'est pas rien — mais surtout la hargne et la solitude de Péguy qui s'enferme dans ses certitudes et change en haine l'admiration qu'il portait à Jaurès.

Cependant, il s'est trompé s'il a cru Jaurès perdu et désolé.

Le 18 avril 1904 tombe le premier numéro de *L'Humanité,* tiré à 140 000 exemplaires, vendu, dit Jules Renard qui y publie une nouvelle, *La Vieille,* à 138 000. Un immense succès.

Jaurès dans son éditorial justifiait le titre, qui était la définition même du programme socialiste, disait-il. Surtout il précisait quel serait l'esprit du journal. Le contraire même d'une publication de propagande, au sens étroit du mot. On y trouverait des « informations étendues et exactes » donnant à toutes les intelligences libres le moyen de comprendre et de juger elles-mêmes les événements du monde. S'y manifestaient le refus du « mensonge, des informations tendancieuses, des nouvelles forcées ou tronquées... la loyauté des comptes rendus, la sûreté de nos renseignements, l'exactitude de nos correspondances ». En somme, « un souci constant et scrupuleux de la vérité » qui n'émoussera pas la « vigueur du combat ».

Exactitude, vérité, loyauté, liberté, combat : les mots étaient l'expression fidèle de l'attitude de Jaurès. Et naturellement il affirmait l'indépendance du journal, sa transparence.

La joie régnait le jour de la sortie et du succès du premier numéro. Jules Renard, partagé — 138 000 lecteurs ont pu lire *La Vieille,* mais sa nouvelle a-t-elle été comprise ? —, se rend rue Richelieu, au siège du journal. Jaurès, Briand, Herr, Anatole France, Mirbeau, Blum, tout le monde le félicite et il n'ose dire à Herr : « Vous aussi vous avez écrit une bonne page. » Anatole France parle, Mirbeau rit. Jaurès écoute la tête mobile, regardant l'un puis l'autre. Briand est jovial... « Léon Blum actif, fiévreux, semble la nymphe égérie. Il regarde Jaurès écrire un mot et dit parfait. »

Jaurès est venu au-devant de Renard, l'a remercié, prié de ne pas rester longtemps sans donner une page. Renard croit rêver. Il n'a jamais été reçu ainsi dans un bureau de rédaction. Mais il ne s'agit pas de journalistes comme les autres et pourtant le journal est les premiers mois un succès.

Jaurès avait voulu, dit-on, faire *Le Temps* socialiste. Or, *L'Humanité* s'impose vite. Pressensé et Herr dans leur page de politique extérieure sont des analystes sûrs et parfaitement informés. Et pour le reste, note un critique (Thibaudet) : « *L'Humanité* est une splendeur. D'abord le leader quotidien de Jaurès, qui n'eut jamais plus de flamme et de talent. Le critique littéraire est Gustave Lanson auquel succéda Léon Blum. Les reportages sont faits par Daniel Halévy. Le mouvement social est suivi par une dizaine de jeunes normaliens. Pour feuilleton, la primeur de *Sur une pierre blanche* d'Anatole France. »

Il n'y a que Péguy, hargneux, qui dans sa volonté de dénigrement juge que « *L'Humanité* est un journal plus gris que *La Lanterne,* aussi bas que son ancienne *Petite République,* suintant la politique et toujours quelque unité ». Et quant aux collaborateurs, « il s'agit, selon lui, d'une horde affamée de petits agrégés normaliens venus au secours de la République après la bataille ».

Pourtant, la qualité indiscutable du journal n'en garantit pas le succès. Surtout si, en première page, on publie les résultats des concours de l'agrégation de 1904, comme s'il s'agissait là d'une nouvelle susceptible d'intéresser le grand public ! Petites erreurs des premiers numéros, révélatrices des préoccupations des rédacteurs. Mais on comprend qu'avec de tels choix le journal ne tire bientôt plus qu'à 12 000 exemplaires.

Jaurès lors du lancement n'a pas envisagé une telle chute. « Les hommes de métier, dit-il, ont bon espoir pour notre journal. Nous tirons à 140 000, il y aura des déchets énormes, mais nous avons de la marge : avec 70 000 le journal fera ses frais. »

Les premiers mois les chiffres parurent lui donner raison. Il est vrai que *L'Humanité* fut portée par l'événement.

Les difficultés continuent en effet à propos des relations entre l'Etat et l'Eglise.

La fermeture des écoles congréganistes, les protestations du pape Pie X, l'action de son secrétaire d'Etat Merry Del Val entretiennent un climat d'opposition entre le gouvernement français et le Saint-Siège, toujours liés par le Concordat. La visite du président de la République à Rome — où le pape se considère comme prisonnier —, l'accueil que lui réserve le roi d'Italie, provocant aux yeux du pape entraînent maintenant une dégradation des relations diplomatiques. Le Vatican transmet au gouvernement français une note de protestation qui est aussi envoyée aux chancelleries des différents pays. La note paraît au gouvernement français anodine.

Le 17 mai, coup de théâtre : *L'Humanité* publie à la une le texte de la note adressée par le Saint-Siège aux pays étrangers et il comporte une phrase de plus, que Jaurès commente avec indignation. Elle laisse entendre en effet que le Vatican ne maintient ses relations avec Paris que dans l'attente de la chute prochaine du gouvernement français.

C'est une bombe journalistique et politique que vient de lancer Jaurès. Il jubile. La note lui a été remise secrètement par le prince Albert de Monaco, un anticlérical décidé. Et Jaurès sait que sa publication pose à court terme le problème de la rupture du Concordat. Il faut, dit-il, « l'entière émancipation de la France ». Et à la Chambre son sentiment est approuvé par 427 voix contre 96. Les députés ont en majorité jugé que l'indépendance du pays était mise en cause par le texte pontifical. Au début du mois de juillet, un incident à propos du voyage à Rome de deux évêques (ceux de Laval et Dijon) convoqués devant le pape parce que jugés d'esprit républicain provoque la rupture des relations diplomatiques. Il n'est plus qu'un degré à franchir pour parvenir à la séparation de l'Eglise et de l'Etat.

Jaurès — et *L'Humanité* — ont donc joué un rôle déterminant dans ce processus. Car Combes, s'il hésite encore, est soumis à la pression des socialistes qui sur ce terrain contraignent par leur détermination les radicaux à les suivre.

Un jour, de ce mois de juillet, Caillaux rencontre dans les couloirs de la Chambre Aristide Briand. Il l'interroge sur l'attitude des socialistes, à ce propos. Briand n'hésite pas : « Mais certainement, nous sommes partisans et partisans résolus de la séparation, dit-il. Qu'est-ce que vous voulez ? Quand nous parlons de réformes sociales on nous objecte un peu partout qu'il y a encore des réformes politiques à faire dont la principale est précisément celle-là. Il nous faut donc épuiser le programme politique du radicalisme pour être à même d'imposer l'examen de nos conceptions. »

Naïveté des socialistes, pense Caillaux, qui rapporte ces propos. L'ancien ministre des Finances estime qu'il y a un état d'esprit radical qui ne peut être effacé et que les socialistes s'illusionnent quant à l'avenir. Mais les socialistes sont déterminés. La loi de Séparation apparaît ainsi à Jaurès — dont Briand ne fait que répéter les idées — comme le dernier but à atteindre par le Bloc des gauches dans l'ordre de la défense de la République et de son émancipation du passé.

Le 15 août 1904, Jaurès écrit dans *La Dépêche de Toulouse* — où il continue en plus de ses articles de *L'Humanité* à publier des chroniques : « Il est temps que ce grand mais obsédant problème des rapports de l'Eglise et de l'Etat soit enfin résolu pour que la démocratie puisse se donner tout entière à l'œuvre immense de réforme sociale et de solidarité humaine que le prolétariat exige... » Et il précise même que la loi de Séparation doit être votée dans les premiers mois de 1905. Jaurès a donc fixé, par rapport au Bloc des gauches, sa ligne de conduite : séparer l'Eglise de l'Etat puis exiger qu'on aborde les problèmes sociaux.

Quand paraît cet article, le 15 août, Jaurès est à Amsterdam depuis deux jours.

Là s'ouvre en effet, le 14 août, le VIe Congrès de l'Internationale socialiste.

Amsterdam parle à Jaurès qui ne cesse de s'enthousiasmer. Sous le ciel lavé du mois d'août, la ville paraît sertie dans l'eau des canaux concentriques où se reflètent les hautes et étroites façades de brique. L'Europe urbaine, ici, a atteint l'un de ses points de perfection quand se marient tout au long des siècles d'histoire la culture et l'économie. Jaurès est intarissable. Il est arrivé à Amsterdam avec Aristide Briand et chaque pas évoque chez lui un épisode historique ou lui rappelle un moment de la culture européenne. Il éprouve à la rencontre de cette cité, la première terre de la liberté de pensée qui fut aussi cité de résistance aux oppressions, de cette civilisation urbaine et bourgeoise qui donna tant à l'art et à la philosophie et de l'Internationale socialiste, l'une de ses joies pleines qu'il ressent quand se manifeste ainsi le sens de l'unité des choses.

Le Congrès de l'Internationale se tient au sud de la ville, dans le quartier des parcs et des musées, au Concert-Gebouw, Van-Baerle Straat. En face de la salle s'étend un vaste espace, composé d'un terrain de sport et au-delà, derrière les arbres, se dresse le Rijksmuseum.

Jaurès est heureux de cet environnement. Il se promet de visiter les musées de la ville entre les séances.

Le Congrès dès le début l'émeut. Vingt-deux nations représentées par 444 délégués composent l'assemblée. Des fleurs — marguerites, tournesols —, des arbustes, des géraniums et l'inscription immense, drapeau et mot d'ordre : « Prolétaires de tous les pays, unissez-vous ! »

Les Français sont 82, dont 31 délégués du parti de Jaurès et parmi eux les leaders : Viviani, Briand, puis Francis de Pressensé, Rouanet, Gérault-Richard, Renaudel. La plupart sont des élus ou des intellectuels. Allemane est venu avec 6 délégués. Et l'on note parmi les 41 délégués du Parti socialiste de France Guesde, Vaillant, Bracke, et un jeune professeur d'origine bretonne mais représentant la Gironde, Marcel Cachin, ainsi que Delory, le maire de Lille. Ces hommes se connaissent tous. Guesde et Jaurès se souviennent de chacune de leurs rencontres, de leurs arguments. Jaurès vient d'affronter Cachin dans une réunion, qu'il a tenue à Toulouse et au cours de laquelle Cachin l'a interrompu violemment, reprenant les thèmes d'un pamphlet qu'il a écrit : « Le banquet du roi », accusant Jaurès d'avoir renié ses combats aux côtés des mineurs de Carmaux.

Tous ces hommes ont le sentiment de partager le même idéal et chez certains d'entre eux, il y a la conviction que les autres — les camarades ou ceux qui le furent — le compromettent par leur tactique, qui est un abandon des principes mêmes qui fondent l'idéal. C'est ainsi que Guesde espère bien contraindre Jaurès et le Parti socialiste français à se plier à sa loi, qui est celle de l'Internationale, ou bien à la quitter. Mieux vaut l'amputation que la gangrène.

Parmi les délégations étrangères, Jaurès peut facilement identifier les vieux routiers de l'Internationale Kautsky dont la résolution qu'il a fait voter à Paris en 1900 n'a pu condamner, pour toutes les circonstances, l'entrée d'un socialiste au gouvernement. Mais depuis, Kautsky a évolué. A Dresde, la résolution du Congrès du Parti socialiste allemand a exclu toute participation. Jaurès c'est l'adversaire. « Il déshabitue les gens de penser clairement, a-t-il écrit au socialiste autrichien Adler. Il est un génie rhétorique, mais c'est justement pour cela qu'il croit pouvoir tout faire avec des mots... Il exagère au plus haut degré ce fléau national français... Pour le reste son talent est celui d'un tireur de ficelles parlementaires ». Et Kautsky a ajouté, avec une animosité qui doit puiser dans la rivalité de leader à leader : « Jaurès a ruiné le socialisme prolétarien de son pays pour des années... »

Kautsky fait maintenant, depuis la résolution de Dresde et le Congrès de Reims, cause commune avec Guesde, allant jusqu'à lui confier, à la veille du Congrès d'Amsterdam : « Je considère qu'il est impossible de faire l'unité avec Jaurès. Mais on doit s'efforcer de l'isoler et de le faire connaître comme la vraie cause de désunion du socialisme français. »

Il y a aussi Bebel, un adversaire, l'Italien Ferri, encore un adversaire, tout comme cette petite jeune femme au charme fait d'intelligence et de détermination, Rosa Luxemburg.

Jaurès connaît cette juive polonaise, sensible et perspicace, dévouée à la cause socialiste. Polyglotte, elle est venue à Paris, en 1898, a fait remettre comme une étudiante admirative sa thèse de doctorat à Jaurès, « Le Développement industriel de la Pologne », puis elle a condamné la politique du député de Carmaux qui, disait-elle, risque « d'anéantir toute l'œuvre accomplie par le socialisme depuis un quart de siècle ». Mais en même temps, elle lui garde son estime, ne met pas en doute sa conviction socialiste sincère et reste fascinée par son éloquence. « Ce qu'il dit est certes faux, précise-t-elle, mais cela ne fait rien, on ne peut s'empêcher d'applaudir, on se sent conquis. » Elle l'a rencontré au Congrès international de Paris en septembre 1900, et elle a déjà polémiqué avec lui.

Dans cette salle accueillante, il y a donc surtout des délégués hostiles à Jaurès, même si, Vandervelde, le Belge, Adler, l'Autrichien, sont décidés à favoriser la conciliation, à éviter en tout cas une condamnation de Jaurès.

Mais tout le Congrès est dominé par la puissance de la social-démocratie allemande qui avec ses 400 000 adhérents, ses 78 journaux dont 54 quotidiens, ses organisations de masse, ses liens avec le mouvement syndical, ses millions d'électeurs paraît gigantesque quand on la compare aux faibles partis français.

Et cette puissance pose à Jaurès une question centrale : faut-il soumettre tous les partis nationaux à une stratégie unique qui peu ou prou sera celle des Allemands, c'est-à-dire celle définie par Kautsky ? Une orientation née d'un socialisme dogmatique, bureaucratique qui s'est développé dans un pays sans tradition ni parlement démocratiques. Ou bien laisse-t-on à chaque parti le soin de définir sa stratégie et notamment aux socialistes français la possibilité de choisir un socialisme inventif, adapté aux conditions réelles de la nation, à ses traditions, un socialisme fondé sur l'humanisme, la liberté et la démocratie ? Telle est aussi la question du Congrès qui se dissimule derrière un ordre du jour trop lourd mais où l'on sait bien que le point central est celui des « règles internationales de la politique socialiste ».

Pourtant le Congrès d'Amsterdam c'est d'abord l'émotion.

A l'ouverture le socialiste hollandais, Van Kol, qui préside, appelle à la tribune le Russe Plekhanov et le Japonais Katayama. Les délégués se lèvent. Là-bas, devant Port-Arthur, l'Empire du Soleil-Levant et l'Empire du tsar se font la guerre, mais ici le socialiste russe et le socialiste japonais se serrent la main. « Prolétaires de tous les pays, unissez-vous ! »

Pour Jaurès cet acte solennel et symbolique résume tout le socialisme. Mais, une fois les délégués rassis, une fois les commissions constituées, il faut bien engager le débat, c'est-à-dire s'opposer.

Jaurès avait, quelques semaines avant le Congrès, publié une longue préface à ses discours parlementaires que l'on éditait. Apparemment, il y traitait du *Socialisme et du radicalisme en 1885*. En fait, il montrait comment il se différenciait à la fois de Guesde, dont la tactique était pleine de contradictions, d'incohérences tant sur le plan de la politique intérieure que de la politique extérieure, mais aussi comment il se séparait de Clemenceau qui n'abordait pas les questions sociales. Entre le dogmatisme et le verbalisme de Guesde d'une part, et les impuissances de Clemenceau d'autre part, il existait la ligne socialiste, celle de Jaurès.

Mais ici, à Amsterdam, il fallait, dans un duel singulier violent, écouter Guesde et lui répondre. Et puis répondre aux Allemands qui donnaient le *la*.

Guesde fut sévère. Il avait cinquante-neuf ans. Il était convaincu d'avoir raison, persuadé que Jaurès sabordait le socialisme. Il sentait que la majorité du Congrès pouvait — devait — le soutenir. Depuis des années, Jaurès était son rival qu'il n'avait pu ni blesser ni plier. L'instant était venu. Il proposa aux délégués de voter la résolution de Dresde. Puis il argumenta. Il interpella Jaurès : « Camarade, ex-camarade. » Tout était dit. Jaurès n'avait pas le sentiment de la lutte des classes. Il ne l'avait jamais pratiquée. Il bavardait sur le développement historique des peuples. « Vous dissertez sur votre action, qui a sauvé la République. » Mais la République n'était pas menacée et : « Quand vous auriez sauvé la République, vous n'auriez rien fait pour le prolétaire ! »

C'était le débat du temps de l'Affaire Dreyfus qui reprenait devant les délégués de 22 nations. Il fallait transformer totalement la société capitaliste, sinon il n'y avait qu'illusion. Et la lutte pour la laïcité était une duperie. « Votre erreur est fondamentale, martela Guesde, vous attachez le socialisme à la République et à la Révolution française. Nous, nous disons que le socialisme est le résultat de phénomènes purement économiques... »

C'était l'opposition irréductible : le tout ou rien de Guesde (au moins dans les mots) qui s'opposait à la lutte concrète de Jaurès dans les conditions françaises : « La République en France a une signification de progrès et de liberté », avait dit Jaurès. Alors d'autres montèrent à l'assaut contre Jaurès : les Russes Plekhanov et Rouba-novitch, le Tchèque Nemec qui dit avec véhémence : « Jaurès a été trop loin, ce n'est pas nous qui nous servons des partis bourgeois pour arriver à nos fins, ce sont les partis bourgeois qui se servent de nous pour consolider le régime capitaliste. »

Enfin on vit s'approcher de la tribune la frêle Rosa Luxemburg qui déclara : « Jaurès fait fi de la lutte des classes, de la solidarité internationale. »

Jaurès entouré de Viviani et de Briand écoutait ces réquisitoires, apparemment serein, prenant quelques notes. Puis il y avait les réunions de la Commission des résolutions, le choix entre la motion de Dresde présentée par Guesde et celle que proposaient Vander-velde et Adler. « Nous voulons, expliquaient le socialiste belge et l'Autrichien, enlever à la motion de Dresde les dents avec lesquelles elle mord nos amis... Nous ne voulons pas vous infliger à vous Jaurès une remontrance. » Mais les Allemands donnaient à leur tour de la voix, Bebel le plus agressif : « C'est vous-même qui vous êtes compromis de la façon la plus grave, en soutenant continuellement Millerand, commença-t-il. Ça a été le pas le plus fatal de votre vie, le piège le plus dangereux que vous ayez pu tendre au socialisme international ».

Dupé Jaurès, selon Bebel. Viviani et Briand, autour de lui, s'indignaient au fur et à mesure que les traducteurs répétaient les accusations du socialiste allemand.

Bebel reprenait : « Vous éloignez du socialisme les prolétaires conscients et vous cachez sous l'étiquette socialiste des éléments suspects qui viennent de la bourgeoisie. »

Dupé mais aussi dupeur, Jaurès.

Il demanda la parole. Petit homme trapu, à la barbe déjà blanche, dont tout le corps et la lourde tête expriment la détermination. Il va répondre à Bebel, aux socialistes allemands. Les traducteurs se récusent. Ils ne peuvent traduire les longues périodes oratoires de Jaurès. « Mais qui va me traduire ? » demande Jaurès. Rosa Luxemburg lève la main : « Moi », dit-elle s'avançant vers Jaurès. Il y a quelques applaudissements. Jaurès dit : « C'est la preuve évidente que l'on peut combiner la lutte et la collaboration. » Puis il se lance à l'attaque. Il sait qu'en commission on a rejeté la motion de compromis Vandervelde-Adler, qu'il est donc condamné, lui et sa politique, et ceux qui l'ont suivi. Et c'est protégés par la masse de la social-démocratie allemande qu'ont avancé Jules Guesde et ses amis. C'est aux socialistes allemands qu'il s'en prend donc, impitoyable. On fait campagne contre lui, dans le Congrès, dit-il, répétant qu'il était un « grossen verderber », un grand corrupteur du prolétariat. Mais ce qui « pèse sur l'Europe et le monde, c'est l'impuissance politique de la social-démocratie allemande, de ce prolétariat qui n'a pas conquis lui-même le suffrage universel mais l'a reçu d'en haut, de ce parlement qui n'est qu'un demi-parlement, de ce pays où il n'y a pas de tradition révolutionnaire, de cette social-démocratie allemande qui masque sous l'intransigeance des formules son impuissance. Et c'est cette impuissance que la motion de Dresde inoculerait à tout le socialisme international ».

Il faut du courage pour attaquer ainsi le parti le plus fort, celui qui sert de modèle à tant d'autres socialismes. Peut-être cette intervention de Jaurès a-t-elle été préparée avec Lucien Herr, bon connaisseur de l'Allemagne et adversaire méfiant de son socialisme. Jaurès met aussi en lumière la curieuse position de Kautsky qui semble autoriser la participation d'un socialisme au gouvernement en cas d'« invasion ». Faut-il donc la guerre, la pire des situations, celle qui paralyse, pour accéder au gouvernement ? Curieuse position ! commente Jaurès.

Mais les jeux sont pourtant faits.

La motion dure — de Dresde — est votée. L'amendement Vandervelde-Adler ne réunit que 21 voix contre 21. Il est donc repoussé. Quand on fait le détail du scrutin, on remarque que les voix de trois délégations se sont neutralisées (celles de la France, de la Norvège et de la Pologne) et que de ce fait la décision a été imposée par les délégations du Japon et de la Russie, pays n'ayant pas de pratique démocratique et ignorant les conditions de la lutte politique et sociale dans des régimes où existent un Parlement souverain et le suffrage universel.

Briand s'insurge, conseille à Jaurès de rompre, de quitter cette Internationale. Mais Jaurès ne semble pas affecté. Il attend et pourtant ce dont il est question, c'est bien, si l'on tire les conclusions du vote, de l'élimination de Jaurès et de ses amis. Guesde espère qu'ils devront entrer dans son parti et se soumettre ou bien déserter le combat socialiste.

Bebel, vieux routier des Congrès, réfléchit. Il votera un second texte où l'on demande qu'il n'y ait dans chaque pays qu'un Parti socialiste, et que l'*unité* se fasse sur la base des principes établis par *les* Congrès internationaux.

Les : donc pas seulement celui d'Amsterdam.

Unité : donc il faudra que Guesde accepte de négocier avec Jaurès et que se crée, à partir des deux hommes, un nouveau parti.

Au moment où Guesde croit avoir remporté une victoire absolue sur Jaurès, celui-ci renaît comme un partenaire égal.

Bebel, quelques semaines plus tard, s'expliquera : « Exclure Jaurès du parti est simplement impossible, dit-il. Rendre Jaurès impossible est impossible... Jaurès est un homme honnête qui aura toujours derrière lui de nombreux partisans. »

Jaurès est bien une force avec laquelle au-delà des votes des délégations, il faut compter. Et Bebel a senti dans le Congrès même le courant de sympathie et d'approbation qui se porte vers Jaurès.

Il restait l'émotion et l'habileté pour clore le Congrès qui s'était tenu dans cette salle claire parmi les géraniums, les marguerites, les tournesols et les drapeaux rouges.

Vandervelde se leva et commença de parler.

« Au début de ce Congrès, dit-il, nous avons vu Plekhanov et Katayama se tendre la main. Jaurès et Guesde sont-ils plus fratricidement en guerre que le Japon et la Russie ? Camarade Guesde, camarade Jaurès, je vous adjure, dans une pensée de paix socialiste internationale, de vous tendre la main ! »

Instant intense. Habile proposition qui place Jaurès et Guesde sur le même plan. Qui donc a tort ? Qui donc a raison ?

Vaillant et Renaudel au nom des deux partis donnèrent leur accord à l'union.

Puis les 444 délégués des vingt-deux nations entonnèrent *L'Internationale*.

Et les portes de la salle du Concert-Gebouw d'Amsterdam se refermèrent.

Après les discours, les drapeaux, les fleurs et les chants, la réalité allait à nouveau imposer sa loi.

Et qui de Guesde ou de Jaurès savait le mieux l'analyser et était le plus capable de la maîtriser ?

Poser la question, c'était y répondre.

Chapitre 16

« Je me sens couvrir de crachats »
(1904-1905)

« Jaurès mit la main à la poche de son gilet et me tendit une petite pièce blanche de dix sous. »

Dans la vieille cuisine d'une famille ouvrière de Carmaux, Jaurès vient de s'asseoir et d'un geste naturel, instinctif, il a attiré l'enfant à lui, lui caressant la tête, puis il lui a donné cette pièce de monnaie et Laurent Naves, un demi-siècle plus tard, se souvient de l'émotion qu'il a ressentie alors.

Son père dirige la petite section socialiste du village de Rosières, situé aux portes de Carmaux, et tous les jours l'enfant entend parler autour de lui de Jaurès « avec une ferveur presque religieuse », si bien qu'il se le représente comme un être fabuleux. Et maintenant Jaurès est assis là, familier, fixant le gosse de ses yeux bleus.

« Fasciné par son regard, raconte Laurent Naves, je ne pus alors contenir mon émotion et me mis à pleurer. Comme ma mère me grondait, Jaurès lui dit d'une voix très douce : " Laissez-le, madame, ça prouve qu'il a de la sensibilité. " »

Dans la phrase, on reconnaît l'accent et la forme occitane, qui donnaient à Jaurès cette possibilité de contacts immédiats, fraternels avec ses électeurs, paysans ou ouvriers, de la région de Carmaux.

C'est devant eux qu'il va prononcer, au lendemain du Congrès d'Amsterdam, son premier discours le 26 septembre.

Celui qui parle avec fougue et netteté devant plus de trois mille auditeurs, à Carmaux, n'a ni le comportement d'un homme désavoué, ni celui d'un leader qui a renoncé à sa ligne politique. Il

369

raconte Amsterdam, fait applaudir l'unité nécessaire, l'internationalisme chargé d'émotion qui a vu Russe et Japonais se serrer la main.

Cette entente est plus que jamais nécessaire au moment où l'on apprend qu'une flotte russe a quitté les ports de la Baltique et qu'elle fait route, par la mer du Nord, vers le Japon et Port-Arthur, un tour du monde de guerre d'où ne peuvent surgir que de nouvelles tensions. On applaudit Jaurès et on l'acclame aussi quand il dit qu'il faut, en France, aller jusqu'à la séparation de l'Eglise et de l'Etat, qu'en somme les socialistes doivent continuer de rester dans le Bloc des gauches. Il fait même voter un ordre du jour dans ce sens. Les électeurs font confiance à Jaurès et sont prêts à le suivre.

Qui a gagné à Amsterdam de Guesde ou de Jaurès ?

Est-ce à dire que Jaurès refuse l'unité ? Il y a ceux qui, ambitieux, impatients, voudraient le pousser dans ce sens. Aristide Briand, dont toute la personnalité est tournée vers l'action et le pouvoir, dont le physique agile est celui d'un avide, critique Jaurès, à mots couverts, pour ses concessions. C'est un tempérament craintif, dit-il, qui n'ose pas s'opposer aux pressions populaires. Et dans un meeting à Bordeaux le 9 octobre, Briand affirme que « le Congrès d'Amsterdam pour avoir voulu juger trop vite s'est exposé à mal juger ».

D'autres au contraire — la gauche du parti de Jaurès — Renaudel, Longuet — veulent aller le plus vite possible à l'unification avec le Parti de Guesde. Celui-ci dès le 30 août a décidé de mettre en œuvre le texte voté à Amsterdam et le 4 octobre propose la constitution d'une « commission d'unification ». Il réclame l'abandon de la Délégation des gauches et l'élimination de ceux qui s'y refuseraient. Des caricatures qui paraissent dans le journal guesdiste Le Socialiste montrent un Jaurès vaincu, lion dompté par Bebel ou bien bûcheron dont la mort est annoncée par l'unité.

Or Jaurès ne plie pas. Irrité, il n'a que mépris intellectuel pour Guesde. Et il le dit : « Guesde, répète-t-il, a le génie de la simplification. » Alors pourquoi ne pas refuser l'unité, ne pas rompre avec ce Kautsky qui « conçoit la révolution sociale comme une cagnotte qu'il faut emplir toute avant de l'ouvrir. On y accumule un million, deux millions, trois millions de suffrages socialistes... le cœur commence à battre, mais ce n'est point assez : qu'on attende encore... Mais quel malheur si des impatients ou des ambitieux fêlaient la cagnotte ou la brisaient trop tôt... pour essayer un mouvement de démocratie ».

Jaurès croit même les socialistes allemands incapables lors d'une crise grave en Europe d'influencer leur gouvernement.

A Amsterdam au cours d'un dîner, il a longuement bavardé avec un journaliste socialiste, Max Beer, l'un de ces juifs cosmopolites (il est né en Galicie) qui mettent leur expérience internationale au service de leur conviction. Quand Jaurès entouré de Briand, de Pressensé et de Viviani interroge Beer sur l'attitude des socialistes allemands dans l'hypothèse d'une guerre avec la France, Beer est formel : « Ils marcheraient comme un seul homme obéissant à leur gouvernement. » « Il faut, aurait alors dit Jaurès, que nous commencions à étudier les questions militaires... »

Plus au fond encore, dès son retour d'Amsterdam, il reprend dans *L'Humanité* son analyse critique de l'histoire allemande, de ce pays où toutes les révolutions ont été vaincues. Et c'est, selon Jaurès, conscient de cette impuissance, que Marx et Lassale ont élaboré, pour l'Allemagne, une autre tactique, celle de la violence brutale du prolétariat, ce qui est à la fois « un coup de désespoir et un coup de génie ».

Mais la France n'est pas dans le même cas. Alors pourquoi au cours de cet automne 1904 entrer dans cette longue série de négociations avec le Parti de Guesde (dès le 27 novembre), accepter la plupart des conditions posées par les délégués de Guesde ? Voire affirmer au terme de quatre séances (19 au 30 décembre 1904) que le Parti socialiste est un Parti de classe, que les élus au Parlement qui forment un groupe unique doivent être soumis à leur Fédération, qu'ils sont en fait considérés comme des « suspects » ? Les députés ne pouvaient être délégués à l'organisme central du Parti, camarades réduits par le mandat impératif à n'être que des porte-parole ? On comprend que certains d'entre eux dénoncent « la honteuse capitulation consentie » et que le groupe parlementaire refuse de s'incliner.

Les guesdistes au contraire jubilent : « Les amis de Jaurès avalent tout, écrit l'un d'eux — Bracke — à Guesde, on va tâcher de leur en faire avaler un peu plus. »

Faiblesse de Jaurès ? Fascination pour l'unité qui, alors qu'il est si lucidement sévère à l'égard de Guesde et de Kautsky, le paralyse ? Indifférence de Jaurès à l'égard de l'avis de ses amis les plus chers ? Lucien Herr qui dans *L'Humanité* du 15 novembre qualifie Kautsky de « dupe des réactionnaires ». Jaurès a-t-il déjà oublié ce qu'il écrivait lui-même après Amsterdam de « l'aberration de ceux des socialistes allemands qui pour faire le jeu de quelques socialistes français étrangement déviés de la tradition socialiste française ont jeté la défaveur sur la démocratie politique » ?

En fait, il n'y a ni faiblesse, ni fascination, ni machiavélisme politicien chez Jaurès. Il croit à la nécessité de l'unité, tant au plan intérieur qu'entre les prolétaires de tous les pays. Il ne renonce pas à ses choix et à ses analyses. Mais il fait des concessions, qui lui paraissent formelles, secondaires, à ceux qui, « bureaucrates », avec leur logique d'appareil, établissent des règlements intérieurs et soupèsent des équilibres.

Lui, Jaurès (et l'on peut critiquer son optimisme, mais ce sont les années à venir qui trancheront), parie sur le mouvement de la vie, le poids de la réalité, son audience et son talent, pour que l'unité, nécessaire, se fasse au profit de ses idées. L'affrontement qui se déroule entre deux Partis socialistes, il accepte, il préfère qu'il se réalise maintenant, au sein d'un parti unifié. On met des barrières à son influence ? Chevauchant la vie, telle qu'elle est, et non telle que la voudraient les idéologues, il les franchira.

Il sait par exemple que Guesde n'a aucune influence sur le syndicalisme français qui est une force se voulant autonome et révolutionnaire. Que le mouvement coopérateur — qui a sa rubrique dans *L'Humanité* — se méfie lui aussi de Guesde. Qu'il y a ainsi tout un mouvement social qui échappe à l'enrégimentement et que, à l'intérieur du futur Parti socialiste unifié, Jaurès peut l'exprimer.

Pari confiant de Jaurès sur sa propre efficacité et sur la dynamique sociale. Pari que l'on peut gagner à condition qu'un effort d'éducation soit inlassablement poursuivi. Et c'est aussi pourquoi à partir de 1905 il donnera (charge supplémentaire mais qu'il assume parce que ce travail est un élément de sa stratégie) de nombreux articles à la *Revue de l'Enseignement Primaire et Supérieur* qui touche presque tous les instituteurs. Cette collaboration a été voulue par, précisément, un socialiste coopérateur, Maurice Lansel.

Jaurès se sent fort, face au dogmatisme et à la bureaucratie, des liens vivants qu'il entretient avec la réalité du pays. Il est à la fois celui qui s'assied dans une cuisine ouvrière de Carmaux, et celui qui déjeune chez Léon Blum. Il est le député et l'intellectuel, le journaliste. Pourquoi aurait-il peur de l'unité ?

N'est-ce pas ce qu'a compris Kautsky qui, au lendemain du Congrès d'Amsterdam, écrit à Adler : « Depuis deux ans, je suis arrivé à la conclusion qu'une unité n'est encore possible en France que contre et sans Jaurès. »

Trop tard : elle se fera avec Jaurès même si beaucoup, parmi les partisans de Jules Guesde, veulent qu'elle se fasse contre lui.

Ils le souhaitent d'autant plus que, au Palais-Bourbon, Jaurès n'a jamais autant appuyé le gouvernement d'Emile Combes. Le président du Conseil a lui aussi pensé que les décisions du Congrès d'Amsterdam provoqueraient un changement d'attitude de Jaurès et des socialistes. Combes avouera que « le télégramme qui me fit connaître la décision votée au Congrès d'Amsterdam tinta à mes oreilles comme un glas funèbre... De ce jour j'envisageai comme une nécessité prochaine l'éventualité de ma retraite ».

En fait, ce sont les députés conservateurs, les modérés du Bloc des gauches, les ambitieux qui trouvent que ce gouvernement s'éternise — bientôt près de trois années ! Ils sapent l'autorité de Combes. A la Chambre, le radical Paul Doumer, ancien gouverneur de la Banque d'Indochine — un protégé de Combes pourtant — et Alexandre Millerand — de plus en plus déporté à droite — rêvent au pouvoir. Barthou aiguise ses crocs. Au Sénat Clemenceau multiplie les phrases assassines. Et même, le toujours élégant Deschanel laisse entendre qu'on réaliserait d'autant mieux la politique de Combes s'il était remplacé. Dans ce système parlementaire où il n'y a pas de majorité que l'ambition personnelle ne puisse éroder, la durée est un handicap. Et au sein même du gouvernement, les appétits s'avivent. Rouvier, le ministre des Finances, se montre hautain. Delcassé, le ministre des Affaires étrangères, fort de ce qu'il pressent comme ses succès, ne parle plus au président du Conseil. Et le président de la République Loubet l'ignore.

Comme dans le pays les manifestations cléricales continuent, que les conseils généraux n'approuvent guère ces expulsions de religieux, qu'on parle à propos des biens d'Eglise qui devraient être cédés à l'Etat d'affairisme et de malversations, la fragilité du ministère se trouve aggravée et les ambitions légitimées.

Mais comment renverser Combes ? Ce ne peut être sur le terrain de sa politique anticléricale : la majorité du Parlement et du pays veut la séparation de l'Eglise et de l'Etat. La politique extérieure ? Le bilan en semble positif. Au début du mois d'octobre, quand des navires de guerre russes en route vers Port-Arthur ont bombardé par erreur, dans la mer du Nord, des navires anglais, la France s'est entremise pour limiter l'incident. Elle est l'alliée de l'Angleterre et de la Russie. La majorité des députés approuve l'accord franco-anglais. Et aussi la politique de pénétration au Maroc.

Pourtant il faut abattre Combes.

Le point faible est découvert par l'extrême droite nationaliste. Ce courant, malgré sa défaite dans l'affaire Dreyfus, est actif, touchant les jeunes des milieux aisés, les intellectuels. On manifeste devant la statue de Jeanne d'Arc (en novembre). Maurras donne avec l'Action française un regain d'énergie à ceux que décevait la

Ligue de la Patrie française, ou la Ligue des patriotes. Une nouvelle génération accède à l'action qui n'a pas subi de plein fouet l'échec de l'Affaire Dreyfus et qui n'en garde que le souvenir d'une bataille qu'il faut poursuivre. Un homme fait la liaison entre l'Action française et la Ligue de la Patrie française : Gabriel Syveton. Ce personnage brutal, ambitieux, vénal, immoral (il est l'amant de sa belle-fille), révoqué de l'université, est le trésorier de la Ligue. On apprendra qu'il a détourné 500 000 francs à son profit. Mais il bénéficie d'une aura parisienne parce que le riche Boni de Castellane le finance et que le puissant *Echo de Paris* le soutient. C'est à lui qu'un employé du Grand-Orient vend — pour 40 000 francs — des fiches de renseignements que l'ordre maçonnique établit sur des officiers et qu'il communique au cabinet du général André, ministre de la Guerre. Celui-ci utilise ces informations — politiques et privées — afin de favoriser la promotion des officiers d'esprit républicain. L'Affaire Dreyfus a en effet démontré que le corps des officiers s'auto-renouvelle avec le plus souvent comme critère l'esprit antidémocratique. Le problème est donc réel et outre une modification du système de promotions, André a tenté de s'informer. Procédé oblique, renseignements souvent sordides, recueillis par des envieux, « système pitoyable qui ouvrait le champ à toutes les bassesses et à toutes les délations », dit Caillaux qui ajoute que « le général André fut un des meilleurs ministres de la Guerre que nous ayons eus ». Réformateur, républicain décidé, André a tenté de « malaxer l'armée dans le silence de son cabinet ».

Quand le 28 octobre 1904 des députés se lèvent et interpellent le ministre, que le lendemain *Le Figaro* apporte sa moisson d'accusations précises sur le système mis en place par le général André, « l'affaire des fiches » commence.

Montée par Gabriel Syveton comme une machine de guerre contre le Bloc des gauches, elle se développe vite. Combes « abandonne petitement son ministre ». Le général André se courbe sous l'orage. Est-ce ce 4 novembre la victoire de ce « militarisme clérical » (Herr) qui joue l'indignation alors que toute sa pratique a été — est —, dans la sélection des officiers, faite de partialité politique et sociale ? Est-ce la chute de Combes ? On peut le croire puisque Millerand lui-même est intervenu avec l'accent de la colère pour dire au général André : « Vous avez ressuscité en le rapetissant à votre taille le système des suspects ».

Il semble emporter l'adhésion de la gauche quand Jaurès monte à la tribune. Jaurès lance au milieu des interruptions : « Sera dupe qui voudra, sera complice qui voudra... Ce que vous reprochez au ministre de la Guerre c'est d'avoir courageusement depuis quatre années assumé la tâche difficile de reconstituer dans l'armée l'esprit républicain. »

Eloquent, indigné, Jaurès dénonce « la paralysie de mémoire » qui fait oublier le temps de l'Affaire Dreyfus. Et Jaurès réussit à renverser le courant : 276 députés donnent leur confiance à Combes contre 274.

Ce n'est que partie remise.

La presse d'extrême droite continue sa campagne. Le climat est bien celui d'une offensive finale contre le Bloc des gauches. Dans les milieux ouvriers une Fédération des Jaunes — syndicat hostile à la CGT — s'est créée, bénéficiant de soutiens financiers de la part des milieux monarchistes. Elle publie un journal et peut tenir un Congrès imposant au mois de novembre 1904.

Dans ces conditions, il n'est pas un député socialiste — et donc aussi les guesdistes — qui refuse son vote à Combes. On voit que la réalité est plus forte que les motions de Congrès. Et le journal de la social-démocratie allemande lui-même, *Vorwärts,* se félicite de l'attitude des députés français !

Le 4 novembre en effet, Jaurès est de nouveau intervenu dans un débat violent, grossier, brutal. Répondant à la droite qui vient d'attaquer le général André, il se montre offensif, interrogeant : « Allons-nous permettre aux partis de la réaction de renverser les rôles ? »

On l'interrompt plusieurs fois pendant qu'il parle et cite des cas d'officiers républicains brimés pour leurs idées. Un député, Pugliesi Conti, lance : « Votre fille a bien fait sa première communion cependant que vous vous faites le complice de ceux qui dénoncent les malheureuses femmes d'officier qui vont à la messe. » Jaurès répond avec mépris. Le député veut escalader la tribune, hors de lui. Le tumulte est général.

Jaurès lance avec colère : « Depuis des années c'est partout que j'ai rencontré les hurlements de cette horde nationaliste. » On le sent exaspéré. Il a le visage rouge. Dans l'hémicycle Syveton bondit vers le général André — un homme de soixante-six ans — et le frappe d'un coup de poing. On l'expulse, cependant que Millerand intervient contre le gouvernement. Pourtant, la majorité mobilisée par Jaurès, une nouvelle fois, s'exprime en faveur de Combes : 286 voix contre 267. Mais le 15 novembre, le général André démissionne.

C'est toujours l'hallali.

Le 8 décembre, on apprend que Syveton à la veille de son procès a été retrouvé mort dans son cabinet de travail. La presse de droite parle de crime maçonnique ou policier.

Le 9, on interpelle Combes sur les délégués qu'il a créés dans les communes pour surveiller les fonctionnaires et s'assurer de leur fidélité. C'est au nom de la morale qu'on attaque le président du Conseil. C'est du « jésuitisme retourné », dit Clemenceau au Sénat. « Votre défaite ne sera pas la revanche d'un parti mais celle de la conscience publique », renchérit Ribot. Et Millerand avec l'exagération que lui souffle son ambition et les gages qu'il veut désormais donner à la droite décoche la flèche du Parthe : « A vous, messieurs, de libérer ce pays de la domination la plus abjecte que jamais gouvernement ait entrepris de faire peser sur l'honneur et les intérêts de ses citoyens. »

Cet excès est l'aveu d'une exaspération que ressentent à la fois les modérés et les ambitieux devant ce gouvernement qui dure, qui agit et que les socialistes continuent de soutenir. Et Jaurès de sauver.

Mais Jaurès sent bien que les jours de Combes et du Bloc des gauches sont comptés. Les attaques personnelles qu'il a essuyées, cette façon qu'on a eu d'évoquer dans l'hémicycle sa vie privée l'ont révolté. De même le blesse l'évolution de Millerand.

L'ancien ministre surprend par la rapidité de son glissement à droite. La marquise Arconati-Visconti partage les sentiments de Jaurès. Elle lui écrit :

Jamais rien ne m'a dégoûtée comme la conduite de Millerand. Les anciens ministres de Waldeck-Rousseau sont des misérables... Avez-vous lu le dernier bouquin de Brunetière... ? Adieu, cher ami, je me sens incapable de vous dire tout ce que j'ai dans le cœur pour vous, affection, admiration... tout, devinez-le.

La fille de Peyrat

Si ma lettre est ouverte par un secrétaire, je lui annonce que j'ai 55 ans.

Mais il y a de l'amertume chez Jaurès dans cette fin d'année 1904.

Chez lui, Louise se dérobe et s'enferme, agressive. Elle avait cru, au temps de la vice-présidence de la Chambre, que son mari, enfin, accéderait au pouvoir et aux honneurs, qu'il en finirait avec les errements de sa carrière. Et voilà qu'il est à nouveau du « mauvais côté », celui où l'on reçoit les insultes sans contrepartie. Et elle ne pouvait savoir ce qu'est une conviction et la fidélité à des idées. De plus, elle est maintenant mêlée par ces campagnes de presse, ces polémiques, à la vie publique. Elle se sent souillée — par la faute de Jaurès — d'être ainsi jetée en pâture à l'opinion. Elle, sa fille, leur foi. Elle est humiliée dans son désir de respectabilité. Elle ne peut pas approuver Jaurès. Elle ne le comprend pas. Quel est cet être étrange, son mari, qui s'expose aux coups, aux injures, qui refuse le succès, le vrai, celui qu'accorde la bourgeoisie ? Qui expose sa famille, la ridiculise dans le milieu des gens qui comptent ? Ce n'était pas cela qu'elle voulait, qu'elle imaginait. Maintenant qu'elle approche de la quarantaine, que les belles années de sa vie sont passées, qu'elle comprend qu'il n'y a plus d'espoir, que Jaurès a définitivement choisi cette carrière « ratée », elle passe de la passivité aux reproches.

On dit qu'elle clôt sa porte à Jaurès. Cela ne lui manque pas. Et pourquoi céderait-elle à son mari et lui accorderait-elle du plaisir, que lui a-t-il apporté ? La fidélité, la tendresse ? Elle voulait seulement être comme ces épouses de ministre, ou ces femmes d'homme respecté. Il aurait pu, s'il l'avait voulu, mais il a refusé. Il se moque donc d'elle. Pourquoi l'aimerait-elle ?

Sans doute a-t-elle ses enfants. Madeleine qui va avoir seize ans déjà, belle jeune fille blonde, sensuelle, dont la vie semble plus physique qu'intellectuelle, qui séjourne souvent à Albi et à Bessoulet et qui ne réussit pas dans ses études, indifférente, peut-être paresseuse, marquée par les frustrations, les regrets et les amertumes de sa mère qui « n'a pas vécu ». Madeleine veut vivre, regardant les autres avec passion. Louis, le fils, sept ans, un peu frêle mais beau.

Cette famille, Jaurès qui ne l'a jamais dominée sent qu'elle lui échappe. Elle n'est plus ce lieu de paix qu'il aimait à retrouver, mais un nœud de contradictions, de conflits, de reproches. Et de cela aussi il souffre en cette fin d'année 1904, d'autant plus irritable que le travail s'accumule, qu'il doit chaque jour tenir sa place au Palais-Bourbon, mais aussi diriger *L'Humanité*, écrire son article. Et conduire les négociations en vue de l'unification. Et puis il y a les hommes, la haine des uns, l'ambition à n'importe quel prix des autres.

Parfois Jaurès aimerait, d'un geste extrême, faire exploser tout cela, cette vie, ces tâches, ces responsabilités, ces déceptions, ces calomnies qui l'entravent, qui l'alourdissent, alors que la pensée, le rêve, l'idée sont si légers, si purs, si gratifiants.

Ce désir qu'il a parfois d'échapper à cet implacable engrenage de la vie qu'il mène, cette force de l'individualité protéiforme qu'il est et qui se rebelle contre la normalisation de la vie publique, s'exprime habituellement dans le discours.

Cette manifestation du moi dans sa singularité est une volonté d'être différent. Lui qui, quand il parle, dévisage quelqu'un, reconnaît : « C'est intéressant, cette action sur la foule. » Les images qu'il utilise ne sont pas toujours neuves, mais, constate Jules Renard, « elles sont rafraîchies et c'est avec un grand art qu'il les étale ».

Un soir l'écrivain l'observe. Jaurès porte une petite cravate, « un petit col mou, comme s'il avait dansé jusqu'à six heures du matin : un col trempé de sueur parlementaire. Sa figure est un peu une tomate parlementaire ». Cet homme distrait, qui dans un café se conduit comme un provincial, laissant un gros pourboire, sortant de sa poche en même temps que des pièces de monnaie des jetons de toutes sortes, est-ce vraiment un socialiste ? Renard le guette. Jaurès arrive de la Chambre des députés. Il est intervenu pour défendre le ministre de l'Instruction publique, Chaumié, attaqué par les députés de droite qui reprochent au ministre de protéger un professeur d'histoire, Thalamas, qu'ils accusent d'avoir dans un cours nié le caractère sacré de Jeanne d'Arc. Or l'héroïne est devenue le symbole des nationalistes. Les lycéens et les parents d'élèves ont protesté. L'extrême droite parlementaire s'en est mêlée. « Nous avons tout de même sauvé Chaumié », dit Jaurès. Et à Renard qui le félicite pour son discours, il dit : « Oh, vous savez dans cette bataille je n'ai pas pu dire quelque chose de bien intéressant. »

Dans la salle de rédaction de *L'Humanité,* sous la lumière des becs électriques, des jeunes gens travaillent et bavardent. Flottent sur leur groupe l'accent du Midi et une question : est-il vrai que Jaurès va se battre en duel contre Déroulède ?

Le leader nationaliste est en exil à Saint-Sébastien, condamné à dix ans de bannissement. A un article anonyme paru dans *L'Humanité* et concernant Jeanne d'Arc, il a répliqué par un télégramme. Après avoir réaffirmé la gloire sublime de la Pucelle, il a conclu : « Je vous tiens, Monsieur Jaurès, pour le plus odieux pervertisseur de conscience qui ait jamais fait en France le jeu de l'étranger. »

Dans cette phrase toutes les calomnies contre Jaurès sont comme condensées : Bilange, le secrétaire de Jaurès, connaissant l'humeur présente du député de Carmaux, a gardé le télégramme plusieurs jours avant de le remettre à Jaurès. Quand celui-ci en a pris connaissance, il n'a pas hésité. En trois feuillets d'une grosse écriture sans ratures il a provoqué Déroulède en duel. Il a conclu sa lettre en reconnaissant que le Parti socialiste auquel il appartient « tout entier » « condamne ces façons ineptes et barbares de régler les conflits d'idées ». Alors pourquoi ? Jaurès dit seulement : « Mon excuse envers lui, c'est que je n'ai jamais usé de provocation et que je cède au contraire à la provocation, la plus directe, la plus évidente, la plus injustifiée. »

Cette explication n'éclaire pas la décision de Jaurès. En fait cet acte, « irrationnel », « irresponsable », d'un individualisme extrême répond à ce désir d'explosion, à cette exaspération qui étouffe Jaurès. Autour de lui, on condamne sa décision. Renard lui dit brutalement : « Oh, tous vos amis cesseront de vous aimer et de vous admirer tant que durera cette ridicule histoire. » Jaurès a un mouvement d'indifférence et de fatalisme, en même temps son visage exprime la résolution. « Cela me fera de la peine, dit-il, mais j'ai raison. J'ai pris le temps de la réflexion. » Puis d'une voix plus sourde il ajoute : « Je ne pouvais plus. Depuis quelque temps, je les sens tous là, prêts à m'insulter dans ma femme ou dans ma fille. Je reçois des lettres d'ordures. Je sens grimper les limaces. Je me sens couvrir de crachats. Je veux arrêter cela par un geste ridicule mais nécessaire. Je ne veux pas qu'on se croie tout permis, qu'on me mette dans la rue le bonnet d'âne. »

« Vous ne songez qu'à vos ennemis, pas à vos amis », rétorque Renard. « J'ai pensé à tous », dit Jaurès.

En fait que peut arrêter ce duel ? Même pas le ridicule. Au contraire. Jaurès devra se rendre à Saint-Sébastien en compagnie de ses témoins, Gérault-Richard et Deville. L'Espagne refuse de tolérer le combat. On passe donc en territoire français et l'on se bat à Hendaye le 6 décembre. On tire, deux balles, et l'on se manque. Eclats de rire dans la presse hostile à Jaurès. Et l'on imagine les sarcasmes d'un Guesde devant ce comportement bourgeois.

Mais Jaurès ne « pouvait plus ».

Au fond, pense Renard, il faudrait lui dire : « Vous n'êtes pas un vrai socialiste, vous êtes l'homme de génie du socialisme. » Une force individuelle en tout cas, qu'aucune organisation, aucune théorie ne peut enfermer parce qu'elle est elle-même créatrice, qu'elle est un pôle par rapport auquel on se situe.

Une force de travail qui, sans orgueil, ajoute presque chaque jour à un article de tête pour *L'Humanité*, une chronique, un discours. Et quand Renard demande à Jaurès : « Vous travaillez énormément ? » Jaurès répond : « Oui, mais en politique on a du repos, on change, on écrit et on parle. La Chambre, la tribune amusent. Je suis persuadé qu'un artiste uniquement préoccupé de son art ne résisterait pas à une telle somme de travail. »

Jules Renard est admiratif. Cet homme-là ne veut ni être riche ni être ministre. Alors quoi? « Il est vrai qu'il veut se battre avec Déroulède, ajoute Renard. Et c'est peut-être la même chose. »

Et Renard comme l'ouvrier, secrétaire de la section socialiste du village de Rosières, a envie de se dévouer pour Jaurès, de « faire des besognes pour lui. Comme un rat qui sort de son trou je suis ébloui par un tel animal qui renifle toute la nature. C'est autre chose qu'un idéal de futur académicien » !

Renard, âme généreuse, veut se dévouer. D'autres devant Jaurès haïssent instinctivement, d'autres encore « profitent de lui pour faire leurs affaires. Les socialistes le trahissent et les républicains l'exploitent ».

Quelle importance? Jaurès ne cherche aucun profit personnel. « Je suis plus sûr de lui que de moi, dit Blum. Cet homme est d'une probité absolue. »

Ce qui compte pour lui, c'est d'être lui-même et de prendre des positions politiques favorisant la réalisation des buts qu'il s'est fixés : plus de démocratie, une République plus juste, et au bout, le socialisme. Il assume conjointement deux tâches : défendre le Bloc des gauches, et en même temps assurer l'unité des socialistes dans un parti unifié.

La tâche est d'autant plus nécessaire que la situation internationale s'aggrave. Et qui pourrait empêcher la France de glisser vers la guerre sinon un puissant Parti socialiste? Car toutes les orientations de Delcassé en politique extérieure montrent leur danger.

Alliance russe? Le 2 janvier l'« invincible » armée tsariste capitule à Port-Arthur devant les Japonais. Au Maroc le sultan, pourtant grassement dédommagé par un emprunt que la France lui a consenti, bloque la pénétration française. Et l'empereur d'Allemagne, Guillaume II, fait savoir qu'il ne laissera pas la France régler seule la question marocaine à son profit.

Jaurès sait qu'il a eu, hélas, raison en condamnant cette politique extérieure qui se déployait dans le secret et l'illusion de la grandeur.

Mais qui se soucie de cela, en ce début janvier 1905? Ce que veulent les députés, c'est renverser Combes, qui gouverne depuis deux ans et sept mois.

Le 10 janvier, le candidat du Bloc des gauches à la présidence de la Chambre, Brisson, est battu par Paul Doumer, radical mais adversaire de Combes. Doumer dans son discours a reproché à Combes son anticléricalisme fanatique qui l'empêcherait d'entreprendre des réformes sociales et de faire voter l'impôt sur le revenu ! Démagogie de gauche pour masquer la manœuvre de droite à laquelle se rallient pourtant des socialistes « indépendants », tel Millerand.

La chute est proche.

Le 13 janvier, la Commission d'unification des Partis socialistes fait savoir au Bureau socialiste international que ses travaux sont terminés, que l'accord est réalisé : un Congrès en avril 1905 fera l'unification des socialistes français.

Jaurès, Guesde, Vaillant, Allemane seront dans quelques mois membres du même Parti socialiste.

Le 14 janvier, Combes, toujours défendu par Jaurès, obtient encore 6 voix de majorité. Mais le président du Conseil se sait paralysé et condamné à terme. Le 18 janvier 1905, il démissionne.

En cette année 1905, véritable ouverture du xxᵉ siècle, et cependant qu'à Saint-Pétersbourg et à Moscou des foules se rassemblent devant les usines et sur les places, Jaurès commence une nouvelle étape de sa vie politique.

Chapitre 17

« Ni optimisme aveugle,
ni pessimisme paralysant »
(1905-1906)

Rouge. C'est la couleur que prend la neige dans les villes de l'Empire russe en ce mois de janvier 1905. Et toute l'année elle sera ainsi tachée du sang des répressions. Cela commence devant le Palais d'Hiver de Saint-Pétersbourg, le dimanche 22 janvier, « dimanche rouge », écrit Jaurès, quand, portant des icônes et conduits par le pope Gapone, 150 000 manifestants — grévistes, femmes, enfants — viennent supplier le tsar de les écouter, de les aider car ils ont faim. La garde tire. Dix mille victimes ? « C'est par téléphone, précise Jaurès, que le tsar apprenait les feux de salve tirés en son nom sur le peuple désarmé. » Ce souverain honoré par la République, acclamé par les badauds guidés dans leur admiration par les journaux subventionnés par l'ambassade russe, ce tsar dont Jaurès depuis des années dénonçait l'autocratie, « c'est bien lui maintenant qui est le meurtrier ». « Et du coup qu'il a porté aux ouvriers russes, le tsarisme s'est frappé lui-même mortellement. »

Mais il va recommencer à tuer : sur les escaliers d'Odessa, en juin, quand la foule acclame les marins révoltés du cuirassé *Potemkine*. Et encore à Moscou, en décembre, quand dans l'émeute réprimée sera étouffée la première révolution russe.

Jaurès, alors que se poursuivent les conciliabules pour composer après la chute de Combes le nouveau gouvernement, porte toute son attention à ces événements de Russie qui confirment l'analyse qu'il faisait de la situation de l'Empire et de la folie qui consistait à lier la France inconditionnellement à ce régime dont les armées, qui devaient venir renforcer notre puissance, reculent jour après jour dans les plaines de Mandchourie avant de capituler. Belle politique étrangère que celle de ce « lilliputien halluciné nommé Delcassé » ! Car pour Jaurès, « quand un pouvoir aussi universellement répudié se couvre encore du sang du peuple, c'est lui-même qui appelle le destin ».

Les événements de Russie secouent tout le pays. La presse à gages s'emploie à minimiser l'événement. Mais on compte en France des dizaines de milliers de porteurs de parts de l'emprunt russe. Et certains, comme Drumont dans la *Libre Parole,* profitent de l'occasion pour dresser contre les révolutionnaires — et donc les socialistes en France — ces rentiers : s'il y a krach, n'est-ce pas la faute aux « émeutiers » ?

Jaurès s'indigne. « Ce n'est pas la révolution qui conduit la Russie à la banqueroute, c'est le tsarisme, c'est ce régime de corruption et de folie... »

Sa plume court chaque jour dans *L'Humanité.* Révolté par le massacre, assuré d'avoir raison, il stigmatise les conservateurs, ce Delcassé qui va continuer dans le nouveau gouvernement à diriger la politique extérieure de la France.

Le Président Loubet, en effet, a choisi Rouvier, le ministre des Finances de Combes, comme président du Conseil. Ministère terne. Rouvier, banquier, créateur de la Banque française pour le commerce et l'industrie, est un homme de soixante-trois ans, qui a été sept fois ministre des Finances et que le scandale de Panama a éclaboussé. Mais il rassure les milieux bancaires. Ses liens avec les cercles financiers internationaux sont forts. Il choisit pour la Marine et l'Intérieur deux hommes (Thomson et Etienne), membres influents du Comité pour l'Afrique française.

Elus de l'Algérie, ils sont des partisans de l'expansion coloniale, et d'abord vers le Maroc.

Par rapport à Combes, ce gouvernement est marqué par le conservatisme, bien qu'il se donne pour continuateur du Bloc des gauches avec pour programme la séparation de l'Eglise et de l'Etat et le vote définitif de la loi ramenant le service militaire à deux ans. « Ce n'est pas un ministère, commente Clemenceau, caustique, mais un conseil d'administration. »

Qu'allaient faire Jaurès et les socialistes ? Les échos de la poussée révolutionnaire en Russie enthousiasmaient les militants. La Fédération de la Seine du Parti de Guesde — l'unification n'était pas encore réalisée même si elle était décidée — saluait les événements de janvier comme « le fait historique le plus considérable depuis la Commune de 1871 ». « Les prolétaires de Russie, poursuivait la déclaration publiée par *L'Humanité,* ne luttent pas seulement pour eux-mêmes ; ils luttent pour le prolétariat du monde entier. »

Pouvait-il être question, alors que le climat international exigeait l'unité des socialistes français, que Delcassé serait la cheville ouvrière de ce gouvernement, de continuer à faire partie d'une Délégation du Bloc des gauches, morte d'ailleurs avec la chute de Combes ? A fortiori, il ne pouvait être toléré qu'un socialiste participe à un ministère Rouvier.

Jaurès n'a aucune hésitation. Il a soutenu Combes, il le louait « d'avoir rompu avec les timidités et les fausses habiletés de la politique concordataire » et c'était l'honneur de Combes d'avoir ouvert la porte à la séparation de l'Eglise et de l'Etat, sur ce point il faudrait appuyer Rouvier, mais c'en est terminé du Bloc des gauches. Aussi Jaurès est-il étonné de la visite à *L'Humanité* d'Aristide Briand. Il est son ami mais il connaît aussi les réserves de Briand devant l'unité prochaine, et par ailleurs l'évolution de Millerand a appris à Jaurès ce que fait d'un homme l'ambition. Or Briand est ambitieux. Il explique à Jaurès que Rouvier lui a offert le ministère de l'Instruction publique. « Il n'y faut pas songer » répond Jaurès, presque brutalement. Briand, qui est le rapporteur de la loi sur la Séparation, une fonction qui le met en pleine lumière et élargira encore ses possibilités ministérielles, s'incline. « Ce soir, dit-il à un ami, j'ai obéi à Jaurès pour la dernière fois. »

Quand Rouvier se présente devant les députés, il met l'accent moins sur son programme que sur le changement de méthode : « Je fais un gouvernement de plein air », dit-il, et dans les couloirs de la Chambre, il précise : « J'ai ouvert les fenêtres. »

Jaurès a attaqué avec vigueur la politique extérieure. Et commenté sévèrement les événements de Russie. Delcassé, cassant, hautain, se lève pour répondre : « Déplorez les événements, dit-il, mais arrêtez-vous là, vous n'êtes pas des juges. » Jaurès bondit : « Notre ministre des Affaires étrangères n'a pas le droit de se faire l'avocat de l'égorgement d'un peuple. » La confiance est votée par 373 voix contre 99. Jaurès et les socialistes ont voté contre.

Jaurès l'a précisé : pour la loi de Séparation de l'Eglise et de l'Etat, oui. Confiance au gouvernement : non.

La décision de Jaurès faisait murmurer les députés de son parti. Ils étaient aux portes du pouvoir. Jaurès les fermait devant eux. Pire ils avaient le sentiment d'être sacrifiés et de ne plus connaître dans le nouveau parti qui allait surgir de l'unité qu'une position subalterne. Ils murmuraient contre Jaurès. « Il ne cherche même pas à résister et capitule sur tous les points » face à Guesde, affirmait J.-L. Breton, député du Cher.

Au dernier Congrès du Parti de Jaurès, qui devait décider en dernière instance de la réunification et qui se tint à Rouen du 26 au 29 mars, ils se rebellèrent. Il fallait soutenir Rouvier, affirmaient-ils, pour l'empêcher de glisser à droite. Le plus amer — et le plus déterminé — était Aristide Briand. Il venait de déposer sur le bureau de la Chambre son rapport sur la loi de Séparation. Il savait, avec son intuition, qu'il séduisait. Il avait le sens de la manœuvre et de la négociation. Et maintenant, on voulait l'enfermer dans le cadre contraignant d'un parti — où ceux qui rêvaient d'être élus faisaient payer par des tracasseries aux députés le fait de l'être déjà. Le sentiment aussi d'être suspectés par des médiocres et des sectaires. Et il est vrai qu'à la Chambre chaque fois que Briand intervenait, on l'écoutait. Chacun avait le sentiment à droite comme à gauche que Briand était un homme politique hors de pair, voué à un grand destin. Et il fallait sacrifier cela ! Au congrès de Rouen, Briand n'intervint qu'une fois, contre l'aile gauche — et en fait contre Jaurès : « Pourquoi nous condamner, lança-t-il, j'en ai assez de toute cette hypocrisie. » Puis tourné vers Jaurès, il ajouta : « Vous nous jetez comme des tapis sous les pieds de nos adversaires. Vous ferez l'unité mais vous ne la ferez pas comme vous auriez pu la réussir. »

Une majorité de délégués — et parmi eux Léon Blum — intervint pour soutenir la proposition d'unité.

Et Jaurès, dans un discours habile, réussit à rassembler l'unanimité du Congrès de son parti. L'unification avec le parti de Guesde allait donc intervenir dans quelques semaines.

Mais Jaurès était-il conscient des nouvelles animosités et parfois des haines qu'il suscitait ?

Il obligeait des hommes — Briand, bientôt Viviani, Gérault-Richard, d'autres députés — par sa politique rigoureuse à se préparer à quitter le parti. A admettre donc, ouvertement, à leurs propres yeux, qu'ils brisaient avec leur passé. Certes, on peut toujours se construire une bonne conscience et se donner de bonnes raisons. Accuser par exemple Jaurès — ainsi le fit Péguy — de suivre aveuglément un Allemand, Kautsky. Et certains socialistes, entraînés à la fois par l'ambition et le courant nationaliste reprirent l'argument posant la question : « Est-ce que la tactique du Parti socialiste d'outre-Vosges, obligé de se mouvoir sous le régime de fer d'un Empire militaire et féodal, peut convenir au socialisme français, qui se développe aujourd'hui dans une République en plein travail d'évolution démocratique ? » interrogeait ainsi Alexandre Zévaès, guesdiste pourtant. On pouvait donc se construire une argumentation, retourner même contre Jaurès des raisonnements qu'il avait utilisés, oui mais il y avait Jaurès, son intégrité, son intelligence, son désintéressement. Au fond de soi, dans la mauvaise conscience, chacun de ceux qui rompaient avec lui ou se préparaient à le faire savait bien qu'il agissait pour lui-même seulement, qu'en s'éloignant de Jaurès, il quittait le rivage de la sincérité de leur jeunesse pour l'océan sombre des ambitions individuelles. Et Jaurès restait où ils avaient été, parmi les militants, dans ce parti nouveau qui naissait au Congrès du Globe, une salle du boulevard de Strasbourg, à Paris, du 23 au 26 avril 1905 et qui se donnait le nom de Section Française de l'Internationale Ouvrière (SFIO).

Ils pouvaient contester la structure de ce nouveau parti, où dans la Commission administrative permanente (l'organe dirigeant entre les Congrès) Jaurès ne siégeait pas, parce que parlementaire, alors que Guesde et Lafargue s'y trouvaient. Ils pouvaient, avec raison, remarquer que le programme de ce parti, « organisation politique et économique du prolétariat en parti de classe pour la conquête du pouvoir et la socialisation des moyens de productions et d'échanges, c'est-à-dire la transformation de la société capitaliste en une société collectiviste ou communiste », ne correspondait plus au programme de Saint-Mandé que Millerand avait proposé aux socialistes. Et qu'ils avaient accepté.

Ils pouvaient dire tout cela. Mais Jaurès, ils n'étaient plus à ses côtés. Et ils savaient qui il était, ce qu'il voulait. L'unité certes, mais pour faire triompher à l'intérieur du parti son point de vue. Et ce parti qui naissait, cette SFIO, ils savaient bien qu'au fond elle serait un jour, tel était du moins l'objectif de Jaurès, mise au service de ses idéaux politiques. Et ils le connaissaient assez pour savoir qu'il était soucieux de la réalité et non du dogme. Ils notaient aussi qu'il avait gardé le contrôle de *L'Humanité,* puisque l'organe du parti était *Le Socialiste,* le journal des guesdistes. Qu'enfin, par le vote secret dans les instances du parti, par la représentation des minorités dans les différents organismes, l'individu était protégé contre les excès de la bureaucratie. Ils n'ignoraient pas que certains, parmi les plus « extrémistes », n'étaient pas satisfaits de cette unification. « Ce n'est pas en additionnant une moitié de révolutionnaire et une moitié de réformiste qu'on obtiendra un socialiste », disait l'un (Lagardelle), et un autre s'inquiétait : « Nous voguons à pleines voiles vers l'inconnu... Hélas tout nous fait prévoir la continuation d'une méthode à double face : révolutionnaire dans les principes, démocratique et bourgeoise dans la pratique » (Paul Faure).

Alors ils avaient beau répéter qu'ils restaient fidèles à eux-mêmes, que Jaurès les avaient sacrifiés sur l'autel de l'unité, qu'il s'était livré à Guesde et à Kautsky, renonçant à ses analyses, ils ne le croyaient pas au fond d'eux-mêmes.

Ils savaient que l'irrécupérable c'était Jaurès. Eux dérivaient, pour satisfaire — tel était tout au moins le cas du plus grand nombre — leur goût du pouvoir, leur ambition. Comment n'en auraient-ils pas voulu à Jaurès de les contraindre à ce choix, à cet aveu intime, comment ne lui auraient-ils pas reproché de rester lui-même, incorruptible, bref, d'être toujours ce qu'ils avaient rêvé d'être, fidèles à ce qu'ils avaient proclamé et qu'ils renonçaient à maintenir, par calcul et faiblesse, petitesse et orgueil.

Ils cherchaient le succès, la prééminence et pouvaient-ils l'obtenir alors que la personnalité de Jaurès les contraignait à n'être que des seconds rôles ? Jules Renard, témoin sarcastique, observant ces hommes qui venaient ou s'approchaient du socialisme puis s'en éloignaient, notait dans son *Journal :* « On peut aujourd'hui arriver au socialisme après le succès quand on est sûr d'avoir du talent comme on allait autrefois à la trappe. » Et il remarquait encore : « socialiste, il n'en coûte rien de l'être par raison, mais le sentiment ruine. Le socialiste par raison peut avoir tous les défauts du riche ; le socialiste par sentiment doit avoir toutes les vertus du pauvre ».

L'unité était donc faite. La SFIO regroupait l'essentiel des socialistes. Les députés qui s'étaient refusés à l'unification — souvent hommes de valeur et... d'ambition — allaient se définir comme des « socialistes indépendants ». Restait à Jaurès à prouver qu'il avait eu raison. A ses critiques qui l'accusaient — et accusaient le nouveau parti — de mêler le discours révolutionnaire (parti de classe, etc.) et une action quotidiennement démocratique, Jaurès répondait, en affirmant sa philosophie de l'Histoire, sa croyance toujours répétée dans la possibilité d'une synthèse. Un organisme, disait-il, se complique au fur et à mesure qu'il se développe et se perfectionne, « voilà comment dans la vie de l'organisme socialiste, c'est-à-dire de la classe ouvrière constituée à l'état de parti, il y a nécessairement une double force de concentration et d'expansion, un double rythme de contraction de détente, analogue à la systole et à la diastole du cœur ».

Jaurès vit cette ambiguïté positive, cette dialectique dans son être même. D'une pensée souple — méridionale — ouverte par sa culture au dialogue, à l'unification des contraires, il est spontanément porté à imaginer qu'on peut résoudre et dépasser les conflits et les contradictions. Dialecticien de nature et d'origine, il a une confiance innée dans le mouvement des choses.

Donc, s'il accepte cette unité, ces structures contraignantes d'un parti, c'est autant parce qu'il pense que c'est nécessaire à la lutte, que parce qu'il estime que les *formes* (règlement, statut, commissions, équilibre entre les « courants » au sein du parti) sont moins importants que la *dynamique*. Or, la dynamique il la vit. Il est ce mouvement. Pourquoi craindrait-il dès lors cette unité qui lui apporte un surcroît de puissance sans l'entraver ?

Au deuxième Congrès de la SFIO (Châlons, 29 octobre-1er novembre 1905), alors que Guesde et ses partisans (Lafargue, Marcel Cachin) mènent une offensive pour que, lors des prochaines élections, on pratique la tactique classe contre classe, et que les candidats socialistes n'envisagent pas d'appeler à voter radical au second tour, Jaurès trouve et fait voter une position de synthèse. Il y aura partout des socialistes candidats et au second tour chaque fédération décidera librement de son attitude « au mieux des intérêts du prolétariat et de la république sociale ». Et dans cette jeune SFIO (34 688 adhérents) une alliance s'est nouée entre Jaurès et Vaillant. Guesde peut avoir cru contrôler la SFIO. La vie pousse en avant Jaurès. Il reste à ses adversaires à ne pas comprendre le phénomène Jaurès et à se lamenter comme Charles Bonnier, qui écrit à Guesde : « Notre Jean Jaurès plonge dans une stupeur préparatoire ceux qu'il veut annihiler. »

La méthode pourtant ne comporte aucun mystère. Analyser afin de comprendre, ne céder ni à la pression de l'adversaire ni aux illusions de l'opinion, tenir à ses convictions et à la vérité plus qu'à soi-même. Et dénoncer, sans crainte de se faire haïr ou d'être isolé, ce qui vous semble injuste, mensonger, périlleux pour la nation. Agir avec esprit d'abnégation et de désintéressement. Un jour vient alors, et parfois malheureusement pour le pays, où les faits vous donnent raison.

Ainsi quand le 31 mars 1905, Guillaume II, obéissant à son chancelier Bülow, débarque de son yacht à Tanger, qu'il parcourt les ruelles de la ville, sabre au côté, revolver à la ceinture, et que dans un communiqué, il précise que sa visite a pour « but de faire savoir qu'il est décidé à faire tout ce qui est en son pouvoir pour sauvegarder les intérêts de l'Allemagne au Maroc », comment ne pas voir la confirmation de la dénonciation par Jaurès, depuis des années, de l'absurde politique étrangère qui consistait à ignorer, à isoler, l'Empire allemand ? Comment ne pas voir là les conséquences de cette « politique d'étourneau de Delcassé » (Caillaux) qu'attaquait Jaurès ? Etait-ce là une politique de paix, une politique réaliste alors que l'allié privilégié — la Russie — montrait par ses échecs face au Japon, par la révolution qui le secouait, qu'il était un colosse aux pieds d'argile ?

Le 19 avril, alors que Delcassé s'obstine, cherche et obtient l'appui de l'Angleterre, veut résister à l'Allemagne et prendre ainsi le risque de la guerre, Jaurès, à la tribune de la Chambre, dénonce ce système qui a vu « tour à tour toutes les alliances et toutes les amitiés qui avaient été nouées, détournées, faussées, compromises ».

Il est inquiet. La guerre s'est rapprochée. Et il en dénonce le péril avec force dans ses articles de *L'Humanité*. Défaitisme ? Il ne prêche que pour la négociation, l'abandon d'une politique du bord du gouffre. « Mais cette sagesse n'est point la peur, précise-t-il. Si la France était l'objet d'une injustifiable agression, elle se soulèverait avec toutes ses énergies vitales contre cet attentat. »

Les choses sont donc claires pour Jaurès. Mais il perçoit, pour la première fois avec autant d'acuité, cette réalité de l'impérialisme et des contradictions qu'il porte en lui. Peut-être se reproche-t-il de n'avoir pas prêté assez d'attention à cette expansion coloniale qu'il identifiait dès 1903 en repérant « tout un parti militaire et colonial qui rêve de mettre la main sur le Maroc par une grande expédition ». Il pousse maintenant à la recherche d'un compromis. Et au gouvernement même, les « réalistes », tel le président du Conseil Rouvier, contestent les orientations de Delcassé. Rouvier, qui par ses liens internationaux avec les milieux bancaires n'ignore rien de la détermination allemande, est décidé à lâcher son ministre des Affaires étrangères. Et celui-ci est contraint de démissionner le 6 juin.

Quel autre parti prendre pour le gouvernement quand la flotte de l'allié russe vient d'être écrasée par la marine japonaise au large de Tsou-Shima ? Un tour du monde pour le désastre ! Quel autre chemin suivre que celui d'une conférence internationale — qui s'ouvrira à Algésiras — quand l'état-major français se montre pessimiste sur ses possibilités de résistance. Quel autre choix, sinon celui d'accepter le risque d'une guerre perdue ?

Humiliation nationale donc. Le chancelier et Guillaume II ont contraint un gouvernement français à désavouer le ministre des Affaires étrangères.

Humiliation que Jaurès ressent. Cette conférence internationale sur le Maroc, avec l'Allemagne et les autres grandes puissances, fallait-il donc la crise dangereuse pour la tenir ? Sont-ce là des hommes d'Etat que ceux qui laissent se déchaîner ou provoquent des polémiques qui « sifflent parfois dans l'air comme le fouet de la guerre » ? On sent chez Jaurès du mépris pour ce ministre irresponsable. Oui, le sort de millions d'hommes est entre les mains de « ce lilliputien halluciné nommé Delcassé ».

On devine chez Jaurès que tombent les dernières illusions sur les hommes qui tiennent le pouvoir. Cette crise internationale heureusement dénouée lui fait comprendre que derrière le masque de prétention des gouvernants, il y a l'incapacité à comprendre le danger, il y a les vanités, le refus pour des raisons parfois sordides — l'orgueil ou plus gravement l'intérêt personnel — de choisir résolument la voie de la paix.

Et pourtant on ne peut abdiquer devant l'impérieuse volonté d'une autre nation. Et l'opinion est sensible à cette position de Jaurès. « Affaire du Maroc, écrit Jules Renard dans son *Journal*. Ça ne s'arrange pas vite. Jaurès m'inquiète par son accent de patriotisme. S'il le faut... Je regarde mon livret. Il me dit qu'en cas de mobilisation il faut attendre un nouvel ordre. J'attendrai... Oui la guerre est odieuse ! Oui, je veux la paix et je lâcherai tous les Maroc pour vivre en paix. Si tout de même les Allemands prenaient cette soif de paix pour de la peur, s'ils s'imaginaient qu'ils vont nous avaler d'une bouchée, ah non ! »

Que faire ? Jaurès vit avec anxiété cette crise — qui s'est bien terminée ! Il en parle autour de lui comme d'une « alerte redoutable » survenue subitement en pleine sécurité. « La paix est précaire », martèle-t-il. Il y a les intérêts, et donc, dans ce monde capitaliste, « ces forces formidables de conflit d'anarchie violente, d'antagonismes exaspérés ». Et pour aggraver encore ce climat Jaurès constate la montée du nationalisme, si perceptible en France. Autour de Charles Maurras notamment, de la Ligue d'Action française, qu'il crée, de l'effort qu'il déploie pour regrouper les intellectuels, les étudiants. On fête le 75e anniversaire de la naissance de l'historien Fustel de Coulanges parce que, dit-on, il a refusé d'accepter l'idée que les institutions franques aient une origine germanique. On manifeste en toute occasion, pour Jeanne d'Arc, pour l'Armée. Et Maurras écrit un *Kiel et Tanger*. Péguy verse maintenant dans cette même exaltation antigermanique et publie *Notre Patrie*, où il prend à partie Jaurès.

Que faire alors sinon tenter d'organiser le « prolétariat universel », afin qu'il maîtrise ses conflits, aide à leur résolution ? La décision de Jaurès est prise. Il faut un geste spectaculaire. Il se souvient de la rencontre à Amsterdam des délégués russe et japonais. Il prépare donc une rencontre avec les socialistes allemands. Il se rendra à Berlin, il y prononcera un discours. Mais le 6 juillet, veille du départ de Jaurès pour la capitale allemande, un homme élégant se présente 7, avenue des Chalets. Il demande à être reçu par Jaurès. C'est l'ambassadeur d'Allemagne qui avec la courtoisie d'un aristocrate explique à Jaurès que sa visite à Berlin est inopportune, pour des raisons de politique intérieure allemande s'entend. On prétend même que le prince Radolin se trouva sur les quais de la gare de l'Est afin de s'assurer que Jaurès se conformait à l'interdiction d'accomplir ce voyage en Allemagne.

Pour tourner le veto allemand, le 9 juillet *L'Humanité* et le journal socialiste *Vorwärts* publiaient tous deux le discours qu'eût dû prononcer Jaurès à Berlin.

Texte exemplaire par sa lucidité, et presque son caractère prémonitoire. Jaurès y manifeste sa volonté d'agir, avec ce qui existe, « un commencement d'organisation ouvrière et socialiste, un commencement de conscience internationale ». Sa ligne de conduite ? « Ni optimisme aveugle ni pessimisme paralysant. »

Les raisons de son action ? Le pacifisme à tout prix, la non-violence ? Caricatures. « Si nous avons horreur de la guerre, ce n'est point par une sensibilité débile et énervée », écrit-il. Si les souffrances des hommes étaient la condition d'un grand progrès humain, Jaurès s'y résignerait. Mais en Europe les voies de la guerre sont des impasses.

Et, visionnaire, Jaurès dessine les risques politiques de la guerre comme s'il lisait dans le xxᵉ siècle et y voyait se profiler déjà les régimes d'oppression. Le rythme même de la phrase de Jaurès révèle la rapidité de la pensée, qui à chaque mot totalise une réflexion faite de connaissance historique et d'intuition. Les qualificatifs employés sont précis et semblent décrire par avance ce qui se réalisera effectivement. Jaurès poète de la pensée politique, si l'on donne à ce mot la charge de capacité anticipatrice qu'il contient chez les plus grands. La démonstration longue et argumentée est ainsi, dans les articles de Jaurès, « court-circuitée », et se trouve ramassée en une formule. La force du style tient à la force divinatoire de la pensée.

« D'une guerre européenne peut jaillir la révolution », écrit ainsi Jaurès pour les socialistes français et allemands. Et les classes dirigeantes feront bien d'y penser. « Mais de la guerre européenne peuvent sortir aussi, pour une longue période, des crises de contre-révolution, de réaction furieuse, de nationalisme exaspéré, de dictature étouffante, de militarisme monstrueux, une longue chaîne de violences rétrogrades et de haines basses, de représailles et de servitudes. »

Derrière chaque mot, un fait à venir qu'auront à connaître les peuples du XXᵉ siècle.

« Et nous, dit Jaurès, parce que nous savons cela, nous ne voulons pas jouer à ce jeu de hasard barbare, nous ne voulons pas exposer sur ce coup de dés sanglant la certitude d'émancipation progressive des prolétaires, la certitude d'une juste autonomie que réserve à tous les peuples, à tous les fragments de peuple, au-dessus des partages et des démembrements, la pleine victoire de la démocratie européenne. »

Jaurès ainsi, dans ce mois de juillet 1905, *voit* le XXᵉ siècle tel qu'il sera : la guerre d'où surgira la révolution russe mais aussi d'où naîtront le fascisme, le nazisme : « contre-révolution, réaction furieuse, nationalisme exaspéré ». Et ces « violences rétrogrades, ces haines basses », n'est-ce pas ainsi qu'on pourrait caractériser le racisme, la xénophobie en œuvre dans ces régimes de « dictature étouffante et de militarisme monstrueux » ?

Quel autre penseur politique a ainsi à l'orée du XXᵉ siècle vu les risques de l'époque ? Quel autre a fait le choix de « raison » : agir pour empêcher la guerre, sans optimisme aveugle, sans pessimisme paralysant ?

Face à ce *réalisme visionnaire* de Jaurès, qui pourrait encore parler d'utopiste ou de rêveur ?

En fait, ce qui déroute dès les premiers pas de ce combat pour la paix, la paix condition nécessaire de la victoire de la démocratie européenne, c'est la volonté chez Jaurès de saisir toutes les données du problème. *Jaurès ou l'intelligence et l'expression de la complexité.* Il dit l'internationalisme mais aussi l'action des gouvernements tels qu'ils sont. Il dénonce la mécanique de la guerre, engendrée par le capitalisme et en même temps la possibilité d'agir.

Il est un leader politique qui refuse les simplifications et le schématisme. Journaliste et tribun, intellectuel qui s'adresse à l'intelligence de ses lecteurs et de ses auditeurs et n'accepte pas de les manipuler, de les berner, ou de les flatter.

Mais cette rigueur que masquent parfois l'abondance et la virtuosité verbale, rares sont ceux qui la pratiquent dans le monde politique. A droite, comme à gauche. Ainsi au sein même de la SFIO Jaurès doit-il subir les diatribes exagérées d'un Gustave Hervé, ce professeur d'histoire révoqué, qui fait profession d'antimilitarisme. Et parce que la tension internationale commence à mettre à l'ordre du jour la guerre, et que devant la multiplication des grèves le gouvernement utilise l'armée pour le maintien de l'ordre, les excès d'Hervé rencontrent un écho grandissant. Dans la CGT le syndicalisme révolutionnaire rejette la notion même de patrie. Le secrétaire de la CGT est, depuis 1902, Victor Griffuelhes, un ouvrier autodidacte, partisan de l'action quotidienne ouvrière, action directe qui, dit-il, « parvenue à un degré de puissance supérieure, se transformera en une conflagration que nous dénommons grève générale et qui sera la révolution sociale ».

Ce cordonnier est un militant austère et rigide, méfiant à l'égard des « politiciens ». Il affirme que « la patrie du travailleur, c'est son ventre, le lieu où l'ouvrier travaille, là est sa patrie ».

Cet homme de trente ans a pour adjoint à la tête de la CGT Emile Pouget, un employé de tradition anarchiste. Il a pendant une dizaine d'années publié *Le Père Peinard*. A la CGT il anime *La Voix du Peuple*. Or lui aussi est violemment antimilitariste. Il dénonce les « Jean-foutreries militaires », les « saloperies de caserne », ces « palais de l'injustice ». Il exprime sa défiance à l'égard des élections, des « boniments » : « réacs, républicains, boulangistes, socialos, etc., tous promettent au populo de se faire mourir de fatigue », écrit-il, manifestant son refus de la politique et des partis.

En 1906, Griffuelhes se rend à Berlin pour rencontrer le leader socialiste Bebel qui le déçoit. Trop « politisé ».

Mais rentré en France, le Comité confédéral de la CGT, à son initiative, dénonce le danger de conflit : « la guerre est à la merci du moindre incident ». Il appelle « le prolétariat des deux pays à refuser de faire la guerre ».

Il existe ainsi un courant confus, qui va d'Hervé à Pouget, d'Urbain Gohier — l'homme qui insultait Jaurès — à Griffuelhes et où de manière violente et provocatrice s'expriment l'antimilitarisme et l'antipatriotisme. Une association s'est même créée (avec Hervé et Gohier) qui publie des affiches où l'on conseille aux conscrits quand on leur ordonne de réprimer une manifestation de tirer contre leurs officiers plutôt que contre leurs frères ouvriers.

Ces hommes excessifs — et pour quelques-uns suspects (ainsi Gohier) — interpellent Jaurès, de manière simpliste, sous-entendant qu'il n'ose pas aller au bout de son internationalisme, ou bien qu'il n'est qu'un politicien comme les autres.

Jaurès tente de répondre. Dénonçant « le génie de malentendu » d'Hervé, ses « détestables et absurdes paradoxes », rejetant « les slogans mécaniques, les formules toutes faites ». La relation à la patrie, au devoir national est complexe, dit-il.

Mais en même temps, Jaurès ne veut pas se couper de cette force que représente la CGT. La SFIO compte 35 000 adhérents, la CGT 200 000 ! Les idées de Griffuelhes et de Pouget reflètent celles d'une partie du monde ouvrier. Le « syndicalisme révolutionnaire » est une réalité. Jaurès marque qu'il ne « faut pas juger le syndicalisme révolutionnaire à ses escapades de plume ou de parole », qu'il est « tout à la fois une idée nouvelle et un moyen d'action nouveau ».

Il explique même que la grève générale peut être efficace. Et il ridiculise le « chauvinisme imbécile », les « chacals du patriotisme rétrograde », ouvrant les colonnes de *L'Humanité* à Griffuelhes.

Mais ce faisant, il est facile à ses ennemis de pratiquer délibérément un amalgame entre les positions mesurées, internationalistes et patriotiques de Jaurès, son réalisme, et les excès verbaux ou les points de vue extrêmes des antimilitaristes anarchisants. Certes les milieux informés ne sont pas dupes de ces accusations que l'on commence à entendre souvent : Jaurès soumis à l'Allemagne, Jaurès ennemi de la patrie, Jaurès ? *Herr Jaurès*. Mais ce qui compte pour les calomniateurs, ce n'est pas l'opinion d'un Clemenceau ou d'un Barrès mais bien celle de ces couches moyennes qu'il faut galvaniser, en leur trouvant un ennemi désigné.

Jaurès dreyfusard, Jaurès adversaire de l'alliance russe, Jaurès internationaliste est la cible parfaite.

D'autant plus que, en attaquant la politique extérieure de Delcassé, en montrant les dangers des accords passés avec le tsar, en accusant ce dernier d'être un « criminel », Jaurès menaçait de puissants intérêts. Et quand les mots risquent de provoquer la baisse des profits on ne pardonne pas à celui qui les prononce. Les participants du jeu social abandonnent alors les conventions et les règles habituellement admises. On entre dans l'univers de la violence et parfois de la cruauté. Il faut faire taire celui par qui les bénéfices sont menacés.

Or l'alliance russe était une affaire juteuse. Pour le régime tsariste d'abord. Les milliards de francs-or drainés par les emprunts russes placés en France étaient indispensables au fonctionnement —

et à la survie — du régime. La guerre russo-japonaise et les événements révolutionnaires avaient encore multiplié les besoins — les impôts rentraient mal — au moment où la confiance internationale dans l'avenir du débiteur russe se trouvait entamée. Les attaques de Jaurès étaient de ce point de vue une entrave gênante puisqu'elles influençaient l'opinion du public de la première place prêteuse. Les banques françaises, inquiètes de la situation, rechignaient à placer de nouveaux emprunts. Et les cours des titres russes s'effondraient.

Situation insupportable pour le tsar mais aussi pour tous les intermédiaires — banquiers, agents de change — et tous les détenteurs de fonds russes. Quand Drumont déclare dans son journal que les révolutionnaires sont responsables de la banqueroute de l'Empire du tsar, c'est Jaurès qu'il vise. Et dans l'opinion de ces petits et moyens rentiers qui se sont précipités pour acheter des fonds d'Etat russe, Jaurès est bien le coupable, puisqu'il fait l'éloge des manifestants et des insurgés de Saint-Pétersbourg, d'Odessa et de Moscou. La solidarité affirmée par la gauche française avec la révolution russe (« C'est au bord de la Neva, de la Vistule et de la Volga que se décide en ce moment le sort de l'Europe nouvelle et de l'humanité future », déclare le 16 décembre 1905 Anatole France) ne peut que dresser contre elle — et donc contre Jaurès qui l'incarne — ces dizaines de milliers de souscripteurs.

En France avec la Russie, il ne s'agit pas que d'idéologie mais d'intérêt. Et Jaurès n'est pas qu'un homme politique qui conteste votre point de vue mais celui qui soutient ceux qui menacent de vous déposséder de votre capital et de ses revenus.

En 1905, du fait de cette liaison concrète entre les événements de Russie et l'épargne française, la haine contre Jaurès franchit une nouvelle étape et trouve de nouveaux ferments. D'autant plus que, quand Jaurès apprend que le nouveau Premier ministre russe, le comte de Witte, un « réformateur » favorable à la création d'une assemblée-croupion, la Douma, sollicite un nouvel emprunt il proteste avec violence. « Cette tournée financière entre deux massacres, écrit-il, est vraiment d'une impudence lugubre ; et ces mains ensanglantées qui s'allongent par-dessus les frontières pour ramasser au loin l'épargne d'un peuple libre ou qui croit l'être, et pour préparer au despotisme un aliment nouveau, ressemblent à une vision de cauchemar. » Et il interroge : « Nous laisserons-nous saisir par elles ? Et emporteront-elles avec notre or, notre honneur ? »

Jaurès répète cela chaque jour, réaffirmant tout au long de l'année 1905 son engagement aux côtés des révolutionnaires russes et sa volonté de voir le régime de Nicolas II isolé. « Dès maintenant le tsar et le tsarisme sont au ban des nations. » Au tsar de payer lui-même la tarification des haines s'il veut maintenir son peuple en esclavage. « Et si le tsar veut égorger son peuple, qu'il fasse lui-même les frais de l'égorgement. »

La campagne de Jaurès dans *L'Humanité* ou à la tribune du Palais-Bourbon jointe à l'évolution de la situation en Russie a un large écho.

Le 28 février 1905, le syndic des agents de change parisiens, M. de Verneuil, s'en ouvre au comte de Witte. « Les porteurs français se réveillent chaque matin pour lire dans les journaux, écrit-il, les articles les plus malveillants, les plus sombres, les plus inquiétants, sur la situation de l'Etat qui est leur débiteur. »

Or, si la confiance des porteurs français s'effondre, c'est un « désastre plus irréparable que la perte des armées russes en Mandchourie », souligne le Syndic.

Ce que ne précise pas M. le Syndic, c'est que la fin des emprunts russes serait le tarissement d'un pactole pour tous ceux — banquiers, agents de change, etc. — qui gravitent autour de la Bourse, et quand il conseille au comte de Witte de prendre en compte que « la presse existe, qu'elle est une force » et qu'il faut « sacrifier deux ou trois millions » pour elle, ce sont les intérêts de sa corporation qu'il défend.

A l'ambassade on suit le conseil. Un diplomate russe, Raffalovitch, se charge de distribuer les fonds à la quasi-totalité des journaux français. De *La Petite République* au *Temps* et à l'agence Havas qui les alimente en nouvelles. Rouvier, le président du Conseil, « se lave les mains en apparence », veut pouvoir dire qu'il ignore ce qui se passe entre l'ambassade tsariste et la presse, mais il rappelle qu'il y a des dizaines de milliers de porteurs de fonds russes. « Il nous accuse de manquer d'intelligence », rapporte le diplomate russe.

Comment en effet Rouvier et son gouvernement pourraient-ils se désintéresser de la situation ? Non seulement parce que ce sont des milliards de francs-or (une épargne qui eût dû prendre le chemin de l'investissement industriel en France) qui se sont répandus sur la Russie, mais surtout parce que le gouvernement français a favorisé directement ce choix des épargnants. Qu'il en a fait la contrepartie de l'alliance russe, pierre angulaire de sa politique extérieure. Que la ruine du créditeur c'est aussi la faillite du conseilleur des rentiers français : les élites modérées au pouvoir. Pour elles aussi Jaurès qui fait entendre une voix différente, unique, qui met en cause inlassablement le choix de l'alliance russe est un gêneur. Car il montre seulement par ce qu'il dénonce l'irresponsabilité, la cécité, pour tout dire l'incommensurable médiocrité de ces dirigeants français. Ils ont compromis la sécurité du pays et son développement économique.

Du choix protectionniste de Méline enfermant la France derrière des tarifs douaniers aux emprunts russes, il y a dans la bourgeoisie française au pouvoir une logique de rentiers qui compromet l'avenir du pays pour des décennies. Il faudrait bien que Jaurès se taise.

Or, précisément, après une année seulement son journal est en difficulté. Jules Renard, qui passe régulièrement dans les bureaux de la rédaction de *L'Humanité,* note sèchement les progrès de la maladie. Ce n'est parfois qu'une touche. « Jaurès est abonné à *L'Humanité* », écrit-il. Un geste modeste, presque ridicule de probité. A nouveau quelques lignes : « Jaurès. Son journal sombre. On ne paie plus personne. » Et un de ses actionnaires qui avait donné 2 000 ou 3 000 francs lui écrit : « Vous savez que je suis un de vos commanditaires : je voudrais bien avoir les palmes. » « Pauvre Jaurès ! » Encore quelques jours et puis : « *L'Humanité.* C'est la fin : on lui a coupé l'électricité. Trois hommes font le journal. A la nuit tombante, ils attendent qu'on apporte les bougies. »

Jaurès est accablé par cet échec, ces problèmes financiers qu'il a sous-évalués et qu'il ne sait pas résoudre.

« Il tombe chez moi, raconte Léon Blum. Il m'a dit qu'il voyait enfin clair : le passif est plus gros qu'il le supposait. Il n'est pas résolu à supporter longtemps ce genre de tourments. Il est décidé à arrêter le journal le 31 juillet (1905). Il reste 40 000 francs à trouver pour liquider les dettes et offrir le journal au parti... »

Les causes des difficultés sont nombreuses. L'administration du journal est négligeante, les services essentiels — abonnements, etc. — sont laissés en souffrance. Le contrat conclu pour l'achat du papier est trop onéreux. La bonne volonté des créateurs n'a pas suffi à suppléer leur amateurisme, et Jaurès vit cette crise du journal, dans lequel il avait tant espéré, « dans la fièvre d'un profond chagrin ».

En fait c'est la nature même du journal qui est en question. Charles Andler qui y collabore et dont la perspicacité dans l'analyse est rarement prise en défaut le dit avec brutalité : « *L'Humanité* refuse de ressembler à un quotidien à un sou, du type du *Petit Journal.* Le calcul est faux. » Selon lui, les ouvriers ne veulent — et ne peuvent — acheter qu'un journal par jour. Il faut qu'il leur apporte toutes les nouvelles qui se trouvent dans *Le Matin* et *Le Petit*

Journal, et les ouvriers exigent par surcroît un feuilleton inédit. Avec son orientation intellectuelle — son élitisme — *L'Humanité* plafonne à 12 000 exemplaires.

Comme toujours lorsqu'une crise secoue un journal, ceux qui y collaborent s'interrogent et à leurs questions se mêlent toutes sortes de données, personnelles et politiques. C'est chaque fois une remise en cause. Ainsi, au cours de l'été 1905, Lucien Herr, Léon Blum, d'autres collaborateurs de *L'Humanité,* intellectuels pour la plupart, s'éloignent-ils du journal, et cessent peu à peu d'y collaborer. Pourtant ils n'entrent pas en dissidence. Mais ce sont des hommes de culture, et la survie du journal exige son évolution. Les syndicalistes révolutionnaires de la CGT commencent à y écrire régulièrement. Ils portent avec eux cette tonalité anarchisante, antimilitariste et antipatriotique que beaucoup d'intellectuels — ainsi Herr et Blum — contestent. Jaurès, lui, raisonne en politique qui soupèse l'appoint en masse de ces collaborations nouvelles, l'écho qu'elles peuvent donner à *L'Humanité* dans les milieux ouvriers. Par ailleurs la recherche ou la littérature ont des exigences : Blum ou Lévy-Bruhl, Marcel Mauss ou Langevin y sont engagés. La vie politique quotidienne ou la gestion et la participation régulière à un journal leur pèse, maintenant que la bataille cruciale de l'Affaire Dreyfus est terminée. L'unité est faite. Les structures du nouveau parti, la SFIO, définies avec leurs règles impérieuses. Ces marginaux de la politique que sont les intellectuels — c'est encore le cas pour Blum — se sentent moins à l'aise dans ce parti où les individualités doivent accepter les longues palabres des réunions de section.

De plus, certains d'entre eux ont des raisons personnelles de s'écarter. Herr, dans la rubrique de politique extérieure, est en conflit avec Pressensé. Et il veut enfin pouvoir mener une vie privée. Il ne se mariera qu'en 1911. Il n'y a donc pas entre ce groupe fondateur de *L'Humanité* et Jaurès rupture. Jaurès régulièrement viendra déjeuner chez Blum en sortant de la Chambre des députés. Les amitiés restent intactes. La fidélité politique aussi. Mais les trajectoires personnelles, le climat de l'action et les formes qu'elle prend — le parti — distendent les liens qui unissaient ces hommes. Ils resteront des socialistes. Ils le seront dans leur secteur d'activité auquel ils donneront l'essentiel de leur temps. Jaurès lui est le leader politique des socialistes.

C'est lui qui, concernant *L'Humanité,* doit prendre des décisions. Et naturellement, on guette le journal de Jaurès. S'il ne meurt pas qu'au moins il devienne raisonnable.

« Les concours qui nous sauveraient financièrement m'ont été offerts », explique Jaurès. « Mais à des conditions inacceptables pour nous. »

On a posé sur le bureau de Jaurès 200 000 F (environ 2 400 000 F de 1984). « Le salut certain et définitif, dit-il. Une condition : que nous cessions toute campagne contre les finances russes et que nous ne protestions pas contre les nouveaux emprunts que médite le tsarisme sur le marché français pour mieux égorger le peuple russe. »

On — l'intermédiaire de l'ambassade et des milieux financiers, sans doute le directeur du journal *La Lanterne* — a pourtant été compréhensif. « Vous attaquerez le tsar si vous le voulez, mais vous n'attaquerez pas les emprunts », a-t-il dit. « Or, dit Jaurès, quel est le vrai moyen de soutenir le tsar sinon de soutenir ses finances ? Ce qui est en question, constate-t-il, c'est l'indépendance de la pensée socialiste et républicaine. C'est la mainmise de la finance internationale sur les organes de l'opinion. »

L'intermédiaire rabroué fit remarquer, avant de claquer la porte, que l'argent irait quand même en Russie, que d'autres directeurs de journaux étaient plus clairvoyants que Jaurès. Bref, que Jaurès était un imbécile qui condamnait son journal. En fait, *L'Humanité* survivrait. Améliorant sa formule, se dotant d'un administrateur rigoureux (Philippe Landrieu), devenant, par le jeu d'un conseil d'administration, directement associé au Parti socialiste. Des souscriptions, des dons, l'appui des Partis de l'Internationale permirent de traverser la crise. Jamais le journal ne fut hors de danger et Jaurès continuait de le porter à bout de bras, vivant douloureusement chacune des difficultés, écrivant chaque jour son éditorial (près de 2 000 articles en tout...). Mais on dépassa les 40 000 lecteurs dont plus de 20 000 à Paris.

Jaurès gardait une tribune indépendante de toute pression.

Or, le rôle de *L'Humanité*, dans cette période, est capital. Sur les questions de politique étrangère, la page de Pressensé (et de Herr la première année) apporte des analyses qui brisent le consensus intéressé des autres journaux. Et dévoilent la réalité.

Sur le plan de la politique intérieure, c'est la publication de la note pontificale qui a mis en route le processus de séparation de l'Eglise et de l'Etat qui se poursuit dans une atmosphère troublée.

Certes à la Chambre des députés, l'habileté de Briand, son sens du compromis et de la volonté de mesure lui permettent d'obtenir, le 3 juillet au Palais-Bourbon, puis le 9 décembre au Sénat, le vote de la loi. Dès le 22 avril, après le dépouillement du scrutin concernant l'article essentiel — l'article 4 — de la loi, et bien qu'il ne s'agisse que d'une première étape, le chemin parlementaire devant encore s'allonger plusieurs mois, Jaurès s'est écrié : « La séparation est faite. »

Sa joie est grande : la République est laïcisée, sans lien autre que de respect mutuel avec l'institution vaticane. Et Jaurès s'est directement impliqué dans ce vote, travaillant en étroite entente avec Briand — le rapporteur —, rédigeant lui-même cet article 4 qui transfère la possession des biens d'Eglise à des associations culturelles composées de catholiques. Voie modérée, réaliste, qui s'oppose aux projets d'une extrême gauche qui veut « briser le bloc romain » et rêve de faire des églises « un autre usage que religieux ». « Le peuple y tiendra des assises et on y installera des fêtes civiques. » Ainsi s'exprime le député socialiste Maurice Allard. Et Edouard Vaillant, le vieux blanquiste, ajoute : « Tant que l'Eglise n'aura pas entièrement disparu, tant que la laïcisation de la société ne sera pas faite, notre tâche ne sera pas achevée. »

Jaurès s'élève contre ces excès défendant la ligne du projet élaboré par Briand. Il a sur ce terrain la même attitude que celle qu'il manifestait en politique étrangère. Le même souci de partir de ce qui existe en élaborant un compromis qui ne sacrifie pas l'essentiel — la séparation — mais respecte l'Autre. Il avait à la Chambre, dès que la question avait été posée, déclaré solennellement, tourné vers les catholiques : « Liberté à vous tous croyants, d'esprit à esprit, d'intelligence à intelligence, de conscience à conscience, de propager votre croyance et votre foi. »

La foi n'inquiète pas Jaurès. Il est hostile au dogme et au pouvoir bureaucratique, étatique, de l'institution ecclésiastique quand elle manifeste la volonté de s'emparer des âmes sans libre débat. Voilà pourquoi il est laïque, voilà pourquoi il a lutté pour la séparation de l'Eglise et de l'Etat. « C'est une œuvre de liberté, de loyauté, œuvre hardie dans son fond, mais qui ne cache aucun piège, ne dissimule aucune arrière-pensée... non pas une œuvre de brutalité, mais une œuvre de sincérité. » Pourtant le 11 février, dans l'encyclique *Vehementer Nos,* le pape condamne la « séparation comme profondément injurieuse vis-à-vis de Dieu qu'elle renie officiellement en posant le principe que la République ne reconnaît aucun culte ».

Dans le pays, les milieux d'extrême droite trouvent, à l'occasion des inventaires des biens d'Eglise — avant leur transfert aux associations cultuelles —, un prétexte pour mobiliser leurs troupes, entraîner certains milieux paysans, jeunes bourgeois des villes antidreyfusards, couches moyennes, dans le combat antirépublicain. L'Action française naissante se déploie sur ce terrain de choix. L'Eglise est débordée par ses alliés. « L'opposition aux inventaires, avoue un membre de l'Action française (Louis Dimier) a été faite — à part quelques jeunes abbés militants — par les comités royalistes de la capitale, par les bandes du Sillon de Marc Sangnier, par des camelots payés par des dames titrées. » Et parmi elles, il cite la baronne de Reille... apparentée au marquis de Solages, l'adversaire de Jaurès à Carmaux.

Les incidents deviennent vite violents. Le percepteur quand il se présente est entouré par des paysans armés de fourches, assailli. L'armée doit intervenir et des officiers brisent leur épée et démissionnent. Des femmes à genoux sur les parvis prient cependant que le tocsin sonne. Dans le Nord, on comptera un mort. On se bat en Bretagne, dans les Pyrénées, dans le Massif central. Incidents certes limités mais spectaculaires et repris par la grande presse conservatrice et surtout par les publications catholiques. On y parle de « sacs des églises », d'arrestations de prêtres, et les caricatures montrent les pillards à l'œuvre qui portent des emblèmes maçonniques et leur profil suggère leur origine sémite.

C'est bien une résistance organisée qui se met en place, reprenant les thèmes qui avaient surgi au moment de l'Affaire Dreyfus. Et l'une des personnalités qui s'imposent est un écrivain de trente-neuf ans, Léon Daudet, le fils de l'une des gloires des lettres républicaines (Alphonse Daudet). Cet homme corpulent, antisémite fanatique, s'est nourri de l'Affaire Dreyfus. Autour de lui se groupent ceux qui dans la région parisienne s'opposent aux inventaires et les exploitent politiquement.

Il y a ainsi dans ces premiers mois de 1906, autour de l'Action française et à propos des inventaires, un renouveau antirépublicain, ouvertement monarchiste — même s'il ne s'agit là que d'une façon de s'opposer — et farouchement nationaliste. Force influente aussi : le 18 janvier, Maurice Barrès est élu à l'Académie française.

Pour ce milieu-là Jaurès est plus que jamais l'ennemi. Il représente maintenant, alors que Zola est mort, que Dreyfus est absent de la vie publique — plus symbole que réalité —, celui qui fait la jonction vivante entre le dreyfusisme et les nouvelles données du début du xxᵉ siècle. Pour les milieux d'extrême droite, il incarne à la fois le passé insupportable — l'Affaire Dreyfus — et le présent inacceptable : les inventaires, l'internationalisme, le rejet du chauvinisme. Quand, dans quelques mois (juillet 1906), la Cour de cassation annulera le verdict de 1899 et déclarera Dreyfus innocent, le poète nationaliste François Coppée écrira à Léon Daudet, exprimant les sentiments de cette partie de l'opinion : « L'apothéose du juif était prévue sans doute. Elle fait horreur quand même dans cette France où périt tout ce que nous aimons, tout ce que nous respectons, la foi, le patriotisme, l'honneur absolument tout. Il semble que la vraie France soit morte. Elle est dans tous les cas chloroformée. » La sincérité, l'indignation de Coppée sont vraies. Et c'est Jaurès qu'il voit en face de lui, comme responsable de cette remise en cause de « sa » France et des valeurs qu'elle devrait respecter. Il se tourne vers Daudet, vers cette Action française qui réagit avec vigueur. « Peut-être, reprend-il, les jeunes comme vous et votre vaillante femme verront-ils le réveil. Mais moi qui ne suis plus jeune et qui me sens tout à fait vaincu et désarmé, je n'ai plus d'espoir et j'en souffre cruellement. »

Cette montée des conflits à propos même de la République conduit Jaurès à ressouder le Bloc des gauches. Il l'a déjà fait en participant à l'élaboration de la loi de Séparation. Il le fait à nouveau, entraînant les socialistes quand il s'agit le 17 janvier d'élire un nouveau président de la République, la présidence de Loubet arrivant à son terme. Entre Paul Doumer, président de la Chambre, et Armand Fallières, président du Sénat, âgé de soixante-quatre ans, républicain modéré, laïque du Lot-et-Garonne, les gauches tranchent en faveur de ce dernier. Manière de montrer qu'elles refusent en Doumer celui qui, dans les derniers mois du ministère Combes, a sonné l'hallali contre le président du Conseil. Fallières est élu par 449 voix contre 371. Victoire républicaine plus que victoire de la gauche, mais qui montre — et c'était le sens du vote de Jaurès et des socialistes — qu'on ne peut faire comme si les succès républicains de l'Affaire Dreyfus et de la loi de Séparation n'avaient pas eu lieu.

Mais cette élection est un dernier signe de vie du Bloc des gauches. Le 7 mars, à la Chambre, un débat violent et confus s'engage à propos des incidents qui ont provoqué mort d'homme, à l'occasion d'un inventaire dans la petite commune de Boeschèpe à la frontière belge. Briand dans un climat tendu essaie de se faire entendre contre les interpellations de la droite. « C'est une loi de meurtre », lui crie-t-on. Et quand il dénonce ceux qui poussent « les populations au degré de fanatisme voulu », on voit se dresser le baron Amédée Reille qui crie : « Les fanatiques, c'est vous... Vous êtes seuls responsables du sang versé. »

Le baron Reille, l'adversaire de Jaurès.

Jaurès vice-président de la Chambre des députés, janvier 1903.
Couverture de *L'Illustration*. *(Musée Jean-Jaurès, Castres.)*

Jean Jaurès s'engage pleinement dans l'Affaire Dreyfus par ses articles dans *La Petite République.* Il assistera au procès en révision qui se tient à Rennes en 1899. On le voit *(ci-dessus)* avec Viviani, et *(page suivante)* conversant avec le lieutenant-colonel Picquart. *(Musée Jean-Jaurès, Castres, et Bulloz.)*

Son opposition avec les milieux nationalistes ira, à partir de l'Affaire Dreyfus, en s'aggravant. Il se battra en duel avec Déroulède. On le voit *(ci-dessus)* en compagnie de ses témoins (décembre 1904). *(Musée Jean-Jaurès, Castres.)*

Près de la place du Palais-Bourbon, le restaurant Marius accueille souvent Jaurès et les députés socialistes. On reconnaît, à partir de Jaurès, Dubreuilh, secrétaire général de la SFIO, Renaudel, administrateur délégué de *L'Humanité,* Edouard Vaillant, Louis Voilin, député. *(Musée Jean-Jaurès, Castres.)*

L'amiral Louis Jaurès, frère de Jean-Jaurès.
(Musée Jean-Jaurès, Castres, Cl. Sartony.)

A un moment ou à un autre de sa vie politique, Jaurès a été proche de ces personnalités : Clemenceau *(à gauche)* et Gérault-Richard, rédacteur en chef de *La Petite République* et député de la Guadeloupe. A la table d'honneur du banquet du Parti républicain- socialiste (en 1910), on reconnaît Briand (le cinquième en partant de la gauche) et Millerand (le troisième). *(Photos B.N. et Roger-Viollet.)*

Jaurès dans les rues de Buenos Aires, en 1911.
(Musée Jean-Jaurès, Castres.)

Jaurès se rendait toujours à pied au Palais-Bourbon. Le voici arrivant à la Chambre en 1910 *(en haut)* et en 1912. *(Coll. Sirot-Angel et musée Jean-Jaurès, Castres, Actualités Gaumont.)*

Jaurès prenant la parole à Stuttgart en 1907, à l'occasion du congrès de l'Internationale socialiste, et à Berlin.
(Musée Jean-Jaurès, Castres.)

Jaurès à la tribune d'un meeting avec sa fille Madeleine. Et lors d'une assemblée socialiste à Suresnes, en 1913 (Jaurès est assis à la table, coiffé d'un chapeau, à droite).
(Musée Jean-Jaurès, Castres, et Roger-Viollet.)

Jaurès est assidu aux séances de la Chambre. Il s'exprimera longuement à la tribune du Palais-Bourbon, lors de la discussion de la loi portant le service militaire à trois ans, en 1913. L'ambassadeur russe à Paris, Isvolsky *(ci-contre)*, joue un rôle important dans l'évolution de la politique française. Il est l'adversaire de Jaurès. *(Musée Jean-Jaurès, Castres, et Roger-Viollet.)*

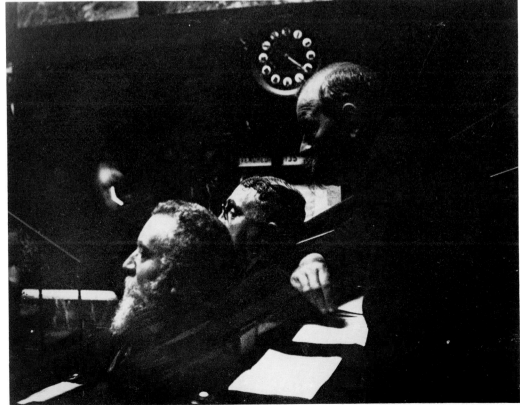

25 mai 1913, meeting de Jaurès au Pré-Saint-Gervais
contre la loi des trois ans.
150 000 personnes sont venues l'écouter. *(Roger-Viollet
et coll. Sirot-Angel.)*

Le café du Croissant, où Jaurès sera assassiné le 31 juillet 1914. Ce même jour,
sur les grands boulevards la foule se presse, commentant les dernières nouvelles. *(Photos B.N.)*.

La presse de gauche annonce, ce samedi 1er août 1914, l'assassinat de Jaurès par Raoul Villain *(ci-dessus)*. *La Guerre Sociale,* de Gustave Hervé, fait un retournement spectaculaire et annonce ainsi l'union sacrée. *(Musée Jean-Jaurès, Castres, Photo Harlingue-Viollet.)*

Jaurès le 25 mai 1913, au meeting du Pré-Saint-Gervais.
Peut-être la photo la plus belle...
(Musée Jean-Jaurès, Castres, et Roger-Viollet.)

Rouvier essaie d'apaiser les opposants, donne des gages, ne satisfait ni la droite ni les socialistes. Le 9 mars il est renversé par 267 voix contre 234.

Samedi 10 mars 1906, la France est sans gouvernement. Le Président Fallières s'apprête à commencer dans la journée ses consultations en vue de la constitution du nouveau gouvernement. A Courrières, dans le pays minier du Pas-de-Calais, c'est l'aube. La prise du travail a eu lieu. Il faut qu'à cinq heures les mineurs soient au fond. Les lumières des installations de surface brillent cependant que tournent les roues du chevalet. Il y a environ 1 700 hommes dans les galeries.

A 6 h 30, une secousse ébranle la région. Un énorme dégagement de gaz s'échappe du puits n° 2. La cage du puits n° 3 ne fonctionne plus. Les portes des corons battent. Les familles accourent. Dans la journée on dénombrera les disparus restés au fond : vivants, morts, asphyxiés, écrasés ! Ils sont plus de mille hommes.

L'émotion et la colère cependant que les secours s'organisent, qu'on combat les incendies qui se propagent dans les galeries, qu'on bouche les puits d'où montent le gaz et les odeurs nauséabondes des hommes et des chevaux morts. Des mineurs allemands spécialistes des sauvetages se joignent aux équipes de secours. « Et maintenant, s'écrie Jaurès, que les gouvernants et capitalistes essaient de jeter les uns contre les autres les mineurs du Pas-de-Calais et les mineurs de Westphalie. »

Car dès les premiers instants, Jaurès est particulièrement touché par la catastrophe. Toujours dans sa vie politique il a accordé aux problèmes des mineurs une attention particulière. Et les mineurs dans la classe ouvrière de ce temps représentent le fer de lance. Le député de Courrières, c'est encore Basly, celui qui justifiait le lynchage de l'ingénieur Watrin, à Decazeville, quand Jaurès n'était encore qu'un député du centre gauche. Maintenant dans l'atmosphère désespérée des lendemains de catastrophe, il doit faire face aux syndicalistes révolutionnaires de la CGT, au secrétaire Broutchoux, un anarchiste. Car on commence à accuser les Compagnies. Elles sont avides de profit, indifférentes aux problèmes de sécurité, soucieuses d'augmenter le rendement si bien que le coût de la main-d'œuvre a en quelques années (1901-1905) baissé de 7,08 francs à 6,38 francs, alors qu'à partir de 1906 le prix du charbon s'est mis à augmenter, permettant de multiplier les bénéfices. Pour une tonne extraite un ouvrier ne gagne que 5,41 francs par jour. Et dans ce premier trimestre 1906, le kilo de pommes de terre vaut 0,15 franc, celui de bœuf 2,40 francs. Dure la vie dans les corons qui appartiennent à la Compagnie et où les gardiens surveillent la vie des mineurs ! Il faut dans la maison « le bon Dieu et saint Joseph accrochés au mur ». Il faut montrer le journal qu'on lit.

On comprend que dans ces conditions la disparition de plus de mille hommes — et parfois des familles entières — parmi lesquels des ouvriers qui n'ont que treize ans provoque la colère. A Paris, la catastrophe fait la une des journaux. On organise des collectes. Et l'on en oublie la formation du gouvernement qui se constitue le 13 mars sous la présidence du radical Ferdinand Sarrien, anodin personnage dont Clemenceau aime à dire : « Ça ? Rien. »

Mais ce ministère est loin d'être sans signification. Aristide Briand est allé une nouvelle fois rendre visite à Jaurès. Non plus pour chercher un conseil ou une décision. Mais pour lui faire part qu'il acceptait le ministère de l'Instruction publique et des Cultes. « Je suis pressé », répondit-il à Jaurès qui l'invitait à patienter jusqu'à ce que les socialistes forment eux-mêmes un gouvernement. La rupture est donc consommée entre Briand et la SFIO. Jaurès comprend, ne sait pas haïr, mesure simplement ce travail de l'ambition dans un homme, cette avidité pour le pouvoir, cette hâte vers les honneurs.

Clemenceau, pour sa part, devient ministre de l'Intérieur. On raconte que convié chez Sarrien, il a répondu au président du Conseil qui lui demandait de choisir une boisson en l'interrogeant : « Que voulez-vous, Clemenceau ? » « Moi ? l'Intérieur. »

Vraie ou fausse, l'anecdote qui court Paris et les couloirs de la Chambre manifeste que l'homme fort du gouvernement est Clemenceau, écarté de la vie politique depuis le scandale de Panama et ressuscité par l'Affaire Dreyfus. Autour de Briand et de Clemenceau, les « jeunes loups » : Poincaré (Finances), Barthou (Travaux publics) et Leygues (Colonies). C'est la génération de Jaurès qui accède définitivement aux postes de responsabilité cependant qu'il demeure à son banc de simple député, constatant ces amalgames, Briand aux côtés d'Etienne (à la Guerre) qui symbolise les intérêts coloniaux et Clemenceau entre Barthou et Poincaré, ces deux prudents.

La République est en train de se donner un nouveau visage : la fusion s'opère entre tous ceux — du centre droite à la gauche radicale — qui veulent faire front dans le cadre républicain aux socialistes et au mouvement ouvrier.

Briand qui prônait la grève générale dans les meetings et les Congrès a rejoint ce camp-là. Il ose relever le défi d'affronter lors

d'une réunion ses anciens camarades, leur lançant avec superbe :
« Oui, citoyens, le renégat, c'est moi. »

Et le jour même de la constitution du gouvernement, comme s'il
s'agissait d'une coïncidence symbolique, il faut affronter la foule
ouvrière qui se rassemble, ce 13 mars, sous la neige, pour porter vers
les fosses communes ou les petits cimetières les corps des mineurs
retirés des puits de Courrières. Les discours officiels sont hués par les
15 000 personnes présentes. Le député socialiste Lamendin s'élève
contre « le capitalisme et la façon défectueuse dont est fait le service
de contrôle des mines ». Et un délégué mineur, Vincent, cependant
que de la foule on lui lance : « T'as raison, c'est vrai, tout le monde le
pense », s'en prend « aux féodaux financiers, aux criminels qu'on
protège avec des soldats et des gendarmes ».

Le lendemain alors que le ministère Sarrien obtient la confiance
avec 299 voix contre 199 et 50 abstentions, une circulaire de la section
CGT, animée par des anarcho-syndicalistes, est envoyée aux
mineurs : « Camarades, devons-nous toujours courber l'échine
devant les infamies patronales ? Les uns en fournissant le travail,
vivant dans la misère noire, les autres ne produisant rien dans
l'opulence. Eh bien, non ! Nous ne croyons pas que le peuple sera
assez lâche pour laisser perpétrer tous ces crimes sociaux. Camarades, frères de misère, syndiqués ou non-syndiqués, vengeons nos
camarades assassinés. »

Le jour même les premiers mineurs se mettent en grève. Ils
seront bientôt plus de cinquante mille.

L'ampleur de ce mouvement n'a rien d'étonnant. Si la catastrophe a servi de détonateur, la protestation ouvrière couve et pas
seulement dans le Nord. La grève est devenue un phénomène
présent et non plus exceptionnel. Les années 1904-1907 constituent
un sommet de cette combativité ouvrière. Il correspond à une
croissance rapide de l'industrie — la plus élevée du siècle (4,58 % par
an de 1905 à 1910). Le nombre des ouvriers augmente (1,3 million
entre 1906 et 1911) même si en France la population rurale est encore
supérieure à 50 % et si, en 1906, 60 % des ouvriers travaillent soit à
domicile, soit dans des entreprises de moins de dix ouvriers. Mais
l'exode rural est une réalité forte. Les Bretons quittent leur pays
pour Paris. Bécassine naît en 1905 dans la *Semaine de Suzette*, reflet
de ce mouvement. La Bretonne est domestique, son frère, ouvrier

dans les usines de la banlieue parisienne, est souvent victime de l'alcoolisme, de la tuberculose et de la syphilis. On voit arriver dans les ateliers les femmes (37 % de la population active) et surtout les travailleurs étrangers par centaines de milliers : Italiens, Belges, Polonais, Espagnols, Russes, Nord-Africains, Indochinois. Il faut des bras au patronat. Cela provoque des heurts, des conflits violents les soirs de bal. On injurie ces « macaroni », ces bicots, ces « boyaux rouges » (belges). Mais cette xénophobie qui parcourt la classe ouvrière ne freine pas la lutte de manière importante. Les conditions de vie demeurent si dures, l'exploitation si grande, qu'il faut se battre.

Pour Jaurès, l'organisation ouvrière est une nécessité. Et, on l'a vu, il prend en considération quelles que soient ses réserves, la CGT et son syndicalisme révolutionnaire. « Sans la grève, dit-il en août 1905, l'ouvrier est aujourd'hui à la merci du patronat. »

Les grèves éclatent donc tout au long de ces années, et elles sont marquées par la dureté. D'avril à août 1906, 1 800 ouvriers des forges d'Hennebont se nourrissent pendant 115 jours de crabes pêchés à marée basse et de moins d'un kilo de pain par famille.

Jaurès dans *L'Humanité* donne la parole aux syndicalistes. Les récits des grèves, des violences exercées contre les ouvriers (les forces de l'ordre — l'armée souvent — tirent) rendent compte de faits que la grande presse déforme ou ignore. Par ailleurs, Jaurès soutient les agents de la fonction publique qui revendiquent le droit de cesser le travail, de se constituer en syndicats : en 1905, les agents de police de Lyon sont en grève ; en avril 1906, ce sont des milliers d'agents des PTT qui cessent le travail. De même, les instituteurs tiennent leur premier congrès syndical.

La répression sévit. Barthou révoque 300 agents des PTT grévistes. Le gouvernement refuse aux instituteurs le droit de se mettre en grève.

Tous ces faits montrent que, dans la République, les problèmes sociaux sont essentiels et relèguent au second plan la question des institutions républicaines, maintenant enracinées. Cela, cette réalité nouvelle du monde ouvrier, explique le choix de Jaurès de l'Unité socialiste, son soutien nuancé mais réel à la CGT, son appui à la grève, « une arme tristement nécessaire ».

Il n'a pas cessé d'être partisan de l'arbitrage. Mais quoi ? Dans le Pas-de-Calais, Clemenceau, le nouveau ministre de l'Intérieur a averti les grévistes.

Courageux, Clemenceau. Il a pris le train pour Arras et de là en voiture il s'est rendu à Lens et à pied il a gagné la Maison du Peuple, siège de la Fédération CGT. On l'accueille aux cris de « Vive la grève ». Il s'explique, déclare qu'il fera respecter le droit de grève. « Mais je ne puis pas ne pas envoyer des soldats dans le bassin. Je n'ai pas assez de gendarmes. Des troupes vont venir mais elles ne sortiront pas des fosses. »

Cependant, quand le 30 mars, hagards, treize mineurs survivant après plus de vingt jours d'errance dans la mine ont surgi à la lumière, comme des spectres, la colère ouvrière s'élève d'un nouveau degré. Et si l'on avait bouché les puits trop tôt pour sauver les veines de charbon et les installations quitte à sacrifier des hommes encore vivants ?

Avivée par les militants anarchistes et syndicalistes révolutionnaires, la violence peu à peu se déchaîne alors que le pays est tout entier occupé par 25 000 hommes de troupe, soit un soldat pour deux grévistes. Perquisitions, charges de cavalerie, barricades se succèdent. Jets de pierres et de briques. Tels sont les faits jour après jour. Un officier sera tué. La grande presse s'indigne. « C'est la révolution qui vient », titre *La Croix* d'Arras. Les conservateurs attaquent le ministre de l'Intérieur, et *Le Gaulois* plaint « l'armée condamnée par Clemenceau à se laisser tuer ». A Paris pendant ce temps, le 20 avril, Barthou a réussi à briser la grève des PTT.

C'est bien la politique de répression qui l'emporte. « Il n'y a plus de place dans cette région du Nord, dit Jaurès, que pour la force armée. Il n'y a plus que les généraux qui parlent. » Il proteste, il montre « la lugubre et profonde intimité de la mine et des ouvriers ». Elle est « le chantier, le tombeau, le lieu d'épreuve ». « Le drame de leur vie bouleversée se confond avec la tragique histoire de la mine. » En chaque galerie profonde ils ont laissé « un peu de leur force, un peu de leur douleur, et leur cœur s'y est usé en des battements lents et tristes ou en de brusques sursauts d'angoisse ».

Et malgré cela, ils ne possèdent rien. Jaurès, ainsi, à partir de ce cas particulier, pose la question générale. Celle de la propriété. D'un côté, ces hommes qui donnent tout à la mine. De l'autre, les grands actionnaires « dont la vie s'épanouit au loin sous le clair soleil ». « J'admire vraiment, dit-il avec une ironie amère, ceux qui s'obstinent à définir et à défendre la propriété individuelle comme un prolongement de la personnalité humaine ».

C'est en lui plus l'humaniste qui se rebelle contre une réalité sociale « inhumaine », d'une injustice criante, sanglante quand mille morts gisent sous la terre, que le théoricien du combat social. Chez Jaurès il n'y a jamais oubli de l'origine humaine de cette lutte, ni effacement de son but. Pas d'enlisement dans les « moyens ». On saisit chaque fois que la sensibilité et la raison sont indissolublement liées, mais que le cœur parle le premier et donne l'impulsion.

Seulement il faut tirer les conclusions de ces expériences et Jaurès le fait avec netteté en cette année 1906, où les grèves et leur répression ont une actualité presque quotidienne. « Il n'y a entre les classes d'autre arbitrage que la force parce que la société elle-même est l'expression de la force », dit-il.

La formulation est dure. On a le sentiment, peut-être parce que Jaurès voit à l'œuvre Clemenceau — ce Clemenceau si proche de lui du temps de l'Affaire Dreyfus, ce Clemenceau républicain farouche —, qu'il croit moins à l'arbitrage possible de l'Etat. Cet Etat n'est-il pas lui-même un employeur qui licencie ceux de ses agents qui osent faire grève ?

« Entre le capital qui prétend au plus haut dividende et le travail qui s'efforce vers un plus haut salaire, il y a une guerre essentielle et permanente. La grève n'est qu'un épisode de cette guerre. Le combat continue, incessant, silencieux dans l'atelier comme hors de l'atelier. »

La guerre sociale.

En ce mois d'avril 1906, elle semble près d'exploser. Et « le grand soir », cet effondrement de la société capitaliste sous le coup de boutoir d'un soulèvement ouvrier, paraît proche. Depuis des mois *La Voix du Peuple,* l'organe de la CGT, animé par Emile Pouget, au talent de propagandiste, répand le thème : « A partir du 1er mai 1906, nous ne travaillerons plus que huit heures par jour. » Des étiquettes larges comme deux doigts, livrées par feuillets de cent, contenant une quinzaine de formules variées, sont collées dans les trains, les tramways, sur les tables des cafés, les rampes d'escalier. *La Voix du Peuple* répète : « Collez-en partout, oui, partout, partout. Il faut que ça devienne une obsession ! »

Jaurès a fait adopter par la SFIO une résolution — dès le Congrès du Globe, celui de l'unification en avril 1905 — qui soutient la revendication des huit heures.

A la mi-avril 1906, une grande banderole rouge est accrochée au fronton de la Bourse du Travail à Paris, reprenant le slogan des huit heures à partir du 1er mai.

Comme ce mois d'avril est marqué par une série de grèves et d'abord celle des mineurs, un climat de « grande peur » s'installe, que la presse entretient. Jamais il est vrai on n'avait assisté à une telle mobilisation ouvrière. L'écho des journées révolutionnaires russes de 1905 est encore dans toutes les mémoires. Jaurès craint, dans cette atmosphère, les machinations et les complots provocateurs. Déjà les épiciers des quartiers chics sont assaillis par leurs clients qui stockent des provisions. Les hôtels de Londres ou de Genève sont pleins de Français qui craignent une nouvelle Commune. Il a fallu doubler les trains pour l'Angleterre. Et les capitaux sont passés à l'étranger.

Clemenceau va agir. Lors des 1er mai 1890 et 1891, il interpellait le ministre de l'Intérieur d'alors — Constans — et parlait des droits du « Quatrième Etat », le prolétariat. Maintenant il reçoit les délégués syndicaux et leur dit cyniquement : « Vous êtes derrière une barricade, moi je suis devant. Votre moyen d'action c'est le désordre. Mon devoir c'est de faire de l'ordre. Mon rôle est de contrarier vos efforts. Le mieux pour chacun de nous est d'en prendre son parti. »

Près de 60 000 soldats occupent Paris, formant les faisceaux sur les places et les quais du métro. Et pour déconsidérer le mouvement, Clemenceau fabrique de toutes pièces un complot à la fois monarchiste, anarchiste et syndicaliste. Jaurès avait raison de craindre les provocations. Une bombe éclate sous le pont d'Argenteuil. Griffuelhes est arrêté ainsi que d'autres dirigeants de la CGT. Et le 1er mai le préfet de police, Lépine, fait tourner en rangs serrés, place de la République, ses cavaliers, ses cuirassiers et ses gardes républicains à cheval ; le « manège Mouquin » — du nom de son inventeur — interdit de traverser la place. On pourchasse les manifestants. On frappe. Les agents font la haie et martèlent de coups ceux des manifestants qu'on laisse partir après une brève incarcération.

Une journée de grande peur donc. Jaurès et les socialistes ont pris parti, aux côtés de la CGT. Et dans ce climat de panique, entretenu par la grande presse, c'est un nouveau grief contre Jaurès. Il est vraiment l'ennemi des « honnêtes gens ». Et plus les tensions sociales s'avivent, et plus la haine s'accumule sur sa tête.

Le but de la réaction violente et spectaculaire de Clemenceau n'était pas seulement de briser un mouvement en le matant et en le déconsidérant par une accusation de complot mais aussi de préparer l'opinion en vue des prochaines élections.

Elles doivent se dérouler les 5 et 20 mai. Il s'agit de montrer par cette mobilisation policière et militaire lancée contre les grévistes et les manifestants du 1er mai que les radicaux et les républicains ne peuvent en rien être confondus avec les socialistes, leurs anciens soutiens du Bloc des gauches. Après tout, l'écrasement dans le sang de la Commune avait permis à Thiers de « légitimer » la République, Clemenceau, dans un contexte différent, vient de montrer qu'on peut faire confiance à un radical pour maintenir l'ordre social dans la République.

Puisque la SFIO va présenter dans chaque circonscription des candidats, il faut que les électeurs sachent qu'il y a une différence entre les camarades de Jaurès et les amis de Clemenceau : entre eux il y a la frontière de la propriété.

Jaurès comprend la menace. Il est reparti en campagne. Contre lui se dressent le même marquis de Solages et les mêmes méthodes : l'argent du marquis et les menaces de ses partisans. On va voir à nouveau Jaurès passer de village en village. C'est le beau-frère du marquis — André Reille — qui mène la bataille sur le terrain, Solages est malade. Naturellement, la campagne se fait aussi sur le thème de la religion. Jaurès est l'un de ceux qui permettent le pillage des églises, prétend-on.

A Carmaux, le 7 avril, devant plusieurs milliers de personnes, Jaurès tient un meeting vibrant. Il défend la loi de Séparation, évoque la catastrophe de Courrières, la lutte des mineurs du Nord, frères de ceux de Carmaux. Dans ses professions de foi électorales, pour répondre à la tactique de Clemenceau, il récuse ceux qui veulent, au nom de l'affranchissement de la classe ouvrière, pratiquer « des attentats contre les propriétés et les personnes ». Ce sont là des crimes contre le socialisme qui « n'est pas destruction mais organisation et création ».

Dans toute la France le climat, le jour du scrutin, est passionné. Les droites font bloc, ne présentant qu'un candidat au premier tour. La participation électorale est forte. On ne comptera que 20,1 % d'abstentions.

A Carmaux et dans la région la tension est extrême. Des rumeurs sur la fermeture définitive des églises, la vente des objets du culte, ont été répandues. Le 6 mai, le jour du premier tour, le marquis de Solages et ses partisans s'enferment avant l'ouverture du scrutin dans la mairie après avoir insulté et bousculé le maire, Calvignac, prétendant contrôler les opérations de vote, accusant le conseil municipal de préparer la fraude.

Calvignac sur le conseil de Jaurès requiert du préfet l'intervention de la force publique pour faire évacuer la mairie. Ce n'est qu'alors qu'on peut commencer à voter à Carmaux. Il est 12 h 40 et le scrutin ne sera clos qu'avant minuit. Puis commence le dépouillement.

Jaurès avait été optimiste. Pourtant au fur et à mesure que

s'accumulent les résultats, l'écart se réduit entre le marquis de Solages et lui. Tous les cantons ruraux se prononcent en faveur du marquis.

Une fois de plus, c'est Carmaux qui fait la décision, compensant les pertes : Jaurès est élu au premier tour avec 281 voix de majorité (6 428 contre 6 147 voix). Election difficile donc, à la mesure des attaques que subit Jaurès. Il demeure bien l'élu des ouvriers et des mineurs de Carmaux.

La majorité était si courte que les journalistes de la presse conservatrice avaient même cru pouvoir annoncer la défaite de Jaurès. Quant à certains modérés, ils espéraient même que Clemenceau ferait pression sur le préfet du Tarn pour qu'il mît en cause l'élection de Jaurès en contestant la validité des résultats. Clemenceau s'y refusa.

Adversaire résolu de Jaurès mais homme de caractère, Clemenceau savait apprécier la qualité d'un duel. Jaurès à la Chambre était un ennemi qui convenait à l'idée qu'il se faisait de lui-même.

Les élections d'ailleurs étaient un succès pour le ministre de l'Intérieur. L'opposition écrasée perdait soixante sièges. Toute la rumeur faite autour des inventaires, la mobilisation contre « la loi impie » n'avait pas reçu l'appui des électeurs qui avaient voté en masse pour la coalition gouvernementale (360 sièges).

Mais les socialistes recueillent près de 900 000 voix et font élire 56 députés.

La SFIO est une force nationale et parlementaire. Au second tour Jaurès a appelé les électeurs socialistes à voter pour le candidat républicain. « Le prolétariat, dit-il, doit s'élever au-dessus de ses justes griefs et de ses colères. »

Pour Jaurès le réaliste, on ne peut encore confondre Aristide Briand et le baron Reille, un radical — même ministre de l'Intérieur —, et le marquis de Solages.

VI

« NOUS LES DÉFENSEURS DE LA CLASSE OUVRIÈRE »
(1906-1910)

Chapitre 18

« Votre doctrine
de l'individualisme absolu... »
(1906)

Grande rentrée au Palais-Bourbon en ce 12 juin 1906. On se congratule. Il fait beau. Sur les Champs-Elysées, place de la Concorde, ronde des voitures. La grande peur sociale, les grèves et les manifestations d'avril et de mai semblent oubliées. La secousse révolutionnaire de 1905 qui avait fait trembler la Bourse de Paris et inquiété les porteurs d'emprunts russes? Un cauchemar bref. Le risque de guerre, Guillaume II à Tanger? Un événement excessif, tragi-comique, la raison et l'intérêt n'ont-ils pas repris le dessus puisque la conférence d'Algésiras a mis toutes les grandes puissances d'accord et que la France avec, semble-t-il, la bénédiction allemande continue sa pénétration — avec quelques formes en plus — au Maroc. Les inventaires? L'assemblée de tous les évêques français s'est prononcée pour l'acceptation des Associations cultuelles, dans le secret. Mais cela se murmure. Le Pape est réticent. On dit qu'il prépare une nouvelle encyclique — elle paraîtra le 12 août, *Gravissimo Officii*. Soit. Ne dramatisons pas. Clemenceau n'a-t-il pas déclaré : « Nous trouvons que la question de savoir si l'on comptera ou ne comptera pas les chandeliers dans une église ne vaut pas une vie humaine. »

Décidément tout va bien. Sarrien vient de présenter le programme de son gouvernement qui continue. Les banques ont lancé un nouvel emprunt russe de 1 200 millions de francs (près de 15 000 millions de 1984). L'ambassade a, comme le lui conseillait le

415

syndic des agents de change, « traité » comme il fallait les journaux et les journalistes. Et l'emprunt a été couvert cent fois.

Allez vous inquiéter de ce Jaurès, après cela ! Il monte à la tribune. Barrès qui vient d'être élu député du Ier arrondissement l'observe. Le nouvel académicien, maigre, la peau tendue sur les pommettes, très brun, écoute, prend des notes. « J'ai la passion de la Chambre », dit-il. « La Chambre agit sur les yeux, sur l'ouïe, sur les nerfs, sur l'intelligence et sur l'imagination. »

Jaurès ironique démontre le vide du discours de Sarrien, « amas de choses inconsistantes et menues, programme sablé de bonnes intentions ». Il force l'attention de cette Chambre distraite : « Puissante encolure, teint rouge, bas sur pattes, formidable taureau de la petite espèce », note Barrès. Il regarde au banc des ministres Clemenceau, qui, le buste rejeté en arrière, jambes croisées, yeux dissimulés par les sourcils blancs, broussailleux, ressemble à un notable de province endimanché, vieillard terrible qui règne sur son petit monde. Osseux, l'œil vif, cet homme de soixante-cinq ans est la poigne du gouvernement. Il porte des gants gris immaculés qui dissimulent une maladie de peau. Entre Jaurès qui, à la tribune « la figure congestionnée, le cou et la poitrine tendus à se rompre, les bras courts » et Clemenceau, peau lisse, teint ivoire, un univers.

Barrès regarde toujours Jaurès : « Eh quoi, faut-il ainsi se mettre en nage pour penser ? » se demande-t-il. Mais il aime ce « monstre oratoire, prédestiné animalement pour la parole ». Il aime « la belle manière puissante dont Jaurès construit une leçon, dont il débrouille une question. C'est un grand normalien ». Pour Barrès « il y a trop de physique dans cette activité intellectuelle », mais il reconnaît que l'envolée est contagieuse. Voici Jaurès qui se penche, fixe Clemenceau. C'est l'adversaire de choix. Un homme de courage et de décision, qui s'est forgé dans la longue retraite imposée hors de la Chambre une ligne politique, faite d'énergie et de lucidité. De cynisme surtout. « Il y a des heures dans l'histoire, dit Jaurès, où les hommes sont obligés de prendre parti. »

Il veut toucher Clemenceau ainsi. Il sait qu'en évoquant les figures de la grande Révolution, « ces hommes qui osaient », il pique au vif celui qui s'imagine être un jacobin, leur descendant. « Ils savaient, reprend Jaurès, que le vieux monde était fini, qu'il fallait en emporter les débris et instaurer une société nouvelle. »

Or, pour Jaurès, les événements des derniers mois montrent qu'à nouveau le monde craque. « L'heure est venue pour cette société de livrer son secret. »

Et il avance des faits. L'inégalité criante, la fortune accumulée à un pôle, le dénuement à l'autre. Ceux qui produisent ne possédant rien. « Allez-vous les condamner éternellement à subir cette forme de propriété » qui les laisse sans pouvoir ? Le Parti socialiste, annonce Jaurès, va déposer une proposition de loi sur la transformation de la propriété individuelle en propriété collective ou sociale.

Tourné vers Clemenceau et le gouvernement, il conclut : « Vous n'apportez, vous, que des phrases enveloppées, des solutions incomplètes, une politique hésitante. Vous êtes au-dessous du suffrage universel. »

C'est le grand débat social qu'a engagé Jaurès en ce premier jour de législature, comme s'il sentait que, maintenant, et pour des années s'ouvrait l'affrontement sur l'organisation de la société. Et explicitement, il allait au fond, ignorant les détails, posant la question de principe afin que cette société, comme il l'avait dit, « livre son secret ».

La presse conservatrice a compris l'enjeu. « Jaurès préfère la bureaucratie collectiviste à la fertile liberté du capitalisme », écrit *Le Temps*.

Qui va répondre ?

« Toujours à la Chambre, confie Barrès, j'ai cette douloureuse impression de voir le talent, l'instruction, la culture à l'extrême gauche — Jaurès, Pressensé, Sembat —, mais cette culture ne leur sert qu'à exprimer d'une manière intéressante une fausse doctrine. » Et Barrès, partisan mais honnête, ajoute : « Il y avait déjà cela quand Danton, Carnot, Robespierre se trouvaient d'un côté et de l'autre les crétins de Coblence. Ce sont des vases précieux ces Jaurès où se trouve une boisson inférieure et ces gens de droite des pots sans art où la boisson est saine. »

Qui va répondre à Jaurès dès lors ? Non pas un conservateur mais Clemenceau.

Il est à la tribune. Cela fait plus de dix ans qu'il n'est pas intervenu. Il se souvient des insultes et des calomnies subies durant le scandale de Panama. On a cru étouffer le « tombeur de ministère ». Il revient, immunisé par la longue méditation et l'amertume, l'orgueil d'avoir surmonté tout cela. Tête ronde où l'on ne voit que le crâne dégarni, les sourcils et la moustache, homme arc-bouté sur la volonté. La voix est nasillarde, pleine de sarcasmes et dès les premiers mots elle veut atteindre Jaurès. « M. Jaurès parle de très haut, absorbé dans son fastueux mirage, commence Clemenceau. Mais moi, dans la plaine, je laboure le sol ingrat, qui me refuse la moisson. »

La frontière est tracée : d'un côté le réalisme, les responsabilités d'un homme qui se refuse à rêver. De l'autre un utopiste.

Clemenceau assène les coups. Lui aussi va au fond. Jaurès n'est qu'un prophète de plus. « Votre type d'idéal ce fut l'objet éternel des rêves de toute l'Asie... puis Jésus est venu, votre victoire ne sera pas plus grande que la sienne qui n'a pourtant abouti qu'à une faillite morale. » Le socialisme n'est donc qu'une rêverie prophétique qui s'inscrit dans la suite des autres religions perdues. Et la dernière flèche : « que le socialisme n'ait pas une faillite morale plus grande que celle du christianisme, c'est ce que je vous souhaite ».

Pas un aspect du discours de Jaurès n'est ignoré. La classe ouvrière ? De quel droit parle-t-on en son nom ? La répression : « Je vous le demande M. Jaurès, vous êtes à ma place, que ferez-vous si votre préfet vous télégraphie : " On pille la maison d'un mineur " ? »

Et puis le cœur de la philosophie de Clemenceau : « L'individu saura réformer de lui-même le cadre qui lui convient sans s'inquiéter de vos prophéties. » Et puisque Jaurès a invoqué l'exemple des grands révolutionnaires, Clemenceau répond : « Vous nous avez dit : " Faites comme eux, choisissez votre bord. " Il y a longtemps que j'ai choisi : contre vous et pour le juste et libre développement de l'individu. Voilà le programme que j'oppose à votre collectivisme. »

On applaudit. On vote l'affichage du discours. La presse parle de triomphe. Voilà enfin Jaurès terrassé. Le dreyfusisme éclaté, comme si l'affrontement des deux hommes que le combat pour Dreyfus avait réunis montrait que c'en était terminé de cette période et que deux conceptions de la société surgissaient, incarnées par deux hommes d'accord sur la forme politique mais séparés quant à la philosophie de l'homme et quant à l'organisation sociale.

Jaurès demande à nouveau la parole. « Je monte à la tribune, dit-il, tout hérissé des flèches qu'une main habile et toujours jeune m'a décochées. » Il parle d'abord philosophie, histoire et sens de la vie. « Votre doctrine de l'individualisme absolu, c'est la négation de tous les vastes mouvements de progrès qui ont déterminé l'histoire... »

La Chambre est passionnée. Elle compte les coups comme à un match. Jaurès récuse l'accusation de soutenir les désordres : « La violence, c'est une chose grossière, oui M. le Ministre... » Mais il y a la violence ouvrière, crue, visible, et la violence des « quelques hommes qui se rassemblent à huis clos dans la sécurité, dans l'intimité d'un conseil d'administration ». Cette violence-là, patronale, « c'est en silence qu'elle broie ». Les hommes, les prolétaires

418

« quand ils luttent sont des forces de civilisation », s'exclame Jaurès. Et « nous les défenseurs de la classe ouvrière... ».

Clemenceau se dresse. « Vous n'êtes pas le socialisme à vous tout seul, vous n'êtes pas le bon Dieu... »

« Vous, Monsieur le Ministre, vous n'êtes pas le Diable », répond Jaurès.

Et Clemenceau : « Qu'en savez-vous ? »

On vote. Le gouvernement Sarrien, Clemenceau ministre de l'Intérieur, obtient la « majorité accablante car il en est accablé » (Jaurès) de 410 voix contre 87.

Grande confrontation oui, avant que ne commencent les rudes conflits autour des usines, sur les voies ferrées.

Barrès est méditatif. Il a vu Jaurès en sueur, tenant son lorgnon qui glisse, de la main gauche. « Quel rhéteur ! dit-il. Comme il ébranle les facultés d'enthousiasme ! »

La presse donne Clemenceau vainqueur. Il aurait montré le vide du socialisme, son irréalisme. Barrès en est moins sûr. « Jaurès a rétorqué à tous les arguments de Clemenceau. Eloquence contre esprit. »

Quelques jours plus tard, Jaurès et Barrès se rencontrent dans la bibliothèque de l'Assemblée. Ils se saluent. Puis Jaurès lève sa grosse figure congestionnée, interroge Barrès : « Vous n'irez pas à Venise ? » Jaurès voudrait aussi se rendre à Florence et à Rome. « Mille francs, cela suffirait-il pour trois semaines ? » Il rêve même d'un voyage en Grèce.

Barrès est étonné. Il vient de voir toute une Assemblée fascinée par Jaurès. Il est lui-même attiré. Il lui semble qu'à certains passages de ses discours « Jaurès délire. Dans ces minutes de parfaite réussite, il relève du cycle des curiosités que j'ai été satisfaire en Orient. Il m'attire un peu à la manière des derviches tourneurs. Comme le Vieux de la Montagne, il ouvre à ses séides les jardins d'Alamont. Et derrière lui, c'est une contagion, quelque chose comme la fameuse procession dansante d'Eternach »...

Et maintenant ce Jaurès modeste qui prend un livre dit qu'il se lève à 6 heures et demie du matin, fait une heure de marche, reste libre jusqu'à midi, lit, écrit son article à la Chambre ou le soir à 10 heures. « J'ai des parties dans l'esprit que je n'emploie pas ici », confie-t-il en riant et, comme pour s'excuser : « Je continue à faire de la métaphysique. »

Barrès qui cherche — au moins dans ses écrits intimes —

l'authenticité est convaincu. « Ce n'est pas un comédien », dit-il. Il est touché par la vérité de cet adversaire ouvert, simple. « Ce petit ton de jeune homme, ajoute-t-il, d'étudiant, chez un esprit qui peut se croire si grand, qui occupe tant de place, me touche, me le rend respectable et même sympathique. »

C'est ce « jeune homme »-là, qui se souvenait des promenades au bras de sa mère sur la place du Capitole à Toulouse. C'est cet étudiant-là qui avait vu dans les yeux de Mérotte l'orgueil et la joie quand il avait apporté la nouvelle de ses succès, Normale supérieure, agrégation. C'est cet orateur qui avait vu sa mère assise au premier rang, quand il prononçait son premier discours de distribution des prix et qui l'avait sentie si inquiète lors de cette campagne électorale de 1885, quand venaient les premières attaques et tant d'autres depuis qui lui faisaient si mal, à cette mère adorée, Mérotte, toute blanche, menue, penchée sur le berceau de Madeleine puis de Louis, elle qu'il avait fallu abandonner, à cause de Louise, du travail aussi, de cette vie qui ne laissait jamais assez de temps.

Le 9 juillet 1906, elle est morte, Adélaïde Jaurès, née Barbaza, à 84 ans.

Et celui qui n'avait pas voulu s'éloigner d'elle, qui n'a pu ni la veiller ni la porter en terre, lui qui l'avait rejointe, ses études terminées, se souvient. Travail de la mémoire dans cet été 1906.

Les dernières fois qu'il l'a vue, à Bessoulet, elle était devenue cette dame en noir, frêle mais droite, une coiffe couvrant une partie de ses cheveux blancs, et elle avait tant souri, bienveillante au long de sa vie, que deux rides prononcées, comme un sourire à jamais tracé, marquaient, de part et d'autre de la bouche, son visage.

Et quand une mère meurt à 84 ans, et qu'on a soi-même 47 ans, deux enfants, qu'on est pris dans une vie qui ne laisse aucun instant — l'article quotidien, la Chambre qui continue de se réunir —, on peut imaginer que le chagrin s'il ne s'efface pas fait partie de vous comme une chose naturelle.

Peut-être. A moins qu'il n'ouvre plus largement encore cette plaie qu'on porte, et qu'on laisse apparaître quelquefois quand on parle de l'injustice cruelle que contient chaque mort, de l'impossibilité qu'il y a, quand on a aimé si fortement qu'a aimé Jaurès, à penser qu'une vie s'arrête ainsi, dénuée de sens, que tout l'amour que Mérotte a donné et qu'on lui a porté se dissipe avec la fin, vain comme une trace sans origine et sans lendemain.

Alors, si l'on n'accepte pas ce non-sens, la mort de la mère projette encore plus fort, plus follement dans l'activité, pour que la vie — celle qu'elle a eue, celle qu'elle a donnée — signifie autre chose qu'une suite de gestes, qu'une incohérente accumulation de mots. Du deuil le plus profond, faisons de la vie.

Allons. Va Jaurès.

L'été 1906 est bien celui où s'achèvent des choses. L'innocence juridique de Dreyfus ayant été proclamée par la Cour de cassation (le 12 juillet) la Chambre le réintègre dans l'armée avec le grade de chef d'escadron ainsi que Picquart nommé général. Le transfert des cendres d'Emile Zola au Panthéon est de même approuvé.

Il a fallu un discours de Pressensé, l'ami de Jaurès, le journaliste de *L'Humanité* accusant le « général Mercier d'être le plus grand criminel », pour que la passion monte au Palais-Bourbon, que des coups soient échangés et qu'Albert Sarraut, sous-secrétaire d'Etat à l'Intérieur, se batte en duel avec un député de droite. Barrès est alors intervenu pour dire son horreur profonde d'avoir entendu injurier des hommes qu'il respecte. « Dans cette Affaire Dreyfus, conclut-il, les militaires ont été des témoins de bonne foi. »

Le 21 juillet 1906, un jour gris, on remet la Légion d'honneur à Dreyfus dans la petite cour de l'Ecole militaire et il crie cependant que les troupes défilent devant lui : « Vive la République, Vive la vérité ! »

Les dreyfusards ont triomphé.

Affaire close. Jaurès est maintenant ailleurs. Sur l'autre front, celui de la classe ouvrière.

Une autre saison commence. Ce n'est plus l'été mais l'automne.

Jaurès a ouvert les colonnes de *L'Humanité* à la CGT parce que, dit-il, « la classe ouvrière est majeure ». Elle peut supporter la diversité des vues et des conceptions. Elle doit exprimer toute sa conscience, formuler toute son expérience en toute liberté. Or, la CGT réunit son congrès à Amiens, le 8 octobre 1906. Malgré les délégués socialistes — proches de Jules Guesde — Griffuelhes fait triompher son point de vue : indépendance à l'égard du pouvoir et des partis, vocation révolutionnaire de la CGT. « D'un côté, dit-il, il y a ceux qui regardent vers le pouvoir. » Et les socialistes sont parmi ces gens-là. « De l'autre, ceux qui veulent l'autonomie complète contre le patronat et le pouvoir. » Et les syndicalistes révolutionnaires se reconnaissent et se définissent ainsi.

Alors on vote la « Charte d'Amiens » qui affirme que les « groupements syndicaux ne doivent pas se préoccuper des partis et des sectes qui en dehors ou à côté peuvent poursuivre en toute liberté la transformation sociale ».

Pied de nez hautain d'une organisaiton syndicale qui compte six fois plus d'adhérents (300 000 environ) que le Parti socialiste ! Jaurès, toujours réaliste et optimiste, estime que puisque la CGT proclame que la chute du capitalisme est son objectif, il y a « unité du syndicalisme et du socialisme ». Mais des perspectives communes peuvent-elles effacer la défiance qu'on sent chez Griffuelhes, Pouget et leurs camarades, Monatte, Martinet, qui, toutes tendances confondues, craignent l'évolution de ces politiciens qui se proclament socialistes pour « piper des voix aux ouvriers » et que le pouvoir attire et corrompt jusqu'à leur faire oublier leurs convictions et leurs déclarations.

Hier c'était Millerand et Briand.

En cet automne 1906, c'est le tour de Viviani.

Sarrien malade démissionne le 18 octobre. Clemenceau, durant tout l'été, à prononcé des discours, en Vendée, dans le Var. Des mots de sagesse qui rassurent, sur le dosage entre réforme et conservation, timidité et aventure. Sur « l'idée de patrie qui résiste à la discussion ». Sur « la France réelle qui est fondée sur la propriété, encore la propriété et toujours la propriété ». Clemenceau se présente en idéologue et en homme fort de la majorité. Qu'il prenne donc le pouvoir dit Jaurès. Sarrien et le président de la République sont du même avis.

Clemenceau compose son ministère le 23 octobre 1906. Caillaux, député de la Sarthe, grand bourgeois lucide, homme d'affaires qui se veut hérétique, est ministre des Finances ; Picquart, le nouveau général, l'emprisonné des temps de l'Affaire Dreyfus, ministre de la Guerre ; Briand, à l'Instruction publique et... novation, un ministère du Travail est attribué à Viviani.

Ministère de dreyfusards. Leur revanche. Ministère d'anciens socialistes.

Les camarades et les alliés de Jaurès sont au pouvoir. Il est toujours à son banc. Les socialistes s'abstiennent dans le vote de ce 25 octobre 1906. Nous verrons ce qu'il en est de ces projets, de ce ministère du Travail dans le gouvernement d'un homme qui a fait déjà emprisonner Griffuelhes, le 1er mai 1906. Nous verrons, dit Jaurès.

N'est-ce pas à lui que s'adresse Clemenceau au terme de son discours d'investiture ? Il regarde Jaurès, veut faire sentir à celui-ci ce qu'il manque en refusant de participer au pouvoir comme les autres, et lance : « Avant de philosopher, il faut être. »

Chapitre 19

« Maintenant tous les voiles
sont déchirés »
(1906-1907)

Une ou deux fois par mois, Jaurès déjeunait chez Léon Blum. Celui-ci s'était retiré de l'action militante, n'écrivait plus dans *L'Humanité* mais donnait à Jaurès, sur tel ou tel point particulier, des avis. Blum, fin juriste, gravissait les échelons de la carrière d'un conseiller d'Etat. En 1907 il serait nommé maître des Requêtes. Chez lui, dans son bureau-atelier du 126, boulevard Montparnasse qu'illuminaient deux toiles de Vuillard, il recevait presque chaque jour Lucien Herr, Charles Andler. Souvent passait Jules Renard. Et l'on parlait du journal, *L'Humanité*. Jaurès paraissait très accablé par les problèmes financiers du quotidien. On évoquait l'évolution de la SFIO. Certains, sans doute Herr, trouvaient que le parti unifié était trop pénétré des thèses guesdistes ou même de l'antipatriotisme d'un Gustave Hervé, de l'antimilitarisme anarchisant de la CGT. Mais, tant Blum que Herr, tous étaient d'accord pour dire qu'il fallait donner son appui moral au parti. « Vous savez aussi bien que moi, disait Herr, à quel point il est plus facile de louvoyer à la Briand en critiquant tout en se réservant, que d'aller courageusement de l'avant comme Jaurès. » Ah ! Briand, ministre, et Viviani, ministre !

Blum soupirait : « Au fond, disait-il, ce sont des sceptiques, presque des cyniques, mais ils ont passé par le socialisme, et — il hésitait, rencontrait des regards dubitatifs, reprenait — il leur en restera toujours quelque chose. Ça vaut mieux que des radicaux. »

On parlait de la complaisance de Clemenceau pour les intrigues de basse police, les complots, les mouchards. Le président du Conseil aimait à se faire appeler « premier flic de France ». Jadis, disait-on,

Waldeck-Rousseau descendait dans son cabinet vers les 8 h 30 du matin. Il trouvait sur son bureau, selon l'usage, les papiers de la Sûreté générale, récits d'indicateurs politiques, histoires à dormir debout, ragots. Waldeck-Rousseau ramassait ces papiers et, sans même les déplier, jetait le tout dans une corbeille. Clemenceau arrivait à 7 heures du matin au ministère. Pendant une heure et demie, la tête dans les mains, il faisait son régal de ces stupidités.

Blum évoquait l'essai qu'il écrivait : *Du mariage*, et après sa publication — en mai 1907 — on commentait les réactions de la critique. Certains journalistes prétendaient que Blum « développait chez les jeunes filles l'instinct prostitutionnel » et dans la presse d'extrême droite on parlait « de la pourriture de ce juif, de la pornographie au Conseil d'Etat ». Mais Jaurès, s'il s'indignait de cet antisémitisme, ne pouvait accepter les thèses presque libertaires de Blum sur les rapports physiques entre sexes avant le mariage. Il est très choqué, dit-il.

A ces déjeuners, dans ce décor cossu et « artiste », Jaurès tranche. « Il a un petit col droit sans bouton, un plastron noir usé et des vêtements râpés. Il a les mains sales. Il ne semble pas s'être débarbouillé. Il mange avec appétit, deux fois de chaque plat : il ne paraît pas en avoir assez. A chaque instant, il se mouche bruyamment et crache dans son mouchoir. »

Jules Renard qui est assis près de lui se sent pris d'une admiration attendrie. « J'ai envie de lui dire, note-t-il, venez donc avec moi chez Marinette. Elle vous soignera et prendra soin de votre linge. Un de plus, un de moins. »

C'est que Jaurès vit seul à Paris maintenant. Louise s'est installée dans une maison à Albi avec les enfants. Elle préfère la province. Que peut-elle espérer à Paris où décidément son mari s'est fermé toutes les portes ? Avant-hier, Millerand, hier Briand, aujourd'hui Viviani : ils sont tous devenus ministres. Il n'y a que Jaurès ! Une bonne s'occupe donc, comme elle peut, de Jaurès. Et il a plus que jamais cette indifférence à l'apparence, cette négligence qui devient proverbiale. N'est-ce pas une façon de nier l'existence même de la vie quotidienne, dans ce qu'elle a d'astreignant, de monotone et de répétitif. Façon aussi d'oublier que dans cette vie de tous les jours, il y a Louis, son fils qu'il ne voit plus guère, sa mère morte, et Madeleine, sa fille, dix-huit ans, belle, que Jaurès ne peut surveiller alors qu'elle lui semble attirée impulsivement par les hommes. Jaurès a écarté son secrétaire de chez lui, sa fille paraissant trop entreprenante. Il sait qu'à Albi Madeleine a la camaraderie facile, trop facile au goût de Jaurès, très traditionaliste.

Alors, la vie quotidienne, autant ne pas la voir. Et où en prendrait-il le temps ? Sur un coin de table chez Léon Blum, il écrit le plan d'un grand discours qu'il doit prononcer tout à l'heure à la Chambre, en même temps il parle de Robespierre, le grand homme de la Révolution. « Si les hommes de la Révolution n'avaient pas été tués, ils seraient morts fous, tant l'effort les brûlait vite », dit-il.

Moment de détente que ces déjeuners chez Blum, avant de retrouver la Chambre des députés, le bureau de *L'Humanité*.

Du haut de la galerie des visiteurs, Jules Renard aperçoit les manchettes, les mains que Jaurès agite parce qu'il demande à intervenir. Curieux univers que celui de cette Chambre des députés. Barrès écarte les pans de sa redingote pour s'asseoir et feindre d'écouter Caillaux, le ministre des Finances. Et puis en quelques minutes, sans le moindre débat, devant seulement une trentaine de députés, un parlementaire inconnu lit un rapport d'une voix rapide, demande qu'on vote. Moins d'une heure plus tard, le Sénat procède dans les mêmes conditions : les députés viennent de s'allouer à la sauvette, honteusement, une augmentation de leur indemnité parlementaire qui passe de 9 000 à 15 000 F (180 000 F de 1984, environ) ! La presse s'empare de l'affaire, on s'en indigne, les députés ne sont plus que des QM (Quinze Mille). Jaurès demande à ce que l'on sursoie à l'augmentation, qu'on limite les frais électoraux par voie légale. Motion rejetée. Il gagnera comme les autres 15 000 francs par an, un peu moins qu'un conseiller d'Etat.

Ce débat n'est pas qu'anecdotique. L'antiparlementarisme continue en effet d'être une force présente dans la mentalité populaire. On a créé un ministère du Travail ? Viviani qui fut socialiste en est le titulaire. La réalité vécue est celle de la violence des conditions de vie, de la brutalité de la répression et de l'évolution de ces socialistes aujourd'hui ministres.

« Un socialiste indépendant, jusqu'à ne pas craindre le luxe », dit ironiquement Jules Renard. Il est l'invité de Gérault-Richard, l'ancien camarade de Jaurès. « Ça le socialisme ? » s'exclame Renard. Il réagit avec l'esprit populaire de l'époque. « Deux sonnettes à la porte de Gérault-Richard ? Sur quel bouton faut-il presser pour entrer ? Un menu au champagne, servi par deux bonnes, un secrétaire, une des plus magnifiques vues de Paris. On sait que ça se paie. »

Renard découvre en Gérault-Richard un « homme autoritaire,

jaloux de Jaurès, à qui il préfère Briand : il est du côté des ministres ».

Les ministres. Clemenceau, le premier d'entre eux, Briand et Viviani, qui furent des camarades.

Jaurès n'a aucune amertume. Il sait se comporter en homme responsable qui se détermine en fonction de choix politiques. Le 29 janvier 1907, la Chambre débat de l'organisation pratique de la loi de Séparation de l'Eglise et de l'Etat. Briand est attaqué par des députés socialistes. Clemenceau, plein de verve, soucieux de ses bons mots, ne leur donne pas tort : « On nous a dit hier que nous nous débattions dans l'incohérence. A mon avis, il n'y a rien de plus vrai. »

On rit, on applaudit à gauche, et à l'extrême gauche. « Nous sommes dans l'incohérence, poursuit Clemenceau, parce que l'on nous y a mis. J'y suis, j'y reste. »

On rit à nouveau mais Briand, dont Clemenceau vient en somme de mettre en cause la politique, quitte la séance. On murmure. Crise, démission ?

Jaurès intervient, grave. « La politique ne peut pas être livrée à la merci, au hasard des incidents de séance ou de mouvements de lassitude ou de nervosité. »

Il se tait un instant. Briand est toujours absent. Il reprend : « Si l'œuvre de Séparation est aux trois quarts terminée, dit-il, c'est à la sagesse du pays qu'on le doit mais le ministre de l'Instruction publique et des Cultes y a sa part. »

Hommage à Briand. Jaurès toujours capable de dépasser les problèmes de personne, d'oublier que ce camarade, Aristide Briand, a quitté le socialisme pour le pouvoir.

Clemenceau s'associe à l'hommage, et ira lui-même chercher Briand afin de rentrer avec lui dans l'hémicycle. L'incident est clos.

Mais cette manière même qu'a Jaurès de savoir reconnaître les réussites de ceux-là qui l'ont abandonné, comme elle est difficile à supporter ! Elle dessine un Jaurès exceptionnel, inattaquable sur le plan moral. Où est donc la faille de cet homme ? Il reste les ragots. On dira ainsi qu'il quitte (en mai 1907) rapidement la Chambre des députés, interrompant une intervention, demandant à la reprendre le lendemain, parce qu'on vient de lui faire passer un message où on lui annonce que sa fille Madeleine fait une crise religieuse, veut entrer au couvent. Et les journaux reprennent cette rumeur. D'autres ressassent leurs griefs. Jaurès n'a aucune sensibilité, dit Gérault-

Richard. Il est à la fois impérieux et lâche. Vieille rancœur de Gérault-Richard, d'un homme prétentieux qui voulait être rédacteur en chef de *L'Humanité*. « J'avais trouvé 200 000 francs, raconte-t-il, Jaurès une centaine de mille fournis par des petits juifs qui demandaient 5 000 francs d'appointements. Ce sont eux, dit Gérault-Richard, qui ont contraint Jaurès à m'écarter. »

Jaurès est-il sensible à ces ragots, à ces injures ? Il hausse les épaules. « Non », répond-il, puis, comme se reprenant, « quand je ne les lis pas ».

En fait la vie et le combat emportent Jaurès loin des rivages du moi, du narcissisme, de la complaisance, de la plainte ou de l'introspection.

Pas le temps de s'arrêter et peut-être est-ce parce qu'il craint cette introspection, ce regard qu'il pourrait porter sur lui-même, sur sa vie intime, qu'il se jette ainsi en avant.

Et ses responsabilités, les tâches qu'elles impliquent, ne l'autorisent plus, en fait, à ce retrait des choses. Certes, il lit, il fait, comme il l'a dit à Barrès, de la métaphysique. Mais cela non plus n'est pas à son usage personnel « égotiste ». « D'ailleurs, vous comprenez, a-t-il précisé à Barrès, mes lectures, je les rapporte plus ou moins à mes travaux d'ici — à la Chambre des députés —, elles me nourrissent continuellement. »

La montée des revendications sociales, d'ailleurs, ne lui laisserait, le voudrait-il, aucun répit. Grève des dockers à Nantes. Journée de lutte de la CGT le 20 janvier 1907 à Paris pour l'application du repos hebdomadaire. Grève dans l'alimentation, chez les ouvriers boulangers. Violences : les grévistes brisent les vitrines des magasins restés ouverts le dimanche. Grève des électriciens le 8 avril : la première, spectaculaire, plongeant une partie de Paris dans l'obscurité. Les théâtres font relâche, les cafés s'éclairent aux bougies. Le syndicat des instituteurs a remis la veille un long mémoire à Clemenceau dans lequel il annonce son intention de s'affilier à la CGT, d'adhérer ainsi aux Bourses du Travail. Bientôt ce sera le 1er mai, à nouveau.

Cette combativité ouvrière creuse le fossé entre socialistes et radicaux. Car Clemenceau ne connaît qu'une réponse à ces grèves : l'action policière. Il y a pourtant un ministre du Travail. Mais Viviani se contente de proposer l'anticléricalisme comme programme social. Éloquent, cet homme, qui fut un ami très proche de Jaurès, se glorifie. « Nous avons arraché les consciences humaines à la croyance, dit-il. Lorsqu'un misérable fatigué du poids du jour ployait les genoux, nous l'avons relevé, nous lui avons dit que derrière les nuages il n'y avait que des chimères. Ensemble et d'un geste magnifique, nous avons éteint dans le ciel des lumières qu'on ne rallumera plus. »

Pour Jaurès cette prétention est insupportable, aux lisières de l'hypocrisie. Lui qui, au contraire, affirme ces mois-là que « christianisme et socialisme sont deux courants de la pensée moderne qui doivent se développer parallèlement et dont la convergence déterminera l'avènement d'une ère de justice et de paix », compte surtout les morts, les blessés, les emprisonnés, les révoqués qui constituent la réalité de la politique de Viviani et de Clemenceau.

Celui-ci, d'ailleurs, devient en quelques mois l'objet de la haine et du mépris des milieux ouvriers. Le premier flic de France est présenté comme le « dictateur » et dans *La Guerre sociale* — un journal que publie Hervé à partir de décembre 1906 — ou *L'Assiette au beurre,* la publication satirique anarchisante, Clemenceau apparaît en médecin à tête de mort, aux mains ensanglantées, qui fait avorter Marianne : « Bien sûr, dit la légende, tu es enceinte d'une nouvelle société ! Mais tu avorteras, ça me connaît. »

Il faut dire que Clemenceau ne cède sur rien. On tire à Nantes sur les dockers. Le préfet de police Lépine fait disperser brutalement les cortèges parisiens. La grève des électriciens est brisée par la menace du recours à l'armée. La troupe est chaque fois mise à contribution. Les cuirassiers chargent, les officiers mettent sabre au clair. Le clairon sonne avant l'assaut, baïonnette au canon.

On comprend que l'antimilitarisme des milieux syndicaux, riche d'une tradition et d'une légende (Lucien Descaves a dénoncé les « Sous-off », Georges Darien a stigmatisé « Biribi » et les « Bat d'Af », les bataillons disciplinaires, les « peaux de vache », etc.), se trouve avivé par cette utilisation des régiments dans les conflits sociaux.

A chaque occasion, Jaurès intervient pour défendre les ouvriers ou le droit des fonctionnaires, des instituteurs à se syndiquer. Suant, martelant la tribune du poing, « il est une des deux flammes de la Chambre », dit Barrès. L'autre étant Albert de Mun. Mais, quand il observe de Mun, quittant la tribune comme s'il venait de jouer une comédie de salon, Barrès précise : « J'aime mieux encore le monstre Jaurès qui, de retour à sa place, fume encore. » Et Jules Renard emploie presque les mêmes termes quand il dit, après avoir écouté

Jaurès : « Jaurès, fumée en haut, peut-être, mais en bas la marmite bout. »

En face de lui, impitoyable et farouche, agile, provoquant envers l'ensemble des députés — et d'abord peut-être ses amis radicaux —, Clemenceau, homme d'autorité. Réquisitions ? Emploi de l'armée ? Il agit, dit-il, au nom du droit qu'a la société de vivre. « Ce que vous préconisez, crie-t-il à Jaurès, c'est l'oppression du corps social par une minorité. » Les ouvriers ne doivent pas être des tyrans.

Et on relève un mort à Nantes parmi les dockers. Et il y aura 780 arrestations à Paris le 1er mai 1907 bien que les manifestations fussent sans comparaison avec celles de 1906. Mais Clemenceau veut briser toute action dans la rue. Et il y réussit, faisant arrêter les auteurs d'une affiche antimilitariste. Pas d'équivoque avec Clemenceau. Il parle d'une voix aiguë, par phrases brèves, rapides, interrompues parfois par un mot d'esprit. Aux radicaux qu'il sent inquiets de sa politique, qui multiplient les conciliabules, il lance : « Parlez haut, messieurs les radicaux, je vous attends, je ne veux pas être étranglé par les muets du sérail. »

De la CGT, il dit : « Je suis l'adversaire, l'ennemi de la Confédération en tant qu'association propageant les doctrines de l'anarchie et de l'antipatriotisme. Si on la juge par ses chefs qui prêchent le sabotage, l'anarchie, l'antimilitarisme, oui, sus à celle ! » Il récuse aux instituteurs le droit de s'y affilier car elle fait « l'apologie du sabotage, de l'action directe, elle appelle à la désertion ».

Et le secrétaire du syndicat des instituteurs est révoqué. Tel est Clemenceau.

Au banc du gouvernement, les ministres Briand et Viviani, les ex-socialistes, approuvent de leur silence. Le 19 avril dans un manifeste la CGT a dénoncé les « reniements d'opinion, et les trahisons de ces hommes passés de l'autre côté de la barricade, de Clemenceau ex-champion de la liberté individuelle ; de Briand et de Viviani qui affichèrent jadis un socialisme flamboyant ».

Les ministres se taisent. Jaurès monte à la tribune.

Il va parler deux séances entières. D'abord sur les principes, argumentant pas à pas, démolissant le raisonnement de Clemenceau. Mais est-ce l'essentiel ? Qui peut-il convaincre ? Clemenceau et Briand chuchotent au banc du gouvernement, rient. « Vous écorchiez la grande bourgeoisie, quand vous étiez dans l'opposition, lance Jaurès à Clemenceau. Maintenant que vous êtes au pouvoir, vous étranglez les travailleurs. »

Le ton est donné. Il faut liquider le passé. Il y a quelques mois seulement, Jaurès louait Briand de son travail de législateur. Les temps ont changé. Il commence à voix basse, penché, fixant tour à tour Briand et Viviani. « Quels que soient les événements, dit-il, qui dans la vie séparent les hommes et rompent les solidarités, on ne peut pas blesser les amis d'hier sans se blesser soi-même. »

Jaurès tire de sa poche un petit livre rouge qu'il brandit.

Voilà les discours de Briand, ceux d'il y a quelques années. Et lentement Jaurès relit ces phrases où Briand, dans les Congrès, prêchait la grève générale. Il est implacable. Il martèle ce passage où Briand disait à l'ouvrier : « Si l'officier s'obstine à donner l'ordre de tirer, les fusils partiront sans doute mais ce ne sera pas dans la direction souhaitée. »

Il a dit cela, Briand ! Et maintenant ministre de l'Instruction publique il révoque le secrétaire du syndicat des instituteurs. Jaurès tend le bras vers Briand, tassé, pâle. Il lui rappelle que le jour de sa prise de fonction, il a déclaré : « J'arrive ici avec toutes mes idées, je n'en désavoue aucune. » Alors, demande Jaurès, ce langage, c'est avec lui que vous gouvernez, et vous osez frapper ? Je n'ai plus qu'un mot à dire, pour résumer toute cette politique, lance Jaurès : « Pas ça où pas vous. »

Comment ne pas haïr Jaurès quand il ouvre en public le livre de votre reniement ? Comment ne pas désirer le faire taire à jamais ce témoin gênant d'une autre époque de votre vie ?

Il faut répondre. Et Briand est habile, usant du détachement et de l'ironie, de la perfidie aussi. « Mon discours sur la grève générale, dit-il, a été prononcé à votre service. Je le fis pour porter le désordre dans les rangs de vos adversaires... Et vous-même, monsieur Jaurès, quand vous êtes devenu vice-président de la Chambre, vous en avez accepté toutes les obligations... »

Petitement, on se défend, on se justifie. On sait aussi que, pour son avenir politique, cette attaque de Jaurès est heureuse. Cela console de lire le lendemain dans *Le Temps* qu'il « est bon que l'expérience démontre au pays que les plus révolutionnaires quand ils arrivent au pouvoir sont obligés d'appliquer rigoureusement les méthodes gouvernementales ».

Mais il faut accepter que Jaurès commente : « Il y a quelque chose de plus angoissant que de montrer aux foules pour leur enseignement les ilotes ivres, c'est comme le veut *Le Temps* de leur montrer les ilotes dégrisés. »

Il faut subir le fait que Clemenceau dans sa réponse à Jaurès ne mentionne même pas votre nom, Briand, qu'il ignore les attaques lancées par Jaurès contre l'un de ses ministres. Ce qui en dit long sur les rapports entre les deux hommes. Et ce qui accuse, quelles que soient les parades, l'humiliation subie et l'amertume. Et la haine — inconsciente sans doute — contre ce juste, Jaurès.

Pour Jaurès et malgré son alacrité dans le débat, le moment avait été pénible. Il ne se livrait que très rarement à ces mises en cause personnelles. Et comme il l'avait dit, les coups qu'il portait à Briand, à Viviani, à Clemenceau, il en ressentait le choc.

Mais le passé ne pouvait plus servir d'alibi. Une politique « violente de réaction et de répression » était à l'œuvre. Il fallait donc dire ces choses. « Et si j'ai une faute à me reprocher, conclut Jaurès, c'est de ne pas l'avoir dit assez tôt, c'est d'avoir contribué à prolonger l'illusion possible et le péril. »

D'ailleurs dans les semaines qui suivirent, ce qui restait d'illusion se brisa dans les rues et sur les places de Montpellier et de Narbonne, quand, les viticulteurs unis, rassemblés à plusieurs centaines de milliers, manifestent pour protester contre la chute des cours, l'usage du sucre et la surproduction.

Clemenceau malgré les avertissements laisse monter le mouvement, espérant qu'il s'éteindra de lui-même, disant à Caillaux, son ministre des Finances qui s'inquiète : « Vous n'y entendez rien, Caillaux, vous ne connaissez pas le Midi, tout cela finira par un banquet. »

En fait la préfecture de Narbonne est saccagée. Les troupes — au recrutement régional — se rebellent marchant crosse en l'air sur Béziers après avoir pillé une poudrière.

> *Salut, salut à vous*
> *Glorieux soldats du 17ᵉ*
> *Chacun vous admire et vous aime,*

chante Montheus. On voit les soldats débraillés, couchés au milieu de la foule des vignerons. Ils seront — après qu'on leur eut promis l'amnistie — envoyés dans le Sud tunisien, à « Biribi ». Mais les cuirassiers ont chargé, le 139ᵉ de ligne a ouvert le feu. On relève quatre morts et une dizaine de blessés.

A cette « révolte des gueux » Clemenceau a donc opposé la force et la ruse, circonvenant le « chef des gueux » Marcelin Albert, le « rédempteur », faisant arrêter le maire socialiste de Narbonne

Ernest Ferroul. « Les vieux ans de M. Clemenceau sont rudement terribles, écrit Ferroul avant son arrestation. Allons, faites donner la garde, s'écrie ce Napoléon usagé, qui porte son petit chapeau sur l'oreille. »

Certes ce type de crise n'est pas toujours maîtrisable. Mais Clemenceau a masqué son absence de prévoyance sous la brutalité. Et la presse radicale a dénoncé « l'anarchie réactionnaire des foules » alors que les socialistes et le monde ouvrier se sentaient solidaires de la récolte, même confuse et ambiguë, du Midi viticole.

On le vit bien le 29 juin, quand Jaurès devant cinq mille parisiens réunis au Tivoli Vauxhall — le jour même où la Chambre votait une loi contre la fraude, texte qui allait permettre de lutter contre la crise viticole — place les événements dans leurs perspectives. Il parle de ce Midi qu'il connaît. Au temps de la construction de la Verrerie ouvrière d'Albi, il s'était rendu à Narbonne. Et il avait soulevé l'enthousiasme des paysans. La collecte organisée en faveur des verriers avait été importante. Maintenant il dit : « L'événement qui se développe là-bas est un des plus grands événements sociaux qui se soient produit depuis trente-cinq ans. » Et enflant la voix, il raconte. « Il y a une légende du Midi. » Il explique à ces hommes du Nord. « On s'imagine que c'est le pays des paroles vaines, on oublie que ce Midi a une longue histoire sérieuse, passionnée et tragique. »

Il dénonce Clemenceau, celui qu'après les événements du Midi viticole on appellera « la bête rouge ». Mais Jaurès ne s'en tient pas là. Ce qui est en cause, dit-il, « c'est la puissance de désordre du capitalisme qui arrive à ruiner non seulement la classe exploitée mais, période par période, la classe exploiteuse »...

Il rappelle qu'à la Chambre, il a déposé un projet (utopique) de socialisation des vignes.

« Voilà la leçon des événements », conclut Jaurès.

Le sud languedocien en tout cas devenait par cette prise de position de Jaurès une terre favorable aux socialistes.

Au même moment, ce 29 juin 1907, salle Wagram, devant une salle enthousiaste, les dirigeants de l'Action française remettaient au général Mercier une médaille en or, fruit d'une souscription ouverte pour célébrer sa « résistance aux défenseurs de Dreyfus ».

Dans son discours, Léon Daudet, commentait lui aussi les événements du Midi. « Le général Picquart, disait-il, ministre de la

Guerre par la volonté de la juiverie, est devenu Picquart l'assassin. Picquart a fait exécuter à Narbonne les fusillades de Dreyfus... »

Les dreyfusards étaient bien désormais dispersés dans des camps opposés. Le passé s'en était allé. Jaurès avait raison de dire : « Maintenant tous les voiles sont déchirés. »

Chapitre 20

« L'acteur de son propre drame »
(1907-1908)

Ils parlent tous de Jaurès. Même aux déjeuners de l'académie Goncourt où se retrouvent Descaves, Mirbeau, Renard, Daudet, Hennique. Il est un sujet de conversation. On ne peut pas éviter Jaurès. Il écrit, il parle, il provoque l'admiration ou la haine, pas un sujet brûlant de l'actualité qu'il n'aborde. Mirbeau, chez les Goncourt, fait l'éloge de Jaurès. On évoque aussi Clemenceau. « Le fond de Clemenceau, dit l'un, c'est la gravité. Il ne tient pas à son esprit, encore moins à la dictature. » On se moque de Léon Daudet qui vient d'écrire dans *L'Action française,* devenu quotidien à partir du 1er mars 1908, un article odieux sur Zola « Le grand fécal ». D'ailleurs, constate Renard, ces membres de l'académie Goncourt, sont « tous antisémites du moins en ce qui concerne une élection future à l'Académie : pas de juifs ».

Puis l'on revient à la politique. « En politique, dit Renard, la sincérité a l'air d'une manœuvre compliquée et sournoise, d'une fourberie savante. »

Pas chez Jaurès, Daudet en convient. « Oui, dit-il, je le crois très gentil. » Il l'insulte un article sur deux, mais c'est le jeu, n'est-ce pas ? Poincaré qui fut l'avocat de l'Académie et qui assiste au déjeuner paraît gêné de cet éloge de Jaurès. On change de thème. Mais peut-on écarter Jaurès quand on parle de l'action, de ses mobiles, du progrès de la morale ? Y a-t-il progrès moral ? Non, dit Poincaré. Il n'y aurait pas de morale ? Alors que faire ? « Rien », affirme Jules Renard. « Oui, admet Poincaré, et je n'ai jamais rien fait, je n'ai jamais osé, je ne fais rien parce que je ne sais pas au nom de quoi il faut agir. »

Curieux éloge de l'inaction et du scepticisme chez un ancien ministre, un homme politique promis au plus grand avenir. On va se séparer. On parle gouvernement. « Un gouvernement est légitime quand il existe », dit Léon Daudet. « Quand il est accepté par les puissances européennes », répond Poincaré.

Tel est l'esprit du temps, auquel participe Jaurès, quand il dîne chez Mme Schutzenberger, qu'il commente en riant les débats parlementaires ou bien qu'il parle littérature ou qu'il chante le Midi, avec le peintre Henri Martin.

Seulement il ne peut échapper à une question plus grave. La guerre, le patriotisme. Alors il étonne. Ses adversaires ont à tel point travesti ses positions, confondu — délibérément ou naïvement — l'antimilitarisme de Gustave Hervé avec les idées de Jaurès, qu'ils sont surpris d'entendre Jaurès dire « qu'une nation désarmée ne pourrait pas vivre parce qu'elle ne serait pas assez clairvoyante pour distinguer chez les nations voisines la sincérité de la fausseté ». On lui demande de s'expliquer. « A chaque instant, dit-il, on entendrait : L'Allemagne ne ferait pas ça si nous étions armés. »

On l'interroge avec un peu d'anxiété : voit-il venir les conflits ? « Je ne crois pas à la guerre, répond-il. Je ne crois pas Guillaume au fond si belliqueux. »

Cette conviction chez Jaurès qu'on peut éviter la guerre, et qu'il est possible de parler — qu'il le faut — avec l'Allemagne, explique sa vigilance à propos de la politique extérieure française.

Certes Delcassé n'est plus ministre et Pichon qui le remplace n'est pas un « étourneau » mégalomane. Mais le Quai d'Orsay vit encore à l'heure de Delcassé. Les hauts fonctionnaires du Quai sont toujours décidés à isoler l'Allemagne et à poursuivre la politique de pénétration au Maroc, malgré les risques de rupture de l'accord réalisé à la Conférence d'Algésiras. Jaurès, sans disposer d'informations précises, pressent que le capitalisme français, porté par une vague de croissance, cherche à conquérir des zones d'influence. Non plus seulement en exportant des capitaux comme il le fait avec les emprunts russes, mais aussi en investissant à l'étranger, en Russie, en Turquie. On pénètre l'industrie sidérurgique russe. On préfère prendre des participations plutôt que de vendre des produits français. On sacrifie ainsi la moyenne et petite industrie française, mais l'association du capital bancaire et industriel est fructueuse.

Jaurès est sensible à cet aspect économique de la réalité internationale. Il voudrait que la France — « si elle avait le sens de son intérêt véritable et de son devoir envers la civilisation humaine » — favorise une détente entre ces deux grands rivaux commerciaux, l'Angleterre et l'Allemagne. Si les conflits persistent, dit-il, « les peuples seront enveloppés comme une escadre dans un cyclone ».

Mais pour Jaurès, au-delà de ces accords, de ces compromis, la solution n'est pas dans la conquête de marchés lointains même partagés à l'amiable pour éviter un affrontement. « Le véritable acheteur, c'est le peuple. » Il faut développer la consommation intérieure. Créer de nouvelles habitudes de vie qui multiplieront les débouchés. En finir avec le gaspillage des milliards, « dévorés par la préparation universelle de la guerre ».

Utopie ? Il dit lui-même : « L'essence du capitalisme c'est de produire des guerres. » Mais cette « loi d'airain de la guerre », les socialistes s'ils sont unis dans l'Internationale peuvent la mettre en échec.

Jaurès ainsi a élaboré une ligne cohérente de politique internationale. Vision réaliste qui voit bien que, à s'engager dans le guêpier de la rivalité avec l'Allemagne, on n'aboutira qu'à la guerre.

Or, au Maroc, poussé par les intérêts coloniaux, les initiatives locales, l'engrenage de la répression, la France enfonce son bras dans la ruche des conflits. Une escadre de cuirassés mouille à Tanger. Un médecin français est assassiné à Marrakech ? Les troupes françaises occupent Oujda. Des musulmans attaquent à Casablanca des ouvriers européens qui construisent une ligne de tramway qui traverse un cimetière ? Il y a des morts ? Le croiseur *Galilée* bombarde la ville, des fusiliers marins débarquent. Un général — Drude — considéré comme prudent est remplacé par un autre — d'Amade — plus entreprenant. On pilonne, à l'intérieur des terres, des rassemblements de population sans autre raison que l'intimidation et l'occupation. On soutient un sultan, Abd el Aziz, dont l'autorité s'effrite parce qu'il apparaît comme un collaborateur. Son rival Moulay Hafid s'impose peu à peu, malgré nous, et prêche contre la France la Djihad, la guerre sainte.

Jaurès à chaque étape est sur la brèche. Dans *L'Humanité,* jour après jour, pour réprouver « un pas de plus vers l'intérieur, une dent de plus de l'engrenage sur la main de la France ». Il dénonce à la fois le gaspillage de ressources que représente l'entreprise, la diversion par rapport aux problèmes du pays et surtout le risque de conflit avec l'Allemagne. Le Maroc est un baril de poudre, dit-il. Il faudrait une solution internationale.

Quand le Parlement est en vacances, il en demande la convocation d'urgence. Mais Clemenceau se tait, laisse faire, lui qui se proclama longtemps anticolonialiste.

Le 24 janvier, enfin, Jaurès peut intervenir, dénonçant cette guerre qui maintenant embrase tout le Maroc. Il faut reconnaître, dit-il, « Moulay Hafid, champion de l'indépendance marocaine ». Delcassé se dresse. C'est sa grande rentrée. Il n'est pas intervenu depuis son départ du Quai d'Orsay. Il pousse le gouvernement à l'audace. Notre énergie impressionnera. Qui donc sinon l'Allemagne ? Et puis, dit-il, « L'Afrique avec ses territoires immense et sa population peu dense constitue la réserve la plus précieuse pour l'Europe. »

Politique claire, aux antipodes de celle de Jaurès. Politique d'affrontement avec l'Allemagne. Comme le disait le Journal *Le Gaulois :* « Il faut, fort de l'alliance russe, de l'entente cordiale, mettre la main sur la garde de notre épée et regarder en face l'Allemagne. »

Clemenceau se tait toujours, cherche à éviter les éclats, à ne pas prendre nettement position tout en laissant les militaires, sur place, poursuivre leur action.

Jaurès est indigné. Qu'on puisse se battre contre l'Allemagne pour « permettre à des marchands de Londres de ruiner des marchands de Hambourg ou pour rétablir un sultan du Maroc », alors qu'on ne l'a pas fait pour « ressaisir Metz et Strasbourg », il hurle presque : « Cette seule idée, messieurs, me fait horreur ! »

Mais il s'attire ainsi de nouvelles haines et heurte directement des intérêts. Stephen Pichon, l'actuel ministre des Affaires étrangères, a été de 1900 à 1905 gouverneur général de la Tunisie. Il a couvert les spoliations de terres indigènes qui se sont faites directement au bénéfice d'hommes politiques : sept députés et huit sénateurs. On voit des parlementaires devenir immensément riches — ainsi Léon Mougeot qui fut ministre de l'Agriculture du gouvernement Combes — tel autre radical a des intérêts en Indochine puis très vite au Maroc. Il en va de même en Afrique noire. Et le Comité de l'Afrique française est un groupe de pression très efficace.

Jaurès peut-il même concevoir cette attitude d'hommes pour qui la politique est une source de profits personnels et ne devient bientôt plus que cela ? Ces motivations individuelles et sordides lui sont opaques. Par cette caractéristique morale, ce désintéressement qui est le fond même de sa nature, il s'exclut au-delà de considérations idéologiques de l'univers politique conservateur et affairiste. Il ne peut qu'être — avant même un choix raisonné — dans un camp différent de celui de Paul Doumer, de Léon Mougeot ou d'Albert Sarraut qui deviendra bientôt gouverneur général d'Indochine. Ceux-là aiment le pouvoir, aiment l'argent, pour la puissance et les jouissances qu'ils donnent.

Jaurès ? « C'est à pleurer de voir cet homme », dit Jules Renard qui le rencontre tous les deux ou trois mois. « Toujours la même jaquette d'une propreté douteuse, la même cravate et le même col, des souliers mous comme des chaussons. Il vit tout seul, ouvre sa porte lui-même et ne peut même pas manger chez lui. »

Louise Jaurès quand elle vivait encore à Paris se plaignait souvent des difficultés d'argent. Les voyages de Jaurès, disait-elle, grevaient le budget familial. Elle était heureuse qu'on paie cent francs les articles qu'il donnait à la *Revue de l'Enseignement primaire*. « Mais à *L'Humanité* il ne touche rien, absolument rien ! Est-ce tolérable ? Et faut-il qu'il soit bête d'écrire pour rien ! Quand j'essaie de lui faire comprendre qu'on se moque de lui, puisque les autres sont payés, il me répond : " Ma bien chère, c'est moi qui ne veux pas d'argent pour mon billet quotidien, ces quelques lignes représentent si peu d'ouvrage. " »

Jaurès, indifférent à l'argent, qui quand il s'assoit à la table d'un café découvre qu'il n'a pas sur lui de quoi payer les consommations, pense parfois à laisser sa montre en gage, et qui est victime d'une mésaventure semblable quand il prend l'autobus, et qu'il doit s'excuser auprès du receveur, refusant qu'une jeune femme qui l'accompagne paie pour lui : « Cela ne se fait pas. »

Comment pourrait-il imaginer, Jaurès, ces stratégies personnelles d'hommes qui accaparent, accumulent et couvrent ces opérations du manteau des grands principes politiques ?

On comprend alors pourquoi Jaurès accepte la logomachie des Congrès socialistes, le heurt des motions, les interventions interminables de délégués qui répètent sans fin les arguments déjà avancés par d'autres et qui, quel que soit le temps qui leur est imparti, tiennent à occuper la tribune. Certes le sens démocratique est profond chez Jaurès et il est trop respectueux des autres, de leur droit à s'exprimer pour s'irriter réellement des palabres. Mais surtout dans ces Congrès il est chez lui parce qu'au-delà des oppositions, il y a la fraternité du désintéressement. Sans doute tel ou tel camarade est-il peut-être un ambitieux. Mais la tonalité des Congrès, celle du parti, est donnée par ces hommes et ces femmes que rassemble un fonds d'idées communes : le souci du destin collectif, la volonté de peser sur les événements, non pas d'abord pour réaliser un objectif personnel, mais pour que le cours des choses change dans un sens positif.

Dans le parti et les Congrès socialistes, Jaurès trouve des semblables : ceux qui croient aux idées et chez qui l'espoir et la confiance dans l'homme sont plus forts que chez ceux qui se prennent pour des réalistes et qui ne sont que des cyniques.

Dans les Congrès de la SFIO, ces années-là, à Limoges (en novembre 1906), à Nancy (en août 1907), Jaurès retrouve toujours les mêmes hommes. Edouard Vaillant, avec qui il établit souvent une alliance contre Jules Guesde, qui croit toujours représenter l'orthodoxie marxiste, et Gustave Hervé, ce nouveau personnage qui dans son journal *La Guerre sociale* tient le langage activiste, extrémiste de l'antipatriotisme et de l'antimilitarisme. Ce courant-là n'est pas seulement fort de l'écho qu'il rencontre dans la CGT, mais aussi de la confirmation que semblent lui apporter les derniers événements. La mutinerie, à Béziers, des soldats du 17ᵉ, n'est-ce pas la preuve qu'il faut, en cas de guerre, tourner les fusils contre les exploiteurs ?

Entre Guesde et Hervé, Jaurès navigue, soucieux de contester les idées fausses d'Hervé et de ne pas se couper du courant qui se reconnaît en lui. Cela donne souvent lieu à des motions composites, où l'on retrouve des thèmes contradictoires. Mais elles sont votées. Faiblesse des congrès et des motions de synthèse.

Entre Hervé qui déclare : « Les patries ne sont pas des mères, ce sont des marâtres pour les pauvres, nous ne les aimons pas telles qu'elles sont actuellement. Notre patrie, c'est la classe », et Jaurès qui proclame : « Plus les ouvriers ont une classe, plus ils ont une patrie », la différence est grande. Mais telle est la SFIO, rassemblant des hommes différents. Telle est l'espérance de Jaurès : faire que, à la fin, il y ait convergence, pour qu'une force pèse sur l'histoire.

Or, derrière les mots, il y a une grande question : comment les socialistes pourront-ils, en cas de risque grave de guerre, intervenir pour l'empêcher ?

Hervé dit : « A toute déclaration de guerre il faut répondre par la grève militaire et l'insurrection. »

D'autres questionnent : il ne faut pas aller plus loin que les socialistes allemands. Or ces derniers sont prudents.

Et toutes les guerres sont-elles identiques : qui fera la différence entre une guerre défensive et une guerre offensive ? Et pourquoi ne pas profiter de la guerre pour faire la révolution ?

Jaurès tente de rassembler tous les points de vue. Ne pas briser la patrie. Ne pas la laisser désarmée mais empêcher la guerre par tous les moyens : au Parlement peser sur le gouvernement, proposer l'arbitrage, et s'il le faut, aller plus loin.

De toute manière, les socialistes français, dit Jaurès, ne peuvent agir efficacement qu'en accord avec leurs camarades étrangers allemands d'abord.

Précisément, le VII° Congrès de l'Internationale socialiste s'ouvre à Stuttgart, le 18 août, quelques jours après le Congrès de Nancy de la SFIO qui s'est tenu en vue de cette réunion.

Stuttgart en ce mois d'août 1907. Il fait chaud et lourd, orageux. Jaurès est heureux de se trouver dans cette Allemagne du Sud, la plus ouverte aux courants européens. Il se rend à l'université, il se promène le long du Neckar. Il reste cet enthousiaste qui enrichit chaque rencontre, chaque découverte de sa culture. Qu'il évoque le XVI° allemand ou la période révolutionnaire, l'histoire chez Jaurès est toujours manière de mettre le présent en perspective. Et puis il connaît les principaux délégués : Vandervelde, Kautsky, Bebel, Bernstein. Ce sont des retrouvailles. Il bavarde avec eux. Il parle allemand et il interviendra au Congrès dans cette langue après avoir utilisé le français. Il retouve aussi Rosa Luxemburg qui représente le Parti polonais et enseigne à l'Ecole du Parti social-démocrate allemand. Elle est constamment accompagnée d'une femme au visage austère, mais au regard ardent, une Allemande socialiste et féministe, Clara Zetkin. On la voit aussi se concerter longuement avec un homme ramassé, aux yeux vifs et mobiles, le représentant du Parti social-démocrate russe, Lénine, qui est délégué au Congrès en compagnie de Martov puisque les deux fractions, bolcheviks et mencheviks, viennent de se réunifier.

Guesde, Vaillant, Hervé sont avec Jaurès les leaders de la délégation française composée de 90 membres alors qu'il y a 150 Allemands et 130 Anglais sur les 886 délégués. Le thème central du Congrès, le nœud de toutes les contradictions c'est la question de la guerre, du rôle que doivent jouer les socialistes pour l'empêcher ou — dans les termes mêmes où cela a été discuté à Nancy — comment ils peuvent, de la guerre, faire surgir la révolution.

En fait, malgré les tensions au Maroc, la guerre paraît à ces délégués, européens pour la plupart, une abstraction. Elle est menaçante, prévisible certes mais au même titre que la révolution et la chute de capitalisme. Cela fait 37 ans maintenant que l'Europe est en paix. Des chœurs bavarois ont accueilli les délégués. Des fleurs décorent la salle et les tables. On parle de la guerre mais l'atmosphère de l'Europe occidentale est encore à la paix. Pas de passeport pour franchir les frontières, un échange réel d'idées d'un bout de l'Europe à l'autre. Les écrivains, les artistes, les professeurs circulent, et malgré l'angoisse de la guerre qui les étreint au terme d'un raisonnement, même Jaurès et les autres socialistes ne réussirent pas à admettre qu'elle puisse éclater et à se faire une idée concrète de son déclenchement et de sa nature.

Jaurès était sans doute le plus préoccupé. Il s'intéressait avec beaucoup d'attention aux problèmes militaires, lisant tout ce qui paraissait sur le sujet. Il pensait à ouvrir — il le fera en octobre 1906 — dans *L'Humanité* une rubrique consacrée à ces questions. L'auteur en sera le capitaine Gérard que Jaurès avait rencontré au cours d'un dîner. Gérard signera ses articles « Commandant Rossel », du nom de cet officier qui avait rejoint les Communards et que les Versaillais avaient fusillé. C'est Gérard qui fournit à Jaurès les livres, les revues que lui demandait le député socialiste, lui qui l'aida à constituer un petit groupe d'officiers, disposés à réfléchir aux questions militaires. Et Jaurès, avec son intuition visionnaire, décrivit un soir à Gérard ce que serait la prochaine guerre, les grandes villes européennes écrasées sous le déluge des obus. A cette époque, il signe avec son éditeur, Rouff, un contrat pour un livre intitulé *La Défense nationale et la paix internationale*, auquel il avait décidé de consacrer l'essentiel de ses lectures et de son temps. C'est dire que Jaurès avait intellectuellement saisi la nécessité urgente d'une réflexion sur la guerre.

Mais comment croire que la folie allait s'emparer de cette Europe dans laquelle, précisément en 1907, se tenait à La Haye une conférence sur les moyens de parvenir à la paix par les accords internationaux ? Il s'agissait, disaient les représentants des gouvernements, de supprimer les guerres et le philanthrope milliardaire Andrew G. Carnegie, qui avait décidé d'assister à ses frais à la conférence, se déclarait persuadé de son efficacité.

Certes, à Stuttgart, quand le délégué des travaillistes anglais, Quelch, affirma qu'à La Haye se tenait une « réunion de brigands », les représentants de tous les partis socialistes l'applaudirent. La police vint, expulsa Quelch au milieu des protestations. Mais malgré la déclaration de Quelch, il ne semblait pas que la guerre frappe à la porte de l'Europe.

Le Congrès s'ouvrit dans l'émotion. Les délégués debout rendirent hommage « à toutes les victimes, à tous les combattants de la révolution russe » puis on se répartit en commissions.

La plus importante était celle consacrée au « militarisme et à la guerre ». Là siégeaient Jaurès, Vaillant, Hervé, Bebel. Lénine donna son mandat à Rosa Luxemburg, afin qu'elle puisse participer aux travaux. Bebel était prudent, il ne voulait pas engager les socialistes allemands. Le Parti social-démocrate en quelques années s'était transformé. Son organisation s'était bureaucratisée. Avec les succès du parti, on avait vu proliférer les fonctionnaires, les secrétaires. Tout un monde de bureaux, de machines à écrire, de téléphones donnait une apparence de force. Mais le sociologue Max Weber pouvait à bon droit se demander si au lieu de conquérir la société et l'Etat ce n'était pas ces derniers qui faisaient la conquête de la social-démocratie !

En face de cette lourde machine, les socialistes français représentaient l'improvisation et la spontanéité, l'enthousiasme aussi. Gustave Hervé criait aux Allemands : « Vous ne savez pas vous dresser contre votre gouvernement. Vous craignez la prison. Vous obéissez à votre Kaiser Bebel... » Hervé affirmait : « Plutôt l'insurrection que la guerre. » Quant à Jaurès, il s'étonnait : « Il serait vraiment triste que l'on n'ait pas plus à dire que Bebel, triste que nous n'ayons aucun moyen d'empêcher la lutte et le meurtre entre les nations. »

Il se tournait vers les délégués, fixant Rosa Luxemburg : « Triste en effet, reprenait-il, si le pouvoir de plus en plus grand de la classe ouvrière allemande, du prolétariat international ne va pas plus loin que cela. »

Hervé bondissait, parlait « de lâcheté. Les prolétaires allemands sont tous de bons petits-bourgeois satisfaits et repus ». Rosa Luxemburg écoutait, regardait les uns et les autres. Avec sa voix résolue, elle dit : « Hervé est un enfant, un enfant terrible. » Puis elle parla des révolutionnaires russes. « Ils nous remercieraient de nos hommages, lança-t-elle, mais ils ajouteraient : " Que notre exemple vous soit utile. " » Elle parla ainsi longtemps, écoutée avec attention par Jaurès quand elle argumentait : « La dialectique historique ne consiste pas pour nous à regarder les bras croisés et à attendre que les fruits mûrs tombent sur nos genoux. » Elle se tourna vers Jaurès et Vaillant. « Nous allons plus loin que vous, camarades, la propagande ne doit pas seulement servir à mettre fin à la guerre, mais servir à hâter la chute de la domination capitaliste. »

Jaurès se leva. Il parla allemand : « Le capitalisme, dit-il, n'est pas un dieu enfermé dans son sanctuaire. Il faut l'atteindre dans tous ses organes et dans toutes ses manifestations. Quand nous poursuivons notre action antimilitariste, quand nous osons entreprendre une politique réformiste, nous attaquons au cœur le capitalisme. »

Des bravos crépitèrent. Jaurès reprit : « Il dépend du prolétariat de briser la loi d'airain de la guerre. Le prolétariat veut être l'acteur de son propre drame. »

On rédigea une résolution. On y vantait l'arbitrage international obtenu sous la pression du prolétariat. On y précisait que « si une guerre menace d'éclater, c'est un devoir de la classe ouvrière et de ses représentants de faire tous leurs efforts pour l'empêcher par tous les moyens qui leur paraissent les mieux appropriés... ».

Texte vague auquel Rosa Luxemburg proposa un ajout : « Au cas où la guerre éclaterait néanmoins... » disait-elle, il faudrait la faire cesser et utiliser toutes les forces pour « précipiter la chute de la domination capitaliste ».

La résolution était un amalgame comme à l'habitude, un pot-pourri où chacun avait mis les ingrédients qui lui convenaient. Si bien que les délégués du Congrès approuvèrent le texte à l'unanimité dans l'enthousiasme, et l'on vit Hervé lui-même chanter *L'Internationale* debout sur une table.

En fait, même si Rosa Luxemburg et Lénine se félicitaient de leur triomphe, quelle était l'efficacité réelle de ce texte ?

Quels étaient les moyens concrets pour imposer à des gouvernements bellicistes un arbitrage puis la paix si la guerre était déclenchée ? Jaurès avait dit qu'une révolution ne se décrète pas. Pouvait-il croire que la paix s'impose avec quelques phrases ? Et qui pouvait décréter une grève générale ?

Marchant avec Bernstein au bord du fleuve Jaurès insistait sur l'« effet moral » de l'engagement. Tout était encore une question de modification des états d'esprit, une affaire de conscience. Donc il fallait qu'il s'impose un effort de pédagogie, de propagande pour convaincre, afin que les mots deviennent une force.

Aussi dès le 7 septembre il est à la tribune du Tivoli Vauxhall. Salle enfumée, une mer humaine qui déborde à l'extérieur, un mauvais éclairage, la chaleur, les gardes républicains en nombre, nerveux, arrogants. On voit mal Jaurès. On distingue « sa grosse tête rouge ». Il parle trop lentement, il ne trouve pas le ton, le rythme, « oiseau massif, impuissant à s'envoler ». Quand la fatigue le saisit, quand il ne sent pas le public, il est ainsi maladroit, gauche dans les débuts, et tout à coup, la phrase s'élève, dénonce « les flibustiers, les journalistes de proie, les banquiers d'audace, les capitalistes cyniques, tous ceux qui rêvent d'une grande expédition fructueuse au Maroc »...

Jaurès s'est élancé, les applaudissements le portent par rafales. Il explique la résolution de Stuttgart, l'arbitrage international qu'elle souhaite. « L'agresseur ce sera le gouvernement qui refusera l'arbitrage, et qui acculera les hommes à des conflits sanglants. »

Alors — il suspend sa phrase, crée l'attente —, alors : « L'Internationale vous dit que le droit, le devoir des prolétaires, c'est de retenir le fusil dont des gouvernements d'aventure auront armé le peuple et de s'en servir, non pas pour aller fusiller de l'autre côté de la frontière des prolétaires, mais pour abattre révolutionnairement le gouvernement de crime. »

Exaltation, triomphe de Jaurès, chant de l'Internationale. Il n'a jamais été aussi loin.

Pour lui, ce qu'il propose n'est que la dernière phase d'un processus qui ne doit pas parvenir à ce terme. Avant, il y a la sommation d'arbitrage. Mais il s'est découvert. On le tient. Il parle comme Gustave Hervé. Voilà que la haine a un prétexte. Les radicaux dans leur congrès s'interrogent : aux élections pourront-ils soutenir ces socialistes-là qui refusent la défense nationale ? On ne rapporte rien de ce que Jaurès a affirmé de la patrie, qu'il ne faut pas briser. On frappe à coups de titre dans la presse. Celle qui reçoit l'argent de l'ambassade russe. Et celle qui touche les pourboires des milieux coloniaux.

En janvier 1908, un personnage louche, enrichi par Panama, Bunau Varilla, qui dirige *Le Matin,* ce journal dont *L'Humanité* a, à plusieurs reprises, dénoncé les trucages, les procédés de chantage, crée avec Urbain Gohier — toujours lui — un journal, *Haro,* dont chaque numéro attaque Jaurès. Mais la presse « comme il faut », *La Croix, L'Echo de Paris,* n'est pas en reste. Tous dénoncent « l'ami du Kaiser », « Herr Jaurès », « le Kaiser de la République sociale ».

L'intervention de Jaurès dans la politique extérieure, ses analyses qui perturbent le jeu des intérêts, le renouveau nationaliste autour de l'Action française, les excès de Gustave Hervé donnent à la passion haineuse contre Jaurès une nouvelle impulsion.

Il le sait. Peut-être ne mesure-t-il même pas combien il dérange. Il hausse les épaules. Que faire ? « Le fait est là, la force des choses. » Ses ennemis ? « Une collection variée », comme dit Jules Renard. Il en convient. Il semble y être indifférent. « Ils disent des choses tellement bêtes ! » conclut-il. Mais c'est la bêtise qui tue.

Est-ce qu'il se soucie de sa mort ?

Ce qu'il attend, c'est surtout ce qu'il appelle l' « heure de justice ». Il est persuadé qu'elle viendra, car c'est sa conception du sens de la vie qui lui dicte cette certitude. « L'heure de justice sonne pour tout homme sincère au-dessus des clameurs de partis. » Ce jour-là, où sera-t-il ? « Debout dans la lutte ou couché dans le repos ? » Il ne s'en préoccupe pas. Il est sûr du bilan. « Personne n'a le droit de prétendre que j'ai surpris la bonne foi des républicains... » Et quand l'heure de justice viendra « toute la démocratie me rendra ce témoignage. »

La force et le dynamisme de Jaurès, il les doit à son intégrité morale.

C'est elle qui l'a opposé à Briand et à Viviani. Elle qui lui permet d'attaquer sans crainte Clemenceau. De lui dire avec netteté mais sans mépris, parce que le président du Conseil, ce vieux lutteur, est rusé, sans scrupule mais entier, fidèle à lui-même sinon aux idées qu'il a exprimées : « Vous avez usé de votre pouvoir parlementaire pour terroriser les gouvernements avant de terroriser les gouvernés. Toujours, dans l'opposition comme au gouvernement, votre objet a été de dominer, de despotiser. »

Il voit à l'œuvre chez Clemenceau ce goût du pouvoir et de la puissance cyniquement revendiqués et appliqués « au service d'un immense ralliement conservateur. M. Clemenceau n'ayant jamais été qu'un esprit négatif était prédestiné à cette œuvre de négation ».

Manifestations ouvrières réprimées de plus en plus durement. Et cette politique incite le patronat à licencier, à décréter le lock-out des ouvriers du bâtiment.

Quand les carriers se mettent en grève en Seine-et-Oise, à Vigneux, à Draveil, les gendarmes interviennent et on relèvera le 1er juin 1908 deux ouvriers tués. « Gouvernement d'assassins », crient les tracts de la CGT. « Après les massacres de Narbonne, après la tuerie de Raon-l'Etape, voici que le gouvernement assassine à Vigneux... Les lois n'existent plus pour Clemenceau le tueur... La CGT envoie à la bête rouge de France l'expression de son plus profond mépris. »

Violence du langage qui répond à la violence répressive. Un Gustave Hervé dans *La Guerre sociale* écrit au lendemain de la fusillade de Vigneux : « Dans cette foule de plusieurs centaines de grévistes, pas un revolver ! » et il signe son éditorial « Un sans-Patrie ».

Violence qui parcourt en de brusques secousses la société française. Quand le 4 juin 1908 a lieu, deux ans après le vote de la Chambre des députés, le transfert au Panthéon de la dépouille de Zola, en présence du président de la République, avec intermèdes musicaux sous la coupole du Panthéon et défilé des troupes, les membres de l'Action française manifestent par petits groupes. On siffle Fallières et les ministres. Et un journaliste nationaliste, Gregori, tire deux coups de revolver sur le commandant Alfred Dreyfus, le blessant au bras. La haine ne désarme pas. Un autre journaliste — André Gaucher — s'était porté volontaire pour la même mission « purificatrice ». Mais Maurras la lui avait interdite.

Dans ce quartier Latin, où l'on semble ainsi mettre un terme définitif à l'Affaire Dreyfus, les étudiants nationalistes perturbent les cours de Charles Andler — l'ami de Lucien Herr et de Jaurès —, coupable d'avoir organisé un voyage avec ses étudiants en Allemagne.

Et quelques semaines plus tard, Gregori est acquitté par un jury d'assises.

Signe de ce renouveau incontestable des idées nationalistes et antirépublicaines. Dans *L'Action française,* Maurras précisait qu'il « allait livrer la guerre quotidienne au principe de division et du mal, au principe de trouble et du déchirement, au principe républicain. »

Alors l'Affaire Dreyfus, une fausse victoire ? Les choix de Jaurès erronés ?

N'avaient-ils pas raison, ceux qui avec Guesde proclamaient que le prolétariat n'avait rien à gagner dans cette querelle ? On voyait dix ans plus tard Picquart ministre de la Guerre et Clemenceau président du Conseil faire tirer sur les viticulteurs et les ouvriers, cependant que ressurgissait avec une nouvelle génération, vigoureux, conquérant, le courant antirépublicain.

Mais la réalité, répondait Jaurès, ne pouvait se réduire à une série de points de vue contradictoires. La complexité était dans la nature même de la vie. Difficile à faire comprendre que l'attitude de Clemenceau aujourd'hui n'ôtait rien à la valeur de son engagement aux côtés des dreyfusards. Et que Jaurès avait eu raison de pousser les socialistes à prendre parti en faveur d'un officier innocent.

La vie, l'histoire étaient ainsi qui rapprochaient, divisaient, triaient.

Des forces nouvelles apparaissaient qui redistribuaient les hommes et les enjeux sur le terrain de la vie sociale.

Mais il était vrai que dans tous les domaines la position de Jaurès, réaliste, à plusieurs facettes, s'essayant à intégrer le maximum de données, souple, pouvait apparaître contradictoire.

Il venait ainsi de donner une interview à un journal libéral de Berlin, le *Berliner Tageblatt* du 10 juillet 1908, dans laquelle il se félicitait de la rencontre entre le roi d'Angleterre et le tsar Nicolas II, rencontre qui manifestait la réalité de l'accord anglo-russe et donc la vitalité de « l'Entente cordiale » entre Londres, Paris et Saint-Pétersbourg. Il trouvait à l'Entente des aspects positifs et se demandait pourquoi il n'y aurait pas des accords du même type entre l'Angleterre et l'Allemagne. Et il évoquait la possibilité de l'union entre Triple-Entente (Paris-Londres-Saint-Pétersbourg) et Triple-Alliance (Berlin-Rome-Vienne) dans le « concert européen ».

Vigilante, rigoureuse dans ses convictions, Rosa Luxemburg lui adressait, après avoir pris l'avis de Lénine, une lettre ouverte. Jaurès, disait-elle, vous vous faites le défenseur des dernières combinaisons de la diplomatie capitaliste. Vous nourrissez les illusions des apôtres bourgeois de la paix. Comment ne savez-vous pas que dans « le monde du capitalisme moderne, la guerre comme la paix sont dues à des causes bien plus profondes que la volonté ou les petites intrigues des hommes d'Etat dirigeant? Vous trahissez, en légitimant la diplomatie du tsar, la révolution russe » !

Elle ne comprenait plus, Rosa Luxemburg ! Quel était donc cet homme, Jaurès, qui appelait les prolétaires à se servir de leurs fusils si la guerre était déclarée, qui dénonçait les emprunts russes, la diplomatie française, quel était cet homme ? « Vous avez publié, disait-elle, dans votre *Humanité,* un appel émouvant à l'opinion publique contre le travail sanglant des cours martiales en Pologne russe. Et maintenant ? Vous justifiez cette alliance fondée sur le corps des suppliciés et des massacrés, sur les chaînes des députés socialistes de la Douma qui croupissent au bagne ! » Alors ?

Alors ?

Jaurès voyait la totalité de l'échiquier.

Il essayait — avec des mots, de pauvres et magnifiques mots — de pousser tous les pions dans la même direction. Ce pion c'était la diplomatie traditionnelle. Celui-là c'était l'action du prolétariat. Celui-ci l'appel à l'arbitrage. Cet autre encore la politique réformiste. Le soutien au projet d'impôt sur le revenu proposé par le ministre des Finances de Clemenceau, Caillaux. Cet autre, là, la dénonciation de Clemenceau. Cette tour c'était la lutte pour la révision du procès de Dreyfus et le combat pour les droits d'un homme innocent et cette tour-là le cri pour les mineurs ensevelis de

Courrières. Cette reine c'était l'unité des socialistes y compris avec Gustave Hervé. Et ce pion-là, c'était la critique d'Hervé.

Jaurès conduisait une partie en grand joueur qui ne néglige aucune pièce. Et qui veut mettre mat la guerre et remporter le match pour le socialisme.

Les autres, sincèrement parce que certains n'étaient pas capables de prévoir au-delà d'un coup, ou bien délibérément parce qu'ils voulaient caricaturer un homme, n'entendaient qu'une phrase de Jaurès, isolaient une action, un coup. Et critiquaient, oubliant ou voulant masquer l'enjeu du tournoi.

Contrairement à ce qu'assure le dicton, il n'est pas facile de vivre au pays des aveugles quand on voit.

Chapitre 21

« Ni sur un coup de main
ni sur un coup de majorité »
(1908-1909)

« Est-ce que le monde ne serait qu'une collection d'imbéciles ? » s'écrie Jaurès.

Il est hors de lui. Ce qu'il a prévu de l'évolution de la situation au Maroc, des risques que les initiatives françaises comportent se réalise.

A Casablanca, le 25 septembre 1908, les soldats français ont vigoureusement interpellé des déserteurs de la Légion étrangère (Allemands, Autrichiens) qui bénéficient d'un sauf-conduit délivré par le consulat allemand de la ville. Quelques coups ont été échangés avec un employé allemand. La presse s'enflamme. A Paris les nationalistes dénoncent l'ennemi. A Berlin, le Kronprinz dit qu'il est « grand temps que cette bande insolente de Paris sente de nouveau ce que peut faire le grenadier poméranien ». Les Anglais poussent Paris à se montrer très ferme. Au Maroc, Londres préfère voir s'installer les Français, aux puissants concurrents allemands.

« Collection d'imbéciles », répète Jaurès. Ils vont plonger l'Europe dans la guerre, pour ça ! « Les diplomates des grands pays seraient-ils incapables de trouver une formule qui mette d'accord les amours-propres dans cette pitoyable affaire de Casablanca ? » interroge-t-il avec une angoisse mêlée de mépris. C'est qu'il est l'un des seuls à Paris à sentir que la situation internationale en cet automne 1908 vient brutalement de s'aggraver. Il y a le Maroc, mais est-ce le plus dangereux ? Dans quelques jours Paris et Berlin s'en remettront à l'arbitrage de la Cour de La Haye. Et l'incendie, même s'il n'est pas éteint, est circonscrit, pour quelque temps.

En fait il y a plus grave. La rivalité, l'épreuve de force vive ou masquée qui oppose au Maroc la France et l'Angleterre d'un côté, l'Allemagne de l'autre, agit comme un cancer qui prolifère. Cela aussi Jaurès le sait et l'a prévu.

La première métastase visible se situe dans les Balkans. Dans ces terres au relief tourmenté, où les secousses telluriques sont comme le symbole de l'instabilité des frontières, de la précarité des solutions politiques, se heurtent trois influences : celle de la Turquie, celle de l'Autriche-Hongrie et celle de la Russie. Au-dessous de ces ombres tutélaires et souvent cruelles, grouillent les peuples, les nationalismes, les minorités ethniques. La Serbie — en 1903 — s'est par une révolution de palais donnée une dynastie — celle des Karageorgevitch — qui veut rassembler autour d'elle les Slaves. Elle a deux ennemis : Vienne et Constantinople. Or, les Turcs sont affaiblis par des troubles intérieurs : une révolution animée par les militaires veut rénover l'Empire et dépose le sultan. Les Serbes peuvent espérer s'amalgamer la Bosnie et l'Herzégovine, des régions slaves appartenant à l'Empire turc mais administrées par Vienne.

Que va faire l'Autriche ? Un nouveau personnel politique prend de l'influence à Vienne : l'archiduc héritier François-Ferdinand, le ministre des Affaires étrangères le comte Aloys d'Aehrenthal. Derrière eux, il y a Berlin, la solidarité de la Triple-Alliance. En face la Russie.

Un homme l'incarne, Alexandre Isvolsky, diplomate ambitieux, avide de pouvoir et de revenus, aveugle aux périls de la guerre, l'un de ces hommes qui se prennent pour des hommes d'Etat. Il ne voit pas que dans ce monde balkanique qui se décompose peut se jouer le sort de l'Europe. La Bulgarie profite de la faiblesse turque pour échapper à la tutelle ottomane et s'ériger en royaume indépendant. Le 16 septembre 1908, d'Aehrenthal demande à Isvolsky de le rejoindre au château de Buchlau en Moravie.

Collines moraves, champs et forêts, terrains de chasse : tout est paisible autour des deux ministres. On échange l'annexion de la Bosnie-Herzégovine par l'Autriche contre le libre passage des détroits des Dardanelles accordé aux Russes. Peut-être aussi d'Aehrenthal promet-il à Isvolsky un pourboire de quelques millions de francs.

Marché de dupes pour les Russes : l'Autriche annexe la Bosnie-Herzégovine, mais ni la Turquie ni Londres n'accordent le libre passage des détroits aux Russes.

L'Europe tout entière tremble. Jaurès démonte l'engrenage, isole la mèche qui commence à brûler. Berlin appuie Vienne. Londres et Paris se dérobent devant les demandes d'assistance de Saint-Pétersbourg. La Serbie et les Slaves sont humiliés, leurs aspirations nationales bafouées. L'archiduc François-Ferdinand devient le symbole de cette arrogance autrichienne. L'homme à abattre.

« C'est une pilule amère à avaler, dit Isvolsky. Mais que faire ? » L'armée russe est encore sous le choc de la défaite face au Japon. Que faire ? Demander à la France un nouvel emprunt d'un milliard quatre cents millions qui, toujours avec l'appui de la presse, sera couvert. L'ordre ne règne-t-il pas à Saint-Pétersbourg ? Le Président Fallières s'est même rendu en Russie. En retour, le tsar vient en France. « Journée de honte », titre *L'Humanité*. « C'est une forêt de potences qui marche devant le tsar, écrit Jaurès. C'est devant un idéal cortège de pendeurs et de bourreaux que s'inclinent les chefs d'Etat... »

Ne voient-ils pas que Maroc-Balkans, Vienne-Berlin, Serbie-Russie, vanité des ministres, logique des Etats, passion nationale des individus, les explosifs s'accumulent ? Qu'on peut déjà identifier les tumeurs : Maroc, Serbie, et les protagonistes obligés : France, Allemagne, Angleterre, Autriche, Russie, ces deux dernières puissances déjà au contact, archaïques l'une et l'autre et donc plus rigides, plus belliqueuses.

« Collection d'imbéciles ! »

La colère de Jaurès est le fruit de sa lucidité. Il a dit, écrit tout cela. C'est autant une révolte de l'intelligence qu'une protestation politique. Mais il est sans sectarisme.

Quand, le 9 février 1909, Paris et Berlin concluent un accord sur le Maroc, qui laisse à la France l'influence politique et partage en deux le rôle économique, il s'en félicite. « C'est un indice de détente, dit-il, comme une première promesse d'un rapprochement franco-allemand qui est la condition absolue de la paix en Europe. A ce titre il est pour nous une grande joie », va-t-il jusqu'à écrire.

Mais ce n'est qu'un indice. Il ne l'ignore pas. Les Anglais sont inquiets de cet accord, comme les Russes. Et Jaurès sait que pour la France le péril vient de cette association avec le pouvoir oppressif de Nicolas II. « Nous sommes liés par une chaîne à l'Ours moscovite, écrit-il, et obligés de danser avec lui. Peut-être conviendrait-il qu'on nous soumette un peu d'avance la musique qui nous ferait sauter à son rythme. »

Mais qui comprend cela, ose l'écrire ? L'autorité même avec laquelle s'exprime Jaurès irrite. Il écrit et parle en leader, sûr de ses analyses, convaincu d'avoir raison et d'autant plus ferme dans ses certitudes qu'elles ne sont le fruit que de ses raisonnements, qu'aucun intérêt personnel, de vanité ou d'argent, qu'aucune complaisance ne vient les incurver. La droite est exaspérée, haineuse, on le sait. Mais dans le Parti socialiste même il y a de l'irritation. Maurice Barrès remarque ainsi : « Les socialistes ne peuvent pardonner à Jaurès de passer sur eux comme un rouleau sur les cailloux de la grand-route. Ils parlent de son orgueil. Que servirait-il qu'il eût dans la bouche des paroles modestes ? Les cardinaux signent leur lettre de formules d'une infinie humilité. Ils sont tout de même des cardinaux. »

En fait, certaines réserves sont le résultat non de l'orgueil de Jaurès mais de la simple expression de sa supériorité intellectuelle jointe à son intégrité. Il domine souverainement les débats. Il intervient après les orateurs et il résume, amalgame les idées, dans une synthèse qui se situe à un autre niveau et laisse les intervenants précédents avec la sensation de n'avoir exprimé qu'une partie de la réalité, ou bien même avec l'impression déplaisante de perdre leur singularité du fait de la composition jaurésienne. Ils étaient un son, une note particulière. Jaurès fait une symphonie. Et puis il y a sa « vitalité puissante, sa gaieté étonnamment jeune », cette profusion.

Il a cinquante ans pourtant, mais aucune lassitude visible ne paraît l'avoir touché. Sa barbe carrée a blanchi, les traits se sont accusés. Ils semblent tous subordonnés à la bouche, les yeux petits, vifs, pénétrants, le front large rejeté en arrière. Il mange toujours avec un appétit d'ogre. Un déjeuner que *L'Humanité* offre à Anatole France, chez un traiteur alsacien, rue des Petites-Ecuries, durera jusqu'à 17 heures, Jaurès buvant et mangeant avec une voracité qui fait l'admiration des garçons de la brasserie. En même temps il parle d'une voix si forte que les clients sont comme pris à témoin. Il est d'aspect un peu lourd mais dès qu'il commence à s'exprimer il séduit, sa voix est harmonieuse, la logique plie l'imagination exhubérante aux règles de la clarté et de la perfection grammaticale.

Cette santé qui s'extériorise peut aussi irriter. On peut se laisser prendre à cette vitalité et réduire Jaurès à une force dont la méditation serait exclue. Mais l'homme qu'on surprend dans un omnibus en train de lire les tragédies de Racine, un matin, en se rendant au Palais-Bourbon, l'homme qui, à la bibliothèque de la Chambre, lit George Sand et explique avec finesse à Barrès l'œuvre de cet écrivain, celui qui au hasard saisit sur les rayonnages un ouvrage pour se donner le plaisir de la découverte et de la gratuité, n'est-il pas resté aussi, à cinquante ans, un intellectuel rêveur ?

Et les images de ses discours, cette étonnante succession, dans les textes politiques, de métaphores empruntant à la nature leurs références ne sont-elles pas la preuve d'une vie poétique cachée, d'une sensibilité contenue mais puissante ! Maîtrisée par la volonté, canalisée par l'esprit de responsabilité, l'engagement politique, et, aussi, tout simplement, la pudeur. Quand le sociologue Georges Sorel — qui publie en 1908 ses *Réflexions sur la violence*, apologie ouvriériste, d'esprit antiparlementaire, du syndicalisme révolutionnaire — écrit que les qualités de duplicité paysanne de Jaurès l'ont souvent fait comparer à un « marchand de bestiaux », il ne fait que dévoiler son incompréhension d'une pensée toute tournée vers la conciliation, la dialectique, la synthèse et non les marchandages de maquignon.

Quand l'écrivain — une femme — Viollis confie : « Jaurès est un grand homme mais ce n'est pas un individu sensible. Il ne rend rien en sympathie. » Elle constate simplement un des traits de caractère de Jaurès, cette difficulté à nouer une relation intime. Mais elle en tire une conclusion fausse quand elle dit : « Cet homme merveilleux ne cache aucune tendresse. » Et Viollis ajoute : « Est-ce une force de plus ou une lacune ? »

Aucune tendresse Jaurès ?

Ceux qui se souviennent l'avoir vu prendre le bras de Mérotte, et bavarder longuement avec elle tout en marchant lentement, ceux qui ont vu Jaurès avec ses enfants, ou tout simplement ceux qui l'ont lu savent la tendresse de l'homme.

Mais, comme souvent pour les méridionaux, il la dissimule sous la profusion verbale et il la réserve, comme un bien privé, pour ses proches. Et cela aussi est d'un homme du Sud qui ne livre pas l'intime. Elle était pour son fils Louis, sa fille Madeleine.

Elle a vingt ans. Elle a eu déjà plusieurs « soupirants »; l'un d'eux, Louis Gelis, un ancien ouvrier devenu journaliste, Jaurès l'a écarté. Jaurès veille, comme un père bourgeois et une fois encore un homme du Sud. Mais Madeleine veut se marier, peut-être pour se prouver vite qu'elle sera différente de sa mère. Le 22 juin 1909, elle épouse un receveur de l'enregistrement de Villeneuve, dans l'Aube. Un fonctionnaire falot, dont la silhouette malingre, la médiocrité s'opposent à la forte présence de la belle Madeleine Jaurès.

Il y eut un mariage bourgeois, à la mairie du XVIᵉ arrondissement, une réception au Palais d'Orsay. Robe blanche et petits fours : Jaurès, pour le comportement social, n'échappe pas aux valeurs traditionnelles.

A une socialiste qui avait pour amant un homme marié, il fait une leçon de morale, lui reprochant d'avoir incité ce militant à quitter son épouse. « Cet homme n'est pas libre, citoyenne... Et vous n'aviez pas le droit ; les filles mineures ne sauraient disposer d'elles-mêmes. » Et à la jeune femme qui s'indigne : « Citoyen Jaurès, vous n'avez donc jamais aimé ? », il répond : « Pardon, j'ai aimé ma femme et je continue. »

Conformiste, entravé par les préjugés ? Capable seulement de sentiments exprimés dans le cadre des conventions ? Jaurès a, en fait, chargé les « valeurs » sociales d'une signification morale qui les dépasse. « Il vient une heure dans la vie des individus comme dans celle des nations, où les atteintes à la moralité et à l'idée sont châtiées », dit-il ainsi à la jeune femme. Et plus tard, comme l'amant est une des personnalités du parti, que sa liaison compromet, Jaurès ajoutera : « Je ne puis rien admettre qui diminue, si peu que ce soit, le prestige, l'autorité morale du parti. »

Limites de Jaurès ou au contraire abnégation ? Choix pour soi-même d'une hiérarchie des importances, qu'on peut contester trouvant que la vie privée doit être pour tout homme l'essentiel, ou qu'un équilibre harmonieux doit s'établir entre univers intime et vie sociale.

Chez Jaurès il y a eu subordination de l'un à l'autre. Parce que l'affectivité personnelle n'avait pas trouvé réponse à sa demande ? Parce qu'une éducation trop imprégnée de sensibilité religieuse avait orienté les désirs dans le sens du devoir ? Ou bien tout simplement l'engrenage, le temps qui se dérobe dès lors qu'on est happé par les tâches, les responsabilités et le plaisir qu'on éprouve à les accomplir, à s'y déployer ? Et la joie de vivre les compensations que ces activités apportent, le grand vent de la vie publique peuvent être un refuge.

Quand Madeleine Jaurès donne le jour à un enfant hydrocéphale, sourd-muet et paralysé, quel autre salut pour Jaurès, comme après la mort de sa mère, que d'aller de l'avant, de transmuter une nouvelle fois ce désespoir lancinant en action, au service de tous les hommes ? De dissoudre sa peine individuelle dans le combat collectif, les malheurs d'une vie dans l'espoir des hommes et d'affirmer ainsi, par ce choix volontaire, sa nature singulière d'individu, d'homme qui a cinquante ans n'a ni trahi ni abandonné sa jeunesse.

Les autres comment font-ils pour accepter ce qu'ils sont devenus ?

Ainsi Clemenceau qui s'enfonce dans sa politique de répression.

Le 30 juillet 1908, pour protester contre les violences des gendarmes qui ont provoqué la mort de deux grévistes parmi les carriers, la CGT appelle à la grève générale et à une manifestation à Draveil. Quelques milliers de manifestants se rassemblent le long des voies ferrées à Villeneuve-Saint-Georges, on dresse des barricades dans les rues de la ville. Après les sonneries de clairon et les sommations, l'armée ouvre le feu. On relèvera quatre morts, des dizaines de blessés et les manifestants portent un cadavre sur une civière, passent devant le général et lui crient : « Voici votre œuvre, saluez. »

Lénine, qui est alors à Paris avec sa femme Kroupskaia, suit les événements, rend visite à Lafargue, s'étonne de cette scène, de ce « général de la république bourgeoise qui doit rendre les honneurs ».

Mais le frappe aussi la violence des réactions. La presse conservatrice appelle à la dissolution de la CGT. Et Clemenceau s'il n'accède pas à cette demande fait arrêter les leaders syndicaux. Dans *L'Humanité* Pierre Renaudel parle de « l'homme à la tête de mort, de Clemenceau le rouge ». Jaurès durant plusieurs jours multipliera les articles et les analyses. « Organisez-vous », dit-il aux ouvriers. Il invite le syndicat dans chaque grève à procéder à une consultation des ouvriers au suffrage universel. « Tout mouvement collectif, dit-il, ne vaut que par la valeur des énergies individuelles. » Et puis alors que dans *La Guerre sociale* d'Hervé, à la CGT — Griffuelhes est en prison —, on emploie un langage de violence, il met en garde le syndicat qui n'a pas pu « maîtriser le geste de révolte de quelques groupes surexcités ».

Trois ans plus tard — en 1911 — on saura qu'un syndicaliste des plus extrémistes — Métivier — n'était qu'un provocateur, à la solde de la police, reçu par le président du Conseil lui-même.

Ces méthodes qu'on soupçonne scandalisent, dressent contre Clemenceau une partie des radicaux.

Caillaux parle de « l'incoercible légèreté » de Clemenceau, qui s'oublie au point « de mettre les mains à la pâte de la Sûreté générale. Il s'abaisse jusqu'à recevoir dans son cabinet de ministre de l'Intérieur et de président du Conseil un bas mouchard... Clemenceau serait par terre si les Chambres n'étaient en vacances ».

En outre, ces méthodes ne règlent rien. Les électriciens en grève plongent à nouveau Paris dans l'obscurité, le 3 août, de 20 à 22 heures. Les inscrits maritimes paralysent en mai 1909 l'activité portuaire : les liaisons sont interrompues un mois entre Marseille, l'Afrique du Nord et la Corse. Les postiers sont en grève en avril : la troupe est réquisitionnée pour occuper les bureaux de poste. Il y a des violences. En réponse, Clemenceau et Barthou décident de révoquer plus de 600 postiers.

Ce mode de gouvernement autoritaire, brutal, crée un malaise, la réprobation, la haine même. « Clemenceau distribue aux uns des épigrammes et des brutalités, dit Jaurès, aux autres des coups de trique, des mois et des années de prison, des balles de fusil. »

Jaurès surtout s'inquiète de ce qu'un tel gouvernement peut provoquer comme courant d'idées dans l'opinion.

Au Parti socialiste, « une extrême gauche » s'affirme autour d'hommes comme Hubert Lagardelle, E. Berth, qui trouvent dans les *Réflexions sur la violence* de Sorel un point de ralliement. C'était donc ça le « dreyfusisme », la « République », disent-ils ! Tous les efforts qu'avait fait Jaurès pour faire passer dans le mouvement ouvrier l'idée que les droits de l'homme, les institutions républicaines étaient des conquêtes communes sont contestés. « Il m'apparaît clairement, dit Griffuelhes, que le suffrage universel devrait être relégué au magasin des accessoires. » Et Georges Sorel ajoute : « La démocratie peut travailler efficacement à empêcher le progrès du socialisme. » « La classe ouvrière, assure Lagardelle, est a-parlementaire comme elle est a-religieuse. » Sous le titre « La France s'ennuie », Gustave Hervé dans sa *Guerre sociale* dit : « Quand Marianne aura sa crise nous serons là pour lui administrer l'extrême-onction. » Et, exprimant les déceptions de bien des militants il écrit : « La CGT, c'était bon pour protéger les bourgeois juifs, protestants, et francs-maçons contre la vague antisémite et cléricale qui vous menaçait. Maintenant que le danger est passé, que vous n'avez plus besoin de révolutionnaires, ils ne sont plus bons qu'à jeter aux chiens et aux juges. »

Et l'on voit à nouveau apparaître des ferments d'antisémitisme, d'appel à la violence ouvrière, de défiance — sinon de rejet — à l'égard des intellectuels. « Il n'y a que deux noblesses, celle de l'épée et du travail, écrit E. Berth, un disciple de Sorel... Le bourgeois, l'homme de boutique, de négoce, de banque, d'agio et de Bourse, le marchand, l'intermédiaire et son compère l'intellectuel, un intermédiaire lui aussi... sont incapables de s'élever à une certaine hauteur de pensée et de sentiment. L'idée sociale ne peut être que militaire ou ouvrière. »

Et ce qui inquiète encore plus Jaurès c'est qu'on peut lire aussi — de la plume de Berth, sous le titre de *Nouveaux aspects du socialisme* — des idées qui affirment « que c'est la grandeur de la guerre qui hausse tout au ton du sublime, c'est elle qui fait l'homme ». « La guerre a créé le droit, les Etats, elle a défini et lancé la société. »

Ce retour — cette régression — aux temps du boulangisme, d'avant l'Affaire Dreyfus comme si une nouvelle génération reproduisait dix ou vingt ans plus tard les mêmes thèmes, Jaurès en rend responsable le climat politique créé par Clemenceau et ces gouvernements « corrupteurs ».

« Toutes ces violences, dit-il, interpellant Clemenceau à la Chambre — le 25 juin 1909 —, toutes ces insuffisances de réforme ont abouti à créer dans la nation un état d'atonie, de lassitude, d'irritation sourde qu'il serait dangereux aux républicains de méconnaître. »

En effet, ce n'était pas qu'à l' « extrême gauche » qu'on voyait réapparaître des comportements qui rappelaient ceux des années 1880-1890.

Les « Camelots du roi », les étudiants nationalistes et royalistes de l'Action française, s'essayaient à faire la loi au quartier Latin, mutilant les statues d'hommes politiques dreyfusards (Scheurer-Kestner) qu'on a élevées ici et là au Luxembourg ou à Denfert-Rochereau. Des professeurs juifs sont attaqués dans les amphithéâtres de la Sorbonne. Le fondateur de la revue littéraire, la *NRF,* Jacques Rivière, confie à l'écrivain Alain Fournier : « J'ai une répugnance véritablement physique pour la ligne radicale socialiste. Quand j'entends parler des radicaux et des socialistes, j'éprouve la même horreur un peu superstitieuse que j'avais enfant pour les dreyfusards. »

Habile, énergique, militante, l'Action française veut nouer des liens avec les milieux populaires, avec les *Jaunes,* cette fédération ouvrière anti-CGT qui compte dans son conseil national un professeur au Collège de France, Paul Leroy-Beaulieu. Pour les Jaunes, Jaurès est l'ennemi. « Nous clouerons la charogne de Jaurès vivante contre une porte », lit-on dans leur journal. Ils bénéficient de l'appui de Maurras. Celui-ci condamne après les violences de Villeneuve-Saint-Georges dans un article retentissant de *L'Action française* Clemenceau, « ce vieillard à peine moins sinistre que Thiers... Ce carnage, cette tuerie ne sont pas les résultats de la méprise ou de l'erreur... Il les a voulus ».

En même temps, Jaurès discerne la remontée de ces courants antirationalistes qui récusent le raisonnement au bénéfice de l'intuition.

Bergson, avec qui Jaurès continue sa confrontation à distance, a publié en 1907 *L'Evolution créatrice* et ses cours au Collège de France relayés par la grande presse ont toujours un immense succès. En sortant de l'un de ces cours Péguy — qui continue sa dérive — confie à Tharaud : « C'est une fameuse révolution qui s'accomplit dans cette petite salle, le retour de la métaphysique dans le monde, un continent englouti depuis Descartes qui revient à la lumière. »

Tous ces phénomènes, rejet de la démocratie à l'extrême gauche et à l'extrême droite, refus de la raison, apologie de la violence — et déjà de la guerre —, mépris pour la République convergent pour créer ce climat propice à un assaut contre les institutions, à une politique qui court à la guerre.

Est-ce un hasard si Pie X, le rigoureux adversaire de la République, béatifie en 1909, précisément, Jeanne d'Arc que les milieux d'extrême droite, les nationalistes et Péguy ont choisi comme symbole ?

« Pour la première fois depuis quelques années, dit Jaurès — tourné vers Clemenceau qui porte à ses yeux la responsabilité de cette évolution, parce qu'il a déçu, trahi —, pour la première fois, les partis du passé, les plus violents, ceux qui ont médité contre la République les coups les plus audacieux se sont repris à l'espérance. »

Il faut donc à nouveau faire front sur ces terrains.

On voit ainsi Jaurès donner son appui au Groupe d'études socialistes qui se crée en 1908, reprenant l'exemple du Groupe de l'unité socialiste qui s'était formé autour de Lucien Herr en 1899. Il s'agit toujours pour ces intellectuels, normaliens encore, de publier une revue — *Les Cahiers du socialisme* — et surtout d'animer une Ecole socialiste destinée aux étudiants. On y retrouve Herr, Charles Andler — qui en est le véritable directeur —, Simiand, Marcel Sembat et bien sûr parmi les conférenciers Jaurès. Andler y traite de la « civilisation socialiste », Jaurès devant des auditoires de plus d'un millier de personnes y aborde les questions militaires ou la Révolution française. C'est une façon de dresser une digue contre le flux des idées dangereuses.

Jaurès est toujours sensible aux mouvements de pensée. C'est un homme politique qui, en intellectuel, en mesure la signification et en pèse les conséquences. Mais il voudrait, dans cette Ecole socialiste, qu'on s'adresse à des ouvriers et non pas seulement à des étudiants. Mais il ne se fait aucune illusion : une Ecole, fût-elle socialiste, ne peut changer les rapports de forces.

Ce qui est déterminant, pour la prise de conscience des ouvriers, pour l'action sociale, ce sont les organisations syndicales ou politiques. Voilà pourquoi au Congrès du parti, qui se tient à Toulouse du 15 au 18 octobre 1908, il va se donner tout entier pour que les facteurs d'unité l'emportent sur les forces de division. La situation l'exige.

Il retrouve Toulouse qui est un peu sa ville, celle de ses débuts, celle où il a exercé — pour l'unique fois de sa vie politique — un mandat municipal impliquant une administration des choses. Les séances du congrès ont lieu dans l'ancienne chapelle des Bénédictins, aux pierres vives, où la voix de Jaurès s'amplifie comme si toute l'histoire ramassée ici venait l'enrichir et s'il trouvait un supplément de souffle.

Jules Guesde est absent, malade. Mais la contestation est forte, l'atmosphère pessimiste. Le secrétaire général du parti (Dubreuilh) dans son rapport dresse un tableau sombre de la situation. « Les organisations ouvrières sont poursuivies et, conclut-il, traquées comme elles ne l'avaient pas été depuis vingt ans. » Lafargue condamne le régime parlementaire. « L'incompétence de ce régime, dit-il, s'étale grossièrement, dans la manière de choisir les directeurs de la machinerie bourgeoise, c'est-à-dire les ministres... » Lagardelle exalte le rôle des minorités et de la violence. « Ce n'est plus le nombre qui fait la loi... Il se forme une élite qui par sa qualité entraîne la masse et l'oriente dans les chemins du combat. »

Jaurès écoute. Ainsi au sein même du parti ces idées rongeuses ont fait leur trou : violence, rejet du Parlement, rôle des élites.

Charles Rappoport, un Russe d'origine, à la culture encyclopédique, se lance dans la critique de Jaurès au nom du marxisme. Il semble qu'à chaque intervenant une pensée différente s'exprime. Une droite, un centre, une gauche. Ceux qui veulent remporter les élections et ceux qui, disciples d'Hervé, disent : « Nous ne voulons pas gagner des sièges, nous voulons faire des révoltes. » Et ceux qui comme Edouard Vaillant, avec nostalgie et ironie, dénoncent cette maladie des socialistes : « Chacun plus ou moins enfermé dans sa tendance considère son voisin en disant : " Celui-là n'est pas socialiste, moi seul le suis... " Un jour, termine-t-il sous les rires, nous verrons une nuance qui nous proposera de marcher sur la tête parce que nous avons l'habitude de marcher sur les pieds ; et en vertu de cette proposition elle demandera une place dans la Commission administrative... »

Et puis c'est au tour de Jaurès.

C'est l'heure qu'il attend. Le parti incertain et divisé, il faut qu'il le rassemble autour d'une pensée commune qui tienne compte des différentes sensibilités. Il parle avec force, et à ceux qui l'interrompent, il lance : « Je n'outrage pas, je n'insulte pas, je n'insinue pas » ou bien : « Je crois n'avoir que des amis ici. » Il est sûr de lui. A la droite et à la gauche il répond : « Ce n'est ni sur un coup de main ni même sur un coup de majorité que nous ferons surgir l'ordre nouveau. »

Il faut donc préparer le prolétariat. Il n'y a pas d'opposition entre esprit révolutionnaire et action réformiste. « Un parti essentiellement révolutionnaire est le parti le plus activement et le plus réellement réformateur. » Chaque réforme est un pas en avant. Il parle et il domine le Congrès, il l'entraîne et l'unifie. « Jaurès voit trop loin, Jaurès est trop complexe », disait un jour Jules Guesde à Charles Rappoport, ajoutant comme affolé par la dialectique de son rival : « Il faut combattre tout ce que fait et dit Jaurès. »

Mais Guesde est absent et les délégués sont entraînés. Comment pourraient-ils résister à la passion unitaire, à la synthèse de Jaurès, à sa démonstration quand il lance à Lafargue, sceptique : « L'homme, même sous le joug, sous le fouet, prend conscience de sa force », quand il clame de sa voix profonde : « Comme socialiste, je ne sépare pas l'affranchissement ouvrier de la culture humaine. » Quand il parle de l' « âpre réalité sociale », qu'il déclare : « Jamais nous ne renoncerons au nom du prolétariat à ce droit d'insurrection. »

En Jaurès tous les courants se retrouvent. Il compose le puzzle. Il ouvre trois perspectives : l'une lointaine, qui débouche sur le socialisme ; l'autre circonstancielle, qui peut emprunter les chemins de la grève générale et de l'insurrection ; la dernière immédiate, qui s'insère dans le parlementarisme, l'action municipale, syndicale, corporative, réformiste.

La motion de Jaurès est adoptée à l'unanimité moins une voix. On éteint les lumières. Des feux de Bengale s'allument l'un après l'autre, les femmes dansent sur les murs de pierre. *L'Internationale* résonne sous les voûtes. « L'union, l'unité du parti viennent de faire, au Congrès de Toulouse, un nouveau pas, un pas de géant. C'est l'unité morale du parti qui est en train de se sceller de façon définitive », déclare Marcel Sembat qui préside la séance finale.

Jaurès a gagné. Cette motion de Toulouse orientera la SFIO jusqu'en 1914.

Dans cette Toulouse où, jeune professeur, il commençait à acquérir la notoriété, Jaurès s'est imposé chef de parti. L'unité où il paraissait s'engager en 1904, en vaincu, s'est faite autour de lui et de ses idées.

Habileté ? Sens de la manœuvre ?

Habilement si l'on veut, Jaurès avait parié sur le mouvement des hommes et des choses, et sur sa capacité à l'expliquer, à se faire porter par lui pour mieux le contrôler. Pari gagné.

Mais les feux de Bengale s'éteignent. *L'Internationale,* ce chant dont Jaurès tout au long de sa vie a suivi la diffusion, de Congrès en meeting, de ville en ville, jusqu'à ce qu'il devienne le symbole même du mouvement ouvrier, *L'Internationale* doit aussi s'interrompre et la fraternité d'une assemblée de camarades se dénouer.

Cependant, Jaurès à l'issue de ce Congrès de Toulouse est plus fort. Quand il parle personne ne peut plus contester qu'il s'exprime au nom de toute la SFIO, et les dissonances, qui naturellement interviendront après le congrès, ne seront plus que mineures. Le visage du socialisme français, c'est Jaurès. Et il donne au socialisme toute l'ampleur de sa culture et de sa générosité.

Ainsi quand le 12 novembre 1908 s'ouvre à la Chambre le débat sur la suppression de la peine de mort, son intervention place le débat dans sa signification historique. La peine de mort, dit-il, « est contraire à la fois à l'esprit de christianisme et à l'esprit de révolution. Elle n'est que le signal du désespoir, la manifestation du " réalisme réactionnaire " de ceux qui croient à la permanence des fatalités. C'est sur ce bloc des fatalités que vous dressez la guillotine ».

Briand, garde des sceaux, appuie Jaurès. Mais de tout le pays montent des protestations. Les membres des jurys d'assises envoient des pétitions. *Le Petit Parisien* a organisé un référendum sur ce thème et pour un million de réponses favorables à la guillotine, il n'y eut que 328 000 voix hostiles. Dès lors, quelle que soit la position du gouvernement, les députés se couchent devant l'opinion de leurs électeurs. Qu'importe si la guillotine est « le disque rouge projetant des lueurs sanglantes sur les rails et signifiant que la voie est barrée et que l'espérance humaine ne passera pas » ! Ils refusent l'abolition.

On dressera donc encore les bois de la guillotine dans la cour des prisons françaises.

Jaurès doute-t-il parfois de la Chambre, de l'institution parlementaire dont il est l'un des plus assidus ?

Des galeries du public on le cherche des yeux. On le remarque vite avec son « teint écarlate au milieu de ces faces pâles ». Souvent il écrit, attentif pourtant, levant la tête vers l'orateur. Briand, maintenant élégant avec son pantalon et sa jaquette de bon faiseur, mais qui conserve de son premier milieu politique les grosses moustaches et les mèches en accroche-cœur sur la tempe qu'affectionnent les ouvriers.

Dans les salons et les couloirs de la Chambre, Briand marche à pas traînants, voûté, bien qu'il n'ait que quarante-sept ans, une cigarette aux lèvres, caressant ses longues mains très blanches. Il parle d'une voix lente. Les débats sur la loi de Séparation ont montré qu'il était habile, capable de trouver des formules qui transforment en légalité ce qui est illégal. Un grand parlementaire. Mais est-ce que cette habileté, cette rouerie, cette séduction suffisent ? Jaurès est sceptique. L'époque et ses problèmes exigeraient des députés le courage de trancher. Or, ils pensent à leur réélection. « Nous sommes dans un temps où les hommes et les partis n'osent aborder aucun problème de front », dit Jaurès. On navigue au jour le jour entre les récifs. « Poser des principes et en déduire des conséquences nécessaires, continue Jaurès, paraît le jeu d'esprits sceptiques ou la naïveté d'esprits candides. » Ils se croient réalistes. Ils ne sont qu'aveugles. « Ce qui manque au Parlement, conclut Jaurès, ce qui lui a manqué dès le début, c'est la claire vision d'un but. »

Et puis le goût du luxe, des honneurs, des profits, la jouissance du pouvoir. Et le désir chez ceux qui ne le partagent pas d'y accéder. Il faut qu'un ministère tombe pour libérer des fauteuils ministériels.

Dès le mois de mai 1909, on sent que le ministère Clemenceau a ses jours comptés. Les méthodes de Clemenceau irritent, ses résultats sont médiocres, mais surtout cela fait longtemps qu'il exerce le pouvoir. On commence à parler de sa chute. Des hommes qui pourraient le remplacer.

Dans les dîners parisiens, on commente la situation. « Clemenceau ne sait pas, dit Mirbeau. Il ne pense à rien, ne se préoccupe que d'humilier les préfets. Il gouverne en achetant. Il a acheté Pataud, le secrétaire du syndicat des électriciens. Pour avoir je ne sais quoi il autorise une loterie d'un million. »

A la Chambre Delcassé interpelle Clemenceau sur la situation de la marine de guerre. Des explosions se sont produites à bord de cuirassés. Débat anodin ? En fait les deux hommes se haïssent. Et devant la Chambre médusée, ils règlent les comptes du passé. Clemenceau impitoyable rappelle à Delcassé ses « grands projets de politique européenne... Vous nous conduisiez aux portes de la guerre et vous n'aviez fait aucune préparation militaire ». Dans l'hémicycle les députés s'exclament. Clemenceau dans sa hargne vient de confirmer les analyses que faisait Jaurès. « Vous savez bien, tout le monde sait, continue Clemenceau, l'Europe sait que les ministres de la Guerre et de la Marine interrogés à ce moment-là ont répondu que nous n'étions pas prêts... »

Quels sont donc ces hommes ? se demande Jaurès. Quand donc pensent-ils à la paix ? « Ainsi Clemenceau nous a appris que si la France avait été plus forte elle aurait attaqué l'Angleterre à Fachoda et l'Allemagne à Tanger ? » dit-il, indigné.

En réglant leurs comptes, Clemenceau et Delcassé ont jeté le masque.

La Chambre renverse Clemenceau. Briand lui succède. Et dans le ministère il fait entrer ses anciens camarades — ceux de Jaurès aussi —, Millerand aux Travaux publics et Viviani qui reste au ministère du Travail. Jean Dupuy, le propriétaire du *Petit Parisien* est au Commerce. Briand connaît l'importance de la grande presse.

Dans sa déclaration d'investiture, il annonce qu'il veut apaiser : « En moi est né un autre homme qui veut s'adapter à sa fonction », dit-il.

Prenons-le au mot, déclare Jaurès. Ne lui laissons aucun prétexte. La plus grande partie des députés socialistes — guesdistes exceptés — s'abstiendra lors du vote. « Briand ne pourra pas dire que nous l'avons forcé à frayer avec la droite », commente Jaurès. Il les regarde : Millerand, Viviani, Briand. Tous trois venus du socialisme. Ensemble au gouvernement. La vie passe.

Paris commente : « Briand, dit Mirbeau, est le plus intelligent de tous, mais ils ont tous besoin de luxe. Un homme comme Viviani est médusé par les assiettes plates. Vols à la Marine, pillages à la Guerre, fripouilleries, crapuleries partout. Nous vivons avec des hommes de cauchemar. »

Il se tourne vers les convives rassemblés pour un dîner chez l'écrivain et critique Edmond Sée, puis il reprend : « Il n'y a donc pas cinq ou six honnêtes hommes là-dedans ? Pas un seul ! »

Si, Jaurès.

Chapitre 22

« La France,
une immense clientèle du ministère »
(1909-1910)

Vingt-sept minutes : c'est le temps qu'il a fallu à Louis Blériot pour traverser la Manche le 25 juillet 1909 et ce premier exploit spectaculaire de l'aviation fait passer au second plan la confiance que la Chambre vient d'accorder au gouvernement.

Depuis plusieurs semaines d'ailleurs, on murmure le nom du successeur de Clemenceau.

Jaurès, prenant à part Caillaux, ministre des Finances, et faisant avec lui quelques pas dans les couloirs du Palais-Bourbon, lui avait confié alors que la crise mûrissait : « La Chambre se serait déjà séparée du ministère Clemenceau dont elle a par-dessus la tête si elle savait comment il serait remplacé. »

Jaurès tout en marchant saluait les députés et les journalistes. Il était l'un des parlementaires les plus courtois, les plus diserts aussi, jamais avare de réflexions et de commentaires. « On dit communément, reprend-il, qu'il n'y a que deux hommes qui puissent à l'heure actuelle conduire les affaires publiques : Briand et Caillaux, seulement ils ne s'entendent pas. »

Jaurès est bien informé. Mais le conflit entre Briand et Caillaux ne se limite pas à la rivalité de deux hommes. Caillaux, intègre, cassant, républicain et homme de caractère, intelligent, sensible à la nécessité des réformes, s'est fait le défenseur de l'impôt sur le revenu. Par ailleurs, indifférent aux influences il est prudent en politique extérieure et souhaite un rapprochement avec l'Allemagne, s'inquiète des conséquences de l'Affaire marocaine. Sur tous ces points, Jaurès peut le rencontrer. D'ailleurs Jaurès ne le cache pas à

Caillaux. Il lui écrit, le sollicite : « Je tenais à un bureau de tabac du ministre pour la veuve de mon ami personnel et politique Roché, ancien instituteur du Tarn... Je demande à votre amitié une solution prompte. » Il appuie Caillaux dans ses projets de réforme fiscale.

C'est vous qui êtes l'auteur de la réforme, écrit Jaurès à Caillaux. Je suis convaincu qu'une grande campagne à la mode anglaise entreprise par vous dans le pays, pour la réforme fiscale, serait d'un grand effet sur le Sénat et aussi sur les élections prochaines. Dans les demi-loisirs de mes vacances, je lis tous les jours avec soin le Times, *et les débats de la Chambre des communes sur le finance Bill; et j'admire l'incessant appel au pays que font tous les ministres. L'autre jour à Leeds, Sir Grey a été excellent.*

Bien à vous.

Jean Jaurès.

Mais Caillaux est devenu, à cause de ses projets fiscaux, la bête noire de la grande presse. Et Briand au contraire s'appuie sur elle. Non seulement parce que Jean Dupuy est son ministre mais aussi parce qu'il entretient avec le propriétaire du *Matin*, Bunau Varilla, les meilleures relations. « Tout ce que vous voudrez, a cyniquement dit Bunau Varilla à Caillaux, mon plus entier concours avec tout ce que cela comporte pourvu que vous renonciez à l'impôt sur le revenu... » Caillaux n'a pas renoncé.

Cette grande presse, Briand l'utilise et fonde en partie sur elle sa stratégie politique. Dans un discours à Périgueux le 10 octobre 1909, il parle de « l'irrésistible besoin d'union, de concorde et de fraternité ressenti par le pays ». Il faut en finir avec les « petites mares stagnantes, croupissantes ». Il faut tuer « ces germes morbides », dissiper « les mauvaises odeurs », « faire passer au plus vite un large courant purificateur ». De sa voix douce, qui enveloppe, Briand tout en rondeur, conclut : « Je ne suis pas l'homme qui met sur la porte de la République : pour certains il est défendu d'entrer. »

Jaurès et Caillaux voient vite la signification de ce discours. Effacer définitivement la frontière entre les groupes politiques à l'exclusion des « extrêmes ». Mieux, grâce à la presse « d'information » — qui tire à des millions d'exemplaires — s'adresser au pays, à chaque individu, en brisant le cadre des partis politiques. Etablir un lien direct entre le gouvernement et les élus. Faire de ceux-ci des obligés des ministères. Rendre service à tous. Instituer une grande « République des camarades ». Et si possible, en s'appuyant sur les plus modérés des syndicalistes empêcher les conflits en parlant de « démocratie sociale » de « révolution participative ».

Face à cette entreprise que peut Jaurès ?

D'abord, contre cette politique il affirme l'importance du Parti socialiste. Mais il n'a que *L'Humanité* pour s'opposer jour après jour à ce déferlement de titres, de commentaires qui vont tous dans le sens souhaité par le président du Conseil.

L'Humanité pourtant a augmenté ses ventes. Elles atteignent de 50 000 à 60 000 exemplaires. Le journal est de qualité. Il s'installe, en 1909, rue du Croissant. Et pour le consolider 250 000 actions nouvelles sont créées venant du Parti socialiste (170 000), des coopératives et des syndicats. Jaurès est totalement impliqué dans son journal même s'il passe chaque jour peu de temps à son bureau. Il veille à la pureté grammaticale des articles. Il se plie à la discipline de la rédaction qui lui impose de « faire bref ». Il accepte l'évolution du journal vers une formule plus populaire : photographies, organisation de compétitions sportives. On rend compte des faits divers et des exploits. Et sur tous ces événements Jaurès donne son opinion, s'intéressant par exemple au cinéma, y voyant un moyen d'éducation, de mobilisation en faveur de la paix : « Ce jour, dit-il, où le cinéma saisira à plein les vastes scènes de destruction, quelle leçon de choses. » Et puis *L'Humanité* est un moyen de mobilisation.

Le 13 octobre quand on apprend qu'à Barcelone le pédagogue Ferrer, un Catalan, un laïque républicain, a été fusillé, tenu pour responsable des émeutes qui se sont déroulées dans la ville espagnole en juillet, *L'Humanité* et Jaurès appellent à la manifestation. Plus de cent mille personnes se rassemblent et crient leur indignation pour cette exécution, « ces quatre balles au front d'un homme intelligent ». Et l'on voit Jaurès au premier rang du cortège cependant que les gardes républicains chargent devant l'ambassade d'Espagne, boulevard de Courcelles, en face du Parc Monceau. Des scènes d'émeute se produisent : trois autobus sont incendiés, un gardien de la paix est tué. C'est dire l'état des tensions qui trois jours à peine après le « discours d'apaisement » de Briand montre que cette orientation politique cherche un *équilibre impossible*. C'est le titre que Jaurès a donné à son analyse dans *L'Humanité* des projets de Briand.

Il en voit toutes les conséquences qui accentueraient cette corruption des mœurs politiques qu'il a dénoncée. « On dirait que M. Briand rêve, dit-il, de fondre, d'absorber tous les citoyens de

France en un seul et immense parti... » Dans quel dessein? Confondre les partis dans « une masse amorphe, incolore et inerte qui ne serait que conservatisme et corruption ».

Le gouvernement rend service aux élus, qui rendent service aux électeurs. Cela révolte Jaurès. Cette évolution de la mission d'un parlementaire il la condamne. Un jour d'élection à Carmaux il rabroue même un de ses électeurs qui lui réclame une faveur pour son fils. A l'ami qui l'accompagne, il se confie : « Je regrette de les avoir secoués, dit-il. Mais comment les convaincre presque tous qu'un député n'est pas et ne doit pas être une machine à recommandations ou à réclamations ? »

Il bougonne. « Savez-vous, poursuit-il, que l'année dernière un brave épicier de Cordes m'a écrit pour me prier de lui envoyer une poudre détruisant sûrement les rats ? » Il rit, puis : « Toute l'éducation du peuple est à refaire. »

Chez lui, dans un coffre ouvert et posé sur le plancher dans son petit bureau, il entasse des dizaines de lettres non ouvertes. Pas seulement parce qu'il reçoit journellement des lettres d'injures, mais parce qu'il sait que nombre de ses correspondants réclament une faveur. « Vous savez quelle est l'occupation constante des députés, à la Chambre, dit-il encore. Ils abattent leur énorme courrier. Ils répondent aux demandes les plus saugrenues, les plus effarantes. » Or, c'est ce système-là, avilissant, que Briand veut développer. « La politique gouvernementale, explique Jaurès, ne pourrait aboutir, en achevant la décomposition et la confusion des partis qu'à faire de toute la France une immense clientèle du ministère. » Dès lors, dit Jaurès : « Dans cette confusion, la force toujours organisée des grands intérêts serait seule efficace. » Elle se manifesterait par de petits moyens, des procédés obliques. Il n'y aurait plus de contrôle des grands partis organisés. « Ce serait la politique occulte ou incontrôlée des appétits. » Et, sarcastique, il ajoute : « Refaire en France une sorte d'union plus qu'à demi conservatrice sous la présidence d'un socialiste d'hier... c'est un paradoxe qui ne peut pas durer. »

Jaurès en tout cas et les socialistes décident de voter désormais contre Briand.

L'Humanité, le Palais-Bourbon, la bibliothèque de la Chambre, les couloirs, ces conversations qu'il a avec quelques-uns de ses collègues et qui les surprennent parfois, brisant l'image qu'ils se font de Jaurès. Ainsi quand, dialoguant avec Barrès, il lui dit : « Le monde se meurt... Je crois au surnaturel, je crois à quelque chose au-dessus de ce que nous percevons, je crois à un Dieu vers lequel le monde se dirige. » Confidence qui laisse l'écrivain étonné, mais qui accroît chez lui cette sympathie qu'il ressent pour cet homme sans préjugé ni sectarisme qu'on ne peut pas ne pas aimer.

Des militantes sont à ce point fascinées par lui que certaines tentent de l'approcher sans qu'il manifeste pour elles autre chose que sa sympathie ou sa bienveillance de professeur qui commente le livre qu'elles lisent, qui se montre impitoyable pour les facilités de style. « Voyez-vous, dit-il, l'équilibre des idées et l'équilibre des mots sont inséparables. Le mouvement de la pensée et le mouvement de la phrase, l'enchaînement des raisons et l'enchaînement des périodes se correspondent exactement. » « Jaurès est incapable, confie l'une, de rester plus de quelques minutes silencieux. » Alors il saisit tous les sujets. Il parle de Pascal — « le plus passionné et le plus intérieur des écrivains », dit-il —, de Bossuet, « l'adroit Bossuet », de La Fontaine qu'il rapproche curieusement de Shakespeare, chez l'un et chez l'autre « toutes les forces de la vie ». Il fait à chaque fois un cours érudit et original.

Il séduit par la lumière de son regard, sa simplicité. Il impressionne tant l'étudiante qui chaque quinze jours vient chercher l'article qu'il a presque toujours oublié d'écrire pour *la Revue de l'Enseignement primaire,* mais qu'il rédige devant elle tout en parlant, qu'elle accroche sa photo dans sa chambre, sorte de petit autel à Jaurès, auquel elle dédie les diplômes qu'elle obtient.

Car il suscite ainsi, en raison même de la haine qu'il provoque, un dévouement absolu, des « conversions » au socialisme. Il y a chez lui une « absence de mobiles personnels », dit Blum, « sa pureté d'âme, sa limpidité de cœur sont par moments presque enfantines ». Blum ajoute qu'il appelle cela de la « sainteté ».

Une jeune femme au regard acide et tendre à la fois dira, plus ironiquement, que « Jaurès est un bourgeois, et même malgré la simplicité de mœurs et de vie, un grand bourgeois... Du saint en lui ? Certes », puisque, ajoute-t-elle, « il est naïf comme un petit enfant et bon comme un patriarche ».

Cette affection qu'il suscite, cette tendresse qui l'entoure irritent certains de ses camarades. Dans ce rayonnement humain, ils voient une habileté et des conséquences politiques. « Même les guesdistes sont à ses genoux, s'écrie Gustave Hervé. Oui, je sais, poursuit-il, il y a des raisons légitimes à cette influence, nous ne pouvons pas empêcher Jaurès d'être éloquent et nous ne le voulons pas. Nous ne pouvons pas empêcher Jaurès de travailler à lui seul comme quinze ou vingt députés ordinaires. Son efficacité, son énergie désarment. »

Dans le débat qui s'ouvre sur la laïcité après que les évêques ont dénoncé l'Ecole laïque et que Barrès a condamné l'esprit doctrinaire des instituteurs qui, en réalité, prétend l'écrivain, sont des « prêtres manqués », Jaurès intervient et parle deux séances durant. Il étonne là encore par son réalisme, faisant à la fois l'éloge de la laïcité et déclarant que le monopole de l'enseignement pour le moment n'est pas opportun. Et d'ailleurs, on ne peut séparer laïcité et progrès social.

Impossible donc d'enfermer Jaurès dans une formule. Quand dans ce débat il dit : « La France n'est pas résumée dans un jour ni dans une époque, de tous ses crépuscules et de ses aurores elle s'en va vers une grandeur qu'elle n'a pas encore atteinte », on pourrait lui appliquer cette réflexion.

Et puis il descend de la tribune, en sueur, le visage empourpré, félicité par ses camarades. Il sort de l'hémicycle, il a besoin d'air. Voilà qu'on l'entoure, un grand nombre de députés se pressent. Combes est venu spécialement du Sénat pour le rencontrer là, dans les couloirs intérieurs de la Chambre, avoir un dialogue avec lui, sur la réforme électorale, cette représentation proportionnelle que Jaurès et de nombreux autres députés, appartenant à plusieurs groupes, défendent contre les radicaux. Mais pour Jaurès la proportionnelle est une loi de justice, un principe avec lequel on ne peut transiger et les séductions de Combes — abandonnez la proportionnelle et les radicaux feront un pas vers les réformes sociales — ne peuvent le faire changer d'avis.

Dialogue vif dans les couloirs. Jaurès est à l'aise, chez lui à la Chambre. Il en aime l'atmosphère même s'il regrette la dégradation des mœurs politiques.

Il quitte la Chambre des députés. Dans la cour intérieure on a dressé des échafaudages de bois afin de permettre d'accéder au Palais-Bourbon, car la Seine a débordé en ce mois de janvier 1910. La rue de Bellechasse, une partie du boulevard Saint-Germain, la place du Palais-Bourbon où l'on circule en barque sont couverts d'eau comme les abords de la gare Saint-Lazare. Jaurès s'étonne. L'eau a monté pendant son discours : « J'ai donc tant parlé ! » s'exclame-t-il.

Curieuse atmosphère dans ce Paris où l'on redoute le manque d'eau et de pétrole et où l'on craint les rats. Parfois « il neige sur l'eau : le silence sur le silence ». Les théâtres sont vides. *Le Chantecler* d'Edmond Rostand, qu'on attendait tant, déçoit. La presse est mauvaise alors qu'elle avait encensé *Cyrano de Bergerac* et *L'Aiglon*. Mais « les nationalistes ne marchent pas. Ils n'ont pas pardonné à Rostand d'avoir été dreyfusard », constate Jules Renard.

Car la vie politique reste passionnée et les questions sociales continuent de se poser avec d'autant plus de force que, à Paris, l'inondation rend pour plusieurs semaines la vie difficile aux plus humbles.

C'est d'ailleurs à ces problèmes sociaux — au problème des retraites — qu'est tout entier consacré le Congrès de la SFIO qui se tient à Nîmes du 6 au 10 février 1910. Jaurès maintenant est maître de son parti. Il juge la question débattue capitale. En effet, voilà plus de dix ans qu'il est question des retraites ouvrières. En fait, dès son entrée au Palais-Bourbon, en 1885, Jaurès a évoqué ce problème à propos des mineurs. La loi maintenant est devant la Chambre. Que doivent faire les socialistes ? Ils en discutent en Congrès. Pour Jaurès enfin, et il le dit, on sortait des généralités, on abordait l'examen d'un grand problème législatif.

Or, sur cette question — retraite à soixante-cinq ans alimentée par 1 % de versement ouvrier et 1 % patronal, l'Etat assurant le complément, la CGT et les guesdistes — pour une fois d'accord — s'opposent au vote. « Le mot retraite exerce une action magique sur l'imagination des ouvriers, dit Lafargue. Ils ont peur d'avoir à mendier leur pain dans leur vieillesse. »

C'est ce qui arriverait en effet souvent si les enfants ne prenaient en charge les vieux. Mais pour les guesdistes, la retraite est un marché de dupes. Peu leur importe qu'en Allemagne le système fonctionne déjà à la satisfaction des ouvriers et que la mise en place des retraites soulage des misères quotidiennes, introduisant le principe d'une « Sécurité sociale ».

Avec patience Jaurès s'adresse à ses contradicteurs : « Et puis que mes camarades marxistes, dit-il, me permettent une remarque... » Mais Guesde, Lafargue s'obstinent. L'Etat va bénéficier des prélèvements. Car bien des ouvriers meurent avant soixante-cinq ans. « On force le travailleur à prendre un billet de loterie, dit Bracke, dont on se paye par des prélèvements, sur son salaire, des années et des années ! Le gros lot c'est de vivre jusqu'à soixante-cinq ans. La chance de gagner est de 6 %, disons 7 %... C'est une escroquerie. »

Quant à Guesde, il est hors de lui. Son univers mental schématique ne peut concevoir l'idée même d'un prélèvement. « Lorsque je suis venu au socialisme, qu'ai-je toujours dit aux travailleurs ? Que le socialisme consiste essentiellement à mettre fin au prélèvement opéré sur le produit du travail de chaque jour par le patronat... Et pour la première fois, moi, socialiste, je viendrais dire à ces travailleurs, il faut réduire vos salaires, c'est moi qui vais les réduire. Je mettrais, moi socialiste, ma signature au bas de cette décision ? Non, c'est impossible ! »

Jaurès reconnut qu'il lui était douloureux d'être en contradiction « avec celui qui a été le maître de beaucoup d'entre nous ». Mais s'il ménageait Guesde, il pouvait aussi lancer à Lafargue avec assurance : « Camarade, je suis trop fatigué pour répondre : vous jugerez ! Je dis : " Voilà où vous en êtes et voilà à quoi vous êtes réduits en voulant combattre jusqu'au bout la loi actuelle ! " »

Le Congrès suivit Jaurès. Les guesdistes sont une nouvelle fois battus.

Et lors du vote à la Chambre des députés, le 14 avril 1910, il n'y eut que quatre députés — dont Guesde — pour s'opposer au vote de la loi.

Jaurès se félicita de cette unanimité de la Chambre. La force des idées socialistes avait entraîné même les plus hostiles. « Quand la mer monte, il y a une heure où elle roule pêle-mêle les herbes, les coquillages. »

Trop optimiste Jaurès en ce printemps 1910 ?

Il sent dans le pays une poussée socialiste. Le parti se renforce. Les élections qui viennent devraient enregistrer ce mouvement. Briand confirme son orientation politique. Les consignes qu'il donne aux préfets les invitent à soutenir les candidats qui ont fait preuve d'attachement personnel au gouvernement et non pas ceux qui se réclament du Bloc des gauches.

A Saint-Chamond, le 10 avril, Briand tient une réunion. C'est dans cette ville qu'il y a huit ans il avait été candidat pour la première fois. Au nom du socialisme le plus extrémiste. Maintenant, il se place au-dessus des « sectes politiques ». La République appartient à tous. Cependant qu'il parle, des manifestants brisent les vitres de la salle de réunion à coups de pierre. On tire même des coups de feu. Provocation ou indignation ? Briand s'emploie à dénoncer l'anarchie.

Jaurès, à Carmaux, est paisible. Il mène sa campagne avec la même obstination épuisante, de village en village, mais il est moins inquiet. Le marquis de Solages a d'abord soutenu un radical en espérant — c'était la stratégie de la préfecture — que celui-ci devancerait Jaurès. Mais pour le clan Solages, un radical c'était encore trop « avancé ». Il y eut donc candidature d'un proche du marquis, Falgueyrette.

Jaurès ne s'en souciait guère, tout à la joie de retrouver son pays, les électeurs qu'il connaissait, parlant avec eux famille ou récolte. « Et chez vous à Monesties la cloque ravage les pêchers ? » demandait-il à l'un.

Il ne sentait pas d'hostilité chez ces paysans.

Il fut en ballottage au premier tour. Les radicaux retirèrent leur candidat et il fut élu au second tour avec une majorité bien plus nette qu'à l'élection précédente. Il l'emportait même, fait exceptionnel, dans les cantons ruraux. Et comme Carmaux lui restait fidèle, l'avance était de 602 voix, deux fois plus qu'en 1906.

Calvignac, le vieux camarade, toujours maire de Carmaux, vint chercher Jaurès alors qu'il examinait les devoirs du fils d'un socialiste, « remarquable », murmurait Jaurès. Il fallait pousser cet adolescent vers les Arts et Métiers, disait-il au père. « Là je te le garantis, on lui mettra les pieds dans des étriers solides et il ira loin. »

C'était le professeur, le républicain, l'homme qui croyait à la progression dans la société par le savoir, le laïque qui faisait devoir à l'école d'assurer la promotion sociale des meilleurs qui s'exprimait ainsi. Spontanément, humainement, dans cette structure sociale française démocratique, malgré ses injustices, Jaurès se comportait en homme qui croit à l'évolution, au progrès, à la subversion par la crue lente et progressive plutôt que par la vague qui brise.

Entre le vote en faveur des retraites ouvrières et le conseil donné pour l'avenir scolaire d'un enfant, la cohérence est complète.

Calvignac entraînait Jaurès. La foule l'attendait devant la mairie. Il en gravit les marches. Il leva la main.

« Citoyens, commença-t-il, ils prendront racines et ils deviendront des arbres immenses, les lauriers dont vous venez de joncher le chemin où s'avance la liberté. »

VII

« J'APPELLE LES VIVANTS, JE PLEURE SUR LES MORTS, JE BRISERAI LES FOUDRES »
(1910-1914)

Chapitre 23

« Si la vie, après tout, n'est pas un mauvais rêve » (1910-1911)

1 106 000 voix ! On a dépassé le million de voix, camarades !

Les socialistes, en ce mois de juin 1910 ont le sentiment de la victoire. Ils comptaient cinquante-cinq députés dans l'ancienne Chambre. Ils sont soixante-quatorze. Certes 597 députés siègent au Palais-Bourbon et parmi eux le centre droit sort renforcé. Mais la montée des voix socialistes semble irrésistible, élection après élection. On suppute : si la représentation proportionnelle était adoptée, le nombre d'élus serait multiplié. On chante le soir des résultats.

> *Debout, debout les damnés de la terre*
> *Le monde va changer de bases...*

L'enthousiasme est excessif. Mais Jaurès constate que le nombre d'exemplaires de *L'Humanité* vendus augmente, atteignant 30 000 à Paris, 71 000 en France. Bientôt on pourra sortir une édition pour le Nord, passer de quatre à six pages. L'équilibre financier toujours fragile est cependant atteint. Quand il déjeune avec Philippe Landrieu, l'administrateur du journal, ou Renaudel, administrateur délégué, qui en a la charge quotidienne, Jaurès peut se laisser aller à son optimisme. Les jeunes adhèrent au parti qui compte, en cette année 1910, 56 154 adhérents. C'est peu par rapport aux centaines de milliers de membres de la social-démocratie allemande ? Sans doute mais Jaurès sent que ce parti dont il est le leader lui donne un poids nouveau dans l'Internationale.

En France, aucune autre formation politique ne possède une

organisation sur tout le territoire national qui rassemble des hommes et des femmes de toutes conditions. Les radicaux ? Des notables. Les autres ? Des comités électoraux. Nous, nous sommes un parti. Jaurès se montre très attaché à cette organisation. A ceux qui s'étonnent de ce que lui, Jaurès, une si forte personnalité, se plie à la discipline tatillonne des congrès et des commissions, il répond sans hésiter : « C'est le parti qui me fait, qui me permet de me réaliser. » Il y subit pourtant des inimitiés tenaces mais il hausse les épaules, répond qu'il s'agit de camarades qui se rendront un jour à ses arguments. A une jeune femme qui par son comportement amoureux a risqué de compromettre un membre du Parti, il fait la leçon : « Il ne faut pas qu'une ombre de scandale atteigne jamais le parti : le Parti, le Parti avant tout, citoyenne ! »

Elle raconte avec irritation et ironie que « le mot " Parti " montait en majeur dans la gorge indignée de Jaurès. Le P majuscule me semblait s'enfler, s'élargir, prendre une importance telle qu'il devenait un parapluie gigantesque, que dis-je, un toit rond, pointu, oblique et d'une superficie capable de couvrir l'ensemble des adhérents à l'Internationale ouvrière. Allais-je, Seigneur, lézarder ce toit ? Ma jeune ardeur allait-elle laisser tomber une étincelle sur le chaume socialiste ? Jaurès avait peut-être raison de me traiter en incendiaire » ?

Instrument de lutte, indispensable aux yeux de Jaurès, école de citoyen où l'on apprend la démocratie, le parti est aussi le vaisseau de la fraternité.

A Bessoulet, en été, viennent les camarades de Carmaux et d'Albi. Jaurès explique. On rit. Il essaie sur les petites routes, soutenu par les amis, d'apprendre à rouler à bicyclette. Mais il est lourd et maladroit. Il met la dernière main à son livre sur l'Armée qui doit sortir dans quelques mois. Il parle de l'univers. Jamais certes il n'a cessé de s'interroger sur le sens de la vie et la signification du monde, mais en ces années 1910-1911, il paraît retrouver toutes les questions de sa jeunesse avec une intensité nouvelle. Comme si lui aussi, à l'égal du mouvement général des idées qui pousse à nouveau sur le devant de la scène avec d'autres générations les formulations des années 1890, il revenait, expérience d'homme faite, aux interrogations initiales.

Il a cinquante et un ans. Sa mère est morte. Il sait, au plus profond de lui-même, comme il l'écrit, que « la mort règle le compte de tous ». Il est seul sur la crête. Avec ce petit-fils si cruellement atteint, mesure de l'injustice apparente qui scelle certains destins. Il lit Tolstoï. Il regarde ces étoiles, cette campagne familière. Il y a quelques semaines — en mai — les journaux annonçaient avec de gros titres que la terre allait exploser fracassée par sa rencontre avec la comète Halley. Et l'astronome Camille Flammarion décrivait l'approche de cet astéroïde venu à notre rencontre du bout de l'univers. Allions-nous périr ?

Pendant ce temps, il fallait parcourir les chemins du pays de Carmaux, appeler à voter. Et l'homme continuait, malgré cette menace sidérale, d'aller de l'avant.

Jaurès suivait les développements des techniques nouvelles : déjà plus de 800 aéroplanes en France, déjà 45 000 voitures. Et ces navires à vapeur, ces cuirassés énormes dont parlait Louis Jaurès qui commandait l'un d'eux, le *Liberté*. Et la puissance de destruction que les hommes accumulaient. La montée des nouveaux mondes. « Si l'Angleterre et l'Allemagne se déchiraient, s'affaiblissaient, dit Jaurès, elles trouveraient le lendemain devant elles les Etats-Unis plus puissants, ayant profité de leur discorde même pour élargir leurs débouchés, pour jeter plus loin leurs filets sur le monde... » Toutes ces constatations devenues plus aiguës du fait de la tension internationale et l'aggravation des contradictions rendant Jaurès plus sensible encore à la nécessité de ne pas oublier l'essentiel : le sens de tout cela.

A Toulouse, ceux qui l'écoutent parler de Tolstoï, lors d'une conférence en février 1911, sont saisis par sa sincérité angoissée qui prend les formes d'un aveu. « Tous nous sommes exposés dans la vie étroite et obscure que nous menons, dit-il, à oublier le sens profond et le mystère de l'existence, dans tous les métiers, dans toutes les classes. » C'est vrai du patron, explique-t-il, qui est absorbé par la conduite de l'entreprise, c'est vrai de l'ouvrier « plongé dans les abîmes obscurs des misères et n'émergeant du front et de la bouche que pour pousser un cri d'appel et de protestation ». Mais, Jaurès s'interrompt puis reprend plus sourdement, c'est vrai pour nous « politiciens, perdus dans les batailles et noyés dans les intrigues de tous les jours ». Confidence faite par Jaurès au détour d'une conférence.

« Tous, continue-t-il, nous sommes des hommes, c'est-à-dire des consciences à la fois autonomes et éphémères, perdues dans un univers immense, plein de mystères, et nous sommes exposés à oublier la portée de la vie et à négliger d'en chercher le sens... »

Jaurès, homme de cinquante ans et leader politique au centre de la toile d'araignée que tissent les événements, Jaurès homme qui n'a pas renoncé aux questions de sa jeunesse. « Nous sommes exposés, reprend-il, à méconnaître les vrais biens, le calme du cœur, la sérénité de l'esprit. »

Cette exigence d'authenticité, ce refus de se laisser dissoudre, cette crainte d'être perdu dans l'action quotidienne animent Jaurès. C'est sous les vagues agitées de sa vie, le grand courant profond, permanent, ce qui le différencie d'un homme politique « ordinaire ».

En voici un, Aristide Briand, qui monte à la tribune du Palais-Bourbon. Il demande après les élections un vote de confiance. Nous sommes le 28 juin 1910. Jaurès et les socialistes ont décidé de voter contre. Le banquier Aynard se félicite du « langage nouveau, où il était question de justice et de liberté égale pour tous » — comme s'il avait été un persécuté sous les gouvernements précédents ! — il va donc voter pour. Briand force la voix : « C'est maintenant tout ou rien, dit-il. Je demande aujourd'hui une confiance continue et loyale, ou pas de confiance du tout. » Confiance votée. Jaurès rentre à Bessoulet puis de là, quelques semaines plus tard, il part pour Copenhague où se tient à la fin août le Congrès de l'Internationale.

Jamais l'union du prolétariat n'a paru aussi puissante. Aussi nécessaire puisque dans les Balkans, les rivalités s'avivent.

Les Slaves — Serbes et Bulgares — se rapprochent soutenus par le grand protecteur russe. Les Autrichiens s'inquiètent. Constatent que dans la Bosnie-Herzégovine qu'ils ont annexée, les organisations nationalistes — slaves aussi — sont actives. Cette région est bien la poudrière dont parlent entre eux les délégués au Congrès. Et il y a le Maroc où les Berbères sont en mouvement. Les troupes françaises qu'on renforce. Il est question de marcher vers Fez et Meknès. De rompre ainsi l'accord franco-allemand. Et les sociaux-démocrates allemands précisément s'inquiètent du nouveau chancelier du Reich Bethmann-Hollweg qui n'a pas l'expérience et l'assurance de Bülow. Ils parlent de leur presse nationaliste de plus en plus agressive et puissante. De la rivalité économique anglo-allemande. De l'Alsace où les mouvements profrançais n'ont jamais été aussi forts. Mais l'Internationale est là.

Les Danois ont fait un accueil extraordinaire aux délégués : fanfares, meeting, cortèges. Et des fleurs et des bannières et la douceur printanière d'une fin d'août scandinave. Jaurès parle au grand rassemblement de plus de cinquante mille personnes. Rosa Luxembourg est présente parmi les délégués toujours entraînée par l'éloquence de Jaurès qui charrie pourtant des idées qu'elle conteste. Et Trotsky est lui aussi envoûté séduit par la « naïveté quasi géniale de l'enthousiasme de Jaurès, par le volcanisme de sa passion morale, la puissance de l'intensité de ces saintes colères ». « Chaque fois que je l'écoute, dit Trotsky, c'est comme si c'était la première. » Avec son éloquence Jaurès peut, continue le révolutionnaire russe « écraser un rocher tel un marteau pilon ou accomplir un travail d'orfèvre sur la plus fragile vaisselle d'or ». Certains dans la délégation russe se montrent plus réservés, hostiles à ce style si éloigné de la froideur logique de Lénine. Trotski proteste : « le Russe de nos steppes noires dira peut-être parfois que les discours de Jaurès ne sont que de la rhétorique oratoire artificielle, faussement classique, dit-il. Il ne fera ainsi que témoigner de la pauvreté de notre culture russe ». Mais malgré la beauté des discours, la symbolique du décor qui montre deux globes unis par un ruban rouge indiquant que l'Internationale couvre les deux hémisphères, malgré ce rayonnement du socialisme quand on discute des moyens à mettre en œuvre pour empêcher la guerre, la faiblesse de l'organisation socialiste se dévoile.

Vaillant, au nom des Français, et Keir Hardie, un Anglais, présentent une motion en commun. Pour prévenir et empêcher la guerre, le moyen le plus efficace est la grève générale, disent-ils, et d'abord dans les industries liées à l'armement. Voilà une solution : elle est repoussée par les Allemands et les Autrichiens. On discutera à une prochaine réunion de l'Internationale des moyens de maintenir la paix. Ensemble crions cependant guerre à la guerre.

On se sépare. Jaurès est très entouré. Les délégués argentins lui proposent pour l'été prochain une tournée de conférences en Amérique du Sud. Il découvrira un continent, des peuples qui attendent la voix du socialisme. Il percevra des honoraires importants (100 000 francs). Tous ces pays neufs, cette jeunesse du monde fille de l'Europe. Ils sont convaincants : le voyage sera long certes, trois mois, mais il n'y a pas de sessions parlementaires en été. Jaurès se laisse séduire. L'argent sera pour *L'Humanité*. L'accord est conclu. En juillet 1911 Jaurès partira pour l'Argentine.

La guerre ? En même temps que l'esprit le conçoit il la refuse. Est-elle possible entre des nations où vivent de tels hommes : le socialisme allemand Ledebour et l'Anglais Keir Hardie, Vaillant et Rosa Luxemburg ? Est-elle possible alors que 25 000 allemands se pressent à Francfort-sur-le-Main pour écouter Jaurès le 11 septembre 1910 ? Il n'est pas le seul orateur. Quatre tribunes ont été élevées pour les orateurs de l'Internationale qui arrivent de Copenhague. Mais c'est autour de celle de Jaurès que l'on se presse, c'est « Vive Jaurès » que l'on crie, en français, et c'est *La Marseillaise* que chantent les Allemands. Jaurès leur dit :

« Je lis avec joie et de préférence la littérature allemande.

Presque quotidiennement, je converse avec vos grands penseurs et vos grands poètes. Ce serait la plus grande joie de ma vie de vivre le jour où l'Allemagne démocratique, l'Angleterre démocratique et la France démocratique se tendront les mains pour la réconciliation éternelle et pour la paix du monde. »

Et appelant au triomphe de la démocratie en Allemagne il conclut :

« Avant-hier, j'ai vu dans le musée de Dresde l'antique trépied autour duquel se livraient bataille Apollon et Héraclès.

L'Apollon d'aujourd'hui, c'est le Prolétariat qui propage l'Idée.

Plus de lumière, mais non, comme chez Goethe, plus pour un grand mourant, mais plus de lumière pour tous les humains !

Cet Apollon-là vaincra Héraclès, car il a entre ses mains la massue d'Héraclès.

Vive l'Allemagne démocratique. »

Ces réunions incitent à l'optimisme. Et comme les Congrès de l'Internationale, elles sont le reflet de cette angoisse de la guerre et en même temps parce qu'elles se tiennent — et simplement pour cela — elles rassurent, rendent la guerre plus inconcevable.

Jaurès n'échappe pas à ce double mouvement même si le temps qu'il consacre aux questions militaires, le fait qu'il ait choisit en 1910 de siéger à la Commission de l'Armée de la Chambre des députés, montrent que la préoccupation est chez lui permanente.

Mais il y a aussi tous ces événements qui jaillissent, qu'on prévoit, qu'on voudrait empêcher et qu'on ne peut contrôler pourtant.

A l'automne 1910, c'est la grève des cheminots.

« Je pressentais la gravité du mouvement », dit Jaurès. Les conditions de travail et le faible taux des salaires deviennent insupportables. « Je sentais, continue pourtant Jaurès, le danger des mouvements hâtifs et discordants. » Il adjure les cheminots d'attendre la rentrée du Parlement. Il craint de Briand, dont il devine l'autoritarisme, le cynisme et la volonté de s'appuyer à droite, un coup de force. Par exemple la réquisition qui équivaut à une militarisation et menace les cheminots grévistes de la Cour martiale. Ses conseils de prudence ne sont pas écoutés. Impatience, exaspération des cheminots du réseau du Nord, peut-être aussi, dit Jaurès, « calcul de ceux qui voulaient déconcerter les réformistes ».

La grève s'étend, paralyse. Des sabotages interviennent auxquels incite *La Guerre sociale* d'Hervé qui invite à se servir « de Mamselle Cisaille et du citoyen Browning ». On ne comptera pas moins de 2 908 actes de sabotage d'octobre 1910 au 30 juin 1911.

Briand avec sa perspicacité sent que le mouvement est mal engagé. Dans la nuit il réunit un Conseil des ministres et malgré l'opposition de Millerand, Viviani et Barthou, il décide la réquisition.

Que faire ? Les délégués du réseau de l'Est, encore épargné par la grève, se rendent à *L'Humanité.* Ils déplorent la soudaineté du mouvement. Interrogent Jaurès : « Nous conseillez-vous de déclarer la grève ? » Est-ce à lui de donner un avis. Il s'y refuse d'abord. Les deux délégués le pressent. Il se décide enfin : « Plus vous êtes décidés, dit-il, à faire prévaloir dans la conduite des affaires des travailleurs des méthodes plus réfléchies, plus il importe que vous n'encouriez pas le reproche d'avoir manqué à la solidarité ouvrière. »

« Il y aura sans doute des victimes », lui répond-on. C'est à vous de prendre vos responsabilités, dit Jaurès. « Mais il n'y a pas de bataille même la plus juste et la plus nécessaire qui soit sans risque. »

Difficile choix pour Jaurès. Il sait — cela se produira — qu'on l'accusera de jouer avec le sort des cheminots. Car Briand va vite et loin. Le Comité de grève qui s'est réuni à *L'Humanité* — dans le bureau même où avait travaillé le socialiste Briand — est arrêté, le journal perquisitionné. Les révocations — on parle de plusieurs milliers — pleuvent. La menace des Conseils de guerre oblige le syndicat à décréter la reprise du travail. La presse, dont les sympathies pour le gouvernement sont savamment entretenues par Briand, pousse à la répression contre les « anarchistes » qui sabotent la sécurité et la défense du pays. Les transports ne sont-ils pas indispensables à l'armée en cas de guerre ? C'est donc l'échec, d'autant plus amer que des anciens socialistes ont mené l'offensive.

Jaurès s'est engagé à fond. « Dans les heures difficiles et tragiques, dit-il, les ambitieux se réservent. Les militants se donnent. »

Il s'est donné. Dénonçant dans *L'Humanité* Briand le « traître » et le « forban ». Et quand la session parlementaire s'ouvre le 25 octobre 1910, il mène avec les socialistes une offensive impitoyable contre Briand.

C'est un règlement de comptes. Dur, brutal. Les députés socialistes les uns après les autres montent à la tribune, interpellent Briand. Certains — Bouveri — le tutoient, lui rappelant son passé de député de Saône-et-Loire, quand la section de Montceau-les-Mines lui prêtait quarante francs pour qu'il puisse aller parler de la grève générale ! Albert Thomas, un jeune normalien — que Herr et Andler ont initié au socialisme —, est implacable dans sa rigueur intellectuelle. Mais c'est Jaurès qui va prononcer le vrai réquisitoire. Il monte à la tribune avec gravité, et il parle avec émotion sans quitter des yeux Briand, Millerand et Viviani. « Je me souviens, commence-t-il, mais peut-être maintenant que vous êtes au pouvoir l'avez-vous oublié. »

L'hémicycle est silencieux, la tension lourde.

« Je me souviens, reprend-il, des grands rassemblements populaires devant lesquels nous avons pris la parole ensemble. Je revois les vieux travailleurs, aujourd'hui disparus, des hommes rudes, à la fin de leur vie, qui se demandaient si tout cela n'était pas inutile. Et je revois des hommes jeunes, des adolescents de quatorze, quinze, seize ans, leurs yeux brillants d'une foi nouvelle tandis qu'ils écoutaient notre programme... »

Jaurès ne s'est pas situé sur le plan de l'agressivité. Il place les ministres devant leur responsabilité humaine, les confrontant à cette démoralisation, à ce désespoir qu'ils provoquent.

« Aujourd'hui, continue-t-il, ces hommes ont trente-trente-cinq ans et lorsqu'ils lisent dans leurs journaux que c'est vous — Millerand, Viviani et Briand —, vous qui leur refusez le droit de grève, ils peuvent se demander dans leur for intérieur si la vie, après tout, n'est pas un mauvais rêve. » C'est cette trahison d'une confiance donnée, ce doute sur l'homme et sur la vie que Jaurès condamne et ne pardonne pas. Le cynisme de quelques-uns a pour contrepartie le désespoir du plus grand nombre.

Les paroles de Jaurès sont insupportables. Et Briand, Viviani, Millerand doivent les subir. Quels peuvent être leurs sentiments pour Jaurès sinon de malaise et de haine, seule façon d'échapper à la haine de soi ?

Certes Briand va répondre. Efficacement. Il joue sur le nationalisme. Les cheminots, par leur grève, livrent le pays à l'ennemi, le laissant « frontières ouvertes », dit-il. Porté par les applaudissements de la droite, exaspéré par ce qu'il vient d'entendre, Briand s'élance : « Si le gouvernement n'avait pas trouvé dans la loi de quoi rester maître de ses frontières, eh bien, aurait-il dû recourir à l'illégalité, il y serait allé », s'écrie-t-il.

Tumulte, cris de « dictateur, démission, démission ». Les députés socialistes se regroupent au pied de la tribune, hurlent « vous ne parlerez plus ».

Briand restera à la tribune plusieurs heures dans le vacarme, obtenant le lendemain une large confiance. Il a montré ses mains,

« pas une goutte de sang ». Si on vote contre lui, « le pauvre dictateur s'inclinera tout de suite ». Mais malgré le vote (380 voix contre
170) il est moralement affaibli. « César arlequin de l'anarchie et de la
grève générale », comme dit Jaurès qui déclare que « le gouvernement se trompe s'il croit en avoir fini avec les cheminots ».

Briand sent si bien qu'il a reçu un coup et qu'il lui faut consolider
son équipe qu'il démissionne le 2 novembre pour reconstituer un
gouvernement le 3. Millerand, Viviani et Barthou, hostiles à la
réquisition, n'y figurent plus. Mais on y trouve le grand maître de la
maçonnerie — Lafferre — et naturellement Dupuy, le propriétaire
du *Petit Parisien*. A part cela des seconds rôles. « L'incroyable
triomphe de la médiocrité », dit Jaurès. « Le ministère des gens de
maison », murmure Caillaux.

Cette manœuvre ne suffit pas à sauver Briand plus de quelques
mois.

Il avait vaincu les cheminots mais des troubles éclataient en
Champagne dans les vignobles, avec des scènes d'émeute, des
milliers de bouteilles et de tonneaux brisés, le conflit entre négociants et producteurs, l'obligation de faire appel à l'armée.

Sur ce front social, Jaurès menait la bataille. Le 17 décembre il
parlait à Paris devant plus de 6 000 personnes. Discours passionné
pour dénoncer une « seconde Affaire Dreyfus », la condamnation à
mort, par un jury de « bourgeois », du secrétaire du Comité de grève
des dockers du Havre, Jules Durand, accusé d'avoir assailli un chef
d'équipe « jaune ». Jaurès décortique le dossier dans une série
d'articles de *L'Humanité*, lance un appel aux intellectuels, à tous
ceux qui avaient pris parti pour Dreyfus. Andler, Lucien Herr,
Marcel Mauss, Anatole France demandent au président de la
République la grâce et la révision. Anatole France adresse un
message lors du meeting où parle Jaurès : « Il dépend de vous que
Durand, innocent, soit rendu à la liberté... Prolétaires français, ne
saurez-vous donc jamais vous organiser puissamment comme on voit
partout ailleurs dans le monde entier s'organiser l'armée ouvrière ? »

Jaurès va plus loin. Il voudrait qu'Anatole France publie un
texte dans *L'Humanité*. Il écrit à l'auteur de *Crainquebille* :

Villefranche d'Albigeois.

Mon cher maître et ami,

*Vous nous feriez grand plaisir — et vous feriez un grand bien — si
vous nous adressiez un article sur l'Affaire Durand. Le mouvement
prendra par là plus d'ampleur. Je crois que l'enquête et les parties du*

dossier que j'ai publiées dans L'Humanité *suffisent à montrer qu'il y a là un des cas les plus violents et les plus ineptes de la « justice de classe » que l'on puisse imaginer.*

C'est du Crainquebille mais poussé au tragique et au systématique.

J'aurais grande joie à venir vous voir sous huitaine à Paris.

Mais si vous le pouvez, envoyez-nous l'article tout de suite.

Jean Jaurès.

Anatole France n'écrivit pas l'article. Mais la campagne avait porté. Durand fut libéré : il avait perdu la raison en prison.

Cette affaire tragique illustrait pour Jaurès le climat de provocation et de réaction qui caractérisait le gouvernement Briand.

Or, à la Chambre aussi l'hostilité était grande contre le président du Conseil. Joseph Caillaux qui, chez les radicaux, se présentait, en successeur, revendiquait dans un discours à Lille, le 8 janvier 1911, l'héritage du radicalisme. Briand était même attaqué sur le terrain de la loi de Séparation. En même temps un scandale financier relatif à des subventions versées à un consortium établi au Congo — la société N'Goko Sangha — se prépare. Briand choisit de partir avant qu'il n'éclate. Il démissionne sans avoir été mis en minorité le 27 février 1911.

On attend Caillaux. Le président de la République préfère choisir un sénateur modeste — Monis — qui constitue un gouvernement où Caillaux tient les Finances. Gouvernement à gauche ? Plusieurs ministres font, dès leur installation, une visite de courtoisie à Emile Combes. Est-ce le retour du Bloc des gauches ? « Est-ce une période de démocratie sociale qui commence ? » interroge Jaurès.

Il faut donner sa chance à ce nouveau ministère. Jaurès et les socialistes s'abstiennent.

Jeux parlementaires ? Succession sans signification des hommes ? Quel sens donner au mot « gauche », pourquoi l'« abstention » quand on retrouve dans ce gouvernement Delcassé en ministre de la Marine, et qu'on connaît l'hostilité de Jaurès à ce que représente l'ancien ministre des Affaires étrangères, « le lilliputien halluciné » ?

Mais la Chambre des députés est le lieu du pouvoir politique. Et Jaurès y mène sa bataille avec le souci de la nuance. « Son idéologie — constate Joseph Caillaux, un des grands parlementaires — s'alliait à un sens politique infiniment délié. »

Et Jaurès estime qu'il est possible à la Chambre des députés de faire avancer la réflexion. C'est ainsi que le 14 novembre 1910 il a déposé sur le bureau de l'Assemblée une proposition de loi sur l'organisation de l'armée. La loi comporte 18 articles — six pages — et l'exposé des motifs 450 pages ! Il s'agit là en fait de l'ouvrage sur les questions militaires auquel travaille Jaurès depuis plus de trois ans.

Le premier contrat du 27 novembre 1907 avec l'éditeur Rouff a été remis à jour le 4 novembre 1910. Le texte est donc déposé à l'Assemblée quelques jours plus tard et le livre paraîtra en librairie en avril 1911.

Pour Jaurès qui n'a jamais renoncé à préciser ce que sera le socialisme, ce premier texte n'est que le fragment d'un ouvrage plus vaste consacré à « l'organisation socialiste de la France ». On reconnaît là l'énergie, l'ambition, l'optimisme aussi de l'intellectuel Jaurès que n'effraie aucune vaste entreprise et qui depuis son « Histoire socialiste de la Révolution Française » souffre de ne plus écrire sur une longue distance. Les articles, soit, mais on lui compte les lignes ! Et puis il a besoin de ce travail de fond.

C'est le cas avec *L'Armée nouvelle* — titre qu'il choisit. Il a tout lu. Le capitaine Gérard, auquel il dédie le livre, lui a fait connaître les nouvelles théories des officiers les plus inventifs (le général Langlois, le capitaine Gilbert). Il a dépouillé les publications allemandes, les revues, bénéficié de l'aide de quelques militaires socialistes. Et puis il y a sa culture, sa facilité déconcertante à rassembler dans cet ouvrage des réflexions sur Diderot, sur la Révolution française et sur la théorie de la valeur chez Marx. Sans compter, au fil des pages, une méditation philosophique sur le sens de la vie, la signification de la présence, de la souffrance et de la violence. Et naturellement, c'est l'objet même du livre, une description d'une « armée nouvelle » où les milices de citoyens, les réserves, liées à leur région, à leurs usines remplacent l'armée encasernée, coupée de la nation toujours objet de tentation pour ceux qui rêvent à des coups d'Etat.

L'armée telle que la voit Jaurès, c'est le peuple en armes, instruit dès l'adolescence à la chose militaire, défendant sa terre, confiant dans ses officiers, professionnels et citoyens contrôlés par des commissions, élus. En même temps Jaurès met en garde contre la stratégie de l'offensive à outrance, qui séduit dans un climat nationaliste les officiers de l'état-major. Il craint une action allemande par la Belgique, demande à ce qu'on organise la défense sur la frontière nord. D'ailleurs, chaque soldat-citoyen de l'est du pays disposerait chez lui de son armement. Enfin il faut, dit-il, affirmer le refus de la guerre et, par la force des milices, de la nation armée dans la profondeur de son peuple, montrer que la guerre défensive serait le tombeau de l'agresseur.

Inspiré, le livre montre le patriotisme de Jaurès. « La patrie n'est pas une idée épuisée, écrit-il, c'est une idée qui se transforme et s'agrandit. » Il attaque avec vigueur les propos de ceux qui à gauche, tel Gustave Hervé, prétendent qu'il leur est indifférent de vivre « sous le soudard d'Allemagne, ou sous le soudard de France ». « Sophisme », dit-il. « Toute atteinte à l'intégralité des patries est un attentat contre la civilisation, une rechute dans la barbarie. »

Pouvait-on être plus net ? Répondre plus fermement à toutes les accusations calomnieuses qu'on lançait contre lui ? « Un peu d'internationalisme, précisait-il, éloigne de la patrie, beaucoup d'internationalisme y ramène. Un peu de patriotisme éloigne de l'Internationale, beaucoup de patriotisme y ramène. »

Mais il y a plus que cela dans ce livre-bilan où, à propos de l'armée, Jaurès lance des explorations dans toutes les directions.

Il se sépare de Marx quand il affirme que « l'Etat n'exprime pas une classe : il exprime le rapport des classes, c'est-à-dire le rapport de leurs forces ». Il manifeste sa confiance et sa vision de la perspective quand il répète : « Ce qui importe à cette heure, c'est le sens du mouvement. »

On ignora le livre. On ricana. A gauche. Chez les antimilitaristes. Et en Allemagne, chez les socialistes révolutionnaires.

Jaurès ne parlait-il pas des « régions de l'Est » où il fallait se préparer à la défense ? N'avait-il pas déclaré à propos des manifestations qui se produisaient en Alsace-Lorraine que « l'ancienne culture démocratique et française y était restée vivante » et que « l'Alsace-Lorraine était comme ces arbres qu'on peut séparer par une muraille de la forêt mais qui par leurs racines profondes vont rejoindre sous la muraille de l'enclos les racines de la forêt primitive » ?

De quoi satisfaire Maurice Barrès qui à Nancy tenait une réunion aux côtés du dessinateur alsacien Hansi.

Rosa Luxemburg toujours attentive aux déclarations de Jaurès critiquait le livre dans la *Leipziger Volkszeitung*, l'organe de la gauche révolutionnaire allemande, déclarant que ce texte manifestait les « croyances obstinées petites-bourgeoises » de Jaurès en des paragraphes de loi. Bref, *L'Armée nouvelle* c'était, selon Rosa

Luxemburg, « beaucoup de bruit pour une omelette ». Par contre, Trotski lisait et relisait le livre, impressionné par cette idée de « milices » affectées à leurs lieux de résidence et de travail.

A droite on accusa Jaurès de vouloir désorganiser l'armée. On caricatura sa pensée, ignorant le patriotisme qu'il exprimait, son estime pour le corps des officiers ou encore les avertissements qu'il lançait concernant une offensive allemande par la Belgique.

C'était ainsi pour Jaurès plus que jamais la saison des calomnies, orchestrées par la grande presse, qu'en arrière-plan Briand manipulait.

Briand n'avait pas oublié — le pouvait-il ? — l'humiliation infligée par Jaurès. Et Briand avait été du « sérail » socialiste. Il connaissait les oppositions entre les courants. Il savait comment atteindre Jaurès.

Quand l'un des délégués cheminots, Grandvallet, du réseau de l'Est — révoqué —, publie une brochure, *La Vérité sur la grève des cheminots,* dans laquelle il raconte son entrevue avec Jaurès, Briand voit le parti qu'on peut en tirer. Grandvallet est un guesdiste. Dans son récit, il cherche à atteindre Jaurès, déformant ses propos, faisant dire à Jaurès : « Qu'importent les victimes ! » Et la presse s'empare de ce texte pour montrer l'indifférence de Jaurès, son exploitation de la misère des travailleurs.

Jaurès a un mouvement de dégoût, il parle de cette « campagne venimeuse que la presse briandiste continue contre moi avec, dit-il, une persévérance dont je suis fier ». Dans ce flot de calomnies, Urbain Gohier comme à chaque fois se distingue. « La grève des cheminots, dit-il, a été déclenchée malgré les ouvriers par le citoyen Jaurès et ses complices de *L'Humanité,* agents de l'Allemagne. La bande Jaurès a reçu de Berlin la double consigne pressante de paralyser la mobilisation française au moment où les rapports allemands étaient les plus tendus... »

Au Congrès socialiste de Saint-Quentin, attaques sur un autre front menées par Rappoport. Guesdiste lui aussi, il met en cause la gestion de *L'Humanité* et son financement. On évoque à nouveau, à demi-mots, les capitaux juifs qui contrôleraient le journal. On veut en fait prendre le contrôle de *L'Humanité.* Jaurès est révolté, se défend, est approuvé par le Congrès. Il ne sait pas que Rappoport a été informé, influencé sinon manipulé par un envoyé de Briand.

Détruire Jaurès par la calomnie, c'est toujours le but.

Briand agit poussé par le ressentiment, la volonté politique, une sorte de remords transmué en haine.

Péguy est aveuglé par sa passion, ses rancœurs contre « le petit groupe normalien qui est devenu le point d'infection politique, le point de contamination, le point d'origine de virulence qui a corrompu le dreyfusisme, l'esprit révolutionnaire même ». Et Jaurès c'est la « créature de Lucien Herr », c'est le « traître par essence », un « malhonnête homme », le « tambour major de la capitulation », en bref « un agent du parti allemand » qui « travaille pour la plus grande Allemagne ».

Que répondre à ce qui est plus que de la mauvaise foi, une vraie pathologie ?

Mais elle exprime tout un nouveau courant nationaliste, violent, à nouveau antisémite, même si Péguy n'est en rien contaminé par ce côté.

Quand l'auteur Henri Bernstein fait représenter au Théâtre-Français sa pièce *Après moi,* des manifestations ont lieu chaque soir. *L'Action française* rappelle que Bernstein a jadis déserté. On couvre les murs d'affiches dénonçant le « juif déserteur ». Et la pièce finalement est retirée du théâtre. « Hier le quartier Latin a entraîné Paris », exultent la *Libre Parole* et *L'Action française :* « La jeunesse est avec nous, l'avenir nous appartient. » Et Maurras écrit cyniquement : « Tout paraît impossible ou affreusement difficile sans cette providence de l'antisémitisme. Par elle tout s'arrange, s'aplanit et se simplifie. »

Cette haine, ces calomnies, ce retour en force, avec la même virulence, comme si aucun combat n'avait été mené, aucune victoire remportée dans l'Affaire Dreyfus, il y a à peine dix ans, on sent qu'ils ébranlent Jaurès. Non pas dans sa volonté de continuer à lutter, mais dans sa réflexion sur la vie et la société.

Il ne se résigne pas mais il y a parfois dans l'expression de sa volonté, de son espoir comme un voile de lassitude. « Ah, dit-il, si l'on pouvait sortir de ce triste chaos, de cette société inégale et factice, de cette cohue de visages blêmis de misère ou fardés d'orgueil ou crispés d'envie ! »

Cela souffle comme un soupir après l'effort, comme un appel.

« Si l'on pouvait, continue-t-il, en finir avec toutes ces fausses joies glissant sur un abîme de douleurs... »

C'est presque, au fond de son optimisme, comme s'il avouait un désespoir absolu, comme si ce combattant était tenaillé par la certitude du malheur. « Il n'y a pas de progrès social, dit-il, qui puisse pleinement consoler de toutes les souffrances qui en furent la rançon. »

On sent un appel à une fusion fraternelle, qui est impossible. L'univers est encore barbare, la vie et la conscience discontinues. « Chaque centre de sensibilité est impénétrable aux autres... pour l'individu la douleur individuelle est un absolu. »

Toute la sensibilité de Jaurès proteste contre cette prison du moi. Et n'est-ce pas ces murs qui emprisonnent chaque individu, qu'il cherche depuis toujours à briser, par la parole, l'enseignement, l'écrit, l'action militante, la fraternité des congrès et du parti ?

La justice sociale, le socialisme sont un moyen pour enlever quelques pierres à ces murailles. Mais « pourquoi faut-il que même la justice soit achetée au prix de tant de violences, que tant de douleurs soient la condition souvent ignorée d'elles-mêmes d'un peu de progrès humain ? » se demande-t-il.

Certes, il n'est pas qu'un homme politique, celui qui, traitant de *l'Armée nouvelle,* exprime ainsi sa révolte contre la condition humaine et qui sait « que pour tout être vivant la loi du monde se résume tout entière en son propre destin ».

Certes, il n'est pas cynique ou enfermé dans l'action quotidienne celui qui s'interroge ainsi. Et qui dit, à plus de cinquante ans, retrouvant les accents de ses écrits de jeunesse, fidélité encore : « Après tout, j'ai sur le monde si cruellement ambigu une arrière-pensée sans laquelle la vie de l'esprit me semblerait à peine tolérable à la race humaine. »

Comment ne pas conclure qu'un moment viendra, celui où communieront les hommes ? Et que Jaurès lutte pour que s'annonce ce temps.

Car cette expérience mystique ne signifie en rien abandon du combat des hommes, jour après jour, ni rejet de la raison.

En cela aussi Jaurès est fidèle à la philosophie de sa jeunesse. Il fait toujours l'apologie de « l'homme qui se gouverne par la raison ». « La raison n'abolit pas la sensibilité, mais elle la règle, elle l'ennoblit. » Et, ajoute Jaurès, « celui qui se gouverne par la raison » n'a pas ce dégoût de vivre, ce *taedium vitae,* qui est comme le châtiment des époques où il y a divorce de la sensibilité et de la raison ».

C'est bien cette situation que Jaurès identifie autour des années 1910 et qui l'inquiète car elle est grossie de toutes les déceptions politiques. Et c'est d'être responsables de cela qu'il accuse Briand et les autres déserteurs de la cause socialiste. Ce n'est pas seulement l'idéal socialiste qu'ils ont mis en cause, mais la notion même d'idéal.

Francis de Pressensé, député, journaliste à *L'Humanité* et ami de Jaurès, décrit avec une clairvoyance aiguë ce que Jaurès ressent mais que son optimisme volontariste lui interdit d'exprimer aussi concrètement.

Pressensé constate d'abord que « le Parti républicain n'a ni doctrine, ni idéal, ni principe, ni programme ». Il gouverne en pratiquant au jour le jour la politique écœurante des bureaux de tabac et des morceaux de ruban rouge ou violet.

C'est là ce système de clientèle que Jaurès a tant de fois condamné et qui provoque « universelle lassitude et universel dégoût ».

« On voit, continue Pressensé, le plus grand nombre tomber dans une espèce de scepticisme gouailleur. » Tout cela « a toujours été la préface de quelque sinistre aventure », avertit Pressensé. La République est fragile. Les masses profondes de la nation ont cessé d'y croire, par sa propre faute.

Et Pressensé conclut par ces lignes prophétiques : « Il me paraît évident que nous glissons les yeux fermés sur une pente au bord de laquelle s'ouvre, béant, l'abîme d'une grande guerre. »

L'article de celui que Péguy avec sa hargne appelle « le plus cafard de la bande » date d'avril 1911.

Au Maroc, les troupes françaises sont sur pied de guerre. Des tribus insurgées menacent Fez, résidence du sultan où vivent des Européens. Le gouvernement, alors que les Chambres sont en vacances — c'est Pâques —, que le président de la République visite la Tunisie, décide, sous le couvert de formules vagues, d'envoyer les troupes françaises vers Fez. On prévient Berlin tardivement. On ne prête guère attention aux articles des journaux allemands reflétant le point de vue officiel et mettant en doute les mobiles avancés par Paris pour cette conquête du Maroc, puisque Fez est dégagé (21 mai) et bientôt Meknès (8 juin).

Naturellement, la presse nationaliste applaudit alors que Jaurès inlassablement met en garde, contre cette politique « mauvaise et imprudente ». Il montre que nous rompons les accords avec l'Allemagne et avec l'Espagne. Déjà celle-ci proteste, s'empare d'une enclave marocaine. Et l'Allemagne ? Caillaux, ministre des Finances, homme d'affaires aux nombreuses liaisons avec les milieux financiers allemands, sonde les intentions de Berlin. Le 23 juin, le gouvernement Monis démissionne. Le président du Conseil de cette formule de transition est remplacé précisément par Joseph Caillaux. Monocle, calvitie, élégance de dandy, habitude des grandes affaires, Caillaux veut conduire une politique extérieure prudente. Mais les dés sont jetés. Et Jaurès s'indigne de ces récits glorieux des journaux qui traitent les Marocains qui résistent de fanatiques. « Ceux qui se défendent, lance-t-il, vous les déshonorez du nom de fanatiques. »

Il craint surtout que ne se mette à tourner l'engrenage de la guerre, à partir de ce Maroc, comme il l'avait prévu. Tous ont menti. Clemenceau quand Jaurès disait : « Vous irez à Fez » ; et Jaurès rappelant la question qu'il posait commente : « Et Clemenceau me répondait : pourquoi pas à La Mecque. »

Les troupes françaises vont à Fez. « Et à mesure que va s'élargir sur le Maroc la prise de votre force militaire votre surface vulnérable va grandir », avertit Jaurès. « Et est-ce de Fez, poursuit-il, que nous allons donner à l'Europe et au monde, dans la nouvelle crise qui peut menacer la paix, des leçons de sagesse, de désintéressement et de respect du droit international, hypocritement et cyniquement violé par nous. »

C'est la fin juin 1911.

Jaurès est contraint de gagner Bessoulet. Il doit partir dans quelques jours en Amérique du Sud, comme prévu depuis le Congrès de Copenhague. Mais la situation internationale l'angoisse. La montée du nationalisme se conjugue avec la crise.

A Paris, le 24 juin, une manifestation de l'Action française se déroule pour soutenir l'action des troupes au Maroc et dénoncer l'arrogance allemande. Barrès est à Nancy.

Chaque jour Jaurès se rend à Albi acheter plusieurs journaux. Il dicte ses articles par téléphone à *L'Humanité*.

Il ignore que des négociations ont lieu entre Berlin et Paris.

Berlin réclame des compensations.

Il est comme tous les Français, y compris le président du Conseil Caillaux, saisi par la nouvelle qui est transmise par l'ambassadeur d'Allemagne à Paris : pour protéger ses intérêts face à l'agitation des tribus, le gouvernement impérial a décidé d'envoyer dans la rade d'Agadir un navire de guerre, la canonnière *Panther*. Après le coup de Tanger, Guillaume II débarquant du *Hambourg,* c'est le coup d'Agadir.

Le gouvernement français contraint de découvrir qu'il n'est pas en situation militaire — et même diplomatique, la Russie conseillant la prudence — d'assumer le risque d'une guerre.

Il faut donc négocier. « En finir avec notre politique impérialiste », dit Jaurès. Le 7 juillet, l'un de ses articles paraît à la fois dans *L'Humanité* et dans *Vorwärtz*, le journal du Parti socialiste allemand. C'est un appel au prolétariat pour qu'il exige l'évacuation du Maroc par toutes les troupes étrangères. Colère des nationalistes qui manifestent, dénoncent Jaurès et appellent à la riposte, pour relever le défi que lance Guillaume II. Cependant que Caillaux conscient de nos faiblesses, prudent, cherche à dédommager les Allemands en Afrique noire.

Le 14 juillet 1911, Gustave Hervé est en prison à la Santé. Le défilé populaire se dirige de la Bastille à la prison aux cris de « A bas la guerre ».

Jaurès boucle ses valises. Inquiet de ce long voyage de trois mois qui commence. Il doit laisser les siens, famille, camarades, à un moment où rien ne semble joué de la guerre ou de la paix.

Il téléphone à *L'Humanité*. Il écrit ses derniers articles. Il met dans ses valises une grammaire de portugais, des classiques espagnols. Il va travailler sur le bateau. Il pourra apporter à ces peuples neufs la preuve que l'Internationale socialiste est une réalité. Cela peut peser aussi sur la situation internationale. L'enthousiasme, la confiance reprenant le dessus.

Allons, à Dieu vat.

C'est la première fois qu'il quitte l'Europe. Il a cinquante-deux ans.

Chapitre 24

« Viva Jaurès !
Viva la Republica francese ! »
(1911)

Le voyage. Albi, Toulouse. « Dès la gare, il faut se secouer pour s'occuper de toutes sortes de détails pour les bagages. » Jaurès emporte tant de livres, de papiers, un frac, des vêtements pour trois mois. Il n'est pas un modèle d'attention, il est préoccupé. Mais il est parti. Il faut prendre sur soi. Et l'action le détend. « Il a fallu se secouer avec le Sud Express à prendre et ces deux frontières à traverser, c'était très compliqué. »

Destination Lisbonne et de là, à bord de l'*Aragon* pour une quinzaine de jours de traversée jusqu'à Rio.

Ce voyage, un espace ouvert dans la vie de Jaurès. Non pas que Jaurès songe à interrompre ses activités. Au contraire, il va écrire des articles, parler, faire des conférences, lire, lire parce qu'il veut présenter à ses auditoires des exposés qui ont trait à leur réalité. Défi de Jaurès qui ne se contentera pas de traiter de la Révolution française ou de « l'idéal » mais évoquera le Parti socialiste argentin ! Cela suppose un effort de documentation qu'il entreprend, dès qu'il est assis dans ce wagon qui roule « à travers ces grandes plaines nues, presque sans arbres, avec des blés maigres et rares allant jusqu'à des montagnes de pierres sans un brin d'herbe ». Castille austère : « Quel pays brûlé, quelle sécheresse tragique ! »

Mais l'espace dans la vie, c'est précisément ce décor qui change. Car Jaurès — sans qu'il paraisse en souffrir — est un homme rivé à sa fonction. Député, journaliste de quotidien, orateur, et ces trains pour Albi, et rythmant les années, les villes de Congrès socialistes ou celles des réunions de l'Internationale, les élections à Carmaux : peu de fantaisie dans cette vie, si ce n'est le mouvement des choses, les événements, et cette insatiable curiosité intellectuelle, les visites aux musées, cette passion politique qui enrichissent chaque minute.

Mais enfin, échapper pour quelques semaines à ces tensions répétées, pouvoir saluer avec émotion, au passage, de la fenêtre, de son wagon « la silhouette et les cinq clochers de cette université de Salamanque, si célèbre au Moyen Age, dans toute l'Europe », voir, dans la rage du soleil, quelques groupes perdus, c'était le temps de la moisson, qui coupaient ces pauvres blés à la faucille, puis découvrir le « pêle-mêle délicieux du Portugal », quelle échappée !

Et pourquoi dès lors ne pas tenir compte dans les motivations de Jaurès pour ce départ, dans la réponse positive qu'il a donnée aux camarades argentins venus le solliciter lors du Congrès de Copenhague, de ce besoin d'évasion ? Certes une « fuite » raisonnable, insérée dans le projet de Jaurès : convaincre, lier les hémisphères pour évoquer le dessin qui ornait la façade du bâtiment où se tenaient les délégués de l'Internationale, unir les hommes par la parole socialiste. Mais aussi désir de « rompre », de « jouir » un peu, hors des cadres de cette vie, de céder à la curiosité. Et ce besoin est fort au point de le faire quitter la France — et l'Europe — au moment où rien ne permet d'affirmer que la crise internationale née de la tension marocaine et de l'envoi du *Panther* à Agadir, par l'Allemagne, peut se résoudre pacifiquement.

Après tout, une série de conférences, même à l'autre bout du monde, quand on s'appelle Jaurès, qu'on a des responsabilités nationales de premier plan, qu'on a voué son action ces derniers mois à la lutte pour la paix, qu'on joue un rôle qui peut être décisif dans l'Internationale socialiste, cela peut s'annuler. Et les camarades uruguayens, argentins ou brésiliens, comment ne comprendraient-ils pas ?

Mais Jaurès part. « Le cœur gros », dit-il. L'angoisse l'étreint mais il quitte la France. Et bientôt l'Europe. C'est peut-être à ce sentiment de culpabilité, à cette inquiétude que l'on doit la tristesse et la nostalgie de certaines lettres aux siens. Il est vrai qu'il n'a jamais été séparé d'eux aussi longtemps, ni par cet « Atlantique plus bleu que la Méditerranée ».

De Rio, il écrira ainsi : « Je vis sans cesse avec vous. Je vous raconte tout bas tout ce que je vois. Je me représente à quelle heure de la journée vous êtes, ce que vous faites ; et c'est par là seulement que je supporte ce poids de solitude formidable qui m'a fait comprendre ce qu'a de terrible l'exil prolongé. » Et il compose un petit quatrain :

Oh ! ma femme et mon fils que je suis loin de vous
Tant de flots tant de cieux tant d'hommes nous séparent
Mais mon cœur que le vent ni les chemins n'égarent
Vous retrouve d'un vol certain, égal et doux.

Et puis ces quatre mots :

Aimez-moi un peu.

Qu'a-t-il donc pour qu'on ne l'aime pas ?

Il est celui qui part. Car son voyage en Amérique, à l'un des moments de crise les plus aigus des dernières années, ne fait que symboliser, de manière extrême, ce fait que Jaurès « quitte » toujours sa famille, pour la Chambre, pour ses méditations, pour écrire, pour les campagnes électorales, pour les rêveries et les Congrès. Tout à coup, dès ce train qui le conduit de Toulouse à Lisbonne, il réalise sans doute au fond de lui-même qu'il a laissé une fois de plus — comme il le fait depuis son mariage — sa femme sur le quai d'une autre vie.

« Aimez-moi un peu », moi qui ai toujours été ailleurs.

Le 20 juillet, il arrive à Lisbonne où la République a été proclamée depuis peu. Plaisir d'une réception marquée par « beaucoup de sympathie et de grands honneurs ». Ministre des Affaires étrangères qui le conduit jusqu'à la Chambre des députés, où les parlementaires l'accueillent debout aux cris de « Viva Jaurès ! Viva la Republica Francese ! ».

Il passe trois jours dans la capitale portugaise, lisant les journaux, rencontrant les personnalités politiques. Il ne sait pas encore — il ne l'apprendra qu'à bord de l'*Aragon* sur lequel il embarque le 24 juillet — que le chancelier de l'Echiquier, Llyod George, a prononcé lors d'un banquet donné par le lord-maire de Londres un discours qui sonne comme un avertissement à l'Allemagne : « La paix à tout prix, a dit Llyod George, constituerait une humiliation qu'un grand pays comme le nôtre ne saurait accepter. »

Au même instant, au Quai d'Orsay, c'est l'indignation devant les exigences allemandes : tout le Congo en échange du Maroc. Est-ce donc la guerre ? L'Angleterre jouant de la position française pour empêcher l'Allemagne de s'installer au Maroc, et peut-être favorisant contre Caillaux, conciliant, décidé à négocier avec Berlin, les éléments les plus déterminés de Paris ?

Heureusement, Caillaux s'obstine, indifférent à l'opinion des nationalistes, persuadé que la France n'est pas en état de gagner la guerre, touchant Berlin par l'intermédiaire d'un homme d'affaires — Fondère — et du baron de Lancken, un diplomate allemand en poste à Paris.

Alors que Jaurès vogue sur l'Atlantique, qu'il apprend le portugais, lit Don Quichotte, la crise semble pourtant s'envenimer. A Paris, on nomme un chef d'état-major général — Joffre —, les représentants de la CGT se rendent à Berlin, et les socialistes des deux pays manifestent leur volonté de paix.

Mais les opinions publiques sont chauffées à blanc par la presse. A Paris les nationalistes manifestent autour de la statue de Strasbourg.

Jaurès dans sa cabine écrit. Par télégraphie, il a pris connaissance de l'état de la situation. A Madère, une escale. Il a posté un article où il décrit l'état d'esprit des passagers, bouleversés par les nouvelles en provenance de Londres et de Paris. « Quoi, on se battrait pour le Maroc ! »

Lui s'exclame : « Ah la détestable entreprise marocaine... Quelle pitié et quelle honte de voir la paix du monde trembler à tous ces hasards et à toutes ces folies ! »

Puis l'*Aragon* quitte Madère et ce sera le silence jusqu'au 9 août, date de l'arrivée de Jaurès à Rio de Janeiro.

Commence alors pour lui la découverte de ce continent, les conférences au Brésil, à Montevideo où il se rend le 4 septembre. L'accueil est enthousiaste. Certes il rencontre l'hostilité des milieux conservateurs mais l'intelligentsia — bien représentée à Montevideo et surtout à Buenos Aires — écoute avec passion Jaurès parler de la Révolution française ou, en Argentine, traiter de la situation du pays avec une précision et une finesse qui emportent l'adhésion. Il visite des exploitations agricoles, découvre un mode de vie, la misère, les inégalités sociales, le sort des péons.

Avec retard, alors que ses convictions socialistes se trouvent confirmées par ce qu'il voit aux antipodes, lui parviennent des nouvelles de la crise internationale. Comment ne ressentirait-il pas, au milieu de la joie que lui procure ce séjour et de l'admiration que manifestent pour lui les socialistes argentins, une inquiétude, le sentiment de ne pas être là-bas en Europe, au centre du cyclone ?

Le 21 septembre, il y a un début de panique à la Bourse de Berlin : les négociations auraient été rompues avec Paris et ce serait la guerre. Le Parti socialiste qui multiplie les déclarations organise des meetings, les 23 et 24 septembre. Le 21 les troupes italiennes ont envahi la Cyrénaïque et la Tripolitaine, possessions turques. Et cela crée un premier foyer de guerre dans lequel se trouve engagé une puissance européenne, participant au système des alliances.

Date cruciale que celle de cette fin septembre 1911. Même si les combats se déroulent sur la terre d'Afrique, c'est, par la chaîne des conséquences, un affrontement grave. La Turquie est impliquée, c'est-à-dire la zone des Balkans. Le 28 septembre la guerre italo-turque est officiellement engagée. Jaurès doit encore rester une dizaine de jours à Buenos Aires pour achever son cycle de huit conférences.

C'est dans la capitale argentine qu'il apprend l'explosion — le 25 septembre — du cuirassé *Liberté,* en rade de Toulon : 110 morts, 236 marins blessés, des disparus. Série noire pour la marine française. La même année le cuirassé *Gloire* avait lui aussi sauté. Mais cette fois-ci Jaurès est personnellement concerné puisque le *Liberté* est commandé par le capitaine de vaisseau Louis Jaurès.

Jaurès sans les connaître imagine les allusions de la presse nationaliste. Le capitaine de vaisseau Jaurès était en congé régulier quand s'est produit l'explosion. Mais il comparaîtra devant un Conseil de Guerre. Procédure que la presse hostile à Jaurès exploite. « Je t'en supplie, écrit Jaurès à son frère, mon pauvre et cher Roux, garde la force de faire front à ces infâmes... Le Conseil de Guerre est une abominable manœuvre de diversion. L'épreuve est terrible... Tu as beaucoup, à cause de moi, d'ennemis venimeux et bas. »

Jaurès a quitté le 9 octobre Buenos Aires pour Bordeaux. Une foule s'est rassemblée sur les quais afin de le saluer, exprimer sa gratitude à cet homme « qui n'était pas arrivé avec des hymnes à la latinité » et qui avait su réaliser une « analyse pertinente des problèmes locaux ». Ainsi parlait Juan Justo, le leader des socialistes argentins.

Le 26 octobre Jaurès débarque à Bordeaux.

Dès qu'il touche le quai, Jaurès veut savoir. Le Conseil de Guerre a innocenté complètement son frère. « Tu reprendras le goût à l'action et confiance en l'avenir », lui écrit Jaurès. Puis il lit rapidement les journaux.

On dit que la négociation sur le Maroc avance, qu'un accord va être conclu entre Berlin et Paris contre lequel s'élèvent déjà les nationalistes qui parlent de capitulation honteuse et accablent Joseph Caillaux.

« J'APPELLE..., JE PLEURE..., JE BRISERAI... »

L'espace se referme autour de Jaurès.

L'entracte, le seul entracte, se termine. Il retrouve les menaces de guerre et l'atmosphère qui les accompagne, et qu'il connaît bien : « Le poison des jalousies et la bassesse des haines politiques. »

Chapitre 25

« C'est la politique de proie… »
(1911-1912)

Jaurès ne peut pas les ignorer. Chaque jour, les journaux apportent leur moisson. C'est toujours la « nuée d'outrages » dont il parlait déjà en 1907, mais les coups sont plus violents, on frappe avec la même arme, avec la même intention : convaincre — prouver ! — que Jaurès est un agent de l'Allemagne.

C'est le thème unique qui s'impose à partir de cette crise d'Agadir dans l'été 1911. On s'appuie sur le nationalisme puissant qui se diffuse parmi les couches supérieures et moyennes de la société française et en même temps ces attaques entretiennent le ferment chauvin. Elles permettent aussi de dissimuler sous les indignations et les élans d'une cause noble — la défense de la patrie — la peur de perdre un peu de ses revenus.

Caillaux qui se montre réaliste en politique extérieure, qui veut préserver la civilisation européenne de la guerre, « parce qu'elle est fragile », dit-il, et que prendre le risque de la blesser mortellement serait à ses yeux « crime et démence », Caillaux est aussi le défenseur de l'impôt sur le revenu. Il a le soutien de Jaurès sur ces deux points : à bas Caillaux, à bas Jaurès.

Il faut donc lire les calomnies. Et c'est d'autant plus pénible pour Jaurès qu'il se sent responsable de ce qu'on dit de ses proches, de son frère pourtant innocenté — un type de poudre (B) est responsable des explosions — et dont Gohier écrit : « Impunément le commandant Jaurès avait fait sauter le *Liberté*, immobilisé trois autres cuirassés ; embouteillé dans la rade de Toulon notre principale force navale, pour favoriser le retour offensif de l'Allemagne après une période de détente. »

Et naturellement le coup d'Agadir, l'accord qui se prépare entre Paris et Berlin sont le résultat de cette action des frères Jaurès. « Désormais l'ambassadeur d'Allemagne, poursuit Gohier, prendra des pincettes pour tendre au député du Tarn, directeur de *L'Humanité,* le salaire de son infamie. »

Il faut subir cela, ces assauts répétés : « Le citoyen Jaurès est entretenu par les Rothschild, écrit en avril 1912 le même Gohier, dans *L'Œuvre.* Jaurès est financé par le groupe du *Berliner Tagblatt* et par l'ambassade allemande, pour être l'orateur de l'Empire au Parlement français et le reptile du Kaiser dans la presse française. »

Insidieusement, cette campagne infiltre tous les organes de la presse bien pensante subventionnée par l'ambassade russe où s'est installé, à la fin de l'année 1911, l'ancien ministre des Affaires étrangères nommé à Paris comme ambassadeur du tsar, Isvolsky. C'est donner la mesure pour Saint-Pétersbourg de l'importance accordée à l'alliance française. Or, celle-ci dépend, dans un régime démocratique, de l'opinion publique, c'est-à-dire des journaux. Tout irait bien s'il n'y avait cette grande voix de Jaurès et quelques hommes gênants dont Caillaux.

Mais l'argent de la corruption n'explique pas tout.

Comme l'avaient noté Jaurès et Pressensé, une crise morale touche le régime, et le nationalisme peut apparaître comme un idéal de courage et de rassemblement des énergies. La presse, bien sûr, n'est pas innocente dans cette évolution. Mais le phénomène a une racine authentique. Et Jaurès est heurté de plein fouet par cette vague qui concerne essentiellement les « élites », mais ce sont elles qui s'expriment d'abord.

Péguy, dans cette fin d'année 1911, est enragé. Au siège des *Cahiers,* on l'entend déclarer : « Dès la déclaration de guerre, la première chose que nous ferons sera de fusiller Jaurès. Nous ne laisserons pas derrière nous ces traîtres pour nous poignarder dans le dos. » Certes cette violence haineuse de Péguy s'explique aussi par les échecs personnels du moment. Péguy se sent seul. Lui qui met constamment la pureté de ses idéaux en sautoir, il a sollicité Millerand, Poincaré, Deschanel pour appuyer sa candidature à l'Académie française. On le voit indulgent pour Briand. On le sent tenaillé par les difficultés matérielles : « Je suis pauvre, dit-il, il me faut l'Académie. » Et tout cela s'exprime dans la haine de Jaurès, bouc émissaire. C'est pour Péguy un « pangermaniste » qui « représente en France la politique impériale allemande ». Et la haine va jusqu'à la charge contre l'aspect de Jaurès, « ce gros bourgeois parvenu, ventru, aux bras de poussah ».

Atteint Jaurès ? Frappé en tout cas, jour après jour. En lui et dans ses affections. On jase sur Madeleine dont le ménage vacille, poussée qu'elle est vers les aventures courtes et nombreuses. On décrit la modeste maison du 8, villa la Tour, à Passy, comme un « château », alors qu'il ne s'agit que d'une modeste construction, meublée petitement. Il y a ces attaques contre les camarades, Pressensé « le gros cafard, ce bouffi, ce tonneau », les socialistes, « il y a décidément trop de gros dans le parti des maigres », dit Péguy.

En France à partir de 1911 flotte un air de pogrom contre les socialistes. « Que Jaurès ne nous tombe jamais dans les mains », écrit Péguy.

Tout le courant de l'Action française autour de Maurras — et Joseph Lotte l'ami de Péguy en est proche — véhicule les mêmes sentiments, les mêmes expressions.

Le 11 janvier 1910, Péguy a fait paraître *Le Mystère de la charité de Jeanne d'Arc,* la Sainte des nationalistes, la guerrière. Car la guerre attire. Mais dès lors se produisent une série de contaminations.

« Ce qu'on demande à l'homme de guerre ce n'est pas des vertus », écrit ainsi Péguy. Le colonialisme français est un « système de liberté ». Les saints français sont les plus grands. On admire la « règle ». « Je crois comme saint Paul, dit Péguy, que les puissances établies ont droit au respect. » « Les professeurs, la Sorbonne pendant trente ans, se sont mis sur le pied de ruiner tout ce qui était debout en France et la France elle-même. » Quant au peuple, on l'a corrompu. « Comment a-t-on fait du peuple le plus laborieux de la terre... ce peuple de saboteurs, comment a-t-on pu en faire ce peuple qui sur un chantier met toute son étude à ne pas en fiche un coup ? » se demande Péguy.

Voilà ce que Jaurès rencontre en face de lui : un système idéologique qui peu à peu s'est structuré. Plus antisémite et royaliste chez les uns, plus catholique et républicain chez les autres mais uni pour haïr Jaurès, tourné vers la guerre, issue nécessaire.

Dure période qui commence pour Jaurès à son retour d'Amérique du Sud. Les adversaires qui s'opposent à lui sont, comme l'écrit Péguy, « constamment tendus, constamment appareillés pour la guerre... Ce n'est même plus une veillée des armes, l'ancienne veillée des armes. C'est une veillée des armes qui se prolonge indéfiniment et qui se sous-tend en durée ».

Certes, tout le pays n'en est pas là.

Quand Jaurès débarque, les journaux évoquent toujours le vol de *La Joconde* au Louvre, ou l'arrestation pour quelques heures de deux jeunes artistes, Apollinaire et Picasso, accusés du délit, ou bien le succès des aviateurs français qui remportent tous les trophées, Paris-Madrid ou Paris-Rome ou le circuit d'Angleterre.

Les salles où Jaurès parle sont toujours aussi enthousiastes. Les jeunes adhèrent nombreux au Parti socialiste. A Toulouse, un avocat débutant, Vincent Auriol — qui épouse la fille de l'ouvrier verrier Aucouturier —, subit la fascination de Jaurès, et constate combien il est populaire même dans les communes rurales. Il va l'accueillir souvent en gare de Toulouse, l'attendant sur le quai. Jaurès arrive de Paris pour donner une conférence au bénéfice des cheminots révoqués. On le reconnaît, on lui sourit, on voudrait lui serrer la main, mais il porte sa petite valise et de l'autre main il tient quatre livres que ses doigts paginent. Il refuse de se laisser aider. Porter sa valise ? Pas de servilité. Prendre ses livres ? Il ne veut pas perdre les passages notés. Plus tard, il marchera avec Auriol, la tête haute, les yeux levés vers le ciel, les poches bourrées de livres et de journaux, demandant à se rendre au musée des Augustins, s'arrêtant devant une toile d'Ingres. Puis tenant sa conférence, sur Tolstoï — en 1911 —, sur « les grands romanciers contemporains, Balzac, Flaubert, Sand et Zola » — en 1912 —, éblouissant d'érudition, si envoûtant que les sténogaphes cessent de prendre des notes. Et les conférences terminées parlant encore de Wagner et récitant de longs passages de Hugo.

Jaurès conservant donc malgré les attaques et la gravité de la situation une capacité d'évasion dans et par la culture qui est aussi la manifestation de sa volonté d'optimisme.

Il trouve d'ailleurs dans les événements des raisons de confiance. Le mouvement révolutionnaire russe un instant arrêté reprend avec vigueur. Stolypine a été assassiné. En Chine, profitant de la division des puissances européennes, les révolutionnaires balaient la dynastie mandchoue. Jaurès salue ses signes. Le monde s'unifie dans la révolte contre un ordre injuste. « En Asie, écrit-il, une révolution libérale et peut-être républicaine ébranle la masse énorme des

Célestes. » C'est un succès contre l'étranger qui voulai⁺ « dépecer l'Empire ». Barrès, ironiquement, constate que : « Jaurès veut avoir une conscience européenne, que dis-je, mondiale. »

Et puis il y a cet accord signé le 4 novembre entre Paris et Berlin. L'Allemagne abandonne le Maroc. Caillaux lui concède 275 000 kilomètres carrés, la partie intérieure du Congo français. Levée de boucliers dans les milieux nationalistes, en France comme en Allemagne. Clemenceau s'indigne. Il laisse entendre qu'il sait qu'on a sacrifié ainsi toute revendication future sur l'Alsace et la Lorraine. L'Action française manifeste. La veuve de Savorgnan de Brazza clame son indignation. Et en Allemagne le secrétaire d'Etat aux colonies, Lindequist, démissionne.

Ainsi, si sur le plan diplomatique l'affaire se dénoue, si la guerre est évitée, les milieux nationalistes s'aigrissent et en France ils trouvent un écho auprès des hommes politiques qui craignent en Caillaux le grand leader radical qui imposera son pouvoir pour des années.

Les Clemenceau, les Poincaré, mais aussi les Millerand et les Briand, sans compter tous ceux à droite pour qui Caillaux incarne l'inquisition fiscale, viennent renforcer de leurs ambitions le courant nationaliste. Ils sont prêts à l'utiliser, à se faire porter par lui — et à l'entretenir — s'ils peuvent ainsi parvenir au pouvoir. De grands ébranlements sont ainsi déclenchés quelquefois par de petites raisons.

Sur Caillaux, Jaurès est réservé. L'homme vient de s'engager le 5 novembre, au lendemain de l'accord franco-allemand, à mettre en œuvre le programme radical. Il veut un « gouvernement qui gouverne », l'impôt sur le revenu, l'amélioration des lois d'assurance sociale, l'organisation de services collectifs pour combattre le renchérissement de la vie. Tout cela est positif. De plus sa politique extérieure a été courageuse. « Un jacobin », dit Auriol. Jaurès rit, lance : « Un jacobin dont le bonnet rouge lui serait descendu sur les talons. »

Il y a en effet de l'aristocrate hautain chez Caillaux. Il refuse l'amnistie aux cheminots révoqués. Il reste — et c'est le point de désaccord principal — hostile à la représentation proportionnelle. Et puis, dit Jaurès : « Je trouve à sa politique je ne sais quel caractère d'obscurité, quelque chose de tortueux qui me gêne... »

Et il est vrai que Caillaux a négocié avec Berlin seul, par-dessus la tête de son ministre des Affaires étrangères — de Selves — et que cela commence à se savoir. Mais enfin, conclut Jaurès : « Je ne partage pas les préventions que certains de nos amis ont contre lui.

Ses intentions sont bonnes. Il a su mener à bien une tâche difficile. Il a rendu à son pays un immense service. »

Dans le débat qui s'ouvre à la Chambre sur l'accord franco-allemand le 14 décembre 1911, Jaurès est donc prêt à approuver la politique de Caillaux.

Les séances sont longues. Les orateurs nationalistes agressifs et solennels. Albert de Mun qui n'a plus pris la parole depuis octobre 1902 à la suite de troubles cardiaques intervient avec gravité. Il met sa vie en jeu, prétend-il, pour demander : N'avons-nous pas sacrifié l'Alsace ? « L'histoire regarde debout dans le deuil du passé », dit-il. Chaque orateur nationaliste fait référence à 1871. « L'Allemagne acquiert un territoire français considérable », disent-ils, refusant de ratifier l'accord. Et un député lance même : « Je ne traite pas avec Carthage. »

A ce degré de passion, Jaurès ne peut être qu'interrompu quand il souhaite une politique d'entente avec l'Allemagne ou surtout quand, démontant l'engrenage qui du Maroc conduit à l'intervention italienne en Tripolitaine, aux ambitions balkaniques de la Russie et de l'Autriche, il regrette que la France « ait fourni sa part d'initiative et d'exemple dans cet abaissement de la signature et de la loyauté internationales ».

« Censure, censure », crie-t-on. Le président de la Chambre rappelle Jaurès à l'ordre avec inscription au procès-verbal. Mais peut-on le faire taire quand il dit de l'accord franco-allemand : « C'est la politique de proie qui se fait consacrer par la diplomatie » ?

Surtout Jaurès a — avec une précision que les événements vont confirmer — décrit les caractères de la guerre à venir. Il se sert — comme auraient dû le faire les stratèges — de l'exemple récent du conflit russo-japonais pour décrire ces grandes masses humaines qui risquent de s'affronter associant la barbarie primitive aux techniques les plus avancées. Et alors que l'état-major français mise sur un choc brutal et bref, tout entier marqué par l'offensive, Jaurès reprenant ses analyses de *L'Armée nouvelle* lance : « Qu'on n'imagine pas une guerre courte se résolvant en quelques coups de foudre et quelques jaillissements d'éclairs. » Et comme s'il voyait ces foules d'hommes sous « les ravages des obus multipliés », ces océans vides, il ajoute : « Oui, terrible spectacle. » Et rappelant que pour les socialistes seule la révolution dans le régime de propriété peut assurer la paix, il martèle que les socialistes veulent « procéder par évolution, sans déchaînement des haines destructrices qui ont été jusqu'ici mêlées dans l'histoire à tous les grands mouvements de créations sociales ».

On l'interrompt à droite. On n'entend pas ce qu'il dit : cette guerre longue qui s'annonce, *ce choix de l'évolution* que font les socialistes. Les passions sont déjà trop fortes.

Mais il ne s'agit là que d'une minorité bruyante. Au moment du vote 394 voix approuvent le traité contre seulement 36 députés. Il y a certes 141 abstentions. Mais la majorité a choisi la voie de sagesse. Caillaux l'emporte et Jaurès.

Il reste le Sénat où se tiennent à l'affût Clemenceau, Poincaré, Léon Bourgeois. Ils vont se réunir début janvier. Une commission sénatoriale a été constituée pour examiner le traité.

L'opinion croit l'affaire close. Ce sont bientôt les fêtes. Les journaux titrent sur l'assassinat spectaculaire d'un jeune garçon de recettes rue Ordener. On parle d'une bande anarchiste dirigée par un ancien syndicaliste, le mécanicien Jules Bonnot, que la police commence à traquer.

Cependant, dès le début de l'année 1912, l'affaire du traité revient dans l'actualité. Les informations qui filtrent dans les journaux laissent entendre que le ministre des Affaires étrangères n'était pas d'accord avec Caillaux. Dès la première séance de la commission du Sénat, Clemenceau interroge sur les négociations « officieuses » conduites par Caillaux. Celui-ci dément imprudemment. « M. Le ministre des Affaires étrangères nous confirme-t-il la déclaration de M. le président du Conseil ? » demande Clemenceau. « Je prie la commission de m'autoriser à ne pas répondre », se contente de murmurer le ministre désavouant ainsi Caillaux.

« Audace sans franchise », dit Jaurès de Caillaux. Ce dernier est condamné. En quelques heures, il se heurte, quand il veut remanier son ministère après la démission de son ministre des Affaires étrangères, à des refus. Clemenceau, Poincaré, Briand, Millerand, ont préparé l'opinion parlementaire. Et les journaux ont achevé la besogne. Caillaux démissionne le 11 janvier 1912.

Caillaux est amer. Il reproche à Jaurès de ne pas avoir compris l'importance qu'il y avait à l'appuyer fermement. Question de mode de scrutin, dit-il. « J'étais l'adversaire de la proportionnelle, Jaurès était pour. » Il va même jusqu'à prétendre que, outre les raisons de principe, Jaurès avait des mobiles personnels de vouloir la proportionnelle. « Il était las, dit Caillaux, de la lutte qu'il devait livrer tous les quatre ans dans le Tarn pour conserver son siège de député... Il était pénible pour un homme de la qualité de Jaurès de courir de commune en commune, de braver ici les huées d'apaches soudoyés, de risquer là sa vie ; ses amis et les nôtres devaient le protéger contre les embuscades tendues au creux des chemins de montagne. »

Caillaux reconnaît que l'on avait offert à Jaurès des circonscriptions tranquilles, mais « Jaurès ne voulait pas abandonner les mineurs de Carmaux, concède-t-il, et il se disait que la représentation proportionnelle assurerait son élection dans son pays d'origine tout en l'affranchissant de batailles dégradantes qui mettaient son existence en péril. »

L'argument personnel, quand on connaît Jaurès, ne tient pas. Mais peut-être est-il vrai que la question du mode de scrutin a pesé sur les rapports entre Caillaux et Jaurès. « Entièrement acquis à la politique de paix et de conciliation que le traité du 4 novembre mit en œuvre, explique Caillaux, Jaurès ne voulut pas me renverser avant que l'acte diplomatique eût été approuvé. Il ne participa pas d'ailleurs à ma chute, il me laissa tomber en s'abstenant de me soutenir. »

En fait le successeur de Caillaux, Raymond Poincaré, est porté par toute une coalition.

Ce Lorrain de cinquante-deux ans est un habile qui ne joue qu'à coup sûr. Voilà six années qu'il refuse un poste ministériel. Froid, intelligent, assuré de son talent, il attend. Avocat de l'académie Goncourt, il entretient de bonnes relations avec les milieux de la littérature et de la presse. Il a été élu à l'Académie française en 1909. On le dit intègre, mais il est l'avocat des grandes sociétés — dont Saint-Gobain. Conservateur, il hait les socialistes et l'impôt sur le revenu. Lorrain, il est proche des idées nationalistes et il ne craint pas la guerre que, comme tous les « bons » esprits, il imagine courte, ne concevant même pas qu'elle puisse coûter aussi cher au vainqueur qu'au vaincu. Etroit d'esprit, volontaire, la presse lui forge une légende. Celle d'un chevalier bayard de la politique. Il ne s'est pourtant engagé dans l'Affaire Dreyfus qu'au dernier moment quand il fut clair que les dreyfusards allaient l'emporter. Soutenu par les journaux qui reconnaissent en lui l'homme hostile à l'impôt sur le revenu, apprécié des grands intérêts économiques, il satisfait les milieux nationalistes. Péguy trouve « tout à fait remarquable » que

Poincaré — qui est abonné aux *Cahiers de la Quinzaine* — soit porté à la présidence du Conseil.

L'alliance que scelle ainsi Poincaré est solide. Briand, Millerand — ministre de la Guerre —, Delcassé et Jean Dupuy — car il ne faut pas négliger *Le Petit Parisien* — constituent une équipe qu'unit le conservatisme, l'ambition, le choix d'une politique étrangère ferme, sinon aventurière. On écrit dans la presse qu'il s'agit enfin d'un grand ministère.

Poincaré se présente devant la Chambre le mardi 16 janvier 1912. Aucune allusion dans la déclaration du président du Conseil à des réformes sociales ou fiscales. Mais l'appel au sentiment national, l'affirmation de la fidélité aux alliances, le souci du maintien de l'ordre, la défense de l'école laïque, et l'annonce d'une réforme électorale... Est-ce pour ce dernier point que Jaurès et les socialistes s'abstiennent alors que Poincaré a déclaré : « Si profondément pacifique que soit notre pays, il n'est pas maître de toutes les éventualités et il entend rester à la hauteur de tous ses devoirs. »

Caillaux avec amertume le pense. Il exagère quand il écrit : « Jaurès réserve son concours et celui de ses amis au ministère qui succède à mon cabinet et dont le chef est, pour d'autres raisons politiques que les siennes, un adepte de la proportionnelle. Sans apporter au nouveau gouvernement un appui qui l'eût compromis, Jaurès veille sur son existence... »

Erreur politique de Jaurès ?

Il jouait serré, sans illusion. Escomptant du vote de la proportionnelle un renforcement du Parti socialiste aux prochaines élections et donc une action plus efficace en faveur de la paix et des réformes sociales.

Une course de vitesse était ainsi engagée. Jaurès le savait. De toute manière, le vote des socialistes n'eût rien changé. Poincaré fut investi par 440 voix contre 6 et 121 abstentions, dont celle de Jaurès et de tous les autres députés socialistes à l'exception de 4 qui avaient voté contre.

Un nouveau degré vers la guerre venait d'être franchi.

Et peut-être, pour la première fois, Jaurès, entraîné par la logique électorale de son parti, n'en avait-il pas immédiatement mesuré l'importance.

Chapitre 26

« Que ferons-nous pour échapper
à cette épouvante ? »
(1912-1913)

On les entendait venir de loin. L'éclat strident des clairons, ou le roulement rythmé des tambours résonnait entre les façades hautes et rapprochées des quartiers ouvriers. Chaque samedi soir, par décision du nouveau ministre de la Guerre Alexandre Millerand, les fanfares des régiments parcouraient ainsi les quartiers des villes de garnison. C'était dans l'atmosphère un peu assoupie des fins de semaine comme une brusque poussée d'énergie agressive.

Les jeunes femmes sur le pas des portes riaient des soldats, les gosses faisaient la roue, précédaient le tambour major, les hommes en groupe s'agglutinaient devant les cafés ou les ateliers encore ouverts, lançant à mi-voix des quolibets contre les sous-officiers, mais le long de la chaussée, encadrant la musique, avançaient les agents cyclistes.

Il s'agissait pour le gouvernement Poincaré, comme le rappelaient les commentateurs, « de réveiller le sentiment national si négligé depuis la crise dreyfusienne ». Il encourageait aussi les sociétés de gymnastique, le « sport » parce qu'il fallait à l'armée une jeunesse vigoureuse.

Ainsi quelques jours après l'investiture du gouvernement, le ton était-il déjà donné : martial. Et quand deux paquebots français, le *Carthage* et le *Manouba* sont les 16 et 17 janvier arraisonnés par des torpilleurs italiens qui, dans le cadre de la guerre italo-turque, contrôlent la navigation en Méditerranée, Poincaré intervient avec raideur à la Chambre des députés. Cet incident mineur lui permet de se camper en porte-drapeau de la nation.

Jaurès est inquiet autant de l'évolution des événements internationaux que de ce nouveau style. Quand il rentre de la Chambre des députés à pied, il fait part à ses interlocuteurs de ses préoccupations.

Les mains derrière le dos, il traverse d'abord la place de la Concorde, presque silencieux, puis tout au long des Champs-Elysées c'est d'une voix haute qu'il prend à témoin son compagnon, faisant souvent un cours d'histoire pour éclairer les événements, cette tension dans les Balkans où il voit les petits Etats slaves, Serbie, Bulgarie, Monténégro, se rapprocher de la Grèce, se préparer à se jeter sur la Turquie affaiblie, pour la dépecer avec le consentement et l'appui de la Russie. « Si au cœur de Byzance, dit-il, Grecs, Bulgares et Serbes ne se retournent pas les uns contre les autres, ce sera un miracle, plus grand que tous les miracles dans l'histoire des guerres. »

La guerre. Il y revient à chaque pas. Il la voit, si longue, si cruelle. « Des millions d'hommes, dit-il, invités par une Europe démente et avouant sa démence au bal du meurtre et de la folie. »

Il semble à ces moments-là accablé, puis il se reprend. Les Allemands, plus de quatre millions et demi, viennent d'envoyer au Reichstag 110 députés socialistes. Voilà une force considérable, n'est-ce pas? La SFIO invite le secrétaire du comité central de la social-démocratie allemande, Philippe Scheidemann, à prendre la parole à deux reprises à Paris. Il assure que le succès électoral socialiste marque la mort du nationalisme allemand, et il répète que, non seulement les socialistes allemands refusent la guerre, mais que contre ceux qui « chercheraient à les précipiter dans cette bestialité, nous, socialistes, nous nous dresserions avec le courage du désespoir ». Salle Wagram, où s'est tenue la réunion, Jaurès et toute l'assistance se sont levés, applaudissant avec enthousiasme et entonnant *L'Internationale*.

Dans son trajet de retour de la Chambre à Passy, Jaurès se taisait quelques minutes, place de l'Etoile, puis il empruntait l'avenue Kléber, marchant toujours d'un bon pas, évoquant devant son compagnon l'avancée des troupes françaises au Maroc. Comme il l'avait prévu la résistance s'était élargie. Dès l'annonce, le 30 mars 1912, de la signature d'un traité de protectorat — le traité de Fez — les tribus, les tabors de l'armée chérifienne, s'étaient révoltées, massacrant des Français et des juifs. Il avait fallu envoyer de nouvelles troupes, réprimer durement, payer le sultan pour qu'il abdique, nommer le général Lyautey comme Résident-général et fusiller encore, entrer à Marrakech. Jaurès s'indignait. Il n'acceptait ni les risques de tension internationale ni cette répression. Barrès avec qui il continuait d'échanger quelques propos dans les couloirs de la Chambre des députés, plus rares, car les passions étaient à vif, rapportait les analyses de Jaurès : « Il dit que le Maroc c'est l'abcès qui empoisonne le monde. Il souffre. Il souffre des affronts que l'humanité a reçus dans la personne des Turcs. Il souffre de Tripoli, il souffre de la Perse devenue Pologne. » Et ironique, Barrès ajoutait : « Ses amis disent que Jaurès est prophète : il en a certainement les accents. »

Seulement les accents ? Quand, en pleine guerre, en 1916, Maurice Barrès rencontrera à Turin l'ancien ministre des Affaires étrangères Pichon et que celui-ci lui déclarera : « La guerre de 1914 devint inévitable dès la marche sur Fez. Cette marche déclenchait l'Italie qui guettait la Tripolitaine. C'était alors la guerre entre l'Italie et la Turquie. C'étaient les Balkaniques levant leurs étendards, sous la protection de la Russie. Tout se déroulait fatalement », Barrès se souvient-il que cette logique-là, Jaurès l'a implacablement mise à nue, dès l'origine ?

Mais on n'entendait plus déjà en cette année 1912 que paroles martiales.

Quand Jaurès, durant deux séances, demande des explications sur la politique extérieure suivie, Poincaré prêche le silence, parle d'idéal commun, de « devoirs de bons Français ». Et en février 1912, lors du débat au Sénat sur la ratification de l'accord du 4 novembre sur le Maroc, Clemenceau, son visage de vieillard volontaire crispé par la résolution, sa moustache blanche en bataille, lance : « Si on nous impose la guerre, on nous trouvera. » « Voilà de vraies paroles françaises », s'exclame sous les applaudissements le sénateur de droite Gaudin de Villaine, et Clemenceau de poursuivre : « Les morts ont fait les vivants, les vivants resteront fidèles aux morts. »

« Emotion patriotique au Sénat », titrent les grands journaux qui signalent que, sur le passage des musiques militaires, le samedi soir, on crie : « Vive la France ! », « Vive l'Alsace-Lorraine ! », « A bas l'Allemagne ! ». Qui parle des voix qui lancent : « Vive la paix ! Vive Jaurès ! » et qui se taisent rapidement, car les agents sont sur le qui-vive, s'avançant parmi les badauds, pour arrêter les « anarchistes ».

Car en même temps que le gouvernement Poincaré utilise, développe et entretient le courant nationaliste, il conduit une politique de répression, au nom de l'ordre social et de la défense du pays. Ici encore, les amalgames sont vite — et habilement — réalisés.

512

Quand le 29 avril 1912 à l'aube, une grande partie de la police parisienne, une compagnie de pompiers et deux compagnies de la garde républicaine, en présence du préfet de police Lépine, mettent le siège devant un garage de Choisy-le-Roi où s'est réfugiée « la bande à Bonnot » qui a multiplié les agressions, on parle d'anarchie. Deux intellectuels — Kilbatchiche et sa femme Rirette Maître-Jean —, deux anarchistes n'avaient-ils pas fait partie de la bande à ses débuts aux côtés de l'ancien syndicaliste Bonnot ? On oublie qu'ils ont rompu avec le bandit. Mais on retient que la bande compte deux déserteurs. De Bonnot à Jaurès, du crime à l'antimilitarisme, le pas est franchi par certains journaux et le gouvernement.

En août 1912 en effet s'est tenu à Chambéry le Congrès des syndicats d'instituteurs regroupant 400 délégués et 46 syndicats départementaux. Ils ont décidé de créer dans chaque syndicat un « Sou du soldat » « pour venir en aide pécuniairement et moralement » aux instituteurs appelés sous les drapeaux. Scandale : il s'agit là d'une action patronnée par la CGT. Le ministre de l'Instruction publique « met les syndicats d'instituteurs en demeure de se dissoudre avant le 10 septembre ». « Car, dit-il, ils sont devenus des foyers de désagrégation nationale. » Jaurès réagit, à la Chambre, dans *L'Humanité*. « A en croire le gouvernement », dit-il, il manque « aux instituteurs la vertu fondamentale, le militarisme selon le vœu des réacteurs, le patriotisme selon le vœu des financiers ». Et l'ordre du gouvernement, c'est : « Educateurs du peuple, fuyez les prolétaires comme la peste. »

A la Chambre, habilement, les députés de droite mêlent la question syndicale, le « Sou du soldat » à l'essor de l'antimilitarisme. On donne des chifrres : de 1900 à 1912, le nombre des insoumis a été multiplié par 2,5 (7 500), celui des déserteurs par 2 (3 000). Jaurès intervient dans le débat, « impérieusement », dit la presse. Voilà la jonction faite. Il s'agit en fait dans cette période de déconsidérer Jaurès, de l'exclure du champ national et de tenter par tous les moyens de montrer qu'il n'exprime pas une opinion répandue, mais au contraire le point de vue d'une secte marginale, au service de l'étranger. Cette volonté de l'affaiblir se retrouve dans le commentaire de chaque événement qui le concerne.

Quand au Congrès du Parti socialiste, en février 1912, il polémique avec deux députés guesdistes qui ont attaqué la CGT, on insiste sur le conflit qui divise le Parti. N'a-t-il pas déclaré qu'il faut condamner — comme ils le souhaitent — les formes brutales de l'action mais, dit-il, « du moins lorsque malgré tout la violence éclate, lorsque le cœur des hommes s'aigrit et se soulève, ne tournons pas contre eux, mais contre les maîtres qui les ont conduits là, notre indignation et notre colère ». On en conclut alors qu'il soutient les syndicalistes révolutionnaires.

Mais lorsque Jouhaux — nouveau secrétaire de la CGT —, Griffuelhes et d'autres syndicalistes adressent une lettre ouverte à Jaurès, au terme du Congrès de la CGT du Havre (16-22 septembre 1912), dénonçant dans cette véritable « encyclique syndicale » les manœuvres d'enveloppement qui seraient, à les en croire, entreprises par Jaurès et les socialistes pour contrôler le syndicat, on dénonce en Jaurès l'homme qui veut s'emparer de la CGT.

Quand les travailleurs de la Verrerie ouvrière d'Albi se mettent en grève en septembre 1912, parce qu'ils contestent les méthodes employées pour la réorganisation de leur travail, compte tenu de la mécanisation qui doit intervenir, la grande presse triomphe : l'œuvre de Jaurès, l'utopie de Jaurès, s'effondre. Il doit répondre, expliquer, favoriser l'arbitrage, et constater, quand les verriers reprennent le travail en octobre, « le dépit mal dissimulé des journaux qui avaient annoncé la fin de la Verrerie ouvrière ».

Tous ces faits signalent qu'une bataille des idées farouche se livre dans le pays. Que Jaurès est le héraut — presque solitaire — de l'un des camps et qu'il a contre lui la puissance de la presse associée au gouvernement, l'attitude des élites, amplifiée, relayée par les journaux qui tendent à faire croire, qui croient quelquefois, que ce point de vue des couches privilégiées est celui de la totalité du pays. Or de nombreux indices montrent qu'il n'en est rien et que Jaurès et les socialistes, malgré la véritable *intoxication* à laquelle la nation est soumise, malgré la mise en scène militariste organisée par le pouvoir politique — des musiques militaires aux discours martiaux —, rencontrent un large écho.

Jaurès est partout. Il participe à la campagne de meetings organisée pour le soutien de *L'Humanité* en mai 1912. Et la vente progresse de près de trente mille exemplaires. La souscription ouverte dépasse le chiffre fixé. Au cours des réunions — plus de cent — on adhère à la SFIO : 76 667 adhérents en 1914 soit vingt mille de plus qu'en 1910. Aux élections municipales des 5 et 12 mai 1912, le nombre des mairies détenues par les socialistes passe de 250 à 260. Quand on pense à la formidable pression exercée contre Jaurès — « l'agent de l'Allemagne » — on est frappé de cette remarquable tenue des électeurs socialistes. Minoritaires dans le pays certes, mais présents et en progrès.

Seulement, c'est le groupe social qui veut — et que fascine — la guerre qui, adossé au pouvoir et aux intérêts, donne le ton. Aux journaux qui écrivent : « Herr Jaurès ne vaut pas les douze balles du peloton d'exécution, une corde à fourrage suffira », s'ajoutent ceux qui, sous la plume d'Abel Bonnard ou Paul Bourget, affirment que « c'est dans la guerre que tout se refait. Il faut l'embrasser dans toute sa sauvage poésie », ou que « la valeur éducative de la guerre n'a jamais fait de doute pour quiconque est capable d'un peu d'observation réfléchie ».

Cette arrogance dans la bêtise, Jaurès ne la supporte pas, et l'on sent monter chez lui une exaspération d'autant plus forte qu'il perçoit les périls et que cette apologie de la guerre — de la barbarie — est aux antipodes de tout ce qu'il ressent, de sa culture humaniste.

Ainsi, en juin 1912, les monarchistes de l'Action française s'opposent à la célébration du bicentenaire de Rousseau. Ce qui est grave, c'est qu'aucune protestation ou contre-manifestation n'est organisée. Mais Jaurès peut-il faire face à tout ? Au gouvernement de Poincaré qui choisit de décréter la fête de Jeanne d'Arc, fête nationale, manière non pas de rendre hommage à la Pucelle mais bien d'aller à la rencontre des milieux nationalistes qui la célèbrent ? C'est comme si le gouvernement reconnaissait l'héroïne choisie par ceux qui se déclarent ouvertement antirépublicains.

Poincaré utilise leur force. Contre Jaurès et le socialisme, c'est le front commun. Les officiers lisent *L'Action française*. Le colonel du Paty de Clam, retiré à Versailles, reçoit à sa table les proches de Maurras, les officiers de la garnison ainsi que les ecclésiastiques de haut rang. Et Millerand, ministre de la Guerre de Poincaré, prépare la réintégration de l'officier antidreyfusard dans l'Armée. Mais contrairement à ce que l'on veut faire croire, le pays tout entier ne suit pas. Il est partagé. Et la haine contre Jaurès vient aussi de cette irréductibilité des masses profondes, que les couches dirigeantes perçoivent. On sent monter une atmosphère proche de celle de l'Affaire Dreyfus. « Il y a longtemps qu'il n'y avait eu une telle tension dans les conversations de la rue, des salons et des clubs », écrit *Le Figaro*.

Cependant, incontestablement, la bataille des idées est perdue pour Jaurès — et les socialistes — parmi les élites de la nouvelle génération.

Pouvait-il en être autrement, hormis quelques cas individuels, chez ces fils privilégiés de la bourgeoisie ?

L'Action française en tout cas les attire. Un officier de marine, en service sur le croiseur *La République*, écrit à Maurras : « Autour de moi je rencontre de plus en plus de jeunes gens remplis d'un véritable dégoût pour ce régime de formules simplistes, d'effondrement spirituel. Ils ont trouvé chez vous la veine de la décence et de l'honneur national. » Les deux petits fils de Renan, Michel et Ernest Psichari, sont des admirateurs de Maurras. Or Maurras, c'est, chaque jour, la haine de Jaurès. Maurras est de ceux qui pensent avec Joseph de Maistre « qu'on n'a rien fait contre les idées tant que l'on n'a pas attaqué les personnes ». Dans *L'Action française,* il poursuit Jaurès d'une vindicte assassine. « Il faut citer Jaurès, écrit-il, non seulement comme agitateur parlementaire funeste mais comme l'intermédiaire entre la corruption allemande et les corrompus de l'antimilitarisme français... Une enquête sérieuse menée par un pouvoir national ferait apparaître par toute l'étendue de ses articles et de ses discours les taches de l'or allemand. »

Ces mots tirés telles des balles et des calomnies à répétition sont reçus comme des preuves par une large fraction de la jeunesse bourgeoise, et au-delà font pénétrer ces idées dans les couches moyennes.

Quand Léon Daudet commence en 1911 et poursuit en 1912 une enquête sur les activités des espions allemands et juifs qui s'infiltrent dans le pays, sous la couverture de firmes industrielles ou commerciales — ainsi les établissements Maggi-Kub —, ses articles rassemblés en volume sous le titre *L'Avant-Guerre* — et publiés en mars 1913, titre significatif ! — sont un succès de librairie. Et le procès en diffamation qui démontre que les documents présentés par Daudet sont faux n'y change rien.

L'appel à la raison, à la lucidité, aux valeurs humanistes ou au réalisme lancé par Jaurès ou par Caillaux est dénoncé comme une trahison ou se heurte, dans ces couches sociales, à un changement de valeurs, à une sorte de fascination pour le conflit qui vient. Albert de Mun écrit ainsi dans *L'Echo de Paris* : « L'Europe entière, incertaine et troublée, s'apprête pour une guerre inévitable dont la cause immédiate lui demeure encore ignorée, mais qui s'avance vers elle avec l'implacable sûreté du destin... »

Cette attente de la guerre n'est pas que spontanée. Il s'agit aussi d'une véritable *mise en condition du pays,* pour créer un état d'esprit.

C'est ainsi qu'est lancé un hebdomadaire, *L'Opinion,* à partir d'une formule proche des publications anglo-saxonnes. On y traite de questions politiques et littéraires. Et on y est directement subventionné par les industries sidérurgiques dont les maîtres sont rassemblés dans le Comité des Forges. Naturellement on y considère le gouvernement Poincaré comme un « gouvernement de renaissance nationale ». Et c'est dans *L'Opinion* que, sous le pseudonyme d'Agathon, deux jeunes écrivains, Henri Massis et Alfred de Tarde, proches de Maurras, publient en 1912 leur enquête sur les « *Jeunes gens d'aujourd'hui* ».

La grande presse va y faire un très large écho — et les articles seront repris en volume — si bien que l'enquête d'Agathon est aussi un moyen d'influencer l'opinion.

L'orientation en est claire : « Il ne s'agit ici que de la jeunesse d'élite... C'est l'avenir qui importe ici. Son secret il ne faut pas le demander à la multitude mais à l'élite novatrice, levain de la masse informe. »

Enquête partiale, dont le but politique est reconnu par Agathon : « L'influence d'une telle enquête importe autant que son exactitude historique », dit-il. Il n'empêche : voilà des faits biaisés présentés comme vérité nationale. Contre Jaurès.

« On ne trouve plus dans les facultés, écrit Agathon, dans les grandes Ecoles, d'élèves qui professent l'antipatriotisme. A Polytechnique, à Normale, où les antimilitaristes et les disciples de Jaurès étaient si nombreux naguère, à la Sorbonne même qui compte tant d'éléments cosmopolites, les doctrines humanitaires ne font pas de disciples. » « Tel professeur, continue Agathon, ne parle qu'avec prudence des méthodes allemandes par crainte des murmures ou des sifflets. » Ce qui est présenté en modèle, ce sont des jeunes gens qui disent : « Une guerre m'amuserait, elle nous amuserait tous... » « Un jour vint la boxe, qui nous redonna enfin le goût du sang... La guerre n'était pas une bête cruelle et haïssable. C'était du sport pour de vrai tout simplement... Voilà où j'en suis et tous les sportifs avec moi. » Et Agathon de conclure, qu'un esprit de « race » s'affirme. « Jamais le mépris des rêveurs, des humanitaires, des imbéciles, des pacifistes, des piètres hypocrites ne se déclara plus spontanément », dit-il aussi. Qui peut être visé, sinon celui qui incarne tout cela : Jaurès.

Rejet de la « morale » hors de l'Eglise, car ces « jeunes gens sont catholiques comme ils sont français », souci du « salut de la race », approbation du mot de Barrès : « Sois actif et quelque peu rude et puisses-tu n'avoir pas trop de cœur », voilà qui complète le portrait auquel on veut que s'identifient les jeunes gens.

L'Académie française s'enthousiasme. On décerne un prix au livre. Le journal *Le Matin* lui consacre sa première page sous le titre, le 23 janvier 1913 : « Miracle de la jeunesse. Le réveil du sentiment national. »

Et quel philosophe un journaliste s'en va-t-il interroger pour commenter les résultats de l'enquête ? Le Maître, dit-il, qui a eu « le plus d'influence sur la pensée de la génération nouvelle » : Henri Bergson. L'ancien condisciple de Jaurès est émerveillé : « Comment ne pas se réjouir, déclare-t-il, de voir une jeunesse plus hardie, plus audacieuse, plus consciente de ses responsabilités, plus française en un mot que les générations précédentes. »

Si silencieux pendant l'Affaire Dreyfus, voici Bergson qui sort de son amphithéâtre du Collège de France pour mêler sa voix à celle du grand concert antijaurésien.

Or qui permet de dire que cette enquête reflète l'avis du pays ? Et quelle jeunesse ? On ne compte que 7 548 bacheliers en 1913 ! Les centaines de milliers de jeunes ouvriers qui commencent à travailler à treize ans une fois le certificat d'études passé, que pensent-ils ? Et les centaines de milliers de paysans ?

On assiste en fait à un maquillage de la réalité par les mots dont le contrôle appartient à la classe dirigeante. Et c'est parce qu'il combat sur le terrain des mots et des idées que Jaurès doit être muselé, d'autant plus qu'il est un analyste qui perce à jour les mécanismes, les influences et dont l'intuition supplée souvent la preuve qui manque.

Il sait, il sent qu'à Paris, celui qu'il appelle « l'ambassadeur du tsar rouge », Isvolsky, joue un rôle décisif. Cet homme ambitieux qui veut se venger de Vienne est décidé à lier de façon indestructible Paris et Saint-Pétersbourg. Il flatte. Il a ses entrées quotidiennes au Quai d'Orsay où Maurice Paléologue, le directeur des Affaires politiques, est un partisan résolu de l'alliance russe et se sent proche des milieux aristocratiques. Isvolsky voit aussi tête à tête Poincaré, qui l'a assuré de sa fidélité à l'alliance. Et Caillaux qui a tenté de mettre le président du Conseil en garde contre l'influence d'Isvolsky n'a pas été entendu.

Or l'avenir de la paix ou de la guerre dépend en grande partie de Saint-Pétersbourg puisque le régime du tsar appuie les petits Etats balkaniques qui cherchent à rassembler tous les Slaves, à la fois contre la Turquie et contre l'Autriche. Derrière l'Autriche il y a Berlin. Le détonateur balkanique tenu sous pression par les ambitions de Saint-Pétersbourg peut exploser à tout moment, entraînant la Russie, l'Autriche, et donc la France et l'Allemagne.

Jaurès est d'une clairvoyance remarquable. Il insiste pour que la France ne perde pas son indépendance. Or il apprend qu'Isvolsky demande le rappel de l'ambassadeur de France à Saint-Pétersbourg — Georges Louis — jugé trop tiède. Il dénonce « le sans-gêne et l'insolence des gens de Saint-Pétersbourg ». Et la protestation porte : l'ambassadeur de France est maintenu à son poste. Mais pour combien de temps !

Alors Jaurès revient sur les risques de la politique russe. « Pas de guerre européenne pour les Balkans, pas de guerre européenne pour la question d'Albanie ! écrit-il. Ni les prolétaires d'Autriche, ni les prolétaires d'Allemagne, ni les prolétaires et les paysans de France ne sont disposés à engraisser les champs de bataille pour servir les desseins du tsarisme et les rancunes de M. Isvolsky. Il faut mettre fin à la comédie sinistre qui risque à toute heure de tourner en tragédie sanglante. » Emploie-t-il les mots qu'il faut pour convaincre ?

Il est bien davantage « un penseur, un philosophe, un précurseur qu'un politique », dit Caillaux. « La mission du penseur, du philosophe c'est de dire ce qu'il croit être la vérité sans avoir souci de l'opinion ambiante. Par définition le précurseur devance son temps qui l'écoute rarement. »

Les mots de Jaurès heurtent-ils l'opinion ? Dans les questions internationales et sur le point du rapprochement franco-allemand, se soucie-t-il assez de la « blessure dont saignait la France » (Caillaux), c'est-à-dire de la question d'Alsace-Lorraine ? Caillaux reproche à Jaurès de ne pas avoir abordé ces thèmes avec « d'infinies précautions ». Or Jaurès a maintes fois parlé de l'Alsace-Lorraine. Mais de lui qu'entend-on, que transmet-on, sinon une parole et une image déformées ? Peut-il parler bas en homme précautionneux quand il veut mobiliser contre la guerre ? Et comment faire écouter sa voix quand les journaux sont payés pour déformer ?

Car Isvolsky ne se contente pas de rencontrer Poincaré ou Paléologue. Il paie. Il écrit ainsi les 9 et 18 décembre 1912 à son ministre des Affaires étrangères Sazonof : « Je m'efforce d'obtenir l'orientation désirable pour nous dans les cercles gouvernementaux et politiques et je tente en même temps d'agir sur la presse. Dans ce sens des résultats très remarquables ont été atteints, en partie grâce aux mesures prises en leur temps. Comme vous le savez, je ne me mêle pas directement à la répartition des subsides, mais le partage est entrepris avec le concours des ministres français et a déjà produit l'effet nécessaire. De moi-même j'essaie par mon influence personnelle d'orienter les principaux journaux de Paris, tels que *Le Temps, Le Journal des Débats, L'Echo de Paris.* »

Rien de tel pour affirmer des convictions et des orientations que le « rouble roulant ». Dès le temps de la guerre russo-japonaise, Lucien Herr avait dénoncé dans *L'Humanité*, quotidien auquel il collaborait alors, « les journaux qui recevaient leurs clartés de Russie ». Les choses se sont aggravées et Jaurès constate qu'il y a désormais un lien presque organique, direct en tout cas, entre le gouvernement français et la politique russe. Et cette évolution se marque par ces relations intimes entre l'ambassadeur et les ministres pour une besogne de corruption, de même que par le secret dont s'entoure Poincaré.

« La vérité, dit Jaurès, est que la République a sa politique, qu'elle poursuit sans même nous consulter. »

En effet, Poincaré mène *sa* politique, habilement. Sur son visage satisfait se lit la vanité d'un homme pénétré de sa puissance, peu soucieux du contrôle parlementaire et même de la hiérarchie établie par les institutions républicaines et qui n'en font pas le représentant de la France, fonction réservée au président de la République, le tranquille Fallières.

Or cette soif de pouvoir, Isvolsky l'exploite. Il insiste pour qu'un voyage officiel soit organisé à Saint-Pétersbourg. Il a lieu en août 1912, après la clôture de la session parlementaire.

C'est en navire de guerre — pour ne pas traverser l'Allemagne — que Poincaré se rend à Cronstadt où il est accueilli le 9 août en chef d'Etat. On le flatte. Des revues et des réceptions somptueuses sont organisées en son honneur. Le tsar le reçoit à Peterhof. Les cadets de la garde présentent les armes. Au cours des conversations, Poincaré se rend compte qu'Isvolsky ne l'a que partiellement informé, dissimulant le fait que le traité qui lie la Russie aux petits Etats balkaniques est une convention de guerre. Poincaré constate mais réaffirme sa fidélité à l'alliance, demandant simplement que le gouvernement russe se hâte dans la construction des chemins de fer stratégiques qui doivent permettre aux troupes de gagner rapidement la frontière allemande. Ainsi « l'ennemi hériditaire » devra-t-il faire face sur deux fronts, le russe et le français, en même temps. C'est bien un voyage de préparation à la guerre. Où il est clair que la France s'est engagée par décision de Poincaré à suivre la Russie. Un emprunt est accordé à la Bulgarie et à la Russie par les banques françaises quelques jours avant que les Etats balkaniques protégés par Saint-Pétersbourg ne s'attaquent à la Turquie, le 15 octobre 1912.

Voilà la guerre qui touche le sol européen. Si elle s'étend, dit Jaurès : « Ce sera le plus terrible holocauste depuis la guerre de Trente Ans ! »

Qui dit cela avec lui ? Partout l'on exalte les vertus des Serbes qui bousculent les Turcs, contraints de signer pour faire face à ce nouveau conflit un traité de paix avec l'Italie qui annexe ainsi la Tripolitaine.

Le Bureau socialiste International se réunit à Bruxelles, dans cet automne sinistre où la guerre avance à grands pas. Jaurès s'y montre encore optimiste. « Les grands pays, dit-il, veulent avoir à la fois le butin et la paix. » Cette ambiguïté est la chance de l'Internationale ouvrière. Elle peut peser, imposer la paix. On décide d'organiser dans les grandes capitales des meetings où parleraient les leaders des différents Partis socialistes européens. Jaurès prend la parole à Berlin. Il résume sa position qui partant d'une analyse de la nature du capitalisme aboutit à l'action : « Le capitalisme ne veut pas la guerre, dit Jaurès, mais il est trop anarchique pour l'empêcher. Il n'y a qu'une force profonde de solidarité et d'unité, c'est le prolétariat international. »

Le Bureau socialiste de l'Internationale choisit de réunir à Bâle les 24 et 25 novembre 1912 un Congrès extraordinaire de l'Internationale pour définir les moyens de lutte contre la guerre.

C'est que la situation s'est encore aggravée. Poincaré à son retour de Russie a été encensé par la presse. Le tsar l'a félicité de la part qu'il a prise « au réveil militaire et national ». Il est plus que jamais imbu de son pouvoir, infatué. La foule l'acclame. Briand, son ministre, commence un travail lent, discret, efficace auprès des journalistes pour faire de Poincaré le candidat de l'intérêt national à l'élection à la présidence de la République qui doit avoir lieu en janvier 1913. La presse, a fortiori *Le Petit Parisien* dont le propriétaire est ministre, soutenue par les subsides d'Isvoslky, suit. Et la personnalité de Poincaré est ainsi construite. Homme probe et ferme, beau type de Lorrain intègre et patriote, dévoué à la Patrie, symbole de la renaissance des vertus nationales.

Le 27 octobre à Nantes il prononce un grand discours programme à la veille de la session parlementaire. Procédé habile, qui consiste à s'appuyer sur l'opinion — ou ce qu'on appelle l'opinion, c'est-à-dire les journaux favorables — pour peser sur les parlementaires. Il sermonne les instituteurs qui doivent donner l'exemple du patriotisme et faire preuve d'esprit de discipline, car l'école doit être « le foyer le plus sacré de l'éducation patriotique ». Et puis voilà l'essentiel : « La France est un peuple qui ne veut pas la guerre mais qui pourtant ne la craint pas... Les peuples les plus sincèrement fidèles à un idéal de paix sont dans l'obligation de rester prêts à toute éventualité. »

Les mots — *guerre, éventualité de guerre* — sont pour la première fois lâchés. Ce sont des mots qui sont comme des avalanches. Dès qu'on les lance ils s'amplifient. Le 4 novembre, Berlin, Rome et Vienne renouvellent la Triple-Alliance de manière anticipée. Le 22 novembre l'entente franco-britannique est resserrée sur le plan militaire. Des blocs constitués aiguisent leurs arêtes et ce n'est pas un armistice puis une conférence entre les Etats balkaniques et la Turquie (elle s'ouvre à Londres en ce même mois de novembre) qui peuvent réellement desserrer le garrot qui étrangle la paix. Alors l'Internationale socialiste ? Jaurès l'espère.

Il est épuisé. La tension est extrême. Il suit l'actualité avec une passion anxieuse. Il dénonce, il analyse. Il prononce des discours. Au Bureau socialiste de l'Internationale il a imposé ce Congrès extraordinaire de l'Internationale et maintenant, ce 20 novembre, il dort dans le train qui le conduit à Bâle.

La ville est assoupie dans le brouillard qui cache le Rhin, puis peu à peu le voile se déchire et quand Jaurès se dirige vers la cathédrale où vont se réunir les 555 délégués de tous les pays, il est reconnu. Il retrouve l'Autrichien Adler, l'Anglais Keir Hardie, et Rosa Luxemburg est aussi dans la salle. C'est comme à chaque fois une ouverture de Congrès fraternelle dans cette cathédrale chargée d'histoire et où l'on célèbre encore le culte. Mais les protestants ont spontanément offert ce lieu à l'Internationale. Cortège de cyclistes, jeunes filles en costume folklorique, drapeaux rouges : qui peut croire à la guerre si proche quand tant d'hommes venus de tant de pays sont rassemblés ?

Jaurès est en chaire. Il parle dans le silence passionné : « A l'endroit, commence-t-il, où se tint le si long et si trouble concile de l'ancienne Eglise, nous socialistes — et sa voix s'enfle —, nous, nous travaillons pour notre idéal et sans crainte du schisme avec une unité splendide d'âme et de pensée. »

En commission les délégués ont élaboré — et Jaurès y a pris une part majeure — le texte d'un manifeste. On y dénonce « les criminelles intrigues du tsarisme ». Jaurès a insisté pour qu'on examine des points précis : « l'Internationale considère qu'amener la chute du tsarisme est une de ses tâches principales », elle invite « les prolétaires anglais et allemands à pousser à un accord de limitation des armements ». Il faut enfin que le prolétariat international soit prêt à utiliser tous les moyens d'action. Cela reste imprécis. Mais comment aller plus loin ?

On présenta la motion. En français ce fut Jaurès qui la lut. En allemand Adler, en anglais Keir Hardie. Et l'on entendit Vaillant et Clara Zetkin. On agita les drapeaux. On chanta *L'Internationale*. Et puis Jaurès prit la parole pour commenter la motion. « L'heure est sérieuse et tragique », dit-il... « Si la chose monstrueuse est vraiment là, il sera effectivement nécessaire de marcher pour assassiner ses frères, que ferons-nous pour échapper à cette épouvante ! »

Il parlait en poète. Il voyait les égorgeurs s'avancer. Les phrases n'appartenaient pas au vocabulaire politique et remplissaient des rumeurs d'explosion et du cri des victimes la cathédrale où les délégués suivaient chaque envolée, soulevés par l'émotion. « Je pense à la devise que Schiller inscrivit en tête de son magnifique poème " *Le chant de la cloche* ", reprit Jaurès. " Vivos voco ; mortuos plango ; fulgura frango. " J'appelle les vivants ; je pleure les morts ; je brise la foudre. » Dans la cathédrale la voix de Jaurès, grave, scande les mots comme dans un verset biblique et à chaque appel les délégués sont comme physiquement secoués. « J'appelle les vivants pour qu'ils se défendent contre le monstre qui apparaît à l'horizon. »

Des murmures s'élèvent, puis le silence. « Je pleure sur les morts innombrables couchés là-bas vers l'Orient et dont la puanteur arrive jusqu'à nous comme un remords. Je briserai les foudres de la guerre qui menacent dans les nuées. »

Les délégués se lèvent, acclament Jaurès, communient avec lui cependant qu'il reprend : « Depuis des siècles, des rêves d'espérance sont près d'émerger de dessous ces voûtes de pierre. Il n'y en a pas eu de plus noble et de plus grand que celui que le socialisme veut réaliser dans la vie. »

C'était comme le dira Rappoport « un spectacle grandiose ». L'Internationale avait réussi son Congrès extraordinaire. Mais au-delà de cette manifestation et de l'émotion, que pouvait-il en surgir de concret ? L'expression d'une volonté, la preuve qu'il existait dans chaque pays des socialistes résolus. Capables d'empêcher la guerre ?

Jaurès voyait surtout l'effet de la réunion dans l'inquiétude qu'il pouvait susciter chez les gouvernements. Les ministres devaient savoir, disait-il, qu'ils ne « pourraient pas impunément déchaîner la catastrophe. Car la guerre créerait partout une situation révolutionnaire ». Et Jaurès martelait cette idée : « Les paroles du Congrès de Bâle ne sont pas de vaines menaces mais l'anticipation de la sentence révolutionnaire qui châtierait la formidable aberration. »

On le voit il n'y avait pas de naïveté chez Jaurès mais le pari que l'Internationale pouvait être une *force de dissuasion de la guerre*, moins par les moyens concrets qu'elle mettrait en œuvre pour l'empêcher — grève générale, etc. — que par le potentiel de révolte contre la guerre qu'elle représentait, le recours des peuples qu'elle incarnait, l'issue révolutionnaire à la guerre qu'elle symbolisait. Il était si clair dans la pensée de Jaurès qu'il jouait cette carte-là — la dissuasion et à terme, si la guerre survenait, le recours aux socialistes et la situation « révolutionnaire » — que le Bureau socialiste de l'Internationale était mandaté pour suivre les événements et pour maintenir « quoi qu'il advienne » — la guerre donc — les relations entre les partis prolétariens de tous les pays.

Quand, au sortir de la cathédrale, Jaurès rencontra Camille Huysmans, le socialiste belge qui était depuis 1905 ꙮcrétaire du Bureau socialiste de l'Internationale, il lui dit avec une voix chargée de détermination et d'exigence : « Il nous faut envisager toutes les éventualités. Votre position, votre situation ont une importance capitale. »

Jaurès se fit plus résolu encore : « Nous ne savons pas, dit-il, si la guerre éclate, quelle sera la répercussion d'un tel événement sur les esprits en apparence les plus solides. Quoi qu'il arrive — il répéta — il faudra que vous n'abandonniez pas votre poste et que vous mainteniez les liens entre les prolétariats des pays belligérants. »

C'était une bataille sur plusieurs plans et à plusieurs échéances que livrait Jaurès. Comme à chaque fois certains ne saisissaient qu'un aspect de son combat, mutilant ainsi sa stratégie, gênant son ordre de bataille, caricaturant sa pensée, s'indignant à tort parce qu'ils n'apercevaient qu'un angle de l'échiquier.

Ainsi Charles Andler, l'ami de Lucien Herr et de Jaurès, le savant germaniste, l'homme dévoué au socialisme, commenta-t-il avec ironie le Congrès de Bâle : « Les cloches de Bâle, dit-il, peuvent appeler les vivants et pleurer les morts, c'est tout ce qu'elles peuvent. »

Il y avait de l'amertume dans cette réflexion que Jaurès trouva « amoindrissante et gouailleuse » et qui le surprit douloureusement. C'est qu'Andler qui connaissait admirablement l'Allemagne était persuadé que la social-démocratie allemande s'était ralliée aux buts expansionnistes du Reich. Il publia donc dans une petite revue radicale, *L'Action nationale* — le 10 novembre et le 10 décembre 1912 —, et ce fut repris dans le nouveau quotidien ouvrier, *La Bataille syndicaliste,* deux articles intitulés : « Le socialisme impérialiste dans l'Allemagne contemporaine ».

Pour Andler, s'il était facile « de faire accourir à Bâle 50 000 Suisses et Alsaciens heureux d'entendre Jaurès, il était plus difficile — et plus nécessaire — de se livrer à une critique du socialisme allemand ». Les dirigeants de la SFIO, donc Jaurès, étaient dupes et donc trompaient les prolétaires français car pour le socialisme impérialiste allemand affirmait Andler : « Les classes ouvrières sont solidaires du capitalisme, elles sont solidaires de la politique coloniale, elles sont solidaires d'une politique d'armement, défensive en principe, offensive s'il le faut. » Et Andler se servait d'une citation de Bebel pour étayer sa démonstration.

L'article fut immédiatement reproduit et commenté par la presse conservatrice et nationaliste. Il prenait Jaurès à revers. Dans *Le Temps* et dans *L'Eclair* — deux journaux qui émargeaient régulièrement à l'ambassade russe — on s'exclama : enfin un socialiste prouvait que Jaurès — sincèrement ou délibérément — livrait les ouvriers français à tout un peuple — l'allemand — scientifiquement préparé à l'agression. Andler fut donc — quelles qu'aient été ses intentions — utilisé dans la campagne contre Jaurès. Et parce qu'il avait de l'autorité, que le climat était favorable au courant nationaliste, il désorienta de nombreux partisans de l'Internationale.

Or, une partie de l'argumentation d'Andler était fondée sur une phrase tronquée — et donc changeant de sens — de Bebel. Jaurès le démontra (et Andler le reconnut) sans s'attacher, il est vrai, à réfuter les points forts de l'article d'Andler.

Jaurès savait qu'il venait de perdre une bataille dans l'opinion. Non pas qu'il fût aveugle sur la réalité de la social-démocratie allemande. C'est lui qui, au Congrès d'Amsterdam de l'Internationale en 1904, avait mené l'assaut rigoureux contre Bebel et les Allemands. Mais stratégiquement, en 1912, l'essentiel était de maintenir la confiance, de s'appuyer sur les éléments réellement internationalistes d'Allemagne. Et ils existaient. Or l'article d'Andler avait eu aussi des répercussions en Allemagne. Malgré la riposte de Jaurès à Andler, les socialistes allemands se demandèrent si, en France, beaucoup ne pensaient pas comme Andler.

Ainsi une faille était-elle ouverte, dans les jours mêmes qui suivirent le Congrès de Bâle, dans l'unanimité qui l'avait caractérisé. Un facteur de suspicion était introduit dans l'Internationale. Et bien sûr les grands organes d'information, au service de Poincaré, de Briand et d'Isvolsky avaient pesé pour aviver la discorde, entre socialistes allemands et français, entre Andler et Jaurès.

Jaurès était atteint par ce coup qu'il n'attendait pas.

Certes Lucien Herr s'employait à éviter une rupture bruyante, écrivant à son ami Andler, notant avec mesure, lui qui connaissait aussi parfaitement l'Allemagne : « Je sais quels sont les défauts intellectuels et moraux du Parti socialiste allemand. Mais si jamais j'en faisais la critique ce serait certainement avec la préoccupation de ne pas le discréditer. » Puis il ajoutait, en militant intellectuel qui avait eu à subir le poids d'un parti : « Un grand parti populaire se compose d'êtres rudimentaires, en général impulsifs et passionnés, et non d'hommes de doctrine et de pensée, et ne subit pas l'ascendant intellectuel des hommes qui ont l'intelligence et la culture nécessaires pour faire œuvre de doctrine et de direction. »

Et se souvenant de ce que Jaurès et lui-même avaient supporté, Herr ajoutait : « Nous avons contribué à l'œuvre du Parti socialiste alors que de tout temps nous avons su qu'il contenait dans ses rangs, comme tout parti, beaucoup de misère morale, de mensonge et de bêtise... Mais une fois sorti du parti on en est l'ennemi ou le destructeur. »

Il ne fallait donc pas le quitter et surtout pas en ces jours incertains. Andler suivit le conseil et ne s'éloigna que peu à peu, discrètement.

Mais Jaurès ? Ces articles d'Andler ont sûrement contribué à aggraver ce pessimisme qui, en cette année 1912, pousse chez Jaurès, comme une algue noire, que parfois, quand les circonstances s'y prêtent, lorsqu'un événement survient — les articles d'Andler, une calomnie nouvelle et peut-être le souvenir lancinant de son petit-fils paralysé —, on voit tout à coup pointer avant que l'action, l'optimisme volontaire de l'action passionnée ne la recouvre à nouveau.

Ainsi, alors que monte cette « effroyable crise de barbarie et de réaction militaire », s'interroge-t-il sur la signification de la douleur — du mal et de la cruauté — dans la nature et la vie. Manière d'aborder le problème religieux. Quand il retourne à Bessoulet, il dit à un de ses compagnons de promenade — Enjalran — qu'il traitera les thèmes religieux dans un « ouvrage direct qu'il réservait pour sa vieillesse ». Pour l'heure, avant de poser ainsi la question de front, « il lui fallait procéder par des suggestions de plus en plus nettes ».

C'est que la présence de la guerre, c'est celle du crime, de la destruction de l'autre. Et cela renvoie à la loi de la nature.

« Il suffit, dit Jaurès, de regarder à ses pieds. » Et il raconte. Il avait placé sous de grosses fourmis qui se battaient une feuille de papier, les avaient soulevées sans que « leur combat furieux en fût même dérangé. Je les ai mises dans une boîte et au bout d'une heure, il ne restait plus des deux adversaires, à la lettre, que des débris. Ils s'étaient dévorés l'un l'autre, fragment par fragment, articulation par articulation, jusqu'à ce qu'il ne restât plus dans ces machines de haine et de destruction assez de vie pour actionner les mandibules ». Et il se souvenait d'avoir vu dans un trou à scarabée, « un autre insecte cuirassé vert et or. C'était un prisonnier ; son maître lui avait coupé ses pattes et l'ayant ainsi immobilisé, il le gardait vivant comme une provision de chair fraîche ». Horreur qui renvoie à la guerre que les hommes préparent, qu'ils font déjà dans les Balkans.

Et à la fin décembre 1912, il a comme un cri de désespoir, une nausée devant ce qui s'annonce et qui révèle peut-être une face indestructible de l'univers. « Quelle horreur que la vie, s'écrie-t-il. Tous les gouvernements de l'Europe répètent : cette guerre serait un crime et une folie. Et les mêmes gouvernements diront peut-être dans quelques semaines à des millions d'hommes : c'est votre devoir d'entrer dans ce crime et dans cette folie. Et si ces hommes protestent, s'ils essaient, d'un bout à l'autre de l'Europe, de briser cette chaîne horrible, on les appellera des scélérats et des traîtres et on aiguisera contre eux tous les châtiments. Quelle horreur que la vie ! » Ce n'est pas le cri d'un instant, comme un accès de nausée devant le sang qui va se répandre.

Puis Jaurès serre sa forte mâchoire, se tasse, repart. Rien n'est encore joué, citoyen Jaurès !

Mais chaque jour la situation devient plus difficile sur tous les plans.

Les pourparlers entre la Turquie et les puissances balkaniques s'enlisent. La Turquie s'apprête à les rompre. A Paris, Poincaré président du Conseil pose sa candidature à la présidence de la République, comme représentant le sentiment national. Et la grande presse le soutient cependant que Briand, en coulisses, prépare l'élection. Les radicaux choisissent un candidat terne, Pams ; les socialistes présenteront Vaillant. Bien que devancé par Pams dans un préscrutin servant à choisir le candidat républicain à opposer aux « droites », Poincaré rompt avec la coutume et refuse de se retirer. Il sera le candidat au-dessus des groupes. Il sait que malgré l'hostilité de quelques grands leaders — Clemenceau, Caillaux — il peut rassembler une majorité.

Un incident — le scandale provoqué par la réintégration du colonel du Paty de Clam dans l'armée — paraît, quelques heures, l'ébranler. Mais il lâche son ministre de la Guerre, Millerand, qui démissionne. Et après deux tours de scrutin, Poincaré est élu président de la République, le 17 janvier 1913. Les députés conservateurs ont voté pour lui. Il obtient 483 voix, Pams 296 et Vaillant 69.

Quelqu'un, peut-être le Président Fallières, dit — et le mot fut répété : « Poincaré, c'est la guerre. »

Jaurès ressent durement l'élection, « une immense force de conservation se constitue contre nous », dit-il. A la sortie de Versailles après l'élection, on a joué la *Marche lorraine,* on a acclamé le nouveau Président et la grande presse a chanté les louanges de ce Président exceptionnel. « Ce n'est pas la victoire d'un homme ou d'un parti, écrit *Le Journal,* c'est la victoire de l'idée nationale. » Péguy s'enthousiasme : « M. Poincaré est venu au pouvoir et y reste par un mouvement populaire profond, par un ressaut continué d'énergie nationale qui est bien tout ce que l'on peut imaginer de plus diamétralement contraire au mouvement intellectuel et jauressiste de capitulation. »

Péguy voit juste sur un point. C'est la défaite de Jaurès. Mais aussi celle de la paix. La droite, murmure-t-on, se serait ralliée à Poincaré en échange de la promesse qu'il aurait faite de faire voter rapidement une loi portant le service militaire à trois ans. D'ailleurs, a-t-il confié, cela découle naturellement des engagements qu'il a pris en Russie. Et puis c'est la réponse normale aux mesures qu'a décidées l'Allemagne. Elle aligne deux fois plus d'hommes que l'armée française.

Echec de Jaurès. Briand remplaçait Poincaré à la présidence du Conseil. Et naturellement il gardait dans son ministère Jean Dupuy, du *Petit Parisien.*

Le 20 février, deux jours après la transmission des pouvoirs,

Poincaré dans son premier message déclarait sous les applaudissements des députés et des sénateurs : « Il n'est possible à un peuple d'être efficacement pacifique qu'à la condition d'être toujours prêt à faire la guerre. »

Dans les mots, Poincaré faisait donc un nouveau pas : il s'agissait déjà de « faire la guerre ».

Echec de Jaurès. Au premier Conseil des ministres que préside Poincaré, l'ambassadeur de France à Saint-Pétersbourg est relevé de ses fonctions et c'est Delcassé, oui Delcassé l'ancien ministre des Affaires étrangères, qui est désigné pour le remplacer.

Isvolsky à Paris, Delcassé à Saint-Pétersbourg.

Delcassé déclare aussitôt à Maurice Paléologue : « Il faut que l'armée russe soit en état de prendre une vigoureuse offensive dans les plus brefs délais, quinze jours au maximum, voilà ce que je ne cesserai de prêcher au Tsar. Quant aux balivernes diplomatiques, aux vieilles calembredaines de l'équilibre européen, je m'en occuperai le moins possible, ce n'est que du verbiage. »

Isvolsky triomphe. Il va devenir un familier de l'Elysée. « M. Poincaré m'a exprimé le désir de me voir souvent », écrit-il à son ministre. « Il m'a prié de m'adresser directement à lui toutes les fois que cela m'apparaîtra désirable ; une pareille dérogation aux usages peut dans les circonstances difficiles de l'heure présente nous être profitable et très commode... » Assistance diplomatique, concours armé : Poincaré est décidé à tout offrir à l'allié. Et, précise-t-il, il n'est pas prêt à accepter un compromis avec l'Allemagne comme celui qui a suivi Agadir.

Echec de Jaurès, mais il faut se battre.

La CGT a publié un manifeste le 13 février condamnant la politique chauvine des gouvernements de Berlin et de Paris. Le 1er mars *L'Humanité* publie en allemand et en français simultanément avec *Vorwärts* un manifeste commun aux deux Partis socialistes : « C'est le même cri contre la guerre, la même condamnation de la paix armée qui retentissent à la fois dans les deux pays », déclare le texte.

Le 6 mars Briand dépose sur le bureau de la Chambre des députés un projet de loi portant le service militaire de deux à trois ans.

Echec de Jaurès le 18 mars : le Sénat repousse le projet de réforme électorale établissant la proportionnelle et Briand démissionne, remplacé par Louis Barthou.

Barthou-Poincaré, ceux qu'on appelait les « fils de la louve », les « jeunes loups », les « deux gosses », les voilà au pouvoir, partageant les mêmes idées, la même ambition.

Quant à Caillaux, injuste, il poursuit sa diatribe contre Jaurès, l'accusant plus tard, dans ses *Mémoires,* encore d'avoir ménagé Poincaré pour faire passer la proportionnelle : « Le grand tribun défendit si bien Poincaré, dit-il, qu'il assura son élection à la présidence de la République. Deux mois plus tard, mars 1913, le Sénat rejetait dédaigneusement la réforme électorale votée par la Chambre. Dépôt au même moment du projet de loi portant à trois années la durée du service militaire. Alors seulement Jaurès comprend qu'il a été joué... Le mal est fait. La pieuvre du bellicisme étend partout ses tentacules ».

L'accusation de Joseph Caillaux n'est pas fondée. En fait, les sénateurs ont voté contre la loi électorale parce qu'ils s'inquiètent déjà de cette loi des trois ans de service militaire qu'on leur annonce et qu'il faudrait faire passer si vite. Elire Poincaré à la présidence de la République, soit. Mais choisir la guerre ? Qui la veut réellement ? Il y a donc encore une bataille à conduire qu'on peut gagner. Et Jaurès va s'y lancer.

Le 28 février 1913, deux jours après la prise de fonction de Poincaré, un tribunal juge deux complices de Bonnot. Callemin, dit Raymond-la-Science, tant était grande sa soif de lecture ; Soudy, un ouvrier tuberculeux. Avant de se faire abattre par la police, Bonnot les a innocentés en écrivant un mot avec son sang.

Ils sont l'un et l'autre condamnés à mort.

Ils avaient choisi d'être des bandits.

Il y a des centaines de milliers de jeunes hommes innocents et menacés de mort alors que commence la présidence de Raymond Poincaré. Ce sont les soldats qui dans les casernes apprennent en mars 1913 qu'on veut leur infliger un an de service militaire de plus. Pour quoi sinon pour la guerre ? A eux aussi, qui sont des citoyens, Jaurès veut parler.

Chapitre 27

« La France parle,
taisez-vous, M. Jaurès ! »
(1913-1914)

« C'est de la folie ! C'est un crime contre la République et contre la France ! » Jaurès avait lancé ces phrases à la Chambre, depuis son banc de député, avec cette force qu'il avait quand l'emportait une révolte intellectuelle, que l'aberration lui semblait si flagrante que sa protestation dépassait la simple indignation politique et le bouleversait au plus profond de lui-même. Et quand il avait entendu le ministre de la Guerre, Etienne, député d'Oran, l'un des hommes les plus liés au « lobby » colonial — à l'affaire marocaine —, lire l'exposé des motifs accompagnant le projet de loi portant le service militaire à trois ans, il avait bondi. Non seulement cette loi lui paraissait néfaste à la cause de la paix, mais elle était stupide, engrangeant dans des casernes vétustes des dizaines de milliers de jeunes recrues qu'on n'avait ni les moyens de former ni même de garder en bonne santé. La presse syndicale commençait à mettre l'accent sur les conditions de vie des recrues, si mauvaises que les épidémies se propageaient, entraînant des décès de soldats pour cause de scarlatine, de méningite, de rougeole ou de typhoïde.

Le ministre de la Guerre avait répondu avec un calme plein de dédain aux socialistes qui après l'interruption de Jaurès criaient : « A bas la réaction » : « Vous vous fatiguerez avant moi ! » La violence se déchaîna dans l'hémicycle. On criait à droite, on entendait l'extrême gauche socialiste lancer : « Bandits, canailles » et faisant allusion à la responsabilité d'Etienne dans les événements du Maroc : « Marocain ». Le débat sur la loi des trois ans s'ouvrait ainsi, au printemps de 1913, dans un climat de tension, inégalé depuis

531

l'Affaire Dreyfus. Et sans doute la passion était-elle plus forte et l'enjeu plus grand.

C'est que s'entremêlaient, cette fois-ci, d'une manière inextricable, les aspects de politique intérieure et de politique extérieure.

Poincaré, à l'Elysée, incarnait le nationalisme et, en même temps, le refus de l'impôt sur le revenu, le combat contre les réformes sociales. La loi de trois ans, la politique extérieure active, de plein engagement aux côtés de la Russie, c'était son affaire, Isvolsky le savait bien. Mais tous les ambassadeurs étrangers à Paris faisaient la même observation. L'ambassadeur de Belgique, le baron Guillaume, dans un rapport à Bruxelles, notait que « Ce sont MM. Poincaré, Delcassé, Millerand et leurs amis qui ont inventé et poursuivi la politique nationaliste, cocardière et chauvine dont nous avons constaté la renaissance. C'est un danger pour l'Europe et pour la Belgique. J'y vois le plus grand péril qui menace aujourd'hui la paix en Europe. » L'ambassadeur ajoutait qu'il ne supposait pas que, de propos délibéré, le gouvernement de Paris voulait troubler cette paix, mais, concluait-il : « L'attitude qu'a prise le cabinet Barthou est selon moi la cause déterminante d'un surcroît de tendances militaristes en Allemagne. »

Autour de Poincaré — et de Barthou — s'aggloméraient les intérêts industriels, commerciaux, les magnats de la presse d'information. Un véritable nationalisme commercial et industriel se répandait, et le journal *Le Matin* lançait une campagne contre les produits « made in Germany » qu'il fallait, disait-il, boycotter.

Dès lors que ces hommes, ces groupes rencontraient en face d'eux sur ce thème de politique extérieure des adversaires qui, sur le plan intérieur, avaient aussi des positions opposées aux leurs (Caillaux et Jaurès étaient partisans de l'impôt sur le revenu) la bataille sur la loi des trois ans marquait avec vivacité un affrontement droite-gauche, auquel personne ne pourrait échapper.

Une défaite des partisans de la loi des trois ans, c'était une défaite du président de la République, un renversement du courant. L'impôt sur le revenu voté. Ainsi jamais auparavant, sinon à la fin du Second Empire (et dans l'avenir au moment de Munich et des choix face à Hitler), la politique intérieure et la politique extérieure ne furent à ce point intriquées. Un groupe d'hommes politiques — dont Poincaré, Barthou étaient les plus notoires — avaient misé leur carrière politique sur un choix de politique extérieure. Si celle-ci ne l'emportait pas, ils étaient pour de longues années écartés du pouvoir.

De là cette passion homicide qui les anime face à leurs adversaires : Jaurès et Joseph Caillaux.

Car les deux hommes se sont rapprochés. Lors du débat d'investiture de Barthou, ils ont senti que la Chambre rechignait, accueillait froidement le discours du nouveau président du Conseil.

Ambitieux, habile, sans grand scrupule moral, Barthou n'a pas entraîné l'Assemblée. Son thème, c'est évidemment la loi des trois ans, la France qui veut la paix, « mais seulement la paix qui s'accorde avec sa dignité et sa fierté, non la paix de la peur ». Cent soixante-six députés se sont abstenus et cent soixante-deux ont voté contre, pour 225 seulement en faveur de Barthou. C'est dire la défiance.

Tout dépend, analyse Jaurès, de l'attitude des radicaux qui pour l'instant se sont abstenus. Il rencontre Caillaux. Il n'a pas varié dans les sentiments nuancés qu'il éprouve pour l'homme. Il y a chez Caillaux du dandy, un orgueil de caste qui hérissent le « paysan » Jaurès. L'affectation de l'homme qui joue constamment avec son monocle, sa voix basse et étudiée lui déplaisent. Mais Caillaux est intelligent, courageux, il a une vision claire des intérêts de la classe à laquelle il éprouve de l'orgueil d'appartenir. Il dépasse de cent coudées, pense Jaurès, le milieu politique. « L'homme le plus capable que nous ayons en France est Caillaux », dit à ce moment-là Jaurès. Il estime même que certains secteurs du capitalisme (la banque, par exemple, dont Caillaux est un représentant) peuvent être favorables à la paix. « Caillaux, poursuit-il, n'a pas seulement des capacités, mais aussi du coup d'œil, de la volonté, du caractère. C'est pourquoi il est violemment combattu. » Il est possible de s'entendre avec lui. « Un accord s'établit entre nous, confirme Caillaux, un accord limité aux prochaines éventualités, mais préparant l'avenir. »

Les élections doivent avoir lieu en effet au printemps de 1914. Si Caillaux prend la tête du Parti radical, si Jaurès et les socialistes décident de reporter leurs voix, au second tour, sur les candidats radicaux, ce peut être la victoire de la gauche. Et compte tenu de l'urgence de la lutte contre la loi des trois ans, la question du mode de scrutin passe au second plan entre les deux hommes. Une stratégie est donc arrêtée entre eux. « Il fut convenu, précise Caillaux, qu'un gros effort serait fait contre la loi des trois ans. » Jaurès envisage l'échec de cette première bataille parlementaire. Caillaux voit une contre-offensive possible, si la loi est votée. Il faudra en effet que le gouvernement trouve des ressources pour couvrir les dépenses engagées par un prolongement de la durée du service militaire et sur ce point on peut se battre, estime-t-il, et l'emporter. « Nous monterions à l'assaut, explique Caillaux, sur la question de la couverture financière pour laquelle nous exigerions la mise en œuvre de l'impôt sur le revenu. » Manœuvre habile : on prendrait au mot les « patriotes » pour juger si leur amour de la patrie allait jusqu'à des sacrifices financiers. Ainsi se trouvaient encore plus nettement imbriqués les choix intérieurs et extérieurs.

Le combat qui allait se livrer ne pouvait être qu'impitoyable, impliquant pour ceux qui détenaient le pouvoir la destruction — politique, mais cela pouvait signifier la destruction morale ou physique — des adversaires : Jaurès et Caillaux. C'était la logique même de leur situation à la tête de l'Etat qui dictait ce choix de l'emploi de n'importe quel moyen. En dehors même des questions de morale politique, Jaurès et Caillaux étaient dans la situation de challengers, pour qui une défaite politique n'entraîne pas un changement de position. En perdant, au contraire, Poincaré et les siens perdaient tout.

Chacun se préparait. Au Congrès du Parti socialiste qui se tint à Brest du 23 au 27 mars 1913, Jaurès fit décider que la lutte contre la loi des trois ans serait l'objectif essentiel du Parti, associé à l'organisation de l'arbitrage international, d'une entente franco-allemande et d'une définition de la défense nationale reprenant les thèmes exposés par Jaurès dans *L'Armée nouvelle*.

Printemps 1913. Jaurès est fatigué, les traits creusés, il souffre de très fortes migraines. Certes il a toujours connu depuis l'adolescence ces maux de tête, dus peut-être au surmenage, mais à *L'Humanité*, Landrieu et Renaudel le voient plus souvent le visage dans les mains, comme accablé. Louise séjourne pour de très longues périodes à Bessoulet ou à Albi. Madeleine vit fréquemment à Passy, son ménage défait. Elle prépare à son père les plats qu'il aime. Lui achète des noix qu'il brise quatre à la fois dans ses larges paumes. Louis est élève à Janson-de-Sailly et doit passer son baccalauréat en 1914. C'est un adolescent blond et mince au visage fin, à l'expression grave.

Les obligations se multiplient. Les articles. Et Jaurès ne néglige aucun sujet. En septembre 1913, en pleine bataille sur les thèmes de politique extérieure, il écrira une dizaine d'articles consacrés à l'évolution de la CGT, qu'il juge positive. Et il est sûr que, avec ses centaines de milliers de syndiqués, la CGT abandonne peu à peu le discours anarchisant et se rapproche de Jaurès, lui apportant un surcroît de représentativité. Et puis il y a la Commission de l'Armée de la Chambre des députés, où Jaurès siège, se battant pas à pas contre la loi des trois ans, essayant de convaincre les officiers qui viennent déposer devant les députés, nouant avec eux des relations d'estime car ces techniciens de la chose militaire découvrent en Jaurès un expert qui traite avec compétence du problème des réserves. Or c'est un point décisif. Si la France ne peut, du fait de sa plus faible population, aligner une armée active aussi élevée que l'armée allemande, elle a de fortes réserves. Seulement, dans les milieux conservateurs, au journal *Le Temps,* on se défie des réservistes, gangrenés, estime-t-on, par l'esprit révolutionnaire.

En sortant de la Chambre Jaurès fait parfois quelques pas avec un officier, dialogue encore, sur l'hypothèse qui lui semble fausse d'une guerre courte, sur la nécessité qu'il juge impérieuse de fortifier la frontière du Nord. Puis il insiste pour que l'officier le quitte : « Il ne faut pas vous compromettre en parlant avec Jaurès », dit-il en riant.

Car non seulement la calomnie et la haine n'ont pas désarmé, mais elles atteignent, avec le débat sur la loi des trois ans, à l'hystérie.

Les directeurs de journaux, dont les relations avec Poincaré, Briand, Barthou sont intimes, parfois de dépendance, ont compris l'enjeu. Plus que jamais il faut réduire Jaurès au silence. Dans *L'Echo de Paris,* Franc-Nohain écrit ainsi le 13 mars 1913 : « La France parle, taisez-vous, M. Jaurès ! Et comme cet avis a son importance, et pour être sûr de me faire comprendre de vous et de vos amis, je traduis à leur intention et à la vôtre : *Frankreich spricht, still, Herr Jaurès !* » Ce bel esprit parisien manie en quelques lignes la calomnie, et s'approprie la nation avec impudence.

La complicité entre ces journalistes, les nationalistes et le gouvernement est active. Ils ont le même but. Il faut étouffer Jaurès. Et le 8 mars 1913, ils y parviennent à Nice. La cité est une importante ville de garnison. On surveille l'Italie, alliée de l'Allemagne et de l'Autriche et dont les ambitions sur Nice n'ont pas tout à fait disparu. La ville est nationaliste parce que les immigrés italiens y sont nombreux, anarchisants souvent. Et qu'il faut bien face à cette population ouvrière et aux touristes étrangers affirmer sa récente qualité de français. Déroulède séjourne dans la ville. De tout le département les socialistes — une poignée — sont venus à Nice pour écouter Jaurès qui doit donner une conférence sur la « situation internationale ». Mais seuls les premiers arrivés pourront rentrer. La salle est « faite » par les Camelots du roi qui avec l'appui agissant du préfet ont loué la plupart des places. Aux premiers rangs, quelques socialistes — instituteurs, graveurs, ouvriers, électriciens — tenteront en vain de faire taire les centaines d'adversaires qui munis de sifflets à roulette couvriront la voix de Jaurès. Il est contraint de renoncer. On l'entend qui crie : « Ils vivent de l'étranger et ils ne veulent pas la paix entre les nations », puis encore : « Vous n'êtes pas le vrai peuple de France et le vrai peuple de France vous condamnera. » Les journaux parisiens relatent avec complaisance l'incident : enfin on a réussi — et il est vrai que c'est la première fois — à empêcher Jaurès de parler.

Même dans un milieu aussi policé que celui de la marquise Arconati-Visconti on ne tolère plus Jaurès. La marquise s'est rangée du côté des partisans de la loi des trois ans et l'un de ses familiers, Henry Ronjen, directeur des Beaux-Arts, s'indigne : « Jaurès consent par doctrinarisme révolutionnaire à laisser la France désarmée. Et qu'a-t-il derrière lui ? Toute l'armée de l'émeute et des sans-patrie... Non, décidément, il est préférable que nous évitions Jaurès, il n'est pas de la même... humanité que nous. »

Jaurès est affecté. Il aimait ces rencontres du jeudi, ce salon. Il écrit à la marquise :

Ma chère amie,

Je n'ai pu répondre plus tôt à votre lettre. Il m'a été extrêmement pénible, il m'est douloureux de voir quel malentendu nous sépare en une période aussi grave et combien vous méconnaissez l'effort vraiment national (souligné par Jaurès) que je fais. J'ai la conviction absolue qu'on détourne ce pays de l'effort utile et qu'on égare sa bonne volonté. L'erreur que vous commettez à mon égard n'est pas une des moindres épreuves que j'aie à traverser en ces jours difficiles. Je ne reviendrai, seul ou avec d'autres, que quand votre esprit m'aura rendu justice et je serai fidèle, inaltérablement, à mes affections comme à mes convictions.

Cet incident est un reflet significatif du climat de cette année 1913.

Chaque année la presse travaille l'opinion. Les incidents de frontière avec l'Allemagne sont exagérés ou présentés comme des actes d'espionnage ou de malveillance. Non qu'il faille considérer que l'Allemagne est innocente mais la presse parisienne s'emploie à utiliser l'événement pour exacerber l'opinion. Un dirigeable en panne ou un aéroplane contraints de se poser en France sont immédiatement accusés de se livrer à des activités d'espionnage. Dès lors on comprend que la présence de touristes allemands à Nancy suscite de la part de jeunes Nancéens des cris d'hostilité. Ce qui se passe en Alsace est suivi avec attention. On s'indigne — à juste titre — de la brutalité d'un officier allemand. Mais quand, à une conférence organisée à Berne par des parlementaires français et allemands, des députés alsaciens déclarent ne pas être partisans d'un rattachement qui aurait pour prix une guerre européenne et réclament une « large autonomie » des provinces, les mêmes journaux méprisent ce sentiment. Ces Alsaciens-là « ne sont que des Prussiens, Saxons ou Badois ». « Il m'est doux, dit Jaurès, d'être insulté par *Le Temps* le même jour où il insulte l'Alsace. » Et il insiste sur l' « admirable fierté » des Alsaciens et Lorrains devant le vainqueur en même temps qu'ils désavouent « les boutefeux ».

Isvolsky et l'ambassade russe suivent bien sûr avec une attention particulière ce débat ouvert dans le pays. Le diplomate russe Raffalovitch écrit ainsi à Saint-Pétersbourg le 4 juin 1913 : « M. Klotz — ministre des Finances du cabinet Barthou — m'a demandé de lui procurer la seconde tranche, attendu qu'ils en ont besoin pour le vote de la loi militaire et la situation difficile où ils se trouvent. » Il faut rapidement à Klotz 100 000 francs, il faut une « grosse campagne de presse en raison de la possibilité d'une campagne contre la nouvelle loi militaire et en connexion avec la situation difficile du cabinet Barthou ».

Il est vrai qu'au-delà des rodomontades journalistiques le projet de loi des trois ans se heurte à une résistance dans le pays profond.

Le gouvernement ayant décidé le 15 mai de prolonger d'un an, en attendant le vote de la loi, le maintien sous les drapeaux des soldats de la classe 1910 libérables, les casernes entrent en ébullition. Et quand on connaît la raideur de la discipline du temps, les menaces des bataillons disciplinaires, le signe de rejet est fort : trois cents soldats en uniforme défilent aux cris de « A bas les trois ans » dans les rues de Toul. Certains chantent *L'Internationale*. A Belfort, à Mâcon, à Rodez, des manifestations semblables se produisent. Barthou met en cause la CGT et le « Sou du soldat », fait perquisitionner dans les Bourses du Travail de 88 villes. Des militants sont arrêtés. Et Barthou annonce même que le gouvernement va se donner les moyens de poursuivre et de dissoudre la CGT. Ainsi au nom du patriotisme Barthou accentue-t-il la politique de répression commencée il y a plusieurs années par Clemenceau et Briand.

Réaction dure mais indice d'inquiétude de Barthou car, au Parti radical, Caillaux affirme son hostilité résolue à la loi des trois ans et prend peu à peu en main le contrôle de cette formation avec le but d'en devenir le leader, et d'imposer aux radicaux unité et discipline de vote. Ces deux objectifs — Caillaux à la présidence et de nouveaux statuts du parti — seront atteints au Congrès radical qui se tient à Pau en octobre 1913.

Le comte de Lalaing, ambassadeur de Belgique à Londres, peut écrire : « On a constaté ici avec une certaine amertume l'impopularité plus réelle qu'on ne se l'imaginait du service de trois ans. »

C'est que Jaurès — et l'ensemble des militants socialistes entraînés par lui — se dépensent sans compter contre la loi. Jaurès surmontant sa fatigue n'a jamais été aussi combatif. Cette période, il sent qu'en elle se résume toute sa vie. En ces jours du printemps et de l'été 1913, ce sont les luttes contre le militarisme du temps de Dreyfus, pour les libertés ouvrières, pour la démocratie et la paix qui se trouvent converger. Et l'issue n'a jamais été aussi importante. Il le sait, il le dit : c'est la guerre ou la paix, la réaction ou la démocratie, les unes et les autres inséparables. Or, Jaurès n'est plus l'homme isolé qu'il a si souvent été. Il est à la tête d'un parti qui lui fait confiance. Certes Guesde est toujours ce militant aveuglé par son sectarisme qui confine à l'inintelligence politique. On l'entend encore affirmer qu'il ne faut surtout pas que les socialistes s'allient aux radicaux : « Faire le jeu d'une fraction de la bourgeoisie, dit-il, ne serait-ce pas, en même temps qu'une véritable trahison, reculer les bornes de l'imbécillité ? » Mais il n'est pas suivi.

A ce parti qui l'écoute, à la CGT qui s'est rapprochée de lui jusqu'à admettre qu'il a raison, Jaurès ajoute son journal où il écrit chaque jour. Or la progression des ventes de *L'Humanité* continue, avoisinant les 100 000 exemplaires quotidiens, soit 30 000 de plus qu'en 1912. Il existe de plus un *Droit du peuple* à Grenoble, un *Populaire du Centre* à Limoges, un *Midi socialiste* à Toulouse. Et dans cette ville Jaurès écrit aussi dans *La Dépêche*. Si l'on ajoute les hebdomadaires du Parti socialiste, cela met à la disposition de l'opinion près d'un million d'exemplaires par semaine. C'est peu en comparaison de l'énorme production de la presse de grande information qui avec *Le Petit Parisien* de Jean Dupuy atteint un million et demi d'exemplaires et un million pour *Le Matin* comme pour *Le Journal*. De plus *L'Excelsior* frappe par ses photos en pleine page. Mais enfin Jaurès peut s'appuyer sur une infrastructure, le réseau des sections et des fédérations. Et dans la bataille contre la loi des trois ans, la Ligue des droits de l'homme, le Groupe parlementaire de l'Arbitrage, l'Association pour la paix par le droit influencent de larges milieux. Les intellectuels — ceux de l'Affaire Dreyfus — se mobilisent à nouveau, derrière Anatole France, Seignobos ou Charles Richet. Une campagne de pétitions lancée contre la loi rassemblera en quelques semaines plus de 700 000 signatures.

C'est donc un étrange printemps que celui de 1913 où à la violence des nationalistes qui affirment représenter *toute* la nation, s'opposent des dizaines de milliers de militants.

Entre les deux, il y a le pays profond. Ceux qui s'inquiètent de la guerre, et qui n'imaginent pas ce qu'elle peut être. Ceux qui sont pris par l'atmosphère de l'époque, sans se rendre compte qu'elle exprime l'inquiétude et un monde souterrain où s'imposent des forces obscures. Sur les écrans du cinématographe on suit ainsi les aventures de *Fantomas*. D'autres lisent *Les Caves du Vatican* de Gide. Et certains ne comprennent pas qu'on les intoxique quand ils lisent un roman populaire à cinquante centimes, *Mamzelle la revanche* où un certain Raugès, « député, chef des pacifistes », est abattu lors d'un meeting au Tivoli Vauxhall par un héros de la guerre de 70 qui, avant d'être lynché, a pu crier, heureux d'avoir « brûlé la cervelle à l'orateur » : « Ainsi meurent tous les traîtres et tous les antipatriotes ! » Et les auteurs concluent : « Ce coup de revolver réveilla les consciences et ce fut, dans Paris, comme une nouvelle et magnifique floraison d'héroïsme. »

Un autre livre de la même année met en scène une jeune Serbe qui transportée par la victoire de son pays — contre les Bulgares car comme l'avait prévu Jaurès, les alliés d'un temps se sont divisés — conclut : « J'étais fiancée à un Allemand. Maintenant que les canons français nous ont donné la victoire, je ne veux plus de mon Allemand. »

Propagande, bataille des idées, expression de la sensibilité du temps : Barrès publie *La Colline inspirée*. L'écrivain élégant et qui veut avoir une bonne opinion de lui-même note dans ses cahiers intimes des jugements nuancés sur Jaurès, mais le combat est le combat, alors il trempe sa plume publique dans une encre pleine d'allusions et de perfidie : « Déjà Jaurès a pris ses précautions. Il a quitté à demi la France », commence-t-il. « Il est citoyen de l'Europe... Enfin, me dit quelqu'un, il vit de la langue française ? Mais non pas, il est prêt à vivre de la langue allemande. Il a parlé à Berlin. Dès maintenant, sa pensée est allemande plutôt que française... Il peut être député au Reichstag comme au Palais-Bourbon. Au milieu d'une France qui se défait, il garde une armée, les troupes socialistes, pour parer à tous événements... Fier de savoir si bien l'allemand, de Kant à Hegel, à Hahn, à Nietzsche, il passe nécessairement aux pangermanistes. »

Sous la couverture d'une analyse « culturelle », la même accusation : Jaurès est un agent de l'Allemagne.

Jaurès sait bien ce que signifie ce climat : un appel au meurtre. Il le dit à plusieurs reprises, à mi-voix. Mais à quoi bon s'y attarder ? Il semble répondre à Barrès quand il écrit : « C'est au nom du génie national que ceux qui n'acceptent pas toutes les formules du nationalisme boulangiste ou réacteur sont marqués pour l'échafaud et pour l'abattoir. »

A Paris, dans le nouveau théâtre des Champs-Elysées qu'on vient admirer parce que les frères Perret ont utilisé pour sa construction du béton armé, Diaghilev prépare pour le 29 mai 1913 sa représentation du *Sacre du Printemps* de Stravinsky. Et l'on annonce déjà que le spectacle donnera lieu à des controverses inexpiables.

Contradictions de la vie sociale. Sous le léger voile printanier circulent au bois, dans la paisible transparence des feuillages, les élégantes, à bord de ces voitures de plus en plus nombreuses (100 000 en France), et l'on voit des robes claires, des hommes, manches retroussées et canotier, qui rament sur le grand lac du bois.

A quelques kilomètres de là, sur les collines du Pré-Saint-Gervais, ce sont aussi les canotiers, les ombrelles pour se protéger du soleil ce 25 mai 1913. Et tout en haut, sur le plus haut monticule, debout sur une voiture à cheval, la main serrant la hampe d'un drapeau, Jaurès en melon et redingote noire. Il parle. Le meeting a été préparé en quarante-huit heures et ils sont venus là, près de 150 000, l'entendre condamner la loi des trois ans, dénoncer la politique militariste, le péril de guerre.

Immense succès. Jaurès se félicite de l'affluence, de cette foule qui répond, qui ne veut pas pour employer le langage des camarades « se laisser conduire à l'abattoir ».

De ce meeting il sort renforcé, prêt à mener la bataille parlementaire qui s'engage. Elle sera longue, dure. Jaurès présente un contre-projet dont le but, dit-il, est « d'accroître la puissance défensive de la France ». Puisque les Allemands ont augmenté leurs effectifs, il faut dire au pays : « Couvre la frontière du Nord de forteresses, hâte-toi... Tes réserves, il faut lui faire des cadres coûte que coûte. » Les alliances ? « Un peuple quand il calcule les chances de l'avenir et l'effort nécessaire d'indépendance et de salut ne doit compter que sur sa force. »

Il reproche à la loi d'être archaïque. Inefficace. Il parle penché hors de la tribune, les mains ouvertes en direction du banc du gouvernement où sont venus s'asseoir des généraux. Il met toute sa conviction, et c'est pathétique de le voir, tendu, faisant résonner sa voix dans cet hémicycle glauque.

Caillaux pour sa part parlera sept heures, lui aussi contre la loi. La Chambre est attentive. Le 4 juillet quand on évoque les manifestations des soldats, que Jaurès à la tribune répond à Barthou qui attaque la CGT jugée responsable des incidents, les députés de droite se déchaînent, injurient Jaurès. Il hausse la voix, parle d'un ton détaché pourtant. Mais à la manière dont il évoque les menaces qu'il reçoit, on comprend qu'il a médité sur les risques qu'il court.

· « Dans vos journaux, dans vos articles, chez ceux qui vous soutiennent, commence-t-il, il y a contre nous, vous m'entendez, un perpétuel appel à l'assassinat. Il y a les calomnies les plus meurtrières, les plus imbéciles. Voilà où vous en êtes ! Après des colonnes de calomnies, vos journaux ajoutent en parlant de moi, de nous, de nos amis : A cette exécution s'ajoutera, au jour de la mobilisation, une exécution plus complète ».

Il cite un article de *La Dépêche de Toulouse*. Il y a déjà répondu dans le journal même, écrivant avec ironie de l'auteur — Paul Adam — : « Il ne suffit pas de m'accabler pour entrer à l'Académie française. » Il rappelle le texte de l'article : « M. Paul Adam ajoutait pour vous que tous ces hommes tomberaient frappés au premier jour de la déclaration de guerre, de la juste colère des Septembriseurs, parce qu'ils se font les complices de l'invasion (...). Ah ! Messieurs, on parle de Marat et de l'Ami du Peuple. Mais ses violences éparses et sincères ne sont rien à côté des violences froides et persévérantes des journaux royalistes. »

« *J'APPELLE...,   JE   PLEURE...,   JE   BRISERAI...* »

Il n'y a pas qu'eux. Il y a le raisonnable *Temps* qui écrit : « Voilà dix ans que Jaurès est en toute affaire contre l'intérêt national, l'avocat de l'étranger. »

Il y a Péguy qui, à la lecture des comptes rendus du débat à la Chambre des députés, déclare que « nous sommes très capables de supprimer en temps utile quelques mauvais bergers ». Et il ajoute en se donnant des airs héroïques, « en temps de guerre, il n'y a qu'une politique et c'est la politique de la Convention nationale. Mais il ne faut pas se dissimuler que la politique de la Convention nationale, c'est Jaurès dans une charrette et un roulement de tambour pour couvrir cette grande voix ».

C'est l'appel aux tueurs puisque cette « grande voix » on ne peut la faire taire.

Car si la loi a été votée par la Chambre des députés le 19 juillet (358 voix contre 204) puis par le Sénat le 7 août, Jaurès continue sa campagne, d'article en meeting. Et Caillaux maintenant (depuis le congrès de Pau d'octobre du Parti radical il est président du Parti radical) pose déjà comme il l'avait annoncé à Jaurès la question du financement des nouvelles mesures militaires. Or si Jaurès le socialiste, Jaurès « l'agent de l'Allemagne », Jaurès l'antipatriote est depuis longtemps caricaturé, s'il est clair que parmi les siens sa popularité est intacte, Caillaux, homme d'affaires, peut être, puisqu'il s'associe à Jaurès, très dangereux pour les hommes au pouvoir. Il a été ministre, président du Conseil. Il est respectacle. Certes il veut l'impôt sur le revenu mais il est difficile quand on le voit et l'entend de le peindre sous les traits d'un anarchiste. Caillaux va donc, pour quelques mois, devenir avec Jaurès la cible principale.

D'autant plus qu'il a la dent dure. Le 30 novembre 1913, sans le citer il parle de Briand, de ces « endormeurs qui ne sont d'aucun parti puisqu'ils veulent les subjuguer tous ». A la Chambre, il évoque l'énormité des dépenses militaires nouvelles et des impôts qui doivent en suivre. Le gouvernement veut les couvrir par l'emprunt. Caillaux propose au contraire, soutenu par Jaurès, l'impôt sur le revenu. Les débats sont vifs entre lui et Barthou. Bataille dont l'enjeu est double : fiscal certes mais chacun voit bien que derrière, c'est la loi des trois ans qui est visée.

Barthou semble d'abord l'emporter, réussissant à faire voter l'emprunt mais Caillaux attaque à nouveau et réclame, pour cet emprunt-là, de 1 300 millions de francs, la suppression de l'immunité fiscale. Barthou refuse, pose la question de confiance. On vote. Barthou est mis en minorité le 2 décembre 1913.

Jaurès exulte. Le gouvernement de la loi des trois ans vient d'être renversé.

Quand Barthou sort de la salle des séances, Edouard Vaillant applaudi par les députés socialistes lui lance : « A bas les trois ans. » Barthou répond de sa voix aiguë : « Vive la France. » Il n'en doit pas moins porter sa démission à Poincaré, et c'est pour le président de la République un échec personnel. Jaurès peut écrire dans *L'Humanité* du lendemain : « Le 2 décembre d'hier réparerait presque l'autre, si jamais l'autre pouvait être réparé. »

Comparer la chute de Barthou au coup d'Etat de Louis-Napoléon Bonaparte montre l'importance que Jaurès accorde à la bataille qu'il conduit et dans laquelle il vient de remporter, avec Caillaux, une manche.

Mais Poincaré, président de la République, utilise sa situation. Il devrait pour respecter l'esprit des institutions choisir Caillaux comme président du Conseil. Il refuse, biaise, charge Alexandre Ribot et Dupuy de constituer le gouvernement. Ils renoncent l'un et l'autre. Et c'est finalement le radical Gaston Doumergue, sénateur du Gard, qui constitue le nouveau gouvernement. Choix habile. Doumergue, laïque, républicain, est à gauche mais il a voté la loi de trois ans. Il choisit comme ministre des Finances Joseph Caillaux, tout en affirmant qu'il « appliquera loyalement la loi ».

Ce n'est donc qu'une partie remise qui ne sera tranchée qu'au moment des élections, au printemps de 1914. Chacun s'y prépare. Là, on saura si Caillaux et Jaurès ont gagné la bataille. Mais les quatre à cinq mois qui vont venir ne peuvent qu'être le théâtre d'affrontements sévères. La passion est trop forte. Les mises trop élevées.

Tous les observateurs étrangers constatent en tout cas que « la chute du cabinet Barthou est une attaque couronnée de succès contre le crédit du Président Poincaré, c'est la preuve de la puissance de ses adversaires ».

Ce succès suscite une vive émotion chez les nationalistes. Les calomnies contre Jaurès s'intensifient encore. Caillaux est lui aussi rudement frappé. Dans les rues, à la moindre occasion, les Camelots du roi manifestent. Quand Paul Déroulède meurt à Nice le 30 janvier 1914, cent mille personnes se rassemblent, gare de Lyon à Paris, pour recevoir le 3 février sa dépouille. Message du président Poincaré, présence de Briand, de Barthou, de Maurras, cortège jusqu'à l'Eglise Saint-Augustin et arrêt devant la statue de Strasbourg, voilée de crêpe noir, place de la Concorde, cris répétés de « Vive la France ».

Dans les semaines qui suivent, l'Action française qui avait

organisé lors de l'enterrement de Déroulède son propre cortège à l'intérieur du défilé, rassemble des centaines d'étudiants à Grenoble, à Nancy, à Paris.

Une droite élargie qui s'exprime lors de ces manifestations, une gauche formée des socialistes associés aux radicaux : c'est bien ainsi que Jaurès voit la situation. Au Congrès d'Amiens du Parti socialiste, à la fin janvier 1914, il a rassemblé les délégués autour de cette idée : au second tour des élections il faut battre le chauvinisme et la réaction militaire. Et, dans un grand discours, il a galvanisé les militants. Il est vraiment, dans ce Congrès, l'inspirateur du parti, son seul leader. Quand il lance aux délégués : « Maintenant nous pouvons aller au combat » une ovation unanime et prolongée le salue. On entonne *L'Internationale*. On va se battre et gagner.

Ce dynamisme de Jaurès, cette tactique électorale d'accord avec les radicaux, l'autorité renforcée de Caillaux — ministre et président du Parti radical — inquiètent Poincaré et Briand. Ce dernier est le plus retors. Feutré, il est, comme souvent ceux qui ont eu un parcours politique sinueux qui les a conduits d'un bord politique vers l'autre, habile à jouer des idées, à utiliser des arguments destinés à toucher ceux du camp qu'il a quitté.

Le 21 décembre 1913, il a prononcé un grand discours à Saint-Etienne tout entier dirigé contre Caillaux, parce qu'il sent bien que c'est l'association Caillaux-Jaurès qui est périlleuse. Il ne nomme pas Caillaux mais quand il parle des « démagogues ploutocrates qui dans le moment même où ils s'enrichissent avec une facilité scandaleuse ont le poing tourné vers la richesse, dans un geste si menaçant, si excessif que nous avons le droit de nous demander si c'est bien pour l'atteindre ou si ce n'est pas pour la protéger », on identifie facilement le ministre radical. Ce discours plein de sous-entendus est aussi lourd de menaces, comme un premier assaut encore retenu avant que l'on ne frappe à mort.

Jaurès est attentif. Il a vu Briand à l'œuvre. Il ne le manque pas, avec cette fois-ci une nuance de mépris. « Ce discours n'est pas un acte politique », dit Jaurès. « C'est l'explosion de colère impuissante d'un homme qui ne peut plus revenir à gauche et qui n'ose pas encore aller délibérément jusqu'à la droite se constituer contre l'ensemble des forces socialistes et radicales, le chef d'un grand parti conservateur et modéré. »

Jaurès voit juste. Dans quelques jours Briand va créer avec Barthou une Fédération des gauches. Et c'est dans les bureaux du journal *Le Petit Parisien,* avec la participation de son propriétaire Jean Dupuy, qu'elle se constitue. Dans le dessein évidemment de former ce « centre » modéré dont parlait Jaurès et d'attirer des électeurs radicaux. « Fédération des Renégats », diront les socialistes en y dénombrant d'anciens camarades. Jaurès avait été encore plus sévère puisque parlant de Briand, il s'était attardé — ce qu'il faisait rarement — sur l'homme auquel il n'avait pas accordé le pardon. « Il est visible, a dit Jaurès, par son aigreur et son dépit, que Briand a perdu sa confiance en lui-même et son assurance de jadis. Il plaide pour sa personne, aigrement, petitement, comme si sa personne était tout et comme si ce tout n'était rien. »

A lire ces lignes on sent chez Jaurès une sensibilité à vif. Les jours sont durs. Il mène le combat depuis si longtemps. Sa vie s'est déjà transformée en histoire. Roger Martin du Gard publie *Jean Barois* qui raconte les temps que Jaurès a vécus, dont il a été l'acteur, ceux de l'Affaire Dreyfus, du procès Zola.

Les camarades, les compagnons de lutte s'en vont. En quelques jours trois d'entre eux. Le 4 janvier 1914, l'un de ceux que Jaurès chérissait le plus, Eugène Fournière, ouvrier bijoutier, autodidacte de génie devenu titulaire d'une chaire d'histoire du travail à l'Ecole Polytechnique et au Conservatoire des Arts et Métiers, est mort. Il était l'un de ces hommes qui avaient fait *La Revue socialiste* avec Benoît Malon. Temps anciens, quand Jaurès ému essayait de rencontrer, jeune député timide et hésitant, ces hommes-là, les héroïques socialistes des origines.

Le 18 janvier c'est le général Picquart qui meurt, l'officier dont la rigueur morale a fait éclater l'Affaire Dreyfus. Et puis le 19 janvier 1914, le lendemain, le coup le plus dur, la mort de Francis de Pressensé, l'ami, l'allié de Jaurès, dans le parti, à la Chambre et surtout à *L'Humanité* où ses analyses de politique extérieure en page 3 du journal étaient supérieures par l'information, l'intelligence, la prévision à tout ce qui s'écrivait dans la presse française, et donc dans le hautain « bulletin de l'étranger » du *Temps.*

Mort, Pressensé qui voyait venir la guerre. Pressensé qui refuse dans son testament des obsèques religieuses, non parce qu'il ne croit pas en un Dieu de justice et d'amour, mais, dit ce fils de pasteur : « Je me suis séparé de toutes les églises et j'ai trouvé le maximum de religion dans le socialisme tel que je l'ai compris. »

Jaurès est très affecté par cette mort. Près de lui il reste Vaillant, l'ancien communard, Marcel Sembat, cet intellectuel fin qui écrit sur la peinture moderne — sur Matisse —, qui jongle brillamment avec les paradoxes et publie un livre à succès : *Faites un roi sinon faites la paix*. Mais Pressensé était plus proche. Jaurès parle sur sa tombe d'une voix lente. Il prononce des mots qui expriment bien plus que sa tristesse, qui sont, déjà, encore, un appel à la vie et au courage. « Quels que soient les coups répétés qui frappent sur nous, dit Jaurès, je ne veux prononcer aucune parole de faiblesse. Si grande que soit la perte faite par nous, quelque douleur que nous ressentions à la mesurer, c'est une invincible espérance qui vit en nous et notre allégresse se rit de la mort ; car la route est bordée de tombeaux, mais elle mène à la justice. » C'est aussi à sa propre existence qu'on pense quand meurt un être cher. Et Jaurès, quand il dit : « La puissance de vie qui est dans le socialisme emporte toutes les misères et dissipe toutes les ombres des destinées individuelles », parle de lui, à sa manière, pudique.

Pour honorer Pressensé, Jaurès tint le 22 janvier 1914 une réunion en plein cœur de ce quartier Latin que prétendaient dominer les Camelots du roi. Salle des Sociétés savantes où, bien des années auparavant, il avait évoqué le marxisme, polémiqué avec Lafargue... Encore un camarade disparu, mort en 1911, choisissant le suicide avec sa compagne Laura Marx pour échapper au vieillissement.

Dans cette salle, Jaurès fit le portrait moral et intellectuel de Pressensé, dont la vie s'opposait à toutes les attitudes qu'on voulait donner en modèle aujourd'hui à la jeunesse. Réponse de Jaurès à Agathon : « On vous dit, c'est le refrain d'aujourd'hui, allez à l'action. Mais qu'est-ce que l'action sans la pensée ? C'est la brutalité de l'inertie. » Et critique du philosophe Jaurès au professeur Bergson : « Méfiez-vous de ceux qui vous mettent en garde contre ce qu'ils appellent les systèmes et qui vous conseillent, sous le nom de philosophie de l'instinct ou de l'intuition, l'abdication de l'intelligence. »

Jaurès, qui n'abandonne jamais le terrain des idées, qui toute sa vie attentif à ce domaine — son domaine — s'est élevé contre la critique de la raison, qui conduit à se soumettre à ces « forces inférieures de barbarie qui prétendent, par une insolence inouïe, être les gardiennes de la civilisation française ».

Mais ces deuils, cette vigilance qui ne peuvent jamais se relâcher épuisent Jaurès, cet « ogre barbu » dont parle avec tendresse

Romain Rolland. Ce que sa détermination dans ces mois-là, son optimisme, son énergie doivent à sa volonté qui est aussi le fruit de son intelligence et de son sens des responsabilités, qui peut le dire ?

Il était dans sa cinquante-cinquième année. Il portait les cheveux coupés souvent plus court, abondants et drus. Chêne râblé, d'une vitalité forte qui n'exclut pas maintenant ces fréquents moments de fatigue et, cela se sent dans les mots qu'il emploie, d'exaspération. Une sorte de rage devant cette eau jaillissante que sont les événements. Ils sourdent de toutes parts.

Dans les Balkans, la Serbie est victorieuse de ses anciens alliés : la Russie et la France l'ont emporté par son intermédiaire. Pour combien de temps ? L'Autriche est décidée à ne plus tolérer la moindre avancée russe sous le masque serbe. Mais en Bosnie-Herzégovine les sociétés secrètes nationalistes, soutenues par les fonds et les agents russes, s'agitent, portées par les revendications patriotiques et les incitations du grand protecteur tsariste. Berlin soutiendra Vienne. Paris restera fidèle à Saint-Pétersbourg. Tous les détonateurs sont en place. « Est-ce que l'Europe va continuer ainsi ? » s'écrie Jaurès. « Ou bien les peuples finiront-ils par se lasser de tant de sottises et d'improbité ? L'Europe comprendra-t-elle enfin qu'elle ne peut se passer d'une conscience ! »

Mais l'engrenage tourne. L'ambassadeur de France à Berlin, Jules Cambon, a transmis le 22 novembre 1913 une information de l'ambassadeur belge dans la capitale allemande. Le roi des Belges avait eu l'occasion de bavarder longuement avec Guillaume II, à Potsdam, et celui-ci avait déclaré : « La guerre avec la France est inévitable. Il faudra en venir là un jour ou l'autre. » Puis l'empereur avait ajouté : « La politique française, bien loin de décourager à l'intérieur les esprits exaltés, a tendu depuis un certain temps à faire suspecter à tout propos et à contrecarrer l'Allemagne et je suis persuadé que l'idée de la revanche ne cesse pas de hanter l'esprit français. »

Jaurès ignore bien sûr cette communication diplomatique mais les faits visibles suffisent à lui permettre d'évaluer la gravité de la situation.

A l'Elysée réside un homme dont la paix n'est pas la préoccupation principale. Au contraire. Un homme qui est un ennemi de Jaurès. Qui n'a pas hésité à dire, visant Jaurès : « Plus que les sans-patrie déclarés, je redoute les docteurs insidieux en pacifisme et les conseilleurs de lâcheté. » Un homme qui a opposé *La Marseillaise* à *L'Internationale,* le drapeau tricolore au drapeau rouge. « Je suis pour la France, conclut Poincaré, contre tous ceux qui la trahissent, la renient ou la désertent. »

Poincaré, sur le mode noble, pense comme Urbain Gohier et les petits calomniateurs qui écrivent dans des feuilles à gages. L'Elysée est ainsi le bastion et le poste de commandement de l'attaque contre les adversaires de la loi des trois ans. Après Jaurès, Caillaux.

Briand avait lancé le premier assaut. « Caillaux, ploutocrate démagogue », attaquait la richesse pour mieux protéger la sienne, avait dit Briand. Simple effet oratoire ?

Briand, comme Poincaré et Barthou, entretenait les meilleurs rapports avec la grande presse. Pas seulement *Le Petit Parisien* de Dupuy. Calmette, le directeur du *Figaro*, était un ami de Poincaré, de Barthou et de Briand. Or la première femme de Caillaux avait cédé à Calmette un certain nombre de lettres intimes de Caillaux à sa maîtresse. Et celle-ci était devenue sa seconde femme.

A l'Elysée si l'on en croit certains témoignages, on s'intéressait beaucoup à une campagne de presse dirigée contre Caillaux. Elle a déjà commencé dans *Le Figaro*. Chaque jour Caillaux, « l'inquisiteur fiscal », est attaqué. En quelques semaines plus d'une centaine d'articles polémiques sont consacrés à l'ancien président du Conseil. Il est accusé — comme Jaurès — d'avoir trahi son pays pour l'Allemagne. N'a-t-il pas en 1911 négocié avec Berlin ? Cela n'est pas encore suffisant. Car Caillaux, ministre des Finances, subit, impavide, les outrages. Le 13 mars, *Le Figaro* publie une lettre privée de Caillaux à sa maîtresse, aujourd'hui sa femme. Une lettre du 5 juillet 1901, d'il y a 13 ans. Mais bien intéressante pour les ennemis de Caillaux. Caillaux y écrit notamment : « J'ai écrasé l'impôt sur le revenu en ayant l'air de le défendre. »

Briand était-il au courant du contenu de cette lettre ? Tout le laisse à penser puisque son discours du 21 décembre 1913 n'est que la traduction de ce propos de Caillaux. Le complot contre le président du Parti radical, allié de Jaurès, est en marche. On va plus loin. On rappelle une affaire ancienne, dans laquelle un homme d'affaires parvenu, Rochette, aurait bénéficié de la protection de Caillaux. A la demande du ministre radical le président du Conseil d'alors (Monis) aurait exigé du procureur général Fabre qu'il renvoie l'affaire. Calmette répète jour après jour l'accusation, prétend qu'il dispose d'un document rédigé par Fabre et rapportant le détail de la pression subie. Jaurès a suivi cette affaire, jadis, en 1911. Il a même présidé une Commission d'enquête à ce sujet qui n'a rien révélé. Mais Briand comme Barthou se sont succédé au ministère de la Justice et le procureur général Fabre a rédigé — des mois après la conclusion de l'affaire — un rapport qu'il a remis à Briand.

Calmette répète qu'il va publier d'autres lettres. Le 17 mars, Mme Caillaux demande à être reçue par le directeur du *Figaro*. Elle sort un pistolet de son manchon et le tue.

Caillaux démissionne, carrière brisée. Voilà un assassinat politique réussi au-delà de toute espérance.

Il faut lire la presse pour comprendre qui tire bénéfice de l'opération. *L'Action française* titre sur la « République de vendus et d'assassins », sur « Caillaux l'Allemand et la dame qui tue ». « Caillaux, c'est l'apache né riche, c'est le forban jouisseur, les pieds dans le fumier, les mains dans l'argent allemand, éclaboussé par le sang de Calmette qu'il incita sa femme à verser. Il continue à porter beau, ce bagnard du gouvernement, ce surineur de haut-de-forme, ce livreur de territoire contre argent comptant... »

Mais l'opération va plus loin. Caillaux démissionnaire n'est pas encore définitivement hors jeu. Une commission d'enquête parlementaire doit à nouveau examiner l'affaire Rochette. Et Barthou, en séance, à la Chambre, sort de sa poche le document du procureur Fabre, qu'il détient comme ancien ministre de la Justice. Son ami Calmette ayant été assassiné, il se sent autorisé à le livrer, dit-il.

A l'enterrement de Calmette — que certains qualifient de maître chanteur — les Camelots du roi se rassemblent pour porter en terre un héros. On frôle l'émeute.

Jaurès est à nouveau élu à la présidence de la Commission d'enquête. Coup double : s'il ne va pas jusqu'au bout le voici complice de Caillaux. S'il accuse le président des radicaux c'en est terminé de l'alliance entre les deux partis !

Jaurès, intègre, rendit un verdict mesuré. Démontrant qu'il n'y avait pas lieu à poursuite mais condamnant l'influence des affaires financières sur la politique. Il sortait indemne de l'affaire. Barrès, qui publiait sous le titre *Dans le cloaque* une série d'articles violemment antiparlementaires, antirépublicains, et naturellement hostiles aux radicaux, concédait avec ironie — puisqu'il était membre de la commission d'enquête : « Pour résumer mon impression, je puis dire que nous avons à notre tête, dans ce révolutionnaire, un excellent président de thèse en Sorbonne. »

Ces mots aimables ne pouvaient masquer la violence des affrontements politiques. Caillaux paraissait écarté de la scène. Sa femme était enfermée à la prison de Saint-Lazare en attendant son jugement. Et Jaurès ? Il répond à Barrès, avec une certaine complaisance, faisant référence à « cette âme de Sorbonne que M. Barrès croit toujours retrouver dans le révolutionnaire que je suis devenu... ».

Mais la distraction ne dure pas. « Ils ont eu Caillaux. » Jaurès est seul.

Cependant tout dépend encore des électeurs.

VIII

« ET MAINTENANT,
VOILÀ L'INCENDIE... »
(1914)

Chapitre 28

« Un abattoir où au sang du bétail se mêlera le sang des bouchers... » (avril-juin 1914)

Jaurès prend sa plume. Il est assis dans la salle proche de l'hémicycle où les députés écrivent leur courrier. C'est le 6 mars 1914. Depuis plusieurs jours, il est entièrement occupé par les séances de la commission d'enquête sur l'affaire Rochette, des séances épuisantes où il doit être constamment en éveil car on essaie de le prendre au piège qui s'est refermé sur Caillaux, à qui, comme le dit Marcel Sembat, on veut faire rendre gorge parce qu'il cherche « à faire payer à la bourgeoisie riche l'impôt sur le revenu ».

Jaurès écrit, sa plume court, lettres arrondies, mots qui doivent être tracés aussi vite que la pensée, si mobile. Il envoie ce mot à Charles Salomon, son correspondant des années de jeunesse.

Mon cher ami,

Je viendrai le dimanche 15 mars vers trois heures et je te quitterai un peu avant cinq heures pour aller rejoindre ma femme qui est attendue ce jour-là chez des amis et qui est très contrariée de ne pouvoir m'accompagner chez toi. Mais je n'aurai pas d'autre jour avant les élections.

Il va être entièrement pris par la campagne électorale d'ici au premier tour, fixé au 26 avril 1914. Elle s'annonce d'une violence inégalée. La grande presse, le pouvoir présidentiel, mettent en jeu toutes leurs forces, contre ce qu'ils appellent « le parti allemand », c'est-à-dire Jaurès, les socialistes, les radicaux de Caillaux, tous ceux qui sont adversaires de la loi des trois ans. Bataille politique intense car les enjeux sont clairs : pour la première fois depuis l'époque boulangiste, le nationalisme se présente à visage découvert. Et de ce fait la politique extérieure et le choix d'une politique militaire se trouvent placés au premier plan des controverses électorales.

Jaurès l'a voulu ainsi. Louis Dubreuilh, le secrétaire général du Parti socialiste, publie une brochure qui sera diffusée dans tout le pays et qui s'intitule : « *Le Socialisme c'est la paix* », qui reprend en outre les propositions de Jaurès pour une « armée nouvelle ». Contre elles la presse se déchhaîne. Celle de Poincaré et de Briand, *L'Action française* et ces journaux catholiques, *La Croix* et *Le Pèlerin* qu'Anatole France qualifie de « feuilles de sacristie ». *La Croix,* en première page, publie ainsi sous le titre : « Les deux amis », les photos de Jaurès et du Kaiser...

La campagne électorale rassemble donc contre Jaurès et la gauche une coalition hétéroclite dont le ciment est le nationalisme et l'alliance russe. De Maurras à Briand, de Poincaré à Clemenceau, de Barthou à Ribot, des hommes différents et opposés se retrouvent.

Briand hait Clemenceau qui à son tour déteste Poincaré. Rivalités de caractère et d'ambition que masque la même volonté de battre Jaurès, de continuer une politique extérieure active, qui frôle l'abîme de la guerre et accepte le risque du conflit.

Ce ne sont des uns aux autres que déclarations martiales et comme dit à propos de Clemenceau Jaurès des « paroles plus tranchantes que nettes ». On se pose en réaliste. « M. Jaurès parle toujours au futur. Moi, je parle au présent », dit Clemenceau. Or tous ces réalistes imaginent une guerre courte, de quelques jours. Jaurès seul est d'un avis contraire. Mais ils ont fait un choix politique dont ils ne peuvent plus se dégager. Ils ont pris, comme le dit Jaurès de Clemenceau, « la faction dans la guérite laissée vide par le départ de Déroulède ».

Dans la tête de Jaurès, ce 6 mars, cependant qu'il écrit à son ami Charles Salomon, il y a tout cela, le poids des responsabilités, la charge quotidienne des calomnies et aussi sur lui, la fatigue, ces migraines d'épuisement et de surmenage.

Et pourtant voici que sa plume glisse encore :

J'ai lu ce matin, reprend-il, *une moitié de la deuxième série des* 101 Propos *(d'Alain). C'est pour moi un éblouissement, si j'ose employer un mot qu'Alain n'aime pas à coup sûr et qui répugne à sa claire et tranquille vision si pénétrante et si rare. Il me semble que Bersot* [le directeur de l'Ecole normale quand Jaurès et Salomon y étaient élèves] *l'aurait aimé infiniment; et j'y trouve pour moi, dès l'abord, un grand profit — par ce qui nous unit et par ce qui nous sépare. Mes hommages à Madame Salomon, et bien à toi.*

Jaurès.

Ainsi Jaurès se ménage, en cette période décisive où il se donne à plein, le temps de prendre le recul de la lecture. Il dialogue avec Alain, qui dans ses *Propos* se situe presque toujours hors de l'actualité immédiate, tâchant de définir une position morale, toute imprégnée de sagesse méditée et d'humanisme. Dans ces heures déchirées, Jaurès prend les minutes qu'il faut pour lire (il lit Péguy, malgré tout ce que celui-ci écrit de lui) et relire les grands : Rousseau, Tolstoï, Shakespeare, et les classiques auxquels il revient sans cesse, dans leur langue, Homère, Virgile. Comme pour tenter de percer cette « énigme du monde » qui le hante parce que la guerre est aux portes.

Et en même temps qu'il interroge ainsi les cieux, il garde les pieds bien enfoncés dans sa terre albigeoise. Il conduit sa campagne électorale avec sa vigueur coutumière, parlant aux paysans en patois, disant aux mineurs que la France se défend avec son bulletin de vote.

Aux applaudissements qui l'accueillent, à cette certitude tranquille des camarades, de Calvignac, il sent, en homme d'expérience, qu'il est maintenant celui qu'on n'a pas pu abattre et qu'il s'est définitivement « acquis » sa circonscription. Mais, au soir du premier tour, quand il apprend qu'il est élu avec la plus forte majorité qu'il a jamais obtenue, soit 1 954 voix d'avance sur le candidat du marquis de Solages, et un total de 6 801 voix, il est ému, se prend la tête à deux mains, pleure, dit-on.

Après les outrages, la victoire.

Il en va de même dans tout le pays. Et c'est la victoire de Jaurès, le succès de ses analyses, de l'orientation donnée à la SFIO, de sa résistance au courant nationaliste, de l'accord réalisé avec les radicaux.

Symbole : Joseph Caillaux est réélu à Mamers en ne perdant que quelques centaines de voix.

Les socialistes gagnent près de 300 000 voix pour un total de 1 398 000 voix. Le groupe à la Chambre comptera 103 députés et Jaurès qui les a conduits à la victoire est leur chef incontesté. La

Fédération des gauches — celle de Briand, la « Fédération des renégats » — ne totalise que 23 sièges. L'un des porte-parole les plus vigoureux de la loi des trois ans, Joseph Reinach, est battu. On compte à la Chambre 136 radicaux et, sur 603 députés, 269 sont hostiles à la loi des trois ans.

Pour Poincaré et ses amis, c'est la stupeur. Pour tous les « Agathon » qui identifiaient la jeunesse aux quelques jeunes gens — « l'élite » — qu'ils interrogeaient, la déconvenue est amère. Les journalistes de la presse conservatrice ne peuvent dissimuler leur abattement. « Le progrès du socialisme dans les campagnes est un fait lourd de sens, effrayant », écrit *L'Echo de Paris*. Et dans le même journal Albert de Mun déclare : « Il ne sert à rien d'essayer, en ergotant sur les résultats de rassurer l'opinion publique. » Maurras est accablé : « Le vote des provinces, écrit-il, compromet l'application de la loi militaire et en menace l'existence. »

La Bourse s'inquiète. Isvolsky enrage. Le nouvel ambassadeur de France à Saint-Pétersbourg — Delcassé est rentré à Paris pour poursuivre sa carrière politique —, Maurice Paléologue, le confident et l'ami de Poincaré, publie une déclaration fracassante affirmant que l'alliance russe sera remise en cause si l'on touche à la loi des trois ans. Qui gouverne dans ce pays, interroge Jaurès, les citoyens ou le tsar de Russie ?

En fait les élections révèlent l'impopularité de la politique suivie par Poincaré, Barthou et Briand. Le peuple n'y adhère pas. Et le sens du scrutin ne saurait être détourné compte tenu de ce qu'a été la campagne électorale. Amers, certains journalistes de droite proposent ironiquement de faire appel à un ministère Combes-Jaurès !

En effet la question qui se pose à Poincaré est celle de la constitution d'un nouveau gouvernement. Doumergue a remis sa démission. La nouvelle Chambre lui paraît trop « à gauche ». Il sent venir les difficultés. Il est prudent. Il craint peut-être une campagne de presse identique à celle qui a visé Caillaux. Il se retire donc. Qui peut lui succéder ?

Poincaré n'est pas homme à s'avouer battu. Habile, il cherche un président du Conseil qui lui permette de continuer sa politique sans heurter de front la nouvelle majorité de la Chambre. Certes, même si cette combinaison l'emporte, elle sera fragile. Cela n'inquiète pas Poincaré. Les députés, surtout les radicaux, peuvent changer d'opinion. La logique même de l'institution parlementaire facilite évolution, revirement et reniement. Et puis qui est maître des événements internationaux ? A tout moment ils peuvent retourner le pays, lui démontrer que la politique de Poincaré est la seule possible et, la pression des faits aidant, il se la laissera imposer.

C'est pourquoi Poincaré se tourne vers Viviani. L'homme vient du socialisme. Il n'a pas été partisan de la loi des trois ans. Avec son corps un peu lourd, sa tête ronde, ses yeux inquiets, son allure moderne — moustache et cheveux courts — c'est un « homme charmant », paresseux, et maladif. D'une intelligence terne, il est cependant l'un des orateurs les plus éloquents de la Chambre, ondoyant. Il a fait ses débuts comme ministre du Travail et, on s'en souvient, il a proclamé avec fierté son irréligion, sûr, disait-il, « d'avoir éteint dans le ciel, des lumières qu'on ne rallumera pas ». Cet « éteigneur d'étoiles », comme le nomment les chansonniers, est au vrai un médiocre qu'attire le pouvoir. Il accepte la mission que lui confie Poincaré. Mais il se heurte au refus des radicaux qu'il pressent et qui veulent l'abolition de la loi des trois ans.

Viviani renonce. Echec de Poincaré. Jaurès dans *L'Humanité* répète que « la loi des trois ans compromet la défense nationale et qu'il sera d'autant plus urgent de l'abolir que la situation extérieure sera plus inquiétante ».

Poincaré biaise. On dit que le Président dispose sous la IIIe République de peu de pouvoirs. En fait, par le choix qu'il fait de l'homme qu'il propose aux députés, par la relation qu'il noue ainsi, toute de compromis, ou bien marquée par une volonté d'épreuve de force, il peut agir sur l'orientation du régime.

Poincaré est à l'affût. Il sait que Jaurès et Caillaux se sont vus. Certes pour l'heure Caillaux est hors jeu. Sa femme doit être jugée au cours du mois de juillet. Mais sa réélection, le succès de la gauche lui donnent un nouvel avenir. Une combinaison Caillaux-Jaurès serait d'une immense portée. Et alors qu'après l'assassinat du directeur du *Figaro* par Mme Caillaux et l'affaire Rochette on croyait impossible cette combinaison, son éventualité, à terme, se dessine à nouveau.

C'est dans les couloirs de la Chambre que Caillaux a rencontré Jaurès. Conversation exploratoire, mais de grande signification. Caillaux veut un grand ministère de gauche, dit-il, avec un programme de politique extérieure qui rechercherait les bases d'une conciliation européenne.

Puis devant l'attention approbatrice de Jaurès, Caillaux poursuit : « La chose n'est possible que si le Parti socialiste y donne un concours sans réserve et non seulement une collaboration parlementaire mais une collaboration gouvernementale. » Un temps de silence pour que Caillaux pèse les mots qu'il va prononcer : « En ce qui me concerne, poursuit-il, je ne verrais pas la possibilité de prendre le pouvoir à l'heure actuelle sans que vous entriez dans le Cabinet avec le portefeuille des Affaires étrangères. »

On juge du renversement de paysage politique que représenterait une telle nomination. En fait, c'est l'histoire de la France et de l'Europe en profondeur qui pourrait s'en trouver modifiée.

Jaurès au Quai d'Orsay ! Il écoute. Il promet son appui. Certes le Parti socialiste récuse, depuis le Congrès d'Amsterdam, la participation à des gouvernements bourgeois. Mais il y a des circonstances exceptionnelles que les motions de l'Internationale ont d'ailleurs prévues. Et Jaurès précise : « Etant donné l'imminence et la gravité du danger, il convient d'écarter la scolastique du parti. »

Une échappée d'espoir en ces heures sombres. La sensation exaltante et oppressante qu'on est au bord de l'emporter. Qu'on va pouvoir enfin, parce qu'on appuie de toute sa force sur ses battants, tenir fermées les portes de la guerre.

Et il est vrai qu'on vit, ces jours-là, où apparemment il ne s'agit que de trouver un président du Conseil pour une nouvelle majorité, l'un de ces instants où l'histoire hésite.

Certes des déterminismes souterrains jouent. Et là-bas, en Serbie, les terroristes de l'organisation secrète *La Main noire* préparent leurs grenades et leurs revolvers. Ils savent que l'archiduc François-Ferdinand veut, par une structure fédérale de l'Empire austro-hongrois, permettre la création d'un pôle slave autour duquel pourraient se regrouper tous les Slaves des Balkans. Or les Serbes soutenus par les Russes ont le même projet, mais la Serbie devenant le centre du rassemblement des Slaves.

Pourtant, malgré cela on peut incurver le destin. Jaurès le croit. Poincaré aussi.

Habilement il choisit comme nouveau candidat à la présidence du Conseil Alexandre Ribot. Provocation. Cela équivaut à brandir devant un jeune taureau un chiffon rouge. Car Ribot, sénateur, est depuis des années l'un des chefs de la droite parlementaire. Il s'est déjà opposé à Jaurès à propos de l'alliance russe il y a plus de dix ans ! Et c'est ce conservateur de soixante-dix ans que Poincaré pousse en avant. L'homme est ferme. Il n'a plus exercé la charge de président du Conseil depuis 1895, mais il constitue rapidement un ministère où l'on retrouve Delcassé à la Guerre. Et il se présente devant la Chambre des députés le 12 juin 1914.

Poincaré espère-t-il le voir réussir ? Il connaît trop son monde politique pour l'imaginer. Mais il use ainsi la détermination de l'Assemblée, lui procure l'occasion d'un succès, montre, en même temps, sa détermination personnelle. Voilà son choix, à lui président de la République.

A la Chambre c'est une levée de boucliers contre Ribot. Humiliation faite au Parti républicain, lance-t-on. Ce n'est pas vous que le pays attendait. Des socialistes crient même : « Ribot au Père-Lachaise ! »

Ribot fait face, défend les trois ans. « Sachant ce que je sais... » commence-t-il.

Marcel Sembat se dresse, l'interrompt : « Tous les arguments soit, mais pas celui-là, pas la panique... »

On vote : la confiance est refusée à Ribot par 306 voix contre 262. Jaurès s'enthousiasme : « La volonté populaire, écrit-il, a eu raison de toutes les forces combinées de réaction, de ruse et de violence... » Sa plume file, résolue, entraînée par la conviction qu'on peut, qu'on doit l'emporter. Jaurès dit qu'il a vu « le Parti républicain, résolu, ironique, implacable, se dresser et dire à tous, aux Poincaré, aux Joffre, aux Paléologue, à tous les artificiers de pouvoir personnel, à tous les artisans de panique, à tous les oligarques d'académie et d'antichambre : la France républicaine a parlé. Il faut que sa voix soit entendue ».

Car Jaurès a bien saisi que c'est Poincaré qui mène le jeu et que — voilà pourquoi la partie est difficile et la mise élevée — c'est le Président qui sortira vaincu ou vainqueur. Et c'est au Président qu'il s'adresse directement : « M. Poincaré, interroge-t-il, voudra-t-il être un Président rageur et têtu et s'acculer lui-même au terrible dilemme : se soumettre ou se démettre ? »

Jaurès commet une double erreur. Il sous-estime Poincaré. La carte Ribot jouée, le Président ressort Viviani. Voilà mon candidat de compromis, dit-il ainsi. Si vous le rejetez à nouveau, c'est la crise, peut-être celle des institutions et ce dans une période de tension internationale.

Autre erreur de Jaurès : il surestime les députés radicaux. Le risque de crise longue les inquiète. Le système parlementaire conduit à l'érosion des points de vue et aux solutions moyennes. N'est-ce pas le cas avec Viviani ? N'avons-nous pas montré en rejetant Ribot notre conviction ?

Viviani constitue un gouvernement anodin et, le 16 juin, déclare devant la Chambre qu'il va s'en tenir à « l'application exacte de la loi des trois ans. » Les mêmes députés qui l'avaient rejeté, qui avaient écarté Ribot, qui semblaient prêts pour un gouvernement Caillaux-

Jaurès, accordent leur confiance à Viviani par 362 voix contre 139. Jaurès et les socialistes ont voté contre lui.

Jaurès est amer. Il parle de l'attente du pays, des « soldats leurrés », des « vaines espérances ». « Les soldats, après tout, dit-il, ont le droit de croire que les hommes politiques ne se démentent pas absolument en leur fond. »

Il constate, entre ce qu'exigeait de courage et de lucidité la gravité du moment et les décisions des hommes, un tel écart qu'il en est parfois accablé. Il dit : « Tout cela est trouble, obscur, contradictoire, intenable et intolérable. »

Ses camarades, Renaudel, Landrieu, les administrateurs de *L'Humanité,* le voient si las qu'ils décident de l'arracher à ses livres, à la villa de la Tour, à la Chambre où Viviani vient de faire voter un emprunt pour couvrir les dépenses militaires, il est vrai frappé d'un impôt. (Rien de semblable ne s'était produit depuis 1797 !)

Ils entraînent Jaurès vers l'Isle-Adam où Blanche Vogt, cette étudiante qu'il morigénait, est installée. Déjeuner champêtre, conversation à bâtons rompus, optimisme de Jaurès qui se détend peu à peu. Il croit, dit-il, que les capitalistes s'épouvantent devant les conséquences de la guerre. Jaurès exprime cette idée que les éléments les plus avancés du capitalisme — et il pense à des hommes comme Caillaux — sont lucides. Que la guerre, même portée par le capitalisme comme la nuée dormante porte l'orage, peut ainsi être évitée. Il faut agir. Aider les hommes raisonnables. Il mange de bon appétit. Il récite du Virgile. Des ouvriers avertis de sa présence accourent pour le saluer. Ce sont quelques heures de paix. Le mécanicien de locomotive qui, sachant qu'il va prendre le train du retour pour Paris, descend de sa machine vient serrer la main du citoyen Jaurès, entouré d'ouvriers. Image fraternelle d'une époque qui meurt.

Le 27 juin, Jaurès écrit son article pour *L'Humanité* du lendemain. Il trace la première ligne. « Il n'y a pas de plus grave problème que celui de la main-d'œuvre étrangère »... Les ouvriers étrangers sont plus de 1 200 000, souvent exploités, humiliés. Il faut, dit Jaurès, les « protéger contre l'arbitraire administratif et policier... » et il condamne les nationalistes qui égarent l'opinion sur de « fausses pistes ».

Il écrit et deux terroristes de la Main noire, Tchabrinovitch et Prinzip, attendent à Sarajevo.

Le 28, quand l'archiduc François-Ferdinand et sa femme arrivent dans la capitale bosniaque, le premier des terroristes lance une grenade et manque son but. Prinzip, quelques instants plus tard, tuera le couple. La mèche a commencé de brûler.

Jaurès réagit à chaud, dès le 29 juin. « C'est inutilement qu'on assassinera les peuples et les rois », dit-il. Ce double meurtre, « c'est un filet ajouté au fleuve de sang qui a coulé en vain sur la péninsule balkanique ».

Il n'y a pas de solution, ajoute-t-il, dans la brutalité et l'oppression. Liberté, droit, justice, paix : voilà la clé des problèmes. » Sinon ?

« Si l'Europe entière ne révolutionne pas sa pensée et ses méthodes... l'Orient de l'Europe restera un abattoir où au sang du bétail se mêlera le sang des bouchers, sans que rien d'utile ou de grand germe de tout ce sang répandu et confondu. »

L'article de Jaurès est publié dans *L'Humanité* du 30 juin. Ce jour-là, un mardi, se tenait un conseil des ministres. Il y fut à peine question de l'Autriche et beaucoup des congrégations.

Chapitre 29

« Citoyens, je dis ces choses
avec une sorte de désespoir... »
(juillet 1914)

Juillet 1914 s'annonçait beau. Dans les demeures bourgeoises, à Paris, on commençait à penser au départ pour la Côte normande, Deauville ou Cabourg. Sur les Champs-Elysées on dressait les mâts et les estrades en prévision du défilé du 14 juillet qui devait être, disaient les journaux, l'un des plus grandioses que la France ait connu. On parlait du Tour de France et de Mme Caillaux dont le procès s'ouvrait devant les assises le 20 juillet. Pas un quotidien qui n'y consacrât chaque jour un article.

Un été de paix ? Pourquoi pas ? Cela faisait des années qu'on se tuait dans les Balkans. Et Jaurès lui-même n'avait-il pas écrit que le meurtre de l'archiduc n'était qu'un « filet de sang de plus » ? Il rédigeait pour une revue étrangère un long article où il affirmait précisément que la guerre n'était pas inévitable. Les banquiers, les industriels européens devaient et pouvaient s'entendre. L'action des hommes, leur pensée devaient canaliser les tumultes du capitalisme afin qu'il se discipline. C'était possible.

L'atmosphère politique semblait d'ailleurs s'être un peu détendue. Le Sénat venait d'adopter l'impôt sur le revenu. Viviani avait fait des promesses. Les attaques des journaux de droite, depuis quelques jours, se faisaient moins nombreuses. Ils avaient tout dit déjà de Jaurès et les électeurs avaient montré qu'ils résistaient à ces propos.

Un peu de paix, dans la chaleur estivale qui faisait souffrir Jaurès. Il étouffait à Paris. C'était le moment où il aimait s'installer à Bessoulet mais la session parlementaire continuait.

Il rentrait donc villa de la Tour.

Louis, son fils, partait pour le Var, en vacances. Malgré les inquiétudes de Jaurès, il venait d'obtenir sa première partie de baccalauréat. Jaurès en était heureux, attentif malgré ses préoccupations aux études de Louis. Il allait le chercher il y a des années à la sortie du lycée Janson-de-Sailly. Il avait écrit à ses amis professeurs Charles Salomon et Frédéric Rauh pour leur recommander Louis, faible en mathématiques. Il rêvait pour lui d'une carrière au Conseil d'Etat, à la Léon Blum. Il éprouvait en regardant ce grand adolescent aux traits fins une émotion qu'il dissimulait mal. Il ne tenait pas à ce qu'il devînt un homme politique. Cette vie de combat était trop dure. Mais comment l'en empêcher ? On disait que Louis Jaurès avait fondé, à Janson-de-Sailly, un groupe d'étudiants socialistes.

Le soir, villa de la Tour, les fenêtres ouvertes, Jaurès, à regarder l'arbre qui poussait devant la maison et dont la cime montait jusqu'au premier étage, ressentait encore avec plus de force la nostalgie de la campagne. L'été n'était pas fait pour les villes.

Heureusement il échappait à Paris, pour une réunion dans l'une de ces villes de province où l'air était plus campagnard.

Le 5 juillet 1914, Jaurès est ainsi à Rochefort.

Pour la première fois en mai un député socialiste a été élu dans le département. Un bon, un chaleureux accueil pour Jaurès. Il se laisse aller, il parle avec une souple liberté de ton : « Nous sommes dans une Europe qui se prétend civilisée. Voilà vingt siècles qu'est mort sur le gibet l'homme du calvaire, qui disait : paix aux hommes de bonne volonté, et comme lui nous disons paix entre les nations... »

En ces jours Jaurès pense souvent à la religion, à ce qu'elle signifie. Comment il est possible de s'appuyer sur elle pour empêcher la guerre, cette « sauvagerie ». Aux questions qu'elle porte sur le sens de la vie.

Et puis, devant cette salle enthousiaste, il parle de la situation politique intérieure : « Nous ne voulons aucune confusion », dit-il. « Nous ne voulons pas que tel ou tel des nôtres assume dans des ministères mixtes la responsabilité du pouvoir... »

Est-ce une manière officielle de répondre à la proposition de Caillaux, ou bien simplement de dire que c'est le parti tout entier qui doit décider et non tel ou tel de ses membres ? D'ailleurs s'associer aux radicaux ? Est-ce qu'on sait ce qu'ils pensent réellement ?

« Il ne faut pas avoir des idées de lundi et des idées de mardi »,
dit-il. « Ce que je reproche aux radicaux c'est de ne pas savoir se
décider. » Ne viennent-ils pas de voter pour Viviani ? Jaurès retient
la salle qui s'apprête à siffler. « Ah, dit-il, je ne veux pas parler du
ministère Viviani avec sévérité. » On sent une tendresse pour
l'homme. Ce n'est pas Briand — la salle hurle « A bas Briand ». « Il
a voulu arriver plus vite. » Mais, Jaurès hausse la voix, « l'essentiel
n'est pas d'arriver mais d'arriver en montant, non pas en descendant. »

Pourtant, malgré ces quelques hommes pressés qui s'éloignent,
« il ne faut pas désespérer de l'idée socialiste... qui porte la nouvelle
flamme, la croyance, l'espérance dans l'avenir de l'esprit humain ».

On se lève, on crie : « Vive Jaurès, vive la Sociale. » Jaurès
s'éponge, épuisé. Heureusement il y a l'air de l'Océan.

Ce même jour, 5 juillet, à Kiel, Guillaume II dit à François-
Joseph, empereur d'Autriche, qu'il faut en finir avec les Serbes. Mais
naturellement, pas de guerre générale. Un conflit local.

Seulement cela ? En ces premiers jours de juillet, Jaurès et
l'opinion veulent le croire. Et pourtant la guerre est dans tous les
esprits. Péguy confie à un ami : « Puisqu'il faut y aller, j'aime bien
mieux que ce soit moi que mes enfants. » Alain note : « C'est la paix
qui est difficile. C'est la raison qui est rare. Et c'est la prudence que
je veux honorer, car aucune folie n'est prudente, aucune passion
n'est prudente. Et l'on se pique d'héroïsme comme de morphine.
Terrassier mon ami, il faudra que nous donnions la douche à tous ces
fous-là. »
Le propos d'Alain est du 7 juillet 1914.
Ce jour-là Jaurès est à la Chambre. Viviani avec son éloquence
veut obtenir des députés le vote d'un crédit de 400 000 francs pour le
voyage qu'il doit accomplir aux côtés de Poincaré, en Russie, pour y
rencontrer le tsar Nicolas II. Puis les hommes d'Etat français
rendront visite aux souverains scandinaves.
Jaurès proteste. Une nouvelle fois il évoque les « traités
secrets » qui nous lient. Vaillant lance : « C'est au tsar Nicolas II que
nous devons la loi de trois ans. » Les crédits sont pourtant votés et
l'atmosphère de passion retombe. Jaurès peut même ironiser : « Que
M. Poincaré coiffe une casquette de marin et aille respirer les souffles

de la Baltique... La fonction de M. Poincaré est de voyager, qu'il voyage... »

Jours décidément plus calmes, comme une vague qui se retire le temps de se gonfler à nouveau.

Ce 13 juillet elle commence à déferler.

Le rapporteur de la commission de l'armée au Sénat, Charles Humbert, est un homme craint des gouvernements. Poincaré dit de lui : « Humbert a tous les dossiers des ministres de la Guerre. Le ministère a des secrets pour le ministre. Il n'en a pas pour lui. La moitié de l'armée est de sa clientèle. C'est un danger d'Etat. »

Poincaré craint qu'on ouvre les dossiers. Et le 13 juillet, Humbert le fait. Effarant, s'écrie Clemenceau en entendant le sénateur, point après point, énumérer les insuffisances de l'organisation militaire. Accablantes dans tous les domaines. Millions dépensés en pure perte, gabegie, imprévoyance. « Nous ne sommes ni défendus ni gouvernés », lance Clemenceau. Les ministres sont atterrés par ces révélations. Encore des faits qui confirment les analyses de Jaurès sur la nécessité d'une réforme de l'armée.

Le 14 juillet, le jour même où les troupes paradent en pantalons rouges sur les Champs-Elysées devant les hommes en noir, Poincaré, Viviani, il écrit deux articles, *L'Explosion* et *Leur Œuvre,* qui stigmatisent la « criminelle imprévoyance, la funeste incapacité, l'ineptie, la paresse intellectuelle, que démontrent ces terribles révélations qui devraient discréditer à jamais la réaction militaire et chauvine ».

Les milieux nationalistes, le gouvernement sont désemparés devant ces faits qui, quelle que soit l'intention du sénateur, apportent des arguments aux adversaires de la loi de trois ans.

Il leur faut réagir, détourner l'attention de l'opinion de ces problèmes vitaux de la Défense nationale qui, compte tenu de la politique extérieure conduite, à hauts risques, dévoilent leur irresponsabilité.

Il est d'autant plus nécessaire d'attaquer à nouveau, d'isoler des boucs émissaires que le 16 juillet Poincaré, Viviani, de Margerie, directeur politique au Quai d'Orsay, des généraux, quittent Paris à bord du cuirassé *France* pour Cronstadt. Il ne faut pas qu'on puisse associer ce voyage à ces critiques contre la gestion de l'armée.

On comprend que lorsque, au Congrès extraordinaire du Parti socialiste qui se tient le 14 juillet à Paris, Jaurès fait voter — contre

Guesde — une motion qui déclare que l'un des moyens les plus efficaces pour lutter contre la guerre « est la grève générale ouvrière simultanément et internationalement organisée », les adversaires de Jaurès s'emparent de ce texte pour accabler le leader socialiste.

Rien d'exceptionnel ni d'inédit dans cette motion : au contraire. L'affirmation de la *simultanéité* internationale de la grève est une garantie que la France ne se « paralysera » pas seule. Jaurès le répète jour après jour : « La grève générale sera concertée et bilatérale ou ne sera pas. » Rien n'y fait. Contre lui s'est à nouveau projetée avec violence, la vague de la haine.

Jamais elle n'a déferlé si fort. Et c'est dans de nombreux journaux l'explicite appel au meurtre contre « le Prussien », « Herr Jaurès ».

Le détournement de sens de la motion est délibéré. *Le Temps,* le modéré *Temps,* le raisonnable *Temps,* parle de « thèse abominable ».

Maurice de Waleffe dans *L'Echo de Paris* écrit le 17 juillet 1914 : « Dites-moi, à la veille d'une guerre, le général qui commanderait à quatre hommes et un caporal de coller au mur le citoyen Jaurès et de lui mettre à bout portant le plomb qui lui manque dans la cervelle, pensez-vous que ce général n'aurait pas fait son plus élémentaire devoir ? Si, et je l'y aiderais. »

Maurras dans *L'Action française* n'hésite pas : « Chacun le sait, M. Jaurès c'est l'Allemagne. » Et comme la menace ne doit pas être prise à la légère, Maurras ajoute : « On sait que notre politique n'est pas de mots. Au réalisme des idées correspond le sérieux des actes. »

Et parce que Jaurès a évoqué « l'immense force des événements qui ne tient pas aujourd'hui dans un homme mais bien à l'ordre invincible des choses », Daudet, dans la même *Action française,* va aussi loin qu'il est possible dans le souhait du crime : « Nous ne voudrions déterminer personne à l'assassinat politique », écrit Daudet, « mais que Jaurès soit pris de tremblement. Son article est capable de suggérer à quelque énergumène le désir de résoudre par la méthode expérimentale la question de savoir si rien ne serait changé à l'ordre invincible dans le cas où le sort de M. Calmette serait subi par M. Jean Jaurès. »

Tuer Jaurès : les mots sont donc imprimés le 23 juillet 1914. Autour de Jaurès on s'inquiète. Charles Rappoport signale ces articles à Jaurès. Il répond en haussant les épaules : « N'y attachez aucune importance, M. Charles Maurras ne peut pas me pardonner de ne le jamais citer. »

Rappoport pourtant demeure mal à l'aise, évoque l'article avec Philippe Landrieu. L'administrateur de *L'Humanité* n'est pas surpris. Tous les jours il reçoit des lettres de menaces contre Jaurès. Nombreuses sont celles qui arrivent chez lui rue de la Tour ou à la Chambre. Celle-ci, anonyme :

Monsieur,

Le Comité des dix réuni aujourd'hui a voté à l'unanimité la peine de mort. Motif : par vos actes, par vos écrits, vos discours contre l'armée, vous vous êtes montré traître à la France. Quand l'heure décidée aura sonné, vous mourrez n'importe où vous soyez.

Les Dix.

Quand on évoque la possibilité de le protéger, Jaurès a un mouvement de mauvaise humeur ou d'indifférence. Le risque fait partie de sa vie. Il a montré à plusieurs reprises, dans la rue, mêlé aux manifestants, qu'une charge de gendarmes ne l'impressionne pas. Il est courageux et aussi trop profondément humble, conscient qu'il n'est qu'un homme parmi les hommes pour attacher de l'importance à sa protection.

Et pourtant il sait, intuitivement toujours, qu'il est lui-même un obstacle majeur à la guerre. Quand Paul-Boncour vient le saluer, villa de la Tour, dans les jours qui suivent le Congrès, au moment où les insultes et les menaces tombent comme grêle, il dit comme s'il rappelait un pressentiment : « Ah, voyez-vous, tout, tout faire encore pour empêcher cette tuerie ! Ce sera une chose affreuse... D'ailleurs on nous tuera d'abord, on le regrettera peut-être après... »

Et puis la vie chasse les pressentiments. Comment concevoir l'instant de sa propre mort et comment imaginer que la guerre est possible alors que Paris danse en cette mi-juillet ?

Karl Liebknecht qui a assisté au Congrès socialiste est saisi par l'atmosphère de la capitale. La « gaieté qui anime cette foule mouvante, qui saute, plane et vogue me semble étrangement retenue », note-t-il.

Paris danse au son discret d'orchestres dont les estrades rapidement montées se sont répandues partout dans la ville. « On danse vif et gracieux, on danse presque sans bruit, sans note brutale, sans rire grossier ni geste vulgaire, sans se pousser ou se bousculer rudement. C'est une claire nuit de juillet. »

Liebknecht a vu Jaurès écrire en quelques minutes son article, « au milieu d'un tas de gens bruyants courant de part et d'autre ». Il est fasciné par cette « concentration de Jaurès qui semble séparer par un triple mur son cerveau du monde extérieur ».

Au Congrès, il a entendu Georges Weil, député socialiste de Metz au Reichstag et correspondant de *L'Humanité* à Berlin. Weil s'est exprimé en français, naturellement, recueillant des acclamations. Puis Liebknecht, après s'être promené sur les boulevards, s'est séparé de ses camarades, Jaurès, Renaudel, Longuet. Oui, comment imaginer la guerre ?

Pourtant elle fait trembler le sol de l'Europe, au rythme des parades des soldats de la garde impériale qui défilent devant Poincaré, Viviani et les officiels français qui sont arrivés à Cronstadt le 20 juillet.

Débarqués du cuirassé *France,* ils ont embarqué à bord du yacht de Nicolas II, *Alexandria*. Destination Peterhof. Le 23 juillet la revue passée à Krasnoïe Selo est spectaculaire. Uniforme blanc, tête tournée martialement vers les tribunes, cavalcades de l'artillerie montée. C'est bien le « rouleau compresseur » russe prêt à déferler. Les troupes crient en passant devant le tsar : « Nous sommes heureux de servir Votre Majesté. » Les journalistes français sont enthousiastes. Ils oublient les défaites de 1905. Seul le correspondant de *L'Humanité* s'indigne de ce qu'il entend, « ces paroles d'obéissance servile où se dévoile une mentalité des époques féodales ».

Les discours sont fermes, les entretiens tête à tête assurent la Russie de la fidélité française à l'alliance. Et le tsar, personnellement prudent, en tire la conclusion qu'il peut aller de l'avant, soutenir les Serbes. Les Français sont là.

Il faut apprécier ce que ce voyage, dans l'incertitude internationale, signifie aux yeux de la cour de Russie. Un inconditionnel soutien à toutes ses initiatives.

Voyage de préparation à la guerre puisque l'entourage impérial que domine le « mage » Raspoutine tire, des assurances données par Poincaré, la conviction que des « jours historiques, des jours sacrés » approchent. L'une des grand-duchesses dit à l'ambassadeur de France, Paléologue : « La guerre va éclater. Il ne restera plus rien de l'Autriche. Vous reprendrez l'Alsace et la Lorraine. Nos armées se rejoindront à Berlin. »

La responsabilité du gouvernement français est donc directe, et Poincaré et Viviani refusent de voir la réalité. Alors que Poincaré traverse Saint-Pétersbourg une grève immense paralyse la ville. Et l'opinion française ignore tout de cet événement considérable, lourd d'avenir. C'est Jaurès qui en donne les détails puisés dans le *Times*. Les typographes, les conducteurs de tramways ont dressé des barricades isolant des quartiers de Saint-Pétersbourg. Pour la première fois depuis des années des cosaques ont chargé dans les rues, réussissant à maintenir les manifestants loin du cortège officiel.

Où sont les faits et les commentaires fournis par la presse française ? Jaurès tire des événements des conclusions qu'il est le seul à formuler avec, une fois de plus, cette faculté d'analyse qui le conduit par l'image à pénétrer le secret du développement historique. Dans ces ouvriers russes qui ont arraché les drapeaux tricolores pour les lacérer et en faire des drapeaux rouges, il voit la preuve que « partout la révolution est à fleur de terre ». « Bien imprudent serait le tsar s'il déchaînait ou laissait déchaîner une guerre européenne », écrit-il. Et il en irait de même pour la monarchie austro-hongroise. Et cette conclusion en forme de prévision : « Sous tous les régimes de compression et de privilèges, le sol est miné et si la commotion de la guerre se produit, il y aura bien des effondrements et des écroulements. »

L'article de Jaurès paraît dans *L'Humanité* du 23 juillet. Ce jour-là Poincaré et Viviani ont quitté Cronstadt et voguent à bord du *France* vers Stockholm.

Moment attendu par le gouvernement de Vienne qui lance à la Serbie un ultimatum. En fait Vienne, sous couvert de l'enquête à conduire sur l'attentat de Sarajevo, demande l'abdication de la souveraineté nationale de Belgrade. Le 24 Jaurès prend connaissance de l'ultimatum. « Note effroyablement dure », dit-il, inquiet, anxieux même. « Elle semble calculée pour humilier à fond le peuple serbe ou pour l'écraser... On peut se demander si la réaction cléricale et militariste autrichienne ne désire pas la guerre et ne cherche pas à la rendre possible. Ce serait le plus monstrueux des crimes. »

Cette fois-ci, la guerre prend l'Europe et Jaurès à la gorge. L'opinion continue de se préoccuper du procès de Mme Caillaux, de l'habile défense du ministre qui heure après heure retourne par ses dépositions le jury et va ainsi vers l'acquittement de sa femme, mais tous les observateurs savent que le feu de la mèche allumée le 28 juin 1914 à Sarajevo est proche du baril de poudre. Le 25 juillet, la Serbie n'ayant accepté qu'une partie des exigences de Vienne, les relations diplomatiques sont rompues entre les deux pays.

Jaurès ce 25 juillet est à Vaise près de Lyon. Réunion électorale pour une élection partielle. Foule importante que l'angoisse commence à étreindre et les visages, sous la lumière crue des ampoules blanches, sont tendus, pâles comme des masques, vers la tribune que Jaurès a saisie à pleines mains. Il sait depuis une demi-heure à peine que Belgrade et Vienne ont rompu leurs relations. Seulement quelques mots d'introduction et puis le souffle rauque de l'inquiétude. Jaurès démonte l'engrenage de la guerre générale possible : « Jamais depuis quarante l'Europe n'a été dans une situation plus menaçante et plus tragique que celle où nous sommes », commence-t-il... « Chaque peuple paraît à travers les rues de l'Europe avec sa petite torche à la main et maintenant voilà l'incendie. »

La salle est muette, saisie. Elle savait la paix menacée, elle n'imaginait pas qu'elle agonisait. « Citoyens, reprend Jaurès, je dis ces choses avec une sorte de désespoir, il n'y a plus, au moment où nous sommes menacés de meurtre et de sauvagerie, qu'une chance, c'est que le prolétariat rassemble toutes ses forces... que le battement unanime des cœurs écarte l'horrible cauchemar. »

Ovation de la foule qui communie. Et qui se disperse, reprise par la nuit lourde de juillet.

Il faudrait agir, tenir cette foule par plus que des phrases, faire de ces auditeurs des acteurs. Dans *La Bataille syndicaliste* on a appelé ce samedi 25 juillet à manifester lors des retraites militaires. Et effectivement on a crié : « Vive la République », « A bas la guerre », « Vive Caillaux », « A bas les trois ans » sur le passage des fanfares. Et sur les boulevards des débuts de manifestations se sont produits.

On sent une montée de l'effervescence ouvrière en faveur de la paix. Et Jaurès est en train de gagner son pari de rassembler, autour de son action, toutes les forces du mouvement ouvrier : le Parti socialiste et la CGT.

Le dimanche 26 juillet, il reste à Lyon, déjeune avec Marius Moutet, le candidat socialiste, visite le musée puis seulement le soir prend le train de Paris. Il est tellement tendu qu'il a besoin de ces périodes de quelques heures où la fraternité d'un repas, la contemplation d'un tableau créent la respiration nécessaire.

Mais ce même dimanche des centaines de nationalistes ont défilé sur les boulevards à Paris aux cris de : « Vive l'armée », « Vive la guerre », « A Berlin ».

L'union des syndicats de la Seine et *La Bataille syndicaliste* ont décidé de riposter le 27 au soir.

Jaurès est dans le train qui le ramène à Paris. A Dijon, panne. Il se précipite au siège du journal local, *Le Progrès de Dijon*, afin de consulter les dépêches et de téléphoner son article. Les journalistes l'entendent avec admiration dicter après quelques minutes son éditorial à *L'Humanité*. Il l'a composé sans l'écrire et il le répète mot à mot une seconde fois. Il demande aussi qu'on ne fasse rien dans *L'Humanité* pour mettre en évidence la faiblesse militaire de la France.

Cependant il s'insurge. Poincaré et Viviani sont toujours, en ces heures graves, absents. Et les journalistes provinciaux l'ont entendu dicter la phrase suivante : « Mais nous Français, qu'on va peut-être tenter de précipiter dans le gouffre, quand aurons-nous de nouveau parmi nous un gouvernement ? » Rien de plus doublement symbolique que ce voyage à Saint-Pétersbourg, capitale de guerre, comme si Poincaré affirmait par là sa dépendance, entraînant à Paris — deuxième symbole — la vacance du pouvoir.

Les événements roulent donc, en ces jours charnières où la flamme de la guerre court.

C'est ce 26 juillet que Poincaré et Viviani décident d'écourter leur voyage et de rentrer d'urgence à Dunkerque et de là à Paris. Guillaume II, lui-même en croisière, rentre précipitamment à Berlin.

Le 27 au soir, de neuf heures à minuit, des dizaines de milliers de manifestants, peut-être cent mille à deux cent mille personnes, manifestent sur les boulevards, de l'Opéra à la place de la République aux cris de « A bas la guerre ». D'énormes forces de police ont tenté en vain de canaliser les manifestants. *Le Petit Parisien* parle de cris de « Vive la paix, vive la paix » et ajoute : « Les agents ayant à vaincre un ennemi considérable s'abattirent avec furie sur la foule. » *Le Temps* s'indigne : « Les boulevards ont été souillés par une manifestation impie. » Or *L'Humanité* et Jaurès restent discrets. A peine une demi-colonne en troisième page pour rendre compte de la manifestation. Bien sûr la presse de droite attaque Jaurès : « M. Jaurès n'a pas risqué le moindre mot de blâme à l'adresse des bandes antimilitaristes ameutées par la CGT ou *La Bataille syndicaliste* », écrit le *Journal des débats*.

Pourquoi cette réserve de Jaurès ? Craint-il un débordement révolutionnaire, anarchisant qui serve de prétexte à une réaction ou affaiblisse la France, alors que les autres peuples restent passifs ? Ou bien met-il à cette heure son espoir dans le jeu diplomatique et dans la mobilisation internationale et concertée du prolétariat et non dans une action isolée de protestation de la classe ouvrière française?

Il ne conteste pas les mouvements. Il ne les appuie pas. Mais il vise à fédérer toutes les forces. Et à peser sur les gouvernements. Le 28 juillet il rédige un manifeste qui au nom de la SFIO appelle les gouvernements de Paris et de Berlin à retenir leurs alliés, Moscou et Vienne.

Mais déjà, alors que l'encre de ce manifeste est à peine sèche, on apprend — ce même 28 juillet — que l'Autriche vient de déclarer la guerre à la Serbie.

Les portes de la guerre sont ouvertes. Il n'y a plus qu'un seul espoir : que le conflit demeure localisé, que toutes les puissances ne s'y engouffrent pas, par le jeu automatique des alliances et des logiques militaires.

Heures sombres, où l'espoir par à-coups le dispute encore au désespoir.

Jaurès chaque fois qu'il évoque la guerre le fait en des termes concrets, puissants dans l'horreur : crime, meurtre, carnage, typhus, assassinat, boucherie, sang. Ce poète politique ne se paie pas de mots. Les images saignent comme de vraies plaies.

Mais ce réalisme poétique inspiré est aux antipodes de toute une sensibilité emportée par une vision d'autant plus mythique de la guerre que souvent les hommes qui l'expriment ne la subiront pas, sachant déjà qu'ils continueront à jouer leur rôle de héraut.

Ainsi en ces jours où se décide le sort de l'Europe, le consul de France à Hambourg, Paul Claudel, écrit-il dans son *Journal* : « Dimanche 26 juillet, le matin en allant à la messe, grande affiche blanche au coin de la rue chez le marchand de tabac, le beau mot de délivrance et d'aventure :

KRIEG ! ! !

« Ode à la guerre : on étouffait, on était enfermé, on crevait dans ce bain grouillant, les uns contre les autres... Tout à coup un coup de vent, les chapeaux qui s'envolent... Délivré du métier, de la femme, des enfants, du lieu stipulé, l'aventure. A la même heure dans toutes les grandes villes d'Europe, Hambourg, Berlin, Paris, Vienne, Belgrade, Saint-Pétersbourg. Le tiers de la mer transformé en sang (Apoc.).

« ... Hourra le canon trempé dans son bain d'huile et de grande flamme. Une fois de plus les peuples vont s'étreindre et se retrouver, se sentir dans les bras l'un de l'autre, se reconnaître. »

Et à Paris, Henri Bernstein, le dramaturge contre lequel l'Action française a manifesté jadis, parce qu'il avait déserté, prend la pose, exprimant sur un autre ton, plus trivial et plus politique, la même attirance pour la guerre. Polémiquant avec Joseph Caillaux, il déclare, sous les applaudissements de l'opinion nationaliste : « J'ai commis dans ma jeunesse une folie que j'ai regrettée publiquement... J'ai demandé à être reversé dans l'armée... Et je l'ai obtenu. Je suis d'une arme combattante, je pars le quatrième jour de la mobilisation et la mobilisation est peut-être pour demain. Je ne sais pas quel jour part Caillaux, mais je dois le prévenir qu'à la guerre on ne peut se faire remplacer par une femme et qu'il faut tirer soi-même. »

Quand le 29 juillet Mme Caillaux est acquittée, des manifestations nationalistes courtes mais violentes se produisent.

Mais ce n'est plus là que la fin d'un épisode. Jaurès la veille s'est rendu à la gare du Nord, accompagné de Léon Blum. Il a proposé au conseiller d'Etat de l'accompagner jusqu'au train pour Bruxelles.

Vaillant, Guesde, Rappoport, Longuet, Sembat et sa femme sont déjà installés dans le train pour Bruxelles. Dans la capitale belge doit se tenir une réunion du Bureau socialiste international. Jaurès serre longuement la main de Blum. Il répète ce qu'il a écrit le matin. Il faut prendre le « temps de penser », ne pas se laisser entraîner par la mécanique diabolique des enchaînements automatiques : alliances, mobilisation. Il appuie le projet de médiation anglaise. Il dit : « Le tumulte des événements se précipite dans un monde obscur et affolé... Jamais ce que le monde d'aujourd'hui a de chaotique, d'aveugle et de brutal n'est apparu avec une aussi noire évidence. »

Tout au long du trajet vers Bruxelles Jaurès médite. Il paraît fatigué. « On se demande, dit-il, s'il vaut la peine de vivre et si l'homme n'est pas un être prédestiné à la souffrance, étant aussi incapable de se résigner à sa nature animale que de s'en affranchir. »

Devant la guerre, il est ainsi, par saccades, conduit à revenir sur la question de la souffrance, du sens de la vie, comme il le fait depuis quelques mois, étreint par ce spectacle de la barbarie, de l'incapacité où sont les hommes à maîtriser ces forces obscures qui les poussent les uns contre les autres, pareils à des fourmis qui se dépècent.

Mais voilà Bruxelles, la gare du Midi, l'hôtel de l'Espérance où il descend avant de retrouver le lendemain 29 juillet ses camarades de l'Internationale socialiste.

A Paris, ce 29 juillet, en début d'après-midi, Poincaré et Viviani qui ont débarqué à Dunkerque arrivent à la gare du Nord. Une foule est là qui les attend, qui les acclame, composée de personnalités militaires et littéraires, de jeunes gens. Un amiral dans la foule s'écrie : « Nous n'avons pas à commander à la Providence mais j'ai la sensation que le moment venu, la France sera prête. »

Jaurès, ce 29 juillet, rencontre à la Maison du Peuple les représentants des Partis socialistes. Rosa Luxemburg, tendue, pleine de reproches envers Adler l'Autrichien, Nemec le Tchèque, qui reconnaissent que leurs peuples ont basculé dans la guerre contre la Serbie, emportés par la vague nationaliste. Le président du Parti socialiste allemand, Haase fait confiance aux Allemands pour s'opposer à la guerre. « Ils manifestent à Berlin », dit-il.

On décide que le Congrès de l'Internationale — prévu à Vienne — se tiendra le 9 août à Paris et sera précédé d'une manifestation imposante en faveur de la paix. Puis Jaurès rédige la Déclaration du Bureau.

Le but est toujours le même : que les prolétaires français et allemands fassent pression sur leur gouvernement afin qu'ils retiennent Saint-Pétersbourg et Vienne.

Or, à cette heure, alors que Jaurès se prépare à prendre la parole devant la foule bruxelloise rassemblée au Cirque royal, les ordres de mobilisation partielle sont lancés à Saint-Pétersbourg aux treize corps d'armée destinés à agir éventuellement contre l'Autriche-Hongrie.

Décision capitale qui met en route la mécanique militaire. A Paris, le conseil des ministres qui s'est réuni dès le retour de Poincaré et de Viviani se contente d'enregistrer, sans réagir, l'information.

Combien sont-ils ? 8 000 à se presser dans la salle du Cirque royal ? Autant dehors ?

Jaurès est assis à la tribune à côte de Rappoport. Celui-ci est inquiet. Toute la journée Jaurès a travaillé avec les membres du Bureau de l'Internationale. Puis il a écrit un article pour *L'Humanité*. A peine le temps d'avaler quelques bouchées et il a fallu partir pour le meeting. « J'ai une migraine terrible », a dit Jaurès. Mais la salle semble le revivifier. Il commente à voix basse, de remarques ironiques, les interventions des camarades de l'Internationale, puis c'est lui qui s'avance vers la tribune, transfiguré par l'attente qu'il sent. Il va parler trois quarts d'heure.

Les acclamations le portent. Il évoque les violences de la guerre, la misère, le typhus, les obus, les hommes qui, dégrisés, demanderaient des comptes à leurs dirigeants : « Quelle raison nous donnez-vous de tous ces cadavres ? »

C'est non seulement une analyse de la situation qu'il fait, mais une méditation à haute voix où il dit ces questions qui le tenaillent qu'il ne dissimule pas. « Quand vingt siècles de christianisme ont passé sur les peuples, quand depuis cent ans ont triomphé les principes des droits de l'homme, est-il possible que des millions d'hommes, sans savoir pourquoi, sans que les dirigeants le sachent, s'entre-déchirent sans se haïr ? »

Il parle en poète qui voit la mort marcher « à côté de la femme animée d'un grand amour maternel ». « Ce qui me navre le plus, crie-t-il, c'est l'inintelligence de la diplomatie. »

Il ajoute, de manière solennelle : « J'ai le droit de dire devant le monde qu'à l'heure actuelle le gouvernement français est le meilleur allié de paix de cet admirable gouvernement anglais qui a pris l'initiative de la conciliation et il donne à la Russie des conseils de prudence et de patience. » Et pour ajouter plus de force à sa conviction que Paris mène maintenant une politique de paix il rappelle son attitude passée : « Je n'ai jamais hésité à assurer sur ma tête la haine de nos chauvins par ma volonté obstinée et qui ne faiblira jamais d'un rapprochement franco-allemand. » A cette étape de la crise, il pense donc que Moscou, Vienne et Berlin portent les responsabilités majeures. Il prêche encore pour la conciliation, proposée par l'Angleterre. Puis dans sa péroraison il crie : « Hommes humains de tous les pays, voilà l'œuvre de paix et de justice que nous devons accomplir. »

Il est acclamé, la salle debout agite chapeaux et mouchoirs, un cortège se forme, cependant qu'épuisé il rentre à l'hôtel de l'Espérance.

Le lendemain, après une dernière réunion du Bureau socialiste de l'Internationale, il paraît optimiste. C'est le 30 juillet 1914. Il bavarde avec Vandervelde. « Les choses ne peuvent pas ne pas s'arranger », dit-il. Il ignore toujours le début de la mobilisation russe. Il lui reste deux heures avant de prendre le train. Il lui faut échapper à cette menace de barbarie. « Allons au musée revoir vos primitifs flamands », dit-il.

L'art, la culture : l'expression des « hommes humains », la

certitude qu'ils existent et que les valeurs qu'ils incarnent survivent malgré tout.

Le train Bruxelles-Paris part à 13 h 01 de la gare du Midi. Dans ce voyage de plus de quatre heures la fatigue reprend le dessus, ainsi que les préoccupations qu'avaient effacées les acclamations et la résolution de la foule, la fraternité de l'Allemand Haase et la beauté des tableaux.

Mais à l'arrivée à la gare du Nord, à 17 h 15, quand il ouvre *Le Temps*, acheté par Longuet sur le quai même, Jaurès comprend et rugit : la nouvelle de la mobilisation partielle russe est annoncée en première page. Et comme toujours les nouvelles retardent.

Vers 3 heures du matin Isvolsky a annoncé à Poincaré et Viviani que Saint-Pétersbourg considère que la guerre est imminente. Poincaré répond par un télégramme où il conseille la prudence afin de ne pas donner à l'Allemagne un prétexte. Mais à Saint-Pétersbourg on sait qu'on peut faire confiance à la France et Maurice Paléologue, l'ambassadeur de Poincaré, joue son jeu, retenant les informations qu'il recueille dans la capitale russe de manière à placer Paris devant le fait accompli. Au moment où Jaurès arrive à Paris, depuis déjà plus d'une heure (à 16 heures) le tsar cédant à la pression de son état-major a lancé l'ukase de mobilisation générale.

Poincaré et Viviani pour leur part ont le matin même renforcé les troupes de couverture tout en les maintenant à dix kilomètres de la frontière. En même temps le gouvernement a interdit un grand meeting que devait tenir salle Wagram la CGT et toutes les issues du métro sont déjà fortement gardées par la police. Pourtant des rassemblements commencent à se former autour de la place de l'Etoile et place des Ternes malgré la brutalité des agents. Toute la soirée ce quartier de Paris restera le théâtre de violences.

Dans les villes de province de nombreuses manifestations ont lieu à l'appel des Bourses du Travail et du Parti socialiste. Ainsi à Brest, à Bourges, à Lyon, à Cherbourg. Dans chaque ville des milliers de manifestants crient leur refus de la guerre. C'est un courant pacifiste, fort et impétueux, qui semble s'amorcer.

Ne pas renoncer. De la gare du Nord, en compagnie de Sembat, Jaurès court vers le Palais-Bourbon.

Il est près de 18 heures quand, devant les grilles de la Chambre, il se heurte à Malvy, le ministre de l'Intérieur. Jaurès, ébouriffé, une valise marron à la main, une affiche jaune dans la main gauche, qu'il déroule devant Malvy. Des journalistes témoins lisent sur l'affiche l'inscription : *Contre la guerre, pour la paix.* Ils voient Jaurès congestionné, gesticulant, montrant çà et là des passages du Manifeste socialiste. Malvy a une mimique de désapprobation. Puis Jaurès entre dans le Palais, des journalistes l'interrogent. « La médiation de l'Angleterre n'a pas échoué, dit-il, je ne comprends ni le pessimisme ni cette sorte d'affolement. »

Il se bat avec une énergie farouche, fondant son espoir sur le principe de cette médiation, sur l'action pacifique qui se développe.

Devant le groupe socialiste de la Chambre qui délibère il rapporte les décisions de Bruxelles, appelle à la préparation de la grande démonstration du 9 août. Puis vers 20 heures il est, à la tête d'une délégation socialiste, reçu par Viviani.

Le président du Conseil est retors, jouant de la sympathie que Jaurès lui porte. Il rassure, donne des informations partielles : les troupes françaises se tiendront à dix kilomètres de la frontière. Jaurès s'en félicite. On dégage ainsi la responsabilité de la France. Mais Viviani ne livre pas ce qu'il sait de la détermination russe. Certes il ignore encore l'ordre de mobilisation générale. Paléologue ne le transmettra que le lendemain 31 juillet. Mais les renseignements donnés par Isvolsky sont clairs : la Russie va vers la guerre. Et le gouvernement français laisse faire, soucieux seulement de se donner l'apparence de subir. La preuve ? Viviani n'avertit pas Jaurès des mesures de police qui sont prises pour briser toutes les manifestations en faveur de la paix. Au contraire. En réponse à une question de Jaurès, Viviani précise que les militants syndicalistes ou anarchistes (ceux dit du Carnet B) ne seront pas arrêtés. Jaurès sort donc de cette entrevue rassuré. « Vous savez, dit-il au député Bedouce qui l'accompagne, si nous étions à leur place je ne sais pas ce que nous pourrions faire de mieux pour assurer la paix. » Il a été « neutralisé ».

On se précipite à *L'Humanité.* Là une délégation de la CGT attend avec Jouhaux, Merrheim, de la fédération des métaux, partisan résolu du refus de la guerre. On évoque les manifestations. La CGT voudrait en organiser une le dimanche 2 août. Jaurès préfère que l'on se réserve pour le 9 août, jour du Congrès de l'Internationale. « Il faut à tout prix, dit Jaurès, préserver la classe ouvrière de la panique et de l'affolement. » Et Jaurès ajoute que d'après ses entretiens avec le gouvernement, il croit que l'état actuel de la tension en Europe durera encore une dizaine de jours. Après discussion, les délégués de la CGT se rallient au point de vue de

Jaurès. Ils en discuteront demain 31 juillet en comité confédéral, mais leur décision est prise : ils acceptent la stratégie de Jaurès. Viviani a décidément été habile.

Longue journée. Bruxelles, les primitifs flamands, Paris, ces rencontres.

Jaurès est ivre de fatigue. Il descend dîner rapidement dans l'un des restaurants qu'il fréquente, le Coq d'or, au coin de la rue Montmartre et de la rue Feydeau. Bruits, lumières, conversations à voix haute, regards appuyés des employés de la Bourse, des journalistes qui traînent là, dans une rumeur de musique et de chanson.

Il faut encore retrouver le bureau, écrire, la tête si lourde et qui pourtant s'allège au fur et à mesure que les mots viennent sous le titre placé au milieu de la page : *Sang-froid nécessaire*. Folie de la guerre, dit Jaurès. Le danger est dans « l'énervement qui gagne, l'inquiétude qui se propage... ». Le péril est grand mais il n'est pas invincible. Et Jaurès ajoute : « les batailles diplomatiques s'étendent nécessairement sur plusieurs semaines ».

Il ne dispose pas des dernières informations sur la mobilisation russe, et alors même qu'il écrit, il ignore la décision de mobiliser toute l'armée qui est prise à Vienne.

Ce sont désormais les machineries militaires avec leurs exigences qui l'emportent. Le poids des états-majors, leurs raisons techniques, leur apparente logique ont pris le dessus.

Et puis Jaurès oublie que la « bataille diplomatique », s'il a raison de dire qu'elle ne se conclut pas en quelques heures, s'est engagée, comme il l'a souligné lui-même, dès lors que se constituaient des systèmes d'alliance. Et que la France entrait au Maroc.

Cette journée du 30 juillet 1914 qui s'achève n'est que le terme d'un processus commencé depuis plus de dix ans. Ne sait-il plus cela Jaurès, ou ne veut-il plus s'en souvenir ? Dans la chaleur de la nuit, son article porté au marbre et alors que s'entassent les dépêches annonçant les manifestations pour la paix qui ont lieu dans les villes de province, que l'on apprend que place des Ternes et place de l'Etoile à Paris des affrontements sanglants ont eu lieu entre des manifestants et la police, Jaurès descend boire au café-restaurant du Croissant, au coin de la rue du Croissant et de la rue Montmartre.

Il est songeur. Le harassement de la journée s'inscrit sur son visage. Il boit lentement. Il parle à voix basse des passions bestiales que la guerre, si elle a lieu, va réveiller. « Il faut nous attendre à être assassinés au coin d'une rue », dit-il. Il monte dans un taxi, maladroit, son corps lourd. Il salue Landrieu. Il a le regard ailleurs.

Un homme de vingt-neuf ans est là qui suit la voiture des yeux cependant qu'elle s'éloigne.

Il a guetté Jaurès. Il se nomme Raoul Villain. Il est arrivé de Reims la veille. Blond, une mince moustache barre son visage quelconque, sans vigueur. Sa mère est internée depuis plusieurs années pour « manie chronique ». Il n'aime pas son père.

Il a adhéré à la Ligue des Jeunes Amis de l'Alsace-Lorraine et déjà a songé à tuer Guillaume II. Il y a une dizaine de jours, le 19 juillet, il est allé à Sèvres dans une kermesse catholique. Il s'est placé devant le stand de tir et là, pendant trois heures, il a tiré sans discontinuer, silencieux et précis.

Le 30 juillet vers 22 heures il s'est dirigé vers les bureaux de *L'Humanité*. Il n'avait jamais vu Jaurès. Il aperçoit un groupe qui sort du journal. Peut-être Jaurès en fait-il partie ? Villain interroge un ouvrier qui lui désigne le directeur de *L'Humanité*. Villain l'imaginait plus âgé. Il s'approche du café du Croissant, aperçoit Jaurès assis près d'une fenêtre, donnant rue Montmartre. Villain a un pistolet dans sa poche, les doigts serrés sur la crosse.

Et puis il hésite, s'éloigne, revient. Jaurès apparaît. Un homme, l'un de ceux qui étaient sortis de *L'Humanité* avec le leader socialiste, appelle un taxi dans lequel Jaurès monte. L'occasion est passée.

Villain reviendra. Il pense qu'il lui faudra aussi trouver Caillaux. Il s'en va.

Chapitre 30

« La saignée prend le meilleur sang... »
(31 juillet 1914)

Enfin. Jaurès a encore sa valise à la main, celle de son voyage à Bruxelles. Enfin. Il n'est pas loin de deux heures du matin, le 31 juillet 1914, quand le taxi le dépose impasse de la Tour. Il peut pousser la porte. Madeleine est là qui l'attend, qui le dévisage pour lire sur les traits de son père creusés par la fatigue l'espoir que la paix est encore possible.

Enfin. Le murmure d'une voix où ne passe que l'affection, qui fait promettre, insistante, qu'il sera là demain soir pour dîner, qu'elle l'attendra, mais qu'il rentre. Puis seulement la tendresse intime et ce relâchement tout à coup qu'elle provoque après ces heures de tumulte où il faut tenir la barre de la volonté et de l'intelligence.

Enfin, dormir, quelques heures. Peut-être lire, avant, quelques pages de *L'Annonce faite à Marie,* dont on dira à Claudel que Jaurès l'avait sur sa table de nuit, ou bien de cet essai de Péguy sur Bergson, que Jaurès trouve, en philosophe professionnel, un peu sommaire.

Enfin le silence de la nuit étouffante du plein été.

Dans toute l'Europe les trains chargés de troupes roulent. Sur les pavés des cours de caserne c'est le martèlement des sabots des milliers de chevaux rassemblés qu'on va atteler aux prolonges d'artillerie.

On se prépare pour le grand massacre. Mobilisation en Russie. Mobilisation en Autriche-Hongrie. Mesures militaires en France. Et l'état-major allemand a déjà donné ses ordres pour que soit, dans les heures qui viennent, proclamé l'état de danger de guerre. Les bâtiments de la marine de guerre anglaise sont en alerte.

Dans une imprimerie de Rouen sortent les premiers exemplaires de *La Dépêche de Rouen* qui seront mis en vente ce matin du 31 juillet. Au milieu d'une page, un *propos* d'Alain, une colonne pathétique où le philosophe est déjà dans l'au-delà de la guerre, comme s'il en voyait les conséquences : « Le peuple après cela, écrit-il, vainqueur ou vaincu est pauvre de vrai sang noble... La saignée prend le meilleur sang... Hors du rang oui, mais pour être aussitôt mitraillés. Beau choix pour le tombeau ! L'injustice lira quelque oraison funèbre ; ces leçons de toutes ces belles morts pour qui ? Je crains alors une moisson étonnante d'hypocrisie, un temps de discours pompeux mais de réelle petitesse... Je voudrais que les ombres des héros reviennent et qu'ils admirent cette paix honorable qu'ils auront achetée de leur vie. »

« La saignée prend le meilleur sang... »
Jaurès se lève tôt, ce 31 juillet, comme à l'habitude. Les journaux vite. Réfléchir. En lui deux sentiments contradictoires. Un pressentiment comme un fleuve noir, souterrain, qui emporte des millions d'hommes vers la mort et qui donne naissance à ces images cruelles qui viennent dans les discours comme autant de visions de Jérôme Bosch. Et ce courant de pessimisme porte au-delà de la crise internationale en cours, au-delà des responsabilités des chefs d'Etat, de la cécité ou de la médiocrité des ministres et des diplomates, il draine toutes les questions sur la nature de l'homme, cette bestialité, cette violence, qui pourraient être au cœur de la condition humaine. Et ce surgissement de l'animalité entraînera Jaurès, il le sait, il le dit presque chaque jour : on nous tuera, on nous assassinera. Dans le train qui le ramenait de Bruxelles, en le regardant, en le voyant si las, Longuet qui est assis près de lui l'a vu mort déjà.

Mais il y a aussi les « hommes humains », la volonté de ne pas lâcher pied. Elle aussi chargée de toute une philosophie de l'homme. A la fin c'est le sens fraternel qui prend le dessus, la raison qui l'emporte. Et ne serait-ce qu'un pari, il faut le jouer, jusqu'à l'extrême limite.

Chez Jaurès on discerne la conviction que la fonction de l'intellectuel, de l'homme politique consiste à faire face au flot « naturel », instinctif de l'Histoire qui produit spontanément, comme le système capitaliste en est la preuve, le désordre, le crime, la guerre.

Si l'on veut être un homme humain, il faut tenir pour la raison, croire qu'elle peut triompher, qu'elle le doit. Et c'est aussi pourquoi toute sa vie Jaurès s'est opposé à Bergson et qu'encore aujourd'hui, ce 31 juillet, il lit cet essai de Péguy sur le professeur du Collège de France et le trouve faible, le conteste.

Alors ne pas abandonner la lutte contre la guerre.

Vers 9 heures Lévy-Bruhl téléphone. Besoin de confronter les analyses, de savoir ce que pense Jaurès, s'il y a encore un espoir, et comment l'affirmer. Qu'il vienne, Jaurès l'attend. Ils parleront.

Pour Jaurès, la discussion avec Lévy-Bruhl vite arrivé villa de la Tour lui permet d'expliquer sa stratégie, ce qu'il pense, « le péril est grand mais il n'est pas invincible ». Il l'a écrit hier soir et l'article est là, à la une de *L'Humanité*. Oui, le sang-froid est nécessaire. Il faut clarté d'esprit, nerfs d'acier, une raison claire et calme, fermeté du vouloir, « avoir à la fois l'héroïsme de la patience et l'héroïsme de l'action ».

Aux questions de Lévy-Bruhl, Jaurès répond. Il a donc vu Viviani hier. Les propos du président du Conseil ont paru confirmer ce que Jaurès avait dit dans son discours de Bruxelles, que le gouvernement français veut la paix et travaille au maintien de la paix. Jaurès croit que Paris appuie Londres dans sa demande de médiation. Il pense que Paris agit sur Saint-Pétersbourg dans le sens de la prudence. Paris doit retenir la Russie. De concert avec l'Angleterre. Et Paris le fait.

Cette croyance — pleine d'illusion, mais quelle autre carte jouer ? — incite Jaurès à réaffirmer, dans cette matinée du 31, que le temps ne manque pas. La crise n'est pas parvenue à son foyer central. Il l'a écrit dans l'article de *L'Humanité*. Et conséquences de cette analyse : il faut appuyer le gouvernement français et retenir les manifestations ouvrières de la CGT. Jaurès sur ce point triomphe. La CGT le suit. On arrivera ainsi jusqu'au Congrès de l'Internationale du 9 août.

« Voilà la situation, voilà notre position », dit-il. Ce qui est décisif, c'est la pression de Paris sur Saint-Pétersbourg. Et naturellement le temps qui reste, le rythme des décisions.

Ces deux pivots sur lesquels s'appuie l'optimisme raisonné de Jaurès en cette matinée du 31 juillet, alors qu'il se sépare de Lévy-Bruhl pour se rendre au Palais-Bourbon, afin de suivre les événements, de rencontrer les députés socialistes et les membres de la commission administrative permanente du Parti qui sont réunis à la Chambre, ces deux pivots vont céder.

Et Jaurès va se rendre compte qu'il a commis une double erreur d'appréciation, l'une entraînant l'autre. Il avait tort de faire confiance au gouvernement français pour exercer une pression déterminée sur les Russes. Et dès lors on se trouvait déjà au cœur de la crise. Ce n'était plus en jours que l'on devait compter mais en heures et parfois moins.

Dans cette même matinée, Poincaré adresse au roi d'Angleterre une lettre autographe : « Si l'Allemagne avait la certitude que l'Entente cordiale s'affirmerait, le cas échéant, sur les champs de bataille, il y aurait les plus grandes chances pour que la paix ne fût pas troublée. »

Ce n'est évidemment pas un appui français à la volonté de médiation affirmée par Londres mais au contraire le choix de la menace renforcée pour faire plier l'adversaire. Donc le chemin de la guerre.

Jaurès ne sait pas que se saluant sur le quai de la gare de Saint-Pétersbourg, le 25 juillet, Isvolsky, qui rentrait à Paris après avoir accompagné Poincaré lors de sa visite officielle en Russie, bavardait avec Paléologue et que les deux ambassadeurs concluaient : « Cette fois-ci, c'est la guerre. » Quelques jours plus tard, Isvolsky dira : « C'est ma guerre. » Jaurès ne sait pas que selon certains témoins, Mme Poincaré dit dans l'intimité : « Ce qu'il faudrait, c'est une bonne guerre et la suppression de Jaurès. »

Quand il arrive à la Chambre des députés, Jaurès fait encore confiance au gouvernement français. Dans les couloirs de la Chambre c'est l'affluence. Les ministres passent, jetant quelques bribes de confidences, les journalistes guettent, apportent des informations. Jaurès assiste à la réunion du groupe socialiste, on s'inquiète des interdictions aux manifestations de la CGT, décidées par Malvy, ministre de l'Intérieur. Une délégation revient d'une rencontre avec le ministre : il refuse de rapporter sa mesure.

Jaurès sort dans les couloirs. On s'agglutine autour d'un ministre qui apporte la nouvelle : Berlin a proclamé le *drohende Krieg-gefahrzustand*. Les voies ferrées seraient déjà coupées, des locomotives retenues.

Jaurès tout à coup réalise : Viviani l'a peut-être « endormi ». Le temps va manquer. Il s'est trompé. C'est une question d'heures. Il aborde Malvy qui lui aussi apparaît dans les couloirs. Si le temps manque, il est encore plus urgent de faire pression sur Saint-Pétersbourg. Jaurès hausse le ton, la confiance dans le gouvernement qu'il avait manifestée, voici qu'elle s'effrite : « Il faut, dit-il à Malvy, que la Russie accepte la proposition anglaise, sinon la France a le devoir de lui dire qu'elle ne la suivra pas, qu'elle restera avec l'Angleterre. »

Malvy donne d'une voix lasse, faiblement, des assurances. Mais Jaurès ne croit plus à la détermination du gouvernement : « Si la pression n'est pas faite énergiquement, c'est l'irréparable. » Et il menace : « La responsabilité du gouvernement va être terriblement engagée. »

Malvy se dérobe. Les couloirs sont pleins de rumeurs. Jaurès, avec fébrilité, veut encore espérer.

On cherche des dictionnaires. Longuet téléphone à l'ambassade d'Allemagne. Il faut savoir avec précision quel est le sens de l'expression *drohende Krieg-gefahrzustand*. Jaurès se rassure un peu : le sens n'en serait que « état de siège », « loi martiale ». Mais il ne se convainc pas lui-même, il prend à témoin les députés et les journalistes qui l'entourent, il lance : « Non, non, la France de la Révolution ne peut pas marcher derrière la Russie des moujiks contre l'Allemagne de la Réforme. »

Puis il reprend ce qu'il a déjà dit à Malvy, notre pays apparaîtra vassal de la Russie et il s'exclame, violent, indigné : « Allons-nous déchaîner un cataclysme mondial pour Isvolsky qui est furieux de ne pas avoir touché d'Aerenthal (le ministre Autrichien) un pourboire de 40 millions pour la Bosnie-Herzégovine ! »

Mais il n'est qu'un homme qui parle, qui proteste au nom de la raison.

Qui détient le pouvoir à cette heure ? Les ministres ? Ou bien le pouvoir s'est-il déjà abandonné à cette suite de rouages diplomatiques et militaires que les ministres ont mis en route et qui les entraînent, plus ou moins consciemment ?

Il faudrait une énergie — comme celle de Jaurès — mais qui se situerait au cœur même du mécanisme gouvernemental, pour freiner, arrêter cette dynamique. Or on ne trouve que des hommes qui avec satisfaction voient la machine rouler vers la guerre ou avec lâcheté laissent faire, impuissants et consentants. Il faut voir Viviani, dit Jaurès.

Il est 19 heures. A la tête d'une délégation socialiste — Longuet, Renaudel, Bedouce, Cachin — Jaurès se rend au Quai d'Orsay. Mais Viviani, qui assume aussi la charge de ministre des Affaires étrangères est en train de recevoir le baron de Schoen, ambassadeur d'Allemagne. C'est Abel Ferry, sous-secrétaire d'Etat, qui écoute la délégation. L'homme est jeune, intelligent.

Jaurès parle avec une autorité grave.

« Prenez garde », commence-t-il. Il accuse. « Vous avez parlé trop mollement à notre allié russe. » Abel Ferry se récrie, tente de convaincre Jaurès de la fermeté des avis de Paris. « C'est ce que nous faisons », dit-il. Jaurès reprend. Il faut obliger la Russie à accepter l'arbitrage que Londres propose à Saint-Pétersbourg et à Berlin. « Là est le devoir, là est le salut. » Ferry a quelques paroles aimables. « Comme je regrette, monsieur Jaurès, que vous ne soyez pas au milieu de nous pour nous aider de vos conseils. »

On n'ose pas dire la vérité à Jaurès. On craint son regard. On a peur de son intelligence impitoyable. On sait au fond de soi qu'il a raison. Abel Ferry se comporte comme Viviani ou Malvy. Jaurès n'est plus dupe.

« Je vous jure, dit-il, que si dans de pareilles conditions, vous nous conduisez à la guerre, nous nous dresserons, nous crierons la vérité au peuple. »

De toute son intégrité, il jette à Ferry, impressionné : « Vous êtes victimes d'Isvolsky et d'une intrigue russe : nous allons vous dénoncer, ministres à la tête légère, dussions-nous être fusillés. » Derniers mots lancés par Jaurès.

Ferry retient Bedouce. Il n'a pas eu le courage d'affronter Jaurès mais il dit au député, comme un aveu : « Tout est fini, il n'y a plus rien à faire. »

Les voici hors des bureaux du Quai, en cette fin d'après-midi, ce crépuscule du 31 juillet 1914.

Jaurès a compris. L'article qu'il veut écrire à ce moment où « le tumulte des événements se précipite dans un monde obscur et affolé » ne peut qu'être une mise en accusation des responsables de cette folie criminelle qui emporte l'Europe. Il faut clouer au pilori ces « ministres à la tête légère », « ces étourneaux hallucinés », tous ceux-là qui se croient des hommes d'Etat et qui « passent leur temps (délicieux emploi) à s'effrayer les uns les autres et à se rassurer les uns les autres ».

Lui qui, à l'époque de l'Affaire Dreyfus, a écrit *Les Preuves,* qui a été témoin de l'effet de *J'accuse,* comment ne penserait-il pas à cet article-là, qui dégagerait la responsabilité du Parti socialiste et donc préserverait l'avenir, ce moment où l'éveil des consciences vient toujours, parce que la route, même si elle est bordée de tombeaux, conduit à la justice.

Il va écrire cette nuit, dit-il, « une sorte de J'accuse » où il dénoncerait les causes et les responsables de la crise. Article décisif pour prendre date, arracher les masques, dégager les racines de cette crise qu'il avait vu venir depuis le temps où, pour s'emparer du Maroc, on laissait l'Italie s'installer en Tripolitaine et l'incendie gagner les Balkans.

Mais l'idée que la guerre est là, qu'il n'y a plus rien à faire ce soir pour l'empêcher, qu'il faut se contenter de ce cri de raison et d'indignation, l'a comme transformé physiquement. Les traits se sont affaissés. Il est un homme en qui quelque chose vient de mourir. Car la guerre est sa défaite majeure.

Tout dans son effort était tendu contre elle depuis des années. Quand Vincent Auriol rendait visite à son futur beau-père le verrier Michel Aucouturier, il découvrait le portrait de Jaurès avec cette phrase : « Le combat pour la paix est aujourd'hui le plus grand et le plus urgent des combats. » Et du Congrès de l'Internationale d'Amsterdam à celui de Copenhague la constitution d'une force des prolétaires susceptibles de s'opposer à la guerre avait été l'objectif majeur de Jaurès. Et cette construction patiente, ces concessions, ces motions dont il fallait longuement débattre et où un mot faisait problème, tout cela est remis en cause, comme effacé.

Et ce fleuve de sang, cette boucherie.

Que la mort soit en Jaurès, comme une obsession, qui peut en douter ? Il redit ce 31 juillet, à Maurice Bertre qui est rédacteur à *L'Humanité :* « Si la mobilisation se faisait, je pourrais être assassiné. » Il a évoqué l'hypothèse tant de fois. Mais si ces pressentiments affleurent si souvent, ce n'est pas tant à cause des menaces qui le visent. Il ne s'agit là que de la forme visible et rationnelle donnée à une perception plus profonde : la mort est là, la mort de l'espoir pour de nombreuses années, la mort comme si un enfant longuement porté tout à coup surgissait paralysé, difforme, mort dans la vie.

Jaurès sait bien que cette guerre est sa défaite irrécusable. Qu'il n'est en rien responsable de ce surgissement de la barbarie, de ce triomphe de la bêtise et de l'aveuglement. Mais l'histoire boueuse l'emporte.

Cependant il y a le journal à faire. L'article à écrire. D'abord reprendre des forces. Manger. La preuve qu'on vit.

Longuet propose qu'on dîne au Coq d'or. Il craint en cette soirée de veille le café du Croissant où on croise des Camelots du roi. Mais Jaurès récuse le Coq d'or avec sa musique et ses femmes. Au Croissant il se sent chez lui.

C'est un soir lourd. Paris bruisse. Les gens sont dehors. On va vers les boulevards. On chuchote ou l'on se tait. « Il y a dans l'air un besoin de se voir comme devant des dangers inconnus. Il y a comme une force intérieure qui pousse, dans un sentiment de crainte, la population à la connaissance des événements... »

Alors on sort de chez soi, on marche vers les « boulevards étincelants de lumière ». Dans ces périodes de tension la rue attire. Là coule l'événement, la rumeur. On ne veut pas être pris au piège de l'ignorance, être submergé par ce qui arrive et enseveli dans ces pièces sombres où la chaleur colle aux murs. On est dehors et Poisson, un proche de Jaurès, membre de la Fédération des coopérateurs, marche vers *L'Humanité*. Après les boulevards voici la rue Montmartre, sombre, avec une tranchée de réparation et simplement une petite lanterne pour signaler le danger. Mais le café du Croissant étincelle, large surface de lumière. Poisson s'approche. Il voit les amis, les camarades assis à une table voisine de la fenêtre. Jaurès est là qui tourne le dos à la rue. Jaurès est assis entre Landrieu et Renaudel. Il y a Dubreuilh, Renoult, d'autres encore, Georges Weill le député socialiste de Metz au Reichstag. De la salle on observe Jaurès. On le dévisage. La femme de Poisson s'en inquiète. Mais Jaurès grignote une tarte aux fraises, indifférent. Un journaliste du *Bonnet rouge* lui montre une photo de sa petite-fille. Jaurès demande l'âge de l'enfant.

Dans quelques secondes Raoul Villain, passant sa main armée derrière le rideau, tuera Jaurès depuis la rue d'une balle dans la tête.

Il sera 21 h 40 ce vendredi 31 juillet 1914.

Jaurès tombe, sur Renaudel, avant que n'éclatent les cris, que la femme de Poisson ne hurle « Jaurès est tué, ils ont tué Jaurès », qu'on ne coure dans la rue se saisir de Raoul Villain. Et qu'un pharmacien auquel on demandait une ampoule pour faire une piqûre n'ait répondu : « Je ne donne rien pour cette crapule de Jaurès, pour ce bandit qui est responsable de la guerre. »

Ce cri de haine et de bêtise c'est comme un autre coup de feu. Cet « honnête » commerçant qui refuse de porter assistance il est — la dérive psychologique en moins qui permet le passage à l'acte — un autre assassin. Et il prouve par sa réaction spontanée qu'il n'est pas besoin de recourir à la thèse du complot pour expliquer le crime de Villain.

Il leur avait suffi, à Villain, à l'honorable pharmacien de la rue Montmartre, de lire Maurice de Waleffe dans *Paris-Midi,* Franc-Nohain, le poète fantaisiste dans *L'Echo de Paris,* ou bien Léon Daudet dans *L'Action française* ou encore Urbain Gohier ou plus bourgeoisement *Le Temps.*

Il leur avait suffi d'écouter M. Raymond Poincaré parler des défaitistes et des professeurs de lâcheté.

Le complot ?

Il n'est point besoin de chercher une filière russe, ou d'évoquer la vengeance d'Isvolsky que Jaurès croise en ces derniers jours de juillet en sortant du Cabinet du ministre des Affaires étrangères et auquel il lance « Ah, cette canaille d'Isvolsky, il la tient sa guerre ! »

Le complot ?

Il est dans cette volonté de détruire Jaurès, ses arguments, ses efforts non par la contradiction mais par la calomnie.

Le complot ?

C'est celui d'une classe politique dirigeante qui diffuse sciemment, en s'appuyant sur les organes d'information qu'elle contrôle, le mensonge, et qui cherche, à ses erreurs, un bouc émissaire.

Jaurès, bouc émissaire abattu à la veille du carnage. Jaurès, « héros tombé en avant des armées ».

Et dans le café du Croissant un officier en tenue de campagne décroche sa Légion d'honneur et la pose sur la poitrine de Jaurès. Geste d'hommage du capitaine Gérard.

Mais c'est la rue, la foule descendue des faubourgs, ces hommes et ces femmes qui s'agglutinent devant le café du Croissant, devant *L'Humanité,* cette foule qui gronde et qui bientôt va courir derrière la voiture qui emporte le corps de Jaurès vers la villa de l'impasse de la Tour, c'est cette foule qui rend l'hommage qui convient à Jaurès quand elle crie obstinément, malgré la certitude de la mort : « Vive Jaurès ! Vive Jaurès ! »

« ON VA RÉVEILLANT LES MORTS... »

Il faudrait raconter comment Calvignac, le maire de Carmaux, réveillé dans la nuit, est tombé « comme assommé dans son vestibule » quand il a appris la nouvelle de la mort de Jaurès. A genoux il se martelait la tête du poing, de rage et de désespoir.

Et il faudrait évoquer l' « exultation sauvage » de Péguy.

Se rendre au conseil des ministres où il y eut « après quelques exclamations d'horreur, un prodigieux silence ». Malvy rentrant, disant : « Le préfet de police me téléphone qu'il y aura la révolution à Paris dans trois heures. Les faubourgs vont descendre. » « Alors quoi, dit quelqu'un, la guerre étrangère et la guerre civile ? Tout, alors ! » Et les deux régiments de cuirassiers, qu'on garda à Paris pour le maintien de l'ordre au lieu de les envoyer vers la frontière.

Puis fut diffusée la proclamation du gouvernement, saluant le « républicain socialiste qui a lutté pour de si nobles causes et qui en ces jours difficiles a, dans l'intérêt de la paix, soutenu de son autorité l'action patriotique du gouvernement ». C'est signé René Viviani.

Le président de la République écrivit personnellement à la veuve de Jaurès. « Admiration pour son talent et son caractère, et à une heure où l'union nationale est plus nécessaire que jamais... » dit Raymond Poincaré.

Barrès vient s'incliner devant la dépouille de Jaurès et écrit dans ses *Cahiers* : « Quelle solitude autour de celui dont je sais bien qu'il était, car les défauts n'empêchent rien, un noble homme, ma foi oui, un grand homme ! Adieu, Jaurès, que j'aurais voulu pouvoir librement aimer. »

Et dans une brasserie de Toulon un lieutenant de vaisseau apprenant la nouvelle commente : « Tant mieux, il ne fera plus autant de mal qu'il en a fait. Je donne cinq francs au garçon si cette nouvelle est confirmée. »

Et l'écrivain à la mode Gyp — la comtesse Martel de Janville — note dans son journal : « Moi je trouve que c'est de la bonne ouvrage de faite. Si *L'Action française* et son rédacteur en chef avaient vraiment rendu au pays ce signalé service, ils auraient fait une bien jolie besogne... Le ton des journaux me surprend fort. Par quelle aberration ce Jaurès de malheur est-il ce matin pleuré par les journaux patriotiques ou se disant tels, c'est ce qu'il m'est, quant à moi, impossible non seulement de comprendre mais d'admettre. »

Il y eut l'enterrement le 4 août. Le lendemain de la déclaration de guerre.

Et Gustave Hervé, devenu patriote extrême, qui écrivait dès le premier août : « Défense nationale d'abord ! Ils ont assassiné Jaurès ! Nous n'assassinerons pas la France. » Et bientôt Guesde et Sembat ministres.

La guerre recouvrait si brutalement le pays de son voile de deuil et d'hypocrisies que la mort de Jaurès est vite ensevelie sous tant d'autres morts. Et Gyp, avec satisfaction, peut écrire encore : « Dans tous les cas, elle n'a pas fait beaucoup d'effet, la disparition un peu brutale de l'enfant chéri d'un parti habituellement démonstratif. »

Alors le poète Marcel Martinet, interrogeant ses camarades, tous ceux qui parlaient de grève générale et d'insurrection, et qui maintenant partaient aux armées, se demandait : « Est-ce moi qui suis devenu fou ou les autres ? »

Et il faudrait raconter la mort de l'aspirant Louis Jaurès, tué le 3 juin 1918 à la tête de ses hommes. Il disait : « Quand on a l'honneur d'être le fils de Jean Jaurès, on doit donner l'exemple... l'internationalisme philosophique n'est point incompatible avec la défense de la patrie quand la vie de celle-ci est en jeu. »

Raoul Villain était en prison. Jugé au printemps de 1919. Il faudrait observer ce jury de 12 « bons Français », qui n'ont pas fait la guerre, dont un seul est salarié, les autres solides bourgeois, grands ou moyens. Et le 29 mars, par 11 voix contre une, l'acquittement de

Raoul Villain est prononcé. Mme Louise Jaurès, partie civile, est condamnée aux dépens.

Anatole France s'était indigné, on le sait. « Travailleurs ! Jaurès a vécu pour vous, avait-il dit, il est mort pour vous ! Ce verdict vous met hors la loi : vous et tous ceux qui défendent votre cause. Travailleurs, veillez. »

Le premier dimanche d'avril 1919, il y eut 150 000 personnes qui se rassemblèrent place Victor-Hugo pour se rendre square Lamartine où se dresse un buste de Jaurès. De là une délégation s'en ira villa de la Tour, saluer Mme Jaurès. Long cortège. On chante *L'Internationale,* églantine à la boutonnière. La première manifestation de la gauche depuis la guerre, les vrais obsèques de Jaurès.

Plus tard, le 15 septembre 1936, deux mois après le début de la guerre civile espagnole, des miliciens républicains abattront, à Ibiza, un Français qui y vit depuis plusieurs années et qui se cache sous un nom d'emprunt.

Cet homme solitaire et un peu hagard se nomme Raoul Villain, l'assassin de Jaurès.

Jaurès repose au Panthéon depuis le 23 novembre 1924. Le gouvernement du Cartel des gauches, victorieux aux élections de mai 1924, a décidé d'organiser cette cérémonie grandiose. Les mineurs de Carmaux porteront le cercueil de Jaurès du Palais-Bourbon jusqu'au Panthéon.

Mais si l'intention du président du Conseil Edouard Herriot était de rassembler, il a échoué. La droite a voté contre le projet et montré son dédain. « Il est moins dangereux au Panthéon qu'à la tribune », dit un sénateur. Surtout, depuis le Congrès de Tours en 1920, le parti de Jaurès, la SFIO, s'est divisé. La majorité est devenue communiste et a gardé pour elle *L'Humanité.*

Blum est resté dans « la vieille maison » qu'est la SFIO. Et ce sont deux cortèges rivaux qui en fait ont conduit Jaurès au Panthéon, deux cortèges, deux partis qui se disputent la mémoire de Jaurès.

On se souvient que Jaurès dans une conversation avec Briand avait déclaré préférer au Panthéon « un de nos petits cimetières ensoleillés et fleuris de campagne ». Au-delà de ce sentiment personnel, révélateur de la sensibilité d'un homme des champs qui avait toujours fui les fastes officiels, il y avait dans ces deux cortèges comme le symbole d'un nouvel échec de Jaurès : l'unité socialiste qui avait été avec la paix, son plus permanent objectif, s'était brisée dans la guerre.

Alors Jaurès, une vie qui n'a laissé que la trace d'une générosité et d'une intelligence — et ce serait déjà beaucoup — mais qui n'aurait pu retourner la terre, ensemencer ?

Il faudrait avoir une vision courte et superficielle de l'histoire pour établir ce bilan-là. C'est vrai que le déclenchement de la guerre de 1914 et le Congrès de Tours, l'opposition entre socialistes et communistes représentent la mort de deux espérances jaurésiennes, la rupture des deux axes majeurs de son action politique.

Mais il faut aller plus profond.

Chaque choix de Jaurès est du côté de la démocratie, de la liberté individuelle et collective, de ce qu'il appelle la République.

Contre les aveuglements sectaires d'une grande partie du mouvement ouvrier français marqué par la Commune, il a inlassablement rappelé que la « forme » politique — le suffrage universel, les droits politiques — est essentielle. Et que ce patrimoine de liberté est le plus précieux de l'histoire française. Il a ainsi définitivement enraciné le mouvement socialiste dans la démocratie et cela a été décisif pour l'histoire de la société française contemporaine.

Ce n'est pas un hasard si les libertés politiques essentielles n'ont été étouffées en France qu'avec une occupation étrangère et si les batailles politiques pour dures qu'elles aient été n'ont pas fait sombrer le pays dans un régime de dictature.

Jaurès a présidé au mariage décisif de la démocratie et du socialisme, du peuple français et de la liberté.

De ce point de vue, quelle contre-histoire des annales officielles de la IIIᵉ République et de nos élites d'alors que cette vie de Jaurès !

De la répression à coups de fusil des grèves aux mensonges d'Etat de l'Affaire Dreyfus, de la corruption et de la médiocrité du personnel politique à la conduite d'une politique extérieure qui conduit à la boucherie de 14-18, du choix de l'Emprunt russe au refus de l'investissement industriel dans le pays, quelles ombres sur la Belle-Epoque et sur les dynasties bourgeoises !

Or, si pas à pas, de la condition de vie des ouvriers (qu'on pense aux débats sur les retraites) à la défense du droit d'un innocent, la société française peu à peu se démocratise, s'ouvre, c'est à l'action inlassable de Jaurès qu'on le doit. Et que dire de sa lucidité sur tous les grands choix et de la cécité — parfois délibérée et intéressée — de ceux qui gouvernaient.

Jaurès seul ? Ce serait le trahir que d'affirmer cela.

Il faut rappeler qu'il pensait que « l'histoire est une mêlée étrange où les hommes qui se combattent servent souvent la même cause. Le mouvement politique et social est la résultante de toutes les forces. Toutes les classes, toutes les tendances, tous les intérêts, toutes les idées, toutes les énergies collectives ou individuelles cherchent à se faire jour, à se déployer, à se soumettre l'histoire ».

C'est précisément parce qu'il avait cette conception « totalisante » de la réalité qu'il pouvait peser sur elle. Et dans cette manière d'aborder le réel, l'action politique, il y a toute la modernité de Jaurès.

Quand il s'interroge sur le sens de la vie, quand il ne sépare pas la liberté et les droits individuels de la justice sociale, quand il fond ensemble la révolution et le réformisme, il est notre contemporain.

Parce qu'il transcendait les oppositions, qu'il se préoccupait d'abord de l'homme, il a échappé au vieillissement de son siècle, pour demeurer associé à tous ceux que préoccupent l'unité et le mouvement des hommes et des choses. Il n'est pas enfermé dans une époque. Il suffit de le lire, de le suivre pour mesurer l'actualité de sa pensée et de son action.

On a voulu ici, après d'autres, grâce à d'autres, baliser la trace de ce « génie symphonique » (Blum), de celui « dont toute la vie fut faite de cette entente, de cette compréhension, de ce jeu de miroirs avec la volonté des citoyens » (Mitterrand).

Livre de parti pris ?

Jaurès écrivait, on l'a dit : « On va réveillant les morts et, à peine réveillés, ils vous imposent la loi de la vie, la loi étroite du choix, de la préférence, du combat, de l'âpre et nécessaire exclusion. Avec qui es-tu ? Avec qui viens-tu combattre et contre qui ? »

Il concluait, on le sait : « Je suis avec Robespierre et c'est à côté de lui que je vais m'asseoir aux Jacobins. »

Modestement, je dis : « Je suis avec Jaurès. »

Paris, le 23 août 1984,
pour Tina et...

CHRONOLOGIES

Dates	Vie de Jean Jaurès	En France	Dans le reste du monde	Inventions et faits culturels
1819	Naissance du père de Jaurès, Jules	Louis XVIII	Bolivar bat les Espagnols	Premier bateau à vapeur traverse l'Atlantique
1822	Naissance de la mère de Jaurès, Adélaïde Barbaza	Mort de Napoléon (1821) Charles X (1824)	Massacres de Chio / Indépendance du Brésil	Schopenhauer : *Le Monde comme volonté...* / Joseph de Maistre : *Du pape* / Stendhal : *De l'amour* / Géricault : *Le Radeau de la Méduse* / Schubert : *Symphonie inachevée* / A. Comte : *Catéchisme positiviste* / G. Sand : *Les Maîtres sonneurs* / Tourgueniev : *Récits d'un chasseur* / Lamartine : *Graziella* / Verdi : *La Traviata*
1852	Mariage de Jules Jaurès et d'Adélaïde Barbaza	Napoléon III / Crédit foncier. Crédit mobilier. Grands magasins	Cavour	
1859	**3 septembre : naissance de Jean Jaurès**	Naissance de Bergson / Loi sur les chemins de fer	Révolutions en Italie / Saigon occupé par les Français	Darwin : *L'Origine des espèces* / Marx : *Critique de l'économie politique* / Tolstoï : *Katia* / Wagner : *Tristan et Isolde*
1860	18 août : naissance de Louis Jaurès, frère de Jean	Nice et la Savoie à la France		

	Vie de Jaurès	Histoire de France	Histoire internationale	Lettres et sciences
1864	**Jaurès a cinq ans**	Manifeste des Soixante / Loi sur le droit de grève	Ire Internationale	Vigny : *Les Destinées*
1869	**Jaurès a dix ans.** Collège de Castres	Programme parlementaire accepté par Napoléon III / La guerre : perte de l'Alsace-Lorraine	Canal de Suez / L'ère Meiji au Japon	Flaubert : *L'Education sentimentale*
1870-71	L'oncle de Jaurès (amiral) se distingue pendant la guerre de 1870	IIIe République — la Commune de Paris		
1876	Collège Sainte-Barbe, Paris	Elections républicaines en France	Dissolution de la Ire Internationale	Le téléphone — le moteur à explosion / Mallarmé : *L'Après-Midi d'un faune* / Flaubert : *Trois contes* / Zola : *L'Assommoir*
1878	Ecole normale supérieure. Reçu 1er			
1879	**Jaurès a vingt ans**	Rémission de Mac-Mahon / Election de Jules Grévy / Première fête du 14 juillet 1880		
1880	3e à l'agrégation de philosophie	Ferry — Gambetta / Loi sur le droit de réunion et sur la presse / Jules Guesde fonde le POF (1880)	Assassinat du tsar Alexandre II	Anatole France : *Le Crime de Sylvestre Bonnard*
1881	Professeur de philosophie au lycée de Castres et (1884) à la faculté des lettres de Toulouse			

Dates	Vie de Jean Jaurès	En France	Dans le reste du monde	Inventions et faits culturels
1882	Mort de son père, Jules Jaurès	Loi Ferry sur l'enseignement primaire	La Triplice	Manet
1884	**Jaurès a vingt-cinq ans**	Droit de grève — Syndicats professionnels autorisés	Plekhanov fonde le Parti marxiste russe (1883)	Rimski-Korsakov Zola : *Germinal* Pasteur et le sérum de la rage
1885 1886	*Elu député du Tarn* Mariage de Jaurès avec Louise Bois Première intervention à la chambre	Boulanger, ministre de la Guerre Création de la Fédération nationale des syndicats Drumont : *La France juive*		Nietzsche : *Par-delà le bien et le mal* Mort de Victor Hugo La mitrailleuse Rimbaud : *Les Illuminations*
1887	Premier article dans *La Dépêche de Toulouse*	Scandale Wilson. Démission de Grévy Première Bourse du Travail Affaire Schnæbelé		
1889	**Jaurès a trente ans** Battu aux élections Naissance de sa fille Professeur à la faculté des lettres de Toulouse	Election de Boulanger à Paris Exposition universelle : la tour Eiffel	Renvoi de Bismarck par Guillaume II Congrès de la IIᵉ Internationale à Paris	Bergson : *Essai sur les données immédiates de la Conscience*
1890	Jaurès, conseiller municipal de Toulouse	1ᵉʳ mai		Verlaine : *Bonheur*

1891	Grève des tramways à Toulouse	Flotte française à Cronstadt / Incidents de Fourmies	Encyclique *Rerum Novarum*	
1892	Soutenance des thèses de philosophie en Sorbonne / Grève des mineurs de Carmaux	Convention militaire franco-russe / Scandale de Panama / Touf Méline / Limitation à 12 h de la journée de travail	Gladstone	Wilde : *L'Eventail de Lady Windermere*
1893	Janvier, élu député socialiste d'Albi II (*Carmaux*) / Entrée à *La Petite République* / Août, *réélu* député de Carmaux	Flotte russe à Toulon / Attentats anarchistes (1892-1894) / Bombe Vaillant à la Chambre / Lois scélérates	Congrès de l'Internationale à Zurich	Premier projecteur cinématographique / Première voiture automobile (Dion)
1894	**Jaurès a trente-cinq ans**	Assassinat de Sadi-Carnot / Casimir-Perier, président de la République / Fondation de la CGT / Félix Faure président de la République / Dégradation de Dreyfus	Nicolas II, tsar	Barrès : *Du sang, de la volupté et de la mort* / Valéry : *La Soirée avec M. Teste* / Tolstoï : *La Puissance des ténèbres*
1895	Grève des verriers de Carmaux			
1896	Inauguration Verrerie ouvrière à Albi	Programme de Saint-Mandé / Visite des souverains russes à Paris	Congrès international socialiste de Londres	
1898	Dans l'Affaire Dreyfus	Zola : *J'accuse*	Guerre hispano-américaine	Rostand : *Cyrano de Bergerac*

Dates	Vie de Jean Jaurès	En France	Dans le reste du monde	Inventions et faits culturels
1898	Battu aux élections législatives Directeur politique de *La Petite République* Naissance de son fils, Louis Contrat pour *L'Histoire socialiste*	Delcassé, ministre des Affaires étrangères *L'Action française* *L'Internationale* adoptée comme chant des socialistes Fachoda Suicide du commandant Henry		Rodin : *Balzac*
1899	**Jaurès a quarante ans**	Waldeck-Rousseau président du Conseil ; Millerand ministre du Commerce Dreyfus gracié	Guerre des Boers	Maurras : *Trois idées politiques* Ravel : *Pavane pour une infante défunte*
1900	Jaurès débat avec Guesde à Lille : les deux méthodes	Loi Millerand-Colliard sur la durée du travail	Congrès de l'Internationale à Paris. Création du Bureau socialiste international Révolte des Boxers en Chine	Freud : *L'Explication des rêves* Première ligne de métro à Paris Dirigeable Zeppelin
1901	Communion de Madeleine Jaurès	Griffuelhes, secrétaire général de la CGT Parti socialiste de France (J. Guesde, etc.)		

1902	Jaurès réélu député de Carmaux / Histoire socialiste de la Révolution française	Ministère Combes / Parti socialiste français (Jaurès, etc.)	Achèvement du trans-sibérien	Mort de Zola
1903	Vice-président de la Chambre	Millerand exclu du Parti socialiste français	Scission entre bolcheviks (majoritaires) et mencheviks (minoritaires)	Usines automobiles Ford / Premier vol des frères Wright
1904	**Jaurès a quarante-cinq ans** / Parution de *L'Humanité* / Duel avec Paul Déroulède	Loi interdisant l'enseignement à toutes les congrégations / Loi militaire des deux ans / Affaire des « fiches »	Congrès de l'Internationale à Amsterdam. Décision d'unification des partis socialistes français / Guerre russo-japonaise	
1905	Congrès du Globe à Paris	Unification des partis socialistes : la SFIO / Chute de Combes	Révolution russe : dimanche rouge et cuirassé *Potemkine*	Freud : *Théorie de la sexualité*
1906	Réélu député de Carmaux / Mort de sa mère	La CGT adopte la charte d'Amiens / Ministère Clemenceau / Briand, ministre, exclu de la SFIO		Romain Rolland : *Jean-Christophe*
1907		Révolte des vignerons du Midi	Congrès de l'Internationale à Stuttgart sur la question de la guerre	Gorki : *La Mère* / Debussy : *Poissons d'or*

Dates	Vie de Jean Jaurès	En France	Dans le reste du monde	Inventions et faits culturels
	Jaurès leader au Congrès SFIO de Toulouse	Graves incidents à Villeneuve-Saint-Georges et Draveil. Journée de 8 h dans les mines. Cendres de Zola au Panthéon	Annexion de la Bosnie-Herzégovine par l'Autriche : défaite diplomatique de la Russie et de la Serbie	G. Sorel : *Réflexions sur la violence*
1909	**Jaurès a cinquante ans.** Mariage de Madeleine Jaurès	Accord franco-allemand sur le Maroc. Jouhaux, secrétaire général de la CGT. Chute du ministère Clemenceau. Ministère Briand		Blériot traverse la Manche. Gide : *La Porte étroite*
1910	Jaurès réélu à Carmaux	Grève des cheminots brisée par Briand	Congrès de l'Internationale à Copenhague	Péguy : *Le Mystère de la charité de Jeanne d'Arc*
1911	Publication de *L'Armée nouvelle.* Voyage en Amérique latine. Explosion du cuirassé *Liberté* commandé par Louis Jaurès	Ministère Caillaux. Coup d'Agadir	L'Italie annexe la Tripolitaine	Claudel : *L'Otage*

1912		Ministère Poincaré	Guerre balkanique Congrès extraordinaire de l'Internationale à Bâle, contre la guerre Wilson président des USA	Jules Romains : *Les Copains* Freud : *Totem et Tabou* Stravinsky : *Le Sacre du printemps*
1913	25 mai : meeting au Pré-Saint-Gervais	Poincaré, président de la République. Loi des trois ans		
1914	**Jaurès dans sa 55e année** Réélu à Carmaux Assassiné le 31 juillet par Villain	Elections à gauche Entrée en guerre Union sacrée	Assassinat de François-Ferdinand à Sarajevo	Proust : *A la recherche du temps perdu*
1917		Mutineries sur le front : grèves Rupture de l'Union sacrée Ministère Clemenceau	Révolutions russes Entrée en guerre des USA	Freud : *Introduction à la psychanalyse*
1918	Mort de Louis Jaurès, fils de Jaurès, sur le front français	Armistice	Brest-Litovsk	Tzara : *Manifeste Dada*
1919	Acquittement de Raoul Villain. La veuve de Jaurès condamnée aux dépens	Elections « Bloc national » Manifestation d'hommage à Jean Jaurès Deschanel puis Millerand, présidents de la République	Traité de Versailles Fondation de la IIIe Internationale (Komintern)	Désintégration de l'atome
1920		Congrès de Tours. Scission SFIO-PCF	Hitler présente son programme en 25 points	Bergson : *L'Energie spirituelle*

Dates	Vie de Jean Jaurès	En France	Dans le reste du monde	Inventions et faits culturels
1924	Jaurès au Panthéon	Bloc des gauches Démission forcée de Millerand, Président de la République	Mort de Lénine	Début de la parution des *Thibault* de Roger Martin du Gard (1922-1940)
1936		Front Populaire. Léon Blum, Président du Conseil	Constitution « stalinienne »	
1959	100e anniversaire de la naissance de Jaurès	De Gaulle (1958). La SFIO représentée au gouvernement	Entrée en vigueur du Marché commun	
1981		F. Mitterrand, Premier secrétaire du PS, élu Président de la République, se rend sur la tombe de Jaurès au Panthéon		
1984	70e anniversaire de l'assassinat de Jaurès Le Président de la République au café du Croissant			

ORIENTATION BIBLIOGRAPHIQUE

Une bibliographie jaurésienne complète comporterait au moins plusieurs centaines de titres.

Il s'agit ici d'une orientation permettant d'aller plus avant.

A) *Pour tout ce qui concerne* l'état de l'information et de la recherche *concernant Jaurès et les discussions qu'il provoque :*

1. *Bulletin de la Société d'études jaurésiennes.*
   Depuis 1960. Siège social : 131, rue de l'Abbé-Groult, Paris-75015. Adhésions et envoi des bulletins. CCP Paris 13669 84 H. Présidente : Madeleine Rebérioux.

B) *Les biographies de Jaurès*

1. « Jean Jaurès », par Madeleine Rebérioux, in *Dictionnaire biographique du Mouvement ouvrier français,* T. XIII, Paris, 1975 (Madeleine Rebérioux est l'historienne qui connaît le mieux Jaurès et la période).
2. *Jaurès,* par Jean Rabaut, Paris, 1971. Solide, précis, complet. Comporte une importante bibliographie. Par l'un des fondateurs de la Société d'études jaurésiennes.
3. *Jean Jaurès,* par Harvey Goldberg, Paris, 1970. Met Jaurès en perspective dans le mouvement ouvrier et l'environnement politique. Bibliographie.
4. *La Vie de Jean Jaurès,* par Marcelle Auclair, Paris, 1954. Approche sensible, intimiste, mais rigoureuse de la vie de Jaurès. Rien d'essentiel n'est négligé sur le plan historique.

5. *L'Arrière-Pensée de Jaurès,* par Henri Guillemin, Paris, 1966. Indispensable. L'intuition érudite de Guillemin ouvre la pensée de Jaurès.
6. *Jean Jaurès, l'Homme, le Penseur, le Socialiste,* par Charles Rappoport, Paris, 1915. Les discours et les textes de Jaurès sont longuement cités. Utile, une « source ».
7. *Jean Jaurès, esquisse biographique,* par L. Lévy-Bruhl, Paris, 1924. Des lettres de Jaurès. Une « source ».
8. *Jaurès intime,* par Frantz Toussaint, Paris, 1952. Des anecdotes.

C) *L'assassinat de Jaurès*

1. *Jaurès et son Assassin,* par Jean Rabaut, Paris, 1967. La mise au point érudite et probablement définitive. Bibliographie.
2. *Jaurès assassiné,* par Jean Rabault, Bruxelles, 1984. De nombreux éléments du livre précédent mais étude élargie.
3. *Ils ont tué Jaurès,* par F. Fonvielle-Alquier, Paris, 1968. Un récit comportant des témoignages.

D) *Aspects de Jaurès*

1. *Essais sur Jean Jaurès,* par G. Tétard, Colombes, 1959. Un livre indispensable. Comporte une bibliographie méthodique et critique.
2. « Jaurès », in *Philosophes de tous les temps,* par André Robinet, Paris, 1964. Remarquable étude suivie d'extraits des œuvres philosophiques de Jaurès.
3. *Ils ont fait la République : Jean Jaurès.* Des essais présentés par Vincent Auriol. Paris, 1962. Très riche.
4. « Socialisme et Religion », par Madeleine Rebérioux, in *Les Annales, ESC,* novembre-décembre 1961. Etude pénétrante du texte de Jaurès sur « la religion ». Indispensable.
5. *Jaurès et la Nation,* Actes du colloque, Paris, 1965.
6. *Jaurès et la Classe ouvrière,* Actes du colloque, Paris, 1981. Ces deux derniers livres apportent des mises au point et des discussions d'une très grande richesse.
7. *Jaurès et le Socialisme des intellectuels,* par G. Lefranc, Paris, 1968. Une réflexion intéressante sur un thème ouvert.

E) *Les textes de Jaurès*

1. *Jean Jaurès, Anthologie,* présentée par Louis Lévy, préface de Madeleine Rebérioux, Paris, 1983. Une préface remarquable. Des textes essentiels. Indispensable.
2. *Œuvres de Jean Jaurès,* textes rassemblés présentés et annotés par Max Bonnafous, 9 tomes, Paris, 1931-1939. En attendant la parution des

Œuvres en 20 volumes, chez Privat (Toulouse). C'est l'ensemble le plus complet.

3. Jean Jaurès (1859-1914), *L'Intolérable. Anthologie,* par Gilles Candar, une anthologie thématique en deux volumes. Le premier paru en 1984. Paris.

4. *Histoire socialiste de la Révolution Française,* préface de E. Labrousse et M. Rebérioux, édition revue par A. Soboul, Paris, 1983. Pour connaître l'historien Jaurès.

5. *Les Preuves,* présentation de M. Rebérioux, Paris, 1980. Les grands articles consacrés à L'Affaire Dreyfus.

6. *Jean Jaurès et la Classe ouvrière,* présentation de M. Rebérioux, Paris, 1976. Anthologie très utile sur les rapports entre Jaurès et le monde ouvrier.

7. *Jean Jaurès : contre la guerre et la politique coloniale,* Paris, 1959. Introduction et notes par M. Rebérioux. Très utile.

8. *L'Armée nouvelle,* introduction de L. Baillot, Paris, 1977. Dans ce grand texte, Jaurès aborde en fait tous les thèmes.

9. *Préface aux discours parlementaires : le socialisme et le radicalisme en 1885,* présentation de M. Rebérioux, Genève, 1980. Un texte important.

10. *Etudes socialistes,* présentation de M. Rebérioux, Genève, 1979.

11. *L'Esprit du socialisme, six études et discours,* préface de J. Rabaut, Paris, 1964.

12. *La Guerre franco-allemande 1870-1871,* préface de J.-B. Duroselle, postface de M. Rebérioux, Paris, 1971.

13. *Les Origines du socialisme allemand,* préface de L. Goldmann, Paris, 1959.

F) Histoire de la IIIᵉ République

Ces lectures sont indispensables pour éclairer Jaurès.

1. *Cent ans de République,* par J. Chastenet, T. I à IV, Paris, 1970. Académique mais des informations utiles.

2. *Les Débuts de la IIIᵉ République (1871-1898),* par J.-M. Mayeur, Paris, 1973. Le point de la recherche historique.

3. *La République radicale, 1898-1914,* par Madeleine Rebérioux, Paris, 1975. Des vues neuves.

4. *Histoire politique de la IIIᵉ République,* par G. Bonnefous, T. I et T. II, Paris, 1967. Systématiquement hostile à Jaurès mais nécessaire pour les débats parlementaires.

5. *La Société française, 1840-1914,* par P. Sorlin, Paris, 1969.

6. *Histoire économique et sociale de la France,* T. IV, sous la direction de F. Braudel et E. Labrousse, Paris, 1979. Ces deux derniers livres pour le cadre où se déploie la vie de Jaurès.

G) Aspects particuliers de l'histoire de la IIIᵉ République

1. *Maurice Barrès et le Nationalisme français*, Paris, 1972.
   La Droite révolutionnaire, 1885-1914, Paris, 1978.
   Ni droite ni gauche, Paris, 1983.
   Ces trois volumes de Zeev Sternhell sont tout à fait remarquables et indispensables.
2. *L'Affaire*, par Denis Bredin, Paris, 1983. Le point (avec bibliographie) sur l'Affaire Dreyfus. Remarquable de précision.
3. *L'Action française*, par E. Weber, Paris, 1962.
4. *Les Deux scandales de Panama*, par Jean Bouvier, Paris, 1964.
5. *La Séparation de l'Eglise et de l'Etat*, par J.-M. Mayeur, Paris, 1966. Ces deux derniers livres comportent des textes.
6. *La Vie quotidienne des députés en France, 1871-1914*, par P. Guiral et G. Thuillier, Paris, 1980. Utile.
7. *Les Origines de la Première Guerre mondiale*, par R. Poidevin, Paris, 1975. Des textes.

H) Le mouvement ouvrier et socialiste pendant la vie de Jaurès

1. *Le Mouvement socialiste sous la IIIᵉ République*, par Georges Lefranc, T. I, Paris, 1977. Indispensable. Erudit et clair.
2. *Les Guesdistes, 1893-1905*, par C. Willard, Paris, 1965. Indispensable.
3. *Histoire générale du socialisme*, sous la direction de J. Droz, T. II, Paris, 1974.
4. *Les mineurs de Carmaux, 1848-1914*, par Rolande Trempé, Paris, 1971. Indispensable.
5. *Dictionnaire biographique du mouvement ouvrier français*, par J. Maitron, 3ᵉ partie, Paris, 1981. Une mine de renseignements.
6. *Le Mouvement anarchiste en France*, par Jean Maitron, Paris, 1975.
7. *Le Syndicalisme révolutionnaire*, par H. Dubief, Paris, 1969.
8. *Le Marxisme introuvable*, par D. Lindenberg, Paris, 1975. Réflexion importante sur l'implantation du marxisme en France.
9. *Le Socialisme et le Pouvoir*, par M. Perrot et A. Kriegel, Paris, 1966.
10. *1914, la Guerre et le Mouvement ouvrier*, par A. Kriegel et J.-J. Becker, Paris, 1964.
11. *Le Mouvement ouvrier pendant la guerre*, par Alfred Rosmer, Paris, 1936.
12. *Histoire du 1ᵉʳ Mai*, par M. Dommanget, Paris, 1972.
13. *Fernand Pelloutier*, par J. Julliard, Paris, 1971.
14. *Courrières, 1906*, par H. Luxardo et *al.*, Paris, 1979.
15. *La Révolte des vignerons, 1907*, par F. Napo, Toulouse, 1971.
16. *Clemenceau, briseur de grèves*, par J. Julliard, Paris, 1965.
17. *Les Internationales ouvrières*, par A. Kriegel, Paris, 1964.
18. *Le Socialisme et la France*, textes de Rosa Luxemburg, Paris, 1971.
19. *La Vie et l'Œuvre de Rosa Luxemburg*, par J. Nettl, T. I, Paris, 1972.

ORIENTATION BIBLIOGRAPHIQUE

I) Autour de Jaurès

1. *Lucien Herr, le Socialisme et son Destin,* par D. Lindenberg et P.-A. Meyer. Etude originale et indispensable sur le climat intellectuel autour de Jaurès.
2. *Métaphysique et Politique selon Péguy,* par André Robinet, Paris, 1968. Approche fine, érudite, indispensable des rapports entre Péguy, Bergson et Jaurès.
3. *Vie de Lucien Herr,* par Charles Andler, Paris, 1932.
4. *Péguy, entre l'ordre et la Révolution,* par G. Leroy, Paris, 1981.
5. *Charles Péguy,* par H. Guillemin, Paris, 1981. Un long et talentueux chapitre sur les rapports Péguy-Jaurès, et la rupture avec le groupe Herr.
6. *Léon Blum,* par Jean Lacouture, Paris, 1977. Solide biographie dont les débuts touchent à celle de Jaurès.
7. *Joseph Caillaux, Le défi victorieux (1863-1914),* par Jean-Claude Allain, Paris, 1978. Une étude essentielle.
8. *Bonjour, M. Zola,* par A. Lanoux, Paris, 1978.

J) Textes, mémoires, etc.

Il faudrait explorer toute la seconde moitié du xixe siècle, les œuvres et les mémoires. Retenons, un peu arbitrairement :

1. *Mes Mémoires,* par J. Caillaux, 3 vol., Paris, 1942-1947. Plaidoyer remarquable d'intelligence.
2. *Journal de Jules Renard (1887-1910),* Paris (Pléiade), 1975. Sans doute l'un des textes les plus vifs, les plus vrais, les plus sensibles et les plus lucides sur l'époque.
3. Proust (*Contre Sainte-Beuve, suivi de Essais et articles,* Paris, 1971) ; Claudel (*Journal 1* (1904-1932), Paris, 1968) ; Alain (*Propos,* Paris, 1956) sont naturellement à lire.
4. Ne pas oublier le témoignage de Laurent Naves, *Mon Chemin,* Paris, 1966. Un fils de Carmaux raconte.
5. Et puis Guéhenno, les Tharaud, Roger Martin du Gard, Jules Romain et naturellement Barrès et Péguy...
6. Les Mémoires des hommes politiques ou diplomates de Combes à Poincaré, de Joseph Paul-Boncour à Maurice Paléologue...

K) Les socialistes contemporains et Jaurès

1. *L'Œuvre,* par Léon Blum, T. I d'abord, Paris, 1972.
2. *Politique 2,* par François Mitterrand, Paris, 1981.

INDEX

A

A bas Casimir, article de Gérault-Richard : 159.

ABD EL AZIZ, sultan du Maroc : 437, 492, 511.

ABOUT Edmond : 39.

ABRIAL, député conservateur de Castres : 94.

Académie française : 210, 216, 401, 502, 508, 518.

Action française, mouvement : 263, 373-374, 390, 401, 402, 433, 445, 447, 458, 493, 503, 505, 515, 516, 543-544, 573.

Action française, L'—, journal : 16, 263, 435, 447, 458, 490, 515, 516, 549, 554, 566, 588, 592.

Action libérale populaire, organisation catholique : 306.

Action nationale, L'—, revue, 525.

Action socialiste, L'—, de J. Jaurès : 257, 297.

ADAM Paul : 541.

ADLER Victor : 300, 363, 365, 366, 372, 522, 523, 574.

AEHRENTHAL Aloys, comte d'— : 451, 584.

Afrique noire : 438, 494.

Afrique du Nord : 457 ; *voir :* Algérie, Maroc, Tunisie.

Afrique du Sud : 290.

Agadir, incident d'— (juin 1911) : 493-494, 496, 501, 502, 529.

AGATHON *voir :* MASSIS Henri *et* TARDE Alfred de —.

agriculture : 149, 187, 196, 205-207, 338.

Aiglon, L'—, d'E. Rostand : 472.

ALAIN : 554-555, 564, 581.

ALAIN-FOURNIER : 458.

ALAPETITE, préfet du Tarn : 235, 236, 318.

Albanie : 519.

ALBERT, prince de Monaco : 360.

Albi (Tarn) : 45, 47, 48, 49, 50-52, 55, 57-58, 61, 83, 85, 86, 118, 128, 130, 162, 167, 284, 307, 344, 377, 425, 426, 478, 493, 495, 534 ; la verrerie ouvrière d'— : 184-185, 190, 194-195, 199, 200-201, 236, 276, 279, 284, 433, 514 ; le discours d'— (juillet 1903) : 344-346.

Alcazar, L'—, music-hall (Paris) : 74.

Alexandria, yacht de Nicolas II : 568.

Alger : 228-229, 237, 264, 282.

Algérie : 165-166, 348, 383.

Algesiras, conférence d'— (1905) · 389, 415, 436.

Alhambra, music-hall (Marseille) : 261.

ALLARD Maurice : 400.

ALLEMANE Jean : 103, 127, 143, 156, 230, 250, 260, 271, 288, 319, 356, 362, 381.

Allemagne : 29, 88, 89, 101, 147, 341, 352, 464, 472, 479, 511, 516, 522, 528, 529, 535, 548 ; Jaurès et l'— : 366, 371, 391, 394, 436-437, 438, 441, 448, 482, 488-489, 519 ; l'affaire du Maroc : 388-390, 415, 437, 438, 450-451, 452, 466, 480, 492-494, 496, 497-498, 499, 505, 506 ; et les Balkans : 451, 452, 519, 547, 564 ; Jaurès, « agent de l'— » : 501-502 ; vers la guerre : 532, 537, 541, 547, 564, 571, 572 ; la guerre : 575,

613

INDEX

P

S

INDEX

Table des matières

IV — AU SERVICE DE LA JUSTICE ET DE L'HISTOIRE
(1898-1902)

V — L'HOMME DE L'UNITÉ
(1902-1906)

VI — « NOUS LES DÉFENSEURS DE LA CLASSE OUVRIÈRE »
(1906-1910)

TABLE DES MATIÈRES

VII — « J'APPELLE LES VIVANTS, JE PLEURE SUR LES MORTS, JE BRISERAI LES FOUDRES » (1910-1914)

VIII — « ET MAINTENANT, VOILÀ L'INCENDIE... » (1914)

Achevé d'imprimer le 19 avril 1994
sur presse CAMERON
dans les ateliers de la SEPC
à Saint-Amand-Montrond (Cher)

Nº d'édition : 35420. Nº d'impression : 1051.
Dépôt légal : décembre 1984.